中國國家圖書館編

國家圖書館藏敦煌遺書

第三十四冊　北敦〇二四〇一號——北敦〇二五〇〇號

北京圖書館出版社

圖書在版編目(CIP)數據

國家圖書館藏敦煌遺書·第三十四册/中國國家圖書館編;任繼愈主編.—北京:北京圖書館出版社,2006.6

ISBN 7-5013-2976-1

Ⅰ.國… Ⅱ.①中…②任… Ⅲ.敦煌學-文獻 Ⅳ.K870.6

中國版本圖書館 CIP 數據核字(2006)第 027549 號

ISBN 7-5013-2976-1

書　　名	國家圖書館藏敦煌遺書·第三十四册
著　　者	中國國家圖書館編　任繼愈主編
責任編輯	徐　蜀　孫　彦
封面設計	李　璀

出　　版	北京圖書館出版社　(100034　北京西城區文津街 7 號)
發　　行	010-66139745　66151313　66175620　66126153 66174391(傳真)　66126156(門市部)
E-mail	cbs@nlc.gov.cn(投稿)　btsfxb@nlc.gov.cn(郵購)
Website	www.nlcpress.com
經　　銷	新華書店
印　　刷	北京文津閣印務有限責任公司

開　　本	八開
印　　張	59.75
版　　次	2006 年 9 月第 1 版第 1 次印刷
印　　數	1-250 册(套)

書　　號	ISBN 7-5013-2976-1/K·1259
定　　價	990.00 圓

目錄

色衆華旒蘇覆於臺上以白
柱以无價寶遍布臺下其寶柔軟
毾等絨婆羅石其石之色如毗瑠璃石色
軟如迦遮隣提迦衣微妙可樂悦人眼目令
諸天人愛戀繫念彼諸寶等亦復如是彼諸
種種摩尼寶中或有出於涼冷光焰有出青
水有出赤水有出白水有出黄水或復有出
雜色之水或復有出涼樂之風或有寶珠隨
諸衆生所須之事皆悉出之或復有寶出於
油澤或有摩尼以為明鏡一切大衆皆現其
中於迦毗羅大城之中所出人民隨其多少
皆現寶中一切大衆皆悉覩見佛及聲聞
作此種種神通變化以彼摩尼寶神力故於
其地中出於種種雜色寶蓋及以種種雜色
寶幢亦有種種雜色寶幡復出種種雜華旒
蘇亦有種種雜香旒蘇復有種種雜寶旒蘇
復出種種真珠旒蘇復出種種雜色龍幡
復出種種衆寶鈴網復出種種雜色良馬諸
所出者皆是龍力尒時難陀優波難陀龍
王及九億龍駈彼良馬隨而步行右遶三帀以
如迦遮隣提迦柔軟之寶而散世尊於彼臺
下地中所出種種衆寶上昇虛空雨於如来
及聲聞上復以諸龍无量樂器於虛空中自

王及九億龍駈彼良馬隨而步行右遶三帀以
如迦遮隣提迦柔軟之寶而散世尊於彼臺
下地中所出種種衆寶上昇虛空雨於如来
及聲聞上復以諸龍无量樂器於虛空中自
然出好微妙音聲供養於佛尒時九億諸龍遶
佛三帀已在於佛前合掌嘿然念佛功德瞻
仰如来目不暫捨樂　功德深心安住阿耨
多羅三藐三菩提故彼等多時合掌嘿然念
佛功德已偏袒右肩右膝著地合掌向佛五
體投地為佛作礼衆共一音以偈讚曰
久脩威儀百福相　悲心離垢行具足
棄捨无盡衆寶地　世尊出於迦毗城
於六年中脩苦行　如来不得甘露道
善逝意猶不退悶　以其久脩智慧故
如来真是天人師　為世間故脩苦行
世人聞已尚不堪　況復能以目親覩
牟尼過去捨頭目　如聖所集菩提心
我等聞是不生樂　由聞如来苦行故
如佛本作忍辱仙　為迦梨王截手足
及劓耳鼻不生恚　我等聞是不能忍
如佛以身上稱鴿　為鳥歸投不捨棄
我等聞已亦不樂　如来過去甚勤苦
何故我等心不樂　以世尊行極苦故
於如来所作惡者　墮惡道時佛復悲
具足聖慧大尊師　云何能行不害心
脩習道行无瘢疵　唯願佛說安樂行
今此龍衆已發心　求於善逝菩提行

具足聖慧大導師　云何能行不害心
脩習道行无瘀疣　唯願佛說安樂行
令此龍衆已發心　求於善逝菩提行
如佛所說悉能行　唯願速說菩提道
此諸龍衆甚渴仰　唯求不死不生處
願說如來安隱行　令此衆生易受化
尒時世尊見諸龍衆設其供養及聞發願知
深信已佛於尒時現微笑相諸佛法尒若現
微笑即於面門放種種色无量光明其光遍
照上至梵天照已還來從佛頂入尒時慧命馬
勝比丘以偈問曰
善哉沙門大牟尼　非是无因現微笑
慈悲道師唯願說　无等善慧笑因緣
大衆瞻仰求欲聞　世尊无量功德行
於笑生疑心不樂　唯願法王斷衆疑
誰於釋迦佛法中　令生敬信心欣喜
誰令今日魔波旬　心意迷亂不欣樂
誰於今日能恭事　功德法父大道師
誰作第一勝供養　頌釋師子上上說
此諸大衆合指掌　皆悉對佛瞻御住
唯願衆師除疑網　為衆演說笑因緣
大衆聞已生欣喜　能知世尊正法教
大智世尊令衆喜　隨順正教善安住
尒時世尊以偈荅慧命馬勝曰
深廣智慧大衆師　說時梵音具八種
清淨其心離穢濁　諦聽我說笑因緣
此諸龍王敬信心　於我設供超一切

BD02401 號　大寶積經（聖本）卷六四　（16–3）

尒時世尊以偈荅慧命馬勝曰
深廣智慧大衆師　說時梵音具八種
清淨其心離穢濁　諦聽我說笑因緣
此諸龍王敬信心　於我設供超一切
是等為求佛菩提　利益一切世間故
悲心增上觀衆生　无有導師云何樂
我云何得大菩提　成熟衆生不疲勞
深樂寂定具智慧　乘安樂乘心清淨
於空无相及无願　无量劫來久已脩
其心平等觀世間　如佛所得智慧相
慈悲喜心皆平等　為令世間安隱故
第一悲心憐愍者　當得作佛稱其意
彼等觀察世間已　當成導師号无怨
彼等當得甘露時　无有魔怨亦无餘
恒常演說无我法　一向无有世俗說
彼諸如來具大悲　令諸衆生入佛智
是諸善逝說法時　一切衆生皆信解
彼等世世脩道時　成熟衆生不為難
彼所成熟聞法已　當得解脫證甘露
諸聞法者悉解脫　是諸衆生皆端嚴
一切衆生皆能知　彼諸如來所說法
一切鬼神及畜生　无有不解彼佛語
一切皆得念法已　能解如來甘露法
无有衆生聞佛說　當時不生愛樂心
愛樂彼佛所說者　一切皆悉得甘露
彼時所有受化者　當得解脫生老病
及解脫死憂悲苦　聞佛說已心无垢
如是釋迦牟尼佛　說諸龍意荅佛子

BD02401 號　大寶積經（聖本）卷六四　（16–4）

受樂彼佛所說者　一切皆悉得甘露
彼時所有受化者　當得解脫生老病
及解脫死憂悲苦　聞佛說已心无垢
如是釋迦牟尼佛　說諸龍意答佛子
如彼堅智心中轉　為得无等菩提故
如来授彼諸龍記　大衆聞已皆欣喜
大衆喜已歸依佛　一切皆悉心寂靜

鳩槃茶授記品第八

尒時復有諸鳩槃茶一億八千万見諸阿脩
羅伽樓羅龍女龍王等供養如来聞授記已
稱其心意踊躍欣喜生希有心得未曾有如
来世尊功德智慧微妙殊勝得如是等希有
供養不佐不喜以佛智慧於諸智慧最尊勝
故譬如大海不增不減何以故以深廣故如
是世尊得勝供養心无增減亦復如是何以
故於一切法无所疑故尒時一億八千万鳩
槃茶等為供養故化作一億八千万蓋皆
是七寶之所成就金綫寶蓋銀綫寶蓋毗瑠
璃綫衆寶之蓋頗梨珠綫衆寶之蓋赤真珠
綫衆寶之蓋碼碯珠綫衆寶之蓋車𤦲珠綫
衆寶之蓋彼諸鳩槃茶於衆寶蓋懸寶旒
蘇有種種色金綫寶蓋銀綫旒蘇銀綫寶蓋
金綫旒蘇毗瑠璃蓋頗梨旒蘇頗梨寶蓋毗
瑠璃綫以為旒蘇赤真珠蓋車𤦲旒蘇車
𤦲寶蓋赤真珠綫以為旒蘇馬碯寶蓋頗利
旒蘇又復化作一億八千万衆寶之車亦種
種色其奇微妙所謂金銀瑠璃頗梨真珠車

𤦲寶蓋赤真珠綫以為旒蘇馬碯寶蓋頗利
旒蘇又復化作一億八千万衆寶之車亦種
種色其奇微妙所謂金銀瑠璃頗梨真珠車
𤦲碼碯於其車上復更化作一億八千万衆寶
之蓋與車相連二寶蓋皆有百子其諸蓋莖
皆用金銀及以頗梨毗瑠璃等於彼寶蓋復
化種種寶華旒蘇嚴飾其蓋所謂金花旒
蘇銀華旒蘇毗瑠璃華以為旒蘇頗梨旒蘇赤寶
旒蘇龍珠旒蘇赤真珠華以為旒蘇復以青
真珠細弥覆其上又復化作鳩槃茶雜色種
種肩而用乘佛復更化作一億八千万衆寶
色馬調伏駿疾以駕其車尒時鳩槃茶等各
乘寶車遶佛三帀以七寶華而散佛上尒特
彼諸鳩槃茶等從車而下来至佛前頭面禮足
已復遶三帀曲躬合掌住立一面以偈讚曰
不增不減大牟尼　譬如須弥諸山王
受此无上供養者　如来以得无畏故
觀諸衆生但有名　及但有用不取着
尊師以脩寂滅定　是故智者无貢高
牟尼知世猶如幻　亦如夢中受欲樂
復似水月春時焰　如是觀察悉无餘
譬如乾城无有實　於十方求不可得
其城无實但有名　佛見世法悉如是
一切人天所供養　寶車寶蓋及寶
幢華旒蘇合掌等　世尊觀知如影響
我等設是供養已　願我當来得作佛
亦願我知世如夢　知已說法如世尊

一切人天所供養　寶車寶蓋及寶衣
幢華旒蘇合掌等　世尊觀知如影響
我等設是供養已　願我當來得作佛
亦願我知世如夢　知已說法如世尊
我等見諸苦惱者　生老病死之所逼
願知无死佛菩提　說令聞者得解脫
於諸无智衆生所　願得菩提為說法
演說无有垢濁法　无道衆中為作道
尒時世尊知諸鳩槃荼等深生信已現微笑
相尒時慧命馬勝比丘以偈問曰
佛非无因現微笑　不依一切為希有
如來不依而現笑　我今願聞此因緣
一切天人皆有疑　見佛口中現微笑
唯願斷除諸疑網　演說世尊微笑事
誰於正法得深信　誰能如法見慈父
誰佛所讚行供養　人中勝者我願聞
今日誰於有為行　見其過患能棄捨
今日誰能住實際　清淨心者我願聞
誰能降魔及眷屬　誰能令佛心歡喜
誰能得深有為底　我願得聞斷疑心
一切天衆合掌住　為聞如來發因緣
願斷一切衆生疑　兩足尊者說彼記
尒時世尊以偈荅慧命馬勝言
善哉馬勝問是義　汝於世間大利益
以汝問發因緣故　諦聽馬勝我今說
鳩槃荼衆供養我　於寂滅法心信住
彼等見我不驚怯　心生希有起願求
彼等今日供養我　其心簡擇寂滅法

善哉馬勝問是義　汝於世間大利益
以汝問發因緣故　諦聽馬勝我今說
鳩槃荼衆供養我　於寂滅法心信住
彼等見我不驚怯　心生希有起願求
彼等今日供養我　其心簡擇寂滅法
以深心信起大悲　於失道者能作道
愍衆生故供養我　為失道者起慈心
此等賢智作是已　得捨鬼身生忉利
天主恒以慈悲心　在天數數教導彼
彼於諸法得无疑　得為帝釋親眷屬
彼於无量恒沙劫　一一國土行佛行
被大弘誓堅固鎧　供養具大正法者
彼於无量諸國土　心无疲倦令清淨
利益大衆作導師　當得作佛号不怯
彼於諸國行行時　是國人必知成佛
以此方便未來世　雖度衆生无怯心
為求无上安隱道　淨諸國土都不怯
於所作事心无著　於大菩提亦如是
所問發因我已荅　衆生疑心皆得斷
大衆離疑得歡喜　以定得知彼供養
乹闥婆授記品第
尒時復有三億六千萬乹闥婆衆見諸阿脩
羅迦樓羅龍女龍王鳩槃荼等供養世尊聞
授記已稱其心意歡喜踊悅生希有心得未
曾有歎言希有未曾有事乃至如來所說法
界无有變異而亦有作善根增長雖无作者
而亦作業彼乹闥婆等於此法中如是知已

羅迦樓羅龍女龍王鳩槃荼等供養世尊聞
授記已稱其心意歡喜踊悅生希有心得未
曾有歎言希有未曾有事乃至如來所說法
界无有變異而亦有作善根增長雖无作者
而亦作業彼乹闥婆等於此法中如是知已
於如來所心生尊重發阿耨多羅三藐三菩
提心彼歡喜已為供佛故化作三億六千萬頭
𠰒羅婆那大龍象王皆有六牙一一牙上化
作七池一一池中化七蓮華一一蓮華化
作千葉一一葉上化七玉女一一葉間化七侍
女以天諸寶為莊嚴具而用莊飾復執天香
而用供養復於一一𠰒羅婆那象王頭上化
作三億六千萬蓋七寶旒蘇懸蓋四邊七寶
羅網以覆蓋上復於一一𠰒羅婆那象王
頭上化作三億六千萬帳皆是諸天妙香所
成繒綵旒蘇懸帳四邊化作三億六千萬頭
𠰒羅婆那大象王已彼乹闥婆等各乘其象
鼓天音樂於虛空中旋遶如來三十六帀以
天旃檀末天沉水末天多摩羅葉末天真金
末曼陁羅華摩訶曼陁羅華曼殊沙華摩訶
曼殊沙華波樓沙華摩訶波樓沙華迦迦羅
婆華摩訶迦迦羅婆華又復化作七寶之華
而散佛上彼乹闥婆等散香華時是香花氣
遂風順風縱橫皆去復雨種種天妙香水雨
香水時於迦毗羅城縱廣正等六十由旬皆
成香泥其香泥氣充滿三千大千世界其中
眾生聞香氣者皆悉不退阿耨多羅三藐三

BD02401 號　大寶積經（聖本）卷六四　（16–9）

香水時於迦毗羅城縱廣正等六十由旬皆
成香泥其香泥氣充滿三千大千世界其中
眾生聞香氣者皆悉不退阿耨多羅三藐三
菩提奏音樂時其諸音聲遍滿三千大千世
界其中眾生聞此聲者亦得不退阿耨多羅
三藐三菩提如是一一諸乹闥婆各於三億
六千萬象王頭上設其供養令諸王女有作
樂者有作歌者有作舞者彼諸玉女作歌舞
時令諸大眾一心觀望復有玉女動身手者
散旃檀末者散沉水末者廣作供養如阿脩
羅所設之事等无異也尒時乹闥婆等各乘
𠰒羅婆那大象王頭於虛空中遶佛三十六
帀已各從象下復遶三帀頭面礼佛曲躬合
掌在一面住以偈讚曰

世尊勝慧出有頂　自既出已復度他
一切世間无如佛　相好光顏極端正
人中最妙无邊稱　亦現世間不思議
不見一法性相異　而令眾生住於善
无有變異真如法　但有言說无餘義
无有用事及用者　雖然佛化諸群生
不來不去亦不生　佛能演說如是法
雖說諸法體性空　世雄而令脩習道
无有一法能自作　世間明者說有作
諸法各各不覺知　世尊亦現一切作
如車多集眾分支　彼支不知自能作
其車功用現可見　佛說諸法亦如是
諸法各各不相教　亦不迭互相覺寤

BD02401 號　大寶積經（聖本）卷六四　（16–10）

其車切用現可見　佛說諸法亦如是
諸法各各不相教　亦不迭互相覺寤
一切亦復不相依　法本不生亦不死
佛為世諦如是說　世諦諸法不全无
如世諦法體性空　如是知已為衆說
世尊如是說諸法　大悲所作甚奇特
諸法體性不可見　如來方便說其性
我等願作无邊釋　具百福相大導師
大悲利益諸世間　願作世親如今佛
我等願於闇鄣者　隨順貪馱欲流者
渴愛所纏百苦者　救濟渡脫如世尊
我等願於衆苦者　不見彼岸魔縛者
支如猨猴輕躁者　救濟渡脫如世尊
我等願於盲冥者　六趣往來疲勞者
於己自壞業果者　救濟渡脫如世尊
尒時世尊知彼三億六千萬乹闥婆衆深生
信已現微笑相尒時慧命馬勝比丘以偈問
曰
无邊威德現微笑　導師知見非无因
願佛速說此因緣　斷除衆生諸疑網
今見世尊微笑已　大衆皆悉為疑網
一切願聞微笑義　唯願大悲斷衆疑
誰於佛法生敬信　能得離於諸疑網
佛知衆生深信已　人天勝者故現笑
誰有智慧能隨順　如來所說真如法
知其念慧解行已　在大衆中現微笑
一切大衆无異心　唯欲樂聞雄猛
[illegible]

佛知衆生深信已　人天勝者故現笑
誰有智慧能隨順　如來所說真如法
知其念慧解行已　在大衆中現微笑
一切大衆无異心　唯欲樂聞雄猛
合十指掌在首項　一心瞻仰如來
離諸穢濁无憂慮　世眼現在故欲
為除一切心疑惑　願大悲說笑
尒時世尊以偈荅慧命馬勝言
我所現笑為世故　善哉汝問正是
大衆善根當增長　為我微笑授記
馬勝諦聽我所說　導師所現此微
我今當正說彼義　汝應欣喜聽我
乹闥婆王敬信佛　其心清淨生欣喜
依於實法入法已　於佛正法生希奇
諸法寂靜安不動　此等大衆趣實際
如乹闥域如是入　供養於我无有等
如是諸法无有生　一切亦復不盡滅
大衆思惟如幻性　未能解了生疑惑
不可說法方便說　我以其實故如是
彼等入我正法已　乘天龍象供養佛
觀察菩提无生滅　乹闥婆王供養我
悲愍愚迷衆生等　是故亦大一切智
彼等發願當作佛　令諸愚迷失智者
入真實法安住已　使得不死寂滅句
此等作是供養已　捨離鬼身心喜悅
定得往生天宮中　恒與帝釋相親近
得值多億那由佛　供養无垢諸善逝
[illegible]

山等作是供養已　於諸兜率心喜悅
定得往生天宮中　恒與帝釋相親近
得值多億那由佛　供養无垢諸善逝
從一佛剎至一剎　於諸佛所得聞法
彼等脩淨佛行已　所得佛土亦清淨
化无量衆發道心　令其增長佛種子
知諸世間性空已　亦以此法教導他
令衆安住一切智　住世无量那由劫
彼佛同号无邊慧　一一諸佛住於世
皆悉无量那由劫　演說佛道令他聞
如是釋迦牟尼佛　說乹闥婆供養報
與其授記令得聞　馬勝所問彂因緣
大衆聞已皆欣喜　智彼佛記甚可樂
聞是无等佛記已　皆悉歸依釋迦文

夜叉授記品第十

尒時復有八億夜叉見諸阿脩羅迦樓羅龍女龍王鳩槃荼乹闥婆等供養如來聞授記已欣喜踊悅皆得歸心生希有心得未曾有知佛世尊智慧无盡衆尊最勝无所罣礙不可思議復更得聞法門次第於佛世尊作導師想復於佛所作无盡慧想諸夜叉知佛智慧无有盡已於佛正法生愛樂心彼於佛法甚愛樂已為供養故發勤精進亦以偈讚

我等今請利世者　以佛智力具足故
无盡无量如大海　故人師子身无等
須弥可得知輕重　虛空可得知廣狹
如來所有智慧力　一切不能得測量
知諸衆生敬信心　是故應度皆已度

須弥可得知輕重　虛空可得知廣狹
如來所有智慧力　一切不能得測量
知諸衆生敬信心　是故應度皆已度
於其度者知所趣　故佛无比亦无等
隨彼所脩善惡業　一切生處受其身
知彼根住所應受　故佛无比亦无等
貪欲惡行瞋恚行　及以癡行佛悉知
憍慢嫉妒亦如是　故佛无比亦无等
衆生於此多所失　如來善知彼業道
世道知彼甚捷利　故佛无比亦无等
善逝善見世間　隨其方面所失者
及以語言所喪失　世尊見彼悉无餘
於亦道中幾時住　隨彼多少所受苦
及其所受種種身　世尊一切悉知見
隨其煩惱力所趣　造作方便及與業
隨業所受種種苦　導師一切悉了知
隨其所求解脫導　於佛法中已出家
精勤脩學聖道已　盡諸煩惱佛悉知
於佛法中有凡夫　雖得出家不知義
誹謗明人微妙法　世尊亦復善見彼
彼諸誹謗正法人　業行所得衆苦惱
隨其地獄久近住　如來亦能具足知
於佛深得敬信已　出家受持正法藏
觀察諸法皆悉空　斷除一切諸有道
不願一切諸趣身　觀察此身猶如幻
知諸音聲亦如響　堅住道者佛亦知
讚歎无等大導師　我今所得福德聚
以此福德願成佛　亦願衆生成自然

讃歎无等大尊師　我今所得福德聚
以此福德願成佛　亦願衆生成自弘
尒時世尊知夜叉衆深心信已現微笑相尒
時慧命馬勝比丘以偈問曰
人中師子所現笑　唯願説其笑因緣
一切諸佛非无因　而現微笑人中有
今此大衆皆懷疑　以見尊師微笑故
唯願世親除其疑　皆令此衆得歡喜
令於佛所得信者　及知微妙正法者
其心堅固不動者　願佛宣説令彼聞
此諸大衆皆懷疑　一切瞻仰如來面
今日當有何等事　唯願世尊斷彼疑
今日誰現大神力　今日誰發大精進
今日佛共誰親友　於此大衆願顯現
善哉牟尼照世間　唯願斷除諸疑惑
天人大衆若得聞　今日必當大歡喜
尒時世尊以偈荅慧命馬勝曰
善哉馬勝汝所問　今當大利諸世間
由汝能問咲因緣　故歎汝善解我意
我今盡當荅彼義　汝當一心專諦聽
知諸夜叉心意已　我爲世間現微笑
夜叉諸衆心敬信　以知菩提寂滅故
歎佛真實功德已　發心趣向大菩提
爲知諸法空寂故　除遣一切所有相
於諸趣中願捨已　發心趣向大菩提
以禪定力知諸陰　但是世諦不取著
不著諸有如蓮華　發心趣向大菩提

BD02401 號　大寶積經（聖本）卷六四　（16–15）

由汝能問咲因緣　故歎汝善解我意
我今盡當荅彼義　汝當一心專諦聽
知諸夜叉心意已　我爲世間現微笑
夜叉諸衆心敬信　以知菩提寂滅故
歎佛真實功德已　發心趣向大菩提
爲知諸法空寂故　除遣一切所有相
於諸趣中願捨已　發心趣向大菩提
以禪定力知諸陰　但是世諦不取著
不著諸有如蓮華　發心趣向大菩提
於諸有中鄣礙事　彼見空故不爲縛
知佛菩提无上已　彼等能脩菩提行
諸生老死皆悉空　此即无上菩提道
知法自性空寂已　能得安隱大菩提
知陰自性空寂已　寂靜菩提性亦離
所脩菩提行亦空　此智能知非凡了
能觀智慧性自空　所觀境界皆寂滅
知者亦空知是已　是人能脩菩提道
當知空亦性自空　相願亦復无[illegible]
若有人能如是知　是人能脩真實行
天人大衆聞是已　心生歡喜獲利益

BD02401 號　大寶積經（聖本）卷六四　（16–16）

自念无罪而被囚執此必定死轉更惶怖悶絕
躃地父遙見之而語使言不須此人勿強將
來以冷水灑面令得醒悟莫復與語所以者
何父知其子志意下劣自知豪貴為子所難
審知是子而以方便不語他人云是我子使者
語之我今放汝隨意所趣窮子歡喜得未
曾有從地而起往至貧里以求衣食尒時
長者將欲誘引其子而設方便密遣二人形
色顦顇无威德者汝可詣彼徐語窮子此有
作處倍與汝直窮子若許將來使作若言欲
何所作便可語之雇汝除糞我等二人亦共
汝作時二使人即求窮子既已得之具陳上
事尒時窮子先取其價尋與除糞其父見子
愍而怪之又以他日扵窓牖中遙見子身羸
瘦顦顇糞土塵坌汙穢不淨即脫瓔珞細軟
上服嚴飾之具更著麤弊垢膩之衣塵土坌
身右手執持除糞之器狀有所畏語諸作人
汝等勤作勿得懈息以方便故得近其子後
復告言咄男子汝常此作勿復餘去當加汝
價諸有所須盆器米麵鹽酢之屬莫自疑難

BD02402 號　妙法蓮華經卷二　（2–1）

色顦顇无威德者汝可詣彼徐語窮子此有
作處倍與汝直窮子若許將來使作若言欲
何所作便可語之雇汝除糞我等二人亦共
汝作時二使人即求窮子既已得之具陳上
事尒時窮子先取其價尋與除糞其父見子
愍而怪之又以他日扵窓牖中遙見子身羸
瘦顦顇糞土塵坌汙穢不淨即脫瓔珞細軟
上服嚴飾之具更著麤弊垢膩之衣塵土坌
身右手執持除糞之器狀有所畏語諸作人
汝等勤作勿得懈息以方便故得近其子後
復告言咄男子汝常此作勿復餘去當加汝
價諸有所須盆器米麵鹽酢之屬莫自疑難
亦有老弊使人須者相給好自安意我如汝
父勿復憂慮所以者何我年老大而汝少壯
汝常作時无有欺怠瞋恨怨言都不見汝有
此諸惡如餘作人自今已後如所生子即時
長者更與作字名之為兒尒時窮子雖欣此
遇猶故自謂客作賤人由是之故扵二十年
中常令除糞過是已後心相體信入出无難

BD02402 號　妙法蓮華經卷二　（2–2）

乘等无差別一切皆隨遂一義普並在艱辛種種艱辛
甚可哀愍於彼攝得廣大哀愍如實觀照是諸菩薩安住如是增上
意樂住廣見諸佛善根清淨如前應知此差別者謂如世間善巧金師
所鍊金置[illegible]妄置於火中數數燒鍊轉更明淨如是菩薩善根
清淨當知亦尒於此中住淨心意樂成滿趣入在所生處多作輪王
四大洲以自在力令多有情止息犯戒不善業道勸彼受行諸善業
道當知威力過前十倍當知是名略說菩薩增上戒住謂意樂淨故
性戒具足故離一切種毀犯戒垢故一切業道一切因果了知通達故於
諸淨業能自受行亦樂勸他令其受行故於有情界諸業所生衆苦
艱辛得大哀愍如實觀照故善根清淨故受生故威力故菩薩廣宣
說如十地經離垢地說遠離一切犯戒垢故名離垢地由離一切犯戒垢
故即此名為增上戒住彼離垢地當知即此增上戒住　問增上心住菩
薩轉時當知何行何狀何相荅若諸菩薩先於增上戒住已得十種清
淨意樂思惟解了通達復由餘十淨心意樂住意思惟成上品故極
圓滿故過增上戒住入增上心住何等為十一者住意思惟我於十種淨心
意樂已得清淨二者住意思惟我於十種淨心意樂已清淨故能不退
失三者住意思惟我於一切漏有漏法心不趣入於邊背中能正安住
四者住意思惟我能於彼脩對治中識正安住五者住意思惟我能
於彼所脩對治不復退失六者住意思惟我於如是堅固對治不為一
切漏有漏法一切魔軍之所勝伏七者住意思惟我今能於一切佛法
其心无有怯劣而轉八者住意思惟我今能於一切苦行无有怯弱九
者依意思惟我心一向於大乘中深生信解終不愛樂餘下劣乘
十者依意思惟我於一切利有情事深心愛樂由此十種淨心意樂

BD02403號　瑜伽師地論卷四八　（16–1）

於彼所脩對治不復退失六者住意思惟我於如是堅固對治不為一
切漏有漏法一切魔軍之所勝伏七者住意思惟我今能於一切佛法
其心无有怯劣而轉八者住意思惟我今能於一切苦行无有怯弱九
者依意思惟我心一向於大乘中深生信解終不愛樂餘下劣乘
十者依意思惟我於一切利有情事深心愛樂由此十種淨心意樂
住意思惟能入菩薩增上心住菩薩安住增上心住能以種種過患
行相增一切行於彼諸行深心狀離於佛妙智能以種種勝利行相見大
勝利又於其中能以淳淨一味欲樂深生愛慕於有情界能以種種
苦惱行相觀為有法於諸有情興悲愍心生依義心於一切行无有救
護為大菩提熾然精進於諸有情能起廣大悲愍意樂觀諸有
情解脫衆苦究竟方便唯是一切煩惱諸纏无障礙智觀彼解脫
能圓證者唯於法界一切分別現行雜染生起對治无分別慧觀能成
辦彼智光明唯是无倒勝三摩地觀所引發一切靜慮等持等至皆
菩薩藏聽聞為先皆聞正法以為緣起觀見是已發大精進訪求多
聞為聞正法不惜身命无有資財內外愛物而不能捨无有師長不
誓承事无有尊教不誓奉行无有身苦而不誓受若聞佛法
一四句頌歡喜踊躍勝得三千大千世界充滿其中大珎寶聚聞
一句法是佛所說能引正等覺能淨菩薩行歡喜踊躍勝得一切
釋梵護世轉輪王等所尊貴位設有告言善男子聽我有一句佛所
說法能引正等覺能淨菩薩行汝欲聞不汝今若能投大火坑受
大苦者當為汝說菩薩聞已歡喜踊躍荅言我能我若得聞如前
所說一句法義正使火坑量等三千大千世界滿中熾火我從梵天尚投
身入況小火坑為求佛法尚應久處大那落迦受大苦惱況餘小苦而
不應受菩薩發起如是精進求正法已復能如實如理思惟要正脩行
法隨法行方得名為隨順佛法非但聽聞文字音聲而得清淨如是
知已即依所聞正緣法相遠離諸欲惡不善法廣說乃至能得世俗
四種靜慮四无色定及四无量五種神通具足安住既多住已復還棄
捨諸靜慮等等持等至願自在力還來欲界觀彼彼處若為有情

BD02403號　瑜伽師地論卷四八　（16–2）

法隨法行方得名為隨順修證
如已即依所聞正緣法相遠離諸欲惡不善法廣說乃至能得世俗
四種靜慮四無色定及四無量五種神通具足安住既多住已復還棄
捨諸靜慮等等持等至願自在力還來欲界觀彼彼處若為有情
能作義利若能圓滿菩提分法即便往生非但自在而生彼處如是菩薩
離欲貪故名斷欲縛棄捨靜慮等持等至故名斷有縛菩薩先從
勝解行地於法真如脩勝解故已斷見縛邪貪恚癡畢竟不轉廣
見諸佛善根清淨如前應知此差別者謂如世間善巧工匠先所燒
鍊手中真金鋌鑠斯盡離量等住如是菩薩善根清淨當知亦爾
受生多分作釋天帝善化有情令離欲貪所有威力於前住中已說
千數當知此中有百千數當知是名略說菩薩增上心住謂心意樂住
意思惟成滿趣入故於一切行諸有情界及大菩薩能正通達故於諸
有情脫苦方便能正推求故於正法中起大恭敬訪求無倦故能正脩
行法隨法行於其世俗諸靜慮等等持等至無量神通能引能住
故棄捨於彼願自在力隨樂受生故善根清淨故受生故神力故若廣
宣說如十地經發光地說由發聞行正法光明等等光明之所顯示是故
此地名發光地由內心淨能發光明是故說名增上心住由此義故名發
光地即由此義當知復名增上心住　云何菩薩覺分相應增上慧住
謂諸菩薩先於增上心住以求多聞增上力故已得十法明入由此十法明
入成品故極圓滿故超過增上心故入初增上慧住如是十法明入文詞
如契經說應知其相謂若彼假設若於中假設若由此假設若平
等勝義若染惱故清淨故成染成淨若由繫縛煩惱所染若由無
上清淨所淨當知是名十法明入略所說義是諸菩薩住此住中如
契經說不壞意樂而為上首所有十種能成熟智智成熟法皆悉成
就長如來家得彼體法觀一切種菩提薩埵增上力故脩四念住而
為上首三十七種菩提分法如契經說由於此法方便攝受勤脩習故
最極微細薩迦耶見執著一切蘊界處等一切動亂皆得畢竟不現
行斷由彼斷故一切如來所呵毀業皆不現行一切如來所讚美業如
實隨轉既如是已其心轉復

就長如來家得彼體法觀一切種菩提薩埵增上力故脩四念住而
為上首三十七種菩提分法如契經說由於此法方便攝受勤脩習故
最極微細薩迦耶見執著一切蘊界處等一切動亂皆得畢竟不現
行斷由彼斷故一切如來所呵毀業皆不現行一切如來所讚美業如
實隨轉既如是已其心轉復潤滑柔和有所堪能其心轉復種種行相
皆善清淨又善知恩知報恩等隨順意樂種種白法悉皆成熟尋
求上地能脩治業發大精進逮得安住由此因緣所有意樂增上意樂
勝解界性皆得圓滿由是因緣一切外道種種魔軍聖教怨敵不能映
奪不能傾動廣見諸佛善根清淨廣說如前應知其相此差別者
謂如世間善巧工匠以所鍊金作莊嚴具非餘未作莊嚴具金之所映
奪如是此中菩薩善根非餘安住凡住菩薩所有善根所能映奪如
末尼寶所放光明非餘寶珠所能映奪一切世間風水雨等不能斷滅
所放光明如是此中菩薩所有智慧光明一切聲聞及獨覺等不能映
奪一切魔怨不能斷滅受生住多種夜摩天王善化有情令其降滅
薩迦耶見所有威力於前住中說百千數當知此中說俱胝數當知是
名略說菩薩覺分相應增上慧住謂法明入成滿得入故成熟智故
脩習菩提分法故薩迦耶見等一切執著動亂斷故制業開業遠
離習近故由是因緣心調柔故隨順功德皆隆盛故依所尋求脩治
地業發大精進故由是因緣所有意樂增上意樂勝解界性淨脩治故
由是因緣一切聖教所有怨敵不能映奪及傾動故善根清淨故
受生故威力故若廣宣說如十地經焰慧地說於此地中菩提分法如
寶智焰能成正法教慧明照是故此地名焰慧地又即彼地此中說
名覺分相應增上慧住　云何菩薩諸諦相應增上慧住謂諸菩
薩先於覺分相應增上慧住已得十種平等清淨意樂由彼平等清
淨意樂成上品故極圓滿故超過第一增上慧住證入第二增上慧
住十種平等清淨意樂所有文詞如契經說應知其相謂無等覺
與諸覺等超過所餘諸有情界及以諸法如其平等當知是名十種平
等清淨意樂略所說義如是菩薩住此住中多分希求智殊勝性於

淨意樂成上品故，極圓滿故，超過第一增上慧住，證入第二增上慧
住。於十種平等清淨意樂所有文詞，如契經說，應知其相。謂无等覺
與諸覺等，超過所餘諸有情界，及以諸法，如其平等，當知是名十種平
等清淨意樂。略所證義，如是菩薩住此住中，多分希求智殊勝性。於
四聖諦由十行相如實了知。一切文詞如契經說，應知其相。謂依曉悟他
依自內智，依俱處所名。為此說依於契經詞伏本母名。由此說依於現
在衆苦自性，依於未來苦因生性，依於因盡彼盡无生性，依於修習彼斷
方便性，名如此說。當知是名十種行相四聖諦智。所有略義，如是於諦
善巧菩薩，於一切行以慧正教，於有情界增悲意樂，於前後際愍
癡有情所有邪行，能正通達，為欲令彼得解脫故，攝受廣大福智
資糧，心發正願，及即於彼意樂引攝正念慧行，而為上首，所有衆多
殊勝功德，皆悉增盛。諸餘住意皆悉遠離。以其種種成熟方便，成熟
有情。如契經說，所有種種能益有情世俗書論，印算計等工業明
處，於是一切皆能引發。於諸有情深悲愍故，漸次乃至方便立妙善
提故，隨順世間言說事故，為欲方便攝貪窮故，為令世間諸界鎮
亂人非人等所起災患皆息滅故，為施无罪諸戲樂具，除彼非法
諸戲樂故，諸有希求種種居處資生具者，為少用功皆能施與種
種居處資生具故，為欲拔濟諸王賊等逼惱事故，為欲開制是處
非處諸加行故，為欲安立吉非吉事令取捨故，為正勸導於現法中，令
其展轉不相謀略，及為宣說當來无倒勝生道故。當知是名能益
有情工業明處。略所說義，其餘一切如前應知。此差別者，謂如世間善
巧工匠以所鍊金，作莊嚴具，牟娑羅寶瑩飾廁鈿，所有餘金无能
等故，不能映奪。如是此中菩薩善根，一切聲聞及諸覺獨餘地菩
薩不能映奪。又如日月諸宿光明，一切風輪不能映奪，然其迴轉，其
彼風同。如是此中菩薩妙慧，一切聲聞諸覺等不能映奪，然其所住
與世共同，受生多作珊覩史多天王，善化有情，令捨一切外道邪法，所
有威力，當知此說千眼俱數。當知是名略說菩薩諸諦相應增上
慧住，謂十平等清淨意樂成滿得入故善巧方便觀察諸……

BD02403 號　瑜伽師地論卷四八　（16–5）

彼風同如是此中菩薩妙慧一切聲聞諸覺等不能映奪然其所住
與世共同受生多作珊覩史多天王善化有情令捨一切外道邪法所
有威力當知此說千眼俱數當知是名略說菩薩諸諦相應增上
慧住，謂十平等清淨意樂成滿得入故，善巧方便觀察諸諦漸增
長故，數數壞諸行悲愍有情漸增長故，即為是義長養廣大福智
資糧，心發正願勤加行故，念慧行故，德增長故，无餘住意，以一切種
成熟有情勤加行故，引發世間工巧業故，善根清淨故，受生故，威力故。
若廣宣說，如十地經極難勝地，今此地中顯示菩薩於諸聖諦決定
妙智極難可勝，是故此地名極難勝。即由此義，應知此中諸諦相應增
上慧住。云何菩薩緣起相應增上慧住？謂諸菩薩先於諸諦相應增
上慧住已得十種法平等性，當知文詞如經廣說。如是十種法平等
性成上品故，極圓滿故，超過前住，得入此住。謂於一切法由有勝義自性
无相平等性故，言說造作影像无相平等性故，即由此相自然不生平
等性故，因亦不生平等性故，自然與因皆不生故，畢竟本寂平等性故，
現有體事能取正智離諸戲論平等性故，遠離一切取捨造作平
等性故，即此煩惱衆苦雜染離繫解脫平等性故，分別所執境界自
性如幻化等平等性故，无分別智所行自性有无无二平等性故。當知
是名此中十種法平等性。略分別義，如是菩薩住此住中，於諸有情
增長悲愍，於大菩提生起猛利欲樂希求，於諸世間合散生滅，以一
切種緣起正觀觀察了知，依緣起智能引發空无相无願三解脫
門。由是因緣，所有自他作者受者有无等想皆不復轉。菩薩如是善
於勝義，願念有情，如理通達煩惱繫故，緣和合故，有為諸法自性
羸劣，離我我所，无量過失汙染而轉，非離一切煩惱繫縛衆緣
和合，是故我今為自防護，應令一切煩惱繫縛衆緣和合皆悉斷
壞，為益有情，不應永滅一切有為。如是菩薩住此住中，智悲隨逐
名无著智，現前般若波羅蜜多住現前，由此住故，於一切世間行无染
而行。又即此住有猛利忍，於第七地有加行行邊際，菩薩忍當知是
彼隨順忍攝。又此无著智般若波羅蜜多住現前能引解引菩提

BD02403 號　瑜伽師地論卷四八　（16–6）

增益有情不應棄捨一切有情如是菩薩住此住中普能隨逐
名无著智現前般若波羅蜜多住現前由此住故於一切世間行无染
而行又即此住有猛利忍於第七地有加行行邊際菩薩忍當知是
彼隨順忍攝又此无著智般若波羅蜜多住現前能引能引菩提
聚緣於諸世間有爲諸行住而不住雖於寂滅見寂靜德而亦不住如是
菩薩方便般若智所隨逐能入空三摩地三地今十百千上首三摩地門
皆現在前如空三摩地如是无願无相三摩地當知亦尒由此上首三摩
地門現在前故意樂不壞於一切種諸佛聖教一切外道及諸魔軍
聖教怨敵不引奪餘如前說此差別者謂如世間善巧工匠以所鍊
金作莊嚴具瑠璃寶珠瑩飾廁鈿一切餘金不能映奪如是此
中菩薩善根清淨殊勝如先所說不能映奪又如日光於有情身
能令悅豫非四風輪所能斷壞如是此中菩薩慧光一切有情煩
惱𤏙蒸皆能息滅一切外道魔軍怨敵不能斷壞受生多住妙
化天王善化有情令除一切增上慢等所有威力當知此中說百千俱
胝數當知是名略說菩薩緣起相應增上慧住諸十法平等性成
滿得入故覺悟緣起生解脫門故一切邪想不現行故方便攝受生
死故无著智現前般若波羅蜜多住現在前故證得无量三摩地故
證得不壞意樂故於佛聖教不可引奪故廣見諸佛善根清淨故
受生故威力故若廣宣說如十地經現前地說由此地中无著智
現前若般若波羅蜜多住現在前故名現前地即由此義當知亦
名緣起相應增上慧住　云何菩薩有加行有功用无相住謂諸
菩薩於前第六緣起相應增上慧住已得十種妙方便慧所引
世間不共一切有情而共一切世間道勝行即由如是妙方便慧所
引不共道勝行成上品故極圓滿故超過第六住得入第七住如
是文詞如經廣說應知其相謂依能越世間興盛攝受福德依於有
情利益安樂增上意樂依爲菩提福德資糧菩提分法後後勝進
依不共聲聞依不共獨覺依有情界依諸法界依諸界世依諸如來
身語心智當知是名妙方便慧所引不共進道勝行處所略義若

依不共聲聞依不共獨覺依有情界依諸法界依諸界世依諸如來
身語心智當知是名妙方便慧所引不共進道勝行處所略義若
薩與彼共相應故便能通達无量无數如來境界爲彼起无功
用无相无分別无異分別觀无量佛境界起无間无缺精勤修學
一切威儀行住住意一切分位不遠離道彼於一一心剎那中十波
羅蜜多而爲上首一切菩提分法圓滿殊勝諸餘不住則不如是謂
於第一極歡喜住正以大願爲勝所緣於第二住正能除遣毀犯戒
垢於第三住正願增長得法光明於第四住正趣入道於第五住正
入一切世間事業於第六住正入甚深緣起道理今即於此第七住
中具足發起一切佛法覺支圓滿此住菩薩加行行圓滿所攝故
妙智神通行清淨能入第八住故由是菩薩此住无間能入第八極
清淨住彼第八住一向清淨此第七住猶名爲雜與清淨住爲前道
故當言此住名不墮汙猶未得故當言此住墮雜染行今此住中
一切貪等上首煩惱皆悉除斷當知此住非有煩惱非離煩惱一切
煩惱不現行故悕求佛智猶未得故如是行者增上意樂已得清
淨无量身語意業隨轉於諸如來所讚毀業如前廣說於第
五住所引世間工巧業智轉得圓滿三千世界共許爲師唯除安住上住
菩薩及諸如來意樂加行无與等者於一切靜慮等菩提分法皆能現
前由修行相現在前故非由安住異熟分位如第八住此諸菩薩如是方
便能善思擇諸三摩地引發菩薩三摩地首十百千種三摩地門由得
如是三摩地故超過一切聲聞獨覺三摩地境菩薩如是一切煩惱
皆悉遠離難可了知一切分別現行隨逐身語意業皆悉安住而不棄離
尋求勝進勇猛加行願念有情爲大菩提速圓滿故離一切相无量身
語意業隨轉妙善修治无生法忍之所顯發於此住中由自覺慧
境界故超過一切聲聞獨覺境界餘六住中但由佛法增上所緣故
超過一切聲聞獨覺境界又諸菩薩第六住中所入滅定今此住中念
念能入然此菩薩甚希奇業不可思議謂常安住實際住中而於寂滅
不能作證彼由如是妙方便智之所引發增上力故能行一切有情不共

境界故超過一切聲聞獨覺境界餘六住中但由佛法增上所緣故
超過一切聲聞獨覺境界又諸菩薩第六住中所入滅定今此住中念
念能入然此菩薩甚希奇業不可思議謂常安住實際住中而於滅
不能作證彼由如是妙方便智之所引發增上力故能行一切有情不共
菩薩妙行雖與世間相似顯現而非彼性如經廣說此中總義謂依得
業事攝受種種眷屬徒衆示生差別發起勝進三雜染住住解信勇
猛方便調伏受用諸欲求欲差別轉諸外道隨他心轉隨大衆轉餘如前說
此差別者謂如世間善巧工匠以所鍊金作莊嚴具諸末尼寶瑩飾間錯
甚爲光麗餘贍部洲一切金寶聚所不能映奪如是此中菩薩善根轉復
清淨一切聲聞獨覺善根及餘下住菩薩善根不能映奪又如日光
多分熱惱贍部洲中所有穢濕餘一切光不能映奪如是此中菩薩慧
光多分熱惱一切有情煩惱諸毒如前所說諸聲聞等所有智光不能映
奪受生多作他化自在天王於能授與一切聲聞獨覺現觀方便善巧
所有威力當知此說俱胝百千數當知是名略說菩薩有加行有功用无相住
謂妙方便慧所引世間進道勝行成滿得入故通達如來佛境界起无
間无缺勤加行故一一剎那圓證一切菩提分法故安立深行不深行故有
加行行圓滿攝故依於意樂清淨業轉一切世間工巧業等皆圓滿
故遠得无量不共一切聲聞獨覺三摩地故剎那剎那入滅定故現行
一切有情不共世間行故善根清淨故受生故威力故若廣宣說如
十地經遠行地說此地菩薩有加行行圓滿攝故名遠行地即由此義當
知亦名有加行有功用无相住　云何菩薩无加行无功用无相住謂
諸菩薩於初无相住中已得十種入一切法第一義智如經廣說謂依三世
如其所應本來无生无起无相依餘因性无成无壞依第一義畢竟離言
諸自性事言說造作影像自性由體相故及因性故都无所有即由如
是離除體性无流轉性无止息性依此无智邪執爲因於彼離言諸有
體事初中後位一切時分深平等性依於真如无倒證入无有分別平等性
故能除雜染是名此中略所說義如是十種入一切法第一義智成上品故極

是離除體性无流轉性无止息性依此无智邪執爲因於彼離言諸有
體事初中後位一切時分深平等性依於真如无倒證入无有分別平等性
故能除雜染是名此中略所說義如是十種入一切法第一義智成上品故極
圓滿故超過第七雜清淨住得入第八純清淨住此住復云何謂諸菩薩由四尋思於一切法
得善修已若時獲得四如實智如實了知一切諸法爾時一切邪分別執皆
悉遠離觀一切法於現法中隨煩惱一切雜染无生觀於先時一切所有邪
分別執因所生法於當來世一切无餘永不復生此四尋思四如實智廣說
如前真實義品此如實智於從勝解行住乃至有加行有功用无相住極
清淨今此住中已極清淨是故說言於无生法證得菩薩第一最勝極清
淨忍是諸菩薩得此忍故得甚深住先於第一无相住中四種過患今悉
除斷一者除斷於无相中有加行有功用事二者除斷於上清淨住精進思
慕三者除斷於一切種利有情事有大堪能精勤思慕四者除斷有微
細相現在前行是故此住名極清淨又此菩薩於甚深住極生愛樂而於
如是法門流中蒙諸如來覺悟勸導授與无量引發門智神通事業
如是蒙佛覺悟勸導引發无量分身妙智得十自在如經廣說應
知其相得自在故隨所欲住如意能住隨樂安住靜慮解脫等諸心住
如意能住若淺若深思惟一切食等諸資生具悉皆成辦一切世間工業明
處如其所欲悉能現行普於一切能感生業及於一切受生處所皆隨
所欲自在往生隨所愛樂一切神通所住事業皆能起作一切妙願隨其
所欲皆得稱遂隨於事物發起勝解如所欲知
境界皆如實知普於一切名句文身得隨所欲於一切法正安立中皆得
善巧如是菩薩獲得自在從是已去所得自在所作勝利廣說如經應
知其相又能業除廣見諸佛恒常无間不離見佛其餘所有善根清淨金
喻光喻如經應知此住菩薩受生威力諸殊勝事皆如經說應知其相
當知是名略說菩薩无加行无功用无相住謂入一切法第一義智成滿
得入故得无生法忍故除斷一切過患故遠得甚深住故於法門流
蒙佛覺悟與无量引發門智神通事業故悟入无量分身智故得自在

當知是名略說菩薩无加行无功用无相住謂於一切法第一義智成
得入故得无生法忍故除斷一切麤惡故遠得菩薩甚深住故於法門流
蒙佛授與无量引發門智神通事業故悟入无量分身智故得自在
故領受所得自在勝利故善根清淨故受生故威力故若廣宣說如十地
經不動地說於此地中捨先所有有加行有功用道其心昇上无加行无功
用任運而轉不動勝道是故此地名不動地即由此義當知說名无加行
无功用无相住　云何菩薩无礙解住謂諸菩薩於甚深住不生喜
足復於增上智殊勝性愛樂隨入是諸菩薩於諸法中起智加行應
為他說一切種法普於一切說法所作皆如實知當知此中說法所作
謂於一切近稠林行如此雜染如此清淨由此雜染由此清淨若所雜染
若所清淨若非一向若是一向若通二種如是一切皆如實知如是菩薩
於說法中方便善巧於說所作方便善巧於一切種成大法師獲得无
量陀羅尼門於一切種音詞支具剖析善巧辯才无盡成就如是
法陀羅尼領受堪能菩薩由此勝无礙解引發言詞能坐如是微
妙法座若於是中若於是處宣說正法盡所有門若由此故於諸有情
勸導慰喻安處事業此等堪能皆悉成就如是一切廣說如經應知
其相善根清淨受生威力諸殊勝事亦廣如經應知其相當知是名
略說菩薩无礙解住謂於甚深寂靜解脫不生喜足入勝進故於諸
法中起智加行宣說法故此所作事如實知故得不思議大法師故
善根清淨故受生故威力故若廣宣說如十地經善慧地說由此地
中一切有情利益安樂意樂清淨速得菩薩无礙解慧由此善能
宣說正法是故此地名善慧地即由此義當知復名无礙解住
云何菩薩最上成滿菩薩住謂諸菩薩无礙解住一切行相遍清淨
已堪為法王受法灌頂得離垢等无量无數勝三摩地住彼所作
一切智智殊勝灌頂後三摩地現在前故得一切佛相稱妙座身諸
眷屬得大光明往來普照一切行相一切智智灌灑其頂既灌頂
已普能引導所化有情於彼解脫方便佛事得如實智遠得无
量无邊解脫陀羅尼門大神通方及此增上大念大智增上引發
達

BD02403號　瑜伽師地論卷四八　（16–11）

已堪為法王受法灌頂得離垢等无量无數勝三摩地住彼所作
一切智智殊勝灌頂後三摩地現在前故得一切佛相稱妙座身諸
眷屬得大光明往來普照一切行相一切智智灌灑其頂既灌頂
已普能引導所化有情於彼解脫方便佛事得如實智遠得无
量无邊解脫陀羅尼門大神通方及此增上大念大智增上引發
訓詞安立及大神通增上引發善根清淨受生威力諸殊勝事一切如經
應知其相當知是名略說最上成滿菩薩住若廣宣說如十地經
法雲地說是諸菩薩住此地中諸菩薩道皆得圓滿菩提資糧極善
周備從諸如來大法雲所堪能領受其餘一切有情之類難可領受
最極廣大微妙法雨又此菩薩自如大雲未現等覺无上菩提
若現等覺无上菩提能為无量无邊有情等雨无比微妙法雨
殄息一切煩惱塵埃能令種種善根稼穡生長成熟是故此地名
法雨地即由此義當知復名最上成滿菩薩住　如是所說後後
住中支分功德非前前住一切都无然下品故不墮其數當知即彼展轉
修習成中上品於餘後地證得成滿方乃建立又即於此一一住中經
多俱胝百千大劫或過是數方乃證得及與成滿然一切住總經
於三无數大劫方得圓證謂經第一无數大劫方乃超過勝解行住
證得極歡喜住此就恒常勇猛精進非不勇猛勤精進者復經
第二无數大劫方乃超過極歡喜住乃至有加行有功用无相住次第
證得无加行无功用无相住此即決定以是菩薩得淨意樂決定
勇猛勤精進故復經第三无數大劫方乃超過无加行无功用无
相住及无礙解住證得最上成滿菩薩住　當知此中略有二種无數
大劫一者日夜月半月等算數方便時无量故亦說名為无數大劫
二者大劫算數方便超過一切算數之量亦說名為无數大劫若就
前說无數大劫要由无量无數大劫方證无上正等菩提若就後說
无數大劫但經於三无數大劫便證无上正等菩提不過此量若正
修行最上上品勇猛精進或有能轉眾多中劫或有乃至轉多大
達

BD02403號　瑜伽師地論卷四八　（16–12）

相住及无礙解住證得成滿菩薩住
當知此中略有二種无數
大劫一者日夜月半月等筭數方便時无量故亦說名為无數大劫
二者大劫筭數方便超過一切筭數之量亦說名為无數大劫若就
前說无數大劫要由无量无數大劫方證无上正等菩提若就後說
无數大劫但經於三无數大劫便證无上正等菩提不過此量若正
脩行最上上品勇猛精進或有能轉衆多中劫或有乃至轉多大
劫當知決定无有能轉无數大劫 又由如是所說十二諸菩薩住經三
无數大劫時量能斷一切煩惱障品所有麁重及斷一切所知障品
所有麁重於三住中當知能斷煩惱障品所有麁重謂於極歡喜
住中一切惡趣諸煩惱品所有麁重皆悉永斷一切上中諸煩惱品皆
不現行於无加行无功用无相住中一切能障一向清淨无生法忍
諸煩惱品所有麁重皆悉永斷一切煩惱皆不現前於最上成滿
菩薩住中當知一切煩惱習氣隨眠障礙皆悉永斷入如來住當知
一切所知障品所有麁重亦有三種一者在皮麁重二者在膚麁
重三者在實麁重當知此中在皮麁重極歡喜住皆悉已斷在
膚麁重无加行无功用无相住皆悉已斷在實麁重如來住中
皆悉已斷得一切障極清淨智於三住中煩惱所知二障永斷所餘
諸住如其次第脩斷資糧
即於如是十三住中當知略有十一清
淨謂於第一種性住中種姓清淨於其第二勝解行住信勝解淨
於其第三極歡喜住勝意樂淨於其第四增上戒住增上戒淨於
其第五增上心住增上心淨於其第六第七第八增上慧住无顛倒
智發起清淨於其第九有加行有功用无相住有加行行圓滿清淨
於其第十无加行无功用无相住真智神通引發清淨於第十一无
礙解住能正為他宣說法義无礙解淨於第十二最上成滿菩薩住
中入一切種一切所知妙智清淨於第十三如來住中一切煩惱及所知障并
諸習氣究竟清淨如前菩薩一切德品中所說八法能攝大乘當知
在此十三住攝謂於第一第二住中於菩薩藏生信勝解聽受思惟
第三住中得勝意樂趣向前行勝脩行相於餘一切乃至有加行有

BD02403號　瑜伽師地論卷四八

(16–13)

中入一切種一切所知妙智清淨於第十三如來住中一切煩惱及所知障并
諸習氣究竟清淨如前菩薩一切德品中所說八法能攝大乘當知
在此十三住攝謂於第一第二住中於菩薩藏生信勝解聽受思惟
第三住中得勝意樂趣向前行勝脩行相於餘一切乃至有加行有
功用无相住中得脩廣大於上三種淨行所攝菩薩住中廣果成
滿如來住中當知獲得究竟出離
當知菩薩十二種住隨其次第
類聲聞住如諸聲聞自種姓住當知菩薩初住亦尒如諸聲聞
趣入正性離生加行住當知菩薩第二住亦尒如諸聲聞已入正性離
生住當知菩薩第三住亦尒如諸聲聞已得證淨聖所愛戒為盡上
漏增上戒學住當知菩薩第四住亦尒如諸聲聞依增上戒學引發
增上心學住當知菩薩第五住亦尒如諸聲聞如其所得諸聖諦
智增上慧學住當知菩薩第六第七第八住亦尒如諸聲聞善觀
察所知无相三摩地加行住當知菩薩第九住亦尒如諸聲聞成滿
无相住當知菩薩第十住亦尒如諸聲聞從此出已入解脫處住當
知菩薩第十一住亦尒如諸聲聞具一切相阿羅漢住當知第十二住
亦尒
本地分中菩薩地第十五第三持究竟瑜伽處生品第一
諸菩薩生略有五種攝一切生於一切住一切菩薩受无罪生利益安
樂一切有情何等為五一者除災生二者隨類生三者大勢生四者
增上生五者最後生
云何菩薩除災生謂諸菩薩或大願力
或自在力於諸飢饉厄難曠野正現前時為令衆生少用功力
而得存濟於大魚等種類中生身形廣大隨所生處以自身肉普
給一切飢餓衆生皆令飽滿於諸有情衆多疾疫正現前時以大願力
得自在力持有神驗諸明呪力攝受廣大良藥王身息除一切有
情疾疫於諸有情隣國戰諍互相逼惱正現前時以大願力得自在
力作大地主具大勢力以法以正方便善巧息除隣國戰諍逼惱於諸有
情互相違諍正現前時以大願力得自在力證誠信言往返和好除其
怨結於諸衆生遭遇惡王非理縛錄治罰逼迫身心擾亂正現前時
以大願力得自在力生彼王家作如法王哀愍衆生息除一切逼惱之事
若諸有情起諸邪見造諸惡行隨一天處深生信解哀愍彼故以大
願力得自在力生彼天處方便除彼邪見惡行是名略說菩薩除災生

BD02403號　瑜伽師地論卷四八

(16–14)

情平相違諍正現前時以大威力得自在力證誠信言往返和好除其
怨結於諸衆生遭遇惡王非理縛錄治罰逼迫身心擾亂正現前時
以大願力得自在力生彼王家作如法王哀愍衆生息除一切惡惱事
若諸有情起諸邪見造諸惡行隨一天處深生信解哀愍彼故以大
願力得自在力生彼天處方便漸除邪見惡行是名略說菩薩除災生
若廣宣說以大願力得自在力哀愍為先於彼彼處受種種生當知
无量　云何菩薩隨類生謂諸菩薩以大願力得自在力生於種種
傍生趣類天龍藥叉阿素洛等展轉違諍類中或生邪見婆羅門
中或生樂行惡行類中或生善樂邪命類中或生最極耽著諸欲信解諸
欲有情類中為欲除彼諸過故先往彼有情同分中生而為上
首已方便化導彼所行惡菩薩不行彼不行善菩薩現行為欲令彼現
行善故為說正法由是菩薩與彼現行不同分故說正法故方便善巧
除彼有情所有過失是名略說菩薩隨類生若廣說如前當知无量
云何菩薩大勢生謂諸菩薩稟性生時所感壽量形色族姓自在富等
諸異熟果一切世間最為殊勝由此異熟果所作事業自他利品已廣說宣
是名略說菩薩大勢生若廣宣說彼彼類中受大勢生當知无量
云何菩薩增上生謂諸菩薩始從第一極歡喜住乃至第十最上成
滿諸菩薩住如前所說差別受生今於此中名增上生謂最初住作轉輪
王王贍部洲得大自在乃至第十最上成滿諸菩薩住作大自在過色
究竟一切生處最為殊勝唯有已得最上成滿諸菩薩於此生中菩
得生其中彼諸菩薩即由此業增上所感是名略說菩薩增上生
若廣宣說當知无量　云何菩薩最後生謂諸菩薩住摩訶薩衆
提資糧已極圓滿或生婆羅門大國師家或生刹帝利大國王家能
現等覺阿耨多羅三藐三菩提廣作一切佛所作事是名略說菩
薩最後生若廣宣說當知无量若諸菩薩於去來今清淨仁賢妙
善生處曾當現生一切皆此五生所攝除此无有若過若增唯除
凡地菩薩受生何以故此中意取有智菩薩諸所受生為五生故
如是諸生大菩提果之所依止今諸菩薩疾證无上正等菩提
本地分中菩薩地第十五第三持究竟瑜伽處攝受品第二
於一切住菩薩行中當知菩薩略有六種於諸有情无倒攝受何等
為六一者頓普攝受二者增上攝受三者攝取攝受四者長時攝受五

BD02403號　瑜伽師地論卷四八　（16–15）

如是諸生大菩提果之所依止今諸菩薩疾證无上正等菩提
本地分中菩薩地第十五第三持究竟瑜伽處攝受品第二
於一切住菩薩行中當知菩薩略有六種於諸有情无倒攝受何等
為六一者頓普攝受二者增上攝受三者攝取攝受四者長時攝受五
者短時攝受六者最後攝受　云何菩薩於諸有情頓普攝受謂
諸菩薩初發心時攝受一切諸有情界皆為眷屬作是思惟我當於彼
隨能隨力作一切種利益安樂饒益之事隨所思惟皆如是作是名菩
薩於諸有情頓普攝受　云何菩薩於諸有情增上攝受謂諸菩薩
或為家主攝受父母妻子奴婢僕使作或為國王攝受一切所統
僚庶菩薩如是發起增上攝受想已於所攝受隨善
薩依業用而轉若為家主於其父母種種方便勸修諸善隨時
供養曾无懈廢善識其恩善知酬報於父母心善能隨順如法
於義隨自在轉於其妻子奴婢等類隨時惠與如法衣食於諸事
業終不逼切雖有違犯而能堪忍彼若疾病正能瞻療於諸
善事勸令修習隨時賜與殊勝財物愛語慰喻不生奴婢作使
等想瞻敬養育若自為國王不行黜罰不用刀杖而能正化
以法以財用作饒益依本王田而自食用不以威力侵掠他境隨能隨力
於諸有情勸止諸惡教修諸善視諸衆生如父於子於他有情尚好
等施況自親屬而不均濟不行欺誑所言誠諦遠離一切繫縛撻杖
治罰逼迫斷截等事是名菩薩於諸有情增上攝受
云何菩薩於諸有情攝取攝受謂諸菩薩正御徒衆當知是名略
說菩薩於諸有情攝取攝受若廣說者由二因緣正攝徒衆說名菩
薩於諸有情攝取攝受何等為二一者以无染心正攝徒衆二者於
自義利正教修習非邪加行而陷退之又於一切應攝受中其心平等
不隨偏黨亦不於彼堅恪正法不作師捲不於彼所悕求承事恭敬
供養彼樂善故自求作者亦不遮止為欲令其福德資糧得增長故
或遇餘時亦於彼所承事供養若於其義未解了者開悟令解已
解了者轉令明淨生起疑惑為除斷若生惡作善為開解其深義
句智慧通達於時時間正為開顯於苦於樂與彼共同於他所為財
利因緣成就上品猛哲遠離過於自事於他毀犯隨時正舉令其

BD02403號　瑜伽師地論卷四八　（16–16）

BD02404號背　大般若波羅蜜多經卷二二二護首　（1–1）

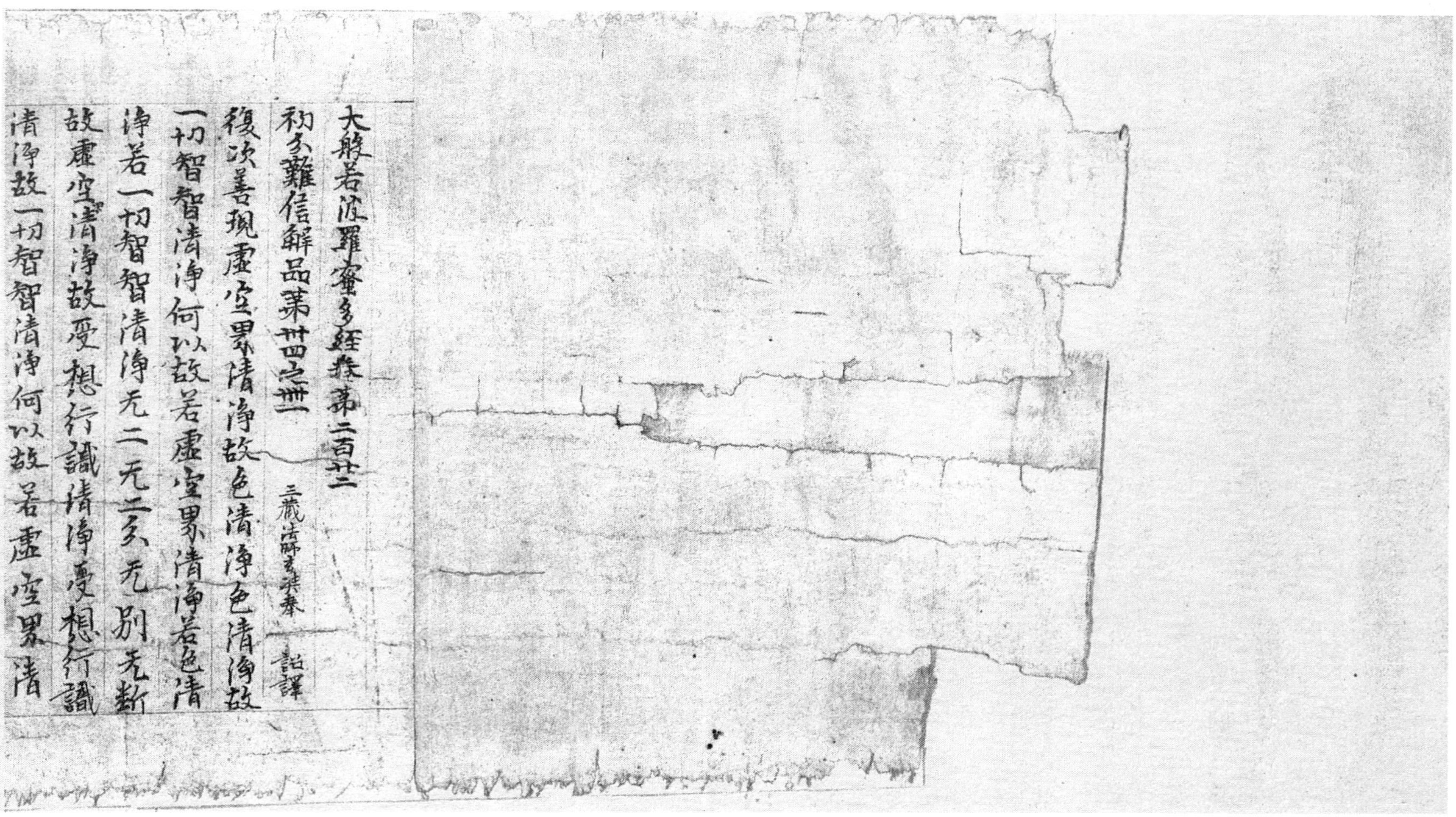

大般若波羅蜜多經卷第二百廿二
初分難信解品第卅四之卌一　三藏法師玄奘奉　詔譯
復次善現虛空界清淨故色清淨色清淨故
一切智智清淨何以故若虛空界清淨若色清
淨若一切智智清淨无二无二分无別无斷
故虛空界清淨故受想行識清淨受想行識
清淨故一切智智清淨何以故若虛空界清

BD02404號　大般若波羅蜜多經卷二二二　（4–1）

一切智智清淨何以故若虛空界清淨若色清
淨若一切智智清淨无二无二分无別无斷
故虛空清淨故受想行識清淨受想行識
清淨故一切智智清淨何以故若虛空界清
淨若受想行識清淨若一切智智清淨无
二无二分无別无斷故善現虛空界清淨故
眼處清淨眼處清淨故一切智智清淨何以
故若虛空界清淨若眼處清淨若一切智智
清淨无二无二分无別无斷故虛空界清淨
故耳鼻舌身意處清淨耳鼻舌身意處清
淨故一切智智清淨何以故若虛空界清淨
若耳鼻舌身意處清淨若一切智智清淨无二
无二分无別无斷故善現虛空界清淨故色
處清淨色處清淨故一切智智清淨何以故
若虛空界清淨若色處清淨若一切智智清
淨无二无二分无別无斷故虛空界清淨故聲
香味觸法處清淨聲香味觸法處清淨故
一切智智清淨何以故若虛空界清淨若聲
香味觸法處清淨若一切智智清淨无二无
二分无別无斷故善現虛空界清淨故眼界
清淨眼界清淨故一切智智清淨何以故若
虛空界清淨若眼界清淨若一切智智清淨
无二无二分无別无斷故虛空界清淨故色
界眼識界及眼觸眼觸為緣所生諸受清淨
色界乃至眼觸為緣所生諸受清淨故一切
智智清淨何以故若虛空界清淨若色界乃
至眼觸為緣所生諸受清淨若一切智智清

BD02404 號　大般若波羅蜜多經卷二二二　（4–2）

虛空界清淨若眼界清淨若一切智智清淨
无二无二分无別无斷故虛空界清淨故色
界眼識界及眼觸眼觸為緣所生諸受清淨
色界乃至眼觸為緣所生諸受清淨故一切
智智清淨何以故若虛空界清淨若色界乃
至眼觸為緣所生諸受清淨若一切智智清
淨无二无二分无別无斷故善現虛空界清
淨故耳界清淨耳界清淨故一切智智清淨
何以故若虛空界清淨若耳界清淨若一切
智智清淨无二无二分无別无斷故虛空界
清淨故聲界耳識界及耳觸耳觸為緣所生
諸受清淨聲界乃至耳觸為緣所生諸受清
淨故一切智智清淨何以故若虛空界清淨
若聲界乃至耳觸為緣所生諸受清淨若一
切智智清淨无二无二分无別无斷故善現
虛空界清淨故鼻界清淨鼻界清淨故一切
智智清淨何以故若虛空界清淨若鼻界清
淨若一切智智清淨无二无二分无別无斷
故虛空界清淨故香界鼻識界及鼻觸鼻觸
為緣所生諸受清淨香界乃至鼻觸為緣所
生諸受清淨故一切智智清淨何以故若虛
空界清淨若香界乃至鼻觸為緣所生諸受
清淨若一切智智清淨无二无二分无別无
斷故善現虛空界清淨故舌界清淨舌界清
淨故一切智智清淨何以故若虛空界清淨
若舌界清淨若一切智智清淨无二无二分
无別无斷故虛空界清淨故味界舌識界及

BD02404 號　大般若波羅蜜多經卷二二二　（4–3）

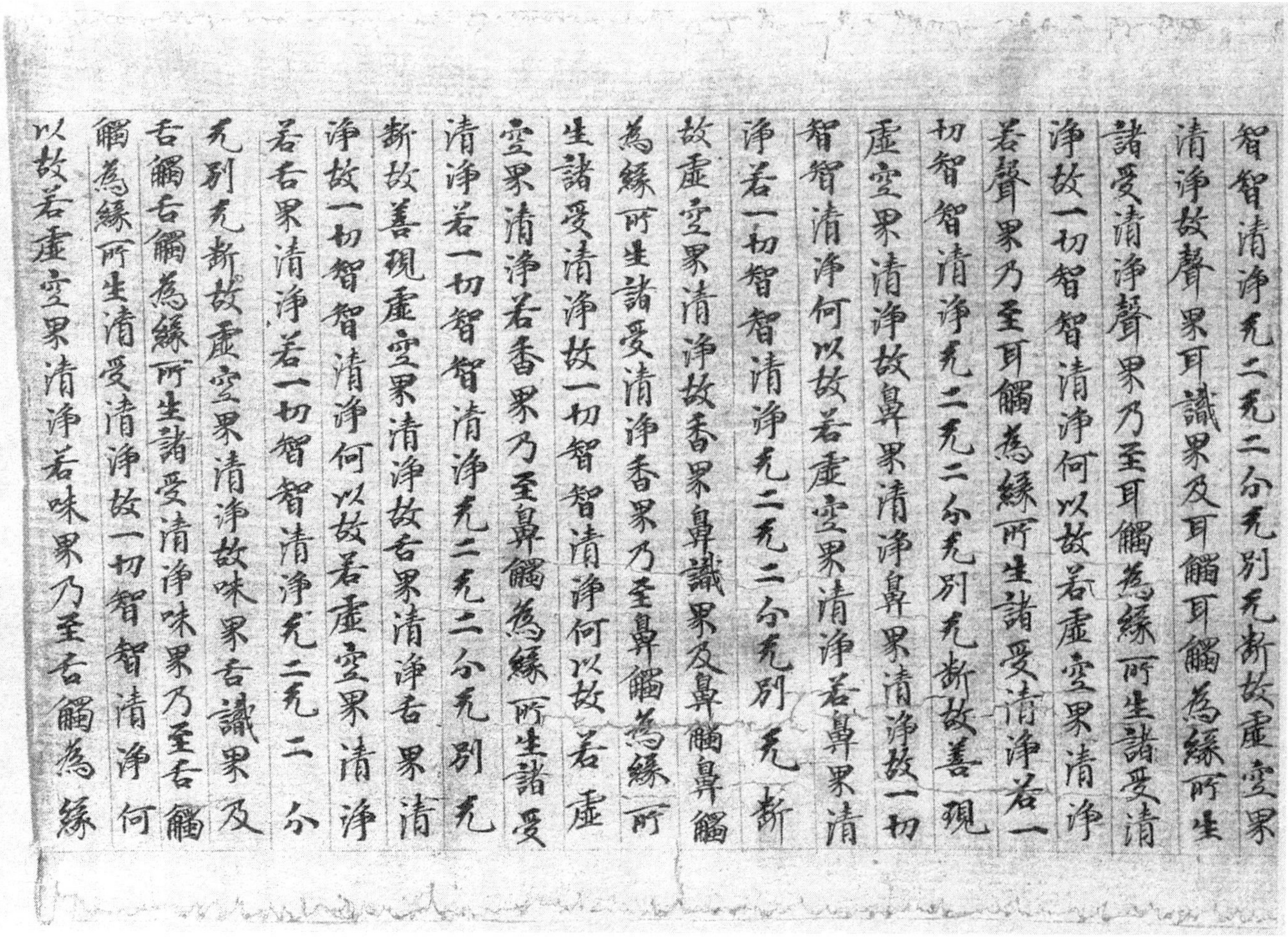

智智清淨无二无二分无別无斷故虛空界
清淨故聲界耳識界及耳觸耳觸為緣所生
諸受清淨聲界乃至耳觸為緣所生諸受清
淨故一切智智清淨何以故若虛空界清淨
若聲界乃至耳觸為緣所生諸受清淨若一
切智智清淨无二无二分无別无斷故善現
虛空界清淨故鼻界清淨鼻界清淨故一切
智智清淨何以故若虛空界清淨若鼻界清
淨若一切智智清淨无二无二分无別无斷
故虛空界清淨故香界鼻識界及鼻觸鼻觸
為緣所生諸受清淨香界乃至鼻觸為緣所
生諸受清淨故一切智智清淨何以故若虛
空界清淨若香界乃至鼻觸為緣所生諸受
清淨若一切智智清淨无二无二分无別无
斷故善現虛空界清淨故舌界清淨舌界清
淨故一切智智清淨何以故若虛空界清淨
若舌界清淨若一切智智清淨无二无二分
无別无斷故虛空界清淨故味界舌識界及
舌觸舌觸為緣所生諸受清淨味界乃至舌觸
觸為緣所生諸受清淨故一切智智清淨何
以故若虛空界清淨若味界乃至舌觸為緣

BD02404 號　大般若波羅蜜多經卷二二二　（4–4）

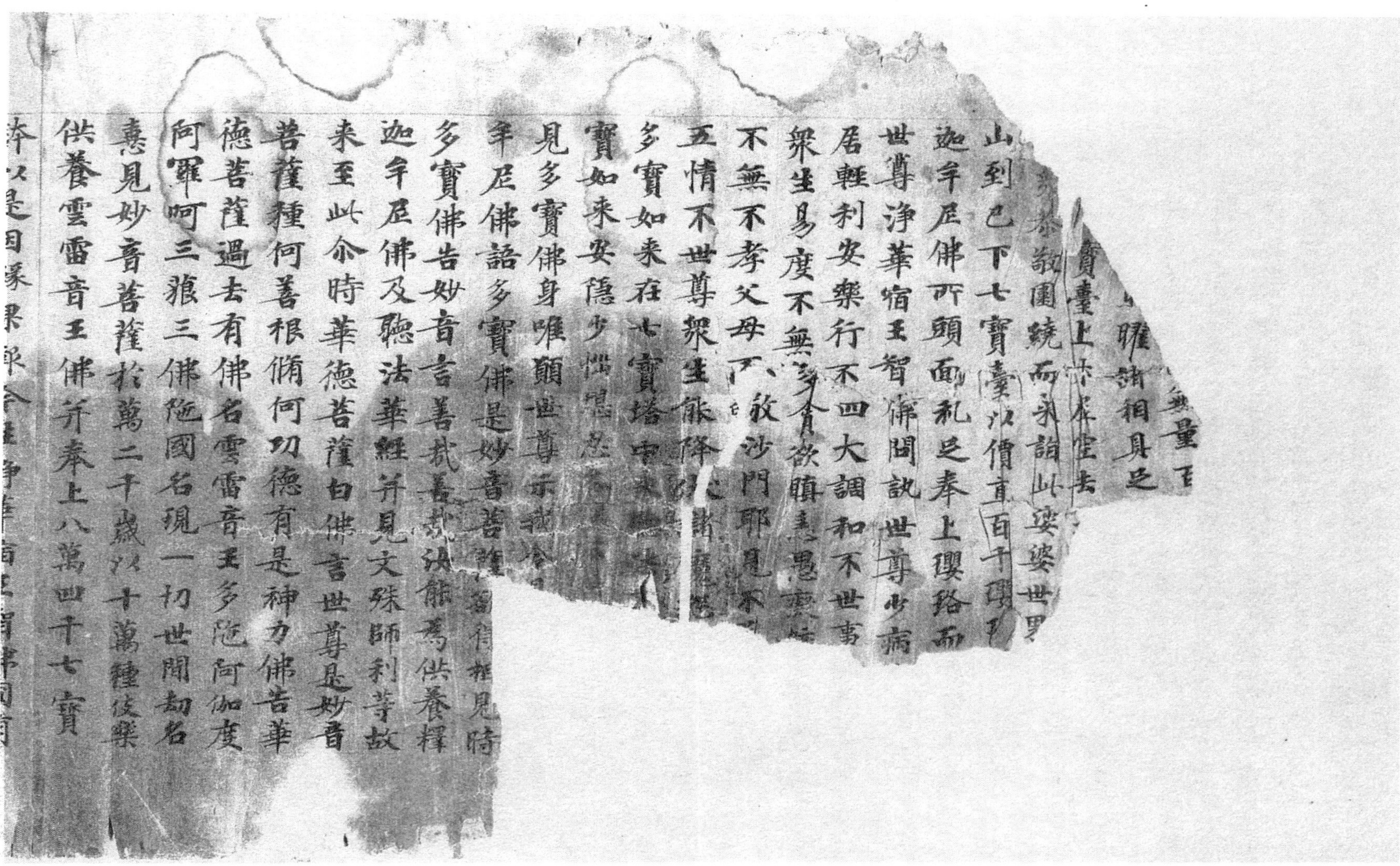

無量百
曜諸相具足
寶臺上昇虛空去
恭敬圍繞而來詣此娑婆世界
山到已下七寶臺以價直百千瓔珞
迦牟尼佛所頭面禮足奉上瓔珞而
世尊淨華宿王智佛問訊世尊少病
居輕利安樂行不四大調和不世事
眾生易度不無多貪欲瞋恚愚癡嫉
不無不孝父母不敬沙門邪見不善
五情不世尊眾生能降伏諸魔怨
多寶如來在七寶塔中來聽法不
寶如來安隱少惱堪忍久住不世
見多寶佛身唯願世尊示我令見
牟尼佛語多寶佛是妙音菩薩欲得相見時
多寶佛告妙音言善哉善哉汝能為供養釋
迦牟尼佛及聽法華經并見文殊師利等故
來至此爾時華德菩薩白佛言世尊是妙音
菩薩種何善根脩何功德有是神力佛告華
德菩薩過去有佛名雲雷音王多陀阿伽度
阿羅呵三藐三佛陁國名現一切世間劫名
憙見妙音菩薩於萬二千歲以十萬種伎樂
供養雲雷音王佛并奉上八萬四千七寶
鉢以是因緣果報今生淨華宿王智佛國有

BD02405 號　妙法蓮華經卷七　（22–1）

来至此。尒時華德菩薩白佛言世尊是妙音
菩薩種何善根脩何功德有是神力佛告華
德菩薩過去有佛名雲雷音王多陁阿伽度
阿羅呵三藐三佛陁國名現一切世間劫名
憙見妙音菩薩於萬二千歲以十萬種伎樂
供養雲雷音王佛并奉上八萬四千七寶
鉢以是因緣果報今生淨華宿王智佛國有
是神力華德於汝意云何尒時雲雷音王佛
所妙音菩薩伎樂供養奉上寶器者豈異人
乎今此妙音菩薩摩訶薩是華德是妙音菩
薩已曾供養親近無量諸佛久殖德本又值
恒河沙等百千萬億那由他佛華德汝但見
妙音菩薩其身在此而是菩薩現種種身處
處為諸衆生說是經典或現梵王身或現帝
釋身或現自在天身或現大自在天身或現
天大將軍身或現毗沙門天王身或現轉輪聖
王身或現諸小王身或現長者身或現居士身
或現宰官身或現婆羅門身或現比丘比丘尼
優婆塞優婆夷身或現長者居士婦女身或
現宰官婦女身或現婆羅門婦女身或現童
男童女身或現天龍夜叉乾闥婆阿脩羅迦
樓羅緊那羅摩睺羅伽人非人等身而說是
經諸有地獄餓鬼畜生及衆難處皆能救
濟乃至於王後宮變為女身而說是經華德
是妙音菩薩能救護娑婆世界諸衆生者是妙
音菩薩如是種種變化現身在此娑婆國土
為諸衆生說是經典於神通變化智慧無所

BD02405號　妙法蓮華經卷七　（22–2）

是妙音菩薩能救護娑婆世界諸衆生者是妙
音菩薩如是種種變化現身在此娑婆國土
為諸衆生說是經典於神通變化智慧無所
損減是菩薩以若干智慧明照娑婆世界令
一切衆生各得所智於十方恒河沙世界中
亦復如是若應以聲聞形得度者現聲聞形
而為說法應以辟支佛形得度者現辟支佛
形而為說法應以菩薩形得度者現菩薩形
而為說法應以佛形得度者即現佛形而為
說法如是種種隨所應度而為現形乃至應
以滅度而得度者示現滅度華德妙音菩薩
摩訶薩成就大神通智慧之力其事如是尒
時華德菩薩白佛言世尊是妙音菩薩深種
善根世尊是菩薩住何三昧而能如是在所
變現度脫衆生佛告華德菩薩善男子其三
昧名現一切色身妙音菩薩住是三昧中能
如是饒益無量衆生說是妙音菩薩品時與
妙音菩薩俱来者八万四千人皆得現一切
色身三昧此娑婆世界無量菩薩亦得是三
昧及陁羅尼尒時妙音菩薩摩訶薩供養釋
迦牟尼佛及多寶佛塔已還歸本土所經諸
國六種震動雨寶蓮華作百千万億種種伎
樂既到本國與八万四千菩薩圍繞至淨華
宿王智佛所白佛言世尊我到娑婆世界饒
益衆生見釋迦牟尼佛及見多寶佛塔礼拜
供養又見文殊師利法王子菩薩及見藥王
菩薩得勤精進力菩薩勇施菩薩等亦令八

BD02405號　妙法蓮華經卷七　（22–3）

樂既到本國與八万四千菩薩圍繞至淨華
宿王智佛所白佛言世尊我到娑婆世界饒
益衆生見釋迦牟尼佛及見多寶佛塔礼拜
供養又見文殊師利法王子菩薩及見藥王
菩薩得勤精進力菩薩勇施菩薩等亦令八
万四千菩薩得現一切色身三昧說是妙音
菩薩來往品時四万二千天子得無生法忍
華德菩薩得法華三昧

妙法蓮華經觀世音菩薩普門品第廿五

尒時無盡意菩薩即從座起偏袒右肩合掌
向佛而作是言世尊觀世音菩薩以何因緣
名觀世音佛告無盡意菩薩善男子若有無
量百千万億衆生受諸苦惱聞是觀世音菩
薩一心稱名觀世音菩薩即時觀其音聲皆
得解脫若有持是觀世音菩薩名者設入大
火火不能燒由是菩薩威神力故若為大水
所漂稱其名号即得淺處若有百千万億衆
生為求金銀琉璃車𤦲馬瑙珊瑚虎珀真珠
等寶入於大海假使黑風吹其船舫漂墮羅
剎鬼國其中若有乃至一人稱觀世音菩薩
名者是諸人等皆得解脫羅剎之難以是因
緣名觀世音若復有人臨當被害稱觀世音
菩薩名者彼所執刀杖尋段段壞而得解脫
若三千大千國土滿中夜叉羅剎欲來惱人
聞其稱觀世音菩薩名者是諸惡鬼尚不能
以惡眼視之況復加害設復有人若有罪若
無罪杻械枷鏁檢繫其身稱觀世音菩薩名

BD02405號　妙法蓮華經卷七　（22–4）

若三千大千國土滿中夜叉羅剎欲來惱人
聞其稱觀世音菩薩名者是諸惡鬼尚不能
以惡眼視之況復加害設復有人若有罪若
無罪杻械枷鏁檢繫其身稱觀世音菩薩名
者皆悉斷壞即得解脫若三千大千國土滿
中怨賊有一商主將諸商人齎持重寶經過
嶮路其中一人作是唱言諸善男子勿得恐
怖汝等應當一心稱觀世音菩薩名号是菩
薩能以无畏施於衆生汝等若稱名者於此
怨賊當得解脫衆商人聞俱發聲言南无觀
世音菩薩稱其名故即得解脫无盡意觀世
音菩薩摩訶薩威神之力巍巍如是若有衆
生多於婬欲常念恭敬觀世音菩薩便得離
欲若多瞋恚常念恭敬觀世音菩薩便得離
瞋若多愚癡常念恭敬觀世音菩薩便得離
癡无盡意觀世音菩薩有如是等大威神力
多所饒益是故衆生常應心念若有女人設
欲求男礼拜供養觀世音菩薩便生福德智
慧之男設欲求女便生端正有相之女宿殖
德本衆人愛敬无盡意觀世音菩薩有如是
力若有衆生恭敬礼拜觀世音菩薩福不唐
捐是故衆生皆應受持觀世音菩薩名号无
盡意若有人受持六十二億恒河沙菩薩名
字復盡形供養飲食衣服臥具醫藥於汝意
云何是善男子善女人功德多不无盡意言
甚多世尊佛言若復有人受持觀世音菩薩
名号乃至一時礼拜供養是二人福正等无

BD02405號　妙法蓮華經卷七　（22–5）

云何是善男子善女人功德多不无盡意言
甚多世尊佛言若復有人受持觀世音菩薩
名号乃至一時礼拜供養是二人福正等无
異於百千万億劫不可窮盡无盡意受持觀
世音菩薩名号得如是无量无邊福德之利
无盡意菩薩白佛言世尊觀世音菩薩云何
遊此娑婆世界云何而為衆生說法方便之
力其事云何佛告无盡意菩薩善男子若有
國土衆生應以佛身得度者觀世音菩薩即
現佛身而為說法應以辟支佛身得度者即
現辟支佛身而為說法應以聲聞身得度者
即現聲聞身而為說法應以梵王身得度者
即現梵王身而為說法應以帝釋身得度者
即現帝釋身而為說法應以自在天身得度
者即現自在天身而為說法應以大自在天
身得度者即現大自在天身而為說法應以
天大将軍身得度者即現天大将軍身而為
說法應以毗沙門身得度者即現毗沙門身
而為說法應以小王身得度者即現小王身
而為說法應以長者身得度者即現長者身
而為說法應以居士身得度者即現居士身
而為說法應以宰官身得度者即現宰官身
而為說法應以婆羅門身得度者即現婆羅
門身而為說法應以比丘比丘尼優婆塞優
婆夷身得度者即現比丘比丘尼優婆塞優
婆夷身而為說法應以長者居士宰官婆羅

BD02405 號　妙法蓮華經卷七　（22–6）

而為說法應以居士身得度者即現居士身
而為說法應以宰官身得度者即現宰官身
而為說法應以婆羅門身得度者即現婆羅
門身而為說法應以比丘比丘尼優婆塞優
婆夷身得度者即現比丘比丘尼優婆塞優
婆夷身而為說法應以長者居士宰官婆羅
門婦女身得度者即現婦女身而為說法應
以童男童女身得度者即現童男童女身而
為說法應以天龍夜叉乾闥婆阿脩羅迦樓
羅緊那羅摩睺羅伽人非人等身得度者即
皆現之而為說法應以執金剛神得度者即
現執金剛神而為說法无盡意是觀世音菩薩
成就如是功德以種種形遊諸國土度脱衆
生是故汝等應當一心供養觀世音菩薩是
觀世音菩薩摩訶薩於怖畏急難之中能施
无畏是故此娑婆世界皆号之為施无畏者
无盡意菩薩白佛言世尊我今當供養觀世
音菩薩即解頸衆寶珠瓔珞價直百千兩金
而以與之作是言仁者受此法施珎寶瓔
珞時觀世音菩薩不肯受之无盡意復白觀
世音菩薩言仁者愍我等故受此瓔珞尒時
佛告觀世菩薩當愍此无盡意菩薩及四衆
天龍夜叉乾闥婆阿脩羅迦樓羅緊那羅摩
睺羅伽人非人等故受是瓔珞即時觀世音
菩薩愍諸四衆及於天龍人非人等受其瓔
珞分作二分一分奉釋迦牟尼佛一分奉多
寶佛塔无盡意觀世音菩薩有如是自在神

BD02405 號　妙法蓮華經卷七　（22–7）

睺羅伽人非人等故受是瓔珞即時觀世音
菩薩愍諸四衆及於天龍人非人等受其瓔
珞分作二分一分奉釋迦牟尼佛一分奉多
寶佛塔无盡意觀世音菩薩有如是自在神
力遊於娑婆世界尒時無盡意菩薩以偈問
曰

世尊妙相具 我今重問彼 佛子何因緣 名為觀世音
具足妙相尊 偈荅無盡意 汝聽觀音行 善應諸方所
弘誓深如海 歷劫不思議 侍多千億佛 發大清淨願
我為汝略說 聞名及見身 心念不空過 能滅諸有苦
假使興害意 推落大火坑 念彼觀音力 火坑變成池
或漂流巨海 龍魚諸鬼難 念彼觀音力 波浪不能沒
或在須弥峯 為人所推墮 念彼觀音力 如日虛空住
或被惡人逐 墮落金剛山 念彼觀音力 不能損一毛
或值怨賊遶 各執刀加害 念彼觀音力 咸即起慈心
或遭王難苦 臨刑欲壽終 念彼觀音力 刀尋段段壞
或囚禁枷鎖 手足被杻械 念彼觀音力 釋然得解脫
呪咀諸毒藥 所欲害身者 念彼觀音力 還著於本人
或遇惡羅刹 毒龍諸鬼等 念彼觀音力 時悉不敢害
若惡獸圍遶 利牙爪可怖 念彼觀音力 疾走無邊方
蚖虵及蝮蝎 氣毒煙火然 念彼觀音力 尋聲自迴去
雲雷鼓掣電 降雹澍大雨 念彼觀音力 應時得消散
衆生被困厄 無量苦逼身 觀音妙智力 能救世間苦
具足神通力 廣脩智方便 十方諸國土 無刹不現身
種種諸惡趣 地獄鬼畜生 生老病死苦 以漸悉令滅
真觀清淨觀 廣大智慧觀 悲觀及慈觀 常願常瞻仰

BD02405號 妙法蓮華經卷七 (22–8)

衆生被困厄 無量苦逼身 觀音妙智力 能救世間苦
具足神通力 廣脩智方便 十方諸國土 無刹不現身
種種諸惡趣 地獄鬼畜生 生老病死苦 以漸悉令滅
真觀清淨觀 廣大智慧觀 悲觀及慈觀 常願常瞻仰
無垢清淨光 慧日破諸闇 能伏災風火 普明照世間
悲體戒雷震 慈意妙大雲 澍甘露法雨 滅除煩惱焰
諍訟經官處 怖畏軍陣中 念彼觀音力 衆怨悉退散
妙音觀世音 梵音海潮音 勝彼世間音 是故須常念
念念勿生疑 觀世音淨聖 於苦惱死厄 能為作依怙
具一切功德 慈眼視衆生 福聚海無量 是故應頂禮

尒時持地菩薩即從座起前白佛言世尊若
有衆生聞是觀世音菩薩品自在之業普門
示現神通力者當知是人功德不少佛說是
普門品時衆中八万四千衆生皆發無等等
阿耨多羅三藐三菩提心

妙法蓮華經陁羅尼品第廿六

尒時藥王菩薩即從座起偏袒右肩合掌向
佛而白佛言世尊若善男子善女人有能受
持法華經者若讀誦通利若書寫經卷得幾
所福佛告藥王若有善男子善女人供養八
百万億那由他恒河沙等諸佛於汝意云何
其所得福寧為多不甚多世尊佛言若善男
子善女人能於是經乃至受持一四句偈讀
誦解義如說脩行功德甚多尒時藥王菩薩
白佛言世尊我今當與說法者陁羅尼呪以
守護之即說呪曰

BD02405號 妙法蓮華經卷七 (22–9)

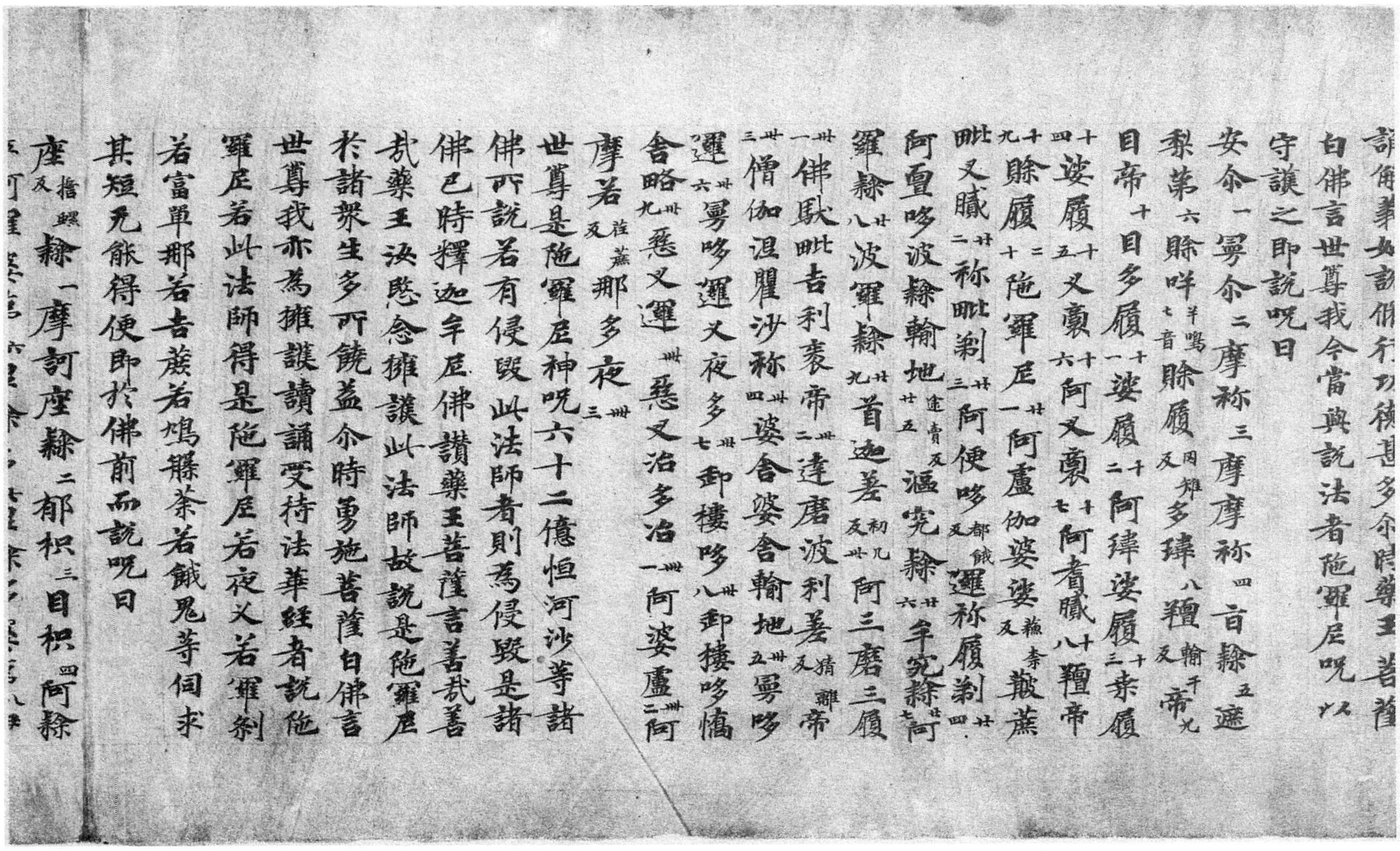
誦…修行功德甚多爾時藥王菩薩
白佛言世尊我今當與說法者陀羅尼呪以
守護之即說呪曰
安尒一 曼尒二 摩祢三 摩摩祢四 旨隸五 遮
梨第六 賒咩七(羊鳴音) 賒履(罔雉反)多瑋八 羶(輸千反)帝九
目帝十 目多履十一 娑履十二 阿瑋娑履十三 桑履
十四 娑履十五 叉裔十六 阿叉裔十七 阿耆膩十八 羶帝
十九 賒履廿 陀羅尼廿一 阿盧伽婆娑(蘇奈反)簸蔗
毗叉膩廿二 祢毗剃廿三 阿便哆(都餓反)邏祢履剃廿四
阿亶哆波隸輸地廿五 漚究隸廿六 牟究隸廿七 阿
羅隸廿八 波羅隸廿九 首迦差(初几反)卅 阿三磨三履
卅一 佛馱毗吉利袠帝卅二 達磨波利差(猜離反)帝
卅三 僧伽涅瞿沙祢卅四 婆舍婆舍輸地卅五 曼哆
邏卅六 曼哆邏叉夜多卅七 郵樓哆卅八 郵樓哆憍
舍略卅九 惡叉邏卌 惡叉冶多冶卌一 阿婆盧卌二 阿
摩若(荏蔗反)那多夜卌三
世尊是陀羅尼神呪六十二億恒河沙等諸
佛所說若有侵毀此法師者則為侵毀是諸
佛已時釋迦牟尼佛讚藥王菩薩言善哉善
哉藥王汝愍念擁護此法師故說是陀羅尼
於諸衆生多所饒益尒時勇施菩薩白佛言
世尊我亦為擁護讀誦受持法華經者說陀
羅尼若此法師得是陀羅尼若夜叉若羅剎
若富單那若吉蔗若鳩槃荼若餓鬼等伺求
其短无能得便即於佛前而說呪曰
痤(挫踝反)隸一 摩訶痤隸二 郁枳三 目枳四 阿隸

BD02405 號　妙法蓮華經卷七　（22–10）

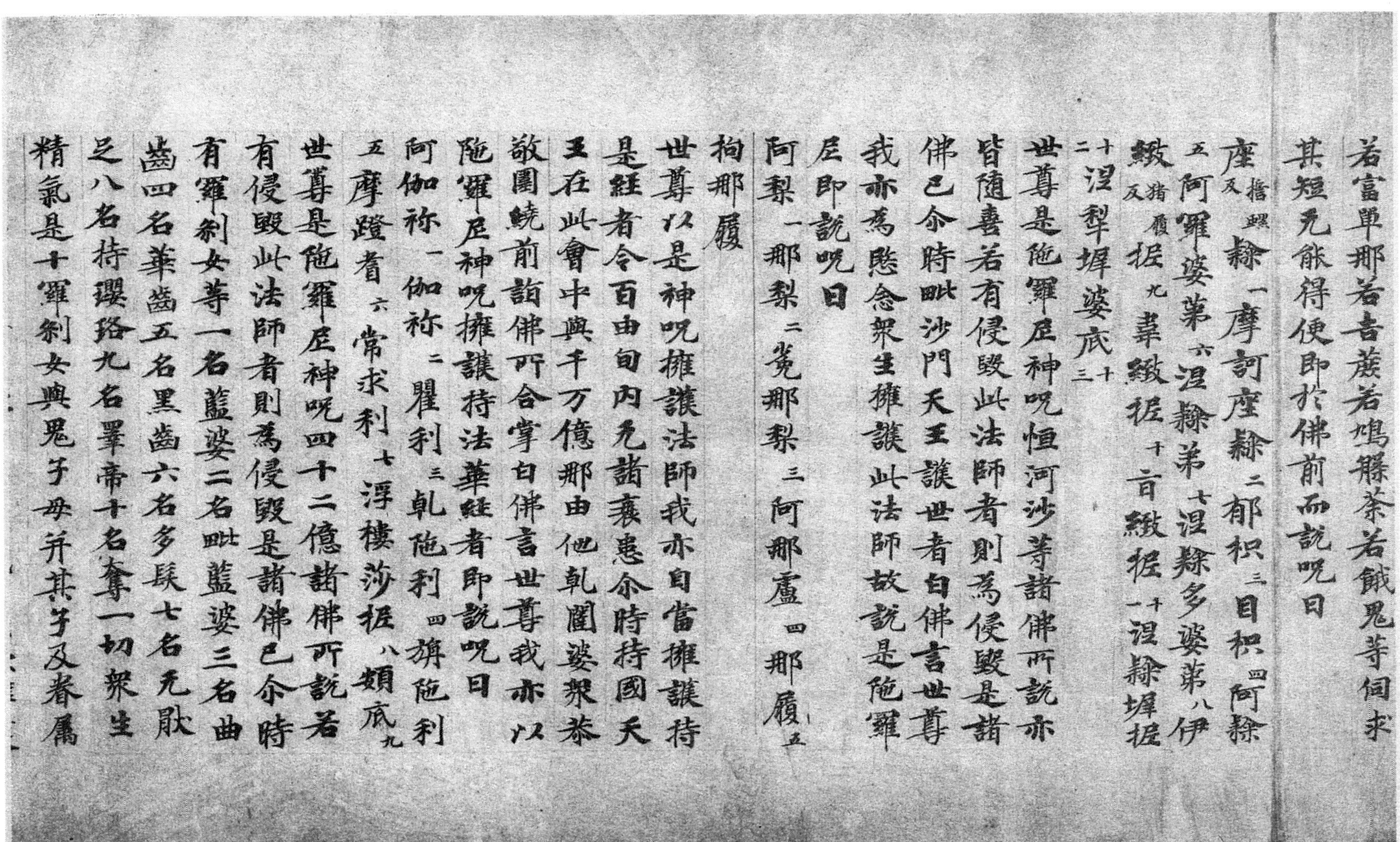
若富單那若吉蔗若鳩槃荼若餓鬼等伺求
其短无能得便即於佛前而說呪曰
痤(挫踝反)隸一 摩訶痤隸二 郁枳三 目枳四 阿隸
五 阿羅婆第六 涅隸第七 涅隸多婆第八 伊
緻(猪履反)柅九 韋緻柅十 旨緻柅十一 涅隸墀柅
十二 涅犁墀婆底十三
世尊是陀羅尼神呪恒河沙等諸佛所說亦
皆隨喜若有侵毀此法師者則為侵毀是諸
佛已尒時毗沙門天王護世者白佛言世尊
我亦為愍念衆生擁護此法師故說是陀羅
尼即說呪曰
阿梨一 那梨二 㝹那梨三 阿那盧四 那履五
拘那履
世尊以是神呪擁護法師我亦自當擁護持
是經者令百由旬内无諸衰患尒時持國天
王在此會中與千万億那由他乾闥婆衆恭
敬圍繞前詣佛所合掌白佛言世尊我亦以
陀羅尼神呪擁護持法華經者即說呪曰
阿伽祢一 伽祢二 瞿利三 乾陀利四 旃陀利
五 摩蹬耆六 常求利七 浮樓莎柅八 頞底九
世尊是陀羅尼神呪四十二億諸佛所說若
有侵毀此法師者則為侵毀是諸佛已尒時
有羅剎女等一名藍婆二名毗藍婆三名曲
齒四名華齒五名黑齒六名多髮七名无猒
足八名持瓔珞九名睪帝十名奪一切衆生
精氣是十羅剎女與鬼子母并其子及眷屬

BD02405 號　妙法蓮華經卷七　（22–11）

有羅刹女等一名藍婆二名毗藍婆三名曲
齒四名華齒五名黑齒六名多髮七名无厭
足八名持瓔珞九名睪帝十名奪一切衆生
精氣是十羅刹女與鬼子母并其子及眷屬
俱詣佛所同聲白佛言世尊我等亦欲擁護
讀誦受持法華經者除其衰患若有伺求法
師短者令不得便即於佛前而說呪曰
伊提履一伊提泯二伊提履三阿提履四伊
提履五泥履六泥履七泥履八泥履九泥
履十樓醯十一樓醯十二樓醯十三樓醯十四多醯
十五多醯十六多醯十七兜醯十八㝹醯十九
寧上我頭上莫惱於法師若夜叉若羅刹若
餓鬼若富單那若吉蔗若毗陁羅若揵䭾若
烏摩勒伽若阿䟦摩羅若夜叉吉蔗若人吉
蔗若熱病若一日若二日若三日若四日若
至七日若常熱病若男形若女形若童男形
若童女形乃至夢中亦復莫惱即於佛前而
說偈言
若不順我呪　惱亂說法者　頭破作七分　如阿梨樹枝
如煞父母罪　亦如壓油殃　斗秤欺誑人　調達破僧罪
犯此法師者　當獲如是殃
諸羅刹女說此偈已白佛言世尊我等亦當
身自擁護受持讀誦脩行是經者令得安隱
離諸衰患消衆毒藥佛告諸羅刹女善哉善
哉汝等但能擁護受持法華名者福不可量
何況擁護具足受持供養經卷華香瓔珞末

BD02405 號　妙法蓮華經卷七　（22–12）

離諸衰患消衆毒藥佛告諸羅刹女善哉善
哉汝等但能擁護受持法華名者福不可量
何況擁護具足受持供養經卷華香瓔珞末
香塗香燒香幡蓋伎樂然種種燈蘇燈油燈
諸香油燈蘇摩那華油燈瞻蔔華油燈婆師
迦華油燈優鉢羅華油燈如是等百千種供
養者睪帝汝等及眷屬應當擁護如是法師
說是陁羅尼品時六万八千人得无生法忍
妙法蓮華經妙莊嚴王本事品第廿七
尒時佛告諸大衆乃往古世過无量无邊不
可思議阿僧祇劫有佛名雲雷音宿王華智
多陁阿伽度阿羅訶三藐三佛陁國名光明
莊嚴劫名憙見彼佛法中有王名妙莊嚴其
王夫人名曰淨德有二子一名淨藏二名淨
眼是二子有大神力福德智慧久脩菩薩所
行之道所謂檀波羅蜜尸羅波羅蜜羼提波
羅蜜毗梨耶波羅蜜禪波羅蜜般若波羅蜜
方便波羅蜜慈悲喜捨乃至三十七助道法
皆悉明了通達又得菩薩淨三昧日星宿三
昧淨光三昧淨色三昧淨照明三昧長莊嚴
三昧大威德藏三昧於此三昧亦悉通達尒
時彼佛欲引導妙莊嚴王及愍念衆生故說
是法華經時淨藏淨眼二子到其母所合十
指爪掌白言願母往詣雲雷音宿王華智佛
所我等亦當侍從親近供養礼拜所以者何
此佛於一切天人衆中說法華經宜應聽受
母告子言汝父信受外道深著婆羅門法汝

BD02405 號　妙法蓮華經卷七　（22–13）

此佛於一切天人衆中說法華經宜應聽受
母告子言汝父信受外道深著婆羅門法汝
等應往白父與共俱去淨藏淨眼合十指爪
掌白母我等是法王子而生此耶見家母告
子言汝等當憂念汝父為現神變若得見者
心必清淨或聽我等往至佛所於是二子
念其父故踊在虛空高七多羅樹現種種神
變於虛空中行住坐卧身上出水身下出火
身下出水身上出火或現大身滿虛空中而
復現小小復現大於空中滅忽然在地入地
如水履水如地現如是等種種神變令其父
王心淨信解時父見子神力如是心大歡喜
得未曾有合掌向子言汝等師為是誰誰之
弟子二子白言大王彼雲雷音宿王華智佛
今在七寶菩提樹下法座上坐於一切世間
天人衆中廣說法華經是我等師我是弟子
父語子言我今亦欲見汝等師可共俱往於
是二子從空中下到其母所合掌白母父王
今已信解堪任發阿耨多羅三藐三菩提心
我等為父已作佛事願母見聽於彼佛所出
家脩道尒時二子欲重宣其意以偈白母
願母放我等 出家作沙門 諸佛甚難值 我等隨佛學
如優曇波羅 值佛復難是 脫諸難亦難 願聽我出家
母即告言聽汝出家所以者何佛難值故於
是二子白父母言善哉父母願時往詣雲雷
音宿王華智佛所親近供養所以者何佛難

BD02405號　妙法蓮華經卷七　（22–14）

母即告言聽汝出家所以者何佛難值故於
是二子白父母言善哉父母願時往詣雲雷
音宿王華智佛所親近供養所以者何佛難
得值如優曇波羅華又如一眼之龜值浮木
孔而我等宿福深厚生值佛法是故父母當
聽我等令得出家所以者何諸佛難值時亦
難遇彼時妙莊嚴王後宮八万四千人皆悉
堪任受持是法華經淨眼菩薩於法華三昧
久已通達淨藏菩薩已於无量百千万億劫
通達離諸惡趣三昧欲令一切衆生離諸惡
趣故其王夫人得諸佛習三昧能知諸佛秘
密之藏二子如是以方便力善化其父令心
信解好樂佛法於是妙莊嚴王與群臣眷屬
俱淨德夫人與後宮采女眷屬俱其王二子
與四万二千人俱一時共詣佛所到已頭面
礼足繞佛三帀却住一面尒時彼佛為王說
法示教利喜王大歡悅尒時妙莊嚴王及其
夫人解頸真珠瓔珞價直百千以散佛上於
虛空中化成四柱寶臺臺中有大寶牀敷百
千万天衣其上有佛結加趺坐放大光明尒
時妙莊嚴王作是念佛身希有端嚴殊特成
就第一微妙之色時雲雷音宿王華智佛告
四衆言汝等見是妙莊嚴王於我前合掌立
不此王於我法中作比丘精懃脩習助佛道
法當得作佛号娑羅樹王國名大光劫名大
高王其娑羅樹王佛有无量菩薩衆及无量

BD02405號　妙法蓮華經卷七　（22–15）

[illegible]
不此王於我法中作比丘精懃脩習助佛道
法當得作佛号娑羅樹王國名大光劫名大
高王其娑羅樹王佛有無量菩薩衆及無量
聲聞其國平正功德如是其王即時以國付
弟王與夫人二子并諸眷屬於佛法中出家脩
道王出家已於八万四千歲常勤精進脩行
妙法華經過是已後得一切淨功德莊嚴三
昧即昇虛空高七多羅樹而白佛言世尊此
我二子已作佛事以神通變化轉我耶心令
得安住於佛法中得見世尊此二子者是我
善知識為欲發起宿世善根饒益我故來生
我家尒時雲雷音宿王華智佛告妙莊嚴王
言如是如是如汝所言若善男子善女人種
善根故世世得善知識其善知識能作佛事
示教利喜令入阿耨多羅三藐三菩提大王
當知善知識者是大因緣所謂化導令得見
佛發阿耨多羅三藐三菩提心大王汝見此
二子不此二子已曾供養六十五百千万億
那由他恒河沙諸佛親近恭敬於諸佛所受
持法華經愍念耶見衆生令住正見妙莊嚴
王即從虛空中下而白佛言世尊如來甚希
有以功德智慧故頂上肉髻光明顯照其眼
長廣而紺青色眉間毫相白如珂月齒白齊
密常有光明脣色赤好如頻婆菓尒時妙莊
嚴王讚嘆佛如是等無量百千万億功德已
於如來前一心合掌復白佛言世尊未曾有

BD02405號　妙法蓮華經卷七　（22–16）

長廣而紺青色眉間毫相白如珂月齒白齊
密常有光明脣色赤好如頻婆菓尒時妙莊
嚴王讚嘆佛如是等無量百千万億功德已
於如來前一心合掌復白佛言世尊未曾有
也如來之法具足成就不可思議微妙功德
教戒所行安隱快善我從今日不復自隨心
行不生耶見憍慢瞋恚諸惡之心說是語已
礼佛而出佛告大衆於意云何妙莊嚴王豈
異人乎今華德菩薩是其淨德夫人今佛前
光照莊嚴相菩薩是哀愍妙莊嚴王及諸眷
屬故於彼中生其二子者今藥王菩薩藥上
菩薩是是藥王藥上菩薩成就如此諸大功
德已於無量百千万億諸佛所殖衆德本成
就不可思議諸善功德若有人識是二菩薩
名字者一切世間諸天人民亦應礼拜佛說
是妙莊嚴王本事品時八万四千人遠塵離
垢於諸法中得法眼淨
妙法蓮華經普賢菩薩勸發品第廿八
尒時普賢菩薩以自在神通威德名聞與大
菩薩無量無邊不可稱數從東方來所經諸
國普皆震動雨寶蓮華作無量百千万億種
種伎樂又與無數諸天龍夜叉乾闥婆阿脩
羅迦樓羅緊那羅摩睺羅伽人非人等大衆
圍繞各現威德神通之力到娑婆世界耆闍
崛山中頭面礼釋迦牟尼佛右遶七帀白佛
言世尊我於寶威德上王佛國遙聞此娑婆
世界說法華經與無量無邊百千万億諸

BD02405號　妙法蓮華經卷七　（22–17）

圍繞各現威德神通之力到娑婆世界耆闍
崛山中頭面禮釋迦牟尼佛右繞七帀白佛
言世尊我於寶威德上王佛國遥聞此娑婆
世界說法華經與无量无邊百千万億諸
菩薩衆共来聽受唯願世尊當為說之若善
男子善女人於如来滅後云何能得是法華
經佛告普賢菩薩若善男子善女人成就四
法於如来滅後當得是法華經一者為諸佛
護念二者殖衆德本三者入正定聚四者發
救一切衆生之心善男子善女人如是成就
四法於如来滅後必得是經尒時普賢菩薩
白佛言世尊於後五百歲濁惡世中其有受
持是經典者我當守護除其衰患令得安隱
使无伺求得其便者若魔若魔子若魔女若
魔民若為魔所著者若夜叉若羅剎若鳩槃
茶若毗舍闍若吉蔗若富單那若韋陁羅等
諸惱人者皆不得便是人若行若立讀誦此
經我尒時乘六牙白象王與大菩薩衆俱詣
其所而自現身供養守護安慰其心亦為供
養法華經故是人若坐思惟此經尒時我復
乘白象王現其人前其人若於法華經有所
忘失一句一偈我當教之與共讀誦還令通
利尒時受持讀誦法華經者得見我身甚大
歡喜轉復精進以見我故即得三昧及陁羅
尼名為旋陁羅尼百千万億旋陁羅尼法音
方便陁羅尼得如是等陁羅尼世尊若後世
後五百歲濁惡世中比丘比丘尼優婆塞優

BD02405 號　妙法蓮華經卷七　（22–18）

利尒時受持讀誦法華經者得見我身甚大
歡喜轉復精進以見我故即得三昧及陁羅
尼名為旋陁羅尼百千万億旋陁羅尼法音
方便陁羅尼得如是等陁羅尼世尊若後世
後五百歲濁惡世中比丘比丘尼優婆塞優
婆夷求索者受持者讀誦者書寫者欲脩習
是法華經於三七日中應一心精進滿三七
日已我當乘六牙白象與无量菩薩而自圍
繞以一切衆生所憙見身現其人前而為說
法示教利喜亦復與其陁羅尼呪得是陁羅
尼故无有非人能破壞者亦不為女人之所
惑亂我身亦自常護是人唯願世尊聽我說
此陁羅尼呪即於佛前而說呪曰
阿檀地途賣反一 檀陁婆地二 檀陁婆帝三 檀陁
鳩舍隸四 檀陁脩陁隸五 脩陁隸六 脩陁羅
婆底七 佛䭾波羶祢八 薩婆陁羅尼阿婆多
尼九 薩婆婆沙阿婆多尼十 脩阿婆多尼十一
僧伽婆履叉尼十二 僧伽涅伽陁尼十三 阿僧祇
十四 僧伽波伽地十五 帝隸阿惰僧伽兜略盧遮反 阿
羅帝波羅帝十六 薩婆僧伽三摩地伽蘭地十七
薩婆達磨脩波利剎帝十八 薩婆薩埵樓馱憍舍
略阿㝹伽地十九 辛阿毗吉利地帝二十
世尊若有菩薩得聞是陁羅尼者當知普賢
神通之力若法華經行閻浮提有受持者應
作此念皆是普賢威神之力若有受持讀誦
正憶念解其義趣如說脩行當知是人行普

BD02405 號　妙法蓮華經卷七　（22–19）

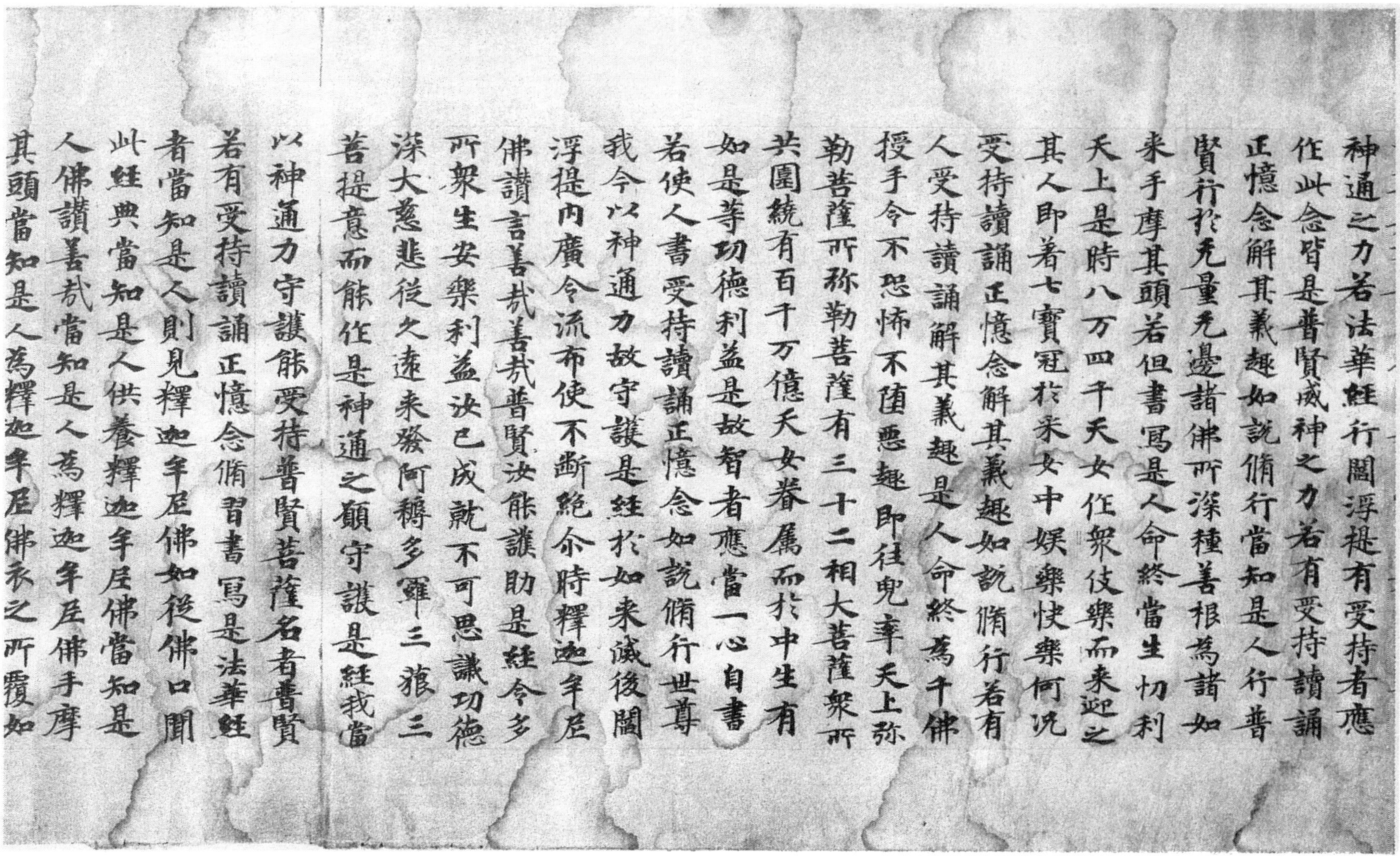

神通之力若法華經行閻浮提有受持者應
作此念皆是普賢威神之力若有受持讀誦
正憶念解其義趣如說脩行當知是人行普
賢行於无量无邊諸佛所深種善根為諸如
来手摩其頭若但書寫是人命終當生忉利
天上是時八万四千天女作衆伎樂而来迎之
其人即著七寶冠於采女中娛樂快樂何况
受持讀誦正憶念解其義趣如說脩行若有
人受持讀誦解其義趣是人命終為千佛
授手令不恐怖不墮惡趣即往兜率天上弥
勒菩薩所弥勒菩薩有三十二相大菩薩衆所
共圍繞有百千万億天女眷屬而於中生有
如是等功德利益是故智者應當一心自書
若使人書受持讀誦正憶念如說脩行世尊
我今以神通力故守護是經於如来滅後閻
浮提內廣令流布使不斷絕尒時釋迦牟尼
佛讚言善哉善哉普賢汝能護助是經令多
所衆生安樂利益汝已成就不可思議功德
深大慈悲從久遠来發阿耨多羅三藐三
菩提意而能作是神通之願守護是經我當
以神通力守護能受持普賢菩薩名者普賢
若有受持讀誦正憶念脩習書寫是法華經
者當知是人則見釋迦牟尼佛如從佛口聞
此經典當知是人供養釋迦牟尼佛當知是
人佛讚善哉當知是人為釋迦牟尼佛手摩
其頭當知是人為釋迦牟尼佛衣之所覆如

BD02405號　妙法蓮華經卷七　（22–20）

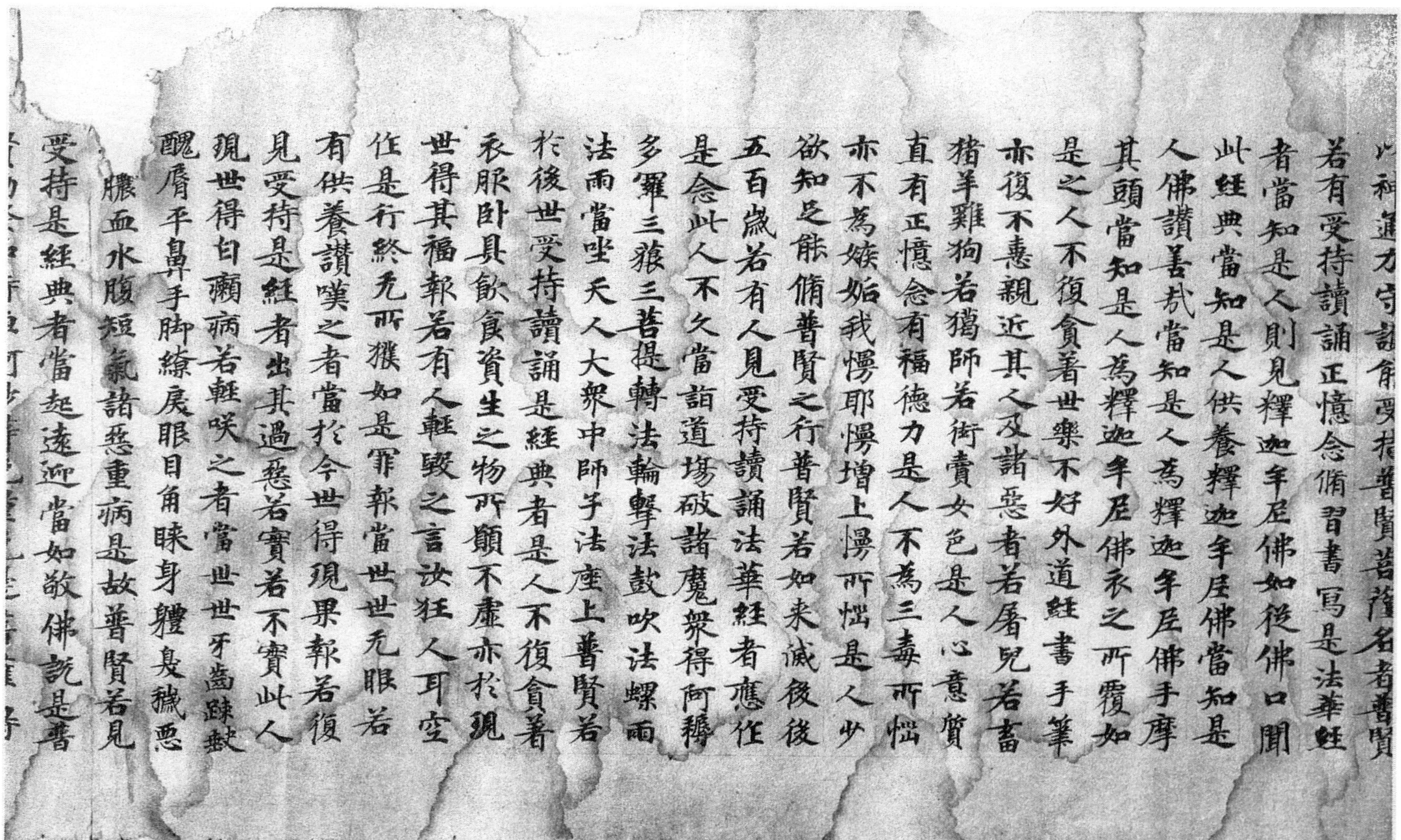

以神通力守護能受持普賢菩薩名者普賢
若有受持讀誦正憶念脩習書寫是法華經
者當知是人則見釋迦牟尼佛如從佛口聞
此經典當知是人供養釋迦牟尼佛當知是
人佛讚善哉當知是人為釋迦牟尼佛手摩
其頭當知是人為釋迦牟尼佛衣之所覆如
是之人不復貪著世樂不好外道經書手筆
亦復不憙親近其人及諸惡者若屠兒若畜
猪羊雞狗若獵師若衒賣女色是人心意質
直有正憶念有福德力是人不為三毒所惱
亦不為嫉妬我慢邪慢增上慢所惱是人少
欲知足能脩普賢之行普賢若如来滅後後
五百歲若有人見受持讀誦法華經者應作
是念此人不久當詣道場破諸魔衆得阿耨
多羅三藐三菩提轉法輪擊法鼓吹法螺雨
法雨當坐天人大衆中師子法座上普賢若
於後世受持讀誦是經典者是人不復貪著
衣服卧具飲食資生之物所願不虛亦於現
世得其福報若有人輕毀之言汝狂人耳空
作是行終无所獲如是罪報當世世无眼若
有供養讚歎之者當於今世得現果報若復
見受持是經者出其過惡若實若不實此人
現世得白癩病若輕笑之者當世世牙齒疏缺
醜脣平鼻手脚繚戾眼目角睞身體臭穢惡
瘡膿血水腹短氣諸惡重病是故普賢若見
受持是經典者當起遠迎當如敬佛說是普
[illegible]

BD02405號　妙法蓮華經卷七　（22–21）

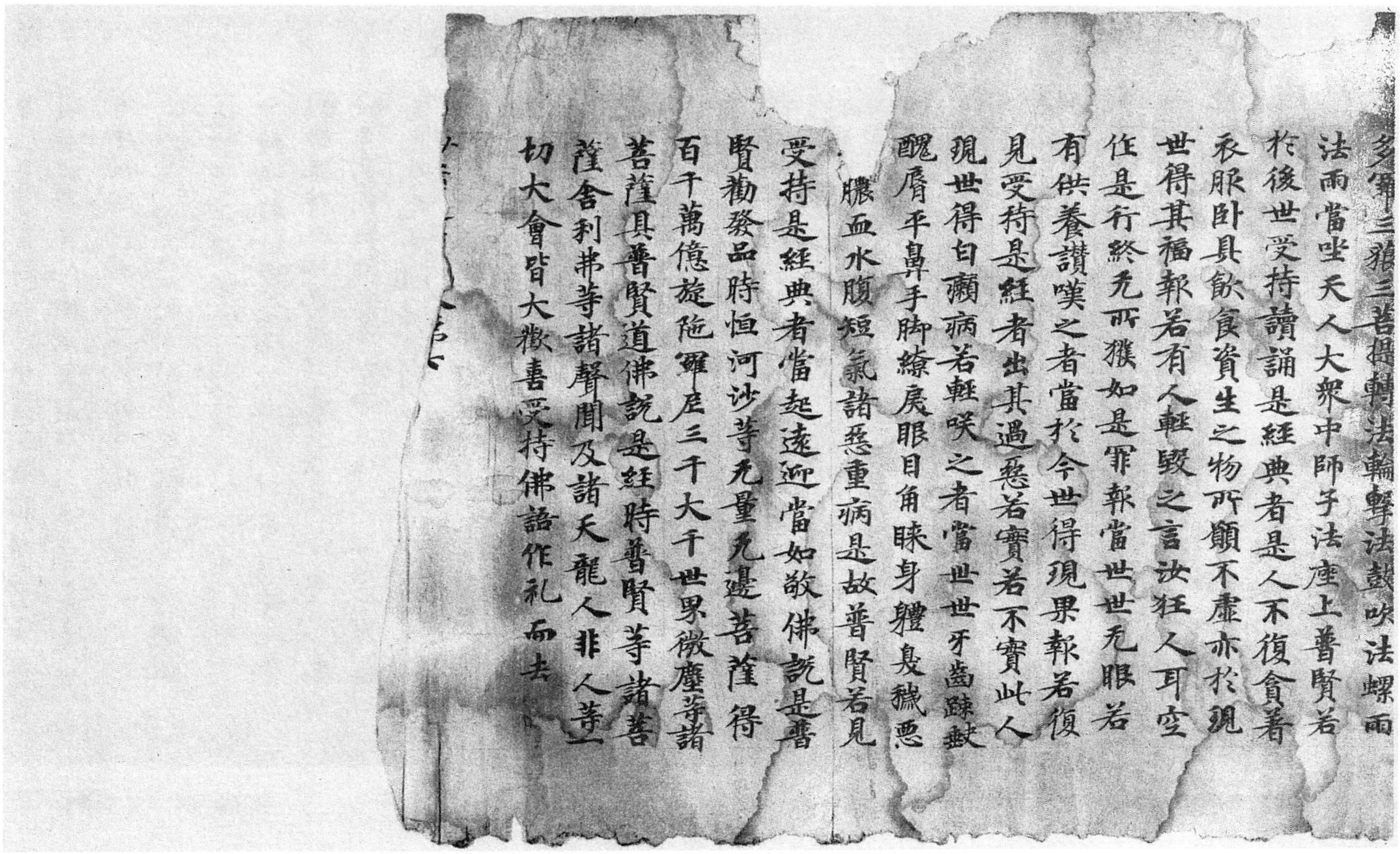
多羅三藐三菩提轉法輪擊法鼓吹法螺雨
法雨當坐天人大衆中師子法座上普賢若
於後世受持讀誦是經典者是人不復貪著
衣服卧具飲食資生之物所願不虛亦於現
世得其福報若有人輕毀之言汝狂人耳空
作是行終无所獲如是罪報當世世无眼若
有供養讚嘆之者當於今世得現果報若復
見受持是經者出其過惡若實若不實此人
現世得白癩病若輕咲之者當世世牙齒踈缺
醜脣平鼻手腳繚戾眼目角睞身體臭穢惡
膿血水腹短氣諸惡重病是故普賢若見
受持是經典者當起遠迎當如敬佛說是普
賢勸發品時恒河沙等无量无邊菩薩得
百千萬億旋陀羅尼三千大千世界微塵等諸
菩薩具普賢道佛說是經時普賢等諸菩
薩舍利弗等諸聲聞及諸天龍人非人等一
切大會皆大歡喜受持佛語作礼而去
妙法蓮華經卷第七

BD02405 號　妙法蓮華經卷七　（22–22）

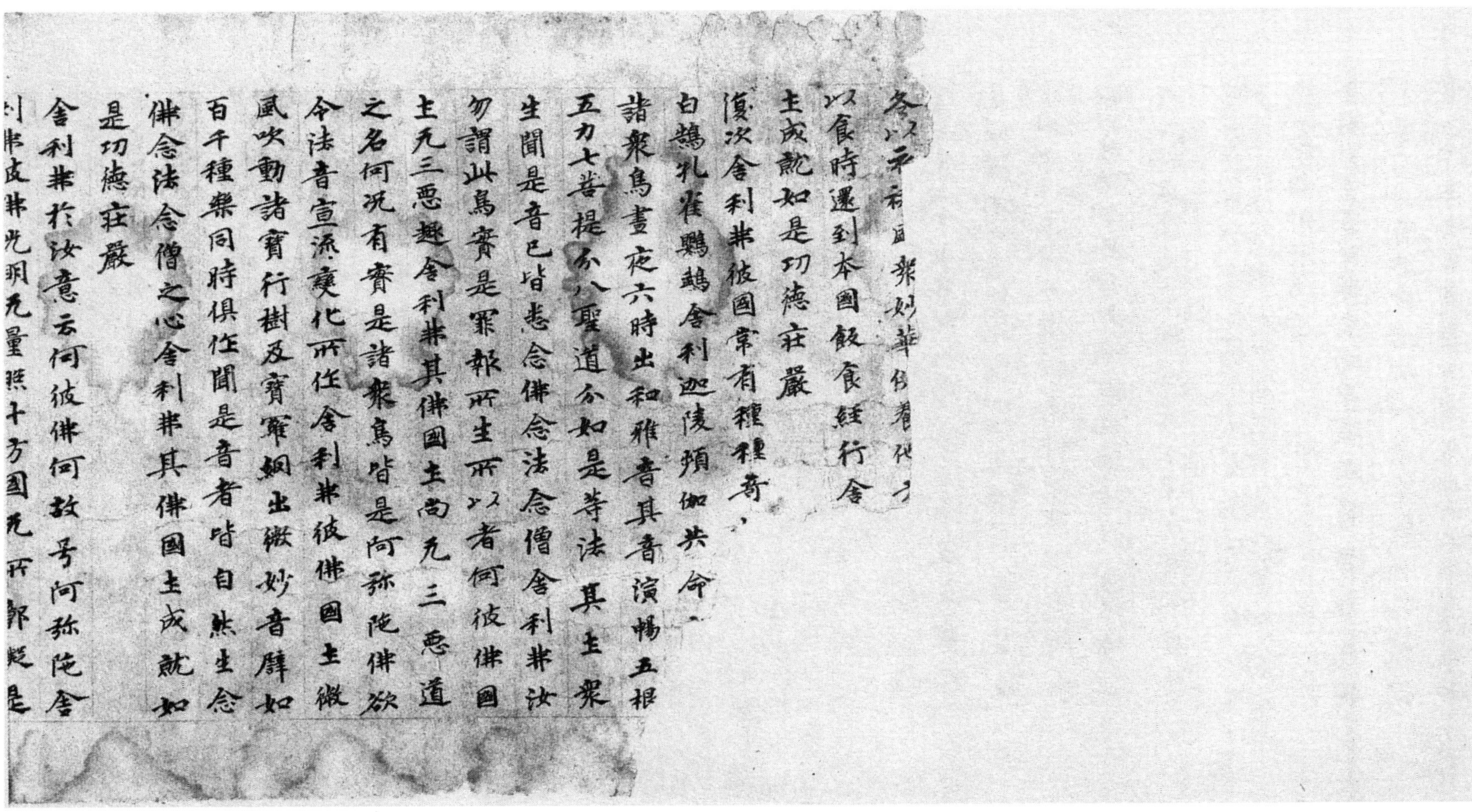
各以衣祴盛衆妙華供養他方
以食時還到本國飯食經行舍
土成就如是功德莊嚴
復次舍利弗彼國常有種種奇
白鵠孔雀鸚鵡舍利迦陵頻伽共命
諸衆鳥晝夜六時出和雅音其音演暢五根
五力七菩提分八聖道分如是等法其土衆
生聞是音已皆悉念佛念法念僧舍利弗汝
勿謂此鳥實是罪報所生所以者何彼佛國
土无三惡趣舍利弗其佛國土尚无三惡道
之名何況有實是諸衆鳥皆是阿弥陀佛欲
令法音宣流變化所作舍利弗彼佛國土微
風吹動諸寶行樹及寶羅網出微妙音譬如
百千種樂同時俱作聞是音者皆自然生念
佛念法念僧之心舍利弗其佛國土成就如
是功德莊嚴
舍利弗於汝意云何彼佛何故号阿弥陀舍
利弗彼佛光明无量照十方國无所鄣礙是

BD02406 號　阿彌陀經　（5–1）

令法音宣流變化所作舍利弗彼佛國土微
風吹動諸寶行樹及寶羅網出微妙音譬如
百千種樂同時俱作聞是音者皆自然生念
佛念法念僧之心舍利弗其佛國土成就如
是功德莊嚴
舍利弗於汝意云何彼佛何故号阿弥陀舍
利弗彼佛光明无量照十方國无所鄣礙是
故号為阿弥陀又舍利弗彼佛壽命及其人
民无量无邊阿僧祇劫故名阿弥陀舍利弗
阿弥陀佛成佛已來於今十劫又舍利弗彼
佛有无量无邊聲聞弟子皆阿羅漢非是筭
數之所能知諸菩薩亦如是舍利弗彼佛國
土成就如是功德莊嚴
又舍利弗極樂國土衆生生者皆是阿鞞跋
致其中多有一生補處其數甚多非是筭數
所能知之但可以无量无邊阿僧祇劫說舍
利弗衆生聞者應當發願願生彼國所以者
何得與如是諸上善人俱會一處舍利弗不
可以少善根福德因緣得生彼國
舍利弗若有善男子善女人聞說阿弥陀佛
執持名号若一日若二日若三日若四日若
五日若六日若七日一心不亂其人臨命終
時阿弥陀佛與諸聖衆現在其前是人終時
心不顛倒即得往生阿弥陀佛極樂國土舍
利弗我見是利故說此言若有衆生聞是說
者應當發願生彼國土
舍利弗如我今者讚歎阿弥陀佛不可思議

BD02406號　阿彌陀經　（5–2）

心不顛倒即得往生阿弥陀佛極樂國土舍
利弗我見是利故說此言若有衆生聞是說
者應當發願生彼國土
舍利弗如我今者讚歎阿弥陀佛不可思議
功德東方亦有阿閦鞞佛須弥相佛大須弥
佛須弥光佛妙音佛如是等恒河沙數諸佛
各於其國出廣長舌相遍覆三千大千世界
說誠實言汝等衆生當信是稱讚不可思議
功德一切諸佛所護念經
舍利弗南方世界有日月燈佛名聞光佛大
焰肩佛須弥燈佛无量精進佛如是等恒河
沙數諸佛各於其國出廣長舌相遍覆三千
大千世界說誠實言汝等衆生當信是稱讚
不可思議功德一切諸佛所護念經
舍利弗西方世界有无量壽佛无量相佛无
量幢佛大光佛大明佛寶相佛淨光佛如是
等恒河沙數諸佛各於其國出廣長舌相遍
覆三千大千世界說誠實言汝等衆生當信
是稱讚不可思議功德一切諸佛所護念經
舍利弗北方世界有焰肩佛最勝音佛難沮
佛日生佛網明佛如是等恒河沙數諸佛各
於其國出廣長舌相遍覆三千大千世界說
誠實言汝等衆生當信是稱讚不可思議功
德一切諸佛所護念經
舍利弗下方世界有師子佛名聞佛名光佛
達摩佛法幢佛持法佛如是等恒河沙數諸
佛各於其國出廣長舌相遍覆三千大千世

BD02406號　阿彌陀經　（5–3）

德一切諸佛所護念經
舍利弗下方世界有師子佛名聞佛名光佛
達摩佛法幢佛持法佛如是等恒河沙數諸
佛各於其國出廣長舌相遍覆三千大千世
界說誠實言汝等衆生當信是稱讚不可思
議功德一切諸佛所護念經
舍利弗上方世界有梵音佛宿王佛香上佛
香光佛大焰肩佛雜色寶華嚴身佛娑羅樹
王佛寶華德佛見一切義佛如須弥山佛如
是等恒河沙數諸佛各於其國出廣長舌相
遍覆三千大千世界說誠實言汝等衆生當
信是稱讚不可思議功德一切諸佛所護念
經
舍利弗於汝意云何何故名一切諸佛所護
念經舍利弗若有善男子善女人聞是諸佛
所說名及經名者是諸善男子善女人皆為
一切諸佛共所護念皆得不退轉於阿耨多
羅三藐三菩提是故舍利弗汝等皆當信受
我語及諸佛所說
舍利弗若有人已發願今發願當發願欲生
阿弥陀佛國者是諸人等皆得不退轉於阿
耨多羅三藐三菩提於彼國土若已生若今
生若當生是故舍利弗諸善男子善女人若
有信者應當發願生彼國土
舍利弗如我今者稱讚諸佛不可思議功德
彼諸佛等亦稱說我不可思議功德而作是
言釋迦牟尼佛能為甚難希有之事能於娑婆

BD02406 號　阿彌陀經　　（5–4）

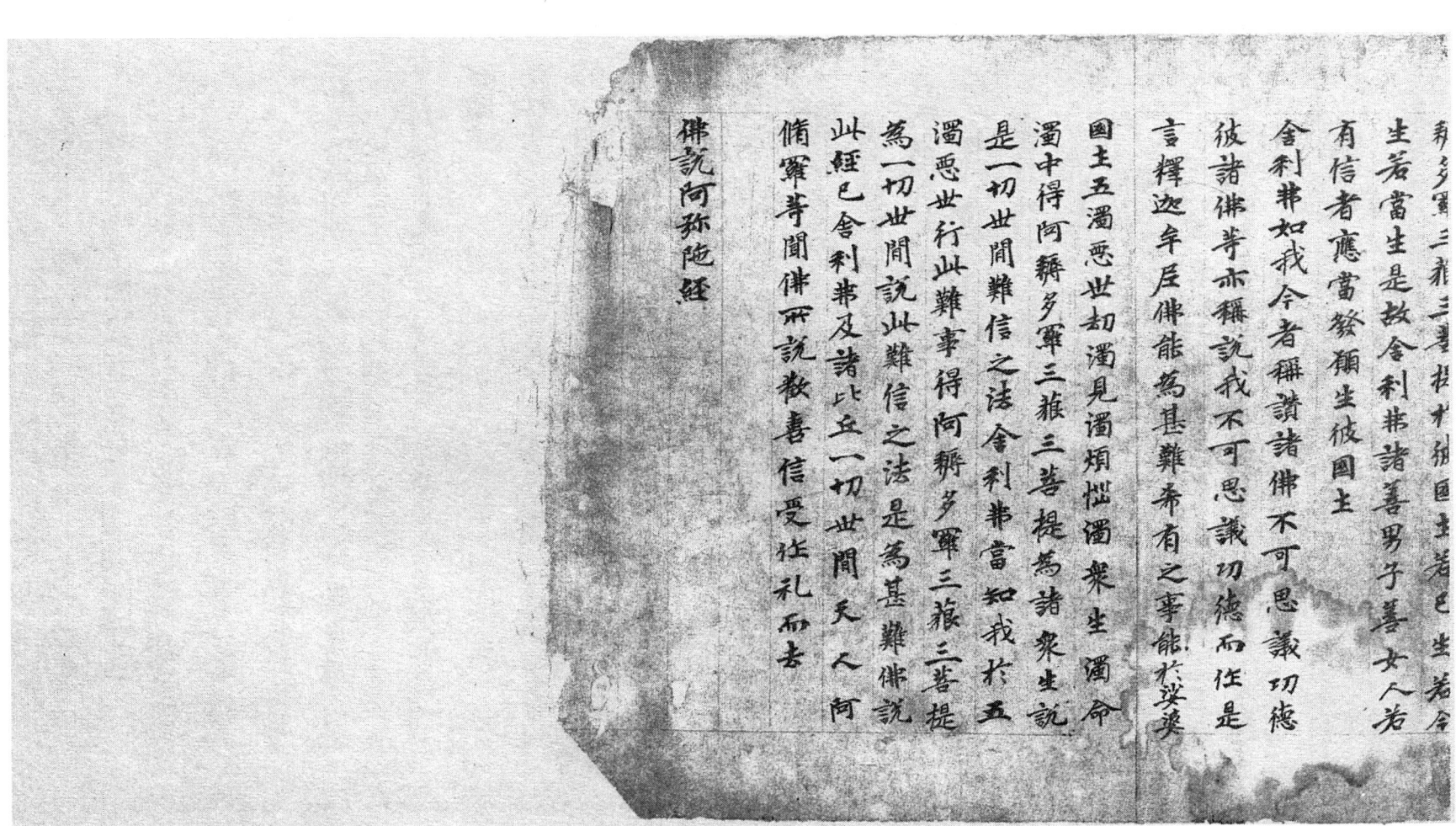

耨多羅三藐三菩提於彼國土若已生若今
生若當生是故舍利弗諸善男子善女人若
有信者應當發願生彼國土
舍利弗如我今者稱讚諸佛不可思議功德
彼諸佛等亦稱說我不可思議功德而作是
言釋迦牟尼佛能為甚難希有之事能於娑婆
國土五濁惡世劫濁見濁煩惱濁衆生濁命
濁中得阿耨多羅三藐三菩提為諸衆生說
是一切世間難信之法舍利弗當知我於五
濁惡世行此難事得阿耨多羅三藐三菩提
為一切世間說此難信之法是為甚難佛說
此經已舍利弗及諸比丘一切世間天人阿
脩羅等聞佛所說歡喜信受作禮而去
佛說阿弥陀經

BD02406 號　阿彌陀經　　（5–5）

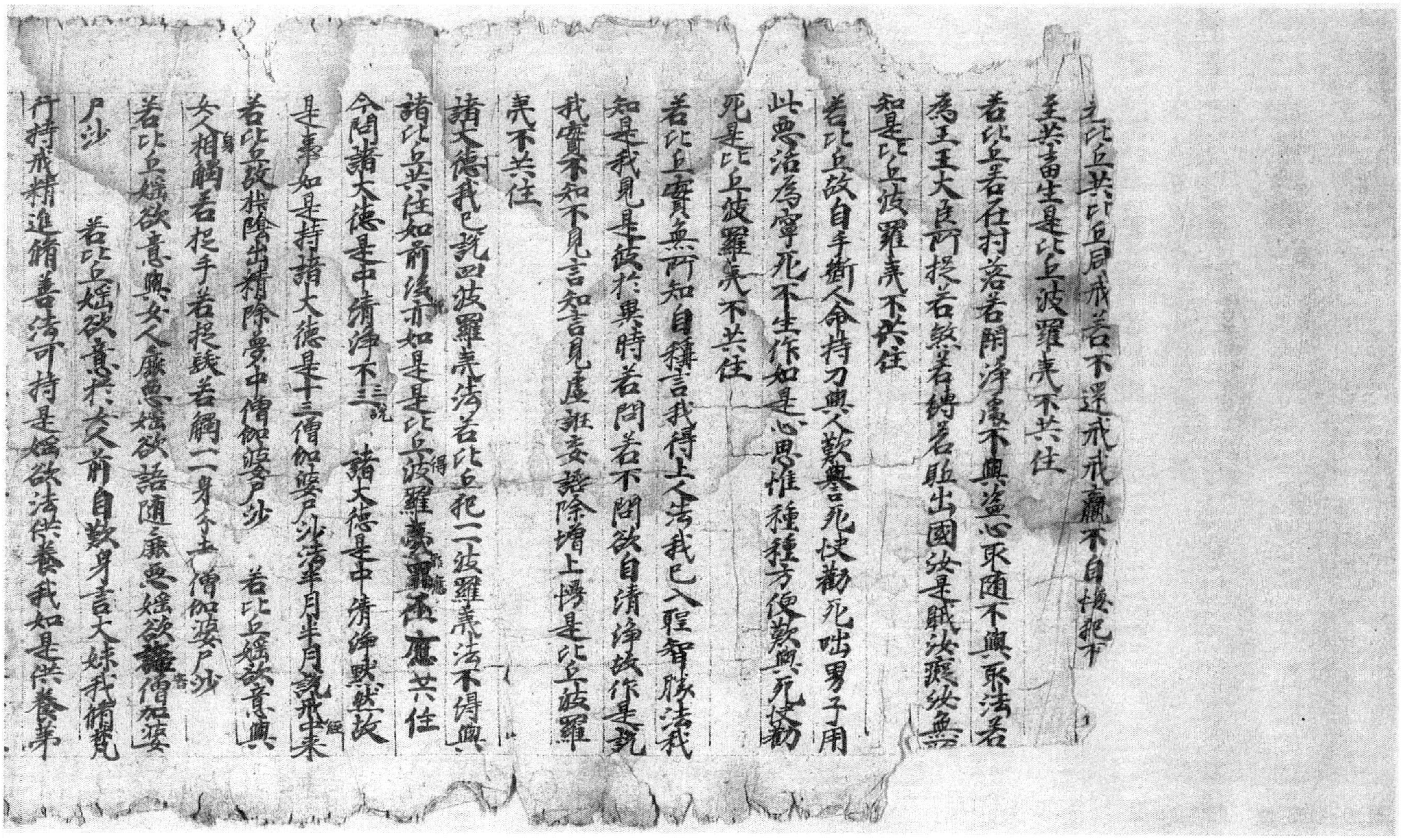

BD02407 號　四分律比丘戒本　（19–1）

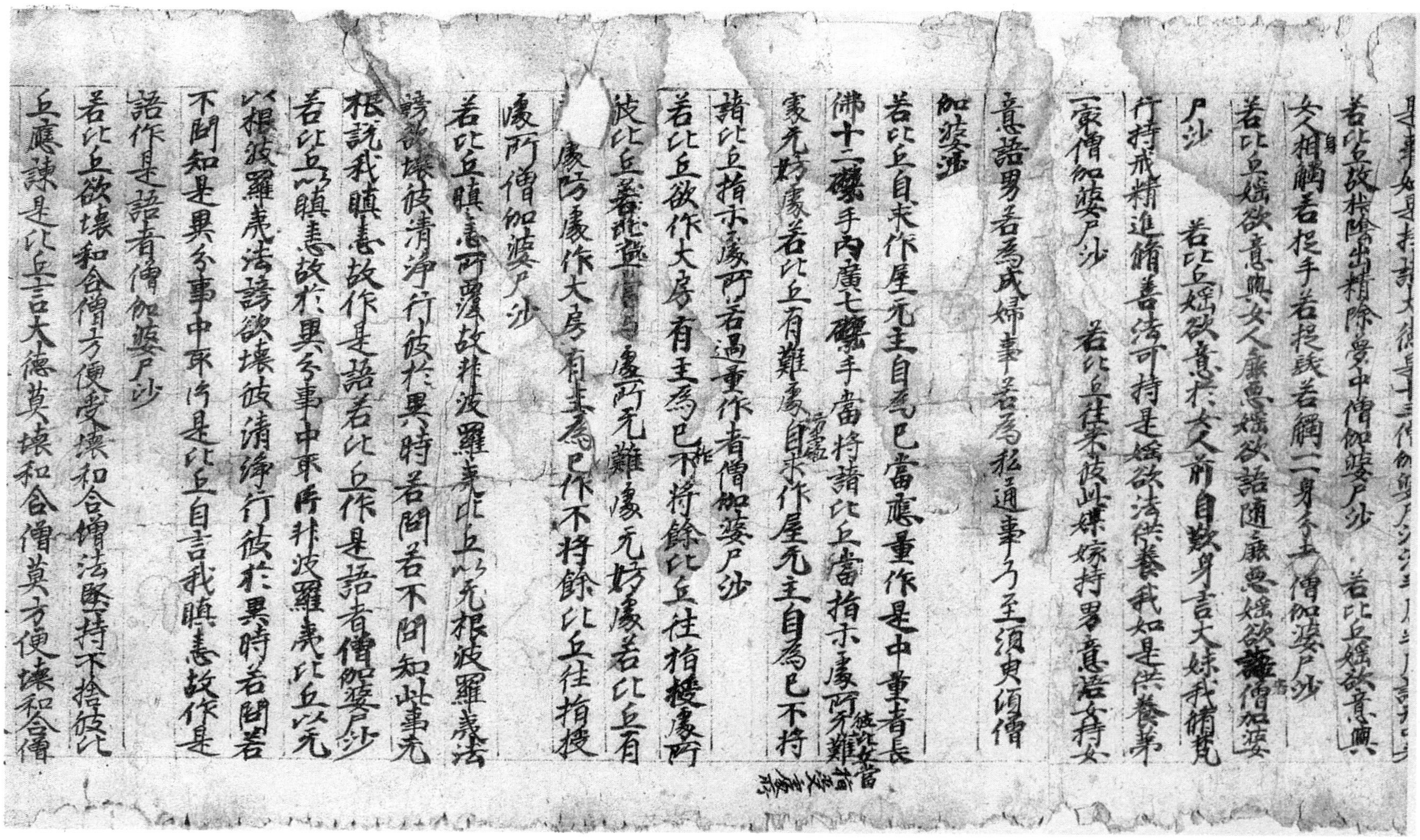

BD02407 號　四分律比丘戒本　（19–2）

不問知是異分事中取片是比丘自言我瞋恚故作是
語作是語者僧伽婆尸沙
若比丘欲壞和合僧方便受壞和合僧法堅持不捨彼比
丘應諫是比丘言大德莫壞和合僧莫方便壞和合僧
莫受壞僧法堅持不捨大德應與僧和合與僧和合歡
喜不諍同一師學如水乳合於佛法中有增益安樂住是
比丘如是諫時堅持不捨彼比丘應三諫捨此事故乃至
三諫捨者善不捨者僧伽婆尸沙
若比丘伴黨若一若二若三乃至无數彼比丘語是比丘言大
德莫諫此比丘此比丘是法語比丘律語比丘此比丘所
說我等喜樂此比丘所說我等忍可彼比丘言大德莫
作是說言此比丘是法語比丘律語比丘此比丘所說我等
喜樂此比丘所說我等忍可然此比丘非法語比丘非律
語比丘大德莫欲壞和合僧汝等當樂欲和合僧大德與
僧和合歡喜不諍同一師學如水乳合於佛法中有增益
安樂住是比丘如是諫時堅持不捨彼比丘應三諫捨是
事故乃至三諫捨者善不捨者僧伽婆尸沙
若比丘依聚落若城邑住汙他家行惡行汙他家亦見
亦聞行惡行亦見亦聞諸比丘當語是比丘言大德汙他家行
惡行汙他家亦見亦聞行惡行亦見亦聞大德汝汙他
家行惡行今可遠此聚落去不須住此是比丘語彼比丘
作如是語言大德諸比丘有愛有恚有怖有癡有如是同
罪比丘有駈者有不駈者諸比丘諫言大德莫作是語
有愛有恚有怖有癡有如是同罪比丘有駈者有
不駈者而諸比丘不愛不恚不怖不癡大德汙他家行
惡行汙他家亦見亦聞行惡行亦見亦聞是比丘如是諫

BD02407 號　四分律比丘戒本　（19–3）

作如是語言大德諸比丘有愛有恚有怖有癡有如是同
罪比丘有駈者有不駈者諸比丘諫言大德莫作是語
有愛有恚有怖有癡有如是同罪比丘有駈者有
不駈者而諸比丘不愛不恚不怖不癡大德汙他家行
惡行汙他家亦見亦聞行惡行亦見亦聞是比丘如是諫
時堅持不捨彼比丘應再三諫捨者善不捨者僧伽婆尸沙
若比丘惡性不受人語於戒法中諸比丘如法諫已自身
作不受諫語言諸大德莫向我說若好若惡我
亦不向諸大德說若好若惡諸大德且止莫諫我彼
比丘諫是比丘言大德莫自身不受諫語大德自身
當受諫語大德如法諫諸比丘諸比丘亦如法諫大德如是佛弟
子眾得增益展轉相諫展轉相教展轉懺悔是比丘
如是諫時堅持不捨彼比丘應三諫捨此事故乃至三
諫捨者善不捨者僧伽婆尸沙
諸大德我已說十三僧伽婆尸沙法九初犯四乃至三諫
若比丘犯一一法知而覆藏應强與波利婆沙行波利婆沙竟
增上與六夜行摩那埵行摩那埵已餘有出罪應廿
僧中出是比丘罪若少一人不滿廿眾出是比丘罪是比丘罪
不得除諸比丘亦可呵此是時今問諸大德是中清淨不 三
諸大德是中清淨默然故是事如是持諸大德是二不定
法半月半月戒經中說
若比丘共女人獨在屏處覆處鄣處可作婬處坐說非法
語有住信優婆私於三法中一一法說若波羅夷若僧
伽婆尸沙若波逸提是坐比丘自言我犯是罪於三法中
應一一治若波羅夷若僧伽婆尸沙若波逸提如住信優婆私
所說應如法治是比丘是名不定法若比丘共女人

BD02407 號　四分律比丘戒本　（19–4）

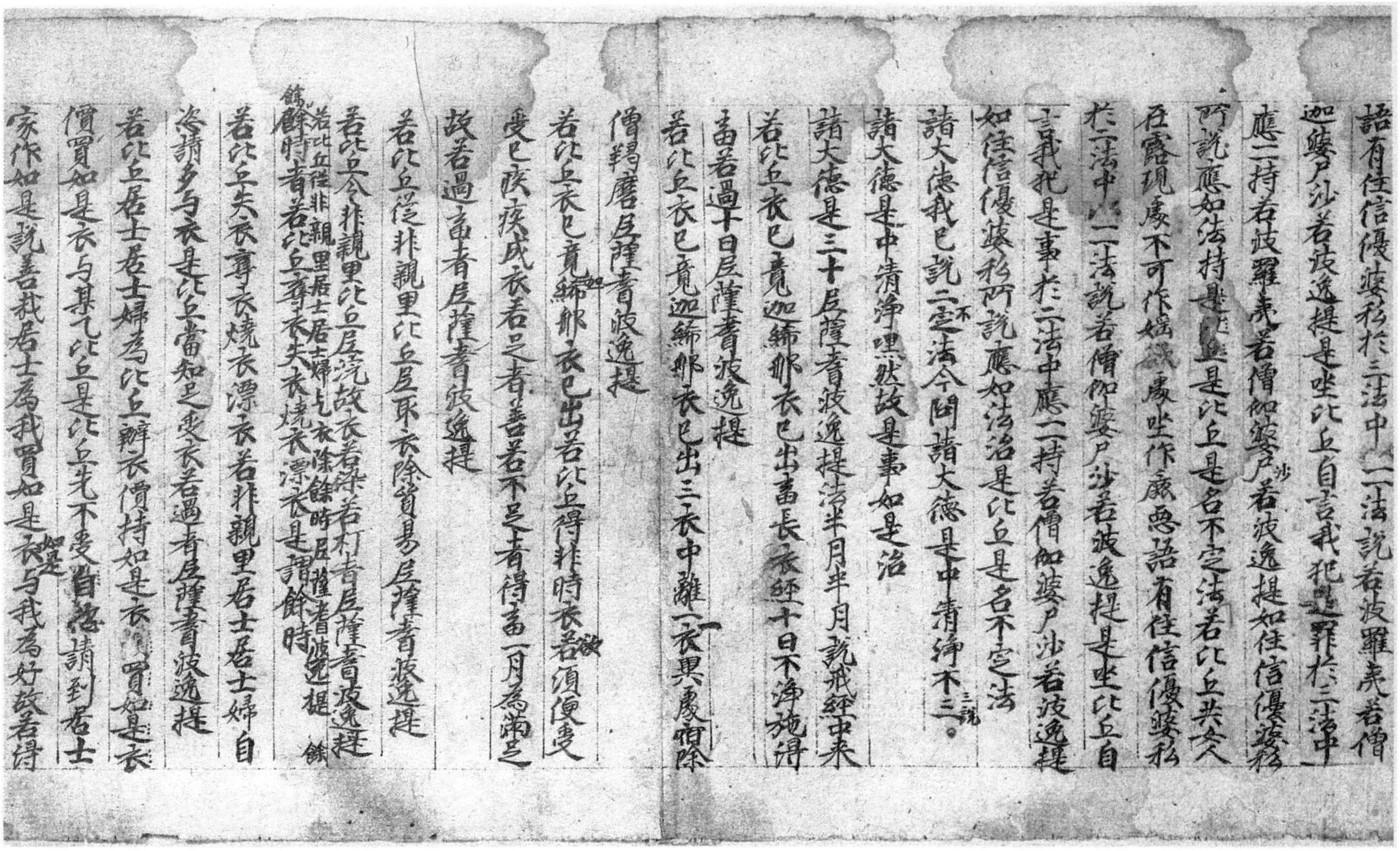
語有住信優婆私於三法中一一法說若波羅夷若僧
迦婆尸沙若波逸提是坐比丘自言我犯是罪於三法中
應一一治若波羅夷若僧伽婆尸沙若波逸提如住信優婆私
所說應如法治是比丘是名不定法若比丘共女人
在露現處不可作婬處坐作麁惡語有住信優婆私
於二法中一一法說若僧伽婆尸沙若波逸提是坐比丘自
言我犯是事於二法中應一一治若僧伽婆尸沙若波逸提
如住信優婆私所說應如法治是比丘是名不定法
諸大德我已說二不定法今問諸大德是中清淨不三說
諸大德是中清淨默然故是事如是持
諸大德是三十尼薩耆波逸提法半月半月說戒經中來
若比丘衣已竟迦絺那衣已出畜長衣經十日不淨施得
畜若過十日尼薩耆波逸提
若比丘衣已竟迦絺那衣已出三衣中離一一衣異處宿除
僧羯磨尼薩耆波逸提
若比丘衣已竟迦絺那衣已出若比丘得非時衣欲須便受
受已疾疾成衣若足者善若不足者得畜一月為滿足
故若過畜者尼薩耆波逸提
若比丘從非親里比丘尼取衣除貿易尼薩耆波逸提
若比丘令非親里比丘尼浣故衣若染若打者尼薩耆波逸提
若比丘從非親里居士居士婦乞衣除餘時尼薩耆波逸提
餘時者若比丘奪衣失衣燒衣漂衣是謂餘時
若比丘失衣奪衣燒衣漂衣若非親里居士居士婦自
恣請多與衣是比丘當知足受衣若過者尼薩耆波逸提
若比丘居士居士婦為比丘辦衣價持如是衣價買如是衣
價買如是衣與某甲比丘是比丘先不受自恣請到居士
家作如是說善哉居士為我買如是如是衣與我為好故若得

BD02407 號　四分律比丘戒本　（19–5）

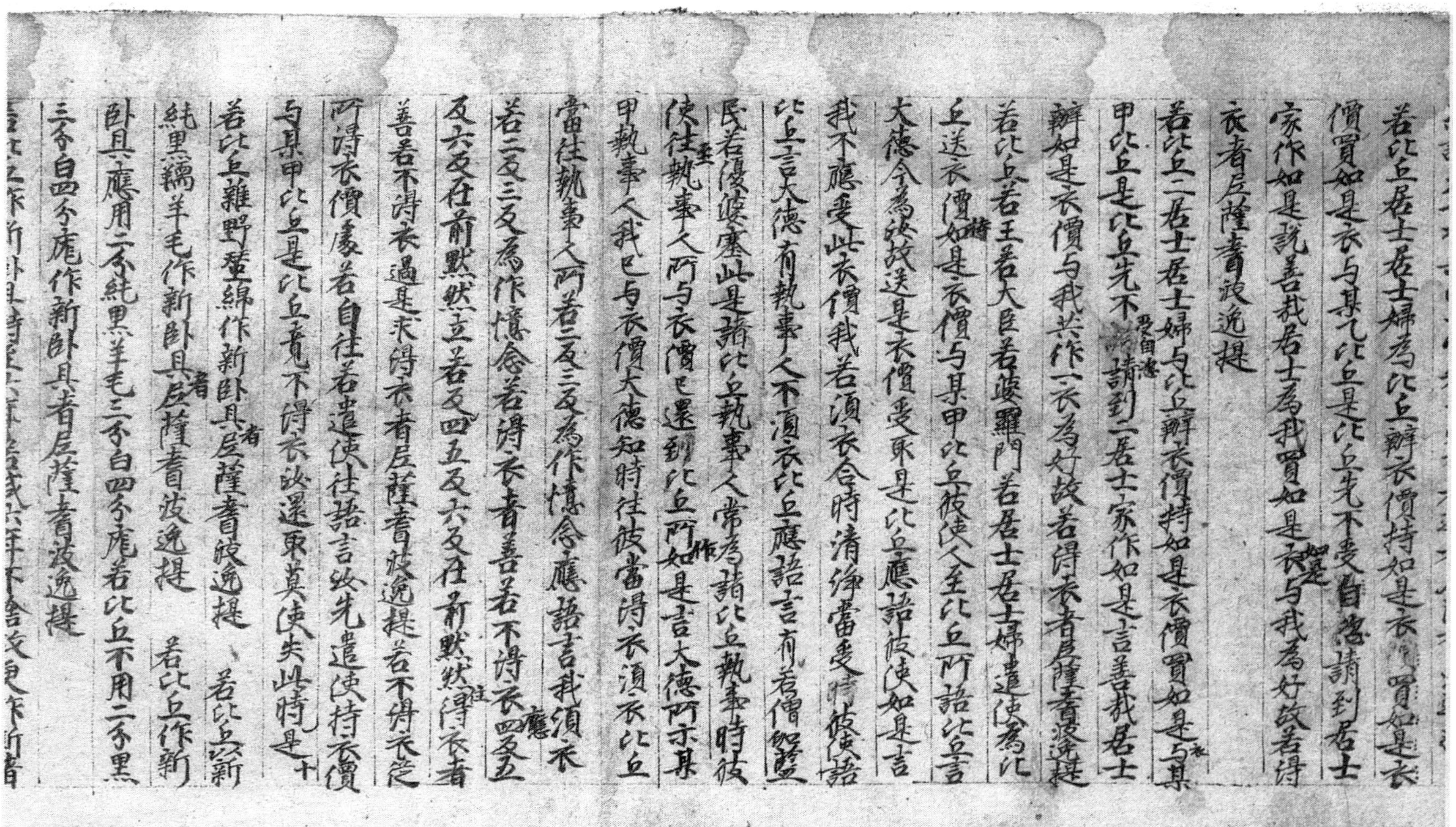
若比丘居士居士婦為比丘辦衣價持如是衣價買如是衣
價買如是衣與某甲比丘是比丘先不受自恣請到居士
家作如是說善哉居士為我買如是如是衣與我為好故若得
衣者尼薩耆波逸提
若比丘二居士居士婦與比丘辦衣價持如是衣價買如是衣與某
甲比丘是比丘先不受自恣請到二居士家作如是言善哉居士
辦如是衣價與我共作一衣為好故若得衣者尼薩耆波逸提
若比丘若王若大臣若婆羅門若居士居士婦遣使為比
丘送衣價持如是衣價與某甲比丘彼使人至比丘所語比丘言
大德今為汝故送是衣價受取是比丘應語彼使如是言
我不應受此衣價我若須衣合時清淨當受持彼使語
比丘言大德有執事人不須衣比丘應語言有若僧伽藍
民若優婆塞此是諸比丘執事人常為諸比丘執事時彼
使往執事人所與衣價已還到比丘所作如是言大德所示某
甲執事人我已與衣價大德知時往彼當得衣須衣比丘
當往執事人所若二反三反為作憶念應語言我須衣
若二反三反為作憶念若得衣者善若不得衣四反五
反六反往前默然立若四反五反六反往前默然住得衣者
善若不得衣過是求得衣者尼薩耆波逸提若不得衣從
所得衣價處若自往若遣使往語言汝先遣使持衣價
與某甲比丘是比丘竟不得衣汝還取莫使失此時是十
若比丘雜野蠶綿作新臥具者尼薩耆波逸提　若比丘以新
純黑糯羊毛作新臥具者尼薩耆波逸提　若比丘作新
臥具應用二分純黑羊毛三分白四分尨若比丘不用二分黑
三分白四分尨作新臥具者尼薩耆波逸提

BD02407 號　四分律比丘戒本　（19–6）

純黑羺羊毛作新卧具尼薩耆波逸提　若比丘作新
卧具應用二分純黑羊毛三分白四分庬若比丘不用二分黑
三分白四分庬作新卧具者尼薩耆波逸提
若比丘作新卧具持至六年若減六年不捨故更作新者
除僧羯磨尼薩耆波逸提　若比丘作新坐具當取
故者縱廣一磔手帖着新者上壞色故若比丘作新坐具不
取故者縱廣一磔手帖着新者上用壞色故尼薩耆波逸提
若比丘道路行得羊毛若無人持得自持乃至三由旬若無
人持自持過三由旬尼薩耆波逸提
若比丘使非親里比丘尼浣染擗羊毛者尼薩耆波逸提
若比丘自捉錢若金銀若教人捉若置地受者尼薩耆波
逸提　若比丘種種買賣者尼薩耆波逸提
若比丘種種販賣者尼薩耆波逸提
若比丘畜長鉢不淨施得畜十日過者尼薩耆波逸提　廿
若比丘畜鉢減五綴不漏更求新鉢為好故尼薩耆波逸提
若比丘應僧中捨展轉取下鉢與之令持乃至破應
此是時　若比丘自乞縷線使非親里織師織作衣者
尼薩耆波逸提　若比丘居士居士婦使織師為比丘織
作衣彼比丘先不受自恣請便往織師所言此衣為我作
与我極好織令廣大堅緻我當少多与汝價是比丘与價
乃至一食直若得衣者尼薩耆波逸提
若比丘先與比丘衣後瞋恚若自奪若教人奪取還我
衣來不與汝若比丘還衣彼取衣者尼薩耆波逸提
若比丘有病殘藥蘇油生蘇蜜石蜜齊七日得服過七服
者尼薩耆波逸提　若比丘春殘一月在當求雨浴衣
半月應用浴若比丘過一月前求雨浴衣過半月前用浴者

BD02407號　四分律比丘戒本　（19–7）

若比丘有病殘藥蘇油生蘇蜜石蜜齊七日得服過七服
者尼薩耆波逸提　若比丘春殘一月在當求雨浴衣
半月應用浴若比丘過一月前求雨浴衣過半月前用浴者
尼薩耆波逸提　若比丘十日未竟夏三月諸比丘得
急施衣比丘知是急施衣當受受已乃至衣時應
畜若過畜尼薩耆波逸提　若比丘夏三月竟後
迦提一月滿在阿蘭若有疑恐懼處住比丘在如是處住
三衣中欲留一一衣置舍內諸比丘有因緣離衣宿乃至六夜
若過者尼薩耆波逸提
若比丘知是僧物自求入己尼薩耆波逸提
諸大德我已說三十尼薩耆波逸提法今問諸大德
是中清淨不三說然故是事如是持
諸大德是中清淨默然故是事如是持
諸大德是九十波逸提法半月半月說戒經中來若比丘
知而妄語者波逸提
若比丘種類毀呰者波逸提
若比丘兩舌語者波逸提　若比丘与婦女同室宿者
波逸提　若比丘与未受大戒人共宿過二宿至三宿
曉者波逸提　若比丘知他有麁惡罪向未受大戒
人說除僧羯磨波逸提　若比丘與未受大戒人共誦波逸提
若比丘向未受大戒人說過人法言我見是我知是實者波逸
提　若比丘与女人說法過五六語除有知男子波逸提
若比丘自手掘地若教人掘地者波逸提
若比丘壞鬼神村波逸提　若比丘妄作異語惱他
者波逸提　若比丘嫌罵者波逸提
若比丘取僧繩牀若卧具坐褥露地敷若教人敷捨去
不自舉不教人舉波逸提　若比丘於僧房中敷僧卧具

BD02407號　四分律比丘戒本　（19–8）

若比丘壞鬼神村波逸提　若比丘妄作異語惱他
者波逸提　若比丘嫌罵者波逸提
若比丘取僧繩牀若臥具坐褥露地敷若教人敷捨去
不自舉不教人舉者波逸提　若比丘於僧房中敷僧臥具
若自敷若教人敷若坐若臥去時不自舉不教人舉
波逸提　若比丘知先比丘住處後來強於中間敷臥
具止宿念言彼若嫌迮自當避我去作如是因緣非餘
非威儀波逸提　若比丘瞋他比丘不憙僧房中若
自牽出教人牽出波逸提　若比丘房若重閣上脫
脚繩牀若木牀若坐若臥波逸提　若比丘知水有
蟲若自澆泥若草若教人澆者波逸提
若比丘作大房舍戶扉窗牖及餘莊飾具指授覆苫
齊二三節若過者波逸提 二十 若比丘僧不差教誡比丘尼者波逸提 若比丘為僧差教誡比
丘尼乃至日暮者波逸提　若比丘語諸比丘作如是
語比丘為飲食故教誡比丘尼者波逸提
若比丘與非親里比丘尼衣除貿易波逸提
若比丘與非親里比丘尼作衣者波逸提
若比丘與非親里比丘尼在屏處坐者波逸提
若比丘與比丘尼共期同一道行從一村乃至一村除異時波
逸提異時者與古客行若疑畏怖時是謂異時
若比丘與比丘尼共期同乘一船上水下水除直渡者波逸提
若比丘尼知比丘尼讚歎教化因緣得食食除檀越先意
者波逸提　若比丘與婦女共期同一道行乃至村間波逸提 卅
若比丘施一食處無病比丘應一食若過者波逸提
若比丘展轉食除餘時波逸提　餘時者病時作衣時施
衣時是謂餘時　若比丘別眾食除餘時波逸提

者波逸提　若比丘與婦女共期同一道行乃至村間波逸提
若比丘施一食處無病比丘應一食若過者波逸提
若比丘展轉食除餘時波逸提　餘時者病時作衣時施
衣時是謂餘時　若比丘別眾食除餘時波逸提
餘時者病時作衣時施衣時道行時乘船時大眾集
時沙門施食時此是時　若比丘自衣家內請比丘與
餅麨飯若比丘欲須者當取二三鉢受還至僧伽藍中
不分與餘比丘食者波逸提　若比丘足食竟或時
受請不作餘食法而食者波逸提　若比丘知他足
食已自受請不作餘食法殷勤請與食長老取是食以
是因緣非餘欲使他犯波逸提　若比丘非時食食者
波逸提　若比丘殘宿食而食者波逸提
若比丘不受食若藥著口中除水及楊枝波逸提
若比丘得好美飲食乳酪魚及肉若比丘如是美飲食無
病自為己索者波逸提 卌　若比丘外道男外道女自手
與食者波逸提　若比丘前受請已前食後食行詣餘
家不囑授餘比丘除餘時波逸提　餘時者病時作衣時
施衣時是謂餘時　若比丘在食家中有寶強安坐者
若比丘食家中有寶在屏處坐者波逸提　若比丘獨與女人露地坐者波逸提
波逸提　若比丘語餘比丘如是語大德共至聚落去
當與汝食彼比丘竟不教與是比丘食語言汝去我與
汝一處若坐若語不樂我獨坐獨語樂以此因緣非餘方
便遣去者波逸提　若比丘受四月請與藥無病比丘
應受若過受除常請更請分請盡形壽請波逸提
若比丘往觀軍陣除餘時因緣波逸提　若比丘有因緣
聽至軍中二三宿過者波逸提　若比丘二宿三宿
軍中住或時觀軍陣鬪戰若觀遊軍象馬力勢者 五十

應受若過受除常請更請分請盡形壽請波逸提
若比丘往觀軍陣除時因緣波逸提　若比丘有因緣
聽至軍中二三宿過者波逸提　若比丘二宿三宿
軍中住或時觀軍陣闘戰若觀遊軍象馬力勢者
波逸提 五十　若比丘飲酒者波逸提　若比丘水中嬉戲
者波逸提　若比丘以指相擊攊者波逸提　若比丘不
受諫者波逸提　若比丘恐怖他比丘者波逸提
若比丘半月洗浴無病比丘應受不得除餘時波逸提餘
時者熱時病時風時雨時道行時此是時　若比丘無病
自為炙身故在露地然火若教人然除時因緣波逸提
若比丘藏他比丘衣鉢坐具針筒自藏教人藏下至戲笑者
波逸提　若比丘與比丘比丘尼式叉摩那沙彌沙彌尼衣
後不語主還取著者波逸提　若比丘得新衣應作三
種壞色一一色中隨意壞若青若黑若木蘭若比丘不
以三種壞色若青若黑若木蘭著新衣者波逸提 六十
若比丘故殺畜生命者波逸提　若比丘知水有虫飲
用者波逸提　若比丘故惱他比丘令須臾間不樂者波
逸提　若比丘知他比丘犯麁罪覆藏者波逸提
若比丘年滿二十應受大戒若比丘知年不滿二十受戒此人
不得戒彼比丘可呵癡故波逸提　若比丘知諍事如法懺
悔已後更發起者波逸提　若比丘知賊伴結要共期同
一道行乃至一村間者波逸提　若比丘作如是語我知佛所
說行婬欲非障道法彼比丘諫此比丘言大德莫作是語
莫謗世尊謗世尊者不善世尊不作是語世尊無數方
便說行婬欲是障道法彼比丘諫此比丘時堅持不捨彼
比丘乃至三諫捨此事故若再三諫捨者善不捨者波逸提

說行婬欲非障道法彼比丘諫此比丘言大德莫作是語
莫謗世尊謗世尊者不善世尊不作是語世尊無數方
便說行婬欲是障道法彼比丘諫此比丘時堅持不捨彼
比丘乃至三諫捨此事故若再三諫捨者善不捨者波逸提
若比丘知如是語人未作法如是邪見而不捨供給所須共同
羯磨止宿言語者波逸提　若比丘知沙彌作如是言我
從佛聞法行婬欲非障道法彼比丘諫此沙彌如是言汝莫
誹謗世尊謗世尊者不善世尊不作是語沙彌世尊無
數方便說婬欲是障道法彼比丘諫此沙彌時堅持不捨
彼比丘應乃至再三呵諫令捨此事故乃至三諫而捨者善
不捨者比丘應語彼沙彌言汝自今已去不得言佛是我
世尊不得隨逐餘比丘如諸沙彌得與比丘二三宿汝今無是
事汝出去滅去不應住此若比丘知如是衆中被擯沙彌而
誘將畜養共同止宿者波逸提 七十　若比丘餘比丘如法諫
時如是語我今不學此戒當難問餘智慧持律比丘者
波逸提若為知為學故應當難問
若比丘說戒時如是語大德用說此雜碎戒為說是
戒時令人惱愧懷疑輕呵戒故波逸提　若比丘說戒時作如
是語我今始知此法戒經半月半月說戒經中來餘比丘知
是比丘若二若三說戒中坐何況多彼比丘無解若犯罪應
如法治更重增無知罪語言長老汝無利不善得汝說
戒時不用心念不一心兩耳聽法彼無知故波逸提
若比丘共同羯磨已後如是言諸比丘隨親厚以衆僧
物與者波逸提　若比丘衆僧斷事未竟不與欲
而起去者波逸提　若比丘與欲已後悔者波逸提

戒時不用心念不一心兩耳聽法彼无知故波逸提
若比丘共同羯磨已後如是言諸比丘隨親厚以衆僧
物与者波逸提　若比丘衆僧斷事未竟不与欲
而起去者波逸提　若比丘与欲已後悔者波逸提
若比丘共比丘鬪諍已聽此語向彼說波逸提
若比丘嗔恚故不喜打比丘波逸提　若比丘嗔恚不喜
以手搏比丘者波逸提　若比丘嗔恚故以无根僧伽婆
尸沙謗者波逸提　若比丘刹利水澆頭王種王未出未
藏寶而入若過宮門閾者波逸提　八十　若比丘寶及
寶莊飾若自捉教人捉除僧伽藍中及寄宿處波逸
提　若比丘在僧伽藍中若寄宿處捉寶若以寶莊
飾自捉教人捉當作是意若有主識者當取作如是因
緣非餘　波逸提　若比丘非時入衆落不囑授餘比丘者波逸提
若比丘作繩床木床足應當高如來八指除入陛孔上截
竟過者波逸提　若比丘作兜羅綿貯繩床木床
大小蓐成者波逸提　若比丘作骨牙角針筒刳成
者波逸提　若比丘作尼師檀當應量作是中量者長
佛二磔手廣一磔手半更增廣長各半磔手截竟過者
波逸提　若比丘作覆瘡衣當應量作量者長佛
四磔手廣二磔手截竟過者波逸提　若比丘作雨浴衣
當應量作是中量者長佛六磔手廣二磔手半截竟過
者波逸提　若比丘与如來等量作衣過量作者波逸
提　是中如來衣量者長佛十磔手廣六磔手是謂
如來衣量　諸大德我已說九十波逸提法今問諸大德
是中清淨不　三說　諸大德清淨默然故是事如是持諸
大德是四波羅提提舍尼法半月半月說戒經中來

是中如來衣量者長佛十磔手廣六磔手是謂
如來衣量　諸大德我已說九十波逸提法今問諸大德
是中清淨不　三說　諸大德清淨默然故是事如是持諸
大德是四波羅提提舍尼法半月半月說戒經中來
若比丘入村中從非親里比丘尼若无病自手取食食者
是比丘應向比丘悔過言大德我犯可呵法所不應為我
今向大德悔過是名悔過法　若比丘至白衣家內
食是中有比丘尼指示与某甲羹与某甲飯比丘應語
彼比丘尼如是言大姊且止須比丘食竟若无一比丘語彼
比丘尼如是言大姊且止須比丘食竟者是比丘應悔過
言大德我犯可呵法所不應為我今向大德悔過是名
悔過法　若先作學家羯磨若比丘於如是學家先
不請无病自手受食食是比丘應向餘比丘悔過言我
犯可呵法所不應為我今向大德悔過是名悔過法
若比丘在阿蘭若迥遠有疑恐怖處住若比丘在如是
阿蘭若住處先不語檀越若僧伽藍外不受食在僧
伽藍內无病自手受食食者應餘向比丘悔過言大德
我犯可呵所不應為我今向大德悔過是名悔過法
諸大德我已說四波羅提提舍尼法今問諸大德是中清淨
不　三說　諸大德是中清淨嘿然故是事如是持　諸大德
是衆學戒法半月半月說戒經中來　當齊整著涅槃
僧應當學　當齊整著三衣應當學　不得反抄衣入
白衣舍應當學　不得反抄衣入白衣舍坐應當學
不得衣纏頸入白衣舍應當學　不得衣纏頸入白衣
舍坐應當學　不得覆頭入白衣舍應當學
不得覆頭入白衣舍坐應當學　不得跳行入白衣舍應

白衣舍應當學　不得攝抄衣入白衣舍坐應當學
不得衣纏頸入白衣舍應當學　不得衣纏頸入白衣
舍坐應當學　不得覆頭入白衣舍應當學
不得覆頭入白衣舍坐應當學　不得跳行入白衣舍應 十
當學　不得入白衣舍內蹲坐應當學　不得叉腰行入
白衣舍應當學　不得叉腰入白衣舍坐應當學
不得搖身行入白衣舍應當學　不得搖身入白衣
舍坐應當學　不得掉臂行入白衣舍應當學
不得掉臂入白衣舍坐應當學　好覆身入白衣舍坐
應當學　好覆身入白衣舍坐應當學　不得左右
顧視行入白衣舍應當學　不得左右顧視入白衣舍 二十
坐應當學　靜默入白衣舍應當學　靜默入白衣
舍坐應當學　不得戲笑入白衣舍坐應當學
用意受食應當學　當平鉢受食應當學
平鉢受羹飯應當學　羹飯等食應當學　以次第
食應當學 三十　不得挑鉢中而食應當學　若比丘無
病不得自為己索羹飯應當學　不得以飯覆羹更
望得應當學　不得視比坐鉢中應當學　當繫鉢
想食應當學　不得大搏飯食應當學　不得大張口
待飯食應當學　不得含飯語應當學　不得搏飯食
遙擲口中應當學　不得遺落飯食應當學 四十　不得頰食應當學　不得嚼飯食
作聲應當學　不得大噏飯食應當學　不得舌舐食
食應當學　不得振手食應當學　不得手把散
飯食應當學　不得污手捉飯器應當學　不得洗鉢水
棄白衣舍內應當學　不得生草菜上大小便涕唾除病應當學

BD02407號　四分律比丘戒本　（19–15）

作聲應當學　不得大噏飯食應當學　不得舌舐食
食應當學　不得振手食應當學　不得手把散
飯食應當學　不得污手捉飯器應當學　不得洗鉢水
棄白衣舍內應當學　不得生草菜上大小便涕唾除病應當學
不得水中大小便涕唾除病應當學 五十　不得立大小便除病應當學
不得反抄衣不恭敬人說法除病應當學　不得為衣纏頸者
說法除病應當學　不得為覆頭者說法除病應當學
不得為裹頭者說法除病應當學　不得為叉腰者
說法除病應當學　不得為著革屣者說法除病
應當學　不得為著木屐者說法除病應當學
不得為騎乘者說法除病應當學　不得在佛塔中止
宿除為守護故應當學 六十　不得藏物著佛塔中除為堅
牢故應當學　不得著革屣入佛塔中應當學
不得手捉革屣入佛塔中應當學　不得著革屣遶佛
塔行應當學　不得著富羅入佛塔中應當學
不得手捉富羅入佛塔中應當學　不得塔下坐食
留草及食污地應當學　不得擔死屍從塔下過應當
學　不得塔下埋死屍應當學　不得在塔下燒死屍應
當學　不得向塔燒死屍應當學　不得佛塔四邊燒死
屍使臭氣來入應當學 七十　不得持死人衣及床從塔下過
除浣染香熏應當學　不得佛塔下大小便應當學
不得向佛塔大小便應當學　不得遶佛塔四邊大小便使
臭氣來入應當學　不得持佛塔像至大小便處
應當學　不得持佛像至大小便處應當學
不得在佛塔下嚼楊枝應當學　不得向佛塔嚼楊枝應

BD02407號　四分律比丘戒本　（19–16）

不得向佛塔大小便應當學　不得遶佛塔四邊大小便使
臭氣來入應當學　不得持佛塔像至大小便處
應當學　不得持佛像至大小便處應當學
不得在佛塔下嚼楊枝應當學　不得向佛塔嚼楊枝應
當學　不得佛塔四邊嚼楊枝應當學　不得在佛塔
下涕唾應當學　不得向佛塔涕唾應當學
不得遶佛塔四邊涕唾應當學　不得向佛塔舒脚坐
應當學　不得安佛塔在下房已在上房住應當學
人坐已立不得為說法除病應當學　人臥已坐不得為說
法除病應當學　人坐已在非坐不得為說法除病應當學　十九
人在高坐已在下坐不得為說法除病應當學　人在前行已
在後不得為說法除病應當學　人在高經行處已在下經
行處不應為說法除病應當學　人在道行已在非道不
應為說法除病應當學　不得攜手在道行應當學　不得上樹過人
頭除時因緣應當學　不得絡囊盛鉢貫杖頭著肩上而
行應當學　人持杖不恭敬不應為說法除病應當學
人持劍不應為說法除病應當學　人持鉾不應為說法
除病應當學　人持刀不應為說法除病應當學
人持蓋不應為說法除病應當學　諸大德我已說眾學戒
法　今問諸大德是中清淨不　三說　諸大德是中清淨嘿然
故是事如是持　諸大德是七滅諍法半月半月說戒經
中來　若比丘有諍事起即應除滅應與現前毗尼
當與現前毗尼　應與憶念毗尼　當與憶念毗尼　應與不
癡毗尼　當與不癡毗尼　應與自言治　當與自言治
應與覓罪相　當與覓罪相　應與多人語罪相
當與多人語罪相　應與如草覆地　當與如草覆地

半月半月說戒經
中來　若比丘有諍事起即應除滅應與現前毗尼
當與現前毗尼　應與憶念毗尼　當與憶念毗尼　應與不
癡毗尼　當與不癡毗尼　應與自言治　當與自言治
應與覓罪相　當與覓罪相　應與多人語罪相
當與多人語罪相　應與如草覆地　當與如草覆地
諸大德我已說七滅諍法　今問諸大德是中清淨不　三說
諸大德是中清淨嘿然故是事如是持　諸大德我已
說戒序已說四波羅夷法已說十三僧伽婆尸沙法已說二不
定法已說卅尼薩耆波逸提法已說九十波逸提法已說四波
羅提提舍尼法已說眾學法已說七滅諍法此是佛所說
戒經半月半月戒經中說若更有餘佛法是中皆共和
合應當學　忍辱第一道佛說無為最　出家惱他人
不名為沙門　此是毗婆尸如來無所著等正覺說是戒經
譬如明眼人能避險惡道　世有聰明人能遠離諸惡
此是尸棄如來無所著等正覺說是戒經　不謗亦不嫉
當奉行於戒　常樂在空閑　心定樂精進　是名諸佛教
此是毗葉羅如來無所著等正覺說是戒經　譬如蜂採華
不壞色與香　但取其味去　比丘入聚然　不違戾他事
若作若不作　但自觀身行　若正若不正　此是拘留孫如來
無所著等正覺說是戒經　心莫作放逸　聖法當勤學
如是無憂愁　心定入涅槃　此是拘那含牟尼如來無所著等
正覺說是戒經　一切惡莫作　當奉行諸善　自淨其志意
是則諸佛教　此是迦葉如來無所著等正覺說是戒經
善護於口言　自淨其志意　身莫作諸惡　此三業道淨
能得如是行　是大仙人道　此是釋迦牟尼如來無所著等

若作若不作 但自觀身行 若正若不正 此是拘留孫如來
無所著等正覺說是戒經 心莫作放逸 聖法當勤學
如是無憂愁 心定入涅槃 此是拘那含牟尼如來無所著等
正覺說是戒經 一切惡莫作 當奉行諸善 自淨其志意
是則諸佛教 此是迦葉如來無所著等正覺說是戒經
善護於口言 自淨其志意 身莫作諸惡 此三業道淨
能得如是行 是大仙人道 此是釋迦牟尼如來無所著等
正覺於十二年中為無事僧說是戒經 從此已後廣分別說
諸比丘自為樂法樂沙門者有慚有愧樂學戒者當於中
學 明人能護戒 能得三種樂 名譽及利養 死得生天上
當觀如是處 有智勤護戒 戒淨有智慧 便得第一道 如過
去諸佛 及以未來世 現在諸世尊 能勝一切憂 皆共尊敬戒 此是
諸佛法 若有自為身 欲求於佛道 當尊重正法 此是諸佛教
七佛為世尊 滅除諸結使 說是七戒經 諸縛得解脫 已入於涅槃
諸戲永滅盡 尊行大仙說 聖賢稱譽戒 弟子之所行
入寂滅涅槃 世尊涅槃時 興起於大悲 集諸比丘眾 與如是教戒
莫謂我涅槃 淨行者無護 我今說戒經 亦善說毗尼 我雖般涅槃
當視如世尊 此經久住世 佛法得熾盛 得入於涅槃 若不持此戒 如所應布薩
喻如日沒時 世界皆闇冥 當護持是戒 如犛牛愛尾 和合一處坐
如佛之所說 我已說戒經 眾僧布薩竟 我今說戒經 所說諸功德
施一切眾生 皆共成佛道
四分戒本一卷

BD02407 號　四分律比丘戒本　（19–19）

……如是等……若有……
……得聞者式 書若使人書受持讀誦得……
南謨薄伽勃底一 阿波唎蜜哆二 阿喻紇硯娜三 須毗你……
薩婆桑塞迦囉八 波唎輸底九 達摩底十 伽伽娜十一 莎訶……
摩訶娜耶十四 波唎婆唎莎訶十五
世尊復告曼殊室利 如是如來一百八名號 若有自書或使
盡復得百年壽 終此身後得往生無量壽福智世界无……
南謨薄伽勃底一 阿波唎蜜哆二 阿喻紇硯娜三 須毗你悉指陀四 囉……
薩婆桑塞迦囉八 波唎輸底九 達摩底十 伽伽娜十一 莎訶莫揭迦底……
摩訶娜耶十四 波唎婆唎莎訶十五
尒時有九十九姟佛等一時同聲說是无量壽宗要經陀羅尼曰
南謨薄伽勃底一 阿波唎蜜哆二 阿喻紇硯娜三 須毗你悉指陀四 囉佐耶五 怛他羯他耶六 怛姪他
唵七 薩婆桑塞迦囉八 波唎輸底九 達摩底十 伽伽娜十一 莎訶莫揭迦底十二 薩婆婆毗輸
底十三 摩訶娜耶十四 波唎婆唎莎訶十五
尒時復有一百俱胝佛一時同聲說是无量壽宗要經陀羅尼曰
南謨薄伽勃底一 阿波唎蜜哆二 阿喻紇硯娜三 須毗你悉指陀四 囉佐耶五 怛他羯他耶六 怛姪
他唵七 薩婆桑塞迦囉八 波唎輸底九 達摩底十 伽伽娜十一 莎訶莫揭迦底十二 薩婆婆毗
輸底十三 摩訶娜耶十四 波唎婆唎莎訶十五
尒時復有七俱胝佛一時同聲說是无量壽宗要經陀羅尼曰
南謨薄伽勃底一 阿波唎蜜哆二 阿喻紇硯娜三 須毗你悉指陀四 囉佐耶五 怛他羯他耶六 怛
姪他唵七 薩婆桑塞迦囉八 波唎輸底九 達摩底十 伽伽娜十一 莎訶莫揭迦底十二 薩婆
婆毗輸底十三 摩訶娜耶十四 波唎婆唎莎訶十五
尒時復有六十五殑伽佛一時同聲說是无量壽宗要經陀羅尼曰
南謨薄伽勃底一 阿波唎蜜哆二 阿喻紇硯娜三 須毗你悉指陀四 囉佐耶五 怛他羯他耶六 怛
姪他唵七 薩婆桑塞迦囉八 波唎輸底九 達摩底十 伽伽娜十一 莎訶莫揭迦底十二 薩婆婆
毗輸底十三 摩訶娜耶十四 波唎婆唎莎訶十五
尒時復有五十五俱胝佛一時同聲說是无量壽宗要經陀羅尼曰

BD02408 號　無量壽宗要經　（6–1）

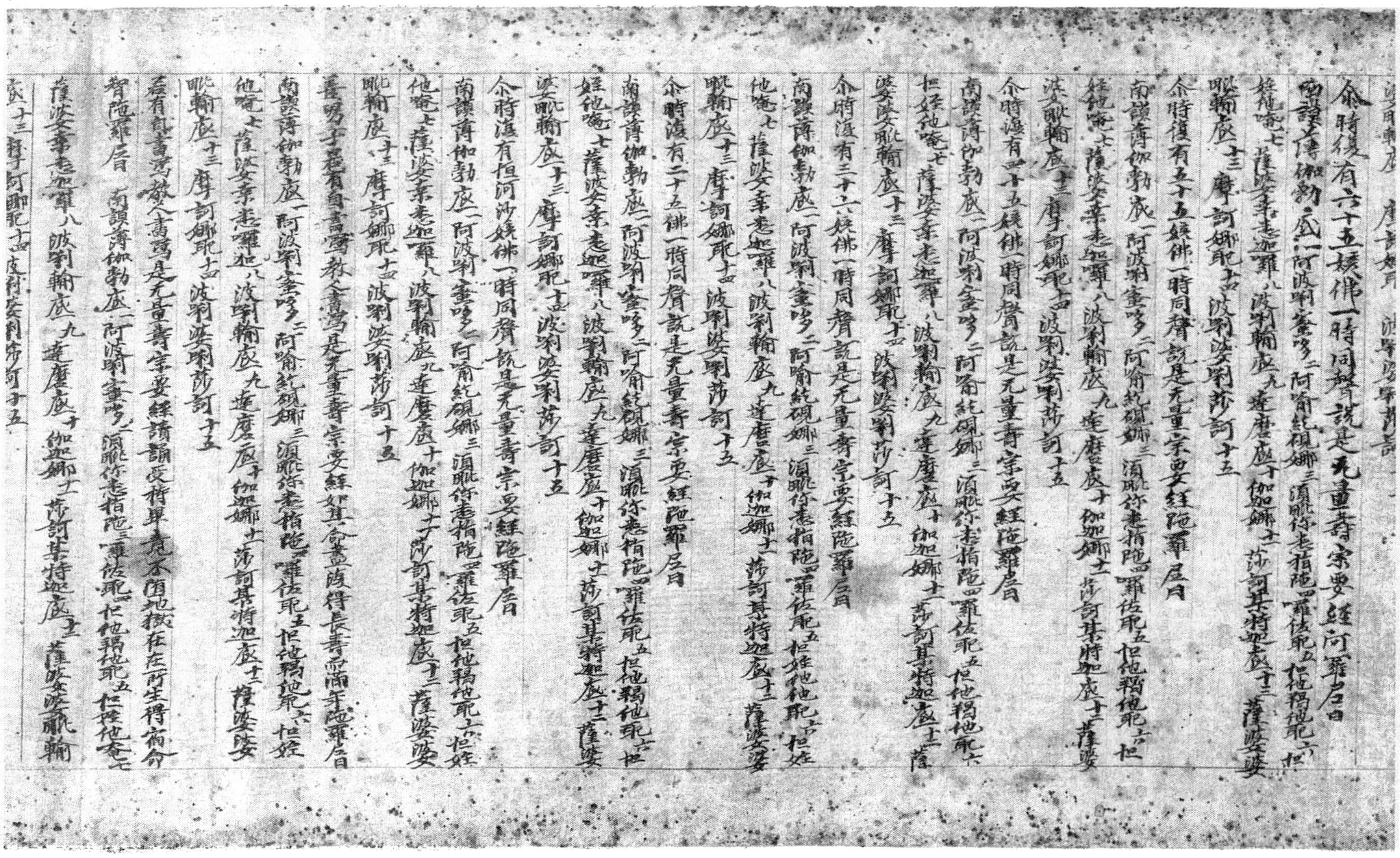

BD02408 號　無量壽宗要經　（6–2）

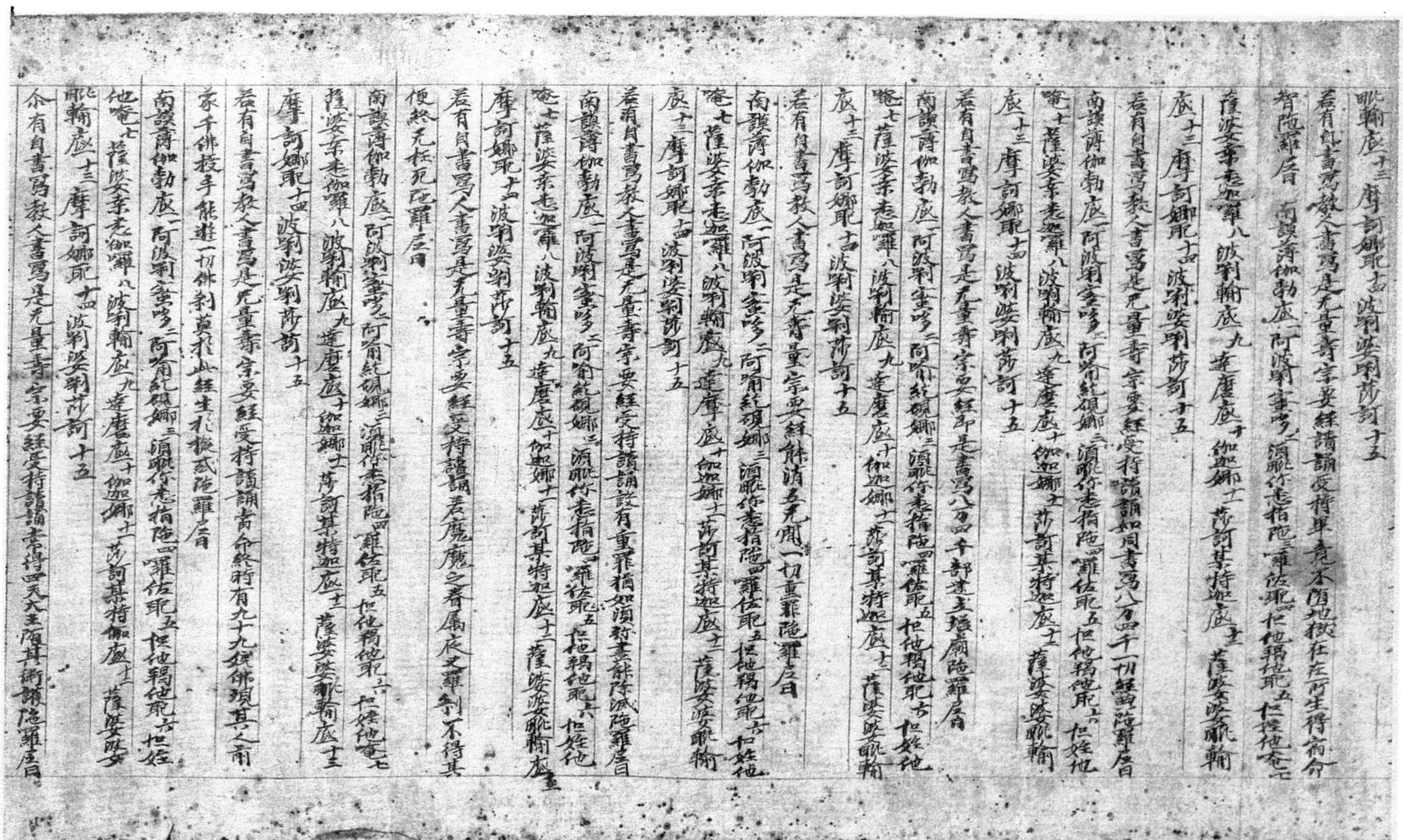

BD02408 號　無量壽宗要經　（6–3）

等千佛授手能遍一切佛刹莫於此經生於懷惑陁羅尼曰
南謨薄伽勃底一 阿波唎蜜哆二 阿喻紇硯娜三 須毗你悉指陁四 囉佐耶五 怛他羯他耶六 怛姪
他唵七 薩婆桒悉迦囉八 波唎輸底九 達磨底十 伽迦娜十一 莎訶某特伽底十二 薩婆婆
毗輸底十三 摩訶娜耶十四 波唎婆唎莎訶十五
介有自書寫教人書寫是无量壽宗要經受持讀誦當得四天大王隨其衛護陁羅尼曰
南謨薄伽勃底一 阿波唎蜜哆二 阿喻紇硯娜三 須毗你悉指陁四 囉佐耶五 怛他羯他耶六 怛姪
他唵七 薩婆桒悉迦囉八 波唎輸底九 達磨底十 伽迦娜十一 莎訶某特迦底十二 薩婆婆
毗輸底十三 摩訶娜耶十四 波唎婆唎莎訶十五
若有自書寫教人書寫是无量壽宗要經受持讀誦往生西方極樂世界阿彌陁
淨土陁羅尼曰
南謨薄伽勃底一 阿波唎蜜哆二 阿喻紇硯娜三 須毗你悉指陁四 囉佐耶五 怛他羯他耶六
怛姪他唵七 薩婆桒悉迦囉八 波唎輸底九 達磨底十 伽迦娜十一 莎訶某特迦底十二 薩婆
婆毗輸底十三 摩訶娜耶十四 波唎婆唎莎訶十五
若有自書寫教人書寫是无量壽經典之處則爲是塔皆應恭敬作礼若是人畜生或禽
鳥獸得聞是經如是之等輙皆當不久得成一切種智陁羅尼曰
南謨薄伽勃底一 阿波唎蜜哆二 阿喻紇硯娜三 須毗你悉指陁四 囉佐耶五 怛他羯他耶六 怛他
姪他唵七 薩婆桒悉迦囉八 波唎輸底九 達磨底十 伽迦娜十一 莎訶某特迦底十二 薩婆婆
毗輸底十三 摩訶娜耶十四 波唎婆唎莎訶十五
若有於是无量壽經自書寫若使人書寫畢竟不受女人之身陁羅尼曰
南謨薄伽勃底一 阿波唎蜜哆二 阿喻紇硯娜三 須毗你悉指陁四 囉佐耶五 怛他羯他耶六
怛姪他唵七 薩婆桒悉迦囉八 波唎輸底九 達磨底十 伽迦娜十一 莎訶某特迦底十二 薩婆
婆毗輸底十三 摩訶娜耶十四 波唎婆唎莎訶十五
若有能於是經少分能惠施者等於三千大千世界滿中七寶布施陁羅尼曰
南謨薄伽勃底一 阿波唎蜜哆二 阿喻紇硯娜三 須毗你悉指陁四 囉佐耶五 怛他羯他耶六
怛姪他唵七 薩婆桒悉迦囉八 波唎輸底九 達磨底十 伽迦娜十一 莎訶某特迦底十二 薩婆
婆毗輸底十三 摩訶娜耶十四 波唎婆唎莎訶十五
若有能供養是經者則是供養一切諸經等无有別異陁羅尼曰
南謨薄伽勃底一 阿波唎蜜哆二 阿喻紇硯娜三 須毗你悉指陁四 囉佐耶五 怛他羯他耶六
怛姪他唵七 薩婆桒悉迦囉八 波唎輸底九 達磨底十 伽迦娜十一 莎訶某特迦底十二 薩婆
婆毗輸底十三 摩訶娜耶十四 波唎婆唎莎訶十五
如是毗婆尸佛 尸棄佛 毗舍浮佛 拘留孫佛 拘那含牟尼佛 迦葉佛 釋迦牟尼佛 若有
人以七寶供養如是七佛其福有限書寫受持是无量壽經典所有功德不可限量陁羅尼
南謨薄伽勃底一 阿波唎蜜哆二 阿喻紇硯娜三 須毗你悉指陁四 囉佐耶五 怛他羯他耶六 怛

BD02408號　無量壽宗要經　（6–4）

怛姪他唵七 薩婆桒悉迦囉八 波唎輸底九 達磨底十 伽迦娜十一 莎訶某特迦底十二 薩婆
婆毗輸底十三 摩訶娜耶十四 波唎婆唎莎訶十五
如是毗婆尸佛 尸棄佛 毗舍浮佛 拘留孫佛 拘那含牟尼佛 迦葉佛 釋迦牟尼佛 若有
人以七寶供養如是七佛其福有限書寫受持是无量壽經典所有功德不可限量陁羅尼
南謨薄伽勃底一 阿波唎蜜哆二 阿喻紇硯娜三 須毗你悉指陁四 囉佐耶五 怛他羯他耶六 怛
姪他唵七 薩婆桒悉迦囉八 波唎輸底九 達磨底十 伽迦娜十一 莎訶某特迦底十二 薩婆
婆毗輸底十三 摩訶娜耶十四 波唎婆唎莎訶十五
若有七寶等於須彌山布施其福上能知其限量是无量壽經典其福不可知數陁羅尼
南謨薄伽勃底一 阿波唎蜜哆二 阿喻紇硯娜三 須毗你悉指陁四 囉佐耶五 怛他羯他耶六 怛
姪他唵七 薩婆桒悉迦囉八 波唎輸底九 達磨底十 伽迦娜十一 莎訶某特某特迦底十二 薩婆
婆毗輸底十三 摩訶娜耶十四 波唎波唎莎訶
如是四大海水可知滴數是无量壽經典所生果報不可數量陁羅尼曰
南謨薄伽勃底一 阿波唎蜜哆二 阿喻紇硯娜三 須毗你悉指陁四 囉佐耶五 怛他羯他耶六
怛姪他唵七 薩婆桒悉迦囉八 波唎輸底九 達磨底十 伽伽娜十一 莎訶其特迦底十二
薩婆婆毗輸底十三 摩訶娜耶十四 波唎婆唎莎訶十五
若有人自書寫使人書寫是无量壽經典又能讚特供養即如恭敬供養一切
十方佛土如來无有別異陁羅尼曰
南謨薄伽勃底一 阿波唎蜜哆二 阿喻紇硯娜三 須毗你悉指陁四 囉佐耶五 怛他羯
他耶六 怛姪他唵七 薩婆桒悉迦囉八 波唎輸底九 達磨底十 伽伽娜十一 莎訶其
特迦底十二 薩婆婆毗輸底十三 摩訶娜耶十四 波唎婆唎莎訶十五
布施力能成正覺 悟布施力人師子 布施力能聲普聞 慈悲階漸叙能入
持戒力能成正覺 悟持戒力人師子 持戒力能聲普聞 慈悲階漸叙能入
忍辱力能成正覺 悟忍辱力人師子 忍辱力能聲普聞 慈悲階漸叙能入
精進力能成正覺 精精進力人師子 精進力能聲普聞 慈悲階漸叙能入
禪定力能成正覺 悟禪定力人師子 精定力能聲普聞 慈悲階漸叙能入
智慧力能成正覺 悟禪慧力人師子 智慧力能聲普聞 慈悲階漸叙能入
介時如來說是經已一切世間天人阿脩羅揵闥婆等聞佛所說皆大歡喜信
受奉行
佛說无量壽宗要經

BD02408號　無量壽宗要經　（6–5）

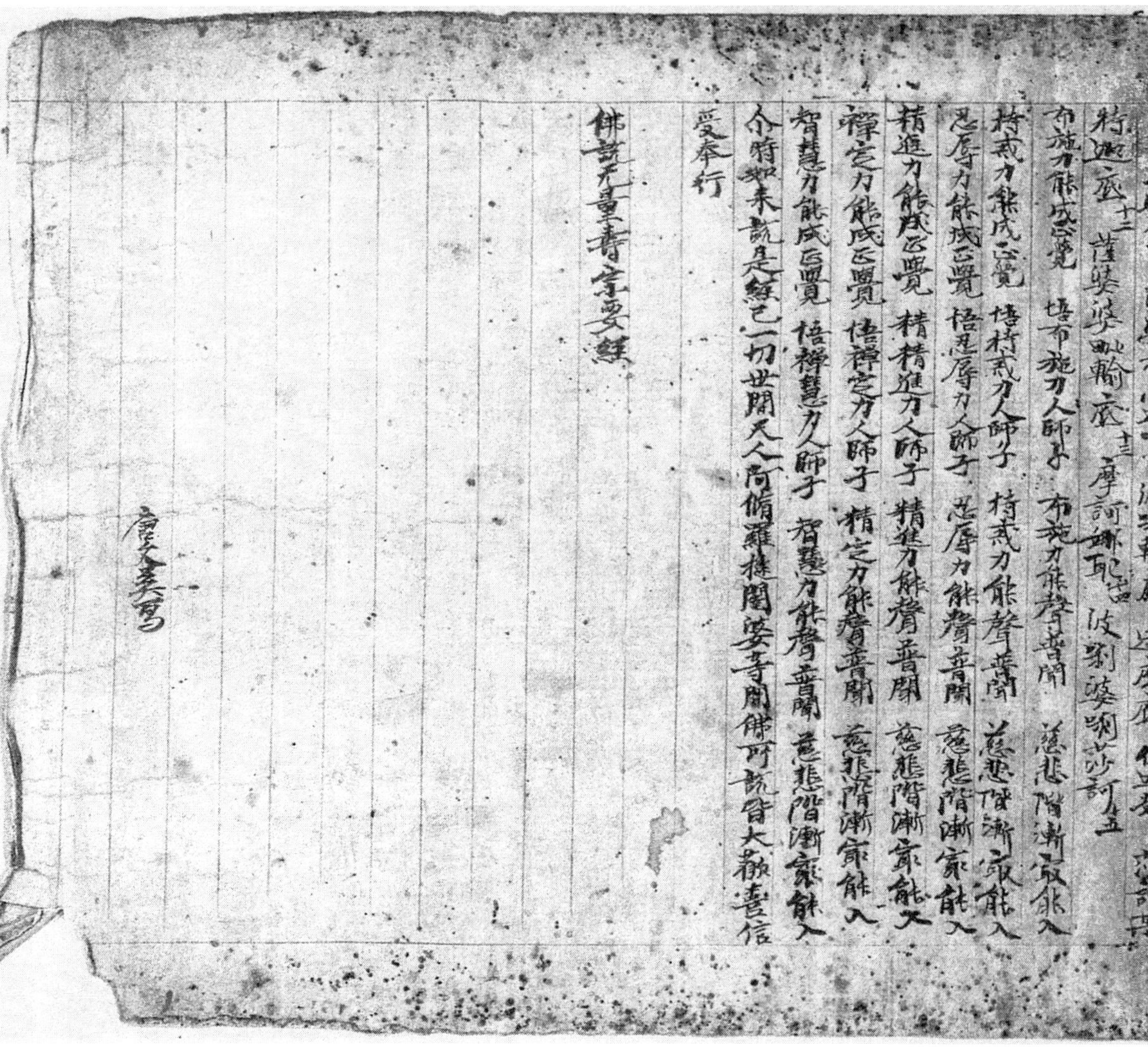

特遮底十二 薩娑婆毗輸底十三 摩訶娜耶十四 波唎婆唎沙訶十五
布施力能成正覺 悟布施力入師子 布施力能聲普聞 慈悲階漸取能入
持戒力能成正覺 悟持戒力入師子 持戒力能聲普聞 慈悲階漸取能入
忍辱力能成正覺 悟忍辱力入師子 忍辱力能聲普聞 慈悲階漸取能入
精進力能成正覺 精精進力入師子 精進力能聲普聞 慈悲階漸取能入
禪定力能成正覺 悟禪定力入師子 精定力能聲普聞 慈悲階漸取能入
智慧力能成正覺 悟智慧力入師子 智慧力能聲普聞 慈悲階漸取能入
介時如來說是經已一切世間天人阿脩羅揵闥婆等聞佛所說皆大歡喜信
受奉行
佛說无量壽宗要經
唐文英寫

BD02408 號　無量壽宗要經　（6–6）

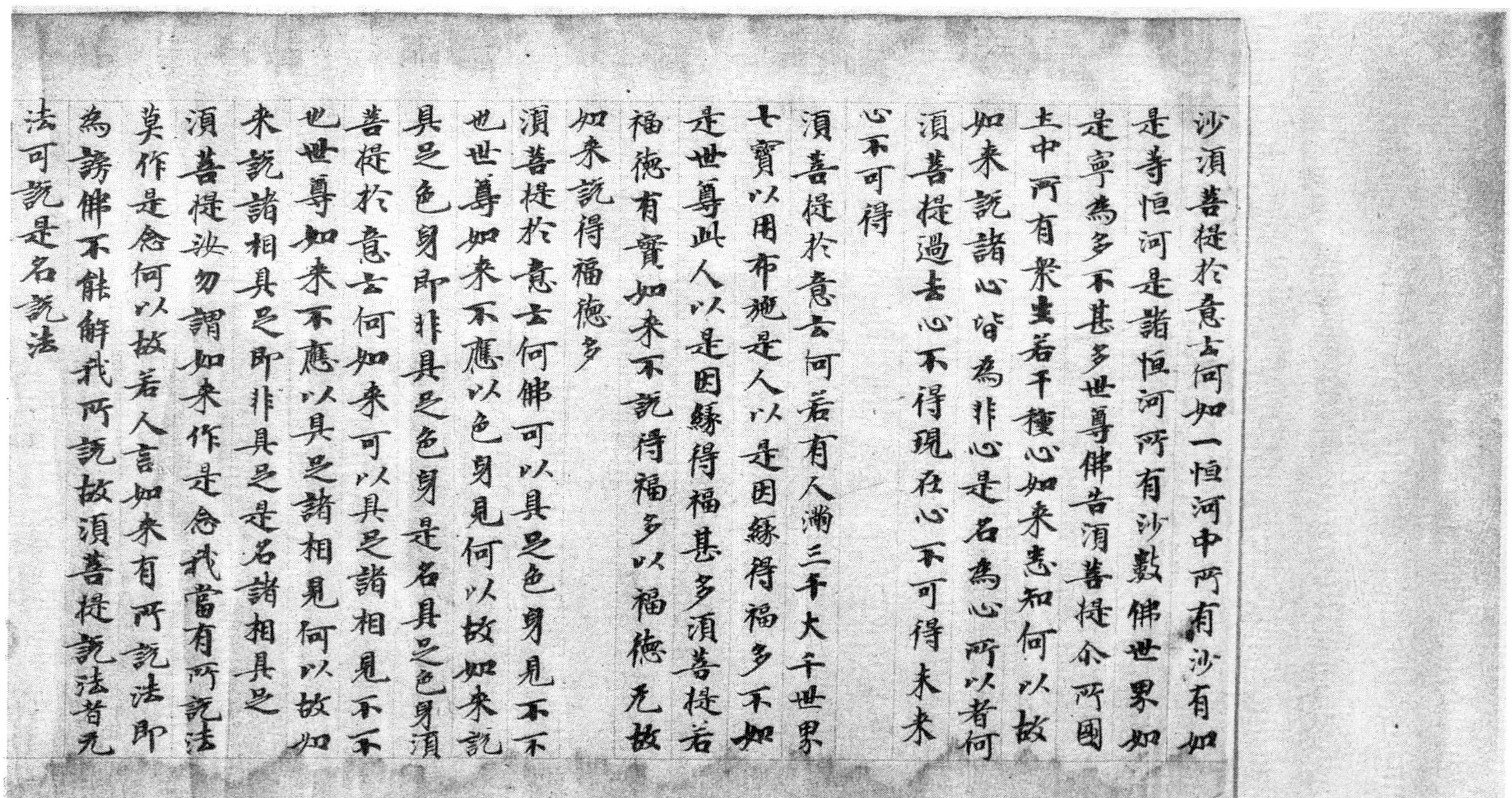

沙須菩提於意云何如一恒河中所有沙有如
是等恒河是諸恒河所有沙數佛世界如
是寧為多不甚多世尊佛告須菩提介所國
土中所有衆生若干種心如來悉知何以故
如來說諸心皆為非心是名為心所以者何
須菩提過去心不得現在心不可得未來
心不可得
須菩提於意云何若有人滿三千大千世界
七寶以用布施是人以是因緣得福多不如
是世尊此人以是因緣得福甚多須菩提若
福德有實如來不說得福多以福德无故
如來說得福德多
須菩提於意云何佛可以具足色身見不不
也世尊如來不應以色身見何以故如來說
具足色身即非具足色身是名具足色身須
菩提於意云何如來可以具足諸相見不不
也世尊如來不應以具足諸相見何以故如
來說諸相具足即非具足是名諸相具足
須菩提汝勿謂如來作是念我當有所說法
莫作是念何以故若人言如來有所說法即
為謗佛不能解我所說故須菩提說法者无
法可說是名說法

BD02409 號　金剛般若波羅蜜經　（2–1）

七寶以用布施是人以是因緣得福多不如
是世尊此人以是因緣得福甚多須菩提若
福德有實如來不說得福多以福德无故
如來說得福德多
須菩提於意云何佛可以具足色身見不不
也世尊如來不應以色身見何以故如來說
具足色身即非具足色身是名具足色身須
菩提於意云何如來可以具足諸相見不不
也世尊如來不應以具足諸相見何以故如
來說諸相具足即非具足是名諸相具足
須菩提汝勿謂如來作是念我當有所說法
莫作是念何以故若人言如來有所說法即
為謗佛不能解我所說故須菩提說法者无
法可說是名說法
須菩提白佛言世尊佛得阿耨多羅三藐三
菩提為无所得耶如是如是須菩提我於阿
耨多羅三藐三菩提乃至无有少法可得是
名阿耨多羅三藐三菩提復次須菩提是法
平等无有高下是名阿耨多羅三藐三菩提
以无我无人无衆生无壽者脩一切善法則

BD02409號　金剛般若波羅蜜經　（2–2）

隨聚落界是僧坊界諸比丘
未結界尒時界應幾許佛言
方匂盧舍是中諸比丘不應別作布薩及僧羯磨若別
布薩得罪僧祇律文憂波離問若有處所城邑聚落
中界分不可知若欲羯磨應齊幾許名為善作羯磨
使令異衆僧各各相見而得成就不犯別衆耶佛告
憂波離五時弓量 弓種一種一菴婆羅樹齊七菴
婆羅樹相去尒所作羯磨者名善作羯磨雖異衆
相見而无別衆之罪是名為七菴婆羅樹界一弓萇
九尺七菴婆樹計應七十三步半 結界場羯磨文
大姊僧聽此住處比丘尼某甲稱四方小界相若僧時
到僧忍聽僧今於此四方小界相內結作戒場白如是
大姊僧聽此住處比丘尼某甲稱四方小界相僧今於
此四方小界相內結作戒場誰諸長老忍僧今於此
四方小界相內結作戒場者嘿然誰不忍者說僧已
忍於此界四方小界相內結界場竟僧忍黑然故是事

大姊僧聽此住處比丘尼某甲稱四方小界相僧今於
此四方小界相內結作戒場誰諸長老忍僧今於此
四方小界相內結作戒場者嘿然誰不忍者說僧已
忍於此界四方小界相內結界場竟僧忍嘿然故是事
如是持解戒場羯磨文
大姊僧聽今有尒許比丘尼集若僧時到僧忍聽僧
今解此處界場白如是
大姊僧聽今有尒許比丘尼集僧今解此處戒場誰
諸長老忍僧今解此處戒場者嘿然誰不忍者說
僧已忍解此處戒場竟僧忍嘿然故是事如是持
結大界羯磨文
大姊僧聽此住處比丘尼某甲唱四方大界相若僧時
到僧忍聽僧今於此四方相內結大界同一住處同一
說戒白如是
大姊僧聽此住處比丘尼某甲唱四方大界相僧今於此四方
相內結大戒同一住處同一說戒誰諸大姊忍僧於此四方相內
結大界同一處住同一說戒者嘿然誰不忍者說僧已忍於此
四方相內結大界同一住處同一說界竟僧忍嘿然故是事如
是持
解大界羯磨文
大姊僧聽此住處比丘尼同一住處同一說戒若僧時到僧忍聽
僧今解大界白如是
大姊僧聽此住處比丘尼同一住處同一說戒僧今解大界誰

解大界羯磨文

大姊僧聽此住處比丘尼同一住處同一說戒若僧時到僧忍聽僧今解大界白如是

大姊僧聽此住處比丘尼同一住處同一說戒僧今解大界誰諸長老忍僧同一住處同一說戒解大界者嘿然誰不忍者說僧已同一住處同一說戒解大界竟僧忍嘿然故是事如是持

結不失衣界羯磨 不失衣界更无別相依大界相結故言此住處

大姊僧聽此住處同一住處同一說戒若僧時到僧　僧今結不失衣界除村及界白如是 竟了

失衣界除村及村外界白如是

大姊僧聽僧此住處同一住處同一說戒僧今結不失衣界除村村外界誰諸大姊忍僧於此住處同一住處同一說戒結不失衣界除村村外界者嘿然誰不忍者說僧已忍同一住處同一說戒結不失衣界除村村外界竟僧忍嘿然故是事如是持

若二界相近應留中間不得相接若欲解界應解先不失衣界却解大界大得隔駛流水結界除有橋梁得也

解不失衣界羯磨文

大姊僧聽此住處比丘尼同一處同一說戒若僧時到僧忍聽僧今解不失衣界白如是

大姊僧聽此住處比丘尼同一住處同一說界僧今解不失衣界誰諸大姊忍僧同一住處同一說戒解不失衣界者嘿然誰不忍者說僧已忍同一住處同一說戒解不失衣界竟僧忍嘿然故是事如是持

比丘尼諸尼僧乞畜衆羯磨文 比丘尼詣僧中偏路右肩脫革從礼尼僧足右膝著地合掌作如是言

大姊僧聽我比丘尼某甲求衆僧度人受具足戒 如是三說 比丘尼僧當觀察此人堪能教授學戒二事攝取不一者法二者衣食若不堪當語言妹止勿度人若堪當與作羯磨

大姊僧聽此某甲比丘尼今從衆僧乞授人具足戒若僧時到僧忍聽與某甲比丘尼授名具足戒白如是

比丘尼請尼僧乞畜衆羯磨文　尼僧足右膝著地合掌作如是言
大姉僧聽我比丘尼某甲求衆僧度人受具足戒 如是三說 比丘尼僧當觀察此
人勘能教授學戒二事攝取不一者法二者衣食若不勘當語言妹正
勿度人若勘當与作羯磨
大姉僧聽此某甲比丘尼今從衆僧乞授人具足戒若僧時到僧忍
聽与某甲比丘尼授名具足戒白如是
大姉僧聽此某甲比丘尼今從僧衆乞授人具足戒僧今与某甲比丘
尼授人具足戒誰諸大姉忍僧与某甲比丘尼人具足戒者嘿然誰不忍
者說僧已忍与某甲比丘尼授人具足戒竟僧忍嘿然故如是事如是
持　若与沙弥尼授十戒及受學六法戒文磨服畜 依正弟子從僧乞羯磨法及僧尼作羯磨法一一如
比丘尼畜座沙弥文　欲在寺內剃髮者應白僧一一語 令知然後剃髮應作如是白言
大姉僧聽此某甲欲從某甲求剃髮若僧時到僧忍聽為某甲剃髮
白如是　白已為剃髮欲在寺內出家者應白僧二語令知應作如是白言
大姉僧聽此某甲從某甲求出家若僧時到僧忍聽某甲出家白如
是　白已出家者与著袈裟已偏路右肩 脫革屣右膝著地合掌教作如是言　我阿姨某甲歸依佛歸
依法歸依僧我今隨佛出家和上尼某甲如來无所著等正覺是我
世尊 如是三說 我阿姨某甲歸依佛歸依法竟歸依僧竟我今從佛
出家竟和上尼某甲如來无所著等正覺是我世尊 如是三說 盡形壽
不得煞生是沙弥尼戒能持不　荅言能　盡形壽不得偷盜是沙弥尼戒
持能否　荅言能　盡能壽不得婬是沙弥尼戒能持不　荅言能　盡形
壽不得妄語是沙弥尼戒能持不　荅言能　盡形壽不得飲酒是沙
弥尼戒能持不　荅言能　盡形壽不得著華鬘香塗身是沙弥尼
戒能持不　荅言能　盡形壽不得歌儛倡伎故往聽是沙弥尼戒能
持不　荅言能　盡形壽不得高廣大牀上坐是沙弥尼戒能持不　荅言能
盡形壽不得捉持生像金銀寶物是沙弥尼戒能持不　荅言能
盡形壽不得非時食是沙弥尼戒能持不　荅言能

戒能持不……盡形壽不得……聽是沙弥尼戒能
持不 答言能　盡形壽不得畜大床上坐是沙弥尼戒能持不 答言能
盡形壽不得捉持生像金銀寶物是沙弥尼戒能持不 答言能
盡形壽不得非時食是沙弥尼戒能持不 答言能
如是沙弥尼十戒盡形壽不犯能持不 答言能　汝已受戒竟當供養
三寶法寶僧寶脩三業坐禪誦經勸助衆事　聽童女十八者二年學戒年滿廿二部僧中受
十誦律式叉摩尼受六
大戒者年十歲曾出適者聽二年學戒
年滿十二与受大戒應如是与二歲學戒也
沙弥尼應比丘尼僧中二礼僧足
法文　已戒師應教請和上尼作如是言
大姊憶念我沙弥尼某甲求尊爲和上尼尊爲我作和上尼故僧當与
我二歲學戒 如是三說　比丘尼應問和上尼能爲某甲作和上尼不 答言能 應
將沙弥尼至界內著眼見離聞處戒師應問僧和上合不……
當作僧事是和上尼某甲沙弥尼某甲僧當与二歲學戒 如是三說 若
僧和合者應喚沙弥尼來　來已教二礼比丘尼僧足已右膝著地合掌作
法是十誦律文依四分律少此一段　白乞二歲學戒上來僧中請和上說此一段
法故取置此作法具足圓備
乞二歲學戒和上尼某甲顧僧慈愍故与我二歲學戒 如是三說　還將沙弥尼著界
大姊僧聽我沙弥尼某甲從僧
場內離聞處著見處已戒
師應作羯磨如是白
大姊僧聽此某甲沙弥尼今從僧乞二歲
學戒和上尼某甲若僧時到僧忍聽僧今与某甲沙弥
和上尼某甲白如是
大姊僧聽此某甲沙弥尼今從僧乞二歲學戒和上尼某甲僧今
弥尼某甲二歲學戒和上尼某甲誰諸大姊忍僧已忍与某甲沙弥
戒和上尼某甲者嘿然誰不忍者說是初羯磨 如是三說　僧已忍与某甲
沙弥尼二歲學戒和上尼某甲竟僧忍嘿然故是事如是持　應与六法
某甲諦聽如來無所著等正覺說六法不得犯不淨行行婬
欲法若式叉摩那行婬欲法非式叉摩那非釋種女 若染汙心男子共
身相摩觸戒應更与戒是中　盡形壽不得犯能持不 答言能
不得偷盜乃至草葉若式叉摩那取人五錢若自取教人取若自斫
教人斫若自破教人破若燒若埋若壞色非式叉摩那非釋種女若

[illegible]
欲法若式叉摩那行婬欲法非式叉摩那非非釋種女與染污心男子共
身相摩觸戒應更與戒是中　盡形壽不得犯能持不答言能
不得偷盜乃至草葉若式叉摩那取人五錢若自取教人取若自斫
教人斫若自破教人破若燒若埋若壞色非式叉摩那非釋種女若
取減五錢觸戒應更與戒是中盡形壽不能犯能持不答言能
不能故斷眾生命乃至蟻子若式叉摩那故自手斷人命求刀授與人
死讃死若與非藥若墮胎若厭禱咒術自作教人作非式叉摩那非釋種
女若斷畜生不能變化者命觸戒應更與戒是中盡形壽不能犯能
持不　答言能　不得妄語乃至戲笑若式叉摩那不真實非已有自稱言得
上人法言得禪得脫解三昧正受得須陀洹果斯陀含果阿那含果
阿羅漢果言天來龍來鬼神來供養我此非式叉摩那非釋種女
若於眾中故作妄語觸戒應更與戒應更與戒是中盡形壽不得
犯能持不答言能
不得非時食若式叉摩那非時食犯戒應更與戒是中盡形受不得
犯能持不答言能
不得飲酒若式叉摩那飲酒犯戒應更與戒是中盡形壽不得犯能
不答言能
戒式叉摩那於一切尼戒中應學除為比丘尼受食自受食　僧祇律文式叉尼僧說戒時法
僧祇律文不得向式叉摩尼說波羅提木叉不得聽布薩自恣至布
薩自恣時至上坐前頭面禮僧足作是言我式叉摩那某甲清淨僧
憶念持如是三說
已却行而去　式叉摩那去已僧然後行筒說戒也
大姊一心念我某甲求阿姨為和上願阿姨為我依阿姨故得受大戒　如是三說和上
尼應答言可爾若式叉摩那學戒年滿十二應與受大戒白四
羯磨應如是與戒人離聞處著見處是中戒師應差教受師作如是問言
此眾中誰能為某甲作教授師　若有者應言我能爾時戒師即應作白
大姊僧聽此某甲從和上尼某甲求受大戒若僧時到僧忍聽某甲為教
授師白如是　教授師應往至受戒人所語言　此安陀會鬱多羅僧僧伽梨此僧祇支覆肩
衣此缽是汝有不若言是應言汝若女人諦聽今真誠時我今問
汝有便言有無當言無汝不犯邊罪不汝不犯淨行比丘不汝不賊心受戒

此衆中誰能爲某甲作教授師若有者應言我能尒時式
師即應作白
大姊僧聽此某甲從和上尼某甲求受大戒若僧時到僧忍聽某甲爲教
授師白如是教授師應往至受戒人所語言此安陁會鬱多羅僧僧伽梨此僧祇支覆肩
衣此依鉢是汝有不若言是應言汝若女人諦聽今真成時我今問
汝有便言有无當言无汝不犯邊罪不汝不犯淨行比丘不汝不賊心受戒
不汝不破內外道不汝不黃門不汝不煞父煞母煞真人阿羅漢不汝不破
僧不汝不惡心出佛身血不汝非非人不汝非畜生不二根不汝字何等答言某甲
和上尼字誰答言某甲年歲滿不衣鉢是足不父母夫主聽汝不汝大負責不非
婢不汝是汝人不女人如是諸病癩白癩疥消癲狂二種根二道合道大
小便常漏嘴唾常出无有如是諸病不答言无應語言如我向問汝僧中亦當如
是答教師問已應還至僧中如常威儀至舒手及比丘尼僧處已應作如是白言
大姊僧聽此某甲從和上尼某甲求受大戒若僧時到僧忍聽我已教授竟
聽使來白如是彼應語言來已應与捉衣鉢教礼比丘尼足在戒師前互跪合掌作如是白大姊僧聽我某甲從和上
尼某甲求受大戒我某甲今從僧乞受大戒和上尼某甲願僧救濟我慈
愍故如是三說是中戒師應作白大姊僧聽此某甲從和上尼某甲求受大戒此某甲今從
僧乞受大戒和上尼某甲若僧時到僧忍聽我問諸難事白如是
汝諦聽今是真誠時我今問汝有當言有无當言无汝不犯邊罪不汝不
犯淨行比丘不汝不賊心受戒不汝不破內外道不汝非黃門不汝不煞父煞母
煞人阿羅漢不汝不破僧不汝不惡心出佛身血不汝非非人不汝非畜生不
汝非二根不汝字何等答言某甲和上尼字誰答言某甲年歲滿不衣鉢具不父母夫
主聽汝不汝不負責不汝非婢不汝是女人不女人有如是諸病癩病白癩病
疥消癲狂二根二道合道小大便常漏涕唾常出汝有如是諸病不答言无應
作
大姊僧聽此某甲從和上尼某甲求受大戒此某甲從衆僧乞受大戒和
白
上尼某甲所說清淨無諸難事年滿廿衣鉢具足若僧時到僧忍聽僧
今爲某甲受大戒和上尼某甲白如是
大姊僧聽此某甲從和上某甲求受大戒此某甲今從衆僧乞受大戒和
上尼某甲所說清淨無諸難事年歲已滿衣鉢具足僧今爲某甲受
大戒和上尼某甲誰諸大姊忍僧今爲某甲受大戒和上尼某甲者嘿然

上尼某甲所說清淨無諸難事年滿廿衣鉢具足若僧時到僧忍聽僧
今為某甲受大戒和上尼某甲白如是
大姊僧聽此某甲從和上某甲求受大戒此某甲今從衆僧乞受大戒和
上尼某甲所說清淨無諸難事年歲已滿衣鉢具足僧今為某甲受
大戒和上尼某甲誰諸大姊忍僧今為某甲受大戒和上尼某甲者嘿然
誰不忍者說是初羯磨 如是三說
僧已忍與某甲受大戒竟和上尼某甲僧忍嘿然故是事如是持 上來屬沙彌尼與式
叉摩尼受六法不得其大僧作者是尼自與作法自下就
大僧中所作法依十誦律文比丘尼就大僧唯得作三種羯磨 十誦律文諸比丘為
比丘尼作種種羯磨比丘尼不受是事白佛佛言比丘不應與比丘尼作羯磨還
比丘尼應與比丘尼作羯磨除三種羯磨何等三一者受具戒二者行摩那埵
三者出罪羯磨諸比丘尼為比丘作種種羯磨諸比丘不受是事白佛佛言
比丘尼不應與比丘作羯磨還比丘應與比丘作羯磨除三種羯磨何等三一者
不礼残二者不共語三者不敬畏羯磨 自下被受戒者与比丘尼僧俱到大僧中礼僧足已右膝着地合掌作如是言
大德僧聽我某甲從和上尼某甲求受大戒某甲今從僧乞受大戒和上尼某
甲願僧拔濟我慈愍故 如是三說自此已下大僧与作法此中戒師應問諸難事 大德僧聽此某甲從和上尼某
甲求受大戒此某甲今從衆乞受大戒和上尼某甲若僧時到僧忍聽我問諸
難事白如是 若女諦聽今是真誠時我今問汝有當言有无當言
无汝不犯邊罪不汝不犯淨行比丘不汝不賊心受戒不汝不破內外道不汝非
黃門不汝不殺父殺母殺真人阿羅漢不汝不破僧汝不惡人出佛身血不
汝非非人不汝非畜生不汝不二根不汝字何等 答言某甲 和上尼字誰 答言某甲 年歲
滿不 答言滿 衣鉢具不 答言具足 父母夫主聽汝不 答言聽 汝不臭青不汝非[illegible]不是女
人不女人有如是諸病白癩癰疽消顛狂二根二道合道大小便常漏涕唾常出
汝有如是諸病不 答言无 應問言 汝學戒未清淨不 答言已學戒清淨 應問餘比丘尼言 某甲學戒
未清淨不 尼僧若言清淨 大德僧聽此某甲從和上尼某甲求受大戒此某甲今從衆
僧乞受大戒和上尼某甲某甲自說清淨无諸難事年歲已滿衣鉢具足
學戒清淨若僧時到僧忍聽僧今為某甲受大戒和上尼某甲白如是
大德僧聽此某甲從和上尼某甲求受大戒此某甲今從衆僧乞受大戒和上
尼某甲自說清淨无諸難事年歲已滿衣鉢具足已學戒清淨僧今為某甲

大德僧聽此某甲從和上尼某甲求受大戒此某甲今從衆僧乞受大戒和上
尼某甲自說清淨無諸難事年歲已滿衣鉢具足已學戒清淨僧今為某甲
受大戒和上尼某甲誰諸長老忍僧与某甲受大戒和上尼某甲者嘿然誰
不忍者說是初羯磨 如是三說 僧已忍為某甲受大戒竟和上尼某甲僧忍嘿然
故是事如是持 善女人諦聽如來所無著等正覺說八波羅夷法若
比丘尼犯者非比丘尼非釋種女不得作不淨行行婬欲法若比丘尼作不淨
行行婬欲法乃至共畜生此非比丘尼非釋種女是中盡形壽不得犯能持
不能持 答言 不得偷盜乃至草葉若比丘尼盜人五錢若自偷教人偷若自破教
人破若燒若埋若壞色非比丘尼非釋種女是中盡形壽不得犯能持不
能持 答言 不得斷衆生命乃至蟻子若比丘尼自手斷人命持刀授与人若教死讚
死勸死与人非藥若墮胎厭禱呪術若自作教人作方便此非比丘尼非
釋種女是中盡形壽不得犯能持不能持 答言 不得妄語乃至戲咲若比丘
尼不真實非已有自稱言得上人法言得禪得解脫三昧正受得須陁洹果斯
陁含果阿那含果阿羅漢果言天來龍來鬼神來供養我彼非比丘尼非
釋種女是中盡形壽不得犯能持不能持 答言 不得身相觸乃至共畜生若
比丘尼有染汙心与染汙心男子身相觸腋已下膝已上若摩若挔若逆摩
若順摩若牽若推若舉若下若捉若急捺彼非比丘尼非釋種女是中盡
形壽不得犯能持不能持 答言 不得犯此八事乃至共畜生若比丘尼有染汙心
与染汙男子若捉手捉衣若至屏處若屏處立若屏處語若共行若身相
近若共期行犯此八事彼非比丘尼非釋種女是中盡形壽不得犯能持
不能持 答言 不應覆藏他重罪乃至突吉羅罪 若比丘尼知比丘尼犯波
羅夷不自舉亦不白僧不語人令知後於異時此比丘尼若休道若滅擯
若作不共住若入外道後作如是言我先知此人作如是處覆他重罪彼非
比丘尼非釋種女是中盡形壽不得犯能持不能持 答言 不得隨彼舉比丘語乃
至沙彌若比丘尼知比丘爲僧所舉如法如毗尼如佛所教犯威儀未懺悔不作
共住便隨順彼比丘比丘尼諫此比丘尼言大姉彼比丘爲僧所舉如法如毗尼如
佛所教犯威儀未懺悔不作共住莫隨順彼比丘彼比丘尼諫此比丘尼時
[illegible]捨此事故乃至三諫捨者善若不捨者彼

比丘尼非釋種女是中盡形壽……能持……

至沙彌若比丘尼知比丘為僧所舉如法如毗尼如佛所教犯威儀未懺悔不作

共住便隨順彼比丘比丘尼諫此比丘尼言大姊彼比丘為僧所舉如法如毗尼如

佛所教犯威儀未懺悔不作共住莫隨順彼比丘彼比丘尼諫此比丘尼時

堅持不捨彼比丘尼應乃至三諫捨此事故乃至三諫捨者善若不捨者彼

非比丘尼非釋種女犯隨舉是中盡形壽不得犯能持不 答言能持

善女人諦聽如來无所著等正覺說四依法比丘尼依此出家受大戒是盡

尼法依糞掃衣出家受大戒是比丘尼法是中盡形壽能持不 答言能持

若得長利若檀越施衣若得輕衣若得割截衣應受依乞食出家受大戒

是比丘尼法是中盡形壽能持不 答言能持 若得長利僧差食若檀越送食

月八日食十五日食月初日食衆僧常食檀越請食應受依樹下坐出家受

大戒是比丘尼法是中盡能持不 答言能持 若得長利若別房樓閣小房

石室兩房一戶應受 若得長利若別房樓閣小房石堂兩戶應受緣

腐爛藥出家受大戒是比丘尼法是中盡壽能持不 答言能持 若得長利

蘇油生蘇蜜石蜜應受汝已受大戒竟白四羯磨如法成就得處所

和上如法阿闍梨如法二部僧具足汝當善受教法當勤供養佛法僧

和上阿闍梨一切如法教勅不得違逆當學問誦經勤求方便於佛法中

須陁洹果斯陁含果阿那含果阿羅漢果汝始發心出家功德唐捐果

報不絕餘所未知當問和上阿闍梨 衆受戒人在前 餘尼在後而去 受五衣文

大姊一心念我比丘尼某甲此僧伽梨若干條割截成今受持不離宿 如是三說

大姊一心念我比丘尼某甲此欝多羅僧七條衣割截成已自有今受持不

離宿 如是三說 大姊一心念我比丘尼某甲此安陁會五條衣已自有今受持不

離宿 如是三說 大姊一心念我比丘尼某甲此僧祇支如法作已自有今受持不

離宿 如是三說 大姊一心念我比丘尼某甲此覆肩衣如法作已自有今受持

不離宿 如是三說 大姊一心念我比丘尼某甲此鉢多羅應量器今受持常用

故 如是三說 受尼師檀文 大姊一心念我比丘尼某甲此尼師檀應量

作今受持常用故 如是三說 請衣止師文 大姊一念我比丘尼某甲請大

……如是

BD02410號　大戒尼羯磨文　（22–10）

不離宿 如是三說 大姊一心念我比丘尼某甲此鉢多羅應量器今受持常用
故 如是三說 受尼師檀文 大姊一心念我比丘尼某甲此尼師檀應量
作今受持常用故 如是三說 請依止師文 大姊一心念我比丘尼某甲請大
姊為依止阿闍梨願為我依止阿闍梨我依大姊故得如法住 如是三說
師應答莫放逸弟子答言介 比丘尼懺僧殘罪羯磨文 比丘尼犯僧殘罪應二部僧中半月
行摩那埵此摩那埵及出罪二種羯磨皆是大比丘僧与作羯磨比丘尼僧
亦可在坐足二部眾數彼行摩那埵時應至僧中偏露右肩脫革屣 禮僧
足右膝著地 如此
合掌作如是
大德僧聽此比丘尼某甲犯若干僧殘罪今從二部僧乞半月摩那埵若僧
時僧忍聽僧今与比丘尼某甲半月摩那埵白如是
大德僧聽此比丘尼某甲犯若干僧殘罪今從二部僧乞半月摩那埵僧今与
比丘尼某甲半月摩那埵誰諸長老忍僧与比丘尼某甲半月摩那埵者
嘿然誰不忍者說是初羯磨 如是三說 僧已忍与比丘尼某甲半月摩那埵竟
僧忍嘿然故是事如是持 行摩那埵者有八事失宿一一事皆得突吉
羅 何等八 一往餘寺不白 二有客比丘尼來不白 三有緣事出界外不白 如寺內
餘行者不白 五病不遣信白 六僧有羯磨事集不白 七在先比丘尼住處
住 八半月半月說戒時不白 如是為八事失夜 八事白辭如日日白法不異彼比丘尼行摩那埵法法應二部僧中日
日白若干日已過餘有若干日在彼比丘尼應至僧中
偏露右肩脫革屣右膝著地合掌作如是白言
大德僧聽我比丘尼某甲犯若干僧殘罪已從二部僧乞半月摩那埵僧已
与我半月摩那埵我比丘尼某甲今從於二部僧中行半月摩那埵已行若
于日過餘有若干日在 日大德僧令知行摩那埵 比丘尼半月行摩那埵竟應柒比丘僧廿人尼亦廿人
二部僧中偏路右肩脫革屣 大德僧聽我比丘尼某甲犯若干僧殘
右膝著地合掌白如是言
罪已從二部僧乞半月摩那埵僧已与我半月摩那埵我已於二部僧中行
半月摩那埵竟今從僧乞出罪羯磨願僧与我出罪羯磨慈愍故 如是
三說 眾中應差堪能作 大德僧聽此比丘尼某甲若犯某甲若干僧殘罪

半月摩那埵竟今從僧乞出罪羯磨願僧與我出罪羯磨慈愍故 如是
三說 衆中應差堪能作
羯磨者當如是白言 大德僧聽此比丘尼某甲若犯某甲若干僧殘罪
已從二部僧乞半月摩那埵僧已與比丘尼某甲月半摩那埵此比丘尼某甲
已於二部僧中行摩那埵竟今從二部僧乞出罪羯磨若僧時到僧忍
聽僧今與比丘尼某甲出罪羯磨白如是
大德僧聽比丘尼某甲犯某甲若干僧殘罪已從二部僧乞月半摩那埵僧
已比丘尼某甲半月摩那埵此比丘尼某甲已於二部僧中行半月摩那埵竟
今從二部僧乞出罪羯磨僧與比丘尼某甲某罪羯磨誰長老忍僧今與
比丘尼某甲出罪羯磨者嘿然誰不忍者說是初羯磨 如是三說 僧已忍與比
丘尼某甲出罪羯磨竟僧忍嘿然故是事如是持 與出罪竟呵憎身命難緣好心難生衆僧難
遇此三事難得
賣說如常 懺悔蘭遮羯磨文
大姊憶念我比丘尼某甲犯波羅夷僧殘邊某衆多偷蘭遮罪求哀
衆僧發露懺悔僧今與比丘尼某甲某偷蘭遮懺悔誰諸大姊忍僧與
比丘尼某甲偷蘭遮悔者嘿然誰不忍者說是初羯磨 如是三說 僧已知合
忍與比丘尼某甲偷蘭遮懺悔竟僧忍嘿然是事如是持
犯捨墮衣於僧中捨文
大姊僧聽我比丘尼某甲故畜爾許長衣過十日犯捨墮今捨與和上 如是三說
僧中乞懺悔文 捨墮今捨與和上 如是三說 大姊僧聽我比丘尼某甲故畜
爾許長衣過十日犯捨墮此衣已捨與僧犯某甲罪今從衆僧乞懺悔
願僧聽我比丘尼某甲懺悔慈愍故 如是三說之別請一人懺悔 至一比丘尼所作如是言 我比丘尼
某甲今大姊懺悔 受懺悔者應作白已然後更懺
僧中受懺者白文 大姊僧聽比丘尼某甲故畜爾所長衣不
過十日犯捨墮此衣已捨與僧犯某甲罪今從衆僧乞懺悔若僧時到僧
忍聽我受比丘尼某甲懺悔白如是
即前 人前懺悔文
……爾所長衣過十日犯捨墮此衣已捨與

忍聽我受比丘尼某甲懺悔白如是
即前人前懺悔文
大姊一心念我比丘尼某甲故畜尒所長衣過十日犯捨墮此衣已捨与
僧是中犯波逸提罪不憶識今從大姊懺悔不敢覆藏不懺悔則
不安樂憶念犯發露知而不藏覆大姊憶念我清淨戒身具足清
淨布薩 如是三說 受懺悔應語言 自責汝心生猒離 荅言尒
僧明日還此比丘尼衣羯磨文
大姊僧聽比丘尼某甲故畜尒所長衣過十日犯捨墮此衣已捨与若
僧時到僧忍聽僧今持此衣還此比丘尼某甲白如是
大姊僧聽比丘尼某甲故畜尒所長衣過十日犯捨墮此衣已捨与僧
今還此比丘尼某甲衣誰諸大姊忍僧今還此比丘尼某甲尼衣竟
僧忍嘿然故是事如是持 捨与三人二人一人亦無懺辞亦尒 二人三人中受懺者應語邊人作如是言
大姊僧聽我受比丘尼某甲懺 彼荅言聽 向一比丘尼懺單波逸提文 若比丘尼犯輕罪欲向
一比丘尼懺悔至一清淨比丘尼所偏露右肩脫革屣若上礼
足說右膝著地合掌說罪種作如是言
大姊一心念我比丘尼某甲犯某甲罪今從大姊乞懺悔不敢覆藏懺
悔不敢覆藏懺悔則安樂不懺悔不安樂憶念犯發露知而不覆
藏大姊憶我清淨戒身具足清淨布薩 如是三說 彼受懺者應語言
自情汝心生猒離 荅言尒 若向二比丘尼三比丘尼懺法亦尒 受懺者應先問彼第二第三比丘尼言
大姊長老聽我受比丘尼某甲懺悔彼應言可尒 餘懺法准上可知 隨事稱而懺為
異尒懺悔法尒 疑罪發露文 大姊僧聽我比丘尼某甲於前
犯生疑今白僧令知 後无疑時當如法懺悔 如是三說同三人二人亦如是說一人心念口言我
於所犯生疑須後无疑
時當如法懺悔也 尼僧差人求教授羯磨文
大姊僧聽若僧時到僧忍聽今差比丘尼某甲為比丘尼僧故半月
往比丘僧中求授教白如是

大姊僧聽，若僧時到僧忍聽，今差比丘尼某甲為比丘尼僧故半月
往比丘僧中求教授。白如是
大姊僧聽，今差某甲比丘尼為比丘尼僧故半月往比丘僧中求教授
誰諸大姊忍僧差比丘尼某甲為比丘尼僧故半月往比丘僧中求教
授者嘿然，誰不忍者說。僧已忍差比丘尼某甲為比丘尼僧故半月往
比丘僧中求教授竟。僧嘿然故，是事如是持。二人為伴，半月往大僧中 諸比丘所，礼足，曲身低頭
合掌白 大德一心念，某等比丘尼僧差我比丘尼某甲眾和合礼比丘僧足
如是 如是三說 受囑比丘僧
求教授 說戒時應如是白言
大姊僧聽，某等比丘尼僧差比丘尼某甲眾和合礼大德僧足求教
授，如是三說 比丘尼明日應往問可否。比丘僧應期往，比丘尼應期迎。比
丘期往不往者突吉羅；比丘尼期迎不迎者亦突吉羅。若比丘尼聞
教授師來，當半道迎至寺內，供給所須洗浴具、羹粥、飲食、菜許
以此供養。若不者突吉羅 若比丘僧盡病，若眾不知合不滿，遣信往
礼拜問訊。若比丘尼盡病，若眾不和合，若眾不滿，亦當遣信往礼拜問
訊。若不者，往突吉羅。如法懺悔 說戒及與欲清淨法
第四與欲及清淨文 與欲法不須稱眾僧 所作事但自稱言 大姊一心念，我比丘尼某甲有佛
法僧事，我如法僧事與欲清淨 事與欲 病人有五 若言與汝欲，若言我說欲
若為我說欲，若現身相，若廣說盡，成與欲；不者不成與欲。自恣時
與欲亦同，但言我與自恣欲為異 隨能憶姓字多少得 受至僧中應如是說
大姊一心念，眾多比丘尼有佛法僧事，我與眾多比丘尼受欲清淨如法僧
事與欲清淨。 餘轉受欲文 應至一比丘尼 所作如是言 大姊一心念，我比丘尼某甲與
眾比丘尼受欲清淨，彼及我身如法僧事與欲清淨布薩
說戒文 布薩日，若食上，若大 小食上，上坐應唱言 今日布薩日，某時眾僧集堂說戒 若四人若 過四人應
先白已，然後說戒。白者如戒中說 大姊一心念，今日僧十五日說戒，我比丘尼
若有三人、二人，各相向說戒 如是三說，依次着坐 今日眾僧十五日說戒，我比丘尼某甲清淨
某甲清淨 若一人應心念口言
若王難賊難火水難病

BD02410 號　大戒尼羯磨文　（22–14）

說戒文小食上二坐應唱言
先白已然後說戒白者如戒中說　大姊一心念今日僧十五日說戒我比丘尼
若有三人二人各相向說戒
如是三說依次着坐　今日衆僧十五日說戒我比丘尼某甲清淨
某甲清淨　若一人應心念口言
如是三說
八難事起及有餘緣略說戒文　八難者王難賊難火水難病
難人難非人難惡獸難是為八難及餘緣者大集衆林坐少若衆多
病大衆集坐上覆蓋不周或天雨若布施多若鬬諍事起論阿毗曇
毗尼說法夜已久明相未出應作羯磨說若明相出不得病憂欲清淨
羯磨說戒應隨事遠近可囊說囊說便不者如治可略說便略說
不者法治若難事近不得略說即應從坐去依僧祇律略戒法行籌如常
說戒序八事三問
清淨竟次應言　諸大姊僧是十九僧伽婆尸沙法僧常聞
諸大姊是卅尼薩耆波逸提法僧常聞諸大姊是百卅一波逸提法僧
常聞諸大姊是八波羅提提舍尼法僧常聞諸大姊是衆學法僧常聞
諸大姊是七滅諍法僧常聞　七佛偈已下如常囊說不得唱僧常聞此七偈已
是說戒法不得使沙彌聽第三第四略說法准初
可知之
八敬法何等為八一者雖百比丘尼見新受戒比丘應起迎禮拜与敷
淨坐具此法應尊重讚嘆盡形受不得違二者比丘尼不應罵比丘不應
誹謗言破戒破威儀此法應尊重讚嘆盡形受不得違三者比丘尼
不應為比丘作舉作憶念作自言不應遮他覓罪說戒自恣不應呵比
比丘應呵比丘尼此法應尊重讚嘆盡形受不得違四者式叉摩那學
戒已從比丘僧乞受大戒此法應尊重讚嘆盡形受不得違
五者比丘尼犯僧殘罪應在二部僧中半月行摩那埵此法應尊重讚
嘆盡形受不得違　六者比丘尼半月從僧乞教授此法應尊重讚
嘆盡形受不得違　七者比丘尼不應在無比丘僧處夏安居此法
尊重讚嘆盡形受得違　八者比丘尼僧安居竟應往比丘僧
中求三事自恣見聞疑此法應尊重讚嘆盡形受不得違　說八不可違已然後隨意
說法　安居及分房卧具法文　安居文　大姊一心念我比丘尼某甲依某甲
某甲僧伽藍某甲房前三月夏安居房舍破脩治故　如是三說

BD02410號　大戒尼羯磨文　（22–15）

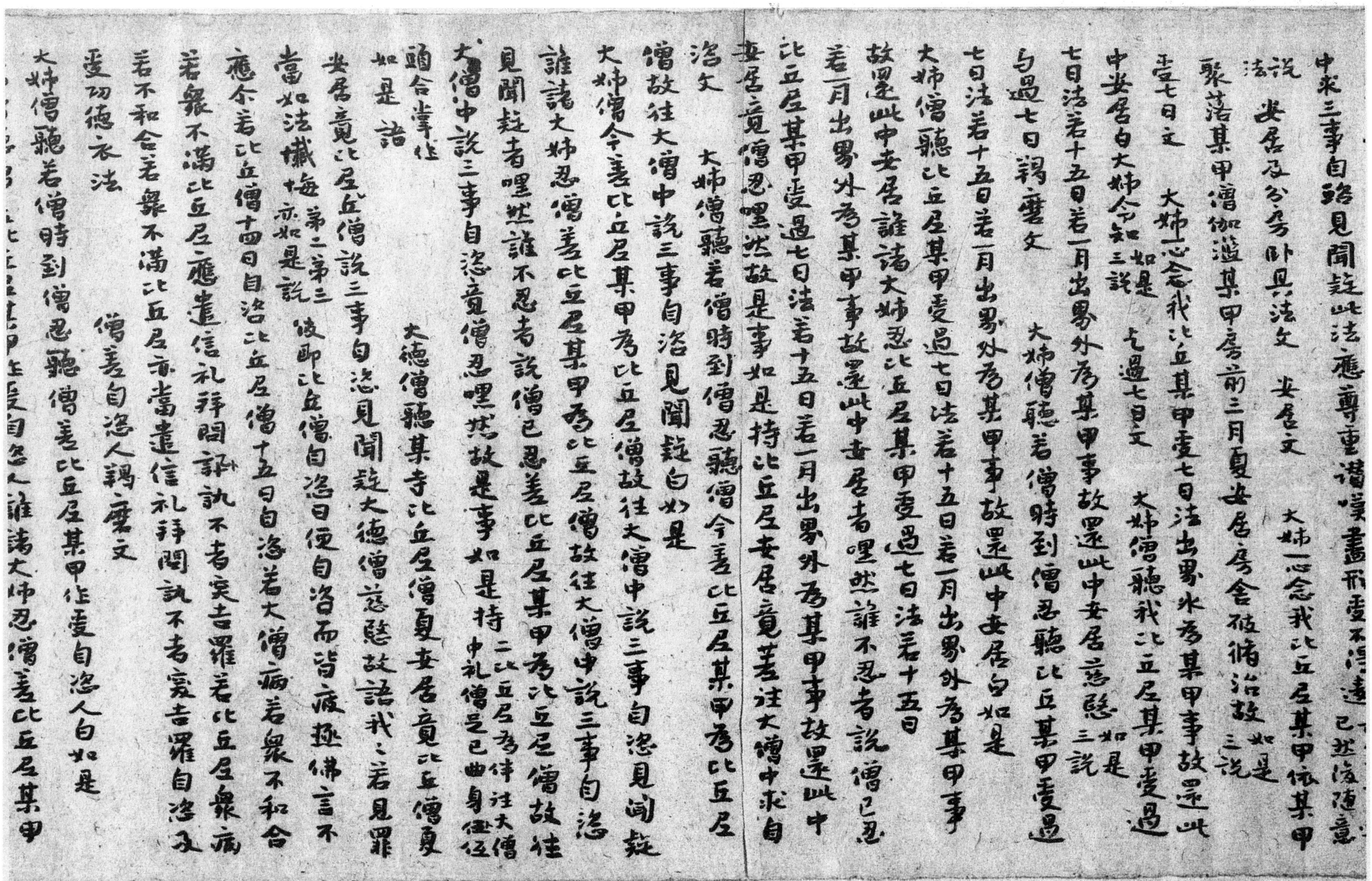
中求三事自恣見聞疑此法應尊重讚嘆盡形壽不得違已然後隨意
說　安居及分房卧具法文　安居文　大姊一心念我比丘尼某甲依某甲
法　聚落某甲僧伽藍某甲房前三月夏安居房舍破脩治故　如是三說
受七日文　大姊一心念我比丘尼某甲受七日法出界外為某甲事故還此
中安居白大姊令知　如是三說　受過七日文　大姊僧聽我比丘尼某甲受過
七日法若十五日若一月出界外為某甲事故還此中安居慈愍　如是三說
与過七日羯磨文　大姊僧聽若僧時到僧忍聽比丘尼某甲受過
七日法若十五日若一月出界外為某甲事故還此中安居白如是
大姊僧聽比丘尼某甲受過七日法若十五日若一月出界外為某甲事
故還此中安居誰諸大姊忍比丘尼某甲受過七日法若十五日
若一月出界外為某甲事故還此中安居者嘿然誰不忍者說僧已忍
比丘尼某甲受過七日法若十五日若一月出界外為某甲事故還此中
安居竟僧忍嘿然故是事如是持　比丘尼安居竟善往大僧中求自
恣文　大姊僧聽若僧時到僧忍聽僧今差比丘尼某甲為比丘尼
僧故往大僧中說三事自恣見聞疑白如是
大姊僧今差比丘尼某甲為比丘尼僧故往大僧中說三事自恣見聞疑
誰諸大姊忍僧差比丘尼某甲為比丘尼僧故往大僧中說三事自恣
見聞疑者嘿然誰不忍者說僧已忍差比丘尼某甲為比丘尼僧故往
大僧中說三事自恣竟僧忍嘿然故是事如是持　二比丘尼為伴往大僧中礼僧足已曲身低仰
頭合掌作　大德僧聽某寺比丘尼僧夏安居竟比丘尼僧夏
如是語
安居竟比丘尼僧說三事自恣見聞疑大德僧慈愍故語我我若見罪
當如法懺悔　亦如是說第二第三　彼即比丘僧自恣日便自恣而皆疲極佛言不
應尒若比丘僧十四日自恣比丘尼僧十五日自恣若大僧病若眾不和合
若眾不滿比丘尼應遣信礼拜問訊不者突吉羅若比丘尼眾病
若不和合若眾不滿比丘尼亦當遣信礼拜問訊不者突吉羅自恣及
受功德衣法　僧差自恣人羯磨文
大姊僧聽若僧時到僧忍聽僧差比丘尼某甲作受自恣人白如是
[illegible]比丘尼某甲作受自恣人誰諸大姊忍僧差比丘尼某甲

BD02410 號　大戒尼羯磨文

（22–16）

若不和合若竟不……

受功德衣法　　僧差自恣人羯磨文

大姊僧聽若僧時到僧忍聽僧差比丘尼某甲作受自恣人白如是

大姊僧聽僧差比丘尼某甲作受自恣人誰諸大姊忍僧差比丘尼某甲

作受自恣人者嘿然誰不忍者說僧已忍差比丘尼某甲作受自恣人竟

僧忍嘿然故如是事如是持　　被差人白僧自恣文

大姊僧聽今日衆僧自恣若僧時到僧忍聽僧和合自恣白如是（作如是白）

已唱僧就事

然自恣也　　衆僧自恣文

大姊一心念衆僧今日自恣我比丘尼某甲亦自恣若見聞疑罪大姊哀愍故

我〻若見罪當如法懺（如是三說）

恣我比丘尼某甲亦清淨自恣（如是三說之）

若四人更互自恣文大姊一心念衆僧今日自

（亦如是若一人心念）

（念口言自恣）

衆僧自恣自恣我比丘尼某甲亦清淨自恣（如是三說自恣法若五人若減五人不得受欲）

八難事起白僧各〻三語自恣文

〻三語自恣白如是

大姊僧聽若僧時到僧忍聽僧今各

（如是白已各〻共三語自恣再說一說亦）

（如是若難至即應以是事法）

白受功德衣文

大姊僧聽今日衆受功德衣若僧時到僧忍聽

僧今和合受功德衣白如是

（僧應問誰能持功德衣）

（第有言能者即應差）

差持功德衣人羯磨文

大姊僧聽若僧時到僧忍聽僧差比丘

某甲為僧持功德衣白如是

大姊僧聽僧差比丘尼某甲為僧持功

德衣誰諸大姊忍僧差比丘尼某甲為僧持功德衣者嘿然誰不忍者說

僧已忍差比丘尼某甲為僧持功德衣者嘿然誰不忍者說僧已忍嘿然

故是事如是持

羯磨衣與持功德衣人文

大姊僧聽此住處僧得可分衣現前僧應分若僧時到僧忍聽僧今持此衣與比

丘尼某甲此比丘尼某甲當持此衣為僧受作功德衣於此住處持白如是

大姊僧聽此住處僧得可分衣現前僧應分僧今持此衣與比丘尼某甲

此比丘尼某甲當持此衣為僧受作功德衣於此住處持誰諸大姊忍僧持

此衣與比丘尼某甲比丘尼某甲當持此衣為僧受作功德衣於此住處持

者嘿然誰不忍者說僧已忍持是衣與某甲比丘尼某甲此比丘尼某甲當持

此衣為僧受作功德衣於此住處持竟僧忍嘿然故是事如是持功德

此衣与比丘尼某甲當持此衣爲僧受作功德衣於此住處持
者嘿然誰不忍者說僧已忍持是衣与某甲比丘尼某甲當持
此衣爲僧受作功德衣於此住處持竟僧嘿忍然故是事如是持功德
衣人持衣衆僧前白文　大姊僧聽今日衆受功德衣若僧時到僧忍
聽僧今和合受功德衣白如是　白已持衣說文
此衣衆僧已受作功德衣此衣衆僧今受作功德衣此衣衆僧已受作功
德衣 如是三說　衆僧各各受功德衣其受者已善受此中所有功德名
稱屬我彼應若言爾　出功德衣文　應答言出
僧衆和合未受大衣者出不来者說欲及清淨今何所住爲功德衣可
大姊僧聽今日衆僧出功德衣若僧時僧忍聽僧今和功德衣白如是
分衣物及亡者衣物法第八　僧分四方僧德施物羯磨文
大姊僧聽此住處若衣若非衣現前僧應分若僧時到僧忍聽僧今
与比丘尼某甲彼比丘尼某甲當還与僧白如是
大姊僧聽此住處若衣若非衣現前僧應分僧今与比丘尼某甲彼
比丘尼某甲當還与僧誰諸大姊忍此住處若衣若非衣現前僧分
今与比丘尼某甲比丘尼某甲當還与僧者嘿然誰不忍說僧已忍与
比丘尼某甲彼比丘尼某甲當還与僧竟僧忍嘿然故是事如是持 若住
處有三人物應　相向住如
二人得施衣者人　是說言
大姊一心念是住處得可衣分物現僧應分是中无僧衣此衣物屬及我
大姊我受用　如是三說若有一人應心念口言　是住處得可分衣物現前僧應分是中
无僧此衣物屬我我受用　如是三說　瞻病人持亡者衣物至僧中白文
大姊僧聽比丘尼某甲此住處命過所有衣鉢坐具鍼筒盛衣襆器
此住處現前僧應分　如是三說　羯磨亡者衣物与瞻病人文
大姊僧聽比丘尼某甲命過所有衣鉢坐具針筒盛衣襆器現前應
分僧今与比丘尼某甲看病人誰諸大姊忍僧与比丘尼某甲看病人衣
鉢坐具針筒盛衣襆器者嘿然誰不忍者說僧已忍与比丘尼看病人
衣鉢坐具針筒盛衣襆器竟僧忍嘿然故是事如是持

BD02410號　大戒尼羯磨文　（22–18）

大姊僧聽比丘尼某甲命過所有衣鉢坐具針筒盛衣襆器現前
分僧分与比丘尼某甲看病人諸誰大姊忍僧与比丘尼某甲看病人衣
鉢坐具針筒盛衣襆器者嘿然誰不忍者說僧已忍与比丘尼看病人
衣鉢坐具針筒盛衣襆器竟僧忍嘿然故是事如是持
僧分亡者餘衣物羯磨文　大姊僧聽比丘尼某甲命過所有若衣若
非衣現前僧應分若僧時到僧忍聽今与比丘尼某甲某甲當還与僧
白如是　大姊僧聽比丘尼某甲命過所有若衣若非衣現前僧應分
今与比丘尼某甲比丘尼某甲當還与僧誰諸大姊忍比丘尼某甲命過所
有若衣若非衣現前僧應分僧今与比丘尼某甲當還与僧者嘿然誰
不忍者說僧已忍与某甲比丘尼當与僧竟僧忍嘿然故是事如是持
若三人二人分亡者衣物文（若住處有二人三人欲分亡者）衣物應各各相向作如是言
大姊一心念比丘尼某甲命過所有若衣若非衣現前僧應分此住處无
僧是衣物屬我及我大姊大姊及我受用（如是三說若獨一人應心念口言）
比丘尼某甲命過所有衣若衣若非衣現前僧應分此住處无僧是衣物
應屬我〻受用（如是三說）　白房乞作小房羯磨文
大姊僧聽我比丘尼某甲自乞作房无主自為己我今從僧乞知无難處
无妨處（如是三說）僧應觀此比丘尼可信即聽若不可信一切僧應當到彼
處看若遠遣可信者遣已應作羯磨作如是羯磨法
大姊僧聽我比丘尼某甲自乞欲作房无主自為己今從僧乞處分无難處
无妨處若僧時到僧忍聽僧今与比丘尼某甲處分无難處无妨處白如是
大〻姊僧聽此比丘尼某甲自乞作房無主自為己從僧乞處分无難
處无妨僧今与比丘尼某甲處分无難處无妨處誰諸大姊忍僧与
比丘尼某甲處分无難處無妨處者嘿然誰不忍者說僧已忍与比
比丘尼某甲處分无難處无妨處竟僧忍嘿然故是事如是持（次後大房同作羯
房羯磨　有主房異）　老病比丘尼乞畜杖絡囊羯磨文
大姊僧聽我比丘尼某甲老病不能无杖絡囊而行今從衆僧乞畜杖
絡囊願僧我畜杖絡囊慈愍故（如是三說應善勘能羯磨者作如是羯磨）

[illegible]

有主為異　老病比丘尼乞畜杖絡囊羯磨文

大姊僧聽我比丘尼某甲老病不能無杖絡囊而行今從衆僧乞畜杖

絡囊願僧與我畜杖絡囊慈愍故　如是三說　應差堪能羯磨者作如是羯磨

大姊僧聽比丘尼某甲老病不能無杖絡囊而行今從衆僧乞畜杖絡囊

若僧時到僧忍聽比丘尼某甲畜杖絡囊白如是

大姊僧聽比丘尼某甲老病不能無杖絡囊而行今從衆僧乞畜杖絡囊

僧今聽此比丘尼某甲杖畜絡囊誰諸大姊忍僧今聽比丘尼某甲畜杖

絡囊者嘿然誰不忍者說僧已忍聽比丘尼某甲畜杖絡囊竟僧忍嘿

然故是事持　非時入村囑授衣

大姊一心念我比丘尼某甲非時入某甲聚落至某甲家為如是事白大姊令

知　若大若小若言尔若言莫放逸　受請已食前食後入村囑授衣文

大姊一心念我比丘尼某甲以受某甲請有緣事欲入某甲聚落至某甲

家白大姊令知　若大若小若言尔若言莫放逸　真實淨施文

大姊一心念我比丘尼某甲有此長衣未作淨今為淨故施與大姊為真

實淨故展轉淨施文

大姊一心念我比丘尼某甲有此長衣未作淨今為展轉淨故施與大姊

彼受請者　大姊一心念汝有此長衣未作淨今為展轉淨故施與我

應如是言

已受之受已應問彼言汝施主是誰彼應答言施主某甲　受請者應語如是言

大姊一心念大姊自言有是衣長未作淨為展轉淨故施與我我已受之是

衣某衣已有汝為某甲護持因時隨言

作真實淨施者應當問主然後得用　展轉淨施者若問若不問隨意用足食已受殘

食文　應時食至彼比丘尼前應如是言

大姊一心念我已足食大姊看是知是作餘食法　彼應取少許食食已語言已止汝取食食

[illegible]

BD02410號　大戒尼羯磨文

食文　應時食至[……]　尼前應如是言

大姊一心念我已足食大姊看是知是作餘食法語言已正法取食々　彼應取少許食々已

受七日藥文

先從淨人邊受已持至大比丘所作如是言大姊一心念我比丘尼某甲有

病因緣是日藥為共宿七日故今於長老邊受　如是三說　受盡形壽藥文

先從淨人邊受已持至大比丘尼所如是言大姊一心念我比丘尼某甲所

有病此盡形受藥為共宿長服故今於長老邊受　如是三說

僧被乞日應往來聽羯磨文

大姊僧聽我比丘尼某甲於此處雨安居為塔事僧事故出界行

還此住處願僧慈愍故　如是三說

大姊僧聽某甲比丘尼於此處雨安居若僧時到僧某甲比丘尼於

此處雨安居為塔事僧事故出界行還此處住請大姊僧聽某甲

比丘尼為塔僧事出界行還此安居僧忍嘿然故是事如是持僧

秖受迦絺那衣法若外人施僧迦絺那衣財不得

大戒尼羯磨文

BD02410號　大戒尼羯磨文　（22–22）

……園林　華菓茂盛
如是等施　種種微妙　……
或有菩薩　說寂滅法　種種教詔
或見菩薩　觀諸法性　無有二相　猶如虛空
又見佛子　心無所著　以此妙慧　求無上道
文殊師利　又有菩薩　佛滅度後　供養舍利
又見佛子　造諸塔廟　無數恒沙　嚴飾國界
寶塔高妙　五千由旬　縱廣正等　二千由旬
一一塔廟　各千幢幡　珠交露幔　寶鈴和鳴
諸天龍神　人及非人　香華伎樂　常以供養
文殊師利　諸佛子等　為供舍利　嚴飾塔廟
國界自然　殊特妙好　如天樹王　其華開敷
佛放一光　我及眾會　見此國界　種種殊妙
諸佛神力　智慧希有　放一淨光　照無量國
我等見此　得未曾有　佛子文殊　願決眾疑
四眾欣仰　瞻仁及我　世尊何故　放斯光明
佛子時答　決疑令喜　何所饒益　演斯光明
佛坐道場　所得妙法　為欲說此　為當授記
示諸佛土　眾寶嚴淨　及見諸佛　此非小緣
文殊當知　四眾龍神　瞻察仁者　為說何等
爾時文殊師利語彌勒菩薩摩訶薩及諸大
……尊欲說大法

佛子時答　決疑令喜　何所饒益　演斯光明
佛坐道場　所得妙法　為欲說此　為當授記
示諸佛土　眾寶嚴淨　及見諸佛　此非小緣
文殊當知　四眾龍神　瞻察仁者　為說何等
爾時文殊師利語彌勒菩薩摩訶薩及諸大
士善男子等如我惟忖今佛世尊欲說大法
雨大法雨吹大法螺擊大法鼓演大法義諸
善男子我於過去諸佛曾見此瑞放斯光已
即說大法是故當知今佛現光亦復如是欲
令眾生咸得聞知一切世間難信之法故現
斯瑞諸善男子如過去無量無邊不可思議
阿僧祇劫爾時有佛號日月燈明如來應供
正遍知明行足善逝世間解無上士調御丈
夫天人師佛世尊演說正法初善中善後善
其義深遠其語巧妙純一無雜具足清白梵
行之相為求聲聞者說應四諦法度生老病
死究竟涅槃為求辟支佛者說應十二因緣
法為諸菩薩說應六波羅蜜令得阿耨多羅
三藐三菩提成一切種智次復有佛亦名日月
燈明次復有佛亦名日月燈明如是二萬
佛皆同一字號日月燈明又同一姓姓頗羅
墮彌勒當知初佛後佛皆同一字名日月燈
明十號具足所可說法初中後善其最後佛
未出家時有八王子一名有意二名善意三

佛皆同一字号日月燈明又同一姓姓頗羅
墮弥勒當知初佛後佛皆同一字名日月燈
明十号具足所可說法初中後善其最後佛
未出家時有八王子一名有意二名善意三
名无量意四名寶意五名增意六名除疑意
七名嚮意八名法意是八王子威德自在各
領四天下是諸王子聞父出家得阿耨多羅
三藐三菩提悉捨王位亦隨出家發大乘意
常脩梵行皆為法師已於千万佛所殖諸善
本是時日月燈明佛說大乘經名无量義教
菩薩法佛所護念說是經已即於大衆中結
加趺坐入於无量義處三昧身心不動是時天
雨曼陁羅華摩訶曼陁羅華曼殊沙華摩
訶曼殊沙華而散佛上及諸大衆普佛世界
六種震動尒時會中比丘比丘尼優婆塞優
婆夷天龍夜叉乾闥婆阿脩羅迦樓羅緊那
羅摩睺羅伽人非人等及諸小王轉輪聖王
等是諸大衆得未曾有歡喜合掌一心觀佛
尒時如來放眉間白毫相光照東方萬八千
佛土靡不周遍如今所見是諸佛土弥勒當
知尒時會中有二十億菩薩樂欲聽法是諸
菩薩見此光明普照佛土得未曾有欲知此
光所為因緣時有菩薩名曰妙光有八百弟
子是時日月燈明佛從三昧起因妙光菩薩

BD02411 號　妙法蓮華經卷一　（20–3）

知尒時會中有二十億菩薩樂欲聽法是諸
菩薩見此光明普照佛土得未曾有欲知此
光所為因緣時有菩薩名曰妙光有八百弟
子是時日月燈明佛從三昧起因妙光菩薩
說大乘經名妙法蓮華教菩薩法佛所護念
六十小劫不起于座時會聽者亦坐一處六
十小劫身心不動聽佛所說謂如食頃是時
衆中无有一人若身若心而生懈惓日月燈
佛於六十小劫中說是經已即於梵魔沙門
婆羅門及天人阿脩羅衆中而宣此言如來
於今日中夜當入无餘涅槃時有菩薩名曰
德藏日月燈明佛即授其記告諸比丘是德
藏菩薩次當作佛号曰淨身多陁阿伽度阿
羅訶三藐三佛陁佛授記已便於中夜入於
涅槃佛滅度後妙光菩薩持妙法蓮華經滿
八十小劫為人演說日月燈明佛八子皆師妙
光妙光教化令其堅固阿耨多羅三藐三
菩提是諸王子供養无量百千万億佛已皆
成佛道其最後成佛者名曰然燈八百弟子
中有一人号曰求名貪著利養雖復讀誦衆
經而不通利多所忘失故号求名是人亦以
種諸善根因緣故得值无量百千萬億諸佛
供養恭敬尊重讚歎弥勒當知尒時妙光菩

BD02411 號　妙法蓮華經卷一　（20–4）

中有一人号曰求名貪著利養雖復讀誦衆
經而不通利多所忘失故号求名是人亦以
種諸善根因緣故得值无量百千萬億諸佛
供養恭敬尊重讚歎弥勒當知介時妙光菩
薩豈異人乎我身是也求名菩薩汝身是也
今見此瑞與本无異是故惟忖今日如來當
說大乘經名妙法蓮華教菩薩法佛所護念
介時文殊師利於大衆中欲重宣此義而說
偈言
我念過去世　无量无數劫　有佛人中尊　号日月燈明
世尊演說法　度无量衆生　无數億菩薩　令入佛智慧
佛未出家時　所生八王子　見大聖出家　亦隨修梵行
時佛說大乘　經名无量義　於諸大衆中　而為廣分別
佛說此經已　即於法座上　跏趺坐三昧　名无量義處
天雨曼陁華　天鼓自然鳴　諸天龍鬼神　供養人中尊
一切諸佛土　即時大震動　佛放眉間光　現諸希有事
此光照東方　萬八千佛土　示一切衆生　生死業報處
有見諸佛土　以衆寶莊嚴　琉璃頗梨色　斯由佛光照
及見諸天人　龍神夜叉衆　乾闥緊那羅　各供養其佛
又見諸如來　自然成佛道　身色如金山　端嚴甚微妙
如淨琉璃中　內現真金像　世尊在大衆　敷演深法義
一一諸佛土　聲聞衆无數　因佛光所照　悉見彼大衆
或有諸比丘　在於山林中　精進持淨戒　猶如護明珠
又見諸菩薩　行施忍辱等　其數如恒沙　斯由佛光照

如淨琉璃中　內現真金像　世尊在大衆　敷演深法義
一一諸佛土　聲聞衆无數　因佛光所照　悉見彼大衆
或有諸比丘　在於山林中　精進持淨戒　猶如護明珠
又見諸菩薩　行施忍辱等　其數如恒沙　斯由佛光照
又見諸菩薩　深入諸禪定　身心寂不動　以求无上道
又見諸菩薩　知法寂滅相　各於其國土　說法求佛道
介時四部衆　見日月燈佛　現大神通力　其心皆歡喜
各各自相問　是事何因緣　天人所奉尊　適從三昧起
讚妙光菩薩　汝為世間眼　一切所歸信　能奉持法藏
如我所說法　唯汝能證知　世尊既讚歎　令妙光歡喜
說是法華經　滿六十小劫　不起於此座　所說上妙法
是妙光法師　悉皆能受持　佛說是法華　令衆歡喜已
尋即於是日　告於天人衆　諸法實相義　已為汝略說
我今於中夜　當入於涅槃　汝一心精進　當離於放逸
諸佛甚難值　億劫時一遇　世尊諸子等　聞佛入涅槃
各各懷悲惱　佛滅一何速　聖主法之王　安慰无量衆
我若滅度時　汝等勿憂怖　是德藏菩薩　於无漏實相
心已得通達　其次當作佛　号曰為淨身　亦度无量衆
佛此夜滅度　如薪盡火滅　分布諸舍利　而起无量塔
比丘比丘尼　其數如恒沙　倍復加精進　以求无上道
是妙光法師　奉持佛法藏　八十小劫中　廣宣法華經
是諸八王子　妙光所開化　堅固无上道　當見无數佛
供養諸佛已　隨順行大道　相繼得成佛　轉次而授記

是妙光法師　奉持佛法藏　八十小劫中　廣宣法華經
是諸八王子　妙光所開化　堅固无上道　當見无數佛
供養諸佛已　隨順行大道　相繼得成佛　轉次而授記
最後天中天　號曰然燈佛　諸仙之導師　度脫无量衆
是妙光法師　時有一弟子　心常懷懈怠　貪著於名利
求名利无猒　多遊族姓家　棄捨所習誦　廢忘不通利
以是因緣故　號之為求名　亦行衆善業　得見无數佛
供養於諸佛　隨順行大道　具六波羅蜜　今見釋師子
其後當作佛　號名曰弥勒　廣度諸衆生　其數无有量
彼佛滅度後　懈怠者汝是　妙光法師者　今則我身是
我見燈明佛　本光瑞如此　以是知今佛　欲說法華經
今相如本瑞　是諸佛方便　今佛放光明　助發實相義
諸人今當知　合掌一心待　佛當雨法雨　充足求道者
諸求三乘人　若有疑悔者　佛當為除斷　令盡无有餘
妙法蓮華經方便品第二
尒時世尊從三昧安詳而起告舍利弗諸佛
智慧甚深无量其智慧門難解難入一切聲
聞辟支佛所不能知所以者何佛曾親近百
千萬億无數諸佛盡行諸佛无量道法勇猛
精進名稱普聞成就甚深未曾有法隨宜所
說意趣難解舍利弗吾從成佛已來種種因
緣種種譬喻廣演言教无數方便引導衆生
令離諸著所以者何如來方便知見波羅蜜
皆已具足舍利弗如來知見廣大深遠无量

BD02411號　妙法蓮華經卷一　（20–7）

[illegible]
緣種種譬喻廣演言教无數方便引導衆生
令離諸著所以者何如來方便知見波羅蜜
皆已具足舍利弗如來知見廣大深遠无量
无礙力无所畏禪定解脫三昧深入无際成
就一切未曾有法舍利弗如來能種種分別
巧說諸法言辭柔軟悅可衆心舍利弗取要
言之无量无邊未曾有法佛悉成就止舍利
弗不須復說所以者何佛所成就第一希有
難解之法唯佛與佛乃能究盡諸法實相所
謂諸法如是相如是性如是體如是力如是
作如是因如是緣如是果如是報如是本末
究竟等尒時世尊欲重宣此義而說偈言
世雄不可量　諸天及世人　一切衆生類　无能知佛者
佛力无所畏　解脫諸三昧　及佛諸餘法　无能測量者
本從无數佛　具足行諸道　甚深微妙法　難見難可了
於无量億劫　行此諸道已　道場得成果　我已悉知見
如是大果報　種種性相義　我及十方佛　乃能知是事
是法不可示　言辭相寂滅　諸餘衆生類　无有能得解
除諸菩薩衆　信力堅固者　諸佛弟子衆　曾供養諸佛
一切漏已盡　住是最後身　如是諸人等　其力所不堪
假使滿世間　皆如舍利弗　盡思共度量　不能測佛智
正使滿十方　皆如舍利弗　及餘諸弟子　亦滿十方剎
盡思共度量　亦復不能知　辟支佛利智　无漏最後身
[illegible]

BD02411號　妙法蓮華經卷一　（20–8）

一切漏已盡　住是最後身　如是諸人等　其力所不堪
假使滿世間　皆如舍利弗　盡思共度量　不能測佛智
正使滿十方　皆如舍利弗　及餘諸弟子　亦滿十方剎
盡思共度量　亦復不能知　辟支佛利智　无漏最後身
亦滿十方界　其數如竹林　斯等共一心　於億无量劫
欲思佛實智　莫能知少分　新發意菩薩　供養无數佛
了達諸義趣　又能善說法　如稻麻竹葦　充滿十方剎
一心以妙智　於恒河沙劫　咸皆共思量　不能知佛智
不退諸菩薩　其數如恒沙　一心共思求　亦復不能知
又告舍利弗　无漏不思議　甚深微妙法　我今已具得
唯我知是相　十方佛亦然　舍利弗當知　諸佛語无異
於佛所說法　當生大信力　世尊法久後　要當說真實
告諸聲聞眾　及求緣覺乘　我令脫苦縛　逮得涅槃者
佛以方便力　示以三乘教　眾生處處著　引之令得出
尒時大眾中有諸聲聞漏盡阿羅漢阿若憍
陳如等千二百人及發聲聞辟支佛心比丘比
丘尼優婆塞優婆夷各作是念今者世尊
何故慇懃稱歎方便而作是言佛所得法甚深
難解有所言說意趣難知一切聲聞辟支佛
所不能及佛說一解脫義我等亦得此法到
於涅槃而今不知是義所趣尒時舍利弗
知四眾心疑自亦未了而白佛言世尊何因
何緣慇懃稱歎諸佛第一方便甚深微妙難
解之法我自昔來未曾從佛聞如是說今者

BD02411 號　妙法蓮華經卷一　（20–9）

於涅槃而今不知是義所趣尒時舍利弗
知四眾心疑自亦未了而白佛言世尊何因
何緣慇懃稱歎諸佛第一方便甚深微妙難
解之法我自昔來未曾從佛聞如是說今者
四眾咸皆有疑唯願世尊敷演斯事世尊何
故慇懃稱歎甚深微妙難解之法尒時舍利
弗欲重宣此義而說偈言
慧日大聖尊　久乃說是法　自說得如是　力无畏三昧
禪定解脫等　不可思議法　道場所得法　无能發問者
我意難可測　亦无能問者　无問而自說　稱歎所行道
智慧甚微妙　諸佛之所得　无漏諸羅漢　及求涅槃者
今皆墮疑網　佛何故說是　其求緣覺者　比丘比丘尼
諸天龍鬼神　及乾闥婆等　相視懷猶豫　瞻仰兩足尊
是事為云何　願佛為解說　於諸聲聞眾　佛說我第一
我今自於智　疑惑不能了　為是究竟法　為是所行道
佛口所生子　合掌瞻仰待　願出微妙音　時為如實說
諸天龍神等　其數如恒沙　求佛諸菩薩　大數有八萬
又諸萬億國　轉輪聖王至　合掌以敬心　欲聞具足道
尒時佛告舍利弗止止不須復說若說是事一
切世間諸天及人皆當驚疑舍利弗重白佛
言世尊唯願說之唯願說之所以者何是會
无數百千万億阿僧祇眾生曾見諸佛諸
根猛利智慧明了聞佛所說則能敬信尒時
舍利弗欲重宣此義而說偈言

BD02411 號　妙法蓮華經卷一　（20–10）

无數百千万億阿僧祇衆生曾見諸佛諸
根猛利智慧明了聞佛所說則能敬信尒時
舍利弗欲重宣此義而說偈言
法王无上尊　唯說願勿慮　是會无量衆　有能敬信者
佛復止舍利弗若說是事一切世間天人阿
脩羅皆當驚疑增上慢比丘將墜於大坑尒
時世尊重說偈言
止止不須說　我法妙難思　諸增上慢者　聞必不敬信
尒時舍利弗重白佛言世尊唯願說之唯願
說之今此會中如我等比百千万億世世已
曾從佛受化如此人等必能敬信長夜安隱
多所饒益尒時舍利弗欲重宣此義而說偈
言
无上兩足尊　願說第一法　我為佛長子　唯垂分別說
是會无量衆　能敬信此法　佛已曾世世　教化如是等
皆一心合掌　欲聽受佛語　我等千二百　及餘求佛者
願為此衆故　唯垂分別說　是等聞此法　則生大歡喜
尒時世尊告舍利弗汝已慇懃三請豈得不
說汝今諦聽善思念之吾當為汝分別解說
說此語時會中有比丘比丘尼優婆塞優婆
夷五千人等即從座起礼佛而退所以者何
此輩罪根深重及增上慢未得謂得未證謂
證有如此失是以不住世尊嘿然而不制止
尒時佛告舍利弗我今此衆无復枝葉純有

BD02411號　妙法蓮華經卷一　（20–11）

夷五千人等即從座起
此輩罪根深重及增上慢未得謂得未證謂
證有如此失是以不住世尊嘿然而不制止
尒時佛告舍利弗我今此衆无復枝葉純有
貞實舍利弗如是增上慢人退亦佳矣汝今
善聽當為汝說舍利弗言唯然世尊願樂欲
聞佛告舍利弗如是妙法諸佛如來時乃說
之如優曇鉢華時一現耳舍利弗汝等當信
佛之所說言不虛妄舍利弗諸佛隨宜說法
意趣難解所以者何我以无數方便種種因
緣譬喻言辭演說諸法是法非思量分別之
所能解唯有諸佛乃能知之所以者何諸佛
世尊唯以一大事因緣故出現於世舍利弗
云何名諸佛世尊唯以一大事因緣故出現
於世諸佛世尊欲令衆生開佛知見使得清
淨故出現於世欲示衆生佛之知見故出現
於世欲令衆生悟佛知見故出現於世欲令
衆生入佛知見道故出現於世舍利弗是為
諸佛以一大事因緣故出現於世佛告舍利
弗諸佛如來但教化菩薩諸有所作常為一
事唯以佛之知見示悟衆生舍利弗如來但
以一佛乘故為衆生說法无有餘乘若二若
三舍利弗一切十方諸佛法亦如是舍利弗
過去諸佛以无量无數方便種種因緣譬喻

BD02411號　妙法蓮華經卷一　（20–12）

以一佛乘故為眾生說法无有餘乘若二若
三舍利弗一切十方諸佛法亦如是舍利弗
過去諸佛以无量无數方便種種因緣譬喻
言辭而為眾生演說諸法是法皆為一佛乘
故是諸眾生從佛聞法究竟皆得一切種智
舍利弗未來諸佛當出於世亦以无量无數
方便種種因緣譬喻言辭而為眾生演說諸
法是法皆為一佛乘故是諸眾生從佛聞法
究竟皆得一切種智舍利弗現在十方无量
百千万億佛土中諸佛世尊多所饒益安樂
眾生是諸佛亦以无量无數方便種種因緣
譬喻言辭而為眾生演說諸法是法皆為一
佛乘故是諸眾生從佛聞法究竟皆得一切
種智舍利弗是諸佛但教化菩薩欲以佛之
知見示眾生故欲以佛之知見悟眾生故欲
令眾生入佛知見道故舍利弗我今亦復如
是知諸眾生有種種欲深心所著隨其本性
以種種因緣譬喻言辭方便力故而為說法
舍利弗如此皆為得一佛乘一切種智故舍
利弗十方世界中尚无二乘何況有三舍利
弗諸佛出於五濁惡世所謂劫濁煩惱濁眾
生濁見濁命濁如是舍利弗劫濁亂時眾生
垢重慳貪嫉妬成就諸不善根故諸佛以方
便力於一佛乘分別說三舍利弗若我弟子

BD02411號　妙法蓮華經卷一　（20–13）

弗諸佛出於五濁惡世所謂劫濁煩惱濁眾
生濁見濁命濁如是舍利弗劫濁亂時眾生
垢重慳貪嫉妬成就諸不善根故諸佛以方
便力於一佛乘分別說三舍利弗若我弟子
自謂阿羅漢辟支佛者不聞不知諸佛如來但
教化菩薩事此非佛弟子非阿羅漢非辟支
佛又舍利弗是諸比丘比丘尼自謂已得阿
羅漢是最後身究竟涅槃便不復志求阿耨
多羅三藐三菩提當知此輩皆是增上慢人
所以者何若有比丘實得阿羅漢若不信此
法无有是處除佛滅度後現前无佛所以者
何佛滅度後如是等經受持讀誦解義者是
人難得若遇餘佛於此法中便得決了舍利
弗汝等當一心信解受持佛語諸佛如來言
无虛妄无有餘乘唯一佛乘爾時世尊欲重
宣此義而說偈言
比丘比丘尼　有懷增上慢　優婆塞我慢　優婆夷不信
如是四眾等　其數有五千　不自見其過　於戒有缺漏
護惜其瑕疵　是小智已出　眾中之糟糠　佛威德故去
斯人尠福德　不堪受是法　此眾无枝葉　唯有諸貞實
舍利弗善聽　諸佛所得法　无量方便力　而為眾生說
眾生心所念　種種所行道　若干諸欲性　先世善惡業
佛悉知是已　以諸緣譬喻　言辭方便力　令一切歡喜
或說修多羅　伽陁及本事　本生未曾有　亦說於因緣

BD02411號　妙法蓮華經卷一　（20–14）

衆生心所念　種種所行道　若干諸欲性　先世善惡業
佛悉知是已　以諸緣譬喩　言辭方便力　令一切歡喜
或說修多羅　伽陀及本事　本生未曾有　亦說於因緣
譬喩并祇夜　優波提舍經　鈍根樂小法　貪著於生死
於諸无量佛　不行深妙道　衆苦所惱亂　爲是說涅槃
我設是方便　令得入佛慧　未曾說汝等　當得成佛道
所以未曾說　說時未至故　今正是其時　決定說大乘
我此九部法　隨順衆生說　入大乘爲本　以故說是經
有佛子心淨　柔軟亦利根　无量諸佛所　而行深妙道
爲此諸佛子　說是大乘經　我記如是人　來世成佛道
以深心念佛　修持淨戒故　此等聞得佛　大喜充遍身
佛知彼心行　故爲說大乘　聲聞若菩薩　聞我所說法
乃至於一偈　皆成佛无疑　十方佛土中　唯有一乘法
无二亦无三　除佛方便說　但以假名字　引導於衆生
說佛智慧故　諸佛出於世　唯此一事實　餘二則非真
終不以小乘　濟度於衆生　佛自住大乘　如其所得法
定慧力莊嚴　以此度衆生　自證无上道　大乘平等法
若以小乘化　乃至於一人　我則墮慳貪　此事爲不可
若人信歸佛　如來不欺誑　亦无貪嫉意　斷諸法中惡
故佛於十方　而獨无所畏　我以相嚴身　光明照世間
无量衆所尊　爲說實相印　舍利弗當知　我本立誓願
欲令一切衆　如我等无異　如我昔所願　今者已滿足
化一切衆生　皆令入佛道　若我遇衆生　盡教以佛道

BD02411號　妙法蓮華經卷一　（20–15）

无量衆所尊　爲說實相印　舍利弗當知　我本立誓願
欲令一切衆　如我等无異　如我昔所願　今者已滿足
化一切衆生　皆令入佛道　若我遇衆生　盡教以佛道
无智者錯亂　迷惑不受教　我知此衆生　未曾修善本
堅著於五欲　癡愛故生惱　以諸欲因緣　墜墮三惡道
輪迴六趣中　備受諸苦毒　受胎之微形　世世常增長
薄德少福人　衆苦所逼迫　入邪見稠林　若有若无等
依止此諸見　具足六十二　深著虛妄法　堅受不可捨
我慢自矜高　諂曲心不實　於千萬億劫　不聞佛名字
亦不聞正法　如是人難度　是故舍利弗　我爲設方便
說諸盡苦道　示之以涅槃　我雖說涅槃　是亦非真滅
諸法從本來　常自寂滅相　佛子行道已　來世得作佛
我有方便力　開示三乘法　一切諸世尊　皆說一乘道
今此諸大衆　皆應除疑惑　諸佛語无異　唯一无二乘
過去无數劫　无量滅度佛　百千萬億種　其數不可量
如是諸世尊　種種緣譬喩　无數方便力　演說諸法相
是諸世尊等　皆說一乘法　化无量衆生　令入於佛道
又諸大聖主　知一切世間　天人羣生類　深心之所欲
更以異方便　助顯第一義　若有衆生類　值諸過去佛
若聞法布施　或持戒忍辱　精進禪智等　種種修福慧
如是諸人等　皆已成佛道　諸佛滅度已　若人善軟心
如是諸衆生　皆已成佛道　諸佛滅度已　供養舍利者
起萬億種塔　金銀及頗梨　車璖與馬瑙　玫瑰琉璃珠
清淨廣嚴飾　莊校於諸塔　或有起石廟　栴檀及沈水
木櫁并餘材　甎瓦泥土等　若於曠野中　積土成佛廟

BD02411號　妙法蓮華經卷一　（20–16）

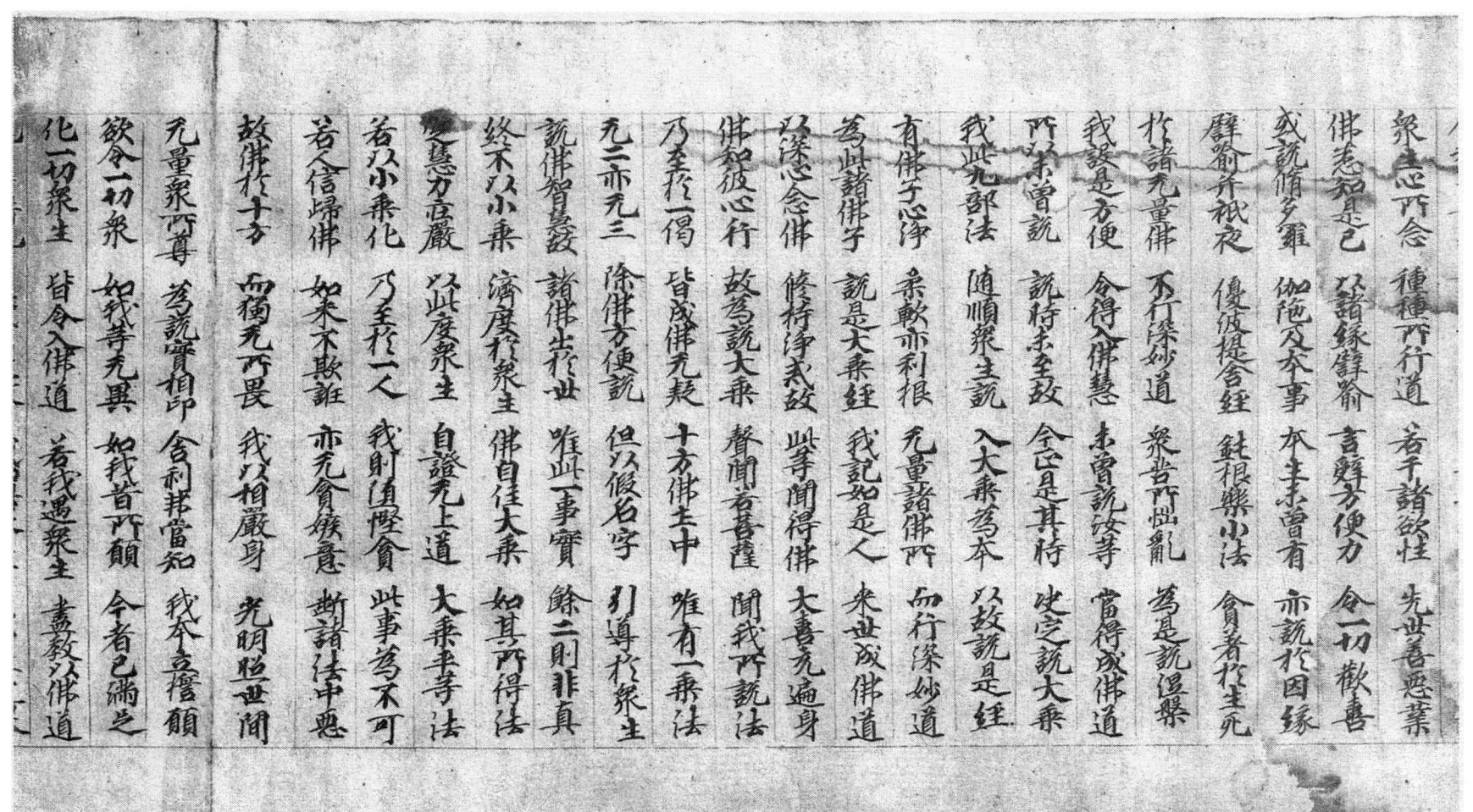

如是諸衆生　皆已成佛道　諸佛滅度已　供養舍利者
起万億種塔　金銀及頗梨　車璩與馬瑙　玫瑰琉璃珠
清淨廣嚴飾　莊校於諸塔　或有起石廟　栴檀及沉水
木櫁并餘材　甎瓦泥土等　若於曠野中　積土成佛廟
乃至童子戲　聚沙為佛塔　如是諸人等　皆已成佛道
若人為佛故　建立諸形像　刻雕成衆相　皆已成佛道
或以七寶成　鍮石赤白銅　白鑞及鉛錫　鐵木及與泥
或以膠漆布　嚴飾作佛像　如是諸人等　皆已成佛道
綵畫作佛像　百福莊嚴相　自作若使人　皆已成佛道
乃至童子戲　若草木及筆　或以指爪甲　而畫作佛像
如是諸人等　漸漸積功德　具足大悲心　皆已成佛道
但化諸菩薩　度脫无量衆　若人於塔廟　寶像及畫像
以華香幡蓋　敬心而供養　若使人作樂　擊鼓吹角貝
簫笛琴箜篌　琵琶鐃銅鈸　如是衆妙音　盡持以供養
或以歡喜心　歌唄頌佛德　乃至一小音　皆已成佛道
若人散亂心　乃至以一華　供養於畫像　漸見无數佛
或有人禮拜　或復但合掌　乃至舉一手　或復小低頭
以此供養像　漸見无量佛　自成无上道　廣度无數衆
入无餘涅槃　如薪盡火滅　若人散亂心　入於塔廟中
一稱南无佛　皆已成佛道　於諸過去佛　在世或滅後
若有聞是法　皆已成佛道　未來諸世尊　其數无有量
是諸如來等　亦方便說法　一切諸如來　以无量方便
度脫諸衆生　入佛无漏智　若有聞法者　无一不成佛
[illegible]亦同得此道

BD02411 號　妙法蓮華經卷一　　（20–17）

是諸如來等　亦方便說法　一切諸如來　以无量方便
度脫諸衆生　入佛无漏智　若有聞法者　无一不成佛
諸佛本誓願　我所行佛道　普欲令衆生　亦同得此道
未來世諸佛　雖說百千億　无數諸法門　其實為一乘
諸佛兩足尊　知法常无性　佛種從緣起　是故說一乘
是法住法位　世間相常住　於道場知已　導師方便說
天人所供養　現在十方佛　其數如恒沙　出現於世間
安隱衆生故　亦說如是法　知第一寂滅　以方便力故
雖示種種道　其實為佛乘　知衆生諸行　深心之所念
過去所習業　欲性精進力　及諸根利鈍　以種種因緣
譬喻亦言辭　隨應方便說　今我亦如是　安隱衆生故
以種種法門　宣示於佛道　我以智慧力　知衆生性欲
方便說諸法　皆令得歡喜　舍利弗當知　我以佛眼觀
見六道衆生　貧窮无福慧　入生死險道　相續苦不斷
深著於五欲　如犛牛愛尾　以貪愛自蔽　盲瞑无所見
不求大勢佛　及與斷苦法　深入諸邪見　以苦欲捨苦
為是衆生故　而起大悲心　我始坐道場　觀樹亦經行
於三七日中　思惟如是事　我所得智慧　微妙最第一
衆生諸根鈍　著樂癡所盲　如斯之等類　云何而可度
尒時諸梵王　及諸天帝釋　護世四天王　及大自在天
并餘諸天衆　眷屬百千万　恭敬合掌禮　請我轉法輪
我即自思惟　若但讚佛乘　衆生沒在苦　不能信是法
破法不信故　墜於三惡道　我寧不說法　疾入於涅槃
尋念過去佛　所行方便力　我今所得道　亦應說三乘

BD02411 號　妙法蓮華經卷一　　（20–18）

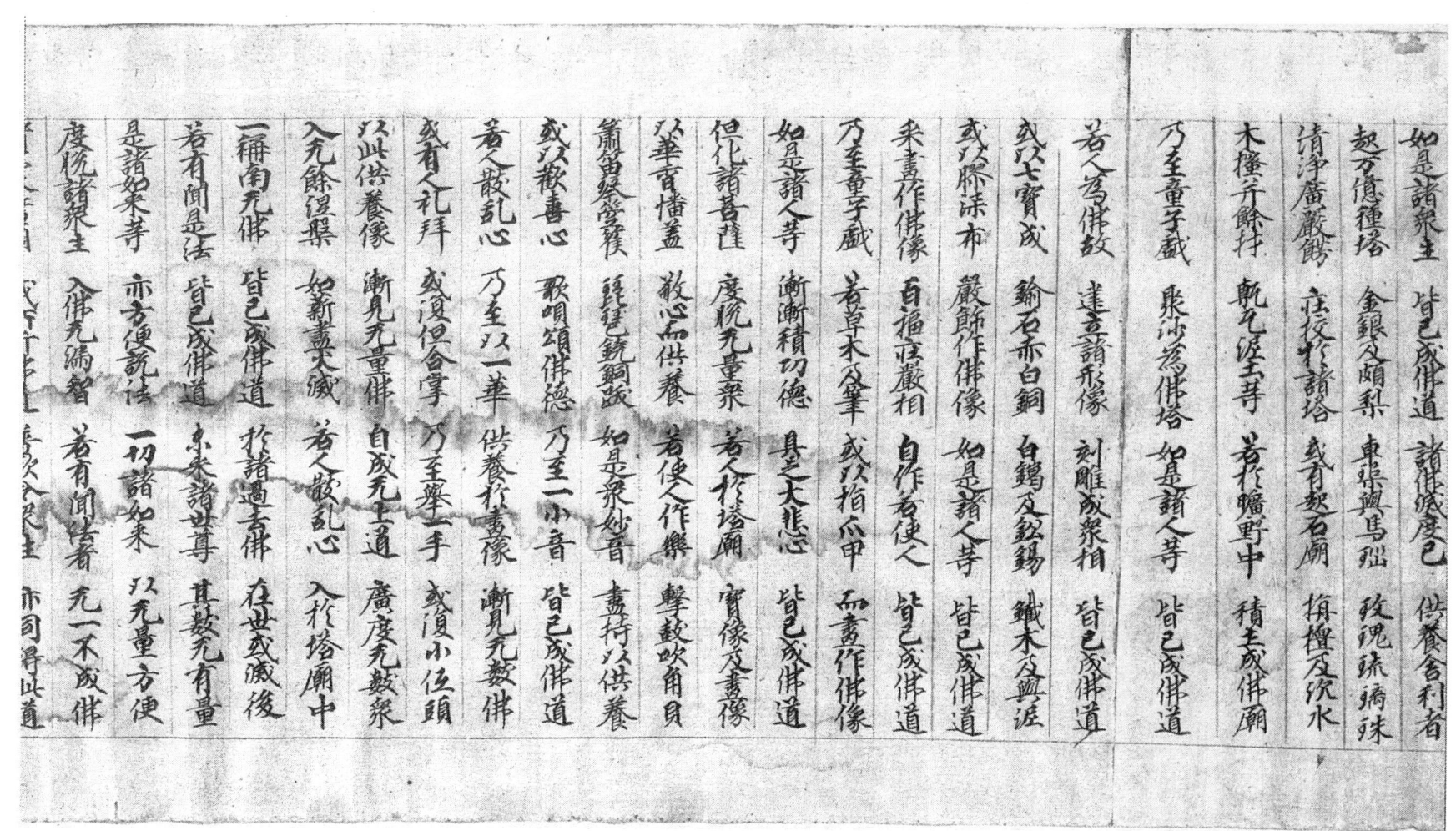

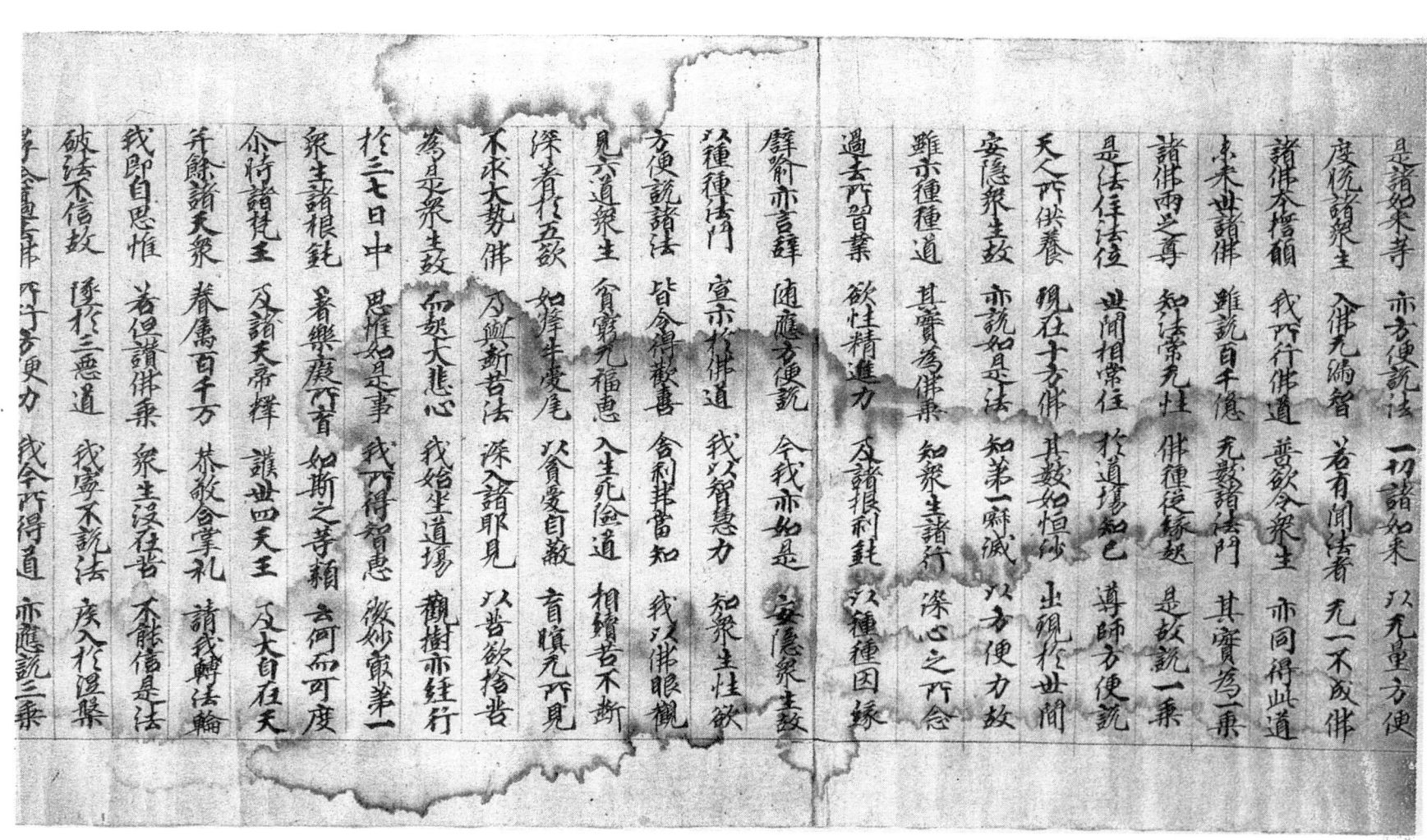

并餘諸天衆　眷屬百千万　恭敬合掌礼　請我轉法輪
我即自思惟　若但讚佛乘　衆生沒在苦　不能信是法
破法不信故　墜於三惡道　我寧不說法　疾入於涅槃
尋念過去佛　所行方便力　我今所得道　亦應說三乘
作是思惟時　十方佛皆現　梵音慰喻我　善哉釋迦文
第一之導師　得是无上法　隨諸一切佛　而用方便力
我等亦皆得　最妙第一法　為諸衆生類　分別說三乘
少智樂小法　不自信作佛　是故以方便　分別說諸法
雖復說三乘　但為教菩薩　舍利弗當知　我聞聖師子
深淨微妙音　稱南无諸佛　復作如是念　我出濁惡世
如諸佛所說　我亦隨順行　思惟是事已　即趣波羅奈
諸法寂滅相　不可以言宣　以方便力故　為五比丘說
是名轉法輪　便有涅槃音　及以阿羅漢　法僧差別名
從久遠劫來　讚示涅槃法　生死苦永盡　我常如是說
舍利弗當知　我見佛子等　志求佛道者　无量千万億
咸以恭敬心　皆來至佛所　曾從諸佛聞　方便所說法
我即作是念　如來所以出　為說佛慧故　今正是其時
舍利弗當知　鈍根小智人　著相憍慢者　不能信是法
今我喜无畏　於諸菩薩中　正直捨方便　但說无上道
菩薩聞是法　疑網皆已除　千二百羅漢　悉亦當作佛
如三世諸佛　說法之儀式　我今亦如是　說无分別法
諸佛興出世　懸遠值遇難　正使出于世　說是法復難
无量无數劫　聞是法亦難　能聽是法者　斯人亦復難

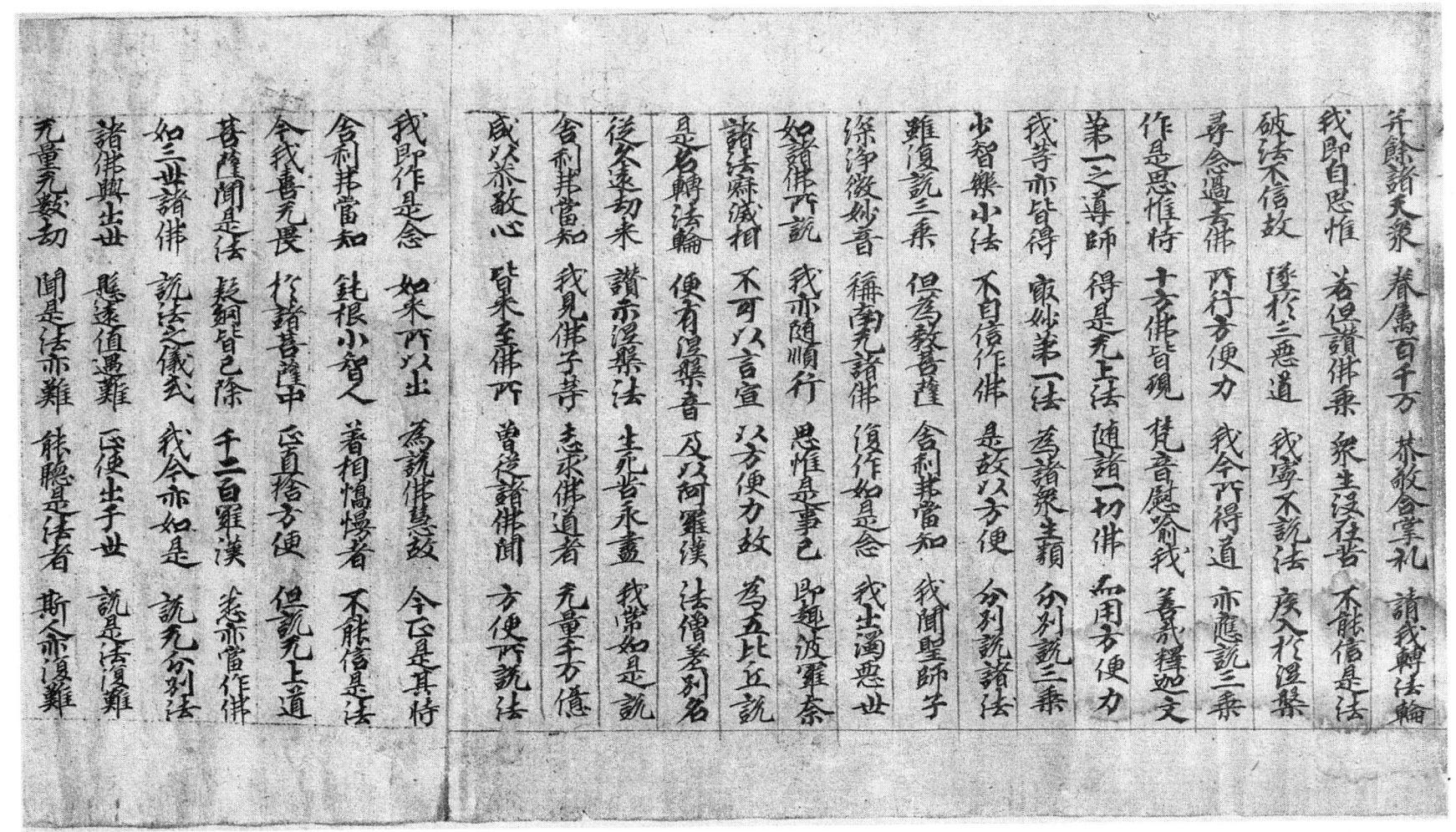

BD02411號　妙法蓮華經卷一　(20–19)

今我喜无畏　於諸菩薩中　正直捨方便　但說无上道
菩薩聞是法　疑網皆已除　千二百羅漢　悉亦當作佛
如三世諸佛　說法之儀式　我今亦如是　說无分別法
諸佛興出世　懸遠值遇難　正使出于世　說是法復難
无量无數劫　聞是法亦難　能聽是法者　斯人亦復難
譬如優曇華　一切皆愛樂　天人所希有　時時乃一出
聞法歡喜讚　乃至發一言　則為已供養　一切三世佛
是人甚希有　過於優曇華　汝等勿有疑　我為諸法王
普告諸大衆　但以一乘道　教化諸菩薩　无聲聞弟子
汝等舍利弗　聲聞及菩薩　當知是妙法　諸佛之秘要
以五濁惡世　但樂著諸欲　如是等衆生　終不求佛道
當來世惡人　聞佛說一乘　迷惑不信受　破法墮惡道
有慚愧清淨　志求佛道者　當為如是等　廣讚一乘道
舍利弗當知　諸佛法如是　以万億方便　隨宜而說法
其不習學者　不能曉了此　汝等既已知　諸佛世之師
隨宜方便事　无復諸疑惑　心生大歡喜　自知當作佛

妙法蓮華經卷第一

BD02411號　妙法蓮華經卷一　(20–20)

南无旃檀明……
南无息一……
南无能斷……佛　上……
南无……佛　南……佛
南无工……佛　南……眠佛
南无樂說莊嚴稱佛　南……月幢稱佛
南无花嚴光明佛　南……山火佛
南无无畏觀佛　南……子奮迅佛
南无寶精進日月光明莊嚴功德智聲王佛
南无初發心念斷一切疑煩惱佛
南无破一切闇勝佛
南无寶炎佛　南无旃檀香佛
南无大寶炎佛　南无花幢佛
南无普勝帝沙佛　南无滿……

BD02412號　佛名經（十六卷本）卷一二　（37–1）

南无破一切闇勝佛
南无寶炎佛　南无旃檀香佛
南无大寶炎佛　南无花幢佛
南无普勝帝沙佛　南无滿賢佛
南无寂力精進奮迅佛　南无香勝佛
南无勝稱佛　南无淨鏡佛
南无花勝佛　南无離塵佛
南无得功德佛　南无不動佛
南无旃檀佛　南无因陁羅則佛
南无樂山佛　南无能化佛
南无因陁羅幢佛　南无无畏住佛
南无富樓那佛　南无弗沙佛
南无法水清淨虛空果王佛
南无普智光明勝王佛
南无香光明功德莊嚴王佛
南无普智聲王佛　南无一切四无畏然燈佛
南无普善速勝王佛　南无善光大光佛
南无普門智照聲佛
南……

BD02412號　佛名經（十六卷本）卷一二　（37–2）

南无善喜速勝王佛　南无善光大光佛
南无普門智照聲佛
南无无量功德海藏光明佛
南无法界電光无障导功德佛
南无清淨明无垢然燈佛
南无師子光明勝光佛
南无廣光明智勝幢佛
南无金光明无邊力精進成佛
南无香光明歡喜力海佛
南无成就王佛　南无自在高佛
南无歡喜大海進行佛　南无稱自在光佛
南无廣稱智佛
南无智成就海王幢佛　南无相顯文殊月佛
南无一切法海勝王佛　南无智功德法幢佛
南无梵自在勝佛　南无過法界勝聲佛
南无不可嫌力普照光明幢佛
南无无垢功德日明佛
南无无导智普光明佛
南无无量勝雞兜幢佛

BD02412號　佛名經（十六卷本）卷一二　（37–3）

南无无垢功德日明佛
南无无导智普光明佛
南无无量勝雞兜幢佛
南无法界虛空普邊光明佛
南无福德相雲勝威德佛
南无照勝頂光明佛　南无法風大海意佛
南无相法化普光明佛
從此以上九千佛十二部經一切賢聖
南无善成就眷屬普照佛
南无法盡疾速歡喜悲佛
南无无垢清淨普光明佛
南无清淨眼花勝佛　南无善智力威德佛
南无虛空清淨月佛　南无然金色須弥燈佛
南无智勝寶法光明佛　南无然寶燈佛
南无普光明高山佛　南无大勝佛
南无波頭摩奮迅佛　南无善天佛
南无无盡功德佛　南无花威德佛
南无甘露力佛　南无聲邊佛
南无妙法勝威德成就佛

BD02412號　佛名經（十六卷本）卷一二　（37–4）

南无无盡功德佛　南无花威德佛
南无甘露力佛　南无聲邊佛
南无妙法勝威德氏旣佛
南无普門見勝佛　南无无邊功德照佛
南无普光功德然燈鏡像佛　南无喜樂現花大佛
南无寶須弥然燈王佛　南无善化法界金光明電聲佛
南无可降伏力顛佛　南无虛空城慧吼聲佛
南无十方廣遍稱智然燈佛
南无師子光明滿足功德海佛　南无智數花光明佛
南无普眼滿足法界難兜幢佛
南无勝慧善導師佛
南无光明住佛　南无月幢佛
南无東方善護四天下名金剛良如来為上首
南无南方難勝四天下曰陁羅如来為上首
南无西方親意四天下婆樓那如来為上首
南无北方師子意四天下摩訶手足如来為上首
南无東北方善擇四天下降伏諸魔如来為上首
南无東南方樂四天下毗沙門如来為上首
南无西南方堅固四天下不動如来為上首

BD02412號　佛名經（十六卷本）卷一二　（37–5）

南无東方善擇四天下降伏諸魔如来為上首
南无東南方樂四天下毗沙門如来為上首
南无西南方堅固四天下不動如来為上首
南无西北方善地四天下普門如来為上首
南无下方炎四天下善集如来為上首
南无上方妙四天下得智者如来為上首
歸命如是等无量无邊諸佛
南无盧舍那勝威德王佛　南无普光明勝藏王佛
南无界佛　南无智燈佛
南无法界虛空智幢照佛
南无阿弥盧波眼佛　南无龍自在王佛
南无法月普智光明佛　南无普照勝弥留王佛
南无无障虛空智難兜幢王佛
南无普輪到聲佛　南无无量智自在王佛
南无普香佛　南无弥留然燈王佛
南无阿那羅睺境界佛　南无香毗頭羅佛
南无旃檀難兜佛　南无一切佛寶勝王佛
南无无邊世間智輪難兜佛　南无阿僧儈智難兜佛
南无不可思量命佛　南无不可用佛

BD02412號　佛名經（十六卷本）卷一二　（37–6）

南无旃檀雞兜佛　南无一切佛寶勝王佛
南无无邊世間智輪雞兜佛　南无阿僧伽智雞兜佛
南无不可思量命佛　南无不可用佛
南无師子佛　南无月智佛
南无照佛　南无燈佛
南无无垢佛　南无山勝佛
南无波頭勝藏佛　南无盧舍那佛
南无善眼佛　南无梵命佛
南无波藪天佛
南无无邊光明平等法界莊嚴王佛
南无力光明佛　南无高行佛
南无旃檀達佛　南无金色意佛
南无妙飲佛　南无高聲佛
南无寂勝佛　南无高見佛
南无吉沙佛　南无弗沙佛
南无普功德佛　南无住燈佛
南无善目佛　南无一切法吼王佛
南无山憧身眼勝佛　南无寶勝然燈功德憧佛
[illegible]

南无善目佛　南无一切法吼王佛
南无山憧身眼勝佛　南无寶勝然燈功德憧佛
南无普智寶炎勝功德佛　南无功德憧佛
南无因陁羅憧勝雞兜佛
　從此以上九千一百佛十二部經一切賢聖
南无勝佛　南无大悲雲憧佛
南无金剛那羅延雞兜佛　南无无障导勝安隱燈佛
南无大炎山勝莊嚴佛　南无一切法海勝王佛
南无深法海光佛　南无寶髻炎滿足燈佛
南无一切十億國土微塵同名金剛藏佛
南无十億國土微塵數同名金剛雞兜佛
南无十百千國土微塵數同名金剛憧佛
南无十百千國土微塵數同名善法佛
南无十百千國土微塵數國名稱心佛
南无十國土微塵數同名普功德佛
南无不可說佛國土微塵數同名不可勝佛
南无不可說佛國土微塵數同名毗婆尸佛
南无十佛國土微塵數同名普憧佛

南无不可說佛國土微塵數同名不可勝佛
南无不可說佛國土微塵數同名毗婆尸佛
南无十佛國土微塵數同名普憧佛
南无八十億佛國土微塵數不可數百千
万億那他同名普賢佛
南无一佛國土微塵數同名佛勝佛
南无十佛國土微塵數百千万億那由他
不可說同名普稱自在佛　南无賢勝佛
南无功德海光明勝照藏佛
南无法界虛空滿足不退佛
南无法界吼佛　南无不退輪法界聲佛
南无法樹山威德佛　南无一切法賢固吼王佛
南无寶光燄燈憧王佛　南无功德寶光明威德王佛
南无法雲吼王佛　南无智炬王佛
南无法電憧王勝佛　南无法燈智師子威德王佛
南无一切法印吼威德王佛　南无无垢法山威德燈佛
南无法輪光明頂佛　南无法光明勝雲佛
南无法海說聲王佛　南无法日智輪燄燈佛
[illegible]

[illegible]
南无法輪光明頂佛　南无法光明勝雲佛
南无法海說聲王佛　南无法日智輪燄燈佛
南无法花高憧雲佛　南无法炎山難現王佛
南无法行深勝月佛　南无法智普光明藏佛
南无常智作佛　南无山王勝藏王佛
南无普門賢孫留法疾精進憧佛
南无一切法寶俱蘇摩勝雲佛
南无寂靜光明身髻佛
南无法光明慈鏡像月佛
南无炎勝海佛　南无智日普照佛
南无普輪佛　南无智照頂王佛
南无智山法界十方光明威德王佛
次礼十二部經大藏法輪
南无國王菩薩經　南无阿毗曇經
南无金剛齋經　南无持世經
南无阿那律八念經　南无等集經
南无迦羅越經　南无阿難問因緣持戒經
南无薩和達王經　南无阿難邠利四時施經

南无迦羅𢽹經　南无阿難問因緣持戒經
南无薩和達王經　南无阿難邠利四時施經
南无阿闍世王經　南无阿閦佛經
南无德光太子經　南无小阿闍經
南无阿陁三昧經　南无胎藏經
南无阿鳩留經　南无漸備一切智經
南无曉所諍不解者經　南无菩薩十漚和經
南无阿拔經　南无惡人經
南无菩薩等行不然國經　南无阿毗曇九十八結經
南无趣度世道經　南无惟𢽹經
次礼十方諸大菩薩
南无觀世音菩薩　南无大勢至菩薩
南无普賢菩薩　南无龍勝菩薩
南无龍德菩薩　南无勝成就菩薩
南无勝藏菩薩　南无波頭勝菩薩
南无成就有菩薩　南无地持菩薩
南无寶掌菩薩　南无寶印手菩薩
南无子意菩薩　南无虛空藏菩薩

南无寶掌菩薩　南无寶印手菩薩
南无子意菩薩　南无虛空藏菩薩
南无師子奮迅聲菩薩　南无發心即轉法輪菩薩
從此以上九千二百佛十二部經一切賢聖
南无一切聲聞緣覺菩薩
南无山樂説菩薩　南无大海音菩薩
南无大山菩薩　南无愛見菩薩
南无歡喜王菩薩　南无无邊歡菩薩
次礼聲聞緣覺一切賢聖
南无善快辟支佛　南无達陁辟支佛
南无吉沙辟支佛　南无憂波吉沙辟支佛
南无斷有辟支佛　南无憂波支羅辟支佛
南无斷愛辟支佛　南无施婆羅辟支佛
南无轉覺辟支佛　南无吉垢辟支佛
南无高去辟支佛　南无阿恣多辟支佛
歸命如是等无量无邊辟支佛
礼三寶已次復懺悔
已懺悔地獄報竟今當復次懺悔三惡道報經

礼三寶已次復懺悔
已懺悔地獄報竟今當復次懺悔三惡道報経
中佛說多欲之人多求利故苦惱亦多知足之
雖卧地上猶以為樂不知足者雖處天堂猶不
稱意但世間人忽有急難便能捨財不計多少
而不知此身臨於三塗深坑之上一息不還便應
墮落忽有知識營功福德令脩未來善法資粮
執此慳心无肯作理夫如此者極為愚惑何以
故尒經中佛說生時不賫一文而來死亦不持一文
而去昔身積聚為之憂惱於已无益徒為他有
无善可恃无德可怙致使命終墮諸惡道是
故弟子等今日稽顙翹到歸於佛
南无東方大光曜佛　南无南方虛空住佛
南无西方金剛步佛　南无北方无邊力佛
南无東南方无邊王佛　南无西南方壞諸惡賊佛
南无西北方離垢光佛　南无東北方金色光音佛
南无下方師子遊戲佛　南无上方月幢王佛
如是十方盡虛空界一切三寶

南无西北方離垢光佛　南无東北方金色光音佛
南无下方師子遊戲佛　南无上方月幢王佛
如是十方盡虛空界一切三寶
弟子今日次復懺悔畜生道中无所識知罪報
懺悔畜生道中負重牽犁償他宿債罪報懺悔
畜生道中不得自在為他所刺屠割罪報懺悔畜
生无足二足四足多足罪報懺悔畜生道中身諸
毛羽鱗甲之内為諸小虫之所唼食罪報如是
畜生道中有无量罪報今日至誠皆悉懺悔
次復懺悔餓鬼道中長飢罪報懺悔餓鬼百千
万歲初不曾聞漿水之名罪報懺悔餓鬼食噉膿
血糞穢罪報懺悔餓鬼動身之時一切枝節火然罪報
懺悔餓鬼腹大咽小罪報如是餓鬼道中无量苦
報今日稽顙皆悉懺悔
次復一切鬼神脩羅道中諂諂詐稱罪報懺悔鬼
神道中擔沙負石填河塞海罪報懺悔鬼神羅剎
鳩槃荼等諸惡鬼神生噉血肉受此醜陋罪報
如是鬼神道中无量无邊一切罪報今日稽顙向
十方佛大地菩薩求哀懺悔悉令消滅

殑䑐荼等諸惡鬼神生噉血肉受此醜陋罪報
如是鬼神道中无量无邊一切罪報今日稽顙向
十方佛大地菩薩求哀懺悔悉令消滅
願弟子等承是懺悔畜生等報所生功德生生世世
滅愚癡垢自識業緣智慧明照斷惡道身願以懺
悔餓鬼等報所生功德生生世世永離慳貪飢餓
之苦常飡甘露解脫之味願以懺悔鬼神脩羅等
報所生功德生生世世質直无諂離邪命因除醜
陋果福利人天願弟子等從今以去乃至
道場決定不受四惡道報唯除大悲為衆生
故以誓願力處之无猒 作礼一拜

此經有六十品略此一品流行

佛言云何菩提樹花悉皆墮落其花光色不
如常一切大衆皆生疑惑唯願天尊為我解說
令此衆中諸坐大士疑惑悉除尒時世尊從三昧
起光顏巍巍舉身毛孔皆悉出光語寶達菩薩
言汝等善聽今為汝說所以菩提樹花墮落矣
光者何如上所說沙門行惡悉墮嶮處受罪无殃
是故菩提樹花失光墮落寶達前白佛言唯

BD02412號　佛名經（十六卷本）卷一二　（37–15）

言汝等善聽今為汝說所以菩提樹花墮落矣
光者何如上所說沙門行惡悉墮嶮處受罪无殃
是故菩提樹花失光墮落寶達前白佛言唯
願為我說此惡行沙門果報之處佛告寶達
菩薩東方乃有鐵圍大山其山中間幽冥之處
日月光明及以大光所不能照名曰地獄其獄之中
有惡沙門受如是罪汝可往詣閻諸羅人云何因緣来
生此處脩何等行受如是罪寶達白佛言世尊
我无威神何能往詣願佛大悲垂神類念乃使我
等得見東方阿鼻地獄佛言善哉善哉汝今但
往今汝得見寶達菩薩礼佛而去龍飛虛空徘
徊自在當尒之時大地震動於虛空中雨寶達
花飛流而下尒時寶達一念之頃往詣東方鐵圍
山間其山崦嵫幽冥高峻其山四方了无草木日
月威光都不能照寶達須前俠道兩邊有卅六
王西王地獄其王名曰恒伽嗏王波吉頭王廣目都王
安頭羅王虎目見王陽聲吉王大諍訟王 吸血鬼王
安得羅王陁達王達多羅王吉梨善王安使羅王

BD02412號　佛名經（十六卷本）卷一二　（37–16）

安隱羅王自身王陰聲苦王大言王吼正見王
安得羅王陁遠王達多羅王吉梨善王安侯羅王
寶首王金樹吉王大惡聲王鳥頭王等病眼王
等烏牙王等震聲王等歸首王見首王廣安廣
之王王頭王立三王立見王摩尼羅王都曹王部見王
惡目王善王龍王鬼王南安王等卅六王遥見寶
達菩薩悉皆叉手合掌前行作礼言白大智尊
王云何因入此普處亦如旃檀在伊蘭而生寶達
答言我聞如來三界人尊說言東方有鐵圍山其山幽
冥日月之光所不能照我故聞之故來詣汝諸王前
入地獄行諸罪人汝等諸王誰能共我往詣大王前見
罪人受苦之者尒時恒伽嵘王即使與寶達菩薩往
詣大王尒時大鬼王遥見寶達菩薩從門而來光顏
從瑢即使下坐往前礼敬白言大王今此惡處云何
怪哉伊蘭林中忽生旃檀尒時寶達便前說以問
鬼王曰今此東方地獄可有幾鬼王答言此山之中有
无量地獄今此一方有卅二沙門地獄寶達問曰
卅二地獄其名云何鬼王答曰鐵車鐵馬鐵牛鐵驢
地獄衣　地獄鐵鉄洋銅灌口地獄流火地獄鐵林地獄

BD02412號　佛名經（十六卷本）卷一二　（37–17）

无量地獄今此一方有卅二沙門地獄寶達問曰
卅二地獄其名云何鬼王答曰鐵車鐵馬鐵牛鐵驢
地獄衣　地獄鐵鉄洋銅灌口地獄流火地獄鐵林地獄
鏌田地獄斫首地獄燒脚地獄鐵錙地獄飲鐵鉄地獄
飛刀地獄大箭地獄䏲肉地獄身然地獄大丸飣口地獄
諍論地獄雨火地獄流火地獄糞屎地獄鉤𦟛地獄大
烏地獄唓聲吱叮地獄諸鏃鏟地獄崩埋地獄然手脚地獄
銅苕鋸牙地獄剥皮飲血地獄解身地獄鐵屋地獄
鐵山地獄飛天吱叫介頭地獄尒時鬼王又答寶達曰
地獄受罪其名如是寶達即使入地獄中上高樓頭
四顧望視罪人等各從四門吱叫而入寶達前入寶
達鐵馬鐵牛鐵車鐵驢此四小獄并為一地獄云何名
曰鐵車鐵馬鐵牛鐵驢地獄此地獄方圓縱廣十五由旬
其中鐵地高一由旬猛火煇赫烔然其車鐵作焱赫
熾然中有鐵牛其身炁然頭角毛尾皆如鋌鉎火
然烔炎俱出其鐵馬者身毛蒙尾烈鋻如鋌鉎毛尾
火然烔炎俱出其鐵驢者亦復如是其地獄中鐵
鏃鏟烈鋻如鋌鉎鐵鎨遶亂遍布其地其鎨火然

BD02412號　佛名經（十六卷本）卷一二　（37–18）

然烔炎俱出其鐵馬者身毛豪尾烈鍪如鋋鋑毛尾
火然烔炎俱出其鐵驢者亦復如是其地獄中鐵
鏃鏟烈鍪如鋋鋑鐵鋗遼亂遍布其地其鋗火然
猛盛於前北門之中有五百沙門呼聲叫口眼火出
唱如是言云何我今受如是苦獄卒夜叉馬頭羅
剎手捉三鈷鐵叉亡背而鍾匈前而出復有鐵索
來縋其髀其鏁火然燒罪人髀復有鐵鋤鋤罪
人咽其鋤八方裂鍪而鋋鋑咽火猛熾來燒罪人頸尒
時罪人宛轉倒地而不肯前馬頭羅剎手捉鐵
棒亡頭而打罪人身體碎而微塵復有鐵鬼來食
其肉復有餓者來飲其血馬頭羅剎蹹地言活罪
人即活尒時鐵牛乳踐踠地其牛吼喚來向罪人更
迫逐宛轉於地馬頭羅剎手捉鐵叉叉著車上罪
人跳踉復墮牛上牛毛仰刺從腹而入背上而出牛
復跳踉復墮馬上馬毛仰刺亦如鋋鋑馬尾植之
身即碎爛須臾還活尒時鐵馬舉脚蓮蹹身碎
如塵須臾還活復騎鐵驢驢即跳踉罪人墮地
驢便大瞋舉脚蓮蹹須臾還活一日一夜受罪无量寶

BD02412號　佛名經（十六卷本）卷一二　（37–19）

驢便大瞋舉脚蓮蹹須臾還活一日一夜受罪无量寶
達問馬頭羅剎曰此諸沙門云何如是羅剎荅曰
此諸沙門受佛禁戒不惜將來但取現在違犯
淨戒故作惡業畜不淨物乘車騎馬走驢治
生心无慈善不護威儀是人信施恩目錄故墮此地
獄百千万劫若得為人身不具足聾盲閉塞不
見三寶不聞正法寶達聞之悲泣歎曰云何沙
門應為出三界云何惡業受如是罪寶達自
南无功德光俱蘇摩燈佛
南无智炬高雞兜幢王佛
南无日照光明王佛　南无相山佛
南无莊嚴佛　南无日步善照佛
南无法王網勝功德佛　南无四无畏金剛那羅延師子佛
南无普智幢勇猛佛　南无法波頭摩敷身佛
南无功德俱摩身重擔佛
南无道場覺勝月佛
南无然法炬勝月佛　南无普賢光明頂佛
南无法幢燈金剛堅幢佛

BD02412號　佛名經（十六卷本）卷一二　（37–20）

南无然法炬勝月佛　南无普賢光明頂佛
南无法幢燈金剛堅幢佛
南无稱山勝雲佛　南无旃檀勝月佛
南无普勝俱蘇摩威德菩提佛
南无照一切王佛　南无波頭摩勝藏佛
南无香炎照王佛　南无因波頭摩佛
南无相山照佛　南无普稱功德王佛
南无普門光明須弥山佛
南无法城光明勝功德山威德王佛
南无勝相佛　南无法力勇猛幢佛
南无轉法輪光明吼聲佛
南无光明功德山智慧王佛
南无轉法輪月勝頭摩照佛
南无佛幢自在功德不可勝幢佛
南无寶波頭摩光明藏佛
南无光明峯雲燈佛　南无普覺俱蘇摩佛
南无種種光明勝山藏佛
南无金生威德賢佛　南无賢勝威德佛

BD02412號　佛名經（十六卷本）卷一二　（37–21）

南无光明峯雲燈佛　南无普覺俱蘇摩佛
南无種種光明勝山藏佛
南无金生威德賢佛　南无賢勝威德佛
南无明輪峯王佛　南无功德雲盡佛
南无法峯雲幢佛　南无法日雲燈王佛
南无功德山威德佛　南无法雲十方稱王佛
南无法輪益雲佛　南无覺智幢佛
南无智威德佛　南无法輪清淨勝月佛
南无金山威德賢佛　南无賢勝山威德佛
南无普慧雲聲佛　南无法力勝山佛
南无香炎勝王佛　南无伽那迦摩尼威德佛
南无頂藏一切法光輪佛　南无然法輪威德佛
南无山峯勝威德佛　南无普精進炬佛
南无無海廣盾冠光佛　南无寶妙勝王佛
南无日勝妙佛　南无法炬寶帳聲佛
南无法虛空无邊光師子佛　南无相莊嚴幢月佛
南无光明山雷電雲佛　南无法虛空无导光佛
南无妙智敷身佛　南无世間因陁羅幢光明雲佛

BD02412號　佛名經（十六卷本）卷一二　（37–22）

南无法虚空无邊光明佛　南无種種莊嚴憐月佛
南无光明山雷電雲佛　南无法虚空无导光佛
南无妙智數身佛　南无世間因陁羅光明雲佛
南无法三昧光佛　南无法善莊嚴藏佛
南无法然姿堅固聲佛　南无三世相鏡像威德佛
南无法輪山峯光明佛　南无法界師子光明佛
從此以上九千三百佛十二部經一切賢聖
南无盧舍那勝須弥山三昧堅固師子佛
南无普光明城燈佛　南无寶俱蘇摩藏佛
南无轉妙法聲佛　南无虚空劫燈佛
南无法幢佛　南无安隱世間月佛
南无摩訶伽羅那師子佛
南无可樂聲佛　南无安隱佛
南无增上信德佛　南无智王佛
南无法虚空上勝王佛　南无天藏佛
南无地山峯王佛　南无轉法輪光明吼王佛
南无智虚空樂王佛　南无一切吼王佛
南无不可降伏佛　南无力難勝佛
南无法虚空上勝王佛　南无天藏佛

BD02412 號　佛名經（十六卷本）卷一二　（37–23）

南无智虚空樂王佛　南无一切吼王佛
南无不可降伏佛　南无力難勝佛
南无法虚空上勝王佛　南无天藏佛
南无轉法輪善光明聲佛　南无相勝山佛
南无具足堅聚佛　南无无垢姿差佛
南无住持疾佛　南无遍相佛
南无无垢婆侯佛　南无師子步侑佛
南无天自在頂佛　南无法起稱佛
南无大无憂喀佛　南无虚空燈佛
南无无垢幢佛　南无恒河沙同名賢行佛
南无恒河沙同名无邊命佛　南无恒河沙同名不動佛
南无恒河沙同名月智佛　南无恒河沙同名金剛幢佛
南无恒河沙同名日藏佛　南无恒沙河同名善光佛
南无恒河沙同名金剛佛　南无五百同名大慈悲佛
南无普智大炎功德幢王佛　南无善逝法幢勝佛
南无須弥佛　南无功德鎧佛
南无自在佛　南无燕王佛
南无量愛佛　南无本稱功德佛
南无須弥山佛　南无日月面佛

BD02412 號　佛名經（十六卷本）卷一二　（37–24）

南无自在佛　南无燄王佛
南无量受佛　南无本稱功德佛
南无須弥山佛　南无日月面佛
南无如是等无量佛
南无虛空行佛　南无普照佛
南无方城佛　南无勝光佛
南无雲勝佛　南无法炎山佛
南无波頭摩生佛　南无法界花佛
南无海燈佛　南无燄佛
南无如是等无量无邊佛
南无寶雞兜佛　南无智意佛
南无思議佛　南无因陁羅勝佛
南无天智佛　南无雲王長佛
南无智勝佛　南无光明王雞兜佛
南无勝奮迅威德去佛
南无法界波頭摩佛　南无行廣見佛
南无如是等无量无邊佛
南无寶炎山佛　南无勝光佛

BD02412號　佛名經（十六卷本）卷一二　（37–25）

南无法界波頭摩佛　南无行廣見佛
南无如是等无量无邊佛
南无寶炎山佛　南无勝光佛
南无寶功德佛　南无海勝佛
南无法光明佛　南无波頭摩佛
南无藏勝佛　南无世間眼佛
南无如是等无量无邊佛
南无香光佛　南无須弥勝佛
南无嶽王佛　南无深佛
南无勝摩尼佛　南无藏王佛
南无勝威德長佛　南无燄色去佛
南无如是等无量无邊佛
南无廣知佛　南无寶光明佛
南无虛空雲勝佛　南无妙相佛
從此以上九千四百佛十二部經一切賢聖
南无勝相佛　南无莊嚴佛
南无行輪佛　南无光勝佛
南无光明勝佛
南无如是等无量无邊佛

BD02412號　佛名經（十六卷本）卷一二　（37–26）

南无行輪佛　南无光勝佛
南无光明勝佛
南无如是等无量无邊佛
南无那羅延行佛　南无須弥勝佛
南无功德輪佛　南无勝王佛
南无不可降伏佛　南无山王樹佛
南无如是等无量无邊佛
南无莎羅自在王佛　南无勝藏佛
南无世間自在身佛　南无鏡像光明佛
南无地出佛　南无光明功德佛
南无金剛色佛　南无住持威德勝佛
南无如是等无量无邊佛
南无深法光明身佛　南无法海吼聲佛
南无弥留幢勝光明意佛
南无寶光明勝佛　南无梵光佛
南无虛空聲佛　南无法界鏡像勝佛
南无輪光明佛　南无智光高雞兜意佛
南无伽伽那燈佛　南无集勝聚佛

BD02412號　佛名經（十六卷本）卷一二　（37–27）

南无輪光明佛　南无智光高雞兜意佛
南无伽伽那燈佛　南无集勝聚佛
南无功德光明勝佛　南无彌勝佛
南无大悲速疾佛　南无地力光明意佛
南无一切脩面色佛　南无勝身光明佛
南无幢蓋清淨勝佛　南无三世鏡像勝佛
南无樂海樂說勝佛　南无慚愧須弥山佛
南无念雞兜王佛　南无法意佛
南无慧燈佛　南无光雞兜勝佛
南无廣智佛　南无法界行智意佛
南无法海意智勝佛　南无法寶勝佛
南无功德輪佛　南无勝雲佛
南无忍辱燈佛　南无勝威德意佛
南无速光明賒摩他聲佛
南无彌幢佛　南无世間燈佛
南无大願勝佛　南无不可降伏幢佛
南无智炎勝功德佛　南无法自在佛
南无无导意佛

BD02412號　佛名經（十六卷本）卷一二　（37–28）

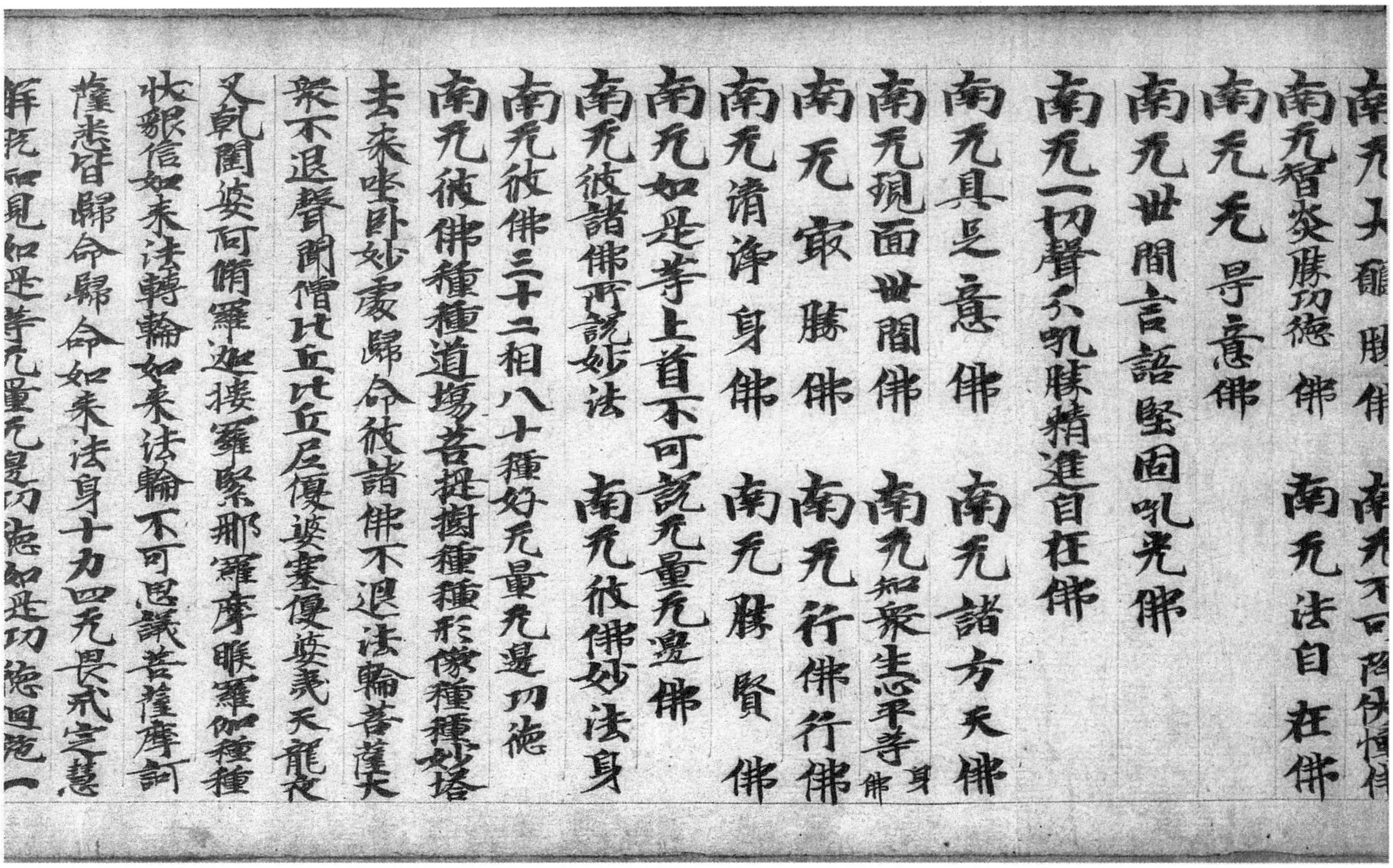
南无大願勝佛　南无不可降伏幢佛
南无智炎勝功德佛　南无法自在佛
南无无㝵意佛
南无世間言語堅固吼光佛
南无一切聲分吼勝精進自在佛
南无具足意佛　南无諸方天佛
南无現面世間佛　南无知衆生心平等身佛
南无寂勝佛　南无行佛行佛
南无清淨身佛　南无勝賢佛
南无如是等上首不可說无量无邊佛
南无彼諸佛所說妙法　南无彼佛妙法身
南无彼佛三十二相八十種好无量无邊功德
南无彼佛種種道場菩提樹種種形像種種妙塔
去來坐卧妙處歸命彼諸佛不退法輪菩薩大
衆不退聲聞僧比丘比丘尼優婆塞優婆夷天龍夜
叉乾闥婆阿脩羅迦樓羅緊那羅摩睺羅伽種種
收報信如來法轉輪如來法輪不可思議菩薩摩訶
薩悲皆歸命歸命如來法身十力四无畏戒定慧
解脫知見如是等无量无邊功德如是功德迴施一

BD02412號　佛名經（十六卷本）卷一二　（37–29）

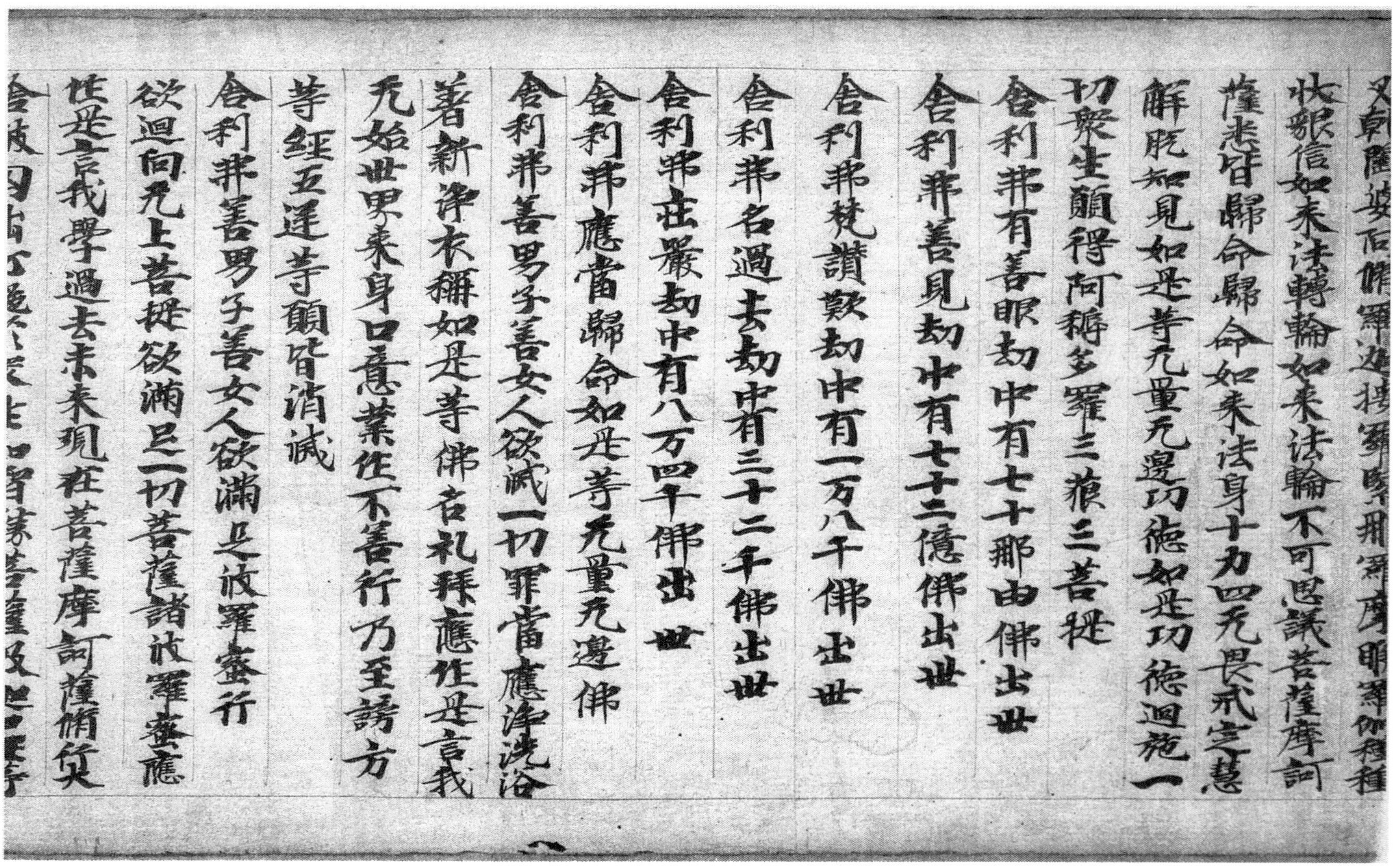
叉乾闥婆阿脩羅迦樓羅緊那羅摩睺羅伽種種
收報信如來法轉輪如來法輪不可思議菩薩摩訶
薩悲皆歸命歸命如來法身十力四无畏戒定慧
解脫知見如是等无量无邊功德如是功德迴施一
切衆生願得阿耨多羅三藐三菩提
舍利弗有善眼劫中有七十那由佛出世
舍利弗善見劫中有七十二億佛出世
舍利弗梵讚歎劫中有一万八千佛出世
舍利弗名過去劫中有三十二千佛出世
舍利弗莊嚴劫中有八万四千佛出世
舍利弗應當歸命如是等无量无邊佛
舍利弗善男子善女人欲滅一切罪當應淨洗浴
著新淨衣稱如是等佛名礼拜應作是言我
无始世界來身口意業作不善行乃至謗方
等經五逆等願皆消滅
舍利弗善男子善女人欲滿足波羅蜜行
欲迴向无上菩提欲滿足一切菩薩諸波羅蜜應
作是言我學過去未來現在菩薩摩訶薩脩集
舍彼因[illegible]

BD02412號　佛名經（十六卷本）卷一二　（37–30）

欲迴向无上菩提欲滿足一切菩薩諸波羅蜜應
作是言我學過去未來現在菩薩摩訶薩脩行大
捨破匈出心施於衆生如智勝菩薩及迦尸王等
捨妻子等布施貧乏如不退菩薩及阿翅羅那王
須達拏及莊嚴王入於地獄救苦衆生如大悲菩薩
及善眼子等救惡行衆生如善行菩薩及勝行
王等捨頂上寶天冠并剃頭皮而與如勝上身菩
薩及寶髻天子等捨眼如愛作菩薩及月光王等
捨耳鼻如无怨菩薩及勝去天子等捨齒如花
齒菩薩及六牙象王等捨舌如不退菩薩及善
面王等捨手如掌精進菩薩及善面王等捨手
如掌精進菩薩及堅意王等捨面如法作菩薩
及月愿天子等捨肉髓如安隱菩薩及一切施王等
捨大腸小腸肝肺脾腎如善德菩薩及自達離諸
惡王等捨身一切大小支節自在菩薩及光勝天
子等捨皮如清淨藏菩薩及金色天子金色歷
王等捨手足指如堅精進菩薩及金色王等
捨肉指甲如不盡菩薩及求法天子等　為求法

王等捨手足指如堅精進菩薩及金色王等
捨肉指甲如不盡菩薩及求法天子等　為求法
故入大火坑如精進菩薩及求妙法王精進等捨
四天下大地及一切莊嚴如得大勢至菩薩及
勝功月天子等
捨身如摩訶薩埵菩薩及摩訶薩婆羅王等自
身與一切貧窮苦惱衆生作給使侍者如尸毗羅王
等舉要言之過去未來現在諸菩薩一切波羅蜜行
願我亦如是成就十方世界諸妙香花鳥諸妙伎
樂我隨喜供養佛法僧復迴此福德施一切衆生
願因此福德施一切衆生願因此福德諸衆生等
莫隨惡道因此福德滿足八万四千諸波羅蜜行
速得授阿耨多羅三藐三菩提記速得授阿耨多
羅三藐三菩提記速得不退轉大地速成无上菩提
次礼十二部尊經大藏法輪
南无五十法戒經　南无受欲聲經
南无惟明經　南无五蓋離疑經
南无一切義要經　南无慧行經

南无五十法戒經　南无受欲聲經
南无惟明經　南无五蓋雜凝經
南无一切義要經　南无慧行經
南无五陰喻經　南无思道經
南无王舍城鷲山經　南无賢劫五百佛經
南无五百弟子本起經　南无摧夒經
南无五恐怖經　南无父母因緣經
南无內外无為經　南无五失善經
南无浮木經　南无內外六波羅蜜經
南无佛立莊嚴淨經　南无鬼子母經
從此以上九千五百佛十二部經一切賢聖
南无難龍王經　南无佛說菩薩經
南无觀行移四事經　南无難提和羅經
南无佛有百比丘經　南无旃陁越經
南无光世音大勢至力受決經
南无梅有八事經　次礼十方諸大菩薩
南无導師菩薩　南无那羅達菩薩
南无星得菩薩　南无水天菩薩

南无導師菩薩　南无那羅達菩薩
南无星得菩薩　南无水天菩薩
南无主天菩薩　南无大意菩薩
南无益意菩薩　南无増意菩薩
南无不虛見菩薩　南无善進菩薩
南无勢勝菩薩　南无常懃菩薩
南无不捨精進菩薩　南无日藏菩薩
南无不欺意菩薩　南无觀世音菩薩
南无谶濡尸利菩薩　南无執寶印菩薩
南无鬱摩手菩薩　南无彌勒菩薩
次礼聲聞緣覺一切賢聖
南无无漏辟支佛　南无憍慢辟支佛
南无盡憍慢辟支佛　南无親辟支佛
南无得脫辟支佛　南无无垢辟支佛
南无獨辟支佛　南无雜晝辟支佛
南无能作憍慢辟支佛　南无退辟支佛
南无不退轉辟支佛　南无尋辟支佛
歸命如是等无量无邊辟支佛

南无不退去辟支佛　南无尋辟支佛
歸命如是等无量无邊辟支佛
礼三寶已次復懺悔
已懺三塗等報今當次復稽顙懺悔人天餘
報相與禀此閻浮壽命雖曰百年滿者无幾於
其中間減年夭枉其數无量但有衆苦煎迫於
心愁憂怖懼未曾暫離如此皆是善根微弱惡業
滋多致使現在心有所爲皆不稱意當知悉是過
去已來惡業餘報是故弟子今日至誠歸依佛
南无東方蓮花上佛　南无調伏王佛
南无西方无量明佛　南无北方勝諸根佛
南无東南方蓮花尊佛　南无西南方无量花德佛
南无西北方自在智佛　南无東北方赤蓮花佛
南无下方分別佛　南无上方伏怨智佛
如是十方盡虚空界一切三寶
弟子等无始以來至於今日所有現在及以未來
人天之中无量餘報流殃宿對癃殘百疾六根不
具罪報懺悔人間邊地邪見三塗八難罪報懺悔人

南无西北方自在智佛　南无東北方赤蓮花佛
南无下方分別佛　南无上方伏怨智佛
如是十方盡虚空界一切三寶
弟子等无始以來至於今日所有現在及以未來
人天之中无量餘報流殃宿對癃殘百疾六根不
具罪報懺悔人間邊地邪見三塗八難罪報懺悔人
間多病消瘦促命夭枉罪報懺悔人間六親眷屬不
能得常相保守罪報懺悔人間親友彫喪愛別離
苦罪報懺悔人間怨家聚會愁憂怖畏罪報懺
悔人間水火盜賊刀兵危嶮驚恐怯弱罪報懺
悔人間孤獨困苦流離波迸亡失國土罪報懺悔
人間牢獄繫閉幽執倒懸鞭撻拷楚罪報懺悔人
間公私口舌迯相羅染更相誣謗罪報懺悔人間惡
病連年累月不差枕卧床席不能起居罪報懺悔
人間冬温夏疫毒癘傷寒罪報懺悔人間賊風
腫滿否塞罪報懺悔人間為諸惡神伺求其便
欲作禍祟罪報懺悔人間有鳥鳴百怪飛屍邪鬼
為作妖異罪報懺悔人間為虎豹豺狼水陸一切諸
惡禽獸所傷罪報懺悔人間自經自刎自殺罪報

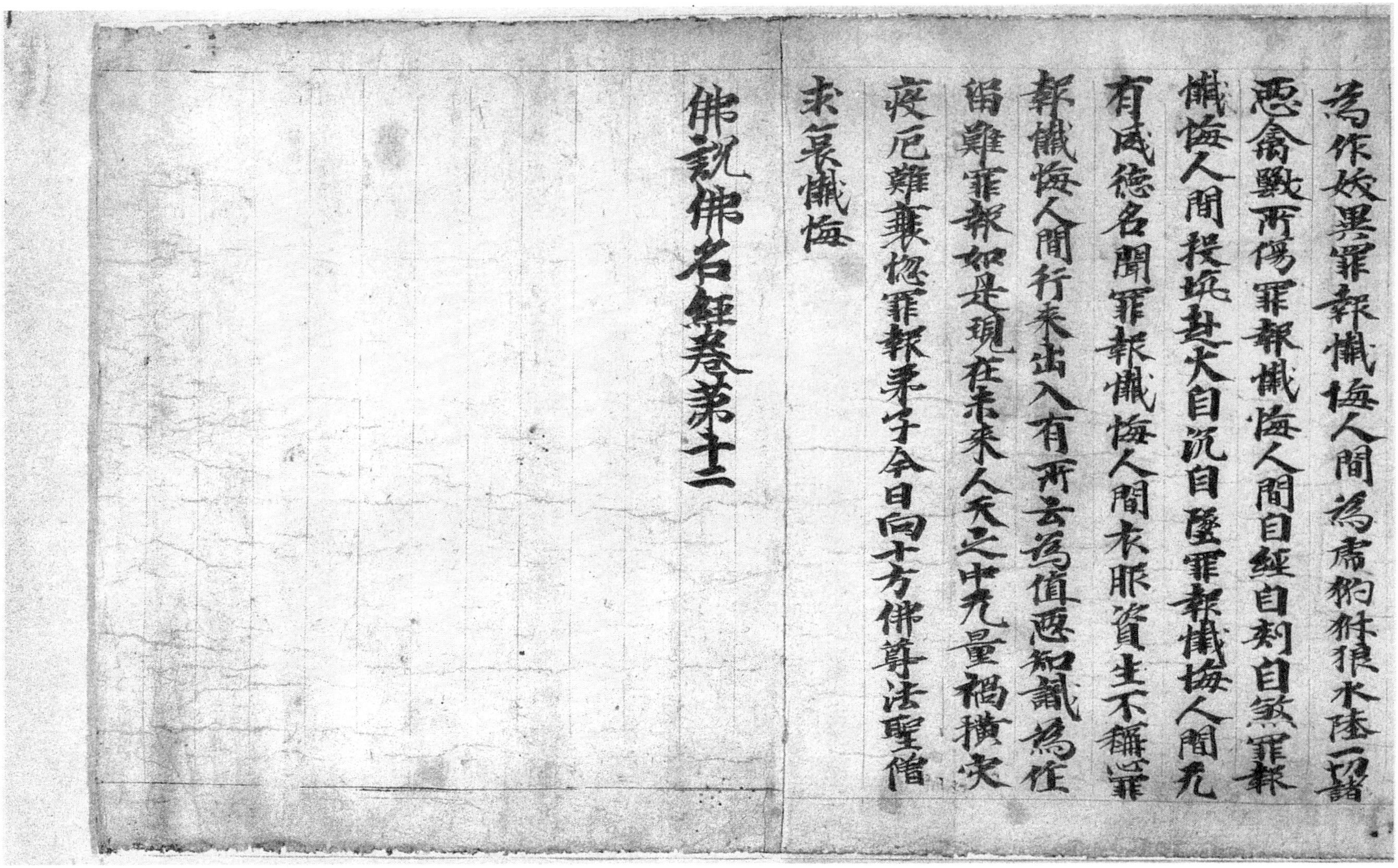
為作妖異罪報懺悔人間為虎豹豺狼水陸一切諸
惡禽獸所傷罪報懺悔人間自經自刺自煞罪報
懺悔人間投坑赴火自沉自墜罪報懺悔人間无
有威德名聞罪報懺悔人間衣服資生不稱罪
報懺悔人間行來出入有所去為值惡知識為作
留難罪報如是現在未來人天之中无量禍横災
疾厄難衰惱罪報弟子今日向十方佛尊法聖僧
求哀懺悔

佛說佛名經卷第十二

BD02412號　佛名經（十六卷本）卷一二　（37–37）

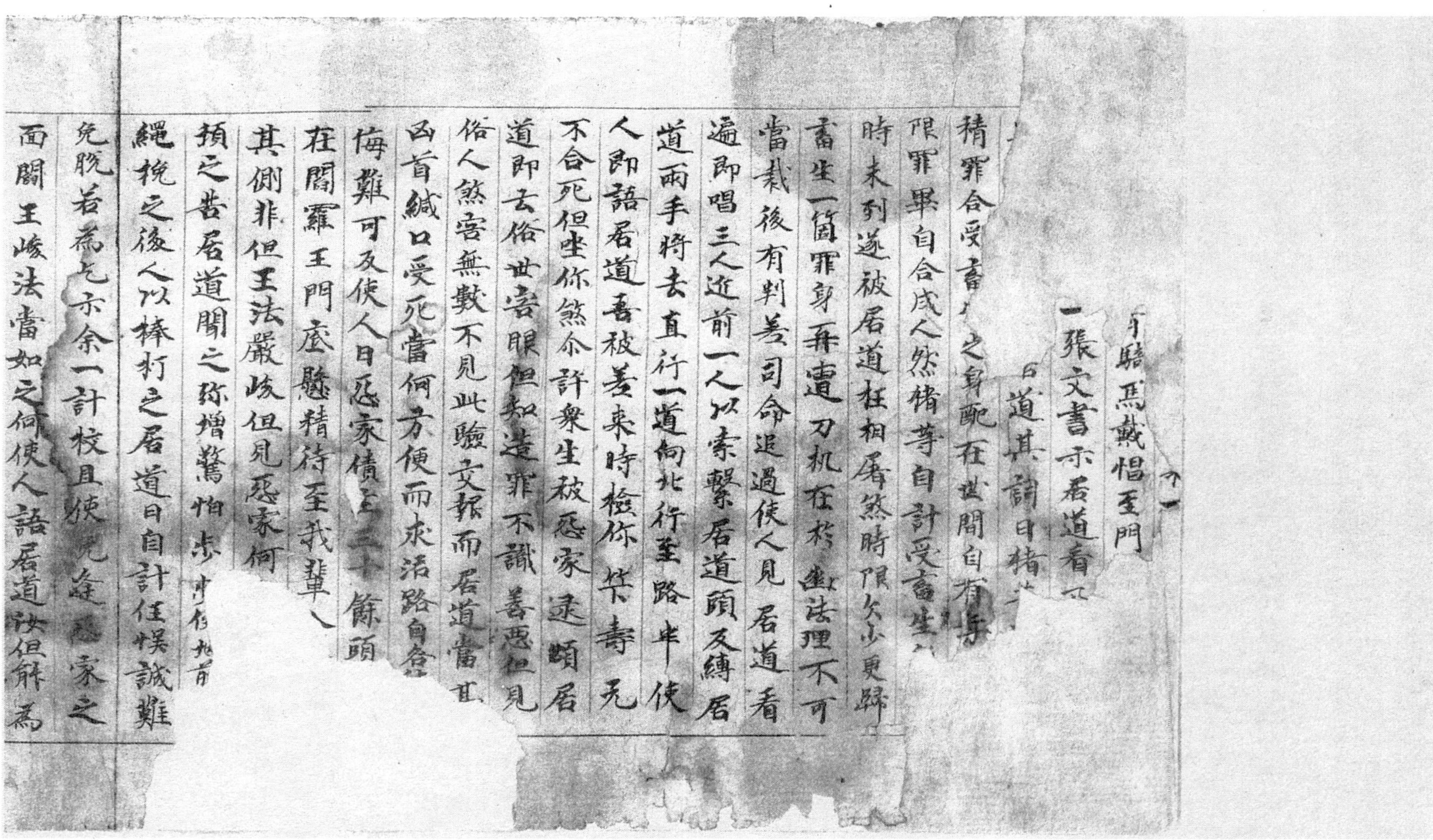
□騎馬戴帽至門
一張文書示居道看□
□道其詞曰稽□
精罪合受畜□之身配在世間自有年
限罪畢自合成人然猪等自計受畜生□
時未到遂被居道枉相屠煞時限欠少更歸
畜生一箇罪身再遭刀机在於斷法理不可
當裁後有判善司命退過使人見居道看
遍即唱三人近前一人以索繫居道頭及縛居
道兩手將去直行一道向北行至路半使
人即語居道喜被善來時檢你笇壽无
不合死但坐你煞尒許衆生被惡家逐蹔居
道即去俗世害眼但知造罪不識善惡但見
俗人煞害無數不見此驗文報而居道當甚
凶首緘口受死當何方便而求活路自念
悔難可及使人曰惡家債主二千餘頭
在閻羅王門□懸精待至我輩□
其側非但王法嚴峻但見惡家何
損之苦居道聞之弥增驚怕求□□□
繩挽之後人以棒打之居道自計任惧誠難
免脫若為乞示余一計校且使免離惡家之
面閻王峻法當如之何使人語居道汝但能為

BD02413號 1　金光明經懺悔滅罪傳　（20–1）

預之苦居道聞之弥增驚怕步步作九前
繩挽之後人以棒打之居道自計任惧誠難
免脫若為乞示余一計校且使免逢惡家之
面閻王峻法當如之何使人語居道汝但能為
所煞衆生發心願造金光明經四卷當得免脫
居道承教連聲再唱願造金光明經四卷盡
身供養願惡家解釋少時望見城門使人引
向東入曲向北見閻王廳前無數億人閙鬧嚣
著枷被鏁遭杻履械鞭撻痕藉哀聲痛響
不可聽使人即過狀閻王唱名出見王曰此人
極大罪過何為捉來遲晚令此猪等再訴
急喚訴者將來使人走出諸處叫喚求覓所
訴命者不得走來報王諸處追猪等不見王即
更散遣人分頭巡闇曹府咸悉稱無王即帖
五道大神檢化形案少時有一主者把狀走
來其狀云依檢某日得司命善簿報世人張居
道為煞生故願造金光明經四卷依科其所
遺煞並合乘此功德隨業化形簿至准法處
分者其張道惡家訴者以某日准司善簿
並判化從人道生於世界訖王既狀見極懷歡
喜曰居道雖煞衆生能設方計為其發願
修造功德令此債主便生人路既無執對偏
詞不可懸信判放居道再歸生路當宜善念
多造功德斷味止煞勿復慳貪惜財不作福
業專為惡業於是出城如從夢歸居道
當說此由緣發心造經一百餘人斷宍止煞不
可計數此經天下少本詢訪不獲聆歷諸方

BD02413號 1　金光明經懺悔滅罪傳　（20–2）

多造功德斷味止煞勿復慳貪惜財不作福
業專為惡業於是出城如從夢歸居道
當說此由緣發心造經一百餘人斷宍止煞不
可計數此經天下少本詢訪不獲聆歷諸方
遂於衛州禪寂寺檢得私寫隨身供養
居道及至當官之日合家大小志斷宍味其
温州安固縣丞妻病經一年絶音不語獨自狂
語口中唱痛叩頭死罪狀有所訴居道聞之
為其夫說如此之狀多是惡家債命文案未決
命故不絶自當思忖省悟已來由緣所關煞
害生命急為造金光明經分明懺唱此經側
近無大唯居道家有此經縣丞依尊其教
請本雇人抄寫未畢妻便醒悟說云狀如夢
夢惛惛常有鷄猪鵝鴨一日三迴競來咬
齧痛不可當從來應其到時遂乃見唯有
或猪或羊或牛或鷄之類皆是人身來與
我別云雖是惡家遣作屠害以你為我敬造
功德所以令我得化形成人今與惡家解散不
相逯情語訖即去因尒不復如此病即輕差
平復如本當此時温州一郡所養鷄猪鵝鴨
害用之徒咸悉放生家家斷害人人善念不互
屠行爰及比州隣縣聞此並起淨行不止一
家當令所煞無所徵勘者斯是衆生業滿合
死故故無報應只是盡人身還作畜生被他屠
煞害若衆生日限未足遭人煞者並被訟注
世人卒死及羸病連年累月眼中唱痛狂言
或語並是衆生執注文案一定方始命斷一

BD02413號 1　金光明經懺悔滅罪傳　（20–3）

死故故無報應只是盡人身還作畜生被他屠
煞害若衆生日限未足遭人煞者並被誣注
世人辛死及瘋病連年累月眼中唱痛狂言
或語並是衆生執注文案一定方始命斷一
切衆罪懺悔皆滅唯有煞生懺悔不除為
惡冢專心誣對自非為其修造功德經像
或被人所遣或事計難禁熱事不已者當
慚愧為其傷嘆將刀所煞如割己宍或衒賣
為人取其財價以為豊足一造一本分明懺
唱令此功德資及惡冢早生人道奉誣自
休不復執逮善男子明當試之

金光明經傳

金光明經序品第一

如是我聞一時佛在王舍城耆闍崛山是
時如來遊於无量甚深法性諸佛行處過
諸菩薩所行清淨是金光明諸經之王若有
聞者則能思惟无上微妙甚深之義如是
經典常為四方四佛世尊之所護持東方阿
閦南方寶相西方无量壽北方微妙聲我
今當說懺悔等法所生功德為无有上能
壞一切諸苦盡不善業
一切種智　而為根本　无量功德　之所莊嚴
滅除諸苦　與无量樂　諸根不具　壽命減損
貧窮困苦　諸天捨離　親厚鬪訟　王法所加
各各忿諍　財物損耗　憂愁恐怖　惡星災異
衆邪蠱道　變怪相續　臥見惡夢　晝夜愁惱
當淨洗浴　聽是經典　至心清淨　著淨潔衣

BD02413 號 1　金光明經懺悔滅罪傳　（20–4）
BD02413 號 2　金光明經卷一

貧窮困苦　諸天捨離　親厚鬪訟　王法所加
各各忿諍　財物損耗　憂愁恐怖　惡星災異
衆邪蠱道　變怪相續　臥見惡夢　晝夜愁惱
當淨洗浴　聽是經典　至心清淨　著淨潔衣
專聽諸佛　甚深行處　是經威德　能悉滅除
如是諸惡　令其寂滅　護世四王　將諸官屬
并及无量　夜叉之衆　悉來擁護　持是經者
大辯天神　尼連河神　鬼子母神　地神堅牢
大梵尊天　三十三天　大神龍王　緊那羅王
迦樓羅王　阿脩羅王　與其眷屬　悉共至彼
擁護是人　晝夜不離
我今所說　諸佛世尊　甚深秘密　微妙行處
億百千劫　甚難得值　若得聞經　若為他說
若心隨喜　若設供養　如是之人　於无量劫
常為諸天　八部所敬　如是修行　生功德者
得不思議　无量福聚　亦為十方　諸佛世尊
深行菩薩　之所護持　著淨衣服　以上妙香
慈心供養　常不遠離　身意清淨　无有垢穢
歡喜悅豫　深樂是經　若得聽聞　當知善得
人身人道　及以正命　若聞懺悔　執持在心
是人善根　諸佛所讚

金光明經壽量品第二

尒時王舍城中有菩薩摩訶薩名曰信相已
曾供養過去无量億那由他百千諸佛種諸
善根是信相菩薩作是思惟何因何緣釋迦如
來壽命短促方八十年復更念言如佛所
說有二因緣壽命得長何等為二一者不煞

BD02413 號 2　金光明經卷一　（20–5）

尒時王舍城中有[illegible]
曾供養過去无量億那由他百千諸佛種諸
善根是信相菩薩作是思惟何因何緣釋迦如
來壽命短促方八十年復更念言如佛所
說有二因緣壽命得長何等為二一者不煞
二者不盜而我世尊於无量百千億那由他
阿僧祇劫備不煞戒具足十善飲食惠施不
可限量乃至己身骨髓肉血充足飽滿飢餓衆
生況餘飲食大士如是至心念佛思是義時
其室自然廣博嚴事天紺琉璃種種衆寶
雜廁間錯以成其地猶如如來所居淨土有
妙香氣過諸天香烟雲垂布遍滿其室 其
室四面各有四寶上妙高坐自然而出純以天
衣而為敷具是妙坐上各有諸佛所受用華
衆寶合成於蓮華上有四如來東方名阿閦南
方名寶相西方名无量壽北方名微妙聲是四
如來自然而坐師子座上放大光明照王舍城
及此三千大千世界乃至十方恒河沙等諸
佛世界雨諸天華作天伎樂尒時三千大千世
界所有衆生以佛神力受天快樂諸根不具
即得具足舉要言之一切世間所有利益未曾
有事悉具足出現
尒時信相菩薩見是諸佛及希有事歡喜
踊躍恭敬合掌向諸世尊至心念佛作是思
惟釋迦如來无量功德唯壽命中心生疑惑
云何如來壽命如是方八十年尒時四佛以
正遍知告信相菩薩善男子汝今不應思
量如來壽命短促何以故善男子我等不

BD02413號2　金光明經卷一　（20–6）

惟釋迦如來无量功德唯壽命中心生疑惑
云何如來壽命如是方八十年尒時四佛以
正遍知告信相菩薩善男子汝今不應思
量如來壽命短促何以故善男子我等不
見諸天世人魔衆梵衆沙門婆羅門人及非
人有能思筭如來壽量知其齊限唯除如
來時四如來將欲宣暢釋迦文佛所得壽命
欲色界天諸龍鬼神乹闥婆阿脩羅迦樓羅
緊那羅摩睺羅伽及无量百千億那由他菩
薩摩訶薩以佛神力悉來聚集信相菩薩
摩訶薩室尒時四佛於大衆中略以偈喻說
釋迦如來所得壽量而作頌曰
一切諸水　可知幾渧　无有能數　釋尊壽命
諸須弥山　可知斤兩　无有能量　釋尊壽命
一切大地　可知塵數　无有能筭　釋尊壽命
虛空界分　尚可盡邊　无有能計　釋尊壽命
不可計劫　億百千万　佛壽如是　无量无邊
以是因喻　故說二乘　不害物命　施食无量
是故大王　壽不可計　无量无邊　亦无齊限
是故汝今　不應於佛　无量壽命　而生疑惑
尒時信相菩薩摩訶薩聞是四佛宣說如
來壽命已深心信解歡喜踊躍說是如來
壽命品時无量无邊阿僧祇衆生發阿耨多
羅三藐三菩提心時四如來忽然不現
金光明經懺悔品第三
尒時信相菩薩即於其夜夢見金鼓其狀殊
大其明普照喻如日光復於光中得見十方

BD02413號2　金光明經卷一　（20–7）

金光明經懺悔品第三
尒時信相菩薩即於其夜夢見金鼓其狀姝
大其明普照喻如日光復於光中得見十方
无量无邊諸佛世尊衆寶樹下坐瑠璃座與
无量百千眷屬圍繞而為說法見有一人似
婆羅門以桴擊鼓出大音聲其聲演說懺
悔偈頌時信相菩薩從夢寤已至心憶念夢
中所聞懺悔偈頌過夜至旦出王舍城尒時亦
有无量无邊百千衆與菩薩俱往耆闍崛
山至於佛所到佛所已頂礼佛足右遶三
匝却坐一面敬心合掌瞻仰尊顏以其夢中
所說金鼓及聞懺悔偈頌向如來說
昨夜所夢　至心憶持　夢見金鼓　妙色光曜
其光大盛　明踰於日　遍照十方　恒河世界
又因此光　得見諸佛　衆寶樹下　坐琉璃座
无量大衆　圍遶說法
見婆羅門　擊是金鼓　其鼓音中　說如是偈
是大金鼓　所出妙音　悉能滅除　三世諸苦
地獄餓鬼　畜生等苦　貧窮困厄　及諸有苦
是鼓所出　微妙之音　能除衆生　諸苦所逼
斷衆怖畏　令得无懼　猶如諸佛　得无所畏
諸佛聖人　所成功德　離於生死　到大智岸
如是衆生　所得功德　定及助道　猶如大海
是鼓所出　如是妙音　令衆生得　梵音深遠
證佛无上　菩提勝果　轉无上輪　微妙清淨
住壽无量　不思議劫　演說正法　利益衆生
能害煩惱　消除諸苦　貪瞋癡等　悉令寂滅
若有衆生　處在地獄　大火熾然　燒炙其身

BD02413 號 2　金光明經卷一　（20–8）

證佛无上　菩提勝果　轉无上輪　微妙清淨
住壽无量　不思議劫　演說正法　利益衆生
能害煩惱　消除諸苦　貪瞋癡等　悉令寂滅
若有衆生　處在地獄　大火熾然　燒炙其身
若聞金鼓　微妙音聲　所出言教　即尋礼佛
亦令衆生　得知宿命　百生千生　千万億生
令心正念　諸佛世尊　亦聞无上　微妙之言
是金鼓中　所出妙音　復令衆生　值遇諸佛
遠離一切　諸佛業等　善脩无量　自淨之業
諸天世人　及餘衆生　隨其所思　諸所念求
如是金鼓　所出之音　皆悉能令　成就具足
若有衆生　墮大地獄　猛火炎熾　焚燒其身
无有救護　流轉諸難　當令是等　悉滅諸苦
若有衆生　諸苦所切　三惡道報　及以人中
如是金鼓　所出之音　悉能除滅　一切諸苦
无依无歸　无有救護　我為是等　依歸依處
是諸世尊　令當證知　久已於我　生大悲心
在在處處　十方諸佛　現在世雄　兩足之尊
我本所作　惡不善業　今諸懺悔　十方力前
不識諸佛　及父母恩　不解善法　造作衆惡
自恃種性　及諸財寶　盛年放逸　作諸惡行
心念不善　口作惡業　隨心所作　不見其過
凡夫愚行　无知闇覆　親近惡友　煩惱乱心
五欲因緣　心生忿恚　不知猒足　故作衆惡
親近非聖　因生慳嫉　貧窮因緣　奸諂作惡
繫屬於他　常有怖畏　不得自在　而造諸惡
貪欲恚癡　擾動其心　渴愛所逼　造作衆惡

BD02413 號 2　金光明經卷一　（20–9）

親近非聖 因生慳嫉 貧窮因緣 奸諂作惡
繫屬於他 常有怖畏 不得自在 而造諸惡
貪欲恚癡 擾動其心 渴愛所逼 造作衆惡
依因衣食 及以女色 諸結惱熱 造作衆惡
身口意惡 所集三業 如是衆罪 今悉懺悔
或不恭敬 佛法聖衆 如是諸罪 今悉懺悔
或不恭敬 緣覺菩薩 如是重罪 今悉懺悔
以无智故 誹謗正法 不知恭敬 父母尊長
如是衆罪 今悉懺悔
愚惑所覆 憍慢放逸 因貪恚癡 造作衆惡
如是衆罪 今悉懺悔 我今供養 无量无邊
三千大千 世界諸佛 我當拔濟 十方一切
无量衆生 所有諸苦 我當安止 不可思議
阿僧祇劫 令住十地 已得安心 住十地者
悉令具足 如來正覺 為一衆生 億劫脩行
使无量衆 令度苦海 我當為是 諸衆生等
演說微妙 甚深悔法 所為金光 滅除諸惡
千劫所作 極重惡業 若能至心 一懺悔者
如是衆罪 悉皆滅盡 我今已說 懺悔之法
是金光明 清淨微妙 速能滅除 一切業鄣
我當安止 住於十地 十種珎寶 以為脚足
成佛无上 功德光明 令諸衆生 度三有海
諸佛所有 甚深法藏 不可思議 无量功德
一切種知 願悉具足 百千禪定 根力覺道
不可思議 諸陁羅尼 十方世尊 我當成就
諸佛世尊 有大慈悲 當證微誠 哀受我悔
義我百劫 所作衆惡 以是因緣 生大憂苦

BD02413 號 2　金光明經卷一　　（20–10）

不可思議 諸陁羅尼 十方世尊 我當成就
諸佛世尊 有大慈悲 當證微誠 哀受我悔
義我百劫 所作衆惡 以是因緣 生大憂苦
貧窮困之 愁怨驚懼 怖畏惡業 心常怯劣
在在處處 暫无歡喜 十方現在 大悲世尊
能除衆生 一切怖畏 願當受我 誠心懺悔
令我恐懼 悉得消除 我之所有 煩惱業垢
唯願現在 諸佛世尊 以大悲水 洗除令淨
過去諸惡 今悉悔過 現在作罪 誠心發露
所未作者 更不敢作 已作之者 不敢覆藏
身業三種 口業有四 意三業行 今悉懺悔
身口所作 及以意惡 十種惡業 一切懺悔
遠離十惡 脩行十善 安止十地 逮十力尊
所造惡業 應受惡報 今於佛前 誠心懺悔
若此國土 及餘世界 所有善法 悉以迴向
我所脩行 身口意善 願於來世 證无上道
若在諸有 六趣嶮難 愚癡无智 造作諸惡
今於佛前 皆悉懺悔 世間所有 生死嶮難
種種婬欲 愚癡煩惱 如是諸難 我今懺悔
心輕躁難 近惡友難 三有嶮難 及三毒難
遇无難難 值好時難 脩功德難 值佛亦難
如是諸難 今悉懺悔
諸佛世尊 我所依止 是故我今 敬礼佛海
金色晃曜 猶如須弥 是故我今 頂礼最勝
其光无上 猶如真金 眼目清淨 如紺琉璃
功德威神 名稱顯著 佛日大悲 滅一切闇
若淨无垢 離諸塵翳 无上佛日 大光普照
煩惱火熾 令心燋熱 唯佛能除 如月清涼

BD02413 號 2　金光明經卷一　　（20–11）

煩惱火熾　令心燋熱　唯佛能除　如月清涼
三十二相　八十種好　莊嚴其身　覩之无猒
功德巍巍　明網顯曜　安住三界　如是照世
猶如琉璃　淨无瑕穢　妙色廣大　種種各異
其色紅赤　如日初出　頗梨白銀　校飾光網
如是種種　莊嚴佛日　三有之中　生死大海
瀁水波蕩　惚亂我心　其味苦毒　衆爲麁澀
如來網明　能令枯涸　妙身端嚴　相好殊特
金色光明　遍照一切　智慧大海　弥滿三界
是故我今　稽首敬礼　如大海水　其量難知
大地微塵　不可稱計　諸須弥山　難可度量
虛空邊際　亦不可得　計佛亦尒　功德无量
一切有心　无能智者　於无量劫　極心思惟
不能得知　佛功德邊　大地諸山　尚可知量
毛渧海水　亦可知數　諸佛功德　无能知者
相好莊嚴　名稱讚嘆　如是功德　令衆皆德
我以善業　諸因緣故　未世不久　成於佛道
講宣妙法　利益衆生　度脫一切　无量諸苦
摧伏諸魔　及其眷屬　轉於无上　清淨法輪
住壽无量　不可思劫　充足衆生　甘露法味
我當具足　六波羅蜜　猶如過佛　之所成就
斷諸煩惱　除一切苦　悉滅貪欲　及恚癡等
我當憶念　宿命之事　百生千生　百千億生
常當至心　正念諸佛　聞說微妙　无上正法
我因善業　常值諸佛　遠離諸惡　脩諸善業
一切世界　所有衆生　无量苦惱　我當悉滅
若有衆生　諸根毀壞　不具足者　悉令具足

BD02413 號 2　金光明經卷一　（20–12）

我因善業　常值諸佛　遠離諸惡　脩諸善業
一切世界　所有衆生　无量苦惱　我當悉滅
若有衆生　諸根毀壞　不具足者　悉令具足
十方世界　所有病苦　羸瘦頓乏　无救護者
悉令解脫　如是諸苦　還得勢力　平服如故
若犯王法　臨當形戮　无量怖畏　愁憂苦惱
如是之人　悉令解脫
若受鞭撻　繫縛枷鏁　種種苦事　逼切其身
无量百千　愁憂驚畏　種種恐懼　撓亂其心
如是无邊　諸苦惱等　願使一切　皆得解脫
若有衆生　飢渴所惱　令得種種　甘美飲食
盲者得覩　聾者得聞　啞者能言　裸者得衣
貧窮之者　即得寶藏　倉庫盈溢　无所乏少
一切皆受　安隱快樂　乃至无有　一人受苦
衆生相覩　和顏悅色　形貌端嚴　人所喜見
心常思念　他人善事　飲食飽滿　功德具足
隨諸衆生　之所思念　皆願令得　種種伎樂
箜篌箏笛　琴瑟鼓吹　如是種種　微妙音聲
江河池沼　流泉諸水　金華遍布　及憂鉢羅
隨諸衆生　之所思念　爲得種種　衣服飲食
錢財珍寶　金銀琉璃　真珠璧王　雜廁瓔珞
願諸衆生　不聞惡聲　乃至无有　可惡見者
願諸衆生　色貌微妙　各各相於　共相受念
世間所有　資生之具　隨其所念　悉令具足
願諸衆生　諸有求索　如其所須　應念即得
香華諸珍　常於三時　雨細末香　及塗身香
衆生受者　歡喜快樂　願諸衆生　常得供養

BD02413 號 2　金光明經卷一　（20–13）

世間所有 資生之具 隨其所念 悉令具足
願諸衆生 諸有求索 如其所須 應念即得
香華諸珍 常於三時 雨細末香 及塗身香
衆生受者 歡喜快樂 願諸衆生 常得供養
不可思議 十方諸佛 无上妙法 清淨无垢
及諸菩薩 聲聞大衆 願諸衆生 常得遠離
三惡八難 值无難處 覩覲諸佛 无上之王
願諸衆生 常生尊貴 多饒財寶 安隱豐樂
上妙色像 莊嚴其身 功德成就 有大名稱
願諸女人 皆成男子 具足智慧 精進不懈
一切皆行 菩薩之道 勤心脩集 六波羅蜜
常見十方 无量諸佛 坐寶樹下 琉璃座上
安住禪定 自在快樂 演說正法 衆所樂聞
若我現在 及過去世 所作惡業 諸有嶮難
應得惡果 不適意者 願悉盡滅 令无有餘
若諸衆生 三有繫縛 生死羅網 彌牽牢固
願以智力 剖斷破壞 除諸苦惱 早成菩提
若此閻浮 及餘他方 无量世界 所有衆生
所作種種 善巧功德 我今深心 隨其歡喜
我今以此 隨喜功德 及身口意 所作善業
願於未世 成无上道 得淨无垢 吉祥果報
若有敬礼 讚歎十方 信心清淨 无諸疑网
能作如是 所說懺悔 便得超越 六十劫罪
諸善男子 及善女人 諸王剎利 婆羅門等
若有恭敬 合掌向佛 稱讚如來 并讚此偈
在在處處 常識宿命
諸根具足 清淨端嚴 種種功德 悉皆成就

BD02413號2 金光明經卷一 (20–14)

在在處處 常識宿命
諸根具足 清淨端嚴 種種功德 悉皆成就
在在處處 常爲國王 輔相大臣 之所供養
非於一佛 五佛十佛 種諸功德 聞是懺悔
若於无量 百千万億 諸佛如來 種諸善根
然後乃得 聞是懺悔
金光明經讚嘆品第四
尒時佛告地神堅牢善女天過去有王名
金龍尊常以讚歎讚歎去來現在諸佛
我金尊重 敬礼讚歎 去來現在 十方諸佛
諸佛清淨 微妙寂滅 色中上色 金光照曜
於諸聲聞 佛聲最上 猶如大梵 深遠雷音
其髮紺黑 光踰炎起 蜂翠孔雀 色不得喻
其齒鮮白 猶如河雪 顯發金顏 分齊分明
其目脩廣 清淨无垢 如青蓮華 映水開敷
舌相廣長 形色紅輝 光明照曜 如華初生
眉間豪相 白如軻月 右旋潤澤 如淨琉璃
眉細脩揚 形如月初 其色黑曜 過於蜂王
鼻高圓直 如鑄金鋌 微妙柔濡 當于面門
如來勝相 次第最上 得味真正 无與等者
一一毛孔 一毛旋生 濡細紺青 猶孔雀項
即於生時 身放大光 普照十方 无量國土
滅盡三界 一切諸苦 令諸衆生 悉受快樂
地獄畜生 及以餓鬼 諸天人等 安隱无患
悉滅一切 无量惡趣
身色微妙 如融金聚 面貌清淨 如月盛滿
佛身明曜 如日初出 進止威儀 猶如師子

BD02413號2 金光明經卷一 (20–15)

地獄畜生 及以餓鬼 諸天人等 安隱无患
悉滅一切 无量惡趣
身色微妙 如融金聚 面貌清淨 如月盛滿
佛身明曜 如日初出 進止威儀 猶如師子
脩臂下垂 立過于膝 猶如風動 娑羅樹枝
圓光一尋 能照无量 猶如聚葉 百千日月
佛身清淨 无諸垢穢 其明普照 一切佛剎
佛光巍巍 明炎大盛 悉能隱弊 无量日月
佛日燈炬 照无量界 皆令衆生 尋光見佛
本所脩集 百千行業 聚集功德 莊嚴佛身
臂臑纖圓 如象王鼻 手足淨潔 敬愛无猒
去來諸佛 數如微塵 現在諸佛 亦復如是
如是如來 我今悉礼 身口清淨 意亦如是
以好華香 供養奉獻 百千功德 讚詠歌歎
設以百舌 於千劫中 歎佛功德 不能德盡
如來所有 現世功德 種種深固 微妙第一
設復嘆美 欲讚一佛 尚不能盡 功德少分
況欲數美 諸佛功德
大地及天 以爲大海 乃至有頂 滿月中水
尚以一毛 知其渧數 无有能知 一佛功德
我今以礼 讚嘆諸佛 身口意業 悉皆清淨
一切所脩 无量善業 與諸衆生 證无上道
如是人王 讚嘆佛已 復作如是 无量誓願
若我來世 无量无邊 阿僧祇劫 在在生處
常於夢中 見妙金鼓 得聞懺悔 深奧之聲
今所讚嘆 面貌清淨 願我來世 亦得如是
諸佛功德 不可思議 於百千劫 甚難得值
願於當來 无量之世 夜則夢見 晝則實說

常於夢中 見妙金鼓 得聞懺悔 深奧之聲
今所讚嘆 面貌清淨 願我來世 亦得如是
諸佛功德 不可思議 於百千劫 甚難得值
願於當來 无量之世 夜則夢見 晝則實說
我當具足 脩行六度 濟拔衆生 越於苦海
然後我身 成无上道 令我世界 无與等者
奉貢金鼓 讚佛因緣 以此果報 當來之世
值釋迦佛 得受記莂
并令二子 金龍金藏 常與我家 同共受記
若有衆生 无救護者 衆苦逼切 无所依止
我於當來 爲是等輩 作大救護 及依止處
能除衆苦 悉令滅盡 施與衆生 諸善安樂
我未來世 行菩提道 不計劫數 如盡本際
以此金光 懺悔因緣 使我惡海 及以業海
煩惱大海 悉竭无餘
我功德海 願悉成就 智慧大海 清淨具足
无量功德 助菩提道 猶如大海 珎寶具足
以此金光 懺悔力故 菩提功德 金光无㝵
慧光无垢 照徹清淨
我當來世 身光普照 功德威神 光明炎盛
於三界中 最勝殊特 諸功德力 无所減少
當度衆生 越於苦海 并復安置 功德大海
未世多劫 行菩提道 如昔諸佛 行菩提者
三世諸佛 淨佛國土 諸佛世尊 无量功德
令我來世 得此殊異 功德淨土 如佛世尊
信相當知 尒時國王 金龍尊者 則汝身是
尒時二子 金龍金光 金汝土子 銀相等是

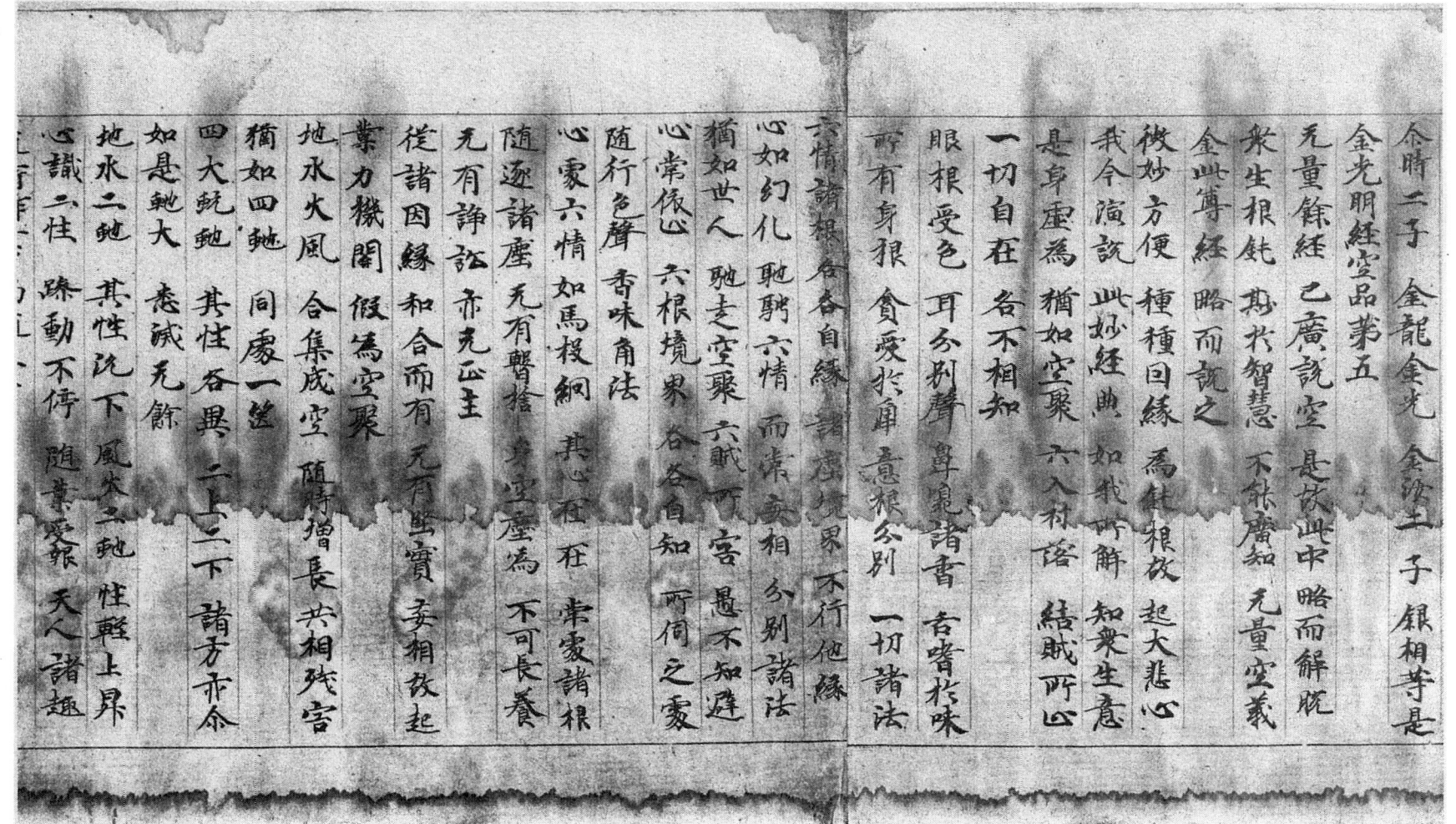

尒時二子 金龍金光 金[illegible]之 子 銀相等是
金光明經空品第五
无量餘經 已廣說空 是故此中 略而解說
衆生根鈍 鮮於智慧 不能廣知 无量空義
金此尊經 略而說之
微妙方便 種種因緣 為鈍根故 起大悲心
我今演說 此妙經典 如我所解 知衆生意
是身虛偽 猶如空聚 六入村落 結賊所止
一切自在 各不相知
眼根受色 耳分別聲 鼻嗅諸香 舌嗜於味
所有身根 貪愛於觸 意根分別 一切諸法
六情諸根 各各自緣 諸塵境界 不行他緣
心如幻化 馳騁六情 而常妄相 分別諸法
猶如世人 馳走空聚 六賊所害 愚不知避
心常依止 六根境界 各各自知 所伺之處
隨行色聲 香味觸法
心處六情 如鳥投網 其心在在 常處諸根
隨逐諸塵 无有暫捨 身空虛偽 不可長養
无有諍訟 亦无正主
從諸因緣 和合而有 无有堅實 妄相故起
業力機關 假為空聚
地水火風 合集成空 隨時增長 共相殘害
猶如四蛇 同處一篋
四大蚖蛇 其性各異 二上二下 諸方亦尒
如是蛇大 悉滅无餘
地水二蛇 其性沉下 風火二蛇 性輕上昇
心識二性 躁動不停 隨業受報 天人諸趣
[illegible]

BD02413 號 2　金光明經卷一　（20–18）

如是蛇大 悉滅无餘
地水二蛇 其性沉下 風火二蛇 性輕上昇
心識二性 躁動不停 隨業受報 天人諸趣
隨所作業 而隨三有
水火風動 散滅壞時 大小不淨 盈流於外
體生諸虫 无可愛樂 損棄塚間 如朽敗木
善女當觀 諸法如是 何處有人 及以衆生
本性空寂 无明故有
如是諸大 一一不實 本自不生 性无和合
以是因緣 我說諸大 從本不實 和合而有
无明體性 本亦不有 妄相因緣 和合而有
无所有故 假名无明 是故我說 名曰无明
行識名色 亦入及受 愛取有生 老死憂惱
衆苦行業 不可思議 生死无際 輪轉不息
本无有生 亦无和合 不善思惟 心行所造
我斷一切 諸見纏等 以智慧力 裂煩惱網
五陰宅舍 觀悉空寂 證无上道 微妙功德
開甘露門 示甘露器 入甘露城 處甘露室
令諸衆生 食甘露味
吹大法螺 擊大法鼓 然大法燈 雨勝法雨
我今摧伏 一切怨結 竪立第一 微妙法幢
度諸衆生 於生死海 永斷三惡 无量苦惱
煩惱熾然 焼諸衆生 无有救護 无所依止
我以甘露 清涼美味 充足是輩 令離燋熱
於无量劫 尊備諸行 供養恭敬 諸佛世尊
堅牢備集 菩提之道 求於如來 真實法身
捨諸所重 支節手足 頭目髓惱 所愛妻子
錢財珎寶 真珠瓔珞 金銀琉璃 種種異物

BD02413 號 2　金光明經卷一　（20–19）

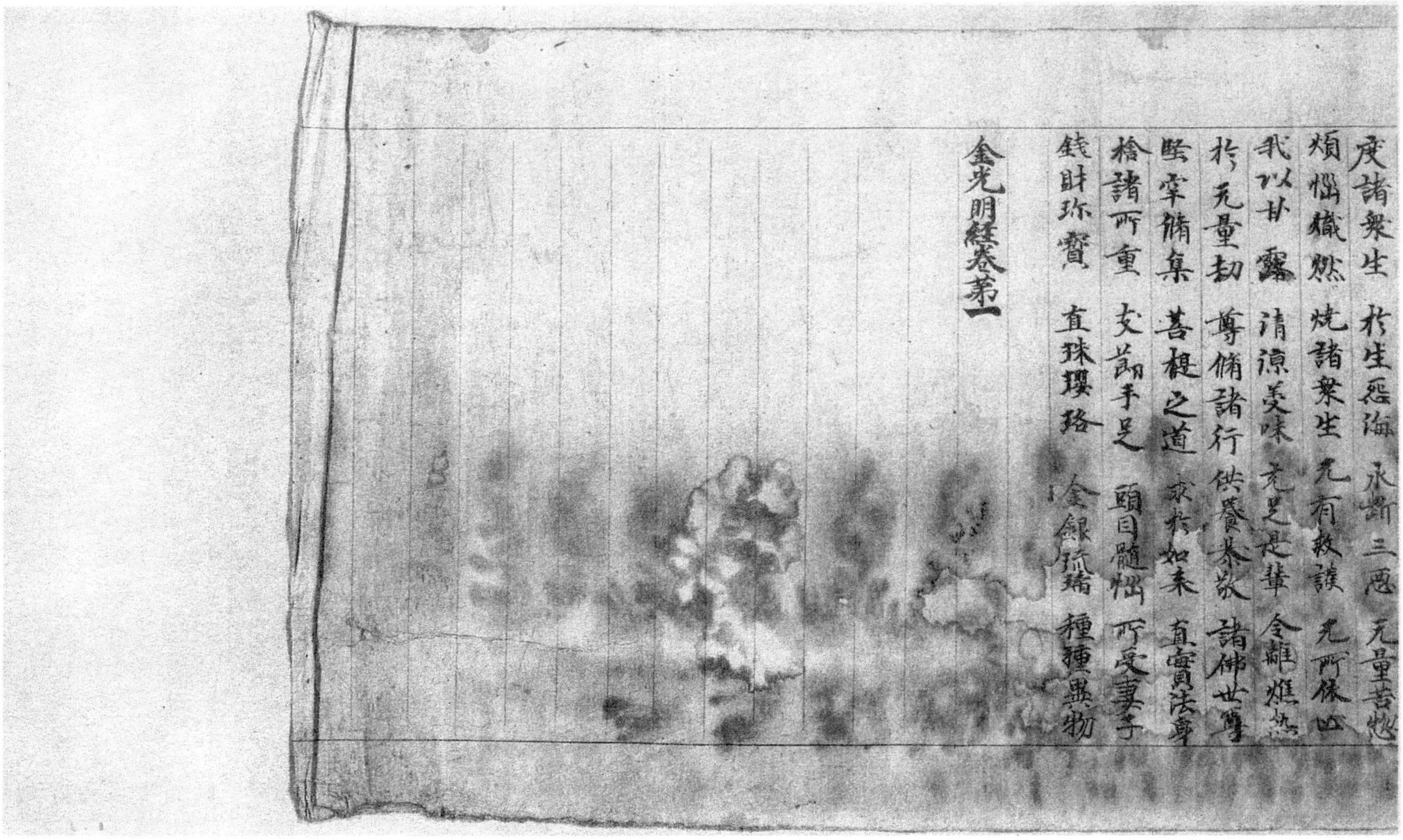

度諸衆生　於生死海　永斷三惡　无量苦惱
煩惱熾然　燒諸衆生　无有救護　无所依止
我以甘露　清涼美味　充足是輩　令離熾然
於无量劫　尊脩諸行　供養恭敬　諸佛世尊
堅牢脩集　菩提之道　求於如來　真實法身
捨諸所重　支節手足　頭目髓惱　所愛妻子
錢財珎寶　真珠瓔珞　金銀琉璃　種種異物

金光明經卷第一

BD02413 號 2　金光明經卷一　　（20–20）

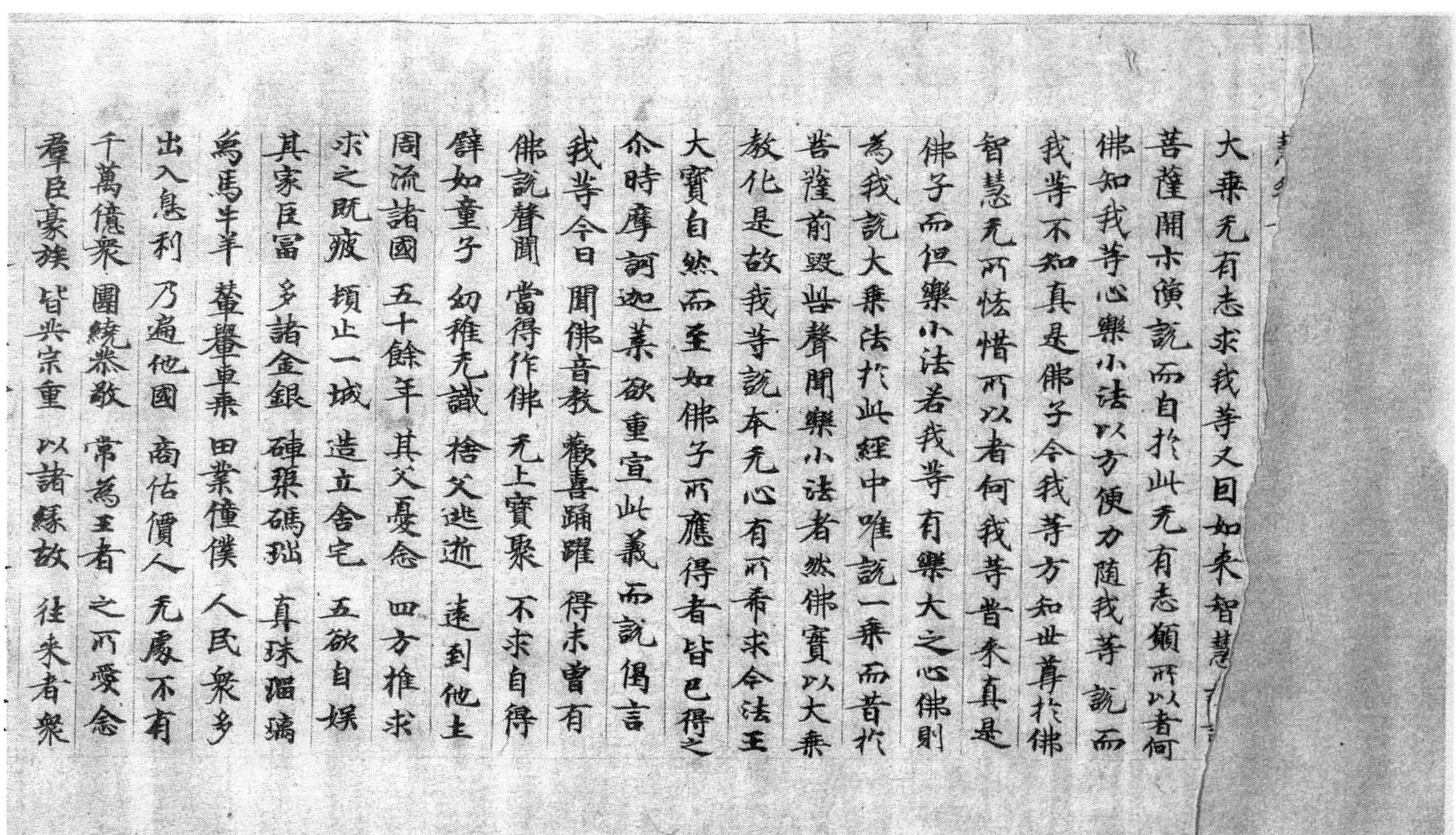

大乘无有志求　我等又曰如來智慧
菩薩開示演說　而自於此无有志願　所以者何
佛知我等心樂小法　以方便力隨我等說　而
我等不知真是佛子　今我等方知世尊於佛
智慧无所悋惜　所以者何　我等昔來真是
佛子　而但樂小法　若我等有樂大之心　佛則
為我說大乘法　於此經中唯說一乘　而昔於
菩薩前毀呰聲聞樂小法者　然佛實以大乘
教化　是故我等說本无心有所悕求　今法王
大寶自然而至　如佛子所應得者　皆已得之
尒時摩訶迦葉欲重宣此義　而說偈言
我等今日　聞佛音教　歡喜踊躍　得未曾有
佛說聲聞　當得作佛　无上寶聚　不求自得
譬如童子　幼稚无識　捨父逃逝　遠到他土
周流諸國　五十餘年　其父憂念　四方推求
求之既疲　頓止一城　造立舍宅　五欲自娛
其家巨富　多諸金銀　硨磲碼碯　真珠瑠璃
象馬牛羊　輦轝車乘　田業僮僕　人民衆多
出入息利　乃遍他國　商估賈人　无處不有
千萬億衆　圍繞恭敬　常為王者　之所愛念
群臣豪族　皆共宗重　以諸緣故　往來者衆

BD02414 號　妙法蓮華經卷二　　（2–1）

為我說大乘法於此經中唯說一乘而昔於
菩薩前毀呰聲聞樂小法者然佛實以大乘
教化是故我等說本无心有所希求今法王
大寶自然而至如佛子所應得者皆已得之
尒時摩訶迦葉欲重宣此義而說偈言
我等今日 聞佛音教 歡喜踊躍 得未曾有
佛說聲聞 當得作佛 无上寶聚 不求自得
譬如童子 幼稚无識 捨父逃逝 遠到他土
周流諸國 五十餘年 其父憂念 四方推求
求之既疲 頓止一城 造立舍宅 五欲自娛
其家巨富 多諸金銀 硨磲碼瑙 真珠瑠璃
象馬牛羊 輦轝車乘 田業僮僕 人民衆多
出入息利 乃遍他國 商估賈人 无處不有
千萬億衆 圍繞恭敬 常為王者 之所愛念
群臣豪族 皆共宗重 以諸緣故 往來者衆
豪富如是 有大力勢 而年朽邁 益憂念子
夙夜惟念 死時將至 癡子捨我 五十餘年
庫藏諸物 當如之何 尒時窮子 求索衣食
從邑至邑 從國至國 或有所得 或无所得
飢餓羸瘦 體生瘡癬 漸次經歷 到父住城
傭賃展轉 遂至父舍 尒時長者 於其門內

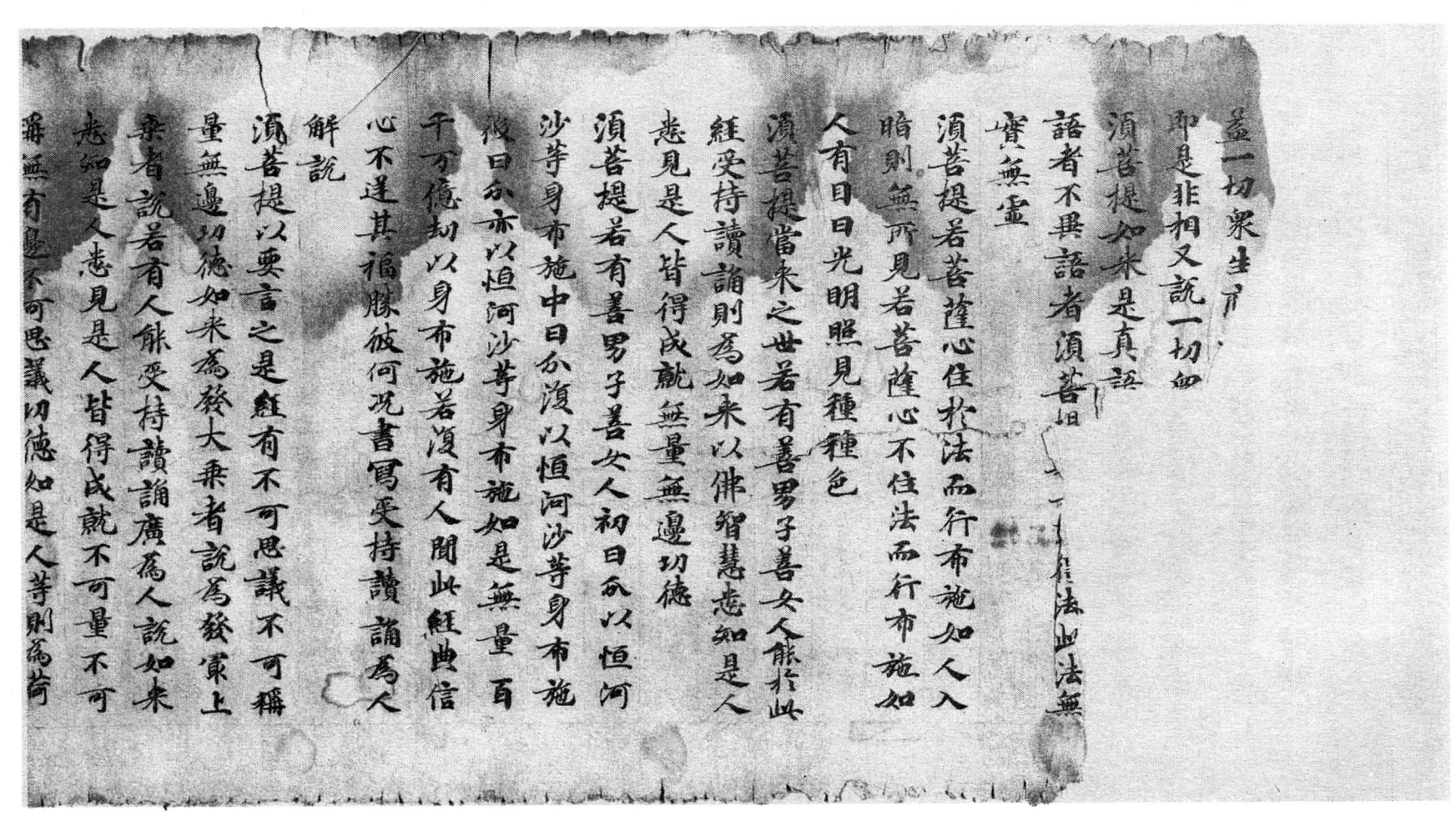

BD02414號 妙法蓮華經卷二 （2–2）

益一切衆生[illegible]
即是非相又說一切衆[illegible]
須菩提如來是真語[illegible]
語者不異語者須菩[illegible]得法此法無
實無虛
須菩提若菩薩心住於法而行布施如人入
闇則無所見若菩薩心不住法而行布施如
人有目日光明照見種種色
須菩提當來之世若有善男子善女人能於此
經受持讀誦則為如來以佛智慧悉知是人
悉見是人皆得成就無量無邊功德
須菩提若有善男子善女人初日分以恒河
沙等身布施中日分復以恒河沙等身布施
後日分亦以恒河沙等身布施如是無量百
千万億劫以身布施若復有人聞此經典信
心不逆其福勝彼何況書寫受持讀誦為人
解說
須菩提以要言之是經有不可思議不可稱
量無邊功德如來為發大乘者說為發最上
乘者說若有人能受持讀誦廣為人說如來
悉知是人悉見是人皆得成就不可量不可
稱無有邊不可思議功德如是人等則為荷

BD02415號 金剛般若波羅蜜經 （9–1）

解説
須菩提以要言之是經有不可思議不可稱
量無邊功德如來為發大乘者説為發最上
乘者説若有人能受持讀誦廣為人説如來
悉知是人悉見是人皆得成就不可量不可
稱無有邊不可思議功德如是人等則為荷
擔如來阿耨多羅三藐三菩提何以故須菩
提若樂小法者著我見人見衆生見壽者見
則於此經不能聽受讀誦為人解説須菩提
在在處處若有此經一切世間天人阿脩羅所
應供養當知此處則為是塔皆應恭敬作
礼圍遶以諸華香而散其處
復次須菩提善男子善女人受持讀誦此經
若為人輕賤是人先世罪業應墮惡道以今
世人輕賤故先世罪業則為消滅當得阿耨
多羅三藐三菩提須菩提我念過去無量阿
僧祇劫於然燈佛前得值八百四千万億那
由他諸佛悉皆供養承事無空過者若復有
人於後末世能受持讀誦此經所得功德於
我所供養諸佛功德百分不及一千万億分
乃至筭數譬喻所不能及須菩提若善男子
善女人於後末世有受持讀誦此經所得功
德我若具説者或有人聞心則狂亂狐疑不信
須菩提當知是經義不可思議果報亦不可

BD02415 號　金剛般若波羅蜜經　（9–2）

……數譬喻所不能及須菩提若善男子
善女人於後末世有受持讀誦此經所得功
德我若具説者或有人聞心則狂亂狐疑不信
須菩提當知是經義不可思議果報亦不可
思議
尒時須菩提白佛言世尊善男子善女人發
阿耨多羅三藐三菩提心云何應住云何降
伏其心佛告須菩提善男子善女人發阿耨
多羅三藐三菩提者當生如是心我應滅度
一切衆生滅度一切衆生已而無有一衆生
實滅度者何以故若菩薩有我相人相衆生
相壽者相則非菩薩所以者何須菩提實無
有法發阿耨多羅三藐三菩提者
須菩提於意云何如來於然燈佛所有法得
阿耨多羅三藐三菩提不不也世尊如我解
佛所説義佛於然燈佛所無有法得阿耨多
羅三藐三菩提佛言如是如是須菩提實无
有法如來得阿耨多羅三藐三菩提須菩提
若有法如來得阿耨多羅三藐三菩提者然燈
佛則不與我受記汝於來世當得作佛号釋
迦牟尼以實無有法得阿耨多羅三藐三菩
提是故然燈佛與我受記作是言汝於來世
當得作佛号釋迦牟尼何以故如來者即諸
法如義若有人言如來得阿耨多羅三藐三
菩提須菩提實無有法佛得阿耨多羅三藐

BD02415 號　金剛般若波羅蜜經　（9–3）

當得作佛号釋迦牟尼何以故如来者即諸
法如義若有人言如来得阿耨多羅三藐三
菩提須菩提實無有法佛得阿耨多羅三藐
三菩提須菩提如来所得阿耨多羅三藐三
菩提於是中無實無虛是故如来說一切法
皆是佛法須菩提所言一切法者即非一切
法是故名一切法
須菩提譬如人身長大須菩提言世尊如来
說人身長大則為非大身是名大身
須菩提菩薩亦如是若作是言我當滅度无
量衆生則不名菩薩何以故須菩提實无有
法名為菩薩是故佛說一切法無我無人無
衆生無壽者須菩提若菩薩作是言我當
莊嚴佛土是不名菩薩何以故如来說莊嚴佛
土者即非莊嚴是名莊嚴須菩提若菩薩通
達無我法者如来說名真是菩薩
須菩提於意云何如来有肉眼不如是世尊
如来有肉眼須菩提於意云何如来有天眼
不如是世尊如来有天眼須菩提於意云何
如来有慧眼不如是世尊如来有慧眼須菩
提於意云何如来有法眼不如是世尊如来
有法眼須菩提於意云何如来有佛眼不如是
世尊如来有佛眼須菩提於意云何恒河
中所有沙佛說是沙不如是世尊如来說是

提於意云何如来有法眼不如是世尊如来
有法眼須菩提於意云何如来有佛眼不如是
世尊如来有佛眼須菩提於意云何恒河
中所有沙佛說是沙不如是世尊如来說是
沙須菩提於意云何如一恒河中所有沙有
如是等恒河是諸恒河所有沙數佛世界如
是寧為多不甚多世尊佛告須菩提尒所國
土中所有衆生若干種心如来悉知何以故
如来說諸心皆為非心是名為心所以者何
須菩提過去心不可得現在心不可得未来
心不可得須菩提於意云何若有人滿三千
大千世界七寶以用布施是人以是因緣得
福多不如是世尊此人以是因緣得福甚多
須菩提若福德有實如来不說得福德多以
福德無故如来說得福德多
須菩提於意云何佛可以具足色身見不不
也世尊如来不應以具足色身見何以故如
来說具足色身即非具足色身是名具足色
身須菩提於意云何如来可以具足諸相見
不不也世尊如来不應以具足諸相見何以故
如来說諸相具足即非具足是名諸相具足
須菩提汝勿謂如来作是念我當有所說法
莫作是念何以故若人言如来有所說法即
為謗佛不能解我所說故須菩提說法者
無法可說是名說法

須菩提汝勿謂如來作是念我當有所說法
莫作是念何以故若人言如來有所說法即
為謗佛不能解我所說故須菩提說法者
無法可說是名說法
須菩提白佛言世尊佛得阿耨多羅三藐三
菩提為無所得耶如是如是須菩提我於阿
耨多羅三藐三菩提乃至无有少法可得是
名阿耨多羅三藐三菩提復次須菩提是法
平等無有高下是名阿耨多羅三藐三菩提
以無我無人無衆生無壽者脩一切善法則
得阿耨多羅三藐三菩提須菩提所言善法
者如來說非善法是名善法
須菩提若三千大千世界中所有諸須弥山
王如是等七寶聚有人持用布施若人以此
般若波羅蜜經乃至四句偈等受持讀誦為
他人說於前福德百分不及一百千万億分乃
至筭數譬喻所不能及
須菩提於意云何汝等勿謂如來作是念我當
度衆生須菩提莫作是念何以故實无有衆
生如來度者若有衆生如來度者如來則有
我人衆生壽者須菩提如來說有我者則
非有我而凡夫之人以為有我須菩提凡夫
者如來說則非凡夫
須菩提於意云何可以卅二相觀如來不須菩
提言如是如是以卅二相觀如來佛言須

BD02415號　金剛般若波羅蜜經　（9–6）

非有我而凡夫之人以為有我須菩提凡夫
者如來說則非凡夫
須菩提於意云何可以卅二相觀如來不須菩
提言如是如是以卅二相觀如來佛言須
菩提若以卅二相觀如來者轉輪聖王則是
如來須菩提白佛言世尊如我解佛所說義
不應以卅二相觀如來尒時世尊而說偈言
若以色見我　以音聲求我　是人行邪道　不能見如來
須菩提汝若作是念如來不以具足相故得
阿耨多羅三藐三菩提須菩提莫作是念如
來不以具足相故得阿耨多羅三藐三菩提須
菩提汝若作是念發阿耨多羅三藐三菩
提者說諸法斷滅莫作是念何以故發阿耨
多羅三藐三菩提者於法不說斷滅相須菩
提若菩薩以滿恒河沙等世界七寶布施若
復有人知一切法無我得成於忍此菩薩勝
前菩薩所得功德須菩提以諸菩薩不受福
德故須菩提白佛言世尊云何菩薩不受福
德須菩提菩薩所作福德不應貪著是故說
不受福德
須菩提若有人言如來若來若去若坐若卧
是人不解我所說義何以故如來者無所從
來亦無所去故名如來
須菩提若善男子善女人以三千大千世界
碎為微塵於意云何是微塵衆寧為多不甚

BD02415號　金剛般若波羅蜜經　（9–7）

來亦無所去故名如來
須菩提若善男子善女人以三千大千世界
碎爲微塵於意云何是微塵衆寧爲多不甚
多世尊何以故若是微塵衆實有者佛則不
說是微塵衆所以者何佛說微塵衆則非微
塵衆是名微塵衆世尊如來所說三千大千
世界則非世界是名世界何以故若世界實
有者則是一合相如來說一合相則非一合相
是名一合相須菩提一合相者則是不可說
但凡夫之人貪著其事須菩提若人言佛說
我見人見衆生見壽者見須菩提於意云何
是人解我所說義不世尊是人不解如來所
說義何以故世尊說我見人見衆生見壽者
見即非我見人見衆生見壽者見是名我見
人見衆生見壽者見須菩提發阿耨多羅三
藐三菩提心者於一切法應如是知如是見
如是信解不生法相須菩提所言法相者如
來說即非法相是名法相須菩提若有人以
滿无量阿僧祇世界七寶持用布施若有善
男子善女人發菩薩心者持於此經乃至
四句偈等受持讀誦爲人演說其福勝彼云
何爲人演說不取於相如如不動何以故
一切有爲法　如夢幻泡影　如露亦如電　應作如是觀
佛說是經已長老須菩提及諸比丘比丘尼
優婆塞優婆夷一切世間天人阿脩羅聞佛

BD02415號　金剛般若波羅蜜經　（9–8）

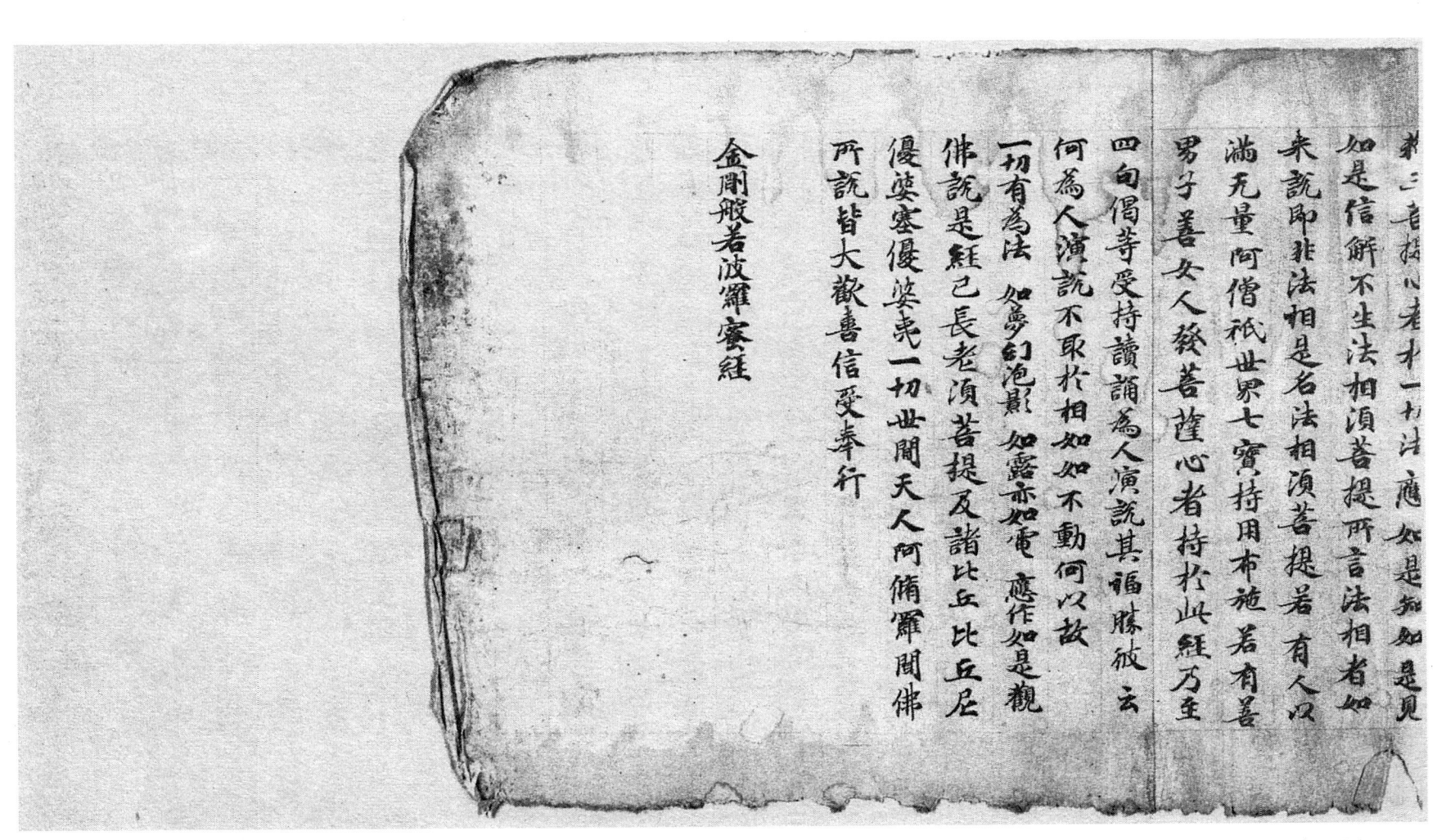

藐三菩提心者於一切法應如是知如是見
如是信解不生法相須菩提所言法相者如
來說即非法相是名法相須菩提若有人以
滿无量阿僧祇世界七寶持用布施若有善
男子善女人發菩薩心者持於此經乃至
四句偈等受持讀誦爲人演說其福勝彼云
何爲人演說不取於相如如不動何以故
一切有爲法　如夢幻泡影　如露亦如電　應作如是觀
佛說是經已長老須菩提及諸比丘比丘尼
優婆塞優婆夷一切世間天人阿脩羅聞佛
所說皆大歡喜信受奉行

金剛般若波羅蜜經

BD02415號　金剛般若波羅蜜經　（9–9）

我弟子某甲等普
⺅作衆罪或煞害君親及真人羅漢
討鋒刃煞戮遊獵禽獸網捕虫魚或曾作惡
王刑罰枉濫乃至含靈稟性蠢動九諸生類
殘害煞傷及猛獸鷙鳥遞相噉食或盜佛物
法物僧物及他財寶居官因事納貨受財
或非已室家外行婬欲莫簡親嫌不避僧尼
横起愛憎妄想妬恚或虛詐妄語誑惑君
親不知不見言知言見譯說鬼神詭誑世俗
或讒論兩舌鬪乱二邊將此惡言向彼陳說
持彼惡語復向此論诅隔君臣離間骨宗
一切和合由其破壞或出言麁惡毀呰他
人訶叱任情罵詈在口或不正已言乃爲綺
語說善爲惡以晃爲賫名長爲短說白爲
黑謀言詭語調弄於人或志在貪味求取
木節性多瞋毒恚怒自纏或不識正理
迷惑耶見謗佛法僧說无因果不信
脩善受人天樂不言爲惡受地獄苦
或謂此身无因而得或謂未来斷无
因果毀壞塔寺焚燒經典融剖佛像
以取金銅汙穢伽藍違越禁戒飲
酒噉肉及食五辛愚癡耶見无惡
不造九此所陳十種惡業自作教

BD02416號　禮懺文（擬）　（3-1）

因果毀壞塔寺焚燒經典融剖佛像
以取金銅汙穢伽藍違越禁戒飲
酒噉肉及食五辛愚癡耶見无惡
不造九此所陳十種惡業自作教
他見作隨喜若不懺悔將墮三塗
唯願三世三寶受我懺悔從今已
已去改往脩来更不敢犯至心頂礼
常住三寶
如是等一切世界諸佛世尊常住在世是諸
世尊當慜念我若我此生若於餘生无始以
来所作衆罪若自作若教他作見作隨喜
若塔若僧四方僧物自取教他取見取隨喜
或作五逆无間重罪若十不善道自作教他見
作隨喜或曾出家違犯重禁久不懺悔然虛
受於信施或曾作奸臣逆吏无道之君現在
身上從生以来愚癡心故獻犯禁戒身口
意業造作過惡无量无邊所作罪鄣或有覆
藏或不覆藏應墮地獄餓鬼畜生及諸惡趣
邊地下賤及彌利車如是等處所作罪鄣今
皆懺悔今諸佛世尊當慈念我證知我聽我
懺悔如是等罪一切世界諸佛世尊常住在
世是諸世尊當慈念我若我此生若於餘生
曾行布施或守淨戒乃至施与畜生一揣之食
或脩淨行所有善根一切合集校計籌量悉
皆迴向无上菩提如過去未来現在諸佛之

BD02416號　禮懺文（擬）　（3-2）

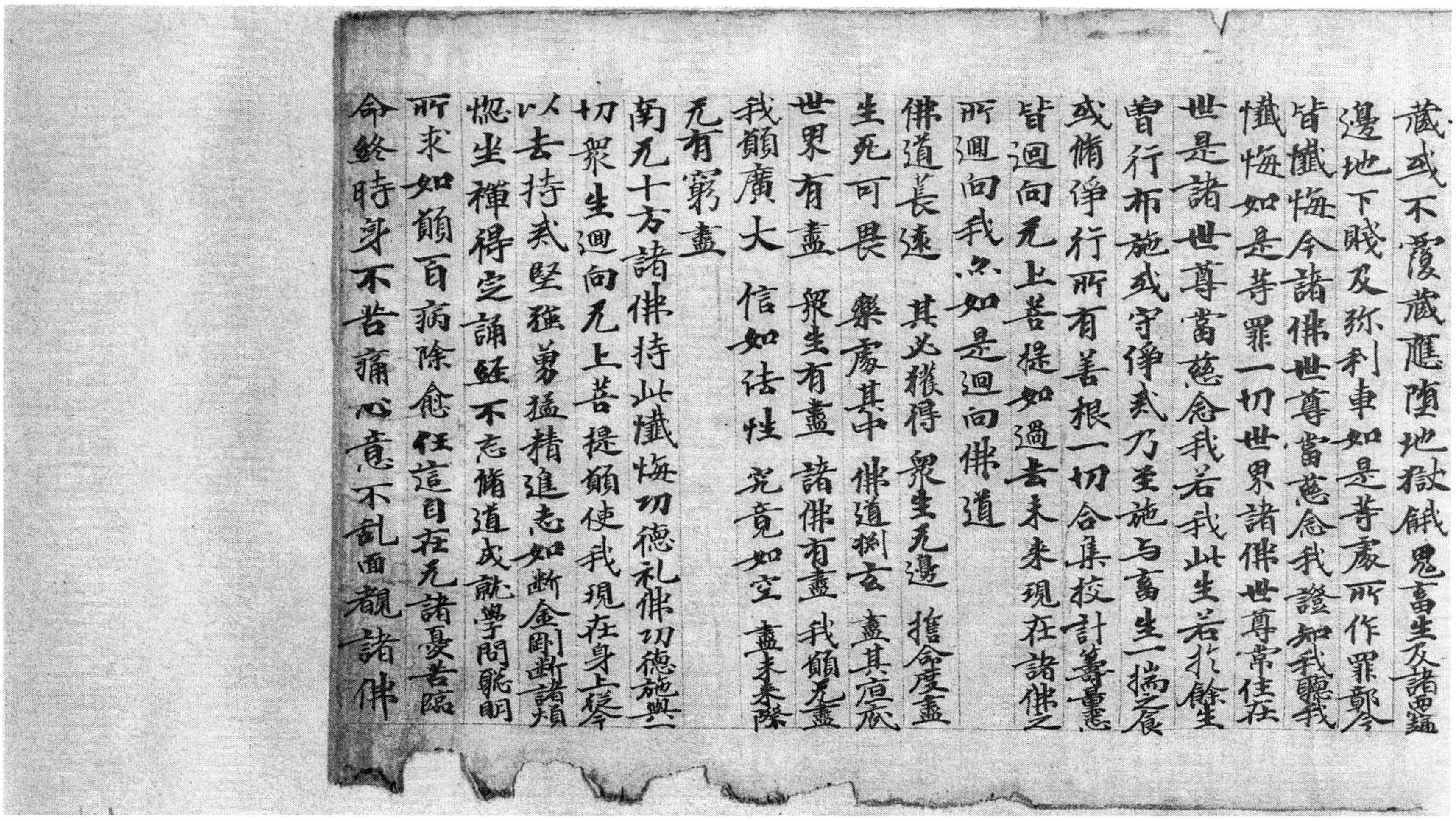
藏或不覆藏應墮地獄餓鬼畜生及諸惡趣
邊地下賤及弥利車如是等處所作罪鄣今
皆懺悔今諸佛世尊當慈念我證知我聽我
懺悔如是等罪一切世界諸佛世尊常住在
世是諸世尊當慈念我若我此生若於餘生
曾行布施或守淨戒乃至施与畜生一揣之食
或脩淨行所有善根一切合集校計籌量
皆迴向无上菩提如過去未來現在諸佛之
所迴向我亦如是迴向佛道
佛道長遠 其必獲得 衆生无邊 誓令度盡
生死可畏 樂處其中 佛道捌去 盡其底底
世界有盡 衆生有盡 諸佛有盡 我願无盡
我願廣大 信如法性 究竟如空 盡未來際
无有窮盡
南无十方諸佛持此懺悔功德礼佛功德施與一
切衆生迴向无上菩提願使我現在身上琴
以去持戒堅強勇猛精進志如金剛斷諸煩
惱坐禪得定誦經不忘脩道成就學問聰明
所求如願百病除愈任運自在无諸憂苦臨
命終時身不苦痛心意不亂面覩諸佛

BD02416 號　禮懺文（擬）　（3–3）

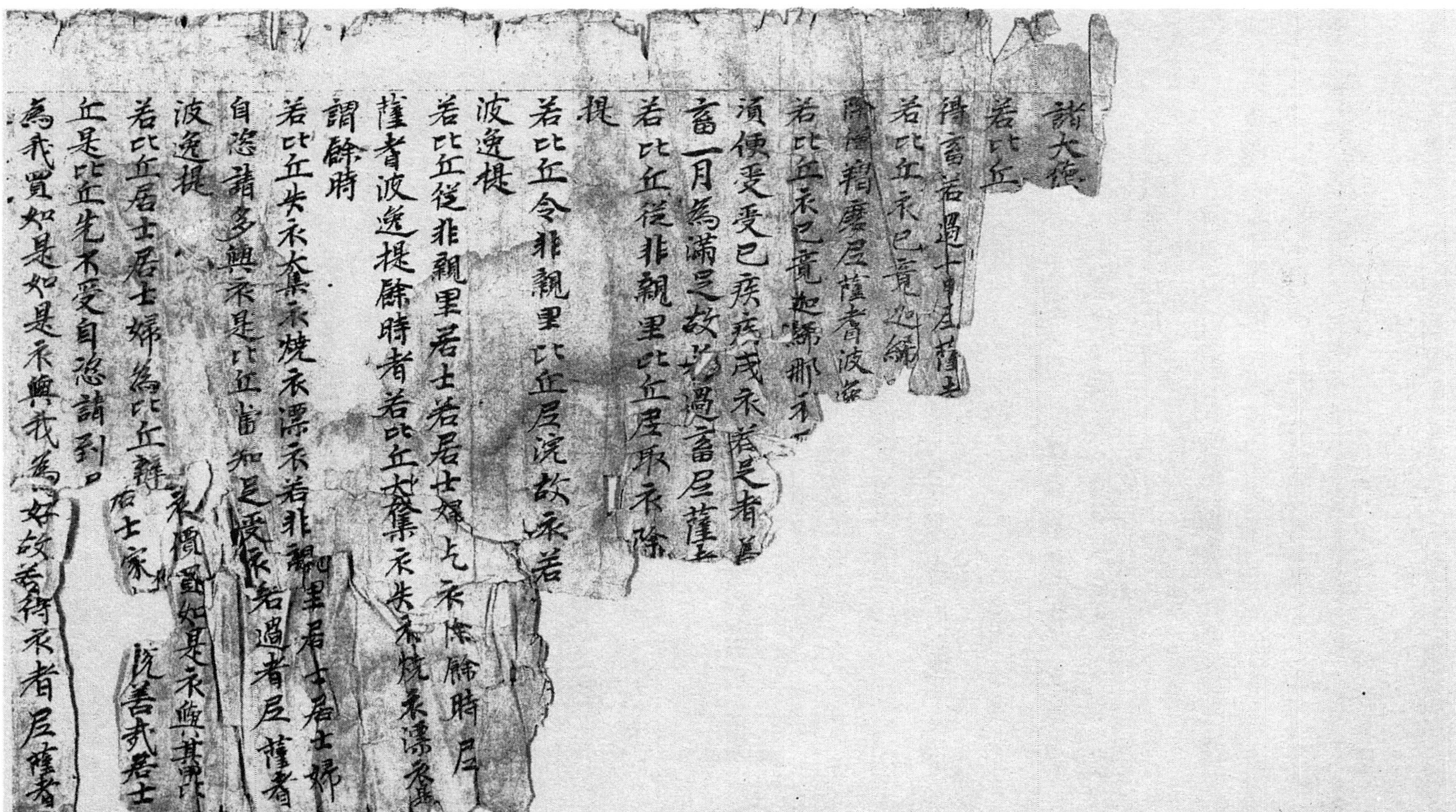
諸大德
若比丘
得畜若過十日尼薩耆
若比丘衣已竟迦絺
除僧羯磨尼薩耆波逸
若比丘衣已竟迦絺那衣
須便受受已疾疾成衣若足者善
畜一月為滿足故若過畜尼薩耆
若比丘從非親里比丘尼取衣除
提
若比丘令非親里比丘尼浣故衣若
波逸提
若比丘從非親里若居士若居士婦乞衣除餘時尼
薩耆波逸提餘時者若比丘奪衣失衣燒衣漂衣
謂餘時
若比丘失衣奪衣燒衣漂衣若非親里居士居士婦
自恣請多與衣是比丘當知足受衣若過者尼薩耆
衣價買如是衣與某甲比
波逸提
若比丘居士居士婦為比丘辦
居士家
說善哉居士
丘是比丘先不受自恣請到
為我買如是如是衣與我為好故若得衣者尼薩耆

BD02417 號　四分僧戒本　（11–1）

若比丘居士婦為比丘辦□□□說善哉居士
丘是比丘先不受自恣請到居士家
為我買如是如是衣與我為□□若得衣者尼薩耆
波逸提
若比丘二居士婦與比丘辦衣價
衣與某甲比丘是比丘先不受居士自恣請到
家作是言善哉居士辦如是如是衣價與我共作一衣
為好故若得衣者尼薩耆波逸提
若比丘若王若大臣若婆羅門若居士居士婦遣
使為比丘送衣價持如是衣價與某甲比丘彼使人
至比丘所語比丘言大德今為汝故送是衣價受取
是比丘應語彼使如是言我不應受此衣價我若
須衣合時清淨當受彼使語比丘言大德有執事人
不須衣比丘應語言有若僧伽藍民若優婆塞
此是比丘執事人常為諸比丘執事時彼使往至
執事人所與衣價已還至比丘所作如是言大德所
示某甲執事人我已與衣價大德知時往彼當得衣
須衣比丘當往執事人所若二反三反為作憶念應
語言我須衣若二反三反為作憶念若得衣者善
若不得衣四反五反六反在前默然立若四反五反
六反在前默然住得衣者善若不得衣過是求得衣
者尼薩耆波逸提若不得衣從所得衣價處若自
往若遣使往語言汝先遣使持衣價與某甲比丘是比丘竟不得衣汝還取莫使失此是時
若比丘雜野蠶綿作新臥具者尼薩耆波逸提十一
若比丘以新純黑糯羊毛作新臥具者尼薩耆波逸提
若比丘作新臥具應用二分純黑羊三分白四分牻
若比丘不用二分黑三分白四分牻作新臥具者尼
薩耆波逸提

BD02417 號　四分僧戒本　（11–2）

若比丘雜野蠶綿作新臥具者尼薩耆波逸提十一
若比丘以新純黑糯羊毛作新臥具者尼薩耆波逸提
若比丘作新臥具應用二分純黑羊三分白四分牻
若比丘不用二分黑三分白四分牻作新臥具者尼
薩耆波逸提
若比丘作新臥具持至六年若減六年不捨故更
作新者除僧羯磨尼薩耆波逸提
若比丘作新坐具當取故者縱廣一磔手帖著
新者上用壞色故若作新坐具不取故者縱廣
一磔手帖著新者上用壞色故尼薩耆波逸提
若比丘道路行得羊毛若无人持得自持乃至三由
旬若无人持自持過三由旬者尼薩耆波逸提
若比丘使非親里比丘尼浣染擘羊毛者尼薩耆波
逸提
若比丘自手捉錢若金銀若教人捉若置地受者
尼薩耆波逸提
若比丘種種賣買者尼薩耆波逸提
若比丘種種販賣者尼薩耆波逸提十二
若比丘畜長鉢不淨施得齊十日過者尼薩耆波逸
提
若比丘畜鉢減五綴不漏更求新鉢為好故尼薩耆
波逸提彼比丘應往僧中捨展轉取最下鉢與之令
持乃至破應持此是時
若比丘自乞縷線使非親里織師織作衣者尼薩耆
波逸提
若比丘居士居士婦使織師為比丘織作衣彼比丘先
不受自恣請便往織師所語言此衣為我作與我極
好織令廣大堅緻我當少多與汝價是比丘與價乃
至食直若得衣者尼薩耆波逸提

BD02417 號　四分僧戒本　（11–3）

不受自恣請便往織師所語言此衣為我作與我極
好織令廣大堅緻我當少多與汝價是比丘與價乃
至食直若得衣者尼薩耆波逸提
若比丘先與比丘衣後瞋恚若自奪若教人奪取
還我衣來不與汝若比丘還衣彼取衣者尼薩耆
波逸提
若比丘有病殘藥蘇油生酥蜜石蜜齊七日得服
若過七日服者尼薩耆波逸提
若比丘春殘一月在當求雨浴衣半月應用浴若
比丘過一月前求雨浴衣過半月前用浴者尼薩耆
波逸提
若比丘十日未滿夏三月諸比丘得急施衣比丘知
是急施衣當受受已乃至衣時應畜若過畜者尼
薩耆波逸提
若比丘夏三月竟後迦提一月滿在阿蘭若疑恐
懼處住比丘在如是處住三衣中欲留一一衣置村舍內
諸比丘有因緣離衣宿乃至六夜若過者尼薩耆波
逸提
若比丘知是僧物自求入己者尼薩耆波逸提 三十
諸大德我已說三十尼薩耆波逸提法今問諸大德是
中清淨不 如是三說 諸大德是中清淨默然故是事如是持
諸大德是九十波逸提法半月半月說戒經中來
若比丘知而妄語者波逸提
若比丘種類毀呰語者波逸提
若比丘兩舌語者波逸提
若比丘與婦女同室宿者波逸提
若比丘與未受大戒人共宿過二宿至三宿波逸提
若比丘與未受大戒人同誦者波逸提

若比丘兩舌語者波逸提
若比丘與婦女同室宿者波逸提
若比丘與未受大戒人共宿過二宿至三宿波逸提
若比丘與未受大戒人同誦者波逸提
若比丘知他比丘有麤惡罪向未受大戒人說除僧
羯磨波逸提
若比丘向未受大戒人說過人法言我見是我知是實
者波逸提
若比丘與女人說法過五六語除有知男子波逸提
若比丘自手掘地若教人掘者波逸提
若比丘壞鬼神村者波逸提
若比丘妄作異語惱他者波逸提
若比丘嫌罵者波逸提
若比丘取僧繩牀木牀若臥具坐蓐露地敷若教
人敷捨去不自舉不教人舉者波逸提
若比丘於僧房中敷臥具若自敷若教人若坐
若臥去時不自舉不教人舉者波逸提
若比丘知先比丘住處後來強於中間敷臥具止宿
念言彼若嫌迮者自當避我去作如是因緣非餘非威
儀波逸提
若比丘瞋他比丘不喜僧房中若自牽出教他牽
出波逸提
若比丘僧房重閣上脫腳繩牀木牀若坐若臥波逸提
若比丘知水有蟲若自澆泥澆草教人澆者波逸提
若比丘作大房戶扉窗牖及諸莊飾具指授覆
苫齊二三節若過者波逸提
若比丘僧不差教誡比丘尼者波逸提
若比丘為僧差教授比丘尼乃至日暮者波逸提
若比丘語諸比丘作如是語諸比丘為飲食故教授

苫齊三節若過者波逸提
若比丘僧不差教授比丘尼者波逸提
若比丘為僧差教授比丘尼乃至日暮者波逸提
若比丘語諸比丘作如是語諸比丘為飲食故教授
比丘尼者波逸提
若比丘與非親里比丘尼衣除貿易波逸提
若比丘與非親里比丘尼作衣者波逸提
若比丘與比丘尼在屏處鄣處坐者波逸提
若比丘與比丘尼共期同一道行從一村乃至一村間除異時
波逸提異時者與估客行若疑恐怖時是謂異時
若比丘與比丘尼共期同乘一船上水下水除直渡者
波逸提
若比丘知比丘尼讚歎教化因緣得食食除檀越先意
請者波逸提
若比丘與婦女共期同一道行乃至一村間波逸提卅
若比丘施一食處無病比丘應一食若過受者波逸提
若比丘展轉食除餘時波逸提餘時者病時施衣
時是謂餘時
若比丘別眾食除餘時波逸提餘時者病時作衣
時施衣時道行時乘船時大眾集時沙門施食時此
時是
若比丘至白衣家內請比丘與餅麨飯若比丘欲須者當二三鉢受
還至僧伽藍中應分與餘比丘食若比丘無病過
兩三鉢受持還僧伽藍中不分與餘比丘食者波逸提
若比丘足食竟或時受請不作餘食法而食者
波逸提
若比丘知他比丘足食已若受請不作餘食法慇懃
請與食長老取是食以是因緣非餘欲令他犯者

若比丘足食竟或時受請不作餘食法而食者
波逸提
若比丘知他比丘足食已若受請不作餘食法慇懃
請與食長老取是食以是因緣非餘欲令他犯者
波逸提
若比丘非時受食食者波逸提
若比丘殘宿食而食者波逸提
若比丘不受食若藥著口中除水及楊枝波逸提
若比丘若得好美食乳酪魚及肉若比丘如此美飲
食無病自為身索者波逸提卌
若比丘外道男外道女自手與食者波逸提
若比丘先受請已前食後食行詣餘家不囑授餘
比丘除餘時波逸提餘時者病時施衣時作衣時是謂時
若比丘在食家中有寶強安坐者波逸提
若比丘食家中有寶在屏處坐者波逸提
若比丘獨與女人露地坐者波逸提
若比丘語餘比丘如是語大德共至聚落當與汝食
彼比丘竟不教與是比丘食語言汝去我與汝一處
若坐若語不樂我獨坐獨語樂以此因緣非餘方便
遣他去者波逸提
若比丘請比丘四月與藥無病比丘應受若過受除
常請更請分請盡形壽請者波逸提
若比丘往觀軍陣除時因緣波逸提
若比丘有因緣聽至軍中二宿三宿過者波逸提
若比丘二宿三宿軍中住或時觀軍陣鬪戰若觀遊
軍象馬力勢者波逸提　五十
若比丘飲酒者波逸提
若比丘水中戲嬉者波逸提

若比丘三宿二宿軍中住或時觀軍陣闘戰若觀遊
軍象馬力勢者波逸提 五十
若比丘飲酒者波逸提
若比丘水中戲嬉者波逸提
若比丘以指相擊攊者波逸提
若比丘不受諫語者波逸提
若比丘恐怖他比丘者波逸提
若比丘半月洗浴無病比丘應受不得過除餘時波逸提
餘時者熱時病時作時風雨時道行時此是時
若比丘無病自為炙身故在露地然火若教人然除時
因緣波逸提
若比丘藏他比丘衣鉢坐具鍼筒若自藏若教人藏下
至戲笑者波逸提
若比丘與比丘比丘尼式叉摩那沙彌沙彌尼衣後不語
主還取著者波逸提
若比丘得新衣應三種壞色一一色中隨意壞若青若
黑若木蘭若比丘不以三種壞色若青若黑若木蘭
著新衣者波逸提 六十
若比丘故殺畜生命者波逸提
若比丘知水有虫飲用者波逸提
若比丘故惱他比丘乃至須臾不樂者波逸提
若比丘知他比丘犯麁惡罪覆藏者波逸提
若比丘年滿廿應受大戒若比丘知年不滿廿與
受大戒者此人不得戒彼比丘可呵癡故波逸提
若比丘知諍事如法懺悔已後更發起者波逸提
若比丘知是賊伴結要共同一道行乃至一村間
波逸提
若比丘作如是語我知佛所說法行婬欲非鄣道

若比丘知諍事如法懺悔已後更發起者波逸提
若比丘知是賊伴結要共同一道行乃至一村間
波逸提
若比丘作如是語我知佛所說法行婬欲非鄣道
法彼比丘諫此比丘言大德莫作是語莫謗世尊
謗世尊者不善世尊不作是語世尊無數方
便說婬欲者是鄣道法彼比丘諫此比丘時堅
持不捨彼比丘乃至三諫捨此事故若三諫捨
者善不捨者波逸提
若比丘知如是語人未作法如是邪見而不捨供
給所須共同羯磨止宿言語者波逸提
若比丘知沙彌作如是語我從佛聞知是法若行
婬欲非鄣道法彼比丘諫此沙彌如是言汝莫誹謗
世尊謗世尊者不善世尊不作是語沙彌世
尊無數方便說婬欲是鄣道法彼比丘諫此沙
彌時堅持不捨彼比丘應乃至再三呵諫令捨此事
故乃至三諫而捨者善不捨者彼比丘應語此沙彌
言汝自今已去不得言佛是我世尊不得隨逐餘
比丘如諸沙彌得與大比丘二宿汝今無是事汝出去
滅去不應住此若比丘知如是眾中被擯沙彌而誘
將畜養共止宿者波逸提 七十
若比丘餘比丘如法諫時作如是語我今不學此戒
當難問餘智慧持律比丘者波逸提若為知為學
故應難問
若比丘說戒時作如是語大德
何用說此雜碎戒為說時令人惱愧懷疑輕
呵戒故波逸提
若比丘說戒時作如是語我今始知此法是戒經所載
半月半月說戒經中來餘比丘知是比丘若二若三

故應難問　若比丘說戒時作如是語大德
何用說此雜碎戒為說時令人惱愧懷疑輕
呵戒故波逸提
若比丘說戒時作如是語我今始知此法是戒經所載
半月半月說戒經中來餘比丘知是比丘若二若三
說戒中坐何況多彼比丘无知无解若犯罪應
如法治更重增无知罪語言長老汝无利不善
得汝說戒時不用心念不一心兩耳聽法彼无知故
波逸提　若比丘共同羯磨已後如是語諸比丘隨親
厚以衆僧物與者波逸提
若比丘衆僧斷事未竟不與欲起去者波逸提
若比丘與欲已後悔者波逸提
若比丘比丘鬪諍已聽此語向彼說者波逸提
若比丘瞋恚故不喜打比丘者波逸提
若比丘瞋恚不喜以手搏比丘者波逸提
若比丘瞋恚故以无根僧伽婆尸沙謗者波逸提
若比丘剎利水澆頭王種王未出未藏寶而入
若過宮門閾者波逸提
若比丘若寶及寶莊飾自捉若教人捉除僧伽藍
中及寄宿處波逸提
若比丘在僧伽藍中及寄宿處捉寶若寶莊飾
自捉教人捉當作是意若有主識者當取作如是
因緣非餘
若比丘非時入聚落不囑餘比丘者波逸提
若比丘作繩床木床足應高如來八指除入陛孔上截
竟若過者波逸提
若比丘兜羅綿貯繩床木床大小褥成者波逸提
若比丘作骨牙角鍼筒刳刮成者波逸提

BD02417 號　四分僧戒本　（11-10）

若比丘瞋恚故不喜以手搏比丘者波逸提
若比丘瞋恚故以无根僧伽婆尸沙謗者波逸提
若比丘剎利水澆頭王種王未出未藏寶而入
若過宮門閾者波逸提
若比丘若寶及寶莊飾自捉若教人捉除僧伽藍
中及寄宿處波逸提
若比丘在僧伽藍中及寄宿處捉寶若寶莊飾
自捉教人捉當作是意若有主識者當取作如是
因緣非餘
若比丘非時入聚落不囑餘比丘者波逸提
若比丘作繩床木床足應高如來八指除入陛孔上截
竟若過者波逸提
若比丘兜羅綿貯繩床木床大小褥成者波逸提
若比丘作骨牙角鍼筒刳刮成者波逸提
若比丘作尼師壇當應量作是中量者長佛二搩
廣一搩手半更增廣長各半搩手若過截竟波逸提
若比丘作[illegible]當應量作長佛[illegible]搩手[illegible]

BD02417 號　四分僧戒本　（11-11）

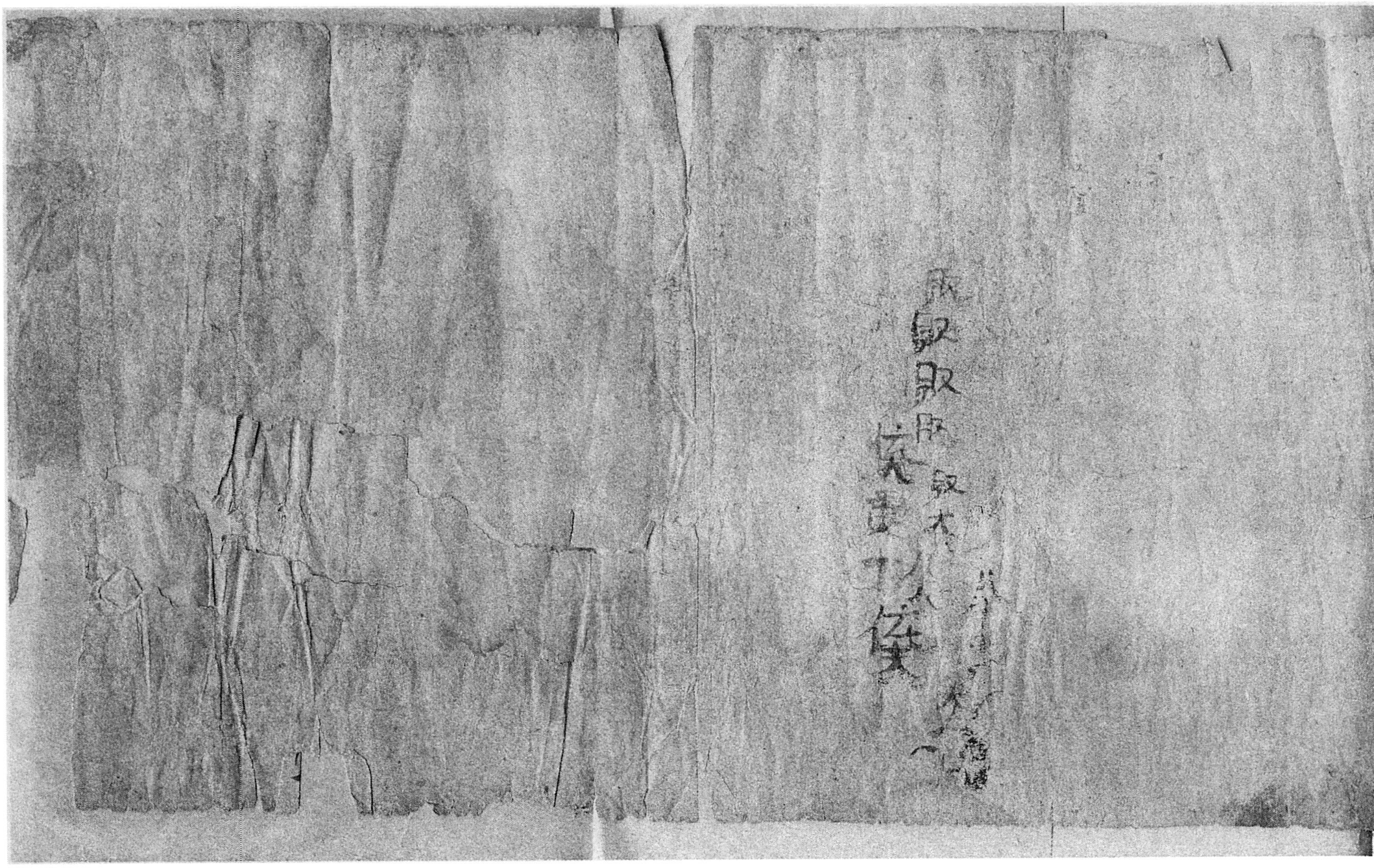

BD02417 號背　雜寫　　（2–1）

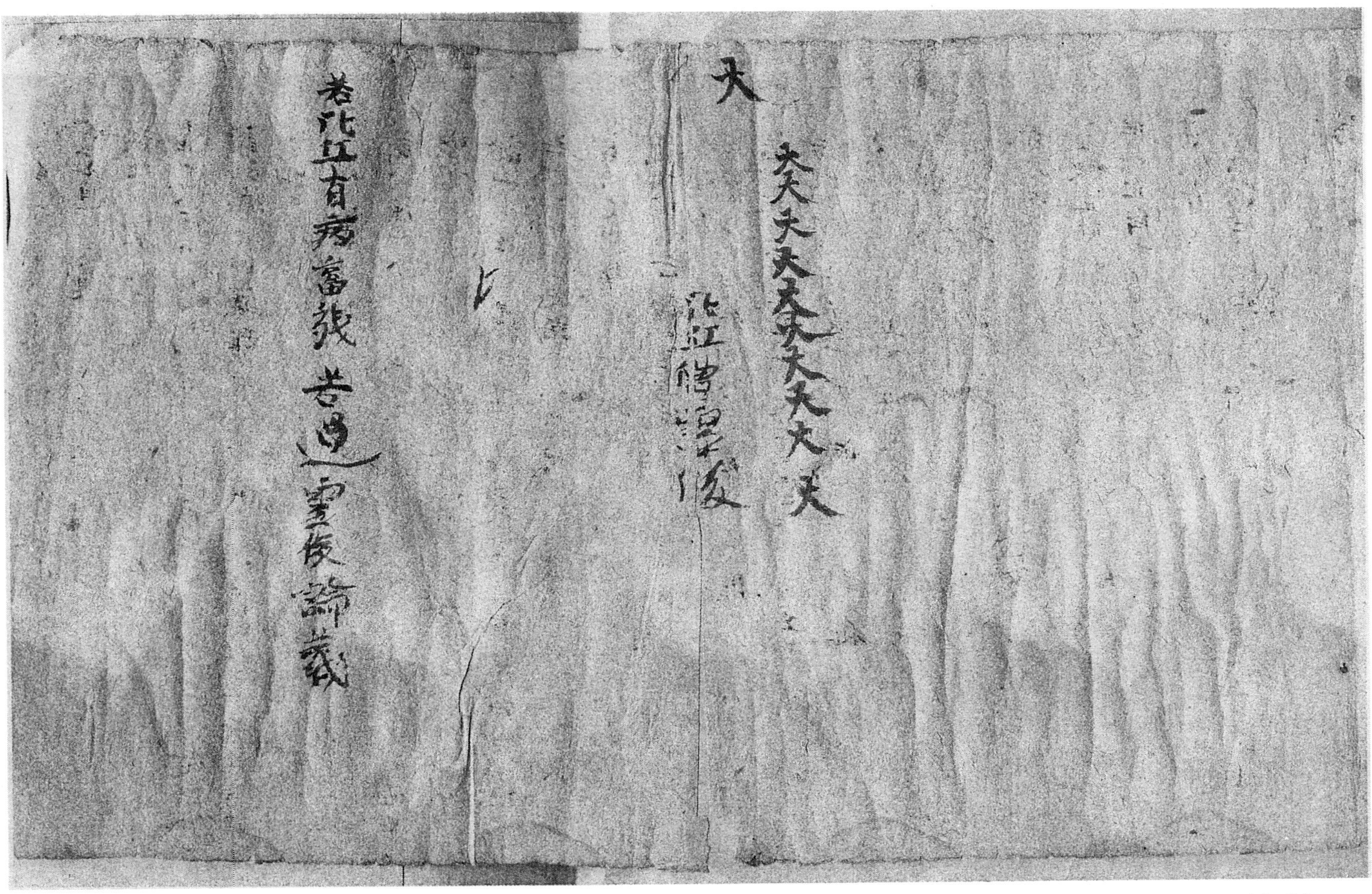

BD02417 號背　雜寫　　（2–2）

畏施於衆生汝等
得解脱衆商人聞
薩稱其名故即得
薩摩訶薩威神之
若有衆生多於婬
便得離欲若多瞋
得離瞋若多愚癡
離癡无盡意觀世音
多所饒益是故衆生常□人談
欲求男礼拜供養觀世音菩薩□□福德智
慧之男設欲求女便生端正有相之女宿殖
德本衆人愛敬无盡意觀世音菩薩有如是
有若有衆生恭敬礼拜觀世音菩薩福不唐
捐是故衆生皆應受持觀世音菩薩名号无
盡意若有人受持六十二億恒河沙菩薩名
字復盡形供養飲食衣服卧具醫藥於汝
意云何是善男子善女人功德多不无盡意
言甚多世尊佛言若復有人受持觀世音菩
薩名号乃至一時礼拜供養是二人福正等无
異於百千万億劫不可窮盡无盡意受持觀

BD02418 號　觀世音經　（5–1）

字復盡形供養飲食衣服卧具醫藥於汝
意云何是善男子善女人功德多不无盡意
言甚多世尊佛言若復有人受持觀世音菩
薩名号乃至一時礼拜供養是二人福正等无
異於百千万億劫不可窮盡无盡意受持觀
世音菩薩名号得如是无量无邊福德之利
无盡意菩薩白佛言世尊觀世音菩薩云何
遊此娑婆世界云何而爲衆生說法方便之
力其事云何佛告无盡意菩薩善男子若有
國土衆生應以佛身得度者觀世音菩薩即
現佛身而爲說法應以辟支佛身得度者即
現辟支佛身而爲說法應以聲聞身得度者
即現聲聞身而爲說法應以梵王身得度者
即現梵王身而爲說法應以帝釋身得度者
即現帝釋身而爲說法應以自在天身得者
者即現自在天身而爲說法應以大自在天
身得度者即現大自在天身而爲說法應以
天大將軍身得度者即現天大將軍身而爲
說法應以毗沙門身得度者即現毗沙門身
而爲說法應以小王身得度者即現小王身而
爲說法應以長者身得度者即現長者身而
爲說法應以居士身得度者即現居士身而
爲說法應以宰官身得度者即現宰官身而
爲說法應以婆羅門身得度者即現婆羅門
身而爲說法應以比丘比丘尼優婆塞優婆
夷身得度者即現比丘比丘尼優婆塞優婆

BD02418 號　觀世音經　（5–2）

爲說法應以宰官身得度者即現宰官身而
爲說法應以婆羅門身得度者即現婆羅門
身而爲說法應以比丘比丘尼優婆塞優婆
夷身得度者即現比丘比丘尼優婆塞優婆
夷身而爲說法應以長者居士宰官婆羅門
婦女身得度者即現婦女身而爲說法應以
童男童女身得度者即現童男童女身而
爲說法應以天龍夜叉乾闥婆阿脩羅迦樓羅
緊那羅摩睺羅伽人非人等身得度者即皆
現之而爲說法應以執金剛神得度者即現
金剛神而爲說法无盡意是觀世音菩薩成
就如是功德以種種形遊諸國土度脫衆生
是故汝等應當一心供養觀世音菩薩是觀
世音菩薩摩訶薩於怖畏急難之中能施
无畏是故此娑婆世界皆号之爲施无畏者
尒時无盡意菩薩白佛言世尊我今當供養
觀世音菩薩即解頸衆寶珠瓔珞價直百千
兩金而以與之作是言仁者受此法施珎寶
瓔珞時觀世音菩薩不肯受之无盡意復
白觀世音菩薩言仁者愍我等故受此瓔珞尒
時佛告觀世音菩薩當愍此无盡意菩薩及
諸四衆天龍夜叉乾闥婆阿脩羅迦樓羅緊
那羅摩睺羅伽人非人等故受是瓔珞即時
觀世音菩薩愍諸四衆及於天龍人非人等
受其瓔珞分作二分一分奉釋迦牟尼佛一分
奉多寶佛塔无盡意觀世音菩薩有如是
自在神力遊於娑婆世界尒時无盡意菩薩

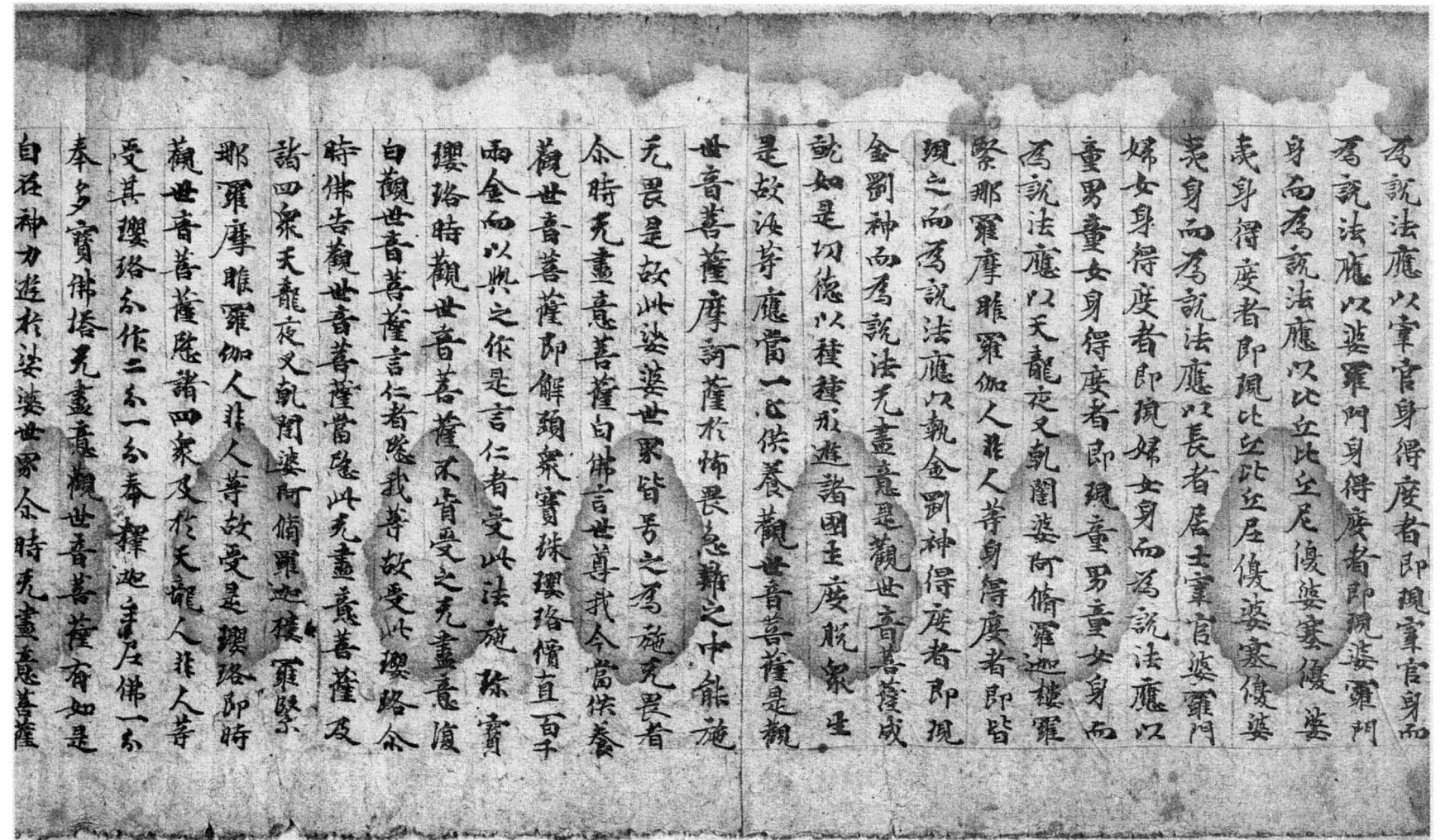

BD02418號　觀世音經　（5–3）

諸四衆天龍夜叉乾闥婆阿脩羅迦樓羅緊
那羅摩睺羅伽人非人等故受是瓔珞即時
觀世音菩薩愍諸四衆及於天龍人非人等
受其瓔珞分作二分一分奉釋迦牟尼佛一分
奉多寶佛塔无盡意觀世音菩薩有如是
自在神力遊於娑婆世界尒時无盡意菩薩
以偈問曰
世尊妙相具　我今重問彼　佛子何因緣　名爲觀世音
具足妙相尊　偈荅无盡意　汝聽觀音行　善應諸方所
弘誓深如海　歷劫不思議　侍多千億佛　發大清淨願
我爲汝略說　聞名及見身　心念不空過　能滅諸有苦
假使興害意　推落大火坑　念彼觀音力　火坑變成池
或漂流巨海　龍魚諸鬼難　念彼觀音力　波浪不能沒
或在須弥峯　爲人所推墮　念彼觀音力　如日虛空住
或被惡人逐　墮落金剛山　念彼觀音力　不能損一毛
或值怨賊繞　各執刀加害　念彼觀音力　咸即起慈心
或遭王難苦　臨刑欲壽終　念彼觀音力　刀尋段段壞
或囚禁枷鎖　手足被杻械　念彼觀音力　釋然得解脫
呪詛諸毒藥　所欲害身者　念彼觀音力　還著於本人
或遇惡羅刹　毒龍諸鬼等　念彼觀音力　時悉不敢害
若惡獸圍遶　利牙爪可怖　念彼觀音力　疾走无邊方
蚖蛇及蝮蠍　氣毒煙火然　念彼觀音力　尋聲自迴去
雲雷鼓掣電　降雹澍大雨　念彼觀音力　應時得消散
衆生被困厄　无量苦逼身　觀音妙智力　能救世間苦
具足神通力　廣修智方便　十方諸國土　无刹不現身
種種諸惡趣　地獄鬼畜生　生老病死苦　以漸悉令滅
真觀清淨觀　廣大智慧觀　悲觀及慈觀　常願常瞻仰

BD02418號　觀世音經　（5–4）

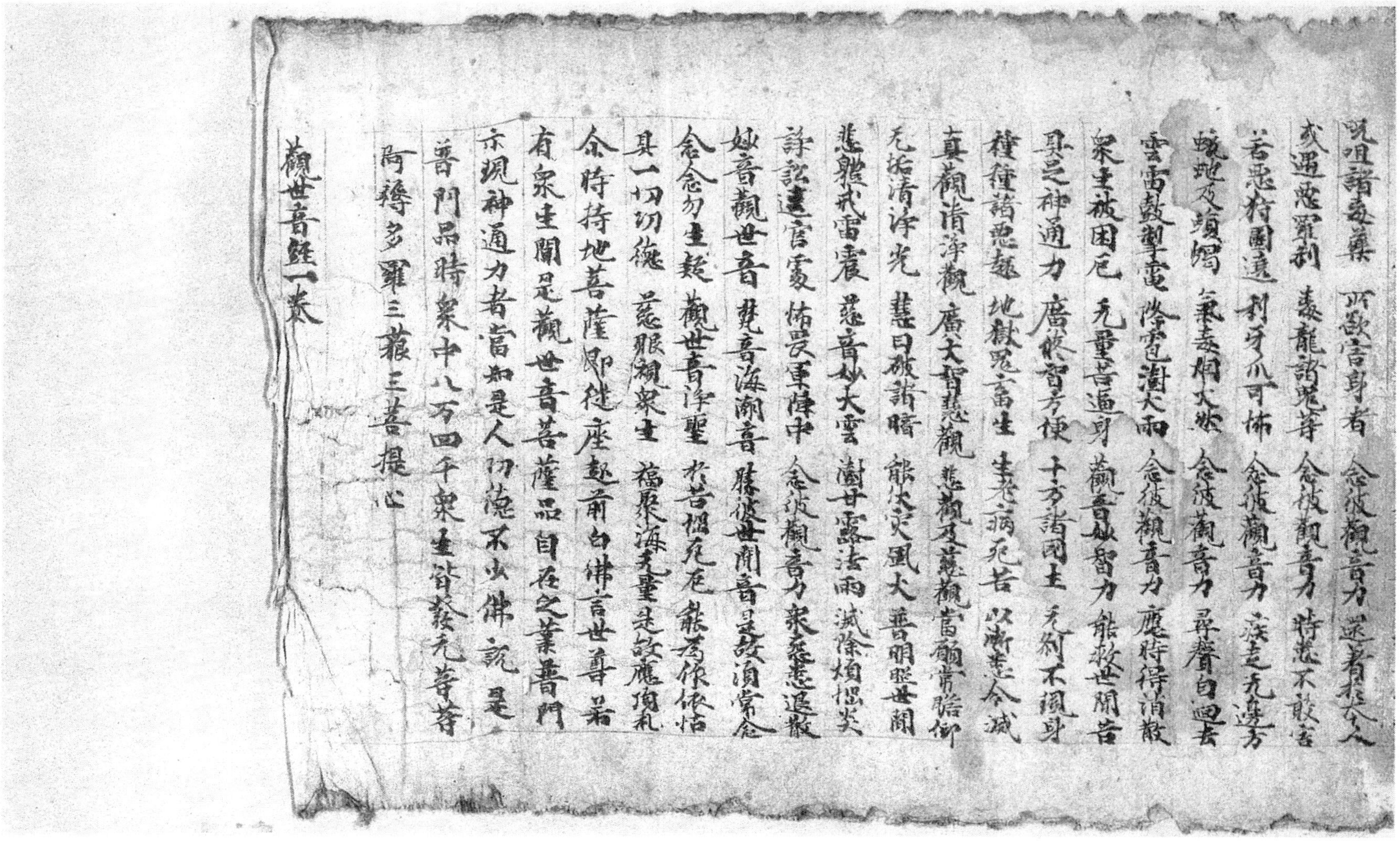
呪咀諸毒藥 所欲害身者 念彼觀音力 還着於本人
或遇惡羅剎 毒龍諸鬼等 念彼觀音力 時悉不敢害
若惡獸圍遶 利牙爪可怖 念彼觀音力 疾走无邊方
蚖蛇及蝮蠍 氣毒煙火然 念彼觀音力 尋聲自迴去
雲雷鼓掣電 降雹澍大雨 念彼觀音力 應時得消散
衆生被困厄 无量苦逼身 觀音妙智力 能救世間苦
具足神通力 廣修智方便 十方諸國土 无剎不現身
種種諸惡趣 地獄鬼畜生 生老病死苦 以漸悉令滅
真觀清淨觀 廣大智慧觀 悲觀及慈觀 常願常瞻仰
无垢清淨光 慧日破諸闇 能伏災風火 普明照世間
悲體戒雷震 慈意妙大雲 澍甘露法雨 滅除煩惱炎
諍訟經官處 怖畏軍陣中 念彼觀音力 衆怨悉退散
妙音觀世音 梵音海潮音 勝彼世間音 是故須常念
念念勿生疑 觀世音淨聖 於苦惱死厄 能為作依怙
具一切功德 慈眼視衆生 福聚海无量 是故應頂禮
爾時持地菩薩即從座起前白佛言世尊若
有衆生聞是觀世音菩薩品自在之業普門
示現神通力者當知是人功德不少佛說是
普門品時衆中八万四千衆生皆發无等等
阿耨多羅三藐三菩提心
觀世音經一卷

BD02418 號　觀世音經　　　　　　　　　　（5–5）

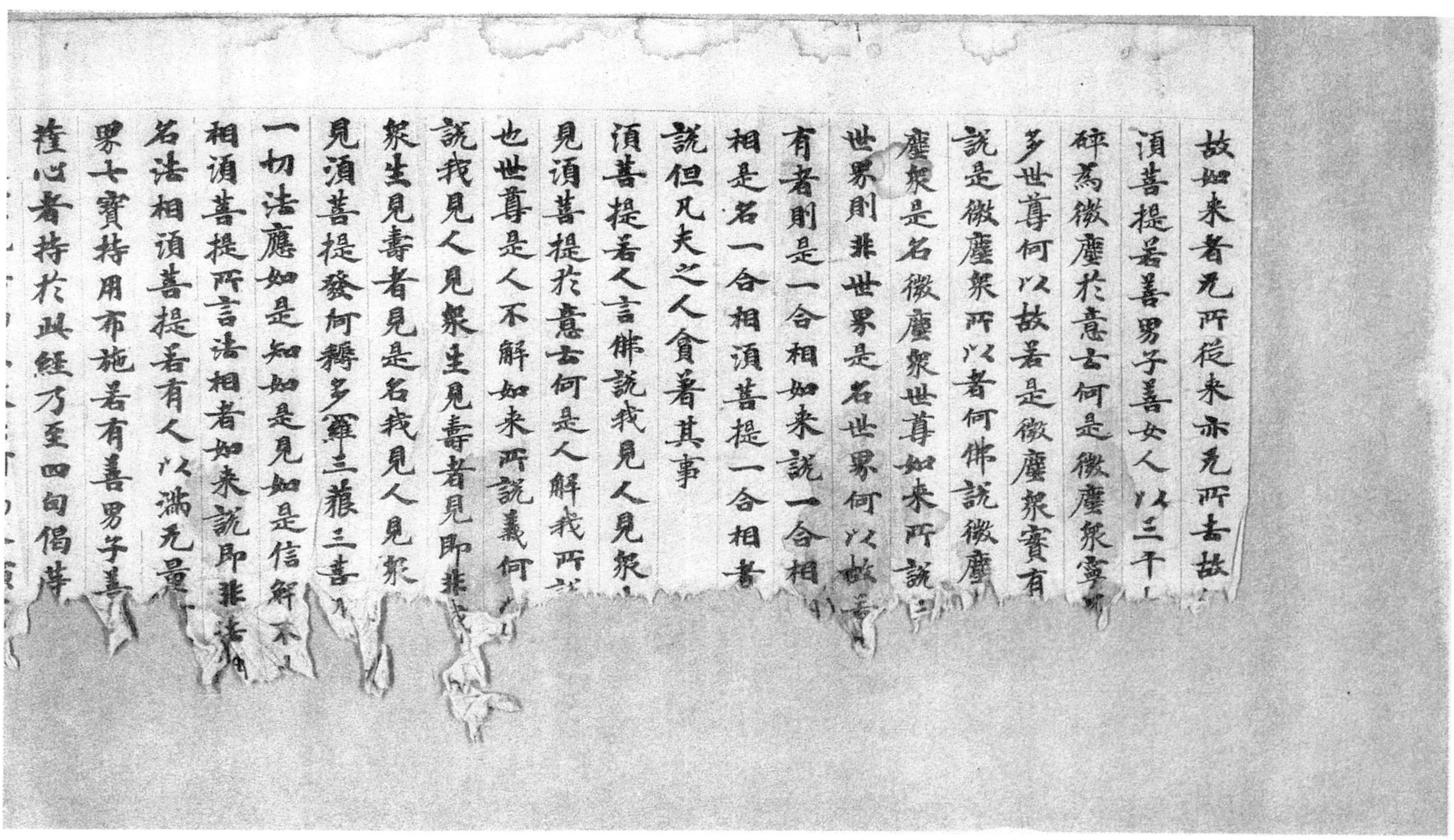
故如來者无所從來亦无所去故…
須菩提若善男子善女人以三千…
碎為微塵於意云何是微塵衆寧…
多世尊何以故若是微塵衆實有
說是微塵衆所以者何佛說微塵
塵衆是名微塵衆世尊如來所說三…
世界則非世界是名世界何以故若…
有者則是一合相如來說一合相
相是名一合相須菩提一合相者
說但凡夫之人貪著其事
須菩提若人言佛說我見人見衆…
見須菩提於意云何是人解我所說…
也世尊是人不解如來所說義何…
說我見人見衆生見壽者見即非我…
衆生見壽者見是名我見人見衆…
見須菩提發阿耨多羅三藐三菩…
一切法應如是知如是見如是信解不…
相須菩提所言法相者如來說即非法…
名法相須菩提若有人以滿无量…
界七寶持用布施若有善男子善…
薩心者持於此經乃至四句偈等

BD02419 號　金剛般若波羅蜜經　　　　　　　　　　（2–1）

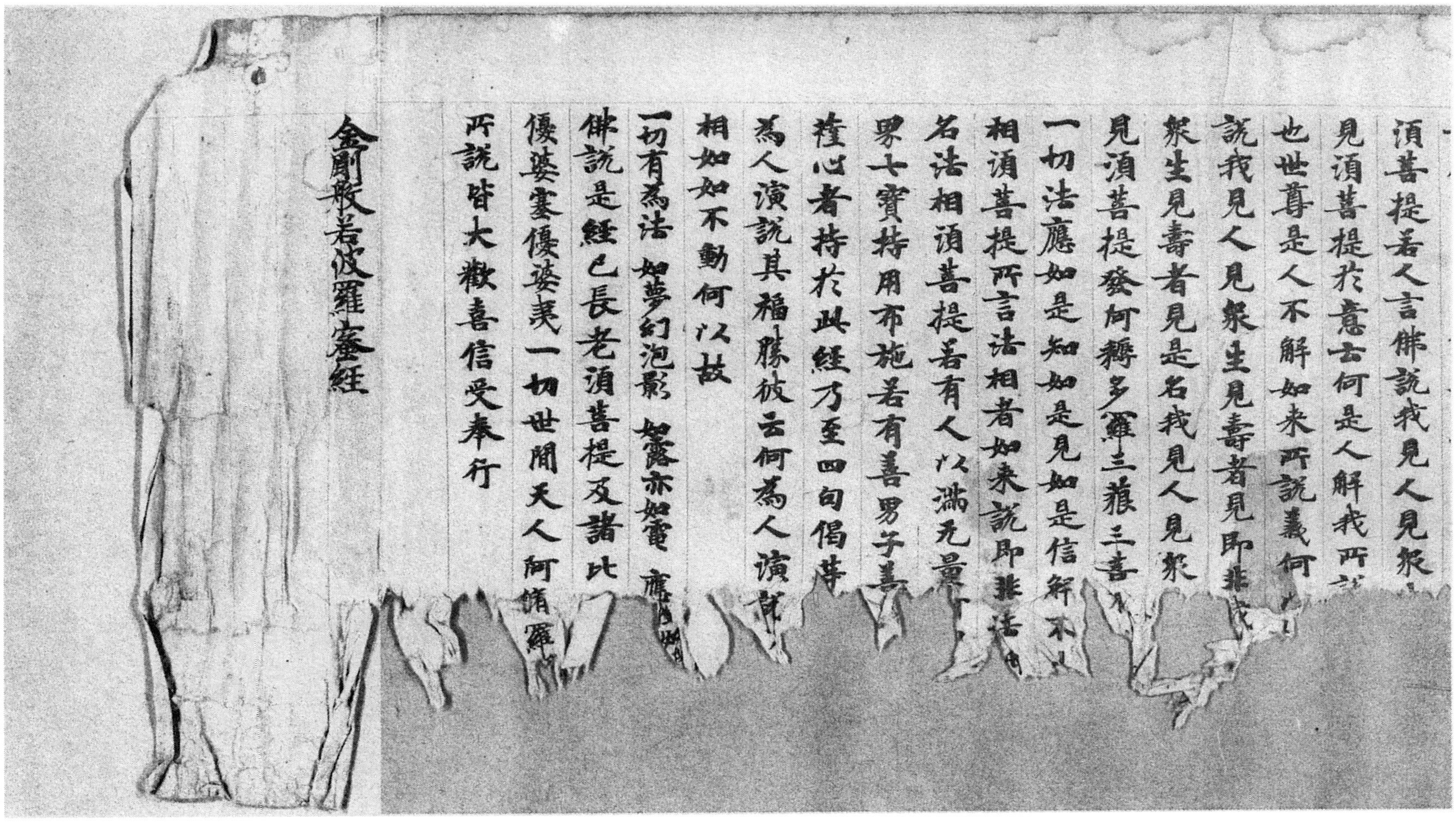

須菩提若人言佛說我見人見衆[生]
見須菩提於意云何是人解我所說
也世尊是人不解如來所說義何[以]
說我見人見衆生見壽者見即非我
衆生見壽者見是名我見人見衆
見須菩提發阿耨多羅三藐三菩
一切法應如是知如是見如是信解不
相須菩提所言法相者如来說即非法
名法相須菩提若有人以滿无量
界七寶持用布施若有善男子善
薩心者持於此經乃至四句偈等
為人演說其福勝彼云何為人演說
相如如不動何以故
一切有為法 如夢幻泡影 如露亦如電 應作如
佛說是經已長老須菩提及諸比
優婆塞優婆夷一切世間天人阿脩羅
所說皆大歡喜信受奉行
金剛般若波羅蜜經

BD02419號　金剛般若波羅蜜經　（2–2）

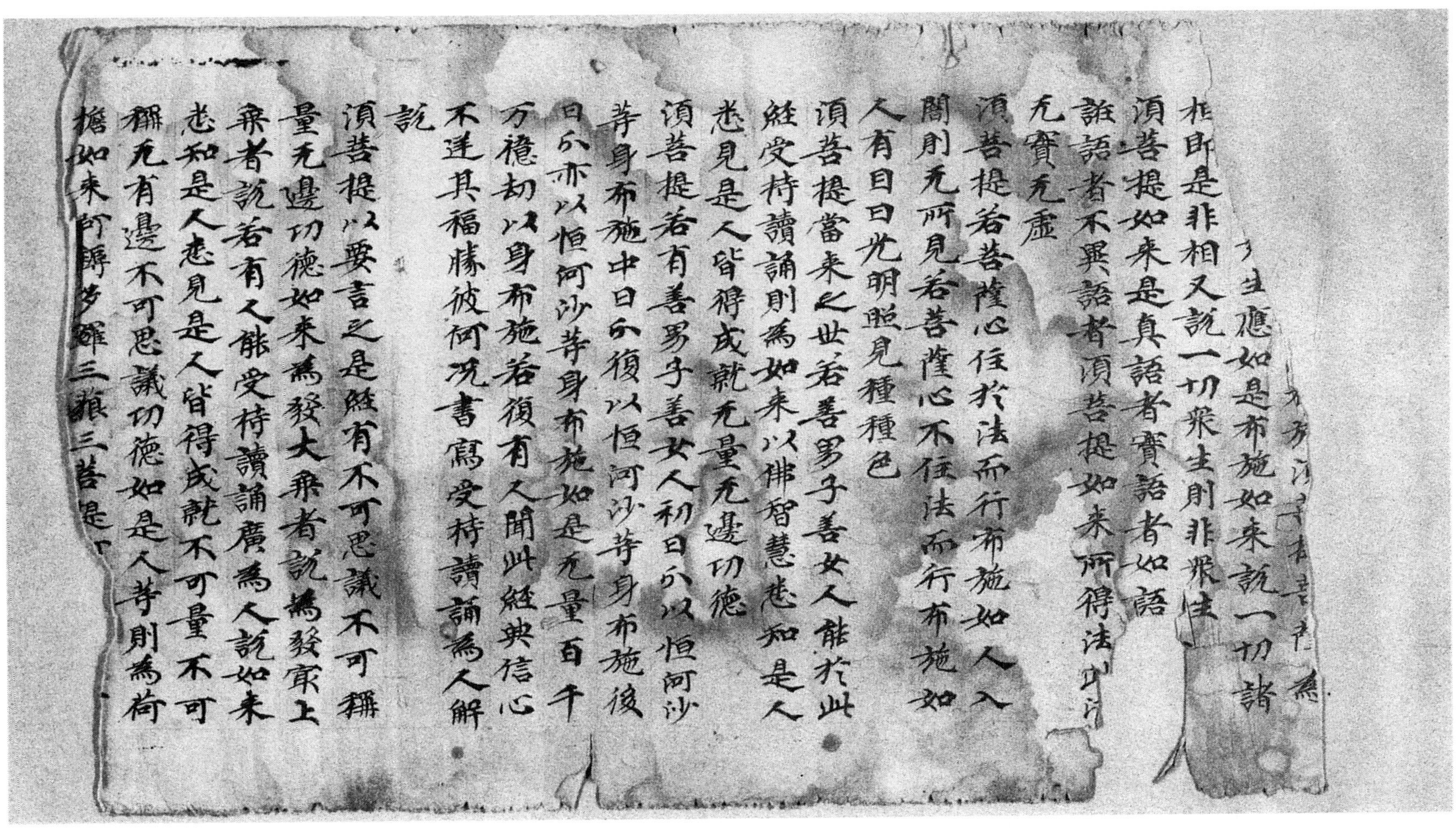

……為
生應如是布施如来說一切諸
相即是非相又說一切衆生則非衆生
須菩提如来是真語者實語者如語
誑語者不異語者須菩提如来所得法此法
无實无虛
須菩提若菩薩心住於法而行布施如人入
闇則无所見若菩薩心不住法而行布施如
人有目日光明照見種種色
須菩提當来之世若善男子善女人能於此
經受持讀誦則為如来以佛智慧悉知是人
悉見是人皆得成就无量无邊功德
須菩提若有善男子善女人初日分以恒河沙
等身布施中日分復以恒河沙等身布施後
日分亦以恒河沙等身布施如是无量百千
万億劫以身布施若復有人聞此經典信心
不逆其福勝彼何况書寫受持讀誦為人解
說
須菩提以要言之是經有不可思議不可稱
量无邊功德如来為發大乘者說為發最上
乘者說若有人能受持讀誦廣為人說如来
悉知是人悉見是人皆得成就不可量不可
稱无有邊不可思議功德如是人等則為荷
擔如来阿耨多羅三藐三菩提

BD02420號　金剛般若波羅蜜經　（1–1）

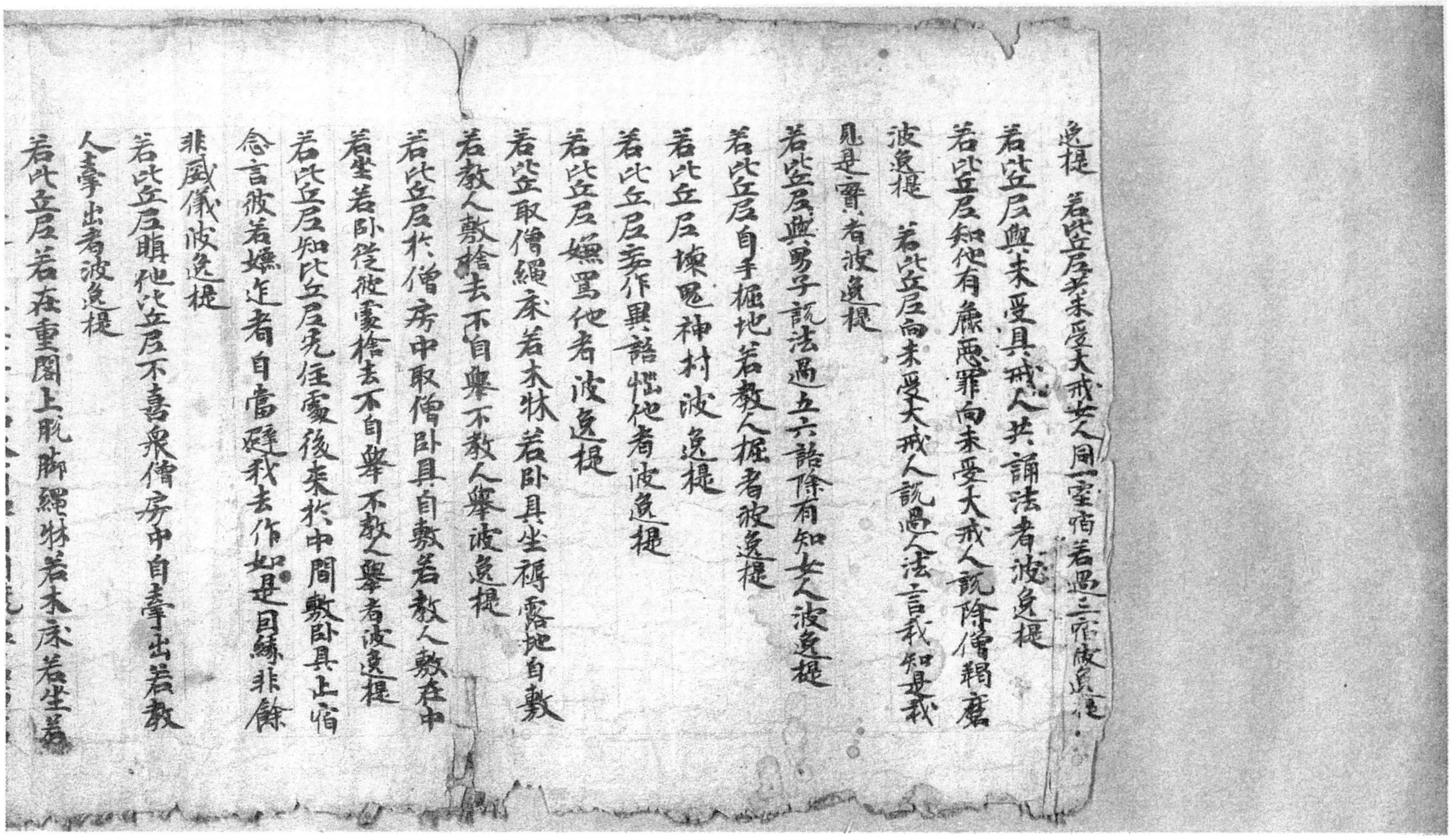

逸提　若比丘尼共未受大戒女人同一室宿若過三宿波逸提
若比丘尼與未受具戒人共誦法者波逸提
若比丘尼知他有麁惡罪向未受大戒人說除僧羯磨
波逸提　若比丘尼向未受大戒人說過人法言我知是我
見是實者波逸提
若比丘尼與男子說法過五六語除有知女人波逸提
若比丘尼自手掘地若教人掘者波逸提
若比丘尼壞鬼神村波逸提
若比丘尼妄作異語惱他者波逸提
若比丘尼嫌罵他者波逸提
若比丘尼取僧繩床若木床若臥具坐褥露地自敷
若教人敷捨去不自舉不教人舉波逸提
若比丘尼於僧房中取僧臥具自敷若教人敷在中
若坐若臥從彼處捨去不自舉不教人舉者波逸提
若比丘尼知比丘尼先住處後來於中間敷臥具止宿
念言彼若嫌迮者自當避我去作如是因緣非餘
非威儀波逸提
若比丘尼瞋他比丘尼不喜眾僧房中自牽出若教
人牽出者波逸提
若比丘尼若在重閣上脫腳繩床若木床若坐若

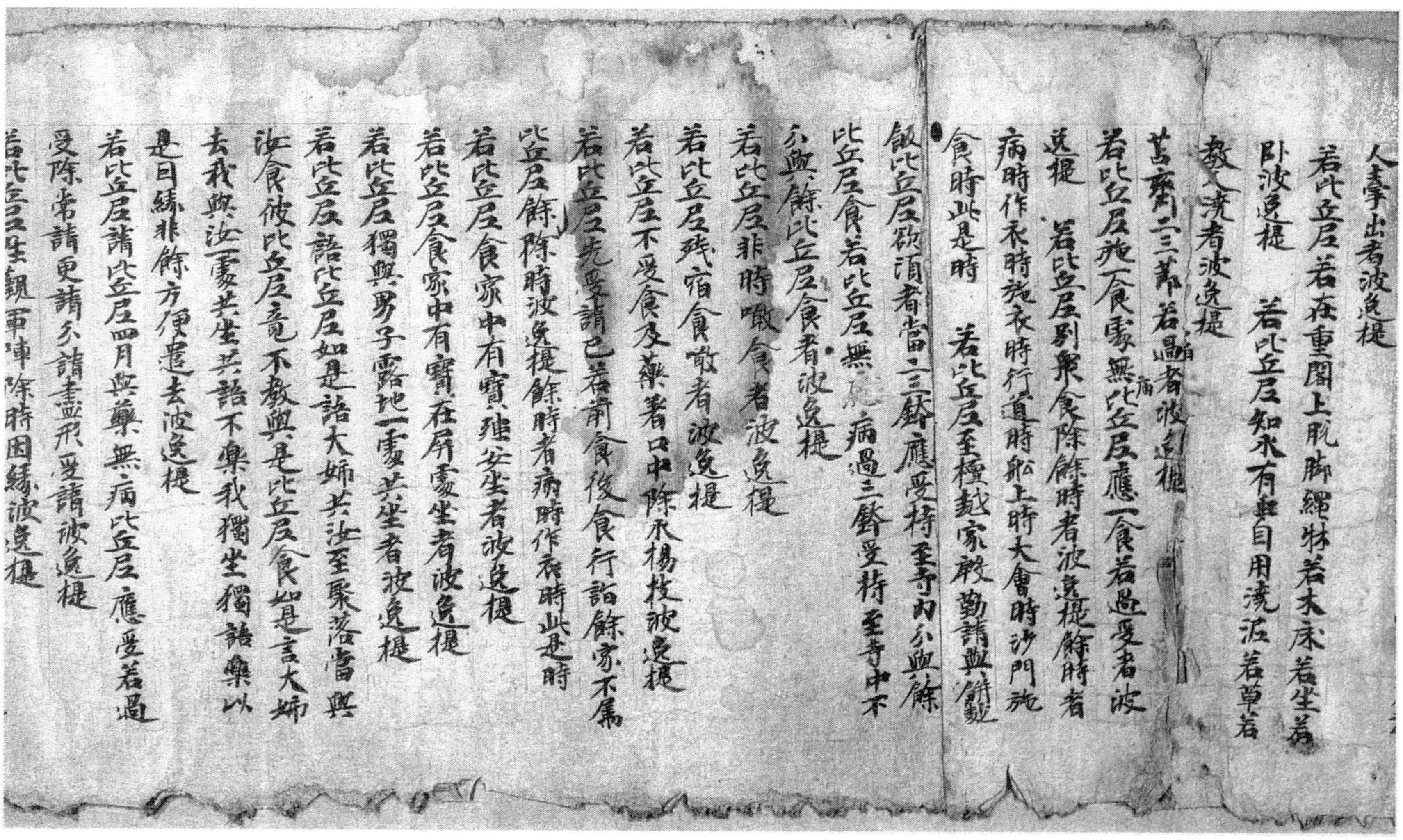

人牽出者波逸提
若比丘尼若在重閣上脫腳繩床若木床若坐若
臥波逸提　若比丘尼知水有蟲自用澆泥若草若
教人澆者波逸提
苫覆齊二三節若過者波逸提
若比丘尼施一食處無病比丘尼應一食若過受者波
逸提　若比丘尼別眾食除餘時者波逸提餘時者
病時作衣時施衣時行道時船上時大會時沙門施
食時此是時　若比丘尼至檀越家殷勤請與餅麨
飯比丘尼欲須者當二三鉢應受持至寺內分與餘
比丘尼食若比丘尼無病過三鉢受持至寺中不
分與餘比丘尼食者波逸提
若比丘尼非時噉食者波逸提
若比丘尼殘宿食噉者波逸提
若比丘尼不受食及藥著口中除水楊枝波逸提
若比丘尼先受請已若前食後食行詣餘家不囑
比丘尼餘時波逸提餘時者病時作衣時此是時
若比丘尼食家中有寶強安坐者波逸提
若比丘尼食家中有寶在屏處坐者波逸提
若比丘尼獨與男子露地一處共坐者波逸提
若比丘尼語比丘尼如是語大姊共汝至聚落當與
汝食彼比丘尼竟不教與是比丘尼食如是言大姊
去我與汝一處共坐共語不樂我獨坐獨語樂以
是因緣非餘方便遣去波逸提
若比丘尼請比丘尼四月與藥無病比丘尼應受若過
受除常請更請分請盡形受請波逸提
若比丘尼往觀軍陣除時因緣波逸提

去我與汝憙共坐共語不樂我獨坐獨語樂以
是因緣非餘方便遣去波逸提
若比丘尼請比丘尼四月與藥無病比丘尼應受若過
受除常請更請分請盡形受請波逸提
若比丘尼往觀軍陣除時因緣波逸提
若比丘尼有因緣至軍中若二宿若三宿過者波逸提
若比丘尼軍中住若二宿三宿或時觀軍陣鬪戰若
觀遊軍象馬勢力波逸提
若比丘尼飲酒者波逸提
若比丘尼水中戲者波逸提
若比丘尼以指相擊攊者波逸提
若比丘尼不受諫者波逸提
若比丘尼恐怖他比丘尼者波逸提
若比丘尼半月洗浴無病比丘尼應受若過受除
餘時波逸提餘時者熱時病時作時風雨時遠
行來時此是時　若比丘尼無病為炙身故露
地然火若教人然除時波逸提
若比丘尼藏他比丘尼若鉢若衣若坐具針筒自
藏教人藏下至戲笑者波逸提
若比丘尼淨施比丘尼比丘式叉摩那沙彌沙彌尼衣
後不問主取著者波逸提
若比丘尼得新衣當作三種染壞色青黑木蘭若
比丘尼得衣不作三種染壞色青黑木蘭新衣持者
波逸提　若比丘尼故斷畜生命者波逸提
若比丘尼知水有蟲飲者波逸提
若比丘尼故惱他比丘尼乃至少時不樂波逸提
若比丘尼知比丘尼有麁惡罪覆藏者波逸提

BD02421 號　四分比丘尼戒本　（6–3）

比丘尼得衣不作三種染壞色青黑木蘭新衣持者
波逸提　若比丘尼故斷畜生命者波逸提
若比丘尼知水有蟲飲者波逸提
若比丘尼故惱他比丘尼乃至少時不樂波逸提
若比丘尼知比丘尼有麁惡罪覆藏者波逸提
若比丘尼知諍事如法懺悔已後更發舉者波逸提
若比丘尼知是賊伴共期一道行乃至一聚落波逸提
若比丘尼作如是語我知佛所說法行婬欲非是障道
法彼比丘尼諫此比丘尼言大姊莫作是語莫謗世尊
謗世尊者不善世尊不作是語世尊無數方便說
婬欲是障道法婬者是障道法彼
比丘尼諫此比丘尼時堅持不捨彼比丘尼乃至三諫令
捨是事乃至三諫時捨者善不捨者波逸提
若比丘尼知如是語人未作法如是邪見而不捨若畜
同一羯磨同一止宿波逸提
若比丘尼知沙彌尼作如是語我知佛所說法行婬欲
非障道法彼比丘尼諫此沙彌尼言汝莫作是語
莫誹謗世尊誹謗世尊不善世尊不作是語沙
彌尼世尊無數方便說婬欲是障道法犯婬欲者
障道法彼比丘尼諫此沙彌尼時堅持不捨彼比丘尼應乃
至三呵諫捨此事故乃至三諫時若捨者善不捨者彼
比丘尼應語是沙彌尼言汝自今已去非佛弟子不得
隨餘比丘尼行如諸沙彌得與比丘尼二三宿汝今無是
事汝去滅去不須住此若比丘尼知是被擯沙彌尼若畜共
同止宿者波逸提
若比丘尼如法諫時作如是語我今不學是戒乃至問
有智慧持律者當難問波逸提若為求解應當

BD02421 號　四分比丘尼戒本　（6–4）

障道法彼比丘諫此沙弥尼時堅持不捨彼比丘尼應乃
至三呵諫捨此事故乃至三諫時若捨者善不捨者彼
比丘尼應語是沙弥尼言汝自今已去非佛弟子不得
隨餘比丘尼行如諸沙弥尼得與比丘尼二三宿汝今無是
事汝去不須住此若比丘尼知是被擯沙弥尼若畜共
同止宿者波逸提
若比丘尼如法諫時作如是語我今不學是戒乃至問
有智慧持律者當難問波逸提若為求解應當
難問　若比丘尼說戒時作如是語大姊用是雜碎戒
為說是戒時令人惱愧懷疑輕呵戒故波逸提
若比丘尼說戒時作如是語大姊我今始知是戒半月半月
說戒經中來餘比丘尼知是比丘尼若二若三說戒
中坐何況多彼比丘尼無知無解若犯罪應如法治重更
增無知法大姊汝無利不善汝說戒時不用心念不
一心兩耳聽法彼無知故波逸提
若比丘尼共同羯磨已後作如是說諸比丘尼隨親厚以眾
僧物與者波逸提
若比丘尼僧斷事時不與欲而起去者波逸提
若比丘尼與欲竟後更呵者波逸提
若比丘尼共比丘尼鬪諍後聽此語已欲向彼說者波逸提
若比丘尼瞋恚故不喜打彼比丘尼者波逸提
若比丘尼瞋恚故不喜以手摶比丘尼者波逸提
若比丘尼瞋恚故不喜以無根僧伽婆尸沙謗者波逸提
若比丘尼剎利水澆頭王王未出未藏寶若入宮過門
閫者波逸提
若比丘尼若寶及寶莊飾具自捉若教人捉除僧
伽藍中及寄宿處波逸提若僧伽藍中若寄宿處

BD02421號　四分比丘尼戒本　（6–5）

若比丘尼說戒時作如是語大姊我今始知是戒半月半月
說戒經中來餘比丘尼知是比丘尼若二若三說戒
中坐何況多彼比丘尼無知無解若犯罪應如法治重更
增無知法大姊汝無利不善汝說戒時不用心念不
一心兩耳聽法彼無知故波逸提
若比丘尼共同羯磨已後作如是說諸比丘尼隨親厚以眾
僧物與者波逸提
若比丘尼僧斷事時不與欲而起去者波逸提
若比丘尼與欲竟後更呵者波逸提
若比丘尼共比丘尼鬪諍後聽此語已欲向彼說者波逸提
若比丘尼瞋恚故不喜打彼比丘尼者波逸提
若比丘尼瞋恚故不喜以手摶比丘尼者波逸提
若比丘尼瞋恚故不喜以無根僧伽婆尸沙謗者波逸提
若比丘尼剎利水澆頭王王未出未藏寶若入宮過門
閫者波逸提
若比丘尼若寶及寶莊飾具自捉若教人捉除僧
伽藍中及寄宿處波逸提若僧伽藍中若寄宿處
若寶若以寶莊飾具自捉若教人捉若識者當
取如是因緣非餘
若比丘尼非時入聚落不囑比丘尼者波逸提

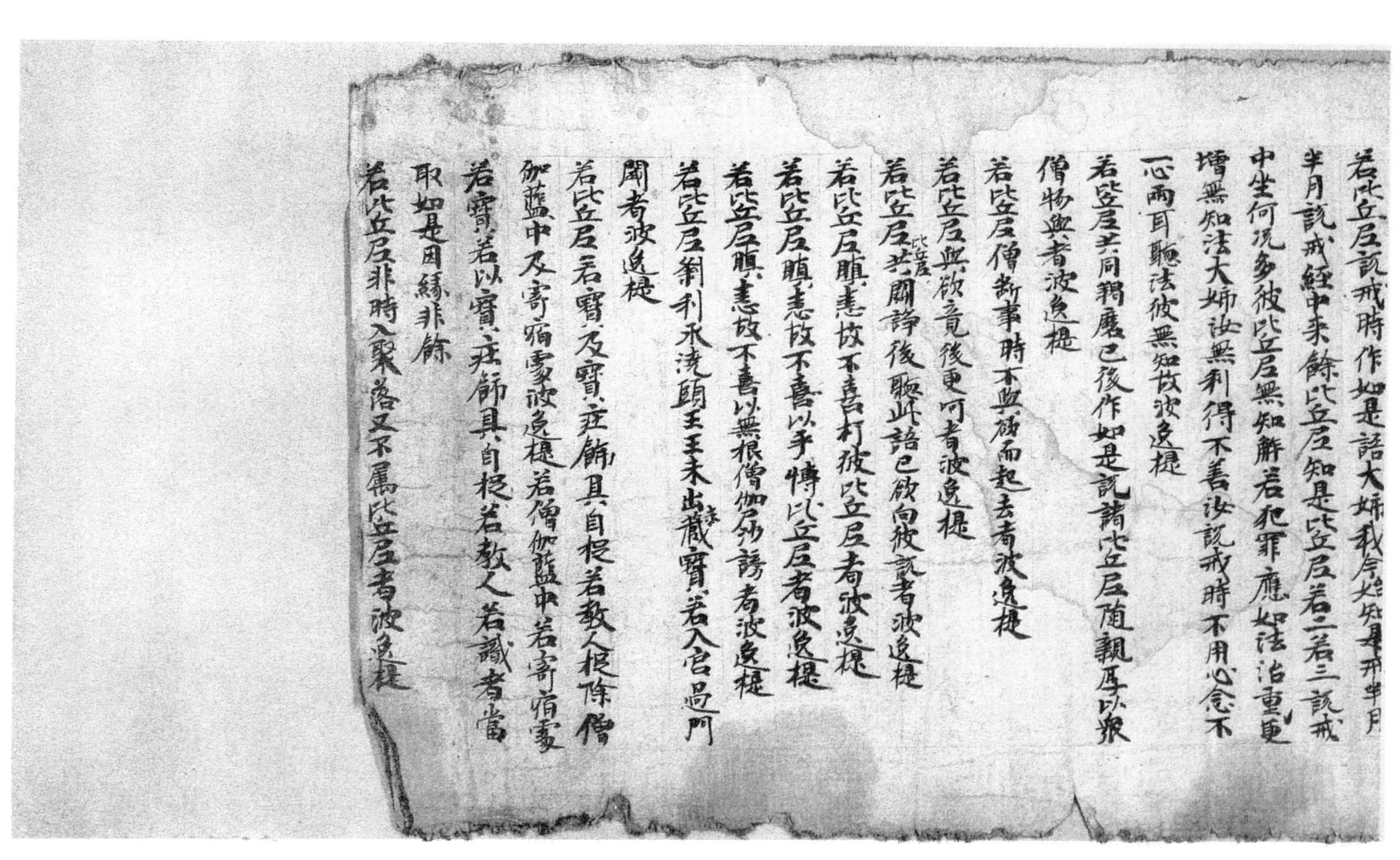

BD02421號　四分比丘尼戒本　（6–6）

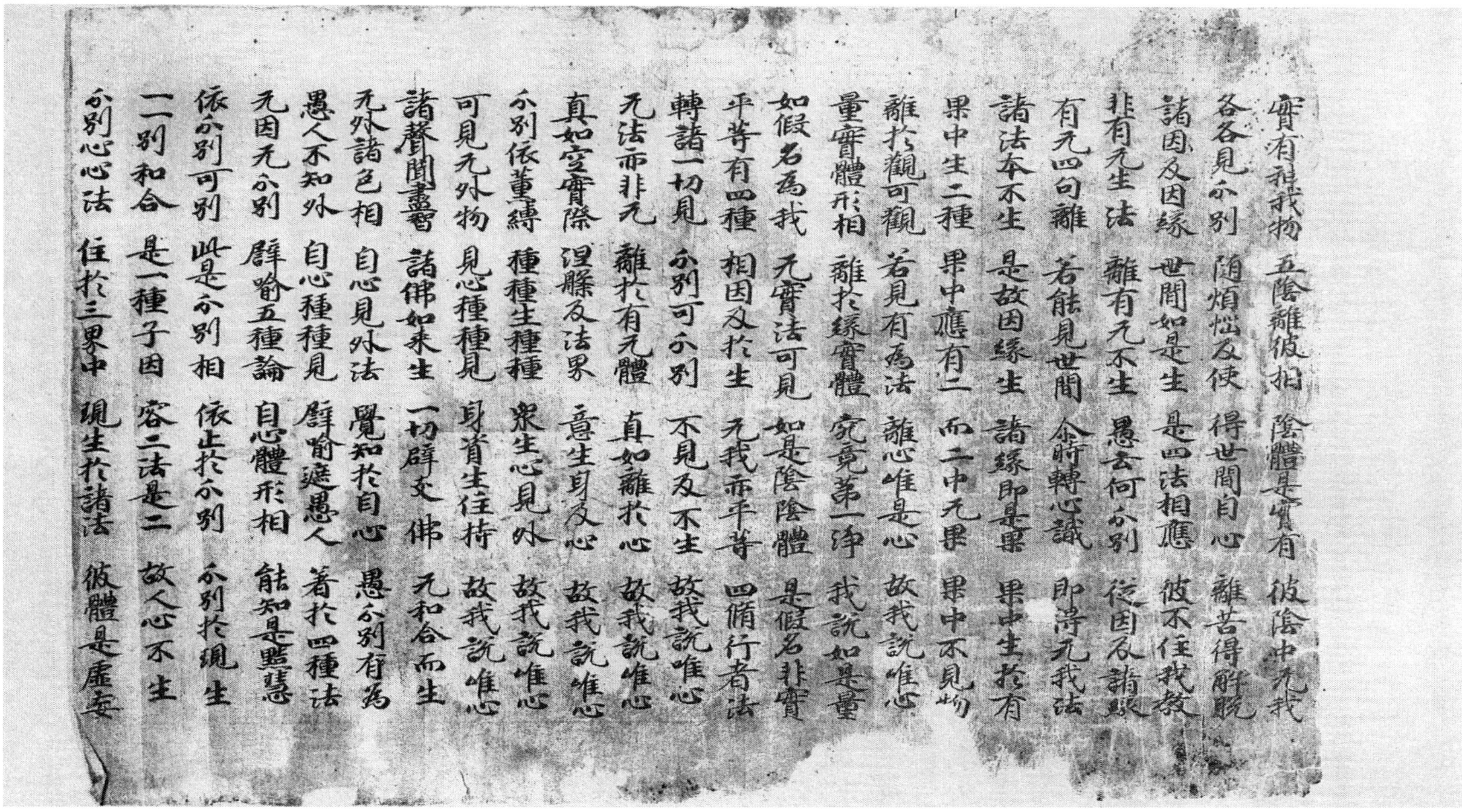

實有衆我物　五陰離彼相　陰體是實有　彼陰中无我
各各見分別　隨煩惱及使　得世間自心　離苦得解脫
諸因及因緣　世間如是生　是四法相應　彼不住我教
非有无生法　離有无不生　愚云何分別　從因及諸緣
有无四句離　若能見世間　爾時轉心識　即得无我法
諸法本不生　是故因緣生　諸緣即是果　果中生於有
果中生二種　果中應有二　而二中无果　果中不見物
離於觀可觀　若見有為法　離心唯是心　故我說唯心
量實體形相　離於緣實體　究竟第一淨　我說如是量
如假名為我　无實法可見　如是陰陰體　是假名非實
平等有四種　相因及於生　无我亦平等　四脩行者法
轉諸一切見　分別可分別　不見及不生　故我說唯心
无法而非无　離於有无體　真如離於心　故我說唯心
真如空實際　涅槃及法界　意生身及心　故我說唯心
分別依薰縛　種種生種種　衆生心見外　故我說唯心
可見无外物　見心種種見　身資生住持　故我說唯心
諸聲聞盡習　諸佛如來生　一切辟支佛　无和合而生
无外諸色相　自心見外法　覺知於自心　愚分別有為
愚人不知外　自心種種見　辟喻遮愚人　著於四種法
无因无分別　辟喻五種論　自心體形相　能知是黠慧
依分別可別　此是分別相　依止於分別　分別於現生
二別和合　是一種子因　容二法是二　故人心不生
分別心心法　住於三果中　現生於諸法　彼體是虛妄

BD02422 號　入楞伽經卷一〇　　（1–1）

妙法蓮華經序品第一
如是我聞一時佛住王舍城耆闍崛山中與大比丘衆萬二千人俱皆是阿羅漢
諸漏已盡无復煩惱逮得己利盡諸有結心得自在其名曰阿若憍陳如摩訶
迦葉優樓頻螺迦葉伽耶迦葉那提迦葉舍利弗大目揵連摩訶迦旃延
阿㝹樓馱劫賓那憍梵波提離波多畢陵伽婆蹉薄拘羅摩訶拘絺羅難
陀孫陀羅難陀富樓那弥多羅尼子須菩提阿難羅睺羅如是衆所知識
大阿羅漢等復有學无學二千人摩訶波闍波提比丘尼與眷屬六千人
俱羅睺羅母耶輸陀羅比丘尼亦與眷屬俱菩薩摩訶薩八萬人皆於阿
耨多羅三藐三菩提不退轉皆得陀羅尼樂說辯才轉不退轉法供養无量
百千諸佛於諸佛所殖衆德本常為諸佛之所稱歎以慈脩身善入佛慧通達
大智到於彼岸名稱普聞无量世界能度无數百千衆生其名曰文殊師
利菩薩觀世音菩薩得大勢菩薩常精進菩薩不休息菩薩寶掌菩
薩藥王菩薩勇施菩薩寶月菩薩月光菩薩滿月菩薩大力菩薩无量
力菩薩越三界菩薩跋陀婆羅菩薩弥勒菩薩寶積菩薩導師菩薩如
是等菩薩摩訶薩八萬人俱尒時釋提桓因與其眷屬二萬天子俱復有
名月天子普香天子寶光天子四大天王與其眷屬萬天子俱自在
天子大自在天子與其眷屬三萬天子俱娑婆世界主梵天王尸棄大梵
光明大梵等與其眷屬萬二千天子俱有八龍王難陀龍王跋難陀龍王
娑伽羅龍王和脩吉龍王德叉迦龍王阿那婆達多龍王摩那斯龍王優鉢
羅龍王等各與若干百千眷屬俱有四緊那羅王法緊那羅王妙法緊那羅
王大法緊那羅王持法緊那羅王各與若干百千眷屬俱有四乾闥婆王樂
乾闥婆王樂音乾闥婆王美乾闥婆王美音乾闥婆王各與若干百千
眷屬俱有四阿脩羅王婆稚阿脩羅王佉羅騫馱阿脩羅王毗摩質多
羅阿脩羅王羅睺阿脩羅王各與若干百千眷屬俱有四迦樓羅王大威德
迦樓羅王大身迦樓羅王大滿迦樓羅王如意迦樓羅王各與若干百千
眷屬俱韋提希子阿闍世王與若干百千眷屬各礼佛足退坐一面
尒時世尊四衆圍繞供養恭敬尊重讚歎為諸菩薩說大乘經名无量義教
菩薩法佛所護念佛說此經已結加趺坐入於无量義處三昧身心不動是
時天雨曼陀羅華摩訶曼陀羅華曼殊沙華摩訶曼殊沙華而散佛
上及諸大衆普佛世界六種震動尒時會中比丘比丘尼優婆塞優婆夷天

BD02423 號　妙法蓮華經卷一　　（2–1）

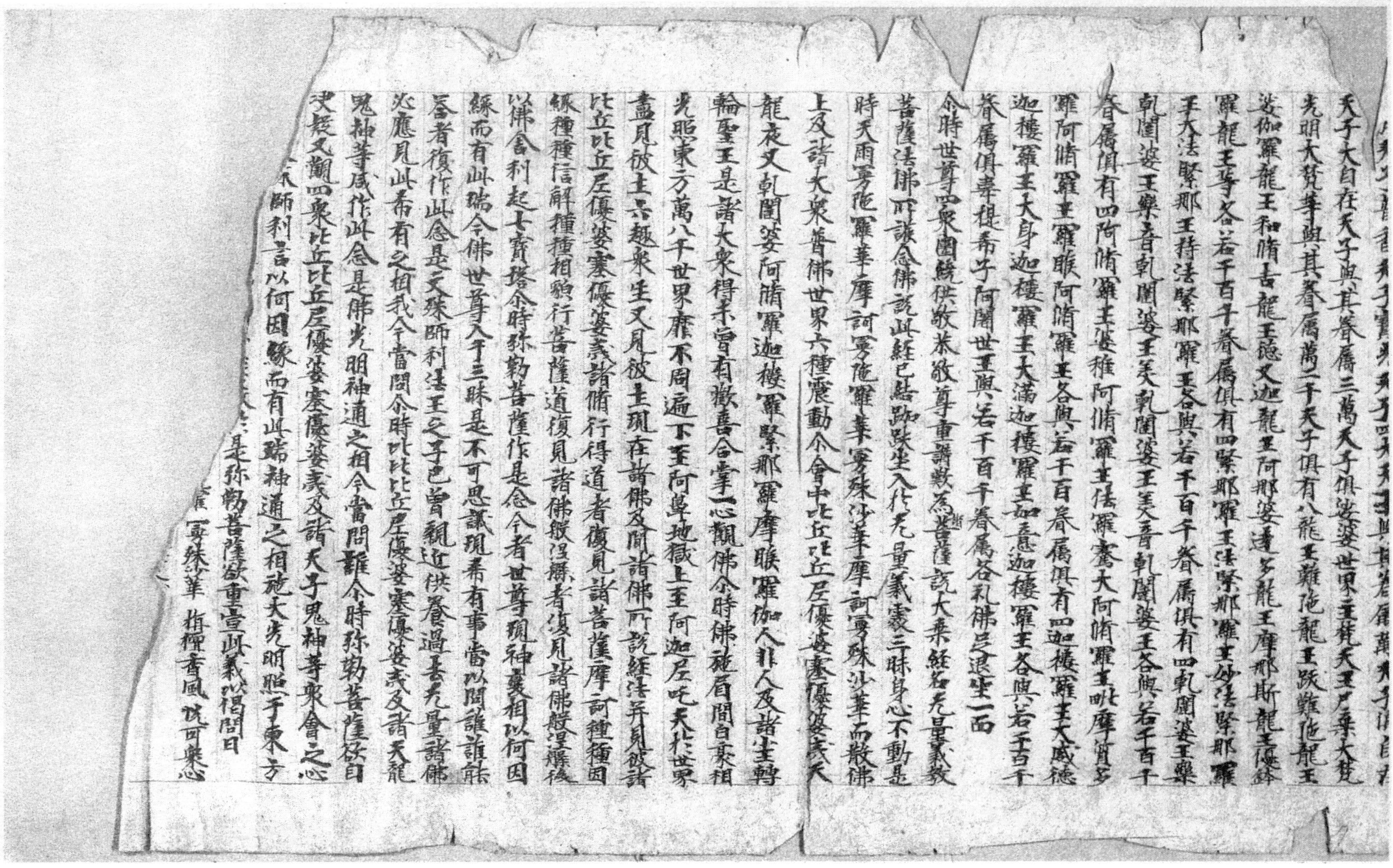
天子大自在天子與其眷屬三萬天子俱娑婆世界主梵天王尸棄大梵
光明大梵等與其眷屬萬二千天子俱有八龍王難陀龍王跋難陀龍王
娑伽羅龍王和脩吉龍王德叉迦龍王阿那婆達多龍王摩那斯龍王優鉢
羅龍王等各與若干百千眷屬俱有四緊那羅王法緊那羅王妙法緊那羅
王大法緊那羅王持法緊那羅王各與若干百千眷屬俱有四乾闥婆王樂
乾闥婆王樂音乾闥婆王美乾闥婆王美音乾闥婆王各與若干百千
眷屬俱有四阿脩羅王婆稚阿脩羅王佉羅騫駄阿脩羅王毗摩質多
羅阿脩羅王羅睺阿脩羅王各與若干百千眷屬俱有四迦樓羅王大威德
迦樓羅王大身迦樓羅王大滿迦樓羅王如意迦樓羅王各與若干百千
眷屬俱韋提希子阿闍世王與若干百千眷屬各礼佛足退坐一面
尒時世尊四衆圍繞供養恭敬尊重讚歎為諸菩薩說大乘經名无量義教
菩薩法佛所護念佛說此經已結加趺坐入於无量義處三昧身心不動是
時天雨曼陀羅華摩訶曼陀羅華曼殊沙華摩訶曼殊沙華而散佛
上及諸大衆普佛世界六種震動尒時會中比丘比丘尼優婆塞優婆夷天
龍夜叉乾闥婆阿脩羅迦樓羅緊那羅摩睺羅伽人非人及諸小王轉
輪聖王是諸大衆得未曾有歡喜合掌一心觀佛尒時佛放眉間白毫相
光照東方萬八千世界靡不周遍下至阿鼻地獄上至阿迦尼吒天於此世界
盡見彼土六趣衆生又見彼土現在諸佛及聞諸佛所說經法并見彼諸
比丘比丘尼優婆塞優婆夷諸修行得道者復見諸菩薩摩訶薩種種因
緣種種信解種種相貌行菩薩道復見諸佛般涅槃者復見諸佛般涅槃後
以佛舍利起七寶塔尒時彌勒菩薩作是念今者世尊現神變相以何因
緣而有此瑞今佛世尊入于三昧是不可思議現希有事當以問誰誰能
荅者復作此念是文殊師利法王之子已曾親近供養過去无量諸佛
必應見此希有之相我今當問尒時比丘比丘尼優婆塞優婆夷及諸天龍
鬼神等咸作此念是佛光明神通之相今當問誰尒時彌勒菩薩欲自
決疑又觀四衆比丘比丘尼優婆塞優婆夷及諸天子鬼神等衆會之心
殊師利言以何因緣而有此瑞神通之相放大光明照于東方
是彌勒菩薩欲重宣此義以偈問曰
曼殊沙華　栴檀香風　悅可衆心

BD02423 號　妙法蓮華經卷一　　（2–2）

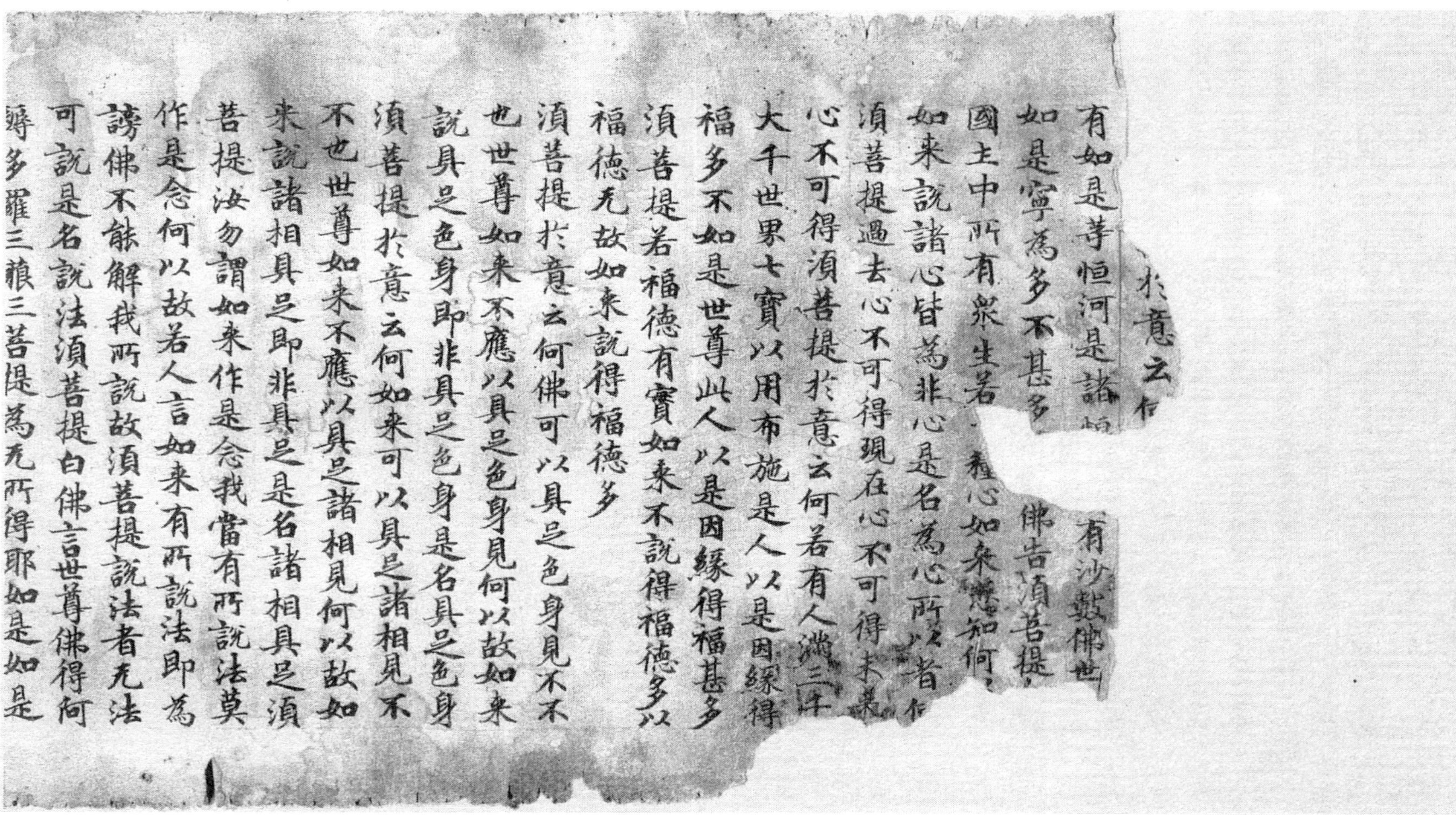
於意云何
有如是等恒河是諸　有沙數佛世
如是寧為多不甚多　佛告須菩提
國土中所有衆生若　種心如來悉知何
如來說諸心皆為非心是名為心所以者
須菩提過去心不可得現在心不可得未來
心不可得須菩提於意云何若有人滿三千
大千世界七寶以用布施是人以是因緣得
福多不如是世尊此人以是因緣得福甚多
須菩提若福德有實如來不說得福德多以
福德无故如來說得福德多
須菩提於意云何佛可以具足色身見不不
也世尊如來不應以具足色身見何以故如來
說具足色身即非具足色身是名具足色身
須菩提於意云何如來可以具足諸相見不
不也世尊如來不應以具足諸相見何以故如
來說諸相具足即非具足是名諸相具足須
菩提汝勿謂如來作是念我當有所說法莫
作是念何以故若人言如來有所說法即為
謗佛不能解我所說故須菩提說法者无法
可說是名說法須菩提白佛言世尊佛得阿
耨多羅三藐三菩提為无所得耶如是如是

BD02424 號　金剛般若波羅蜜經　　（4–1）

作是念何以故若人言如来有所說法即爲
謗佛不能解我所說故須菩提說法者无法
可說是名說法須菩提白佛言世尊佛得阿
耨多羅三藐三菩提爲无所得耶如是如是
須菩提我於阿耨多羅三藐三菩提乃至无
有少法可得是名阿耨多羅三藐三菩提復
次須菩提是法平等无有高下是名阿耨多
羅三藐三菩提以无我无人无衆生无壽者
脩一切善法則得阿耨多羅三藐三菩提須
菩提所言善法者如来說非善法是名善
法須菩提若三千大千世界中所有諸須弥山
王如是等七寶聚有人持用布施若人以此
般若波羅蜜經乃至四句偈等受持讀誦爲
他人說於前福德百分不及一百千萬億分乃
至筭數譬喻所不能及
須菩提於意云何汝等勿謂如来作是念我
當度衆生須菩提莫作是念何以故實无有
衆生如来度者若有衆生如来度者如来則
有我人衆生壽者須菩提如来說有我者則
非有我而凡夫之人以爲有我須菩提凡夫
者如来說則非凡夫須菩提於意云何可以
三十二相觀如来不須菩提言如是如是以
三十二相觀如来佛言須菩提若以三十二
相觀如来者轉輪聖王則是如来須菩提白
佛言世尊如我解佛所說義不應以三十二
相觀如来尒時世尊而說偈言
若以色見我　以音聲求我　是人行邪道不能見如来

BD02424號　金剛般若波羅蜜經　（4–2）

三十二相觀如来佛言須菩提若以三十二
相觀如来者轉輪聖王則是如来須菩提白
佛言世尊如我解佛所說義不應以三十二
相觀如来尒時世尊而說偈言
若以色見我　以音聲求我　是人行邪道不能見如来
須菩提汝若作是念如来不以具足相故得
阿耨多羅三藐三菩提須菩提莫作是念如
来不以具足相故得阿耨多羅三藐三菩提
須菩提汝若作是念發阿耨多羅三藐三菩
提者說諸法斷滅相莫作是念何以故發阿
耨多羅三藐三菩提者於法不說斷滅相須
菩提若菩薩以滿恒河沙等世界七寶布施
若復有人知一切法无我得成於忍此菩薩
勝前菩薩所得功德須菩提以諸菩薩不受
福德故須菩提白佛言世尊云何菩薩不受
福德須菩提菩薩所作福德不應貪著
故說不受福德須菩提若有人言如来若来若
去若坐若卧是人不解我所說義何以故如
来者无所從来亦无所去故名如来
須菩提若善男子善女人以三千大千世界
碎爲微塵於意云何是微塵衆寧爲多不甚
多世尊何以故若是微塵衆實有者佛則不
說是微塵衆所以者何佛說微塵衆則非微
塵衆是名微塵衆世尊如来所說三千大千
世界則非世界是名世界何以故若世界實
有者則是一合相如来說一合相則非一合
相是名一合相須菩提一合相者則是不可

BD02424號　金剛般若波羅蜜經　（4–3）

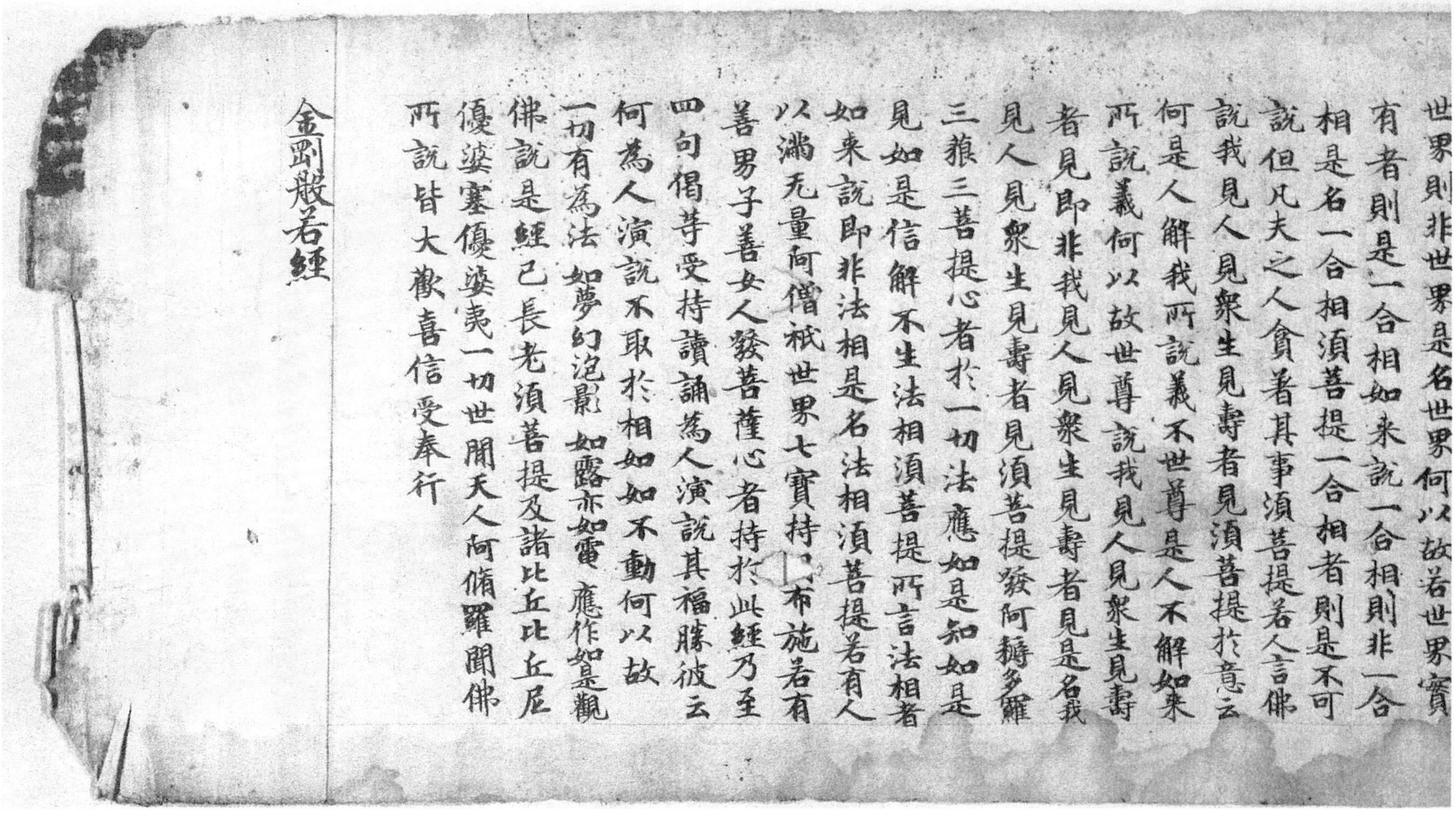
世界則非世界是名世界何以故若世界實
有者則是一合相如來說一合相則非一合
相是名一合相須菩提一合相者則是不可
說但凡夫之人貪著其事須菩提若人言佛
說我見人見衆生見壽者見須菩提於意云
何是人解我所說義不世尊是人不解如來
所說義何以故世尊說我見人見衆生見壽
者見即非我見人見衆生見壽者見是名我
見人見衆生見壽者見須菩提發阿耨多羅
三藐三菩提心者於一切法應如是知如是
見如是信解不生法相須菩提所言法相者
如來說即非法相是名法相須菩提若有人
以滿无量阿僧祇世界七寶持用布施若有
善男子善女人發菩薩心者持於此經乃至
四句偈等受持讀誦為人演說其福勝彼云
何為人演說不取於相如如不動何以故
一切有為法 如夢幻泡影 如露亦如電 應作如是觀
佛說是經已長老須菩提及諸比丘比丘尼
優婆塞優婆夷一切世間天人阿脩羅聞佛
所說皆大歡喜信受奉行

金剛般若經

BD02424 號　金剛般若波羅蜜經　（4–4）

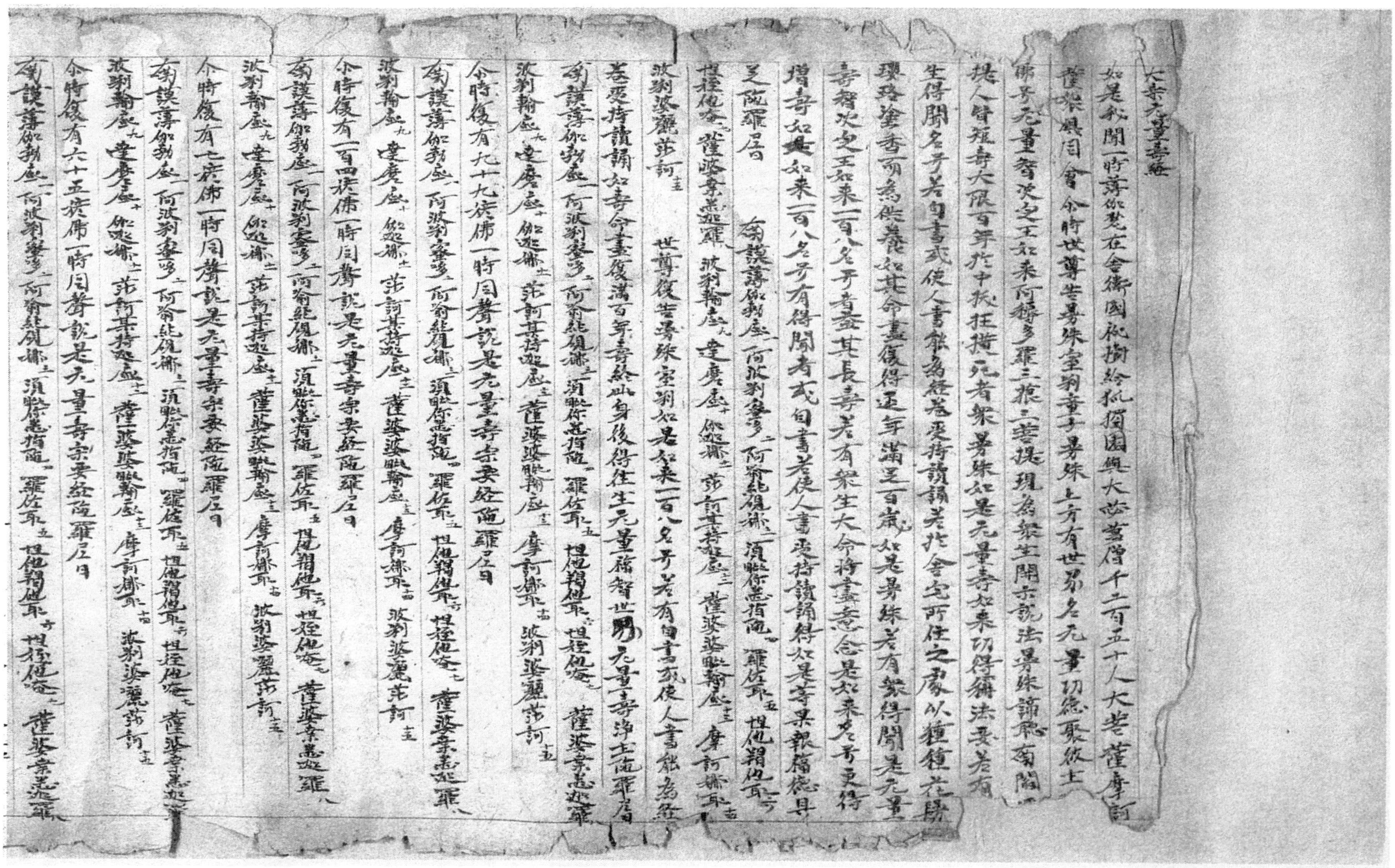
大乘无量壽經
如是我聞一時薄伽梵在舍衛國祇樹給孤獨園與大苾芻僧千二百五十人大菩薩摩訶
薩衆俱爾時世尊告曼殊室利童子曼殊上方有世界名无量功德聚彼土
佛号无量智決定王如來阿耨多羅三藐三菩提現為衆生開示說法曼殊諦聽南閻浮
提人皆短壽大限百年於中夭枉橫死者衆曼殊如是无量壽如來功德名號法要若有
衆生得聞名号若自書或使人書能為經卷受持讀誦若於舍宅所住之處以種種花
瓔珞塗香而為供養如其命盡復得延年滿足百歲如是曼殊若有衆生得聞是无量[illegible]
壽智決定王如來一百八名号者益其長壽若有衆生大命將盡憶念是如來名号更得
增壽如是如來一百八名号有得聞者或自書若使人書受持讀誦得如是等果報福德具
足陁羅尼曰
南謨薄伽勃底 阿波唎蜜多 阿喻紇硯娜 須毗你悉指陁 羅佐耶 怛他羯他耶
怛姪他 薩婆桑悉迦羅 波唎輸底 達磨底 伽伽娜 莎訶娜 摩訶娜耶 波唎婆嚟 莎訶

BD02425 號　無量壽宗要經　（5–1）

BD02425號　無量壽宗要經　（5–2）

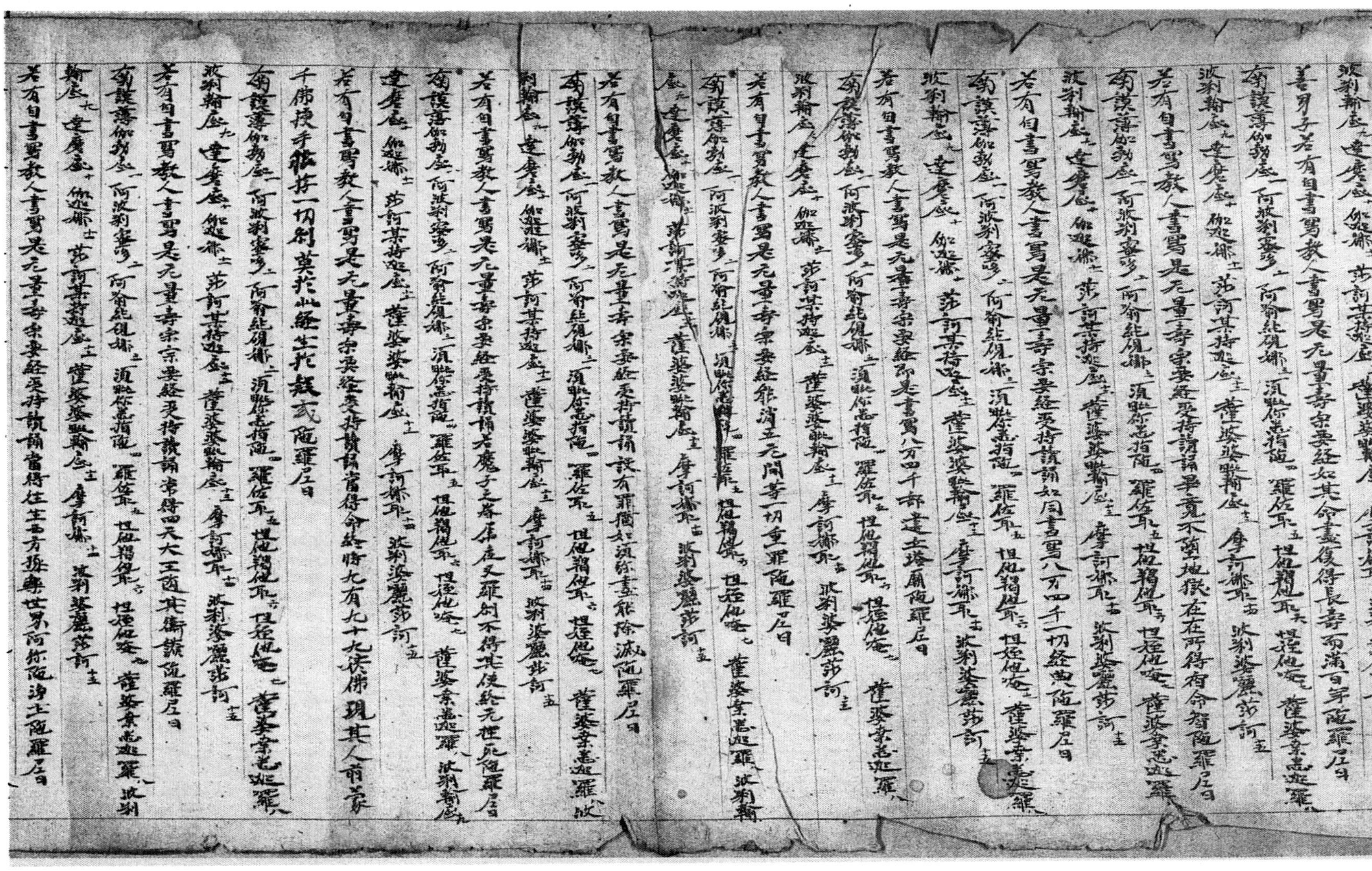

BD02425號　無量壽宗要經　（5–3）

若有自書寫教人書寫是无量壽宗要經受持讀誦常得四天大王隨其衛護陁羅尼曰

南謨薄伽勃底一 阿波唎蜜多二 阿喻紇硯那三 須毗你悉指陁四 囉佐耶五 怛他羯他耶六 怛姪他唵七 薩婆桑悉迦囉八 波唎輸底九 達磨底十 伽伽那十一 娑摩訶伽底十二 薩婆婆毗輸底十三 摩訶娜耶十四 波唎婆囉莎訶十五

若有自書寫教人書寫是无量壽宗要經受持讀誦當得往生西方極樂世界阿彌陁淨土陁羅尼曰

南謨薄伽勃底一 阿波唎蜜多二 阿喻紇硯那三 須毗你悉指陁四 囉佐耶五 怛他羯他耶六 怛姪他唵七 薩婆桑悉迦囉八 波唎輸底九 達磨底十 伽伽那十一 娑摩訶伽底十二 薩婆婆毗輸底十三 摩訶娜耶十四 波唎婆囉莎訶十五

若有人自書寫使人書寫是无量壽經典之處則為是塔皆應恭敬作禮若是畜生□為鳥獸得聞是經如是等類皆當不久得成一切種智陁羅尼曰

南謨薄伽勃底一 阿波唎蜜多二 阿喻紇硯那三 須毗你悉指陁四 囉佐耶五 怛他羯他耶六 怛姪他唵七 薩婆桑悉迦囉八 波唎輸底九 達磨底十 伽伽那十一 娑摩訶伽底十二 薩婆婆毗輸底十三 摩訶娜耶十四 波唎婆囉莎訶十五

若有於是无量壽宗要經自書寫若使人書寫畢竟不受女人之身陁羅尼曰

南謨薄伽勃底一 阿波唎蜜多二 阿喻紇硯那三 須毗你悉指陁四 囉佐耶五 怛他羯他耶六 怛姪他唵七 薩婆桑悉迦囉八 波唎輸底九 達磨底十 伽伽那十一 娑摩訶伽底十二 薩婆婆毗輸底十三 摩訶娜耶十四 波唎婆囉莎訶十五

若有自書寫教人書寫能於是經少分能施者等於三千大世界滿中七寶布施陁羅尼曰

南謨薄伽勃底一 阿波唎蜜多二 阿喻紇硯那三 須毗你悉指陁四 囉佐耶五 怛他羯他耶六 怛姪他唵七 薩婆桑悉迦囉八 波唎輸底九 達磨底十 伽伽那十一 娑摩訶伽底十二 薩婆婆毗輸底十三 摩訶娜耶十四 波唎婆囉莎訶十五

若有能供養是經者則是供養一切諸經等无有別異陁羅尼曰

南謨薄伽勃底一 阿波唎蜜多二 阿喻紇硯那三 須毗你悉指陁四 囉佐耶五 怛他羯他耶六 怛姪他唵七 薩婆桑悉迦囉八 波唎輸底九 達磨底十 伽伽那十一 娑摩訶伽底十二 薩婆婆毗輸底十三 摩訶娜耶十四 波唎婆囉莎訶十五

如是毗婆尸佛尸棄佛毗舍浮佛俱留孫佛俱那含牟尼佛迦葉佛釋迦牟尼佛若有七寶供養如是七佛其福有限書寫受持是无量壽經典所有功德不可限量陁羅尼曰

南謨薄伽勃底一 阿波唎蜜多二 阿喻紇硯那三 須毗你悉指陁四 囉佐耶五 怛他羯他耶六 怛姪他唵七 薩婆桑悉迦囉八 波唎輸底九 達磨底十 伽伽那十一 娑摩訶伽底十二 薩婆婆毗輸底十三 摩訶娜耶十四 波唎婆囉莎訶十五

若有七寶等於須彌山以用布施其福上能知其限量是无量壽經典其福不可知數陁羅尼曰

南謨薄伽勃底一 阿波唎蜜多二 阿喻紇硯那三 須毗你悉指陁四 囉佐耶五 怛他羯他耶六 怛姪他唵七 薩婆桑悉迦囉八 波唎輸底九 達磨底十 伽伽那十一 娑摩訶伽底十二 薩婆婆毗輸底十三 摩訶娜耶十四 波唎婆囉莎訶十五

如是四大海水可知滴數是无量壽經典所生果報不可知數陁羅尼曰

南謨薄伽勃底一 阿波唎蜜多二 阿喻紇硯那三 須毗你悉指陁四 囉佐耶五 怛他羯他耶六 怛姪他唵七 薩婆桑悉迦囉八 波唎輸底九 達磨底十 伽伽那十一 娑摩訶伽底十二 薩婆婆毗輸底十三 摩訶娜耶十四 波唎婆囉莎訶十五

BD02425號　無量壽宗要經

（5–4）

南謨薄伽勃底一 阿波唎蜜多二 阿喻紇硯那三 須毗你悉指陁四 囉佐耶五 怛他羯他耶六 怛姪他唵七 薩婆桑悉迦囉八 波唎輸底九 達磨底十 伽伽那十一 娑摩訶伽底十二 薩婆婆毗輸底十三 摩訶娜耶十四 波唎婆囉莎訶十五

若有七寶等於須彌山以用布施其福上能知其限量是无量壽經典其福不可知數陁羅尼曰

南謨薄伽勃底一 阿波唎蜜多二 阿喻紇硯那三 須毗你悉指陁四 囉佐耶五 怛他羯他耶六 怛姪他唵七 薩婆桑悉迦囉八 波唎輸底九 達磨底十 伽伽那十一 娑摩訶伽底十二 薩婆婆毗輸底十三 摩訶娜耶十四 波唎婆囉莎訶十五

如是四大海水可知滴數是无量壽經典所生果報不可知數陁羅尼曰

南謨薄伽勃底一 阿波唎蜜多二 阿喻紇硯那三 須毗你悉指陁四 囉佐耶五 怛他羯他耶六 怛姪他唵七 薩婆桑悉迦囉八 波唎輸底九 達磨底十 伽伽那十一 娑摩訶伽底十二 薩婆婆毗輸底十三 摩訶娜耶十四 波唎婆囉莎訶十五

若有自書寫使人書寫是无量壽經典又能護持供養即如恭敬一切十方佛土如來无有異陁羅尼曰

南謨薄伽勃底一 阿波唎蜜多二 阿喻紇硯那三 須毗你悉指陁四 囉佐耶五 怛他羯他耶六 怛姪他唵七 薩婆桑悉迦囉八 波唎輸底九 達磨底十 伽伽那十一 娑摩訶伽底十二 薩婆婆毗輸底十三 摩訶娜耶十四 波唎婆囉莎訶十五

布施力能成正覺　悟布施力人師子　布施力能聲普聞　慈悲階漸最能入

持戒力能成正覺　悟持戒力人師子　持戒力能聲普聞　慈悲階漸最能入

忍辱力能成正覺　悟忍辱力人師子　忍辱力能聲普聞　慈悲階漸最能入

精進力能成正覺　悟精進力人師子　精進力能聲普聞　慈悲階漸最能入

禪定力能成正覺　悟禪定力人師子　禪定力能聲普聞　慈悲階漸最能入

智慧力能成正覺　悟智慧力人師子　智慧力能聲普聞　慈悲階漸最能入

尒時如來說是經已一切世間天人阿脩羅揵闥婆等聞佛所說皆大歡喜信受奉行

佛說无量壽宗要經

氾善兒寫

BD02425號　無量壽宗要經

（5–5）

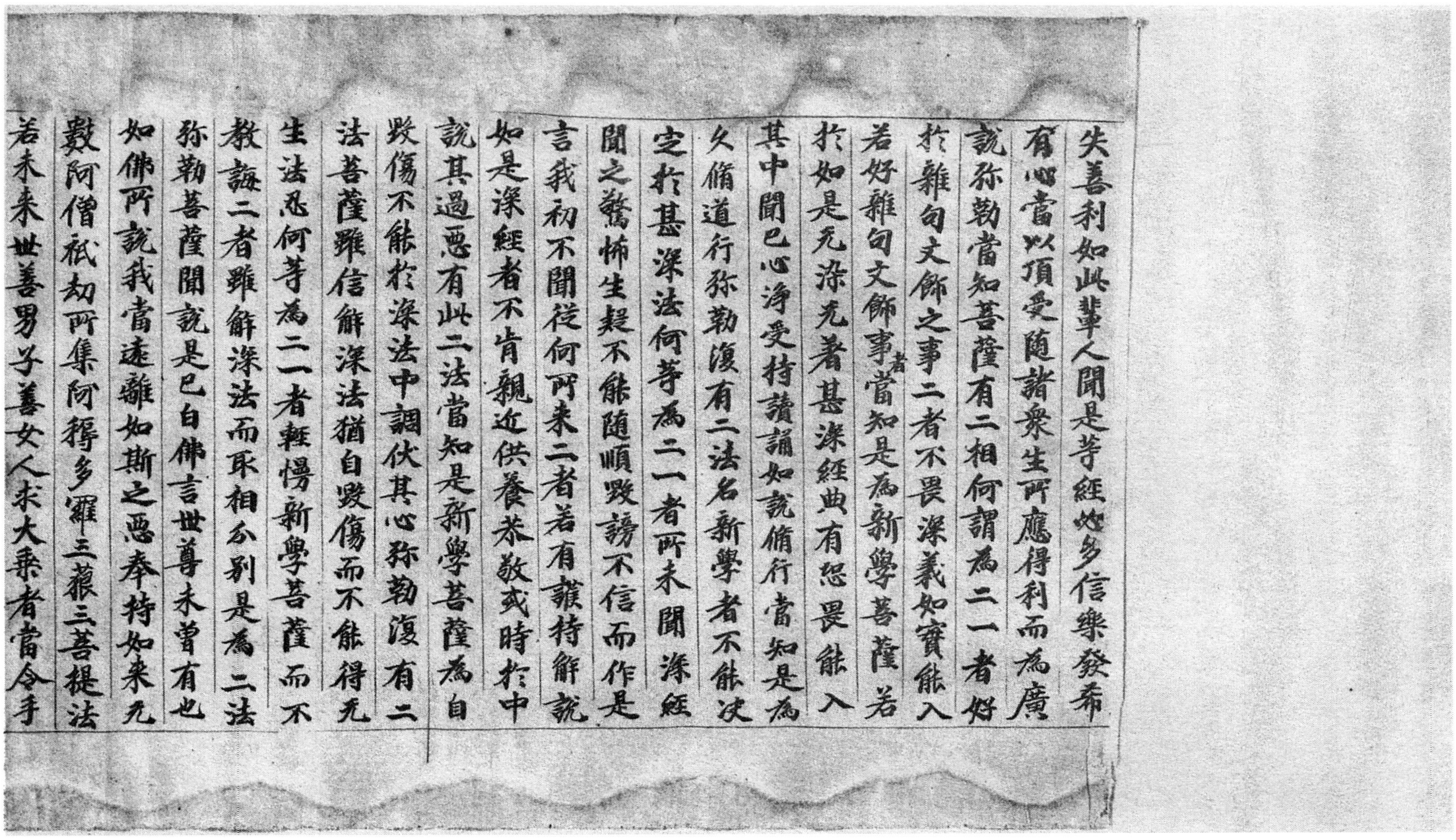

失善利如此輩人聞是等經必多信樂發希
有心當以頂受隨諸衆生所應得利而為廣
說弥勒當知菩薩有二相何謂為二一者好
於雜句文飾之事二者不畏深義如實能入
若好雜句文飾事者當知是為新學菩薩若
於如是无染无著甚深經典有恐畏能入
其中聞已心淨受持讀誦如說脩行當知是為
久脩道行弥勒復有二法名新學者不能決
定於甚深法何等為二一者所未聞深經
聞之驚怖生疑不能隨順毀謗不信而作是
言我初不聞從何所来二者若有護持解說
如是深經者不肯親近供養恭敬或時於中
說其過惡有此二法當知是新學菩薩為自
毀傷不能於深法中調伏其心弥勒復有二
法菩薩雖信解深法猶自毀傷而不能得无
生法忍何等為二一者輕慢新學菩薩而不
教誨二者雖解深法而取相分別是為二法
弥勒菩薩聞說是已白佛言世尊未曾有也
如佛所說我當遠離如斯之惡奉持如来无
數阿僧祇劫所集阿耨多羅三藐三菩提法
若未来世善男子善女人求大乘者當令手

BD02426 號　維摩詰所說經卷下　　（2–1）

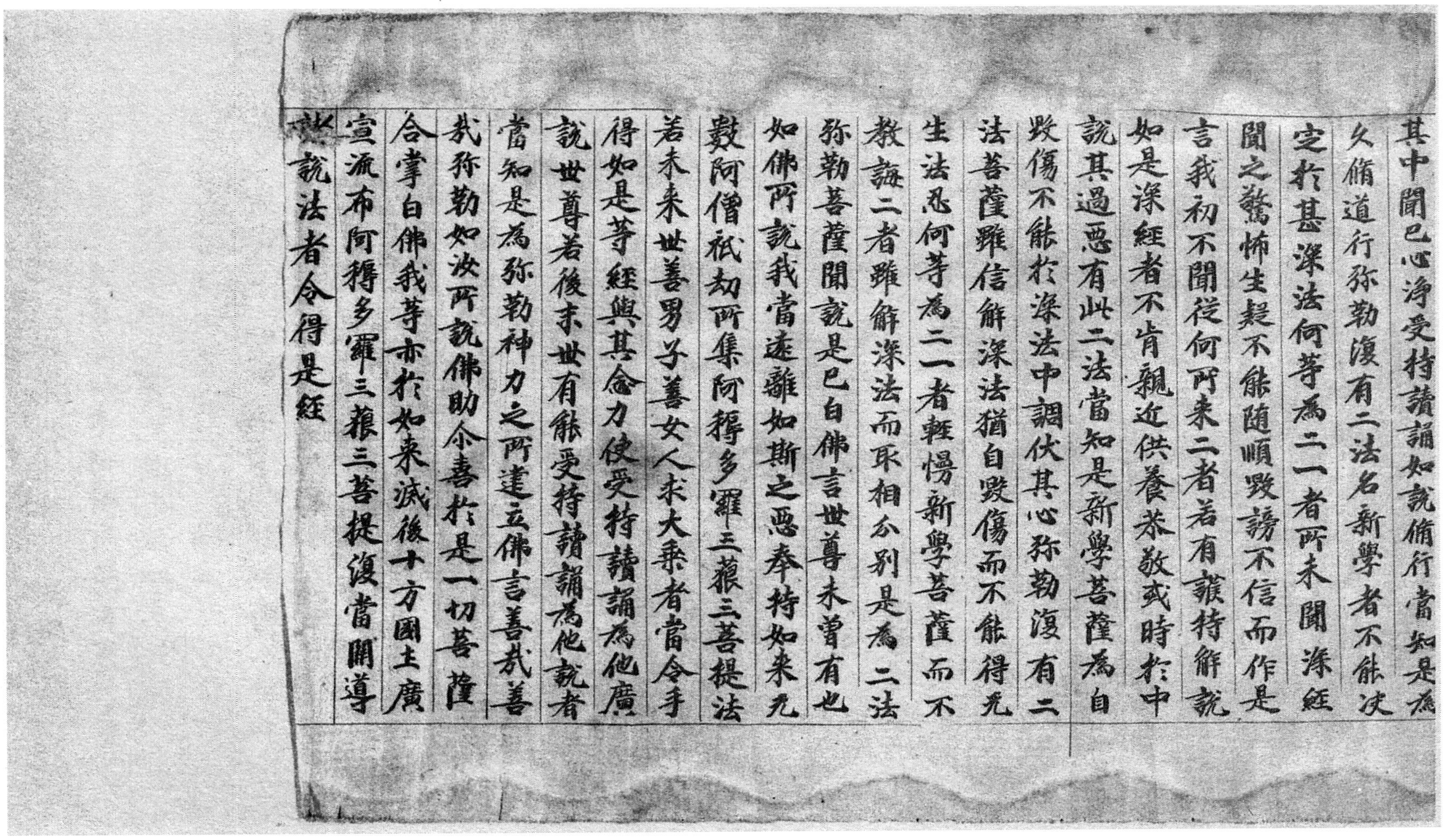

其中聞已心淨受持讀誦如說脩行當知是為
久脩道行弥勒復有二法名新學者不能決
定於甚深法何等為二一者所未聞深經
聞之驚怖生疑不能隨順毀謗不信而作是
言我初不聞從何所来二者若有護持解說
如是深經者不肯親近供養恭敬或時於中
說其過惡有此二法當知是新學菩薩為自
毀傷不能於深法中調伏其心弥勒復有二
法菩薩雖信解深法猶自毀傷而不能得无
生法忍何等為二一者輕慢新學菩薩而不
教誨二者雖解深法而取相分別是為二法
弥勒菩薩聞說是已白佛言世尊未曾有也
如佛所說我當遠離如斯之惡奉持如来无
數阿僧祇劫所集阿耨多羅三藐三菩提法
若未来世善男子善女人求大乘者當令手
得如是等經與其念力使受持讀誦為他廣
說世尊若後末世有能受持讀誦為他說者
當知是為弥勒神力之所建立佛言善哉善
哉弥勒如汝所說佛助尔喜於是一切菩薩
合掌白佛我等亦於如来滅後十方國土廣
宣流布阿耨多羅三藐三菩提復當開導
諸說法者令得是經

BD02426 號　維摩詰所說經卷下　　（2–2）

有法如来得阿耨多羅三藐三菩提須菩提
若有法如来得阿耨多羅三藐三菩提者然
燈佛則不與我受記汝於来世當得作佛号
釋迦牟尼以實无有法得阿耨多羅三藐三
菩提是故然燈佛與我受記作是言汝於来
世當得作佛号釋迦牟尼何以故如来者即
諸法如義若有人言如来得阿耨多羅三藐
三菩提須菩提實无有法佛得阿耨多羅三
藐三菩提須菩提如来所得阿耨多羅三藐
三菩提於是中无實无虛是故如来說一切
法皆是佛法須菩提所言一切法者即非一
切法是故名一切法須菩提譬如有人身長
大須菩提言世尊如来說人身長大則非大
身是名大身須菩提菩薩亦如是若作是言
我當滅度无量衆生則不名菩薩何以故須提
提以實无有法名為菩薩是故佛說一切法无
我无人无衆生无壽者須菩提若菩薩作是
言我當莊嚴佛土是不名菩薩何以故如来
說莊嚴佛土者即非莊嚴是名莊嚴須菩提
若菩薩通達无我法者如来說名真是菩薩
須菩提於意云何如来有肉眼不如是世尊

BD02427 號　金剛般若波羅蜜經　（2–1）

三菩提須菩提實无有法佛得阿耨多羅三
藐三菩提須菩提如来所得阿耨多羅三藐
三菩提於是中无實无虛是故如来說一切
法皆是佛法須菩提所言一切法者即非一
切法是故名一切法須菩提譬如有人身長
大須菩提言世尊如来說人身長大則非大
身是名大身須菩提菩薩亦如是若作是言
我當滅度无量衆生則不名菩薩何以故須提
提以實无有法名為菩薩是故佛說一切法无
我无人无衆生无壽者須菩提若菩薩作是
言我當莊嚴佛土是不名菩薩何以故如来
說莊嚴佛土者即非莊嚴是名莊嚴須菩提
若菩薩通達无我法者如来說名真是菩薩
須菩提於意云何如来有肉眼不如是世尊
如来有肉眼須菩提於意云何如来有天眼
不如是世尊如来有天眼須菩提於意云何
如来有慧眼不如是世尊如来有慧眼須菩
提於意云何如来有法眼不如是世尊如来
有法眼須菩提於意云何如来有佛眼不如
是世尊如来有佛眼須菩提於意云何如恒
河中所有沙佛說是沙不如是世尊如来說是

BD02427 號　金剛般若波羅蜜經　（2–2）

然其所止猶在本處世尊尒時長者有疾自
知將死不久語窮子言我今多有金銀珍寶
倉庫盈溢其中多少所應取與汝悉知之我
心如是當體此意所以者何今我與汝便爲
不異宜加用心无令漏失尒時窮子即受教
勑領知衆物金銀珍寶及諸庫藏而无希取
一飡之意然其所止故在本處下劣之心亦
未能捨復經少時父知子意漸以通泰成就
大志自鄙先心臨欲終時而命其子并會親
族國王大臣刹利居士皆悉已集即自宣言
諸君當知此是我子我之所生於某城中捨
吾逃走跉跰辛苦五十餘年其本字某我名
某甲昔在本城懷憂推覓忽於此間遇會
得之此實我子我實其父今我所有一切財物
皆是子有先所出内是子所知世尊是時窮
子聞父此言即大歡喜得未曾有而作是念
我本无心有所希求今此寶藏自然而至世
尊大富長者則是如來我等皆似佛子如來
常說我等爲子世尊我等以三苦故於生死
中受諸熱惱迷惑无知樂著小法今日世尊

BD02428號　妙法蓮華經卷二　（2–1）

[illegible]
大志自鄙先心臨欲終時而命其子并會親
族國王大臣刹利居士皆悉已集即自宣言
諸君當知此是我子我之所生於某城中捨
吾逃走跉跰辛苦五十餘年其本字某我名
某甲昔在本城懷憂推覓忽於此間遇會
得之此實我子我實其父今我所有一切財物
皆是子有先所出内是子所知世尊是時窮
子聞父此言即大歡喜得未曾有而作是念
我本无心有所希求今此寶藏自然而至世
尊大富長者則是如來我等皆似佛子如來
常說我等爲子世尊我等以三苦故於生死
中受諸熱惱迷惑无知樂著小法今日世尊
令我等思惟蠲除諸法戲論之糞我等於中
勤加精進得至涅槃一日之價既得此已心大
歡喜自以爲足便自謂言於佛法中勤精進
故所得和多然世尊先知我等心著弊欲
樂於小法便見縱捨不爲分別汝等當有如
來知見寶藏之分世尊以方便力說如來智
慧我等從佛得涅槃一日之價以爲大得於此
[illegible]諸

BD02428號　妙法蓮華經卷二　（2–2）

復生怖畏若使
足一切如是衆生則
譬如有人初學作務爲官
入問之汝受何事答言我今受大愁苦如其
得脫則得安樂世尊亦尒爲我等故備諸苦
行我等今者猶未得免生死苦惱云何如来
得受安樂世尊譬如醫王善解方藥偏以秘
方教授其子不教其餘外受學者如来亦尒
獨以甚深秘密之藏偏教文殊遺棄我等不
見顧愍如来於法應无慳悋如彼醫王偏教
其子不教外来諸受學者彼醫所以不能普
教情存勝負故有秘惜如来之心終无勝負
何故如是不見教誨唯願久住莫般涅槃世
尊譬如老少病苦之人離於善住行於嶮路
路嶮悪難多受苦惱更有異人見之憐愍即
便示以平坦好道世尊我亦如是所謂少者
喻未增長法身之人老者喻重煩惱病者喻
未脫生死嶮路者喻二十五有唯願如来示
導我等甘露正道久住於世勿入涅槃尒時
世尊告諸比丘汝等比丘莫如凡夫諸天人
等愁憂啼哭當懃精進繫心正念時諸天人
阿脩羅等聞佛所說心不啼哭猶如有人纔

BD02429 號　大般涅槃經（北本）卷二　（10–1）

未脫生死嶮路者喻二十五有唯願如来示
導我等甘露正道久住於世勿入涅槃尒時
世尊告諸比丘汝等比丘莫如凡夫諸天人
等愁憂啼哭當懃精進繫心正念時諸天人
阿脩羅等聞佛所說心不啼哭猶如有人纔
喪子已心不啼哭尒時世尊爲諸大衆說是
偈言
汝等當開意　不應大愁苦　諸佛法皆尒　是故當嘿然
樂不放逸行　守心正憶念　遠離諸非法　慰意受歡樂
復次比丘若有疑惑今皆當問若空不空若
常无常若苦非苦若依非依若去不去若歸
非歸若恒非恒若斷若常若衆生非衆生若
有若无若實不實若真不真若滅不滅若密
不密若二不二如是等種種法中有所疑者
今應諮問我當隨順爲汝斷之亦當爲汝先
說甘露然後乃當入於涅槃諸比丘佛出世
難人身難得值佛生信是事亦難能忍難忍
是亦復難成就禁戒具足无缺得阿羅漢果
是事亦難如求金沙憂曇鉢華諸比丘離於
八難得人身難汝等遇我不應空過我於往
昔種種苦行今得如是无上方便爲汝等故
无量劫中捨身手足頭目髓腦是故汝等不
應放逸汝等比丘云何莊嚴正法寶城具足
種種功德珎寶戒定智慧爲墻塹俾倪汝今
遇是佛法寶城不應取此虛僞之物譬如商

BD02429 號　大般涅槃經（北本）卷二　（10–2）

无量劫中捨身手足頭目髓腦是故汝等不
應放逸汝等比丘云何莊嚴正法寶城具足
種種功德珎寶戒定智慧為墻塹埤堄汝今
遇是佛法寶城不應取此虚偽之物譬如商
主遇真寶城取諸瓦礫而便還家汝亦如是
值遇寶城取虚偽物汝諸比丘勿以下心而
生知足汝等今者雖得出家於此大乘不生
貪慕汝諸比丘身雖得服袈裟染衣其心猶
未得染大乘清淨之法汝諸比丘雖行乞食
遊歷多處初未曾乞大乘法食汝諸比丘雖
除鬚髮未為正法除諸結使汝諸比丘今當
真實教勅汝等我今現在大衆和合如來法
性真實不倒是故汝等應當精進攝心踊猛
摧諸結使十力慧日既滅沒已汝等當為无
明所覆汝諸比丘譬如大地諸山藥草為衆
生用我法亦尒出生妙善甘露法味而為衆
生種種煩惱病之良藥我今當令一切衆生
及以我子四部之衆悉皆安住秘密藏中我
亦復當安住是中入於涅槃何等名為秘密
之藏猶如伊字三點若並則不成伊縱亦不
成如摩醯首羅面上三目乃成伊字三點若
別亦不得成我亦如是解脫之法亦非涅槃
如來之身亦非涅槃摩訶般若亦非涅槃三
法若異亦非涅槃我今安住如是三法為衆
生故名入涅槃如世伊字尒時諸比丘聞佛

BD02429號　大般涅槃經（北本）卷二　（10-3）

成如摩醯首羅面上三目乃成伊字三點若
別亦不得成我亦如是解脫之法亦非涅槃
如來之身亦非涅槃摩訶般若亦非涅槃三
法若異亦非涅槃我今安住如是三法為衆
生故名入涅槃如世伊字尒時諸比丘聞佛
世尊定當涅槃皆悉憂愁身毛為竪涕淚盈
目稽首佛足遶无量匝白佛言世尊快說无
常苦空无我世尊譬如一切衆生跡中象跡
為上是无常想亦復如是於諸想中最為第
一若有精懃脩習之者能除一切欲界欲愛
色无色愛无明憍慢及无常想世尊如來若
離无常想者則不應入於般涅槃若不離者
云何說言脩无常想離三界愛无明憍慢及
无常想世尊譬如農夫秋月之時深耕其地
能除穢草是无常想亦復如是能除一切欲
界欲愛色无色愛无明憍慢及无常想世尊
譬如耕田秋耕為勝如諸跡中象跡為勝於
諸想中无常為勝世尊譬如帝王知命將終
恩赦天下獄囚繫閉悉令得脫然後捨命如
來今者亦應如是度諸衆生一切无智无明
繫閉皆令解脫然後乃入於般涅槃我等今
者皆未得度云何如來便欲放捨入於涅槃
世尊譬如有人為鬼所持遇良呪師以呪力
故便得除差如來亦尒為諸聲聞除无明鬼
令得安住摩訶般若解脫等法如世伊字世

BD02429號　大般涅槃經（北本）卷二　（10-4）

者皆未得度云何如来便欲放捨入於涅槃
世尊譬如有人為鬼所持遇良呪師以呪力
故便得除差如来亦尒為諸聲聞除无明鬼
令得安住摩訶般若解脫等法如世伊字世
尊譬如香象為人所縛雖有良師不能禁制
頓絶羈䩭自恣而去我未如是脫五十七煩
惱繫縛云何如来便欲放捨入於涅槃世尊
如人病瘧值遇良醫所苦得差我亦如是多
諸患苦邪命熱病雖遇如来病未除愈未得
无上安隱常樂云何如来便欲放捨入於涅
槃世尊譬如醉人不自覺知不識親踈母女
姊妹迷荒婬乱言語放逸卧糞穢中時有良
師與藥令服服已吐酒還自憶識心懷慚愧
深自剋責酒為不善諸惡根本若能除斷則
遠衆罪世尊我亦如是往昔已来輪轉生死
情色所醉貪嗜五欲非母母想非姊姊想非
女女想於非衆生生衆生想是故轉輪受生
死苦如彼醉人卧糞穢中如来今當施我法
藥令我還吐煩惱惡酒而我未得醒悟之心
云何如来便欲放捨入於涅槃世尊譬如有
人嘆芭蕉樹以為堅實无有是處世尊衆生
亦尒若嘆我人衆生壽命養育知見作者受
者是真實者亦无是處我等如是脩无我想
世尊譬如漿滓无所復用是身亦尒无我无
主世尊如七葉華无有香氣是身亦尒无我

BD02429 號　大般涅槃經（北本）卷二　（10–5）

者是真實者亦无是處我等如是脩无我想
世尊譬如漿滓无所復用是身亦尒无我无
主世尊如七葉華无有香氣是身亦尒无我
无主我等如是心常脩習无我之想如佛所
說一切諸法无我我所汝諸比丘應當脩習
如是脩已則除我慢離我慢已便入涅槃世
尊譬如鳥跡空中現者无有是處有能脩習
无我想者而有諸見亦无是處尒時世尊讚
諸比丘善哉善哉汝等善能脩无我相時諸
比丘即白佛言世尊我等不但脩无我想亦
更脩習其餘諸想所謂苦想空无常想世尊
譬如人醉其心悃怰見諸山河石壁草木宮
殿屋舍日月星辰皆悉迴轉世尊若有不脩
苦无常想无我等想如是之人不名為聖多
諸放逸流轉生死世尊以是因緣我等善脩
如是諸想尒時佛告諸比丘言諦聽諦聽汝
向所引醉人喻者但知文字未達其義何等
為義如彼醉人見上日月實非迴轉生迴轉
相衆生亦尒為諸煩惱无明所覆生顛倒心
我計无我常計无常淨計不淨樂計為苦以
為煩惱之所覆故雖生此想不達其義如彼
醉人於非轉處而生轉想我者即是佛義常
者是法身義樂者是涅槃義淨者是法義汝
等比丘云何而言有我想者憍慢貢高流轉
生死汝等若言我亦脩習无常苦无我等想

BD02429 號　大般涅槃經（北本）卷二　（10–6）

醉人於非轉處而生轉想我者即是佛義常
者是法身義樂者是涅槃義淨者是法義汝
等比丘云何而言有我想者憍慢貢高流轉
生死汝等若言我亦修習无常苦无我等想
是三種修无有實義我今當說勝三修法苦
者計樂樂者計苦是顛倒法无常計常常計
无常是顛倒法无我計我我計无我是顛倒
法不淨計淨淨計不淨是顛倒法有如是等
四顛倒法是人不知正修諸法汝諸比丘於
苦法中生於樂想於无常中生於常想於无
我中生於我想於不淨中生於淨想世間亦
有常樂我淨出世亦有常樂我淨世間法者
有字无義出世間者有字有義何以故世間
之法有四顛倒故不知義所以者何有想顛
倒心倒見倒以三倒故世間之人樂中見苦
常見无常我見无我淨見不淨是名顛倒以
顛倒故世間知字而不知義何等為義无我
者名為生死我者名為如來无常者聲聞緣
覺常者如來法身苦者一切外道樂者即是
涅槃不淨者即有為法淨者諸佛菩薩所有
正法是名不顛倒以不倒故知字知義若欲
遠離四顛倒者應知如是常樂我淨時諸比
丘白佛言世尊如佛所說離四倒者則得了
知常樂我淨如來今者永无四倒則已了知
常樂我淨若已了知常樂我淨何故不住一

正法是名不顛倒以不倒故知字知義若欲
遠離四顛倒者應知如是常樂我淨時諸比
丘白佛言世尊如佛所說離四倒者則得了
知常樂我淨如來今者永无四倒則已了知
常樂我淨若已了知常樂我淨何故不住一
劫半劫教導我等令離四倒而見放捨欲入
涅槃如來若見顧念教勅我當至心頂受修
習如來若入於涅槃者我等云何與是毒身
同共止住修於梵行我等亦當隨佛世尊入
於涅槃尒時佛告諸比丘汝等不應作如是
語我今所有无上正法悉已付囑摩訶迦葉
是迦葉者當為汝等作大依止猶如如來為
諸衆生作依止處摩訶迦葉亦復如是當為
汝等作依止處譬如大王多所統領若遊巡
時悉以國事付囑大臣如來亦尒所有正法
亦以付囑摩訶迦葉汝等當知先所修習无
常苦想非是真實譬如春時有諸人等在大
池浴乘船遊戲失瑠璃寶沒深水中是時諸
人悉共入水求覓是寶競捉瓦石草木沙礫
各各自謂得瑠璃珠歡喜持出乃知非真是
時寶珠猶在水中以珠力故水皆澄清於是
大衆乃見寶珠故在水下猶如仰觀虛空月
形是時衆中有一智人以方便力安徐入水
即便得珠汝等比丘不應如是修習无常苦
无我想不淨想等以為實義如彼諸人各以
瓦石草木沙礫而為

大衆乃見寶珠故在水下猶如仰觀虛空月
形是時衆中有一智人以方便力安徐入水
即便得珠汝等比丘不應如是修習无常苦
无我想不淨想等以為實義如彼諸人各以
瓦石草木沙礫而為寶珠汝等應當善學方
便在在處處常脩我想常樂淨想復應當知
先所脩習四法相貌悉是顛倒欲得真實脩
諸想者如彼智人巧出寶珠所謂我想常樂
淨想爾時諸比丘白佛言世尊如佛先說諸
法无我汝當脩學脩學是已則離我想離我
想者則離憍慢離憍慢者得入涅槃是義云
何佛告諸比丘善哉善哉汝今善能諮問是
義為自斷疑譬如國王闇鈍少智有一醫師
性復頑嚚而王不別厚賜奉祿療治衆病純
以乳藥而復不知病起根原雖知乳藥復不
善解或有風病冷病熱病一切諸病悉教服
乳是王不別是醫知乳好醜善惡復有明醫
曉八種術善療衆病知諸方藥從遠方來是
時舊醫不知諮受反生貢高輕慢之心彼時
明醫即便依附請以為師諮受醫方秘奧之
法語舊醫言我今請仁以為師範唯願為我
宣暢解說舊醫答言卿今若能為我給使四
十八年然後乃當教汝醫法彼明醫即受
其教我當如是我當如是隨我所能當給走
使是時舊醫即將客醫共入見王是時客醫
即為王說種種醫方及餘伎藝大王當知應

法語舊醫言我今請仁以為師範唯願為我
宣暢解說舊醫答言卿今若能為我給使四
十八年然後乃當教汝醫法彼明醫即受
其教我當如是我當如是隨我所能當給走
使是時舊醫即將客醫共入見王是時客醫
即為王說種種醫方及餘伎藝大王當知應
善分別此法如是可以治國此法如是可以
療病爾時國王聞是語已方知舊醫癡騃无
智即便驅逐令出國界然後倍復恭敬客醫
是時客醫作是念言欲教王者今正是時即
語王言大王於我實愛念者當求一願王即
答言從此右臂及餘身分隨意所求一切相
與彼客醫言王雖許我一切身分然我不敢
多有所求今所求者願王宣令一切國內從
今已往不得復服舊醫乳藥所以者何是藥
毒害多傷損故若故服者當斬其首斷乳藥
已終更无有橫死之人常處安樂故求是願
時王答言汝之所求蓋不足言尋為宣令一
切國內有病之人皆悉不聽以乳為藥若為
藥者當斬其首爾時客醫以種種味和合衆
藥謂辛苦鹹

燒汝速出三界當得三乘聲聞辟支佛佛乘
我今為汝保任此事終不虛也汝等但當勤
脩精進如來以是方便誘進衆生復作是言
汝等當知此三乘法皆是聖所稱歎自在无
繫无所依求乘是三乘以无漏根力覺道禪
定解脫三昧等而自娛樂便得无量安隱快
樂舍利弗若有衆生內有智性從佛世尊聞
法信受慇懃精進欲速出三界自求涅槃是
名聲聞乘如彼諸子為求羊車出於火宅若
有衆生從佛世尊聞法信受慇懃精進求自
然慧樂獨善寂深知諸法因緣是名辟支佛
乘如彼諸子為求鹿車出於火宅若有衆生
從佛世尊聞法信受勤脩精進求一切智佛
智自然智无師智如來知見力无所畏愍念
安樂无量衆生利益天人度脫一切是名大
乘菩薩求此乘故名為摩訶薩如彼諸子為
求牛車出於火宅舍利弗如彼長者見諸子
等安隱得出火宅到无畏處自惟財富无量
等以大車而賜諸子如來亦復如是為一切
衆生之父若見无量億千衆生以佛教門出
三界苦怖畏險道得涅槃樂如來尒時便作
是念我有无量无邊智慧力无畏等諸佛法
藏是諸衆生皆是我子等與大乘不令有人

BD02430號　妙法蓮華經卷二　（8–1）

衆生之父若見无量億千衆生以佛教門出
三界苦怖畏險道得涅槃樂如來尒時便作
是念我有无量无邊智慧力无畏等諸佛法
藏是諸衆生皆是我子等與大乘不令有人
獨得滅度皆以如來滅度而滅度之是諸衆
生脫三界者悉與諸佛禪定解脫等娛樂之
具皆是一相一種聖所稱歎能生淨妙第一
之樂舍利弗如彼長者初以三車誘引諸子
然後但與大車寶物莊嚴安隱第一然彼長
者无虛妄之咎如來亦復如是无有虛妄初
說三乘引導衆生然後但以大乘而度脫之
何以故如來有无量智慧力无所畏諸法之
藏能與一切衆生大乘之法但不盡能受舍
利弗以是因緣當知諸佛方便力故於一佛
乘分別說三佛欲重宣此義而說偈言
譬如長者　有一大宅　其宅久故　而復頓弊
堂舍高危　柱根摧朽　梁棟傾斜　基陛頹毀
墻壁圮坼　泥塗褫落　覆苫亂墜　椽梠差脫
周障屈曲　雜穢充遍　有五百人　止住其中
鵄梟鵰鷲　烏鵲鳩鴿　蚖蛇蝮蠍　蜈蚣蚰蜒
守宮百足　狖狸鼷鼠　諸惡虫輩　交橫馳走
屎尿臭處　不淨流溢　蜣蜋諸虫　而集其上
狐狼野干　咀嚼踐蹹　嚌齧死屍　骨肉狼藉
由是群狗　競來搏撮　飢羸慞惶　處處求食
鬪諍齟掣　啀喍嗥吠　其舍恐怖　變狀如是
處處皆有　魑魅魍魎　夜叉惡鬼　食噉人肉

BD02430號　妙法蓮華經卷二　（8–2）

由是群狗　競來搏撮　飢羸慞惶　處處求食
鬪諍摣掣　啀喍嗥吠　其舍恐怖　變狀如是
處處皆有　魑魅魍魎　夜叉惡鬼　食噉人肉
毒虫之屬　諸惡禽獸　孚乳產生　各自藏護
夜叉競來　爭取食之　食之既飽　惡心轉熾
鬪諍之聲　甚可怖畏　鳩槃荼鬼　蹲踞土埵
或時離地　一尺二尺　往返遊行　縱逸嬉戲
捉狗兩足　撲令失聲　以脚加頸　怖狗自樂
復有諸鬼　其身長大　裸形黑瘦　常住其中
發大惡聲　叫呼求食　復有諸鬼　其咽如針
復有諸鬼　首如牛頭　或食人肉　或復噉狗
頭髮蓬亂　殘害凶險　飢渴所逼　叫喚馳走
夜叉餓鬼　諸惡鳥獸　飢急四向　窺看窓牖
如是諸難　恐畏无量　是朽故宅　屬于一人
其人近出　未久之間　於後舍宅　欻然火起
四面一時　其焰俱熾　棟梁椽柱　爆聲震裂
摧折墮落　墻壁崩倒　諸鬼神等　揚聲大叫
鵰鷲諸鳥　鳩槃荼等　周慞惶怖　不能自出
惡獸毒虫　藏竄孔穴　毗舍闍鬼　亦住其中
薄福德故　為火所逼　共相殘害　飲血噉肉
野干之屬　並已前死　諸大惡獸　競來食噉
臭烟烽㶿　四面充塞　蜈蚣蚰蜒　毒蛇之類
為火所燒　爭走出穴　鳩槃荼鬼　隨取而食
又諸餓鬼　頭上火然　飢渴熱惱　周慞悶走
其宅如是　甚可怖畏　毒害火災　衆難非一

BD02430號　妙法蓮華經卷二　（8–3）

臭烟烽㶿　四面充塞　蜈蚣蚰蜒　毒蛇之類
為火所燒　爭走出穴　鳩槃荼鬼　隨取而食
又諸餓鬼　頭上火然　飢渴熱惱　周慞悶走
其宅如是　甚可怖畏　毒害火災　衆難非一
是時宅主　在門外立　聞有人言　汝諸子等
先因遊戲　來入此宅　稚小无知　歡娛樂著
長者聞已　驚入火宅　方宜救濟　令无燒害
告喻諸子　說衆患難　惡鬼毒虫　災火蔓莚
衆苦次第　相續不絕　毒蛇蚖蝮　及諸夜叉
鳩槃荼鬼　野干狐狗　鵰鷲鵄梟　百足之屬
飢渴惱急　甚可怖畏　此苦難處　況復大火
諸子无知　雖聞父誨　猶故樂著　嬉戲不已
是時長者　而作是念　諸子如此　益我愁惱
今此舍宅　无一可樂　而諸子等　耽湎嬉戲
不受我教　將為火害　即便思惟　設諸方便
告諸子等　我有種種　珍玩之具　妙寶好車
羊車鹿車　大牛之車　今在門外　汝等出來
吾為汝等　造作此車　隨意所樂　可以遊戲
諸子聞說　如此諸車　即時奔競　馳走而出
到於空地　離諸苦難　長者見子　得出火宅
住於四衢　坐師子座　而自慶言　我今快樂
此諸子等　生育甚難　愚小无知　而入險宅
多諸毒虫　魑魅可畏　大火猛焰　四面俱起
而此諸子　貪著嬉戲　我已救之　令得脫難
是故諸人　我今快樂　爾時諸子　知父安坐

BD02430號　妙法蓮華經卷二　（8–4）

多諸毒虫　魑魅可畏　大火猛焰　四面俱起
而此諸子　貪著嬉戲　我已救之　令得脫難
是故諸人　我今快樂　尒時諸子　知父安坐
皆詣父所　而白父言　願賜我等　三種寶車
如前所許　諸子出來　當以三車　隨汝所欲
今正是時　唯垂給與　長者大富　庫藏衆多
金銀琉璃　車璖馬瑙　以衆寶物　造諸大車
莊校嚴飾　周帀欄楯　四面懸鈴　金繩交絡
真珠羅網　張設其上　金華諸纓　處處垂下
衆彩雜飾　周帀圍繞　柔軟繒纊　以為茵蓐
上妙細疊　價直千億　鮮白淨潔　以覆其上
有大白牛　肥壯多力　形體姝好　以駕寶車
多諸儐從　而侍衛之　以是妙車　等賜諸子
諸子是時　歡喜踊躍　乘是寶車　遊於四方
嬉戲快樂　自在无礙　告舍利弗　我亦如是
衆聖中尊　世間之父　一切衆生　皆是吾子
深著世樂　无有慧心　三界无安　猶如火宅
衆苦充滿　甚可怖畏　常有生老　病死憂患
如是等火　熾然不息　如來已離　三界火宅
寂然閑居　安處林野　今此三界　皆是我有
其中衆生　悉是吾子　而今此處　多諸患難
唯我一人　能為救護　雖復教詔　而不信受
於諸欲染　貪著深故　是以方便　為說三乘
令諸衆生　知三界苦　開示演說　出世間道
是諸子等　若心決定　具足三明　及六神通

BD02430號　妙法蓮華經卷二　（8–5）

寂然閑居　安處林野　今此三界　皆是我有
其中衆生　悉是吾子　而今此處　多諸患難
唯我一人　能為救護　雖復教詔　而不信受
於諸欲染　貪著深故　是以方便　為說三乘
令諸衆生　知三界苦　開示演說　出世間道
是諸子等　若心決定　具足三明　及六神通
有得緣覺　不退菩薩　汝舍利弗　我為衆生
以此譬喻　說一佛乘　汝等若能　信受是語
一切皆當　得成佛道　是乘微妙　清淨第一
於諸世間　為无有上　佛所悅可　一切衆生
所應稱讚　供養禮拜　无量億千　諸力解脫
禪定智慧　及佛餘法　得如是乘　令諸子等
日夜劫數　常得遊戲　與諸菩薩　及聲聞衆
乘此寶乘　直至道場　以是因緣　十方諦求
更无餘乘　除佛方便　告舍利弗　汝諸人等
皆是吾子　我則是父　汝等累劫　衆苦所燒
我皆濟拔　令出三界　我雖先說　汝等滅度
但盡生死　而實不滅　今所應作　唯佛智慧
若有菩薩　於是衆中　能一心聽　諸佛實法
諸佛世尊　雖以方便　所化衆生　皆是菩薩
若人小智　深著愛欲　為此等故　說於苦諦
衆生心喜　得未曾有　佛說苦諦　真實无異
若有衆生　不知苦本　深著苦因　不能暫捨
為是等故　方便說道　諸苦所因　貪欲為本
若滅貪欲　无所依止　滅盡諸苦　名第三諦
為滅諦故　脩行於道　離諸苦縛　名得解脫

BD02430號　妙法蓮華經卷二　（8–6）

若有眾生　不知苦本　深著苦因　不能暫捨

為是等故　方說便道　諸苦所因　貪欲為本

若滅貪欲　无所依止　滅盡諸苦　名第三諦

為滅諦故　脩行於道　離諸苦縛　名得解脫

是人於何　而得解脫　但離虛妄　名為解脫

其實未得　一切解脫　佛說是人　未實滅度

斯人未得　无上道故　我意不欲　令至滅度

我為法王　於法自在　安隱眾生　故現於世

汝舍利弗　我此法印　為欲利益　世間故說

在所遊方　勿妄宣傳　若有聞者　隨喜頂受

當知是人　阿鞞跋致　若有信受　此經法者

是人已曾　見過去佛　恭敬供養　亦聞是法

若人有能　信汝所說　則為見我　亦見於汝

及比丘僧　并諸菩薩　斯法華經　為深智說

淺識聞之　迷惑不解　一切聲聞　及辟支佛

於此經中　力所不及　汝舍利弗　尚於此經

以信得入　況餘聲聞　其餘聲聞　信佛語故

隨順此經　非己智分　又舍利弗　憍慢懈怠

計我見者　莫說此經　凡夫淺識　深著五欲

聞不能解　亦勿為說　若人不信　毀謗此經

則斷一切　世間佛種　或復顰蹙　而懷疑惑

汝當聽說　此人罪報　若佛在世　若滅度後

其有誹謗　如斯經典　見有讀誦　書持經者

輕賤憎嫉　而懷結恨　此人罪報　汝今復聽

其人命終　入阿鼻獄　具足一劫　劫盡更生

BD02430號　妙法蓮華經卷二　（8–7）

則斷一切　世間佛種　或復顰蹙　而懷疑惑

汝當聽說　此人罪報　若佛在世　若滅度後

其有誹謗　如斯經典　見有讀誦　書持經者

輕賤憎嫉　而懷結恨　此人罪報　汝今復聽

其人命終　入阿鼻獄　具足一劫　劫盡更生

如是展轉　至无數劫　從地獄出　當墮畜生

若狗野干　其形頷瘦　黧黮疥癩　人所觸嬈

又復為人　之所惡賤　常困飢渴　骨肉枯竭

生受楚毒　死被瓦石　斷佛種故　受斯罪報

若作駱駝　或生驢中　身常負重　加諸杖捶

但念水草　餘无所知　謗斯經故　獲罪如是

有作野干　來入聚落　身體疥癩　又无一目

為諸童子　之所打擲　受諸苦痛　或時致死

於此死已　更受蟒身　其形長大　五百由旬

聾騃无足　宛轉腹行　為諸小虫　之所唼食

晝夜受苦　无有休息　謗斯經故　獲罪如是

若得為人　諸根闇鈍　矬陋攣躄　盲聾背傴

有所言說　人不信受　口氣常臭　鬼魅所著

貧窮下賤　為人所使　多病痟瘦　无所依怙

雖親附人　人不在意　若有所得　尋復忘失

若脩醫道　順方治病　更增他疾　或復致死

若自有病　无人救療　設服良藥　而復增劇

BD02430號　妙法蓮華經卷二　（8–8）

須菩提於意云何可以身相見如
世尊不可以身相得見如来何以
說身相即非身相佛告須菩提凡
是虛妄若見諸相非相則見如来
須菩提白佛言世尊頗有衆生得聞如是言
說章句生實信不佛告須菩提莫作是說如
来滅後後五百歲有持戒脩福者於此章句
能生信心以此為實當知是人不於一佛二
佛三四五佛而種善根已於无量千万佛所
種諸善根聞是章句乃至一念生淨信者須
菩提如来悉知悉見是諸衆生得如是无量
福德何以故是諸衆生无復我相人相衆生
相壽者相无法相亦无非法相何以故是諸
衆生若心取相則為着我人衆生壽者若取
法相即着我人衆生壽者何以故若取非法
相即着我人衆生壽者是故不應取法不應
取非法以是義故如来常說汝等比丘知我
說法如筏喻者法尚應捨何況非法
須菩提於意云何如来得阿耨多羅三藐三
菩提耶如来有所說法耶須菩提言如我解
佛所說義无有定法名阿耨多羅三藐三菩

BD02431號　金剛般若波羅蜜經　（13–1）

取非法以是義故如來常說汝等比丘知我
說法如筏喻者法尚應捨何況非法
須菩提於意云何如來得阿耨多羅三藐三
菩提耶如來有所說法耶須菩提言如我解
佛所說義无有定法名阿耨多羅三藐三菩
提亦无有定法如來可說何以故如來所說
法皆不可取不可說非法非非法所以者何
一切賢聖皆以无為法而有差別
須菩提於意云何若人滿三千大千世界七
寶以用布施是人所得福德寧為多不須菩
提言甚多世尊何以故是福德即非福德性
是故如來說福德多若復有人於此經中受
持乃至四句偈等為他人說其福勝彼何以
故須菩提一切諸佛及諸佛阿耨多羅三藐
三菩提法皆從此經出須菩提所謂佛法者
即非佛法
須菩提於意云何須陁洹能作是念我得須
陁洹果不須菩提言不也世尊何以故須陁
洹名為入流而无所入不入色聲香味觸法
是名須陁洹須菩提於意云何斯陁含能作
是念我得斯陁含果不須菩提言不也世尊
何以故斯陁含名一往來而實无往來是名
斯陁含須菩提於意云何阿那含能作是念
我得阿那含果不須菩提言不也世尊何以
故阿那含名為不來而實无來是故名阿那
含須菩提於意云何阿羅漢能作是念我得

斯陁含須菩提於意云何阿那含能作是念
我得阿那含果不須菩提言不也世尊何以
故阿那含名為不來而實无來是故名阿那
含須菩提於意云何阿羅漢能作是念我得
阿羅漢道不須菩提言不也世尊何以故實
无有法名阿羅漢世尊若阿羅漢作是念我
得阿羅漢道即為著我人眾生壽者世尊佛
說我得无諍三昧人中最為第一是第一離
欲阿羅漢我不作是念我是離欲阿羅漢世
尊我若作是念我得阿羅漢道世尊則不說
須菩提是樂阿蘭那行者以須菩提實无所
行而名須菩提是樂阿蘭那行
佛告須菩提於意云何如來昔在然燈佛所
於法有所得不世尊如來在然燈佛所於法
實无所得須菩提於意云何菩薩莊嚴佛土
不不也世尊何以故莊嚴佛土者則非莊嚴
是名莊嚴是故須菩提諸菩薩摩訶薩應如
是生清淨心不應住色生心不應住聲香味
觸法生心應无所住而生其心須菩提譬如
有人身如須弥山王於意云何是身為大不
須菩提言甚大世尊何以故佛說非身是名
大身
須菩提如恒河中所有沙數如是沙等恒河
於意云何是諸恒河沙寧為多不須菩提言
甚多世尊但諸恒河尚多无數何況其沙須
菩提我今實言告汝若有善男子善女人以

須菩提如恒河中所有沙數如是沙等恒河
於意云何是諸恒河沙寧為多不須菩提言
甚多世尊但諸恒河尚多无數何況其沙須
菩提我今實言告汝若有善男子善女人以
七寶滿尒所恒河沙數三千大千世界以用
布施得福多不須菩提言甚多世尊佛告須
菩提若善男子善女人於此經中乃至受持
四句偈等為他人說而此福德勝前福德復
次須菩提隨說是經乃至四句偈等當知此
處一切世間天人阿脩羅皆應供養如佛塔
廟何況有人盡能受持讀誦須菩提當知是
人成就最上第一希有之法若是經典所在
之處則為有佛若尊重弟子
尒時須菩提白佛言世尊當何名此經我等
云何奉持佛告須菩提是經名為金剛般若
波羅蜜以是名字汝當奉持所以者何須菩
提佛說般若波羅蜜則非般若波羅蜜須菩
提於意云何如來有所說法不須菩提白佛
言世尊如來无所說須菩提於意云何三千
大千世界所有微塵是為多不須菩提言甚
多世尊須菩提諸微塵如來說非微塵是名
微塵如來說世界非世界是名世界須菩提
於意云何可以卅二相見如來不不也世尊不可以
卅二相得見如來何以故如來說卅二相即是非
相是名卅二相須菩提若有善男子善女人以恒
河沙等身命布施若復有人於此經中乃至

於意云何可以卅二相見如來不不也世尊不可以
卅二相得見如來何以故如來說卅二相即是非
相是名卅二相須菩提若有善男子善女人以恒
河沙等身命布施若復有人於此經中乃至
受持四句偈等為他人說其福甚多
尒時須菩提聞說是經深解義趣涕淚悲泣
而白佛言希有世尊佛說如是甚深經典我
從昔來所得慧眼未曾得聞如是之經世尊
若復有人得聞是經信心清淨則生實相當
知是人成就第一希有功德世尊是實相者
則是非相是故如來說名實相世尊我今得
聞如是經典信解受持不足為難若當來世
後五百歲其有衆生得聞是經信解受持是
人則為第一希有何以故此人无我相人相
衆生相壽者相所以者何我相即是非相人
相衆生相壽者相即是非相何以故離一切
諸相則名諸佛
佛告須菩提如是如是若復有人得聞是經
不驚不怖不畏當知是人甚為希有何以故
須菩提如來說第一波羅蜜非第一波羅蜜
是名第一波羅蜜須菩提忍辱波羅蜜如來
說非忍辱波羅蜜何以故須菩提如我昔為
歌利王割截身體我於尒時无我相无人相
无衆生相无壽者相何以故我於往昔節節
支解時若有我相人相衆生相壽者相應生
瞋恨須菩提又念過去於五百世作忍辱仙

支解時若有我相人相衆生相壽者相應生
瞋恨須菩提又念過去於五百世作忍辱仙
人於尒所世无我相无人相无衆生相无壽
者相是故須菩提菩薩應離一切相發阿耨
多羅三藐三菩提心不應住色生心不應住
聲香味觸法生心應生无所住心若心有住
則為非住是故佛說菩薩心不應住色布施
須菩提菩薩為利益一切衆生應如是布施
如来說一切諸相即是非相又說一切衆生
則非衆生須菩提如来是真語者實語者如
語者不誑語者不異語者須菩提如来所得
法此法无實无虛須菩提若菩薩心住於法
而行布施如人入暗則无所見若菩薩心不
住法而行布施如人有目日光明照見種種
色須菩提當来之世若有善男子善女人能
於此經受持讀誦則為如来以佛智慧悉知
是人悉見是人皆得成就无量无邊功德
須菩提若有善男子善女人初日分以恒河
沙等身布施中日分復以恒河沙等身布施
後日分亦以恒河沙等身布施如是无量百
千万億劫以身布施若復有人聞此經典信
心不逆其福勝彼何況書寫受持讀誦為人
解說須菩提以要言之是經有不可思議不
可稱量无邊功德如来為發大乘者說為發
冣上乘者說若有人能受持讀誦廣為人說
如来悉知是人悉見是人皆成就不可量不

心不逆其福勝彼何况書寫受持讀誦為人
解說須菩提以要言之是經有不可思議不
可稱量无邊功德如來為發大乘者說為發
㝡上乘者說若有人能受持讀誦廣為人說
如來悉知是人悉見是人皆成就不可量不
可稱无有邊不可思議功德如是人等則為
荷擔如來阿耨多羅三藐三菩提何以故須
菩提若樂小法者著我見人見衆生見壽者
見則於此經不能聽受讀誦為人解說須菩
提在在處處若有此經一切世間天人阿脩
羅所應供養當知此處則為是塔皆應恭敬
作礼圍遶以諸華香而散其處
復次須菩提善男子善女人受持讀誦此經
若為人輕賤是人先世罪業應墮惡道以今
世人輕賤故先世罪業則為消滅當得阿耨
多羅三藐三菩提須菩提我念過去无量阿
僧祇劫於然燈佛前得值八百四千万億那
由他諸佛悉皆供養承事无空過者若復有
人於後末世能受持讀誦此經所得功德於
我所供養諸佛功德百分不及一千万億分
乃至筭數譬喻所不能及須菩提若善男子
善女人於後末世有受持讀誦此經所得功
德我若具說者或有人聞心則狂亂狐疑不
信須菩提當知是經義不可思議果報亦不
可思議
尒時須菩提白佛言世尊善男子善女人發

信須菩提當知是經義不可思議果報亦不
可思議
尒時須菩提白佛言世尊善男子善女人發
阿耨多羅三藐三菩提心云何應住云何降
伏其心佛告須菩提善男子善女人發阿耨
多羅三藐三菩提者當生如是心我應滅度
一切衆生滅度一切衆生已而无有一衆生
實滅度者何以故若菩薩有我相人相衆生
相壽者相則非菩薩所以者何須菩提實无
有法發阿耨多羅三藐三菩提者須菩提於
意云何如來於然燈佛所有法得阿耨多羅
三藐三菩提不不也世尊如我解佛所說義
佛於然燈佛所无有法得阿耨多羅三藐三
菩提佛言如是如是須菩提實无有法如來
得阿耨多羅三藐三菩提須菩提若有法如
來得阿耨多羅三藐三菩提者然燈佛則不與
我受記汝於來世當得作佛号釋迦牟尼以
實无有法得阿耨多羅三藐三菩提是故然
燈佛與我受記作是言汝於來世當得作佛
号釋迦牟尼何以故如來者即諸法如義若
有人言如來得阿耨多羅三藐三菩提須菩
提實无有法佛得阿耨多羅三藐三菩提須菩
提如來所得阿耨多羅三藐三菩提於是中
无實无虛是故如來說一切法皆是佛法須
菩提所言一切法者即非一切法是故名一

提實无有法佛得阿耨多羅三藐三菩提須菩
提如来所得阿耨多羅三藐三菩提於是中
无實无虚是故如来說一切法皆是佛法須
菩提所言一切法者即非一切法是故名一
切法須菩提辟如人身長大須菩提言世尊
如来說人身長大則為非大身是名大身須
菩提菩薩亦如是若作是言我當滅度无量
衆生則不名菩薩何以故須菩提无有法名
為菩薩是故佛說一切法无我无人无衆生
无壽者須菩提若菩薩作是言我當莊嚴佛
土是不名菩薩何以故如来說莊嚴佛土者
即非莊嚴是名莊嚴須菩提若菩薩通達无
我法者如来說名真是菩薩須菩提於意云
何如来有肉眼不如是世尊如来有肉眼須
菩提於意云何如来有天眼不如是世尊如
来有天眼須菩提於意云何如来有慧眼不
如是世尊如来有慧眼須菩提於意云何如
来有法眼不如是世尊如来有法眼須菩提
於意云何如来有佛眼不如是世尊如来有
佛眼須菩提於意云何恒河中所有沙佛說
是沙不如是世尊如来說是沙須菩提於意
云何如一恒河中所有沙有如是等恒河是
諸恒河所有沙數佛世界如是寧為多不甚
多世尊佛告須菩提尒所國土中所有衆生
若干種心如来悉知何以故如来說諸心皆
為非心是名為心所以者何須菩提過去心

諸恒河所有沙數佛世界如是寧為多不甚
多世尊佛告須菩提尒所國土中所有衆生
若干種心如來悉知何以故如來說諸心皆
為非心是名為心所以者何須菩提過去心
不可得現在心不可得未來心不可得須菩
提於意云何若有人滿三千大千世界七寶
以用布施是人以是因緣得福多不如是世
尊此人以是因緣得福甚多須菩提若福德
有實如來不說得福德多以福德无故如來
說得福德多
須菩提於意云何佛可以具足色身見不不
也世尊如來不應以具足色身見何以故如
來說具足色身即非具足色身是名具足色
身須菩提於意云何如來可以具足諸相見
不不也世尊如來不應以具足諸相見何以
故如來說諸相具足即非具足是名諸相具
足須菩提汝等勿謂如來作是念我當有所
說法莫作是念何以故若人言如來有所說
法即為謗佛不能解我所說故須菩提說法
者无法可說是名說法須菩提白佛言世尊
佛得阿耨多羅三藐三菩提為无所得耶如
是如是須菩提我於阿耨多羅三藐三菩提
乃至无有少法可得是名阿耨多羅三藐三
菩提復次須菩提是法平等无有高下是名
阿耨多羅三藐三菩提以无我无人无衆生
无壽者脩一切善法則得阿耨多羅三藐三

是如是須菩提我於阿耨多羅三藐三菩提
乃至无有少法可得是名阿耨多羅三藐三
菩提復次須菩提是法平等无有高下是名
阿耨多羅三藐三菩提以无我无人无衆生
无壽者脩一切善法則得阿耨多羅三藐三
菩提須菩提所言善法者如來說非善法是
名善法
須菩提若三千大千世界中所有諸須弥山
王如是等七寶聚有人持用布施若人以此
般若波羅蜜經乃至四句偈等受持為他人
說於前福德百分不及一百千万億分乃至
筭數譬喻所不能及
須菩提於意云何汝等勿謂如來作是念我
當度衆生須菩提莫作是念何以故實无有
衆生如來度者若有衆生如來度者如來則
有我人衆生壽者須菩提如來說有我者則
非有我而凡夫之人以為有我須菩提凡夫
者如來說則非凡夫須菩提於意云何可以三
十二相觀如來不須菩提言如是如是以三十
二相觀如來佛言須菩提若以三十二相觀
如來者轉輪聖王則是如來須菩提白佛言
世尊如我解佛所說義不應以三十二相觀
如來尒時世尊而說偈言
若以色見我　以音聲求我　是人行邪道　不能見如來
須菩提汝若作是念如來不以具足相故得
阿耨多羅三藐三菩提須菩提莫作是念如

若以色見我　以音聲求我　是人行邪道　不能見如來
須菩提汝若作是念如來不以具足相故得
阿耨多羅三藐三菩提須菩提莫作是念如
來不以具足相故得阿耨多羅三藐三菩提
須菩提汝若作是念發阿耨多羅三藐三菩
提者說諸法斷滅相莫作是念何以故發阿
耨多羅三藐三菩提者於法不說斷滅相
須菩提若菩薩以滿恒河沙等世界七寶布
施若復有人知一切法无我得成於忍此菩
薩勝前菩薩所得功德須菩提以諸菩薩不
受福德故須菩提白佛言世尊云何菩薩不
受福德須菩提菩薩所作福德不應貪著是
故說不受福德須菩提若有人言如來若來
若去若坐若卧是人不解我所說義何以故
如來者无所從來亦无所去故名如來須菩
提若善男子善女人以三千大千世界碎為
微塵於意云何是微塵衆寧為多不甚多世
尊何以故若是微塵衆實有者佛則不說是
微塵衆所以者何佛說微塵衆則非微塵衆
是名微塵衆世尊如來所說三千大千世界
則非世界是名世界何以故若世界實有者則
是一合相如來說一合相則非一合相是名
一合相須菩提一合相者則是不可說但凡
夫之人貪著其事須菩提若人言佛說我見
人見衆生見壽者見須菩提於意云何是人

一合相須菩提一合相者則是不可說但凡
夫之人貪著其事須菩提若人言佛說我見
人見衆生見壽者見須菩提於意云何是人
解我所說義不世尊是人不解如來所說義
何以故世尊說我見人見衆生見壽者見即
非我見人見衆生見壽者見是名我見人見
衆生見壽者見須菩提發阿耨多羅三藐三
菩提心者於一切法應如是知如是見如是
信解不生法相須菩提所言法相者如來說即
非法相是名法相
須菩提若有人以滿无量阿僧祇世界七寶
持用布施若有善男子善女人發菩薩心者
於此經中乃至四句偈等受持讀誦為人演
說其福勝彼云何為人演說不取於相如如
不動何以故
一切有為法　如夢幻泡影　如露亦如電　應作如是觀
佛說是經已長老須菩提及諸比丘比丘尼
優婆塞優婆夷一切世間天人阿脩羅聞佛
所說皆大歡喜信受奉行

金剛般若經

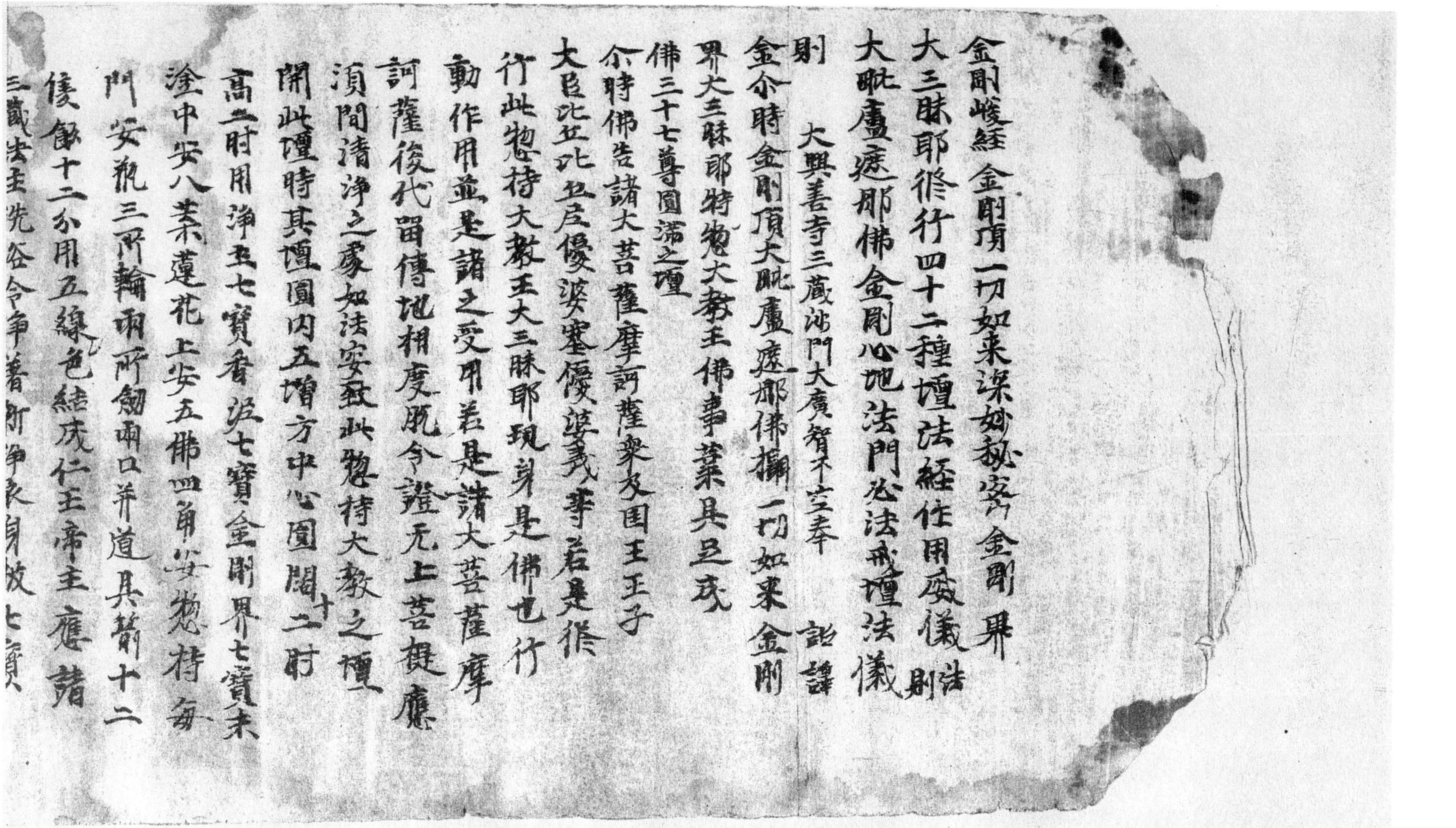
金剛峻經 金剛頂一切如來深妙秘密金剛界
大三昧耶修行四十二種壇法經作用威儀法則
大毗盧遮那佛金剛心地法門必法戒壇法儀則
大興善寺三藏沙門大廣智不空奉 詔譯
金尒時金剛頂大毗盧遮那佛攝一切如來金剛
界大三昧耶特惣大教王佛事業具足成
佛三十七尊圓滿之壇
尒時佛告諸大菩薩摩訶薩衆及国王王子
大臣比丘比丘尼優婆塞優婆夷等若是修
行此惣持大教王大三昧耶現身是佛也行
動作用並是諸之受用若是諸大菩薩摩
訶薩後代留傳地相度脫令證无上菩提應
須聞清淨之處如法安致此惣持大教之壇
開此壇時其壇圓內五增方中心圓闊十二肘
高二肘用淨土七寶香泥七寶金剛界七寶末
塗中安八葉蓮花上安五佛四角安惣持每
門安瓶三所輪兩所劒兩口并道具幡十二
條鏡十二分用五線色結成仁王帝主應諸
三藏法主洗浴令淨著新淨衣身放七寶

BD02431號背　金剛峻經金剛頂一切如來深妙秘密金剛界大三昧耶修行四十二種壇法經作用威儀法則，大毗盧遮那佛金剛心地法門必法戒壇法儀則　（13–1）

門安稱三下轉頭面食兩口并道具皆十二
儀飯十二分用五線色結成仁王帝主應請
三藏法主洗浴令淨着新淨衣身被七寶
袈裟七寶座具方乃入壇迎請聖衆仁王
帝主手執香爐六時行道行礼佛懺悔燒香
發願至心受持深妙秘密金剛界大三昧耶總
持大教王成佛經陁羅尼御製不得斷絕晝
夜六時如川流之水依師授於四十八戒先着
紫衣壇東北角上座於白蔥受於觀須後去
壇西南角上著於黃衣座七寶蓮臺脚蹋七
寶蓮花頂帶五佛將手執如意之輪授師付
囑擁於其頂便是本尊之身行道禮用四十九
人散花用一十六人遶壇四面安龍天八部行道
脚蹋七寶蓮花食三白之食如法供養不得
嗔怒果滿成就日日三時散施飲食度化水陸
有情盡得生天四生六類盡得解脫與慈運悲度
化有情現身是佛更莫外依佛說成滿補是之
壇法處　　部第廿八
尒時金剛頂大毗盧遮那佛正法明王攝受上大
乘佛事業一切如來深妙秘密金剛界大三昧
耶總持大教王加持身成佛後三十七尊正法
明王壇法尒時佛付囑金剛藏菩薩吾今安
汝汝等諦聽善思念之吾今付汝善自護持後
代留傳度化衆生若是國王王子大臣婆羅門
居士比丘比丘尼優婆塞優婆夷[illegible]

BD02431 號背　金剛峻經金剛頂一切如來深妙秘密金剛界大三昧耶修行四十二種壇法經作用威儀法則，大毗盧遮那佛金剛心地法門必法戒壇法儀則　（13–2）

汝汝等諦聽善思念之吾今付汝善自護持後
代留傳度化衆生若是國王王子大臣婆羅門
居士等比丘比丘尼優婆塞優婆夷等若是末
无上佛果正等菩提應須閒靜之處建
立此總持大教王成佛壇其壇四方外三增
内有一增安八角火輪安十六尊中心安八角
如意輪上安五佛開此壇時用淨土香泥七
寶金剛界七寶末塗每門安瓶一所并具
具輪一所劒兩口箭十二隻飯十二分用五色
綵結成仁王諦王應請三藏法主洗浴令
淨著新淨衣身披七寶袈裟七寶座具
方乃入壇迎請聖衆仁王帝主手執香爐
六時行道禮佛懺悔燒香發願至心受持金
剛頂一切如來深妙秘密金剛界大三昧耶持持
大教王成佛經陁羅尼印契不得斷絶晝夜
六時如川流之水求師受於四十八戒先著紫
衣檀東南角上座於白鳥受於灌頂後去檀
西南角上著於黄衣座七寶蓮臺蹈七
寶蓮花頂帶五佛之冠手執如意之輪授師
付囑傳於證法便授本尊之身道場僧用四
十九人散花用三十七人檀四面安龍天八部
首護道場日日三時散施飲食變化水陸有
情四生六類總令解脫盡得生天佛說總持大
教王成佛壇　部第廿九
尒時佛住王舍城耆闍崛山中共會諸天菩薩
万二千仁俱說國界内作福之火壇金剛藏菩

BD02431號背　金剛峻經金剛頂一切如來深妙秘密金剛界大三昧耶修行四十二種壇法經作用威儀法則，大毗盧遮那佛金剛心地法門必法戒壇法儀則　（13–3）

性以生可救免今龍王盡得生天　佛說揔持大
教王戒佛壇　部第廿九
尒時佛住王舍城耆闍崛山中共會諸天菩薩
万二千仁俱說國界內作福之火壇金剛藏菩
薩起立合掌白佛言世尊我聞世尊說國界
內作福之火壇須佛慈悲為我宣說我能受
持不敢妄失佛告金剛藏菩薩讚言善哉善
哉甚深不可思議汝等諦聽諦聽善思念之
吾今為汝分別解說此作福之火壇非吾所說
是過去諸佛遞代相傳為國界內作大福田若是
國內人民不安疾病起時若六畜不安疾病
起時但畫本患之身安置四面應請三藏法
師啟此火壇用蘇油五粟蓮花松柏枝柱梨木
白膠子蘇麻子相和壇內燒之至心受持揔持
百字明王并十吉祥隨羅尼一百八遍或一千八遍
加持本患之身病即立差惡魔鬼神當下消滅
不能為害若是外國賊根速內國不安但請
三藏法主開建此火壇應用蘇油五香蓮花柱
梨木蘇麻子白膠香相和壇內燒之心受持百
字明王并十吉祥一百八遍使即惡賊消散不
敢為害若是國王王子大臣將領兵事入於軍
陣請師七人隨所在處常須結此火壇至心持
念密迹金剛之法一百八遍軍王德勝聖衆加持
風雨順時五粟豐登万姓歡樂国界清平仁王
安太若是安邦定國先須興建佛法性重三寶興
建佛之壇安國之壇火壇為先若是國王王子大
臣凡欲為王治國安民須每月開建此火壇安

BD02431 號背　金剛峻經金剛頂一切如來深妙秘密金剛界大三昧耶修行四十二種壇法經作用威儀法則，大毗盧遮那佛金剛心地法門必法戒壇法儀則　（13–4）

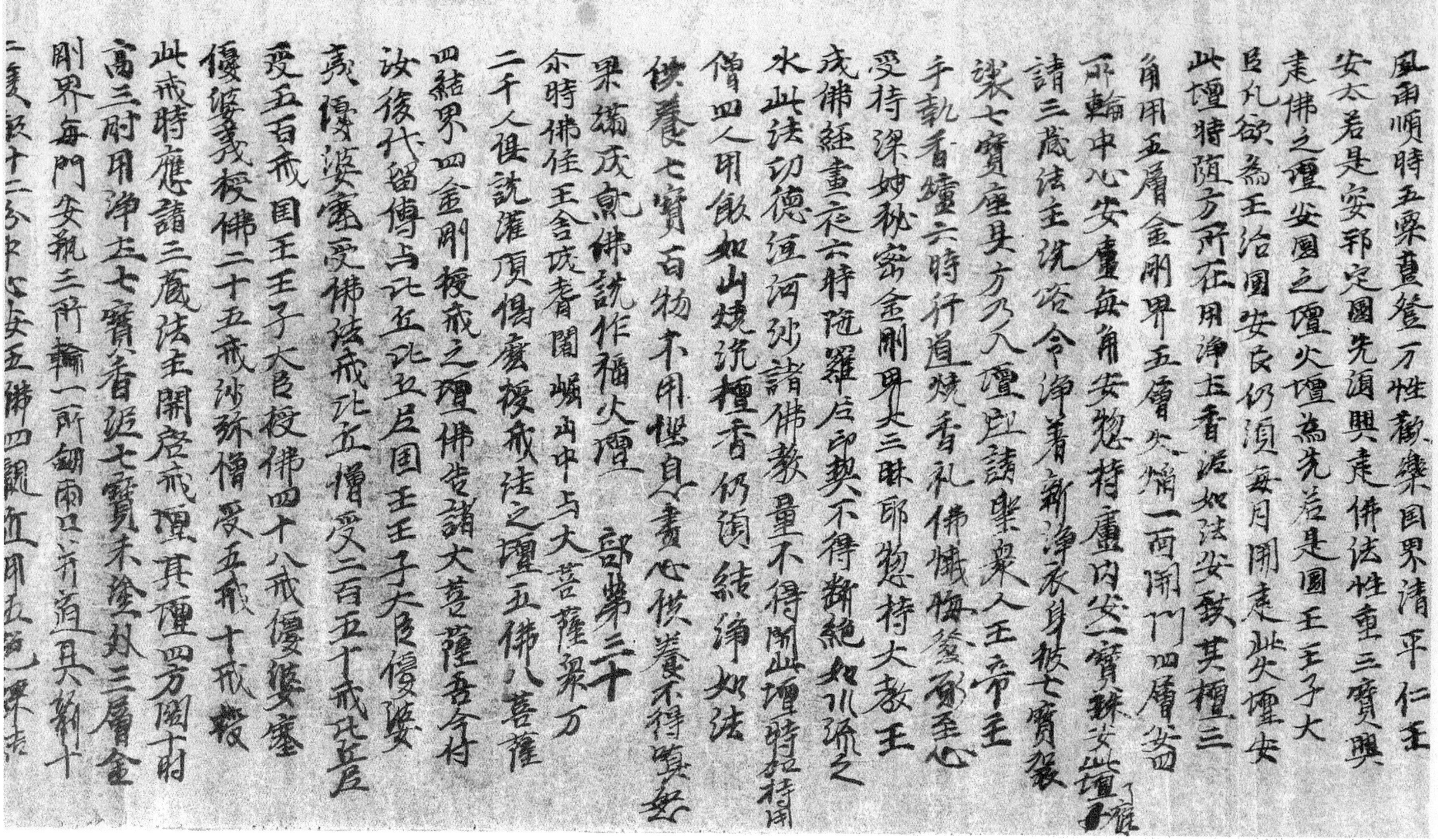
風雨順時五穀豊登万姓歡樂国界清平仁王
安泰若是安邦定國先須興建佛法性重三寶興
建佛之壇安國之壇火壇為先若是國王王子大
臣凡欲為王治国安良仍須每月開建此火壇安
此壇特隨方所在用淨土香泥如法安置其壇三
角用五層金剛界五層火焰一兩開門四層盆四
面輪中心安盡每角安惣持爐内安七寶珠安此壇了
請三藏法主洗浴令淨着新淨衣身被七寶袈
裟七寶座具方入壇应請聖衆人王帝主
手執香爐六時行道燒香礼佛懺悔發願至心
受持深妙秘密金剛界大三昧耶惣持大教王
成佛經晝夜六時陁羅尼印契不得斷絶如訓流之
水此法功德恒河沙諸佛數量不得開此壇時加持用
僧四人用飯如山燒沉檀香仍須結淨如法
供養七寶百物不用惜身盡心供養不得嗔妬
果蒲茂就佛說作福火壇　部第三十
尒時佛住王舍城耆闍崛山中与大菩薩衆万
二千人俱說灌頂偈處授戒法之壇五佛八菩薩
四結界四金剛授戒之壇佛告諸大菩薩吾今付
汝後代留傳与比丘比丘尼国王王子大臣優婆
夷優婆塞受佛法戒比丘僧受二百五十戒比丘尼
受五百戒国王王子大臣授佛四十八戒優婆塞
優婆夷授佛二十五戒沙弥僧受五戒十戒授
此戒時應請三藏法主開啓戒壇其壇四方闊十肘
高三肘用淨土七寶香泥七寶未塗其三層金
剛界每門安瓶二所輪一所劒兩口幷箭具八剎十
二隻叙十二分中心安五佛四[illegible]

BD02431 號背　金剛峻經金剛頂一切如來深妙秘密金剛界大三昧耶修行四十二種壇法經作用威儀法則，大毗盧遮那佛金剛心地法門必法戒壇法儀則　（13–5）

高三肘用淨土七寶香泥七寶末塗地二層金
剛界每門安瓶三所輪一所劍兩口并道具剗十
二隻鉢十二分中心安五佛四親近用五色線結
戒壇請三藏法主洗浴令淨著新淨衣身挂七
寶袈裟七寶座具方乃入壇迎請望衆方乃
入壇和合僧授戒先與授五戒十戒方乃入壇三
人同引入壇授三師七證三羯磨三羯磨復方
乃總戒三羯不成不得與戒若是黃門人或是
二形人或是賊心受戒人此三種人不得與受戒此
之戒法是過去九十九億諸佛遞代相傳受佛付囑
地相度脫授此戒訖例須行道七日行道之時
手執花菓六時行道燒香禮佛讚歎發元
上菩提心度一切衆生至心受持深妙秘密金
剛界大三昧耶總持大教王戒佛經陀羅尼印契
不得輕泄盡夜六時如爪流之水持吾教法莫妄宣
傳佛說授戒偈讚正法之壇　部第三十一
尒時佛在王舍城耆闍崛山中與大菩薩衆万二
千人俱說十六大士灌頂之壇法佛告諸大菩薩
吾今付與加持灌頂受法之壇若是後代修行菩
薩國王王子大臣比丘比丘尼優婆塞優婆夷求
无上證菩提者請三藏法主潔淨之處如
法建立壇場潔淨之時其壇四方闊十二肘高三
肘內八增圓安八灌頂寶各有金剛界為底大海
水為遶里有水陸衆生內一增方安八菩薩中心
安一所如意之頭上安五佛四角安總持每門安瓶
一所劍兩口輪一所并道具外一壇每門安輪一所
劍兩口箭十二隻鉢十二分安此壇時用淨土七

BD02431 號背　金剛峻經金剛頂一切如來深妙秘密金剛界大三昧耶修行四十二種壇法經作用威儀法則，大毗盧遮那佛金剛心地法門必法戒壇法儀則　（13–6）

安一所如意之輪上安五佛四角安惣持寶門安瓶
一所劍兩口輪一所并眉具外一增每門安輪一所
劍兩口箭十二隻飲十二分安此壇時用淨土七
寶泥七寶金剛界七寶末塗用五色線繞或
應請三藏法主洗浴淨著新淨衣身披七寶
袈裟七寶座具方乃入壇此請聖衆和尚主壇
手執香爐六時行道礼佛懺悔香燒發願禁師
授於灌頂先著紫衣主壇東北角坐於白馬
授灌頂後主壇西南角上坐於七寶蓮臺瑜伽
七寶蓮花頂帶五佛之冠手執如意之輪授師
付囑受持於身授於證法便是本尊之身行道
僧用十六人散花用十六人行道四十九遍不
得久少一遍脚蹋七寶蓮花遶壇四面安龍天
八部普讓壇場長齋七日食三百食七日解
齋如法盡心七寶百物歡喜供養三藏法主不
令嗔怒果滿成就燒七寶末香晝夜六時念
授持深妙秘密惣持大教王成佛經陀羅尼印
契如水流之水晝夜六時不得斷絕此之壇法是
過去諸佛弟代相傳不令斷絕佛說現證大教
王灌頂之壇法　　部第三十二
爾時佛住王舍城耆闍崛山中與大諸菩薩衆之
千人俱說佛事業供養十方十六大士作福之
壇佛告諸大菩薩摩訶薩衆若後是代修證無
上證等菩提若是國王王子大臣婆羅門居士等
優婆塞優婆夷若是修證無上菩提佛果應護
藏法主聞清淨之處如法建立十六大士作福之壇
開此壇特其壇闊十二肘高二肘外三增方內金剛界圓

BD02431 號背　金剛峻經金剛頂一切如來深妙秘密金剛界大三昧耶修行四十二種壇法經作用威儀法則，大毗盧遮那佛金剛心地法門必法戒壇法儀則　　（13–7）

壇佛告諸大菩薩摩訶薩[illegible]
上證等菩提若是國王王子大臣婆羅門居士等
優婆塞優婆夷若是能證无上菩提佛果應護
藏法主聞清淨之處如法建立十六大士作福之壇
開此壇特其壇闊十二肘高二肘外三增方內金剛界圓
安八角火輪上安五佛四親近中心一增方安四攝持金剛界圓安八葉蓮花上安五佛之印外三增方四角安四攝持每
門安瓶一所劍兩口并道具幡十二條鏡十二面亦用
淨土七寶香泥七寶金剛界七寶末塗用五色
綵結成應請法主洗浴淨令著新淨衣身
被七寶袈裟七寶座具方乃入壇迎請聖衆
人王帝主王子百官手執香爐六時行道禮佛
懺悔燒香發願願證无上菩提證其佛果度化
一切衆生令正无上菩提七寶百物香花塗百
味飲食盡心供養不昔身命供養如來晝夜六
時作佛事業乃至終身不令間斷供養如來
至心受持深妙秘密金剛界大三昧耶總持大教
王[illegible]成佛經陀羅尼印契晝夜六時不得斷絕如
川流之水作佛事業供養如來無福者懺悔無
壽者懺壽設求无上菩提有證无上菩提得此之功德
靈驗須河沙諸佛教量不得若是人王帝主王子百官
至心受持无上佛果定無所失佛說供養十方
佛事業作福之壇　部第三十三
尒時佛住金王城金剛座說甚深六波羅蜜證
法明王大教之壇佛告諸大菩薩摩訶薩衆會
今告汝後代修行六波羅蜜甚深證法明王三十
七尊菩提分法此是過去

BD02431號背　金剛峻經金剛頂一切如來深妙秘密金剛界大三昧耶修行四十二種壇法經作用威儀法則，大毗盧遮那佛金剛心地法門必法戒壇法儀則　（13–8）

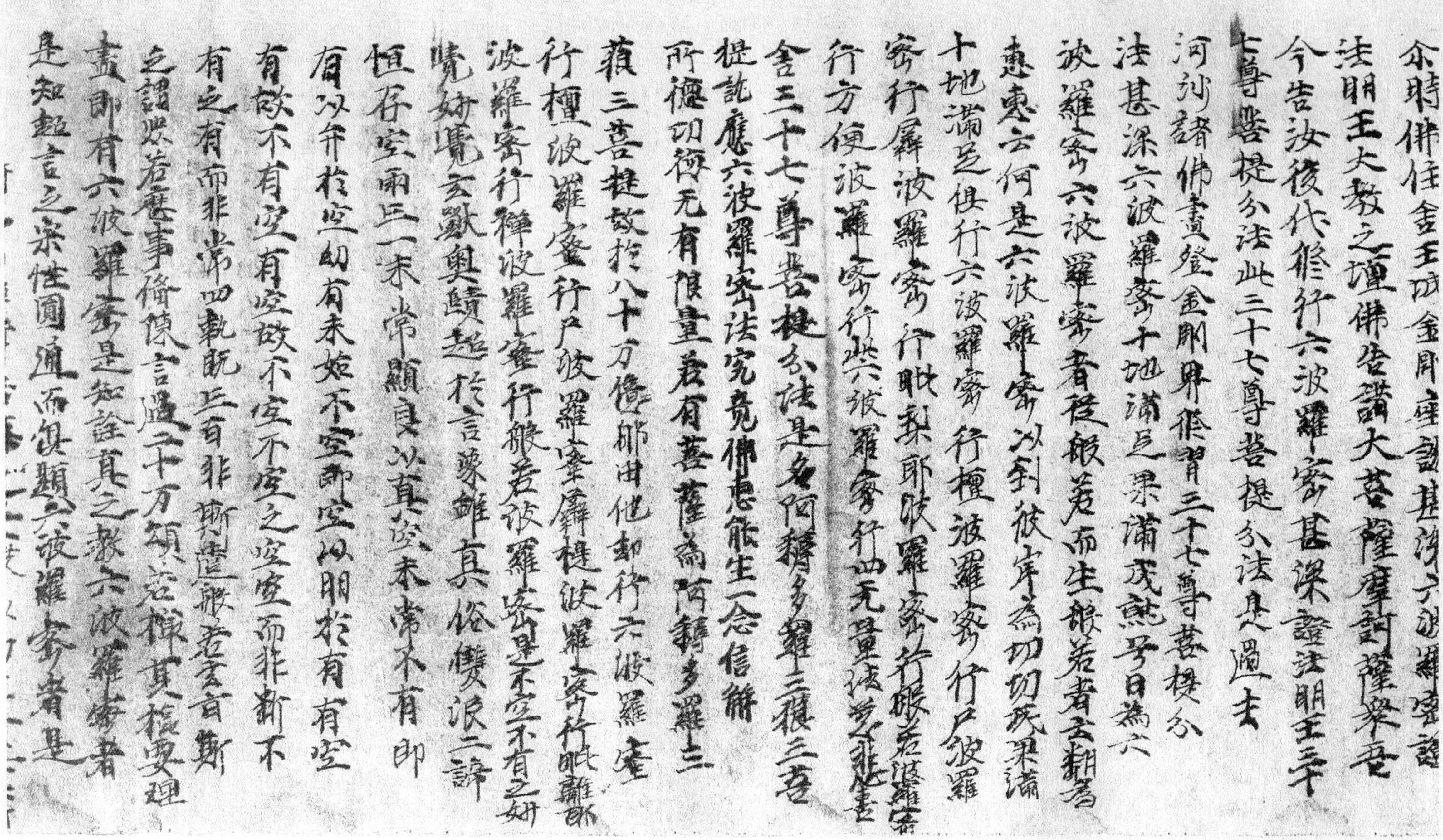

尒時佛住金王城金剛座說甚深六波羅蜜諸
法明王大教之壇佛告諸大菩薩摩訶薩眾吾
今告汝後代修行六波羅蜜甚深證法明王三十
七尊菩提分法此三十七尊菩提分法是過去
河沙諸佛盡登金剛界修習三十七尊菩提分
法甚深六波羅蜜十地滿足果滿成就號曰爲六
波羅蜜六波羅蜜者從般若而生般若者支稱爲
惠惠云何是六波羅蜜以到彼岸爲切切成果滿
十地滿足俱行六波羅蜜行檀波羅蜜行尸波羅
蜜行羼波羅蜜行毗梨耶波羅蜜行般若波羅蜜
行方便波羅蜜行此六波羅蜜行四无量波若非去
舍三十七尊菩提分法是名阿耨多羅三藐三菩
提說應六波羅蜜法究竟佛患能生一念信解
所德功德无有限量若有菩薩爲阿耨多羅三
藐三菩提故於八十万億那由他劫行六波羅蜜
行檀波羅蜜行尸波羅蜜羼提波羅蜜行毗離耶
波羅蜜行禪波羅蜜行般若波羅蜜是不空不有之妙
曉妙覺玄默奧賾超於言象雖真俗雙泯二諦
恒存空兩亡一未常顯良以真空未常不有即
有以辨於空幻有未始不空即空以明於有有空
有故不有空有空故不空不空之空空而非斷不
有之有而非常四執既亡百非斯遣般若玄旨斯
之謂歟若廣事備陳言過二十万頌若撮其樞要理
盡即有六波羅蜜是知詮真之教六波羅蜜者
是知超言之宗性圓通而俱顯六波羅蜜者是

BD02431號背　金剛峻經金剛頂一切如來深妙秘密金剛界大三昧耶修行四十二種壇法經作用威儀法則，大毗盧遮那佛金剛心地法門必法戒壇法儀則　（13–9）

有之有而非[illegible]四事助上百行其道能若言[illegible]
之謂般若甚事備陳言過二十万頌六總其樞要迴
盡即有六波羅蜜是知詮真之教六波羅蜜者
是知超言之宗性圓通而復題六波羅蜜者是
謂曜昏衢之高炬濟苦海之征艘拯物導迷莫斷
為熱般若以神鑒為路六波羅蜜者以到彼岸
為功心顯要妙所歸經義經乃貫穿言教從經就
喻詮之為目故云是詞摩訶般若波羅蜜經此六波
羅蜜一教與三藏攝三宗四釋題目五解六義
六物攝宗家上大乘現正大教一謂欲破外道諸
邪見故二欲迴二乘入大乘故三遣小菩薩不迷空
故四明二諦中道生正見故五顯佛勝得生淨信
故六欲令發大菩提心故此六波羅蜜真照云何
是諸佛盡行六波羅蜜是成佛之根般若波羅
蜜 是大乘正宗法花婦東是其中宗授引中成大
智度論是其小乘引道初地之人百法之論是
寂下小乘引道小現及已果來生悟其八識為二元
我法助名為大乘自明二論前下小乘引道小
乘衆生因明佛性用悟立名号為自名唯識之論
其其小乘引道小乘衆生回明八識回識上得
名為悟其八識名為唯識般若正宗六波羅蜜
者具足圓滿是成佛之根本具家上大乘頓正
大教生物心特六般波羅蜜菩薩後於往行菩薩
等乎百官比丘比丘尼優婆塞優婆夷修行
菩薩六波羅蜜成佛之一[illegible]諸三藏[illegible]

BD02431號背　金剛峻經金剛頂一切如來深妙秘密金剛界大三昧耶修行四十二種壇法經作用威儀法則，大毗盧遮那佛金剛心地法門必法戒壇法儀則　（13–10）

者具足圓滿具足佛之執本具寶上大乘頓正
大教王物心時六般波羅蜜若後代修行菩薩國
王宰百官比丘比丘尼優婆塞優婆夷修行
甚深六波羅蜜成佛之果，應請三藏法主開啓
六波羅蜜壇時開此壇時聞清淨之處如法建立其
壇四方內兩壇金剛圓安十六角火輪上安十六
尊中心四方安八葉蓮上安五佛四角安四摠
持外一壇每門安輪一所鋼兩口并道具觔十二
儀飲十二分安此壇時用淨土七寶香泥七寶金
剛界七寶末塗用五色線結成其壇閣十二時
高三時安此壇成請三藏法主洗浴令淨著新
淨衣身披七寶袈裟七寶座具方乃入壇迎請
聖衆人王帝主手執香爐六時行道礼佛懺悔
燒香發願至心受持深妙秘密金剛界大三昧
耶摠持大教王成佛經陁羅尼呪契晝夜六時如
川流之水不得斷絶直取无上菩提究竟无所失
行道僧廿四人遶壇四面腳跌七寶蓮花校莊
提之位座七寶之蓮臺腳跌七寶蓮花頂第五
佛之前手執如意之輪授師付囑灌於其頂方
受菩提之位日食万兩金黃七寶百物百味
飲食供養法師晝令充足不令闕少果滿成就
佛說甚深六波羅蜜十地滿足之壇法　部第三十四
尒時佛住王舍城耆闍崛山中與大菩薩衆一
二千仁俱說摠持百字明王化身作十八金剛護法

BD02431 號背　金剛峻經金剛頂一切如來深妙秘密金剛界大三昧耶修行四十二種壇法經作用威儀法則，大毗盧遮那佛金剛心地法門必法戒壇法儀則　（13–11）

佛□
尒時佛住王舍城耆闍崛山中与大菩薩衆一
二千人俱說揔持百字明王化身作十金剛護法
明王无障㝵之壇法金剛藏菩薩起立合掌
白佛言世尊我聞世尊說揔持正法明王十物
持无障㝵之壇法願佛慈悲為我宣說令我得
正无㝵之法當來度化衆生皆是佛之威力
佛告金剛藏菩薩汝等諦聽諦聽善思念之
吾當為汝分別解說此十揔持无㝵障之壇
法此十揔持先為十重祥特護助河沙諸佛盡
證无上菩提後為百字明王亦護助河沙諸
佛盡證无上菩提歷度万行具□諸菩行□持得至十
地滿足揔持无㝵之身莫□小知小見望生執著
易得為得易正為正貪小乘染識文諍望
為分別洛為耶道凡俗修行修正大乘莫執小乘後代修行
菩薩凡欲修正衆上大乘速正无上菩提十地滿足无㝵之佛告金剛藏
菩薩吾今付汝後代留傳度化天人應結十身揔持之
壇開此壇時閒清淨之處如法建立其壇四方內三階圓
兩增安八角火輪上安本尊中心方內安八葉蓮上安五
佛即四角安揔持內外安八灌頂開此壇時其壇闊十二肘高
三肘用淨土七寶香泥七寶金剛界七寶末塗用五色綵
結成五門安爐一所銅盆口并道□十二使□十二分
安此壇時□度請三藏□洗浴令淨著新衣淨身
被七寶袈裟七寶□□方乃入壇□□□求善見仁王王子
比丘比丘尼優婆塞優婆夷衆生執著但依師修行手執香
爐一時行道礼佛懺悔□□□□至心受持深妙秘密

BD02431號背　金剛峻經金剛頂一切如來深妙秘密金剛界大三昧耶修行四十二種壇法經作用威儀法則，大毗盧遮那佛金剛心地法門必法戒壇法儀則　（13–12）

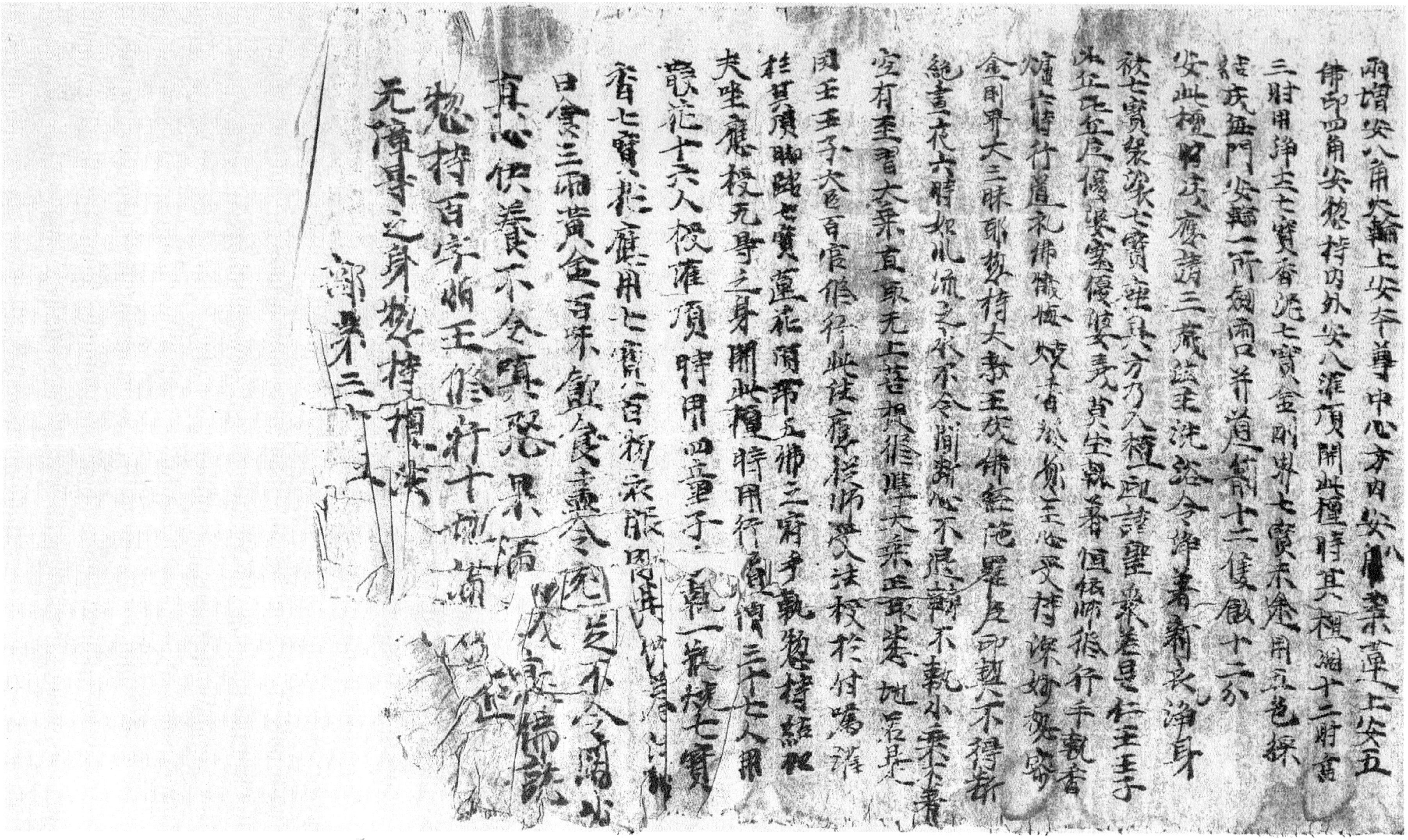

BD02431 號背　金剛峻經金剛頂一切如來深妙秘密金剛界大三昧耶修行四十二種壇法經作用威儀法則，大毗盧遮那佛金剛心地法門必法戒壇法儀則　（13–13）

不不也世尊何以故莊嚴佛土者則非莊嚴
是名莊嚴是故須菩提諸菩薩摩訶薩應如
是生清淨心不應住色生心不應住聲香味
觸法生心應无所住而生其心
須菩提譬如有人身如須弥山王於意云何
是身為大不須菩提言甚大世尊何以故佛
說非身是名大身
須菩提如恒河中所有沙數如是沙等恒河
於意云何是諸恒河沙寧為多不須菩提言
甚多世尊但諸恒河尚多无數何況其沙須
菩提我今實言告汝若有善男子善女人以
七寶滿尒所恒河沙數三千大千世界以用
布施得福多不須菩提言甚多世尊佛告須
菩提若善男子善女人於此經中乃至受持
四句偈等為他人說而此福德勝前福德
復次須菩提隨說是經乃至四句偈等當知
此處一切世間天人阿脩羅皆應供養如佛
塔廟何況有人盡能受持讀誦須菩提當知
是人成就最上第一希有之法若是經典所
在之處則為有佛若尊重弟子
尒時須菩提白佛言世尊當何名此經我等
云何奉持佛告須菩提是經名為金剛般若

BD02432號　金剛般若波羅蜜經　（2–1）

於意云何是諸恒河沙寧為多不須菩提言
甚多世尊但諸恒河尚多无數何況其沙須
菩提我今實言告汝若有善男子善女人以
七寶滿尒所恒河沙數三千大千世界以用
布施得福多不須菩提言甚多世尊佛告須
菩提若善男子善女人於此經中乃至受持
四句偈等為他人說而此福德勝前福德
復次須菩提隨說是經乃至四句偈等當知
此處一切世間天人阿脩羅皆應供養如佛
塔廟何況有人盡能受持讀誦須菩提當知
是人成就最上第一希有之法若是經典所
在之處則為有佛若尊重弟子
尒時須菩提白佛言世尊當何名此經我等
云何奉持佛告須菩提是經名為金剛般若
波羅蜜以是名字汝當奉持所以者何須菩
提佛說般若波羅蜜則非般若波羅蜜須菩
提於意云何如來有所說法不須菩提白佛
言世尊如來无所說須菩提於意云何三千
大千世界所有微塵是為多不須菩提言甚
多世尊須菩提諸微塵如來說非微塵是名

BD02432號　金剛般若波羅蜜經　（2–2）

云何若人滿三千大千世界七
寶以用布施是人所得福德寧為多不須菩
提言甚多世尊何以故是福德即非福德性
是故如來說福德多若復有人於此經中受
持乃至四句偈等為他人說其福勝彼何以
故須菩提一切諸佛及諸佛阿耨多羅三藐
三菩提法皆從此經出須菩提所謂佛法者
即非佛法是名佛法
須菩提於意云何須陁洹能作是念我得須
陁洹果不須菩提言不也世尊何以故須陁
洹名為入流而无所入不入色聲香味觸法
是名須陁洹須菩提於意云何斯陁含能作
是念我得斯陁含果不須菩提言不也世尊
何以故斯陁含名一往來而實无往來是名
斯陁含須菩提於意云何阿那含能作是念
我得阿那含果不須菩提言不也世尊何以
故阿那含名為不來而實无來是故名阿那
含須菩提於意云何阿羅漢能作是念我得
阿羅漢道不須菩提言不也世尊何以故實
无有法名阿羅漢世尊若阿羅漢作是念我
得阿羅漢道即為著我人衆生壽者世尊佛
說我得无諍三昧人中最為苐一是苐一離
欲阿羅漢我不作是念我是離欲阿羅漢世

BD02433 號　金剛般若波羅蜜經　（2–1）

須菩提於意云何須陁洹能作是念我得須
陁洹果不須菩提言不也世尊何以故須陁
洹名為入流而无所入不入色聲香味觸法
是名須陁洹須菩提於意云何斯陁含能作
是念我得斯陁含果不須菩提言不也世尊
何以故斯陁含名一往來而實无往來是名
斯陁含須菩提於意云何阿那含能作是念
我得阿那含果不須菩提言不也世尊何以
故阿那含名為不來而實无來是故名阿那
含須菩提於意云何阿羅漢能作是念我得
阿羅漢道不須菩提言不也世尊何以故實
无有法名阿羅漢世尊若阿羅漢作是念我
得阿羅漢道即為著我人衆生壽者世尊佛
說我得无諍三昧人中最為苐一是苐一離
欲阿羅漢我不作是念我是離欲阿羅漢世
尊我若作是念我得阿羅漢道世尊則不說
須菩提是樂阿蘭那行者以須菩提實无所
行而名須菩提是樂阿蘭那行
佛告須菩提於意云何如來昔在然燈佛所
於法有所得不世尊如來在然燈佛所於法
實无所得須菩提於意云何菩薩莊嚴佛土

BD02433 號　金剛般若波羅蜜經　（2–2）

我有如是七寶大車其數无量應當等心各
各與之不冝差別所以者何以我此物周給一
國猶尚不匱何況諸子是時諸子各乘大車
得未曾有非本所望舍利弗於汝意云何是
長者等與諸子珎寶大車寧有虛妄不舍
利弗言不也世尊是長者但令諸子得免火
難全其軀命非為虛妄何以故若全身命便
為已得玩好之具況復方便於彼火宅而拔
濟之世尊若是長者乃至不與取小一車猶
不虛妄何以故是長者先作是意我以方便
令子得出以是因緣无虛妄也何況長者自
知財富无量欲饒益諸子等與大車佛告舍
利弗善哉善哉如汝所言舍利弗如來亦復
如是則為一切世間之父於諸怖畏衰惱憂
患无明闇蔽永盡无餘而悉成就无量知見
力无所畏有大神力及智慧力具足方便智
慧波羅蜜大慈大悲常无懈惓恒求善事
利益一切而生三界朽故火宅為度衆生生老
病死憂悲苦惱愚癡闇蔽三毒之火教化令

BD02434號　妙法蓮華經卷二　(2–1)

不虛妄何以故是長者先作是意我以方便
令子得出以是因緣无虛妄也何況長者自
知財富无量欲饒益諸子等與大車佛告舍
利弗善哉善哉如汝所言舍利弗如來亦復
如是則為一切世間之父於諸怖畏衰惱憂
患无明闇蔽永盡无餘而悉成就无量知見
力无所畏有大神力及智慧力具足方便智
慧波羅蜜大慈大悲常无懈惓恒求善事
利益一切而生三界朽故火宅為度衆生生老
病死憂悲苦惱愚癡闇蔽三毒之火教化令
得阿耨多羅三藐三菩提見諸衆生為生老
病死憂悲苦惱之所燒煮亦以五欲財利故
受種種苦又以貪著追求故現受衆苦後受
地獄畜生餓鬼之苦若生天上及在人間貧窮
困苦愛別離苦怨憎會苦如是等種種諸苦
衆生沒在其中歡喜遊戲不覺不知不驚
不怖亦不生猒不求解脫於此三界火宅東

BD02434號　妙法蓮華經卷二　(2–2)

[illegible]怕魍魎[illegible]若夜惡
[illegible]光神之所燒者
亦當礼敬藥師琉璃[illegible]火之所焚
濟者亦當礼敬藥師琉璃光[illegible]谷為
虎狼熊羆蒺藜諸惡龍[illegible]蝮蝎種種
雜類若有惡心來相向者心當存念藥師琉璃
光佛山中諸難不能為害若他方怨賊偷竊
惡人怨家債主欲來侵陵心存念藥師琉璃光
佛則不為害以善男子善女人礼敬藥師琉
璃光如來功德所致華報如是[illegible]果報也是
故吾今勸諸四輩礼事藥師琉璃光佛至
真等正覺
佛告文殊師利我但為汝略說藥師琉璃光佛
礼敬功德若使我廣說是藥師琉璃光佛无
量功德為一切人未心中所願者從一劫至
一劫故不周遍其世間人若有著床痿黃
困篤惡病連年累月不差者聞我說是藥師
琉璃光佛名字之時橫病之厄无不除愈唯
除宿殃不請耳
[illegible]

BD02435號　灌頂章句拔除過罪生死得度經　（4–1）

佛告文殊師利我但為汝略說藥師琉璃光佛
礼敬功德若使我廣說是藥師琉璃光佛无
量功德為一切人未心中所願者從一劫至
一劫故不周遍其世間人若有著床痿黃
困篤惡病連年累月不差者聞我說是藥師
琉璃光佛名字之時橫病之厄无不除愈唯
除宿殃不請耳
佛告文殊師利若善男子善女人受三自歸
若五戒若十戒若善信菩薩二十四戒若沙
門二百五十戒若比丘尼五百戒若菩薩戒
若破是諸戒等若能至心一懺悔者復聞我
說藥師琉璃光佛終不墮三惡道中必得解脫
若人愚癡不受父母師友教誨不信佛不信經
戒不信聖僧應墮三惡道中忘失人種受畜生
身聞我說是藥師琉璃光佛善願功德者即
得解脫
佛告文殊師利世有惡人雖受佛禁戒觸事
違犯或煞无道偷竊他人財寶欺詐妄語婬
他婦女飲酒鬪乱兩舌惡口罵詈毀人犯戒
為惡更復祠祀鬼神有如是罪過當墮地獄
中若當屠割若抱銅柱若臥鐵床若鐵鈎出
舌若洋銅灌口者聞我說是藥師琉璃光佛
无不即得解脫者也
佛告文殊師利其世間人豪貴下賤不信佛
不信經不信有沙門不信有須陁洹不信有

BD02435號　灌頂章句拔除過罪生死得度經　（4–2）

舌若治鍼消[illegible]者聞我說是藥師琉璃光佛
无不即得解脫者也
佛告文殊師利其世間人豪貴下賤不信佛
不信經不信有沙門不信有須陁洹不信有
斯陁含不信有阿那含不信有阿羅漢不信
有辟支佛不信有十住菩薩不信有三世之
事不信有十方諸佛不信有本師釋迦文佛
不信人死神明更生善者受福惡者受殃有
有如是之罪應墮三惡道中聞我說是藥師
琉璃光佛名字之者一切過罪自然消滅
佛告文殊師利若有善男子善女人聞我說
是藥師琉璃光佛至真等正覺其誰不發无
上正真意後皆當得作佛人居世間仕宦不
遷治生不得飢寒困厄亡失財產无復方計
聞我說是藥師琉璃光佛各各得心中所願
仕宦皆得高遷財物自然長益飲食充饒皆
得富貴若為縣官之所拘錄惡人侵枉若為
怨家所得便者心當存念藥師琉璃光佛若
他婦女產生難者皆當存念藥師琉璃光
佛兒則易生身體平政无諸疾病六情完具
聰明智慧壽命得長不遭枉橫善神擁護不
為惡鬼試其頭也
佛說是語時阿難在右邊佛顧語阿難言汝信
我為文殊師利說往昔東方過十恒河沙有佛
名曰藥師琉璃光佛本願功德者不阿難白

BD02435 號　灌頂章句拔除過罪生死得度經　（4–3）

聰明智慧壽命得長不遭枉橫善神擁護不
為惡鬼試其頭也
佛說是語時阿難在右邊佛顧語阿難言汝信
我為文殊師利說往昔東方過十恒河沙有佛
名曰藥師琉璃光佛本願功德者不阿難白
佛言唯天中天佛之之所說何敢不信耶佛
語阿難言世間人等雖有眼耳鼻舌身意人
常用是六事以自迷惑但信世間魔邪之言
不信至真至誠度世苦切之語如是人輩難
可開化阿難白佛言世人多有惡逆下賤人者
若聞佛說是經開人耳目破治人病除人陰冥
使覩光明解人疑結去人重罪千劫万劫无
復憂患皆因佛說是藥師琉璃光本願功德
悉令安隱得其福也
佛語阿難汝口為言善而汝內心狐疑不信我
言阿難汝莫作是念以自毀敗佛言阿難我見
汝心我知汝意汝知之不阿難[illegible]頭面
長跪白佛言審如天中天所說[illegible]
說是藥師琉璃光無大尊貴[illegible]

BD02435 號　灌頂章句拔除過罪生死得度經　（4–4）

大般若波羅蜜多經卷第三九一
初分成熟有情品第七十一之三
善現若菩薩摩訶薩修行
便善巧安住苦聖諦時不
住不得所修不得所為亦
而住苦聖諦是菩薩摩訶
薩道善現若菩薩摩訶薩修
蜜多方便善巧安住集滅道聖諦時不
道聖諦不得能住不得所住不得所為亦不
離如是諸法而住集滅道聖諦是菩
薩則能圓滿修菩薩道如是善
摩訶薩修行般若波羅蜜多方便
薩道令得圓滿能證无上正等菩提　若
善薩摩訶薩修行般若波羅蜜多　巧
修行四靜慮時不得四靜慮不得能修不得
所修不得所為亦不遠離如是諸法而修四
靜慮是菩薩摩訶薩則能圓滿修菩薩道善
現若菩薩摩訶薩修行般若波羅蜜多方便
善巧修行四无量四无色定時不得四无量
四无色定不得能修不得所修不得所為亦
不遠離如是諸法而修四无量四无色定是菩
薩摩訶薩則能圓滿修菩薩道如是善現
諸菩薩摩訶薩修行般若波羅蜜多方便善

BD02436號　大般若波羅蜜多經卷三九一　　（21–1）

善巧修行四无量四无色定時不得四无量
四无色定不得能修不得所修不得所為亦
不遠離如是諸法而修四无量四无色定是菩
薩摩訶薩則能圓滿修菩薩道如是善現
諸菩薩摩訶薩修行般若波羅蜜多方便善
巧修菩薩道令得圓滿能證无上正等菩提
善現若菩薩摩訶薩修行般若波羅蜜多方
便善巧修行八解脫時不得八解脫不得能
修不得不修不得所為亦不遠離如是諸法
而修八解脫是菩薩摩訶薩則能圓滿修菩
薩道善現若菩薩摩訶薩修行般若波羅蜜
多方便善巧修行八勝處九次第定十遍處
時不得八勝處九次第定十遍處不得能修
不得所修不得所為亦不遠離如是諸法而
修八勝處九次第定十遍處是菩薩摩訶薩
則能圓滿修菩薩道如是善現諸菩薩摩訶
薩修行般若波羅蜜多方便善巧修菩薩道
令得圓滿能證无上正等菩提善現若菩薩
摩訶薩修行般若波羅蜜多方便善巧修行
一切陁羅尼門時不得一切陁羅尼門不得能
修不得所修不得所為亦不遠離如是諸
法而修一切陁羅尼門是菩薩摩訶薩則能
圓滿修菩薩道善現若菩薩摩訶薩修行般
若波羅蜜多方便善巧修行一切三摩地門
時不得一切三摩地門不得能修不得所修不
得所為亦不遠離如是諸法而修一切三
摩地門是菩薩摩訶薩則能圓滿修菩薩道
如是善現諸菩薩摩訶薩修行般若波羅蜜

BD02436號　大般若波羅蜜多經卷三九一　　（21–2）

若波羅蜜多方便善巧脩行一切三摩地門
時不得一切三摩地門不得能脩不得所脩不
得所為亦不遠離如是諸法而脩一切三
摩地門是菩薩摩訶薩則能圓滿脩菩薩道
如是善現諸菩薩摩訶薩脩行般若波羅蜜
多方便善巧脩菩薩道令得圓滿能證无上
正等菩提善現若菩薩摩訶薩脩行般若波
羅蜜多方便善巧脩行空解脫門時不得空解
脫門不得能脩不得所脩不得所為亦不
遠離如是諸法而脩空解脫門是菩薩摩訶
薩則能圓滿脩菩薩道善現若菩薩摩訶薩
脩行般若波羅蜜多方便善巧脩行无相无
願解脫門時不得无相无願解脫門不得能
脩不得所脩不得所為亦不遠離如是諸法
而脩无相无願解脫門是菩薩摩訶薩則
能圓滿脩菩薩道如是善現諸菩薩摩訶薩
脩行般若波羅蜜多方便善巧脩菩薩道令得
圓滿能證无上正等菩提善現若菩薩摩
訶薩方便善巧脩行極喜地時不得極喜地
不得能脩不得所脩不得所為亦不遠離如
是諸法而脩極喜地是菩薩摩訶薩則能圓
滿脩菩薩道善現若菩薩摩訶薩脩行般若
波羅蜜多方便善巧脩行離垢地發光地焰
慧地極難勝地現前地遠行地不動地善慧
地法雲地時不得離垢地乃至法雲地不得
能脩不得所脩不得所為亦不遠離如是諸
法而脩離垢地乃至法雲地是菩薩摩訶薩

BD02436號　大般若波羅蜜多經卷三九一　（21–3）

波羅蜜多方便善巧脩行離垢地發光地焰
慧地極難勝地現前地遠行地不動地善慧
地法雲地時不得離垢地乃至法雲地不得
能脩不得所脩不得所為亦不遠離如是諸
法而脩離垢地乃至法雲地是菩薩摩訶薩
則能圓滿脩菩薩道如是善現諸菩薩摩訶
薩脩行般若波羅蜜多方便善巧脩菩薩道
令得圓滿能證无上正等菩提善現若菩薩
摩訶薩脩行般若波羅蜜多方便善巧脩行
五眼時不得五眼不得能脩不得所脩不得
所為亦不遠離如是諸法而脩五眼是菩薩
摩訶薩則能圓滿脩菩薩道善現若菩薩摩
訶薩脩行般若波羅蜜多方便善巧脩行六
神通時不得六神通不得能脩不得所脩不
得所為亦不遠離如是諸法而脩六神通是
菩薩摩訶薩則能圓滿脩菩薩道如是善現
諸菩薩摩訶薩脩行般若波羅蜜多方便善
巧脩菩薩道令得圓滿能證无上正等菩提
善現若菩薩摩訶薩脩行般若波羅蜜多方
便善巧脩行佛十力時不行佛十力不得能
脩不得所脩不得所為亦不遠離如是諸法
而脩佛十力是菩薩摩訶薩則能圓滿脩菩
薩道善現若菩薩摩訶薩脩行般若波羅蜜
多方便善巧脩行四无所畏四无礙解大慈
大悲大喜大捨十八佛不共法時不得四无
所畏乃至十八佛不共法不得能脩不得所
脩不得所為亦不遠離如是諸法而脩四无

BD02436號　大般若波羅蜜多經卷三九一　（21–4）

大悲大喜大捨十八佛不共法時不得四无
所畏乃至十八佛不共法不得能修不得所
修不得所為亦不遠離如是諸法而修四无
所畏乃至十八佛不共法是菩薩摩訶薩則
能圓滿修菩薩道如是善現諸菩薩摩訶薩
修行般若波羅蜜多方便善巧修菩薩道令
得圓滿能證无上正等菩提善現若菩薩摩
訶薩修行般若波羅蜜多方便善巧修行三
十二大士夫相時不得三十二大士夫相不得
能修不得所修不得所為亦不遠離如是
諸法而修三十二大士夫相是菩薩摩訶薩
則能圓滿修菩薩道善現若菩薩摩訶薩修
行般若波羅蜜多方便善巧修行八十隨好
時不得八十隨好不得能修不得所修不得
所為亦不遠離如是諸法而修八十隨好是
菩薩摩訶薩則能圓滿修菩薩道如是善現
諸菩薩摩訶薩修行般若波羅蜜多方便善
巧修菩薩道令得圓滿能證无上正等菩提
善現若菩薩摩訶薩修行般若波羅蜜多方
便善巧修行无忘失法時不行无忘失法不
得能修不得所修不得所為亦不遠離如是
諸法而修无忘失法是菩薩摩訶薩則能圓
滿修菩薩道善現若菩薩摩訶薩修行般若
波羅蜜多方便善巧修行恒住捨性時不得
恒住捨性不得能修不得所修不得不為亦
不遠離如是諸法而修恒住捨性是菩薩摩

BD02436號　大般若波羅蜜多經卷三九一　（21–5）

恒住捨性不得能修不得所修不得不為亦
不遠離如是諸法而修恒住捨性是菩薩摩
訶薩則能圓滿修菩薩道如是善現諸菩薩
摩訶薩修行般若波羅蜜多方便善巧修菩
薩道令得圓滿能證无上正等菩提善現若
菩薩摩訶薩修行般若波羅蜜多方便善巧
修行一切智時不得一切智不得能修不得所
修不得不為亦不遠離如是諸法而修一
切智是菩薩摩訶薩則能圓滿修菩薩道善
現若菩薩摩訶薩修行般若波羅蜜多方便
善巧修行道相智一切相智時不行道相智一
切相智不得能修不得所修不得所為亦
不遠離如是諸法而修道相智一切相智是
菩薩摩訶薩則能圓滿修菩薩道如是善現
諸菩薩摩訶薩修行般若波羅蜜多方便善
巧修菩薩道令得圓滿能證无上正等菩提
善現若菩薩摩訶薩修行般若波羅蜜多方
便善巧修行一切菩薩摩訶薩行時不得一
切菩薩摩訶薩行不得能修不得所修不得
所為亦不遠離如是諸法而修一切菩薩摩
訶薩行是菩薩摩訶薩則能圓滿修菩薩道
善現若菩薩摩訶薩修行般若波羅蜜多方
便善巧修行諸佛无上正等菩提時不得无
上正等菩提不得能修不得所修不得所為
亦不遠離如是諸法而修諸佛无上正等菩
提是菩薩摩訶薩則能圓滿修菩薩道如是
善現諸菩薩摩訶薩修行般若波羅蜜多方

BD02436號　大般若波羅蜜多經卷三九一　（21–6）

上正等菩提不得能修不得所修不得所
亦不遠離如是諸法而修諸佛无上正等菩
提是菩薩摩訶薩則能圓滿修菩薩道如是
善現諸菩薩摩訶薩修行般若波羅蜜多方
便善巧修菩薩道令得圓滿能證无上正等
菩提尒時具壽舍利子白佛言世尊云何菩
薩摩訶薩修行般若波羅蜜多時勇猛正勤
修菩提道佛言舍利子若菩薩摩訶薩修行
般若波羅蜜多時方便善巧不和合色不離
散色不和合受想行識不離散受想行識何
以故如是諸法皆无自性可合離故舍利子若
菩薩摩訶薩修行般若波羅蜜多時方便
善巧不和合眼處不離散眼處不和合耳鼻
舌身意處不離散耳鼻舌身意處何以故如
是諸法皆无自性可合離故舍利子若菩薩
摩訶薩修行般若波羅蜜多時方便善巧不
和合色處不離散色處不和合聲香味觸法
處不離散聲香味觸法處何以故如是諸法
皆无自性可合離故舍利子若菩薩摩訶薩
修行般若波羅蜜多時方便善巧不和合眼
界不離散眼界不和合耳鼻舌身意界不離
散耳鼻舌身意界何以故如是諸法皆无自
性可合離故舍利子若菩薩摩訶薩修行般
若波羅蜜多時方便善巧不和合色界不離散
色界不和合聲香味觸法界不離散聲香
味觸法界何以故如是諸法皆无自性可合離
故舍利子若菩薩摩訶薩修行般若波羅
蜜多時方便善巧不和合眼識界不離散眼

BD02436號　大般若波羅蜜多經卷三九一　（21–7）

味觸法界何以故如是諸法皆无自性可合離
故舍利子若菩薩摩訶薩修行般若波羅
蜜多時方便善巧不和合眼識界不離散眼
識界不和合耳鼻舌身意識界不離散耳鼻
舌身意識界何以故如是諸法皆无自性可
合離故舍利子若菩薩摩訶薩修行般若波
羅蜜多時方便善巧不和合眼觸不離散眼
觸不和合耳鼻舌身意觸不離散耳鼻舌身
意觸何以故如是諸法皆无自性可合離故
舍利子若菩薩摩訶薩修行般若波羅蜜多
時方便善巧不和合眼觸為緣所生諸受不
離散眼觸為緣所生諸受不和合耳鼻舌身
意觸為緣所生諸受不離散耳鼻舌身意觸
為緣所生諸受何以故如是諸法皆无自性
可合離故舍利子若菩薩摩訶薩修行般若
波羅蜜多時方便善巧不和合地界不離散
地界不和合水火風空識界不離散水火風
空識界何以故如是諸法皆无自性可合離
故舍利子若菩薩摩訶薩修行般若波羅蜜
多時方便善巧不和合因緣不離散因緣不
和合等无間緣所緣緣增上緣不離散等无
間緣所緣緣增上緣何以故如是諸法皆无
自性可合離故舍利子若菩薩摩訶薩修行
般若波羅蜜多時方便善巧不和合從緣所
生諸法不離散從緣所生諸法何以故如是
諸法皆无自性可合離故舍利子若菩薩摩

BD02436號　大般若波羅蜜多經卷三九一　（21–8）

般若波羅蜜多時方便善巧不和合從緣所
生諸法不離散從緣所生諸法何以故如是
諸法皆无自性可合離故舍利子若菩薩摩
訶薩脩行般若波羅蜜多時方便善巧不和
合无明不離散无明不和合行識名色六處
觸受愛取有生老死愁歎苦憂惱不離散行
乃至老死愁歎苦憂惱何以故如是諸法皆无
自性可合離故
舍利子若菩薩摩訶薩脩行般若波羅蜜多
時方便善巧不和合布施波羅蜜多不離散
布施波羅蜜多不和合淨戒安忍精進靜慮
般若波羅蜜多不離散淨戒安忍精進靜慮
般若波羅蜜多何以故如是諸法皆无自性
可合離故舍利子若菩薩摩訶薩脩行般若
波羅蜜多時方便善巧不和合内空不離散
内空不和合外空内外空空空大空勝義空
有為空无為空畢竟空无際空散空无變異
空本性空自相空共相空一切法空不可得
空无性空自性空无性自性空不離散外空
乃至无性自性空何以故如是諸法皆无自
性可合離故舍利子若菩薩摩訶薩脩行般
若波羅蜜多時方便善巧不和合四念住不
離散四念住不和合四正斷四神足五根五
力七等覺支八聖道支不離散四正斷乃至
八聖道支何以故如是諸法皆无自性可合
離故舍利子若菩薩摩訶薩脩行般若波羅
蜜多時方便善巧不和合若聖諦不離散苦

力七等覺支八聖道支不離散四正斷乃至
八聖道支何以故如是諸法皆无自性可合
離故舍利子若菩薩摩訶薩脩行般若波羅
蜜多時方便善巧不和合若聖諦不離散苦
聖諦不和合集滅道聖諦不離散集滅道聖
諦何以故如是諸法皆无自性可合離故舍
利子若菩薩摩訶薩脩行般若波羅蜜多時
方便善巧不和合四靜慮不離散四靜慮不
和合四无量四无色定不離散四无量四无
色定何以故如是諸法皆无自性可合離故
舍利子若菩薩摩訶薩脩行般若波羅蜜多
時方便善巧不和合八解脫不離散八解脫
不和合八勝處九次第定十遍處不離散八
勝處九次第定十遍處何以故如是諸法皆
无自性可合離故舍利子若菩薩摩訶薩脩
行般若波羅蜜多時方便善巧不和合陁羅
尼門不離散陁羅尼門不和合三摩地門不
離散三摩地門何以故如是諸法皆无自性
可合離故舍利子若菩薩摩訶薩脩行般若
波羅蜜多時方便善巧不和合空解脫門不
離散空解脫門不和合无相无願解脫門不
離散无相无願解脫門何以故如是諸法皆
无自性可合離故舍利子若菩薩摩訶薩脩
行般若波羅蜜多時方便善巧不和合極喜
地不離散極喜地不和合離垢地發光地焰
慧地極難勝地現前地遠行地不動地善慧
地法雲地不離散離垢地乃至法雲地何以

地不離散極喜地不和合離垢地發光地焰
慧地極難勝地現前地遠行地不動地善慧
地法雲地不離散離垢地乃至法雲地何以
故如是諸法皆无自性可合離故舍利子若
菩薩摩訶薩脩行波若波羅蜜多時方便善
巧不和合五眼不離散五眼不和合六神通不
離散六神通何以故如是諸法皆无自性
可合離故舍利子若菩薩摩訶薩脩行般若
波羅蜜多時方便善巧不和合佛十力不離
散佛十力不和合四无所畏四无礙解大慈
大悲大喜大捨十八佛不共法不離散四无
所畏乃至十八佛不共法何以故如是諸法
皆无自性可合離故舍利子若菩薩摩訶薩
脩行般若波羅蜜多時方便善巧不和合三
十二大士夫相不離散三十二大士夫相不
和合八十隨好不離散八十隨好何以故如是
諸法皆无自性可合離故舍利子若菩薩
摩訶薩脩行般若波羅蜜多時方便善巧不
和合无忘失法不離散无忘失法不和合恒
住捨性不離散恒住捨性何以故如是諸法
皆无自性可合離故舍利子若菩薩摩訶薩
脩行般若波羅蜜多時方便善巧不和合一
切智不離散一切智不和合道相智一切相
智不離散道相智一切相智何以故如是諸
法皆无自性可合離故舍利子若菩薩摩訶
薩脩行般若波羅蜜多時方便善巧不和合
預流果不離散預流果不和合一來不還阿

BD02436號　大般若波羅蜜多經卷三九一　（21–11）

智不離散道相智一切相智何以故如是諸
法皆无自性可合離故舍利子若菩薩摩訶
薩脩行般若波羅蜜多時方便善巧不和合
預流果不離散預流果不和合一來不還阿
羅漢果獨覺菩提不離散一來不還阿羅漢
果獨覺菩提何以故如是諸法皆无自性可
合離故舍利子若菩薩摩訶薩脩行般若波
羅蜜多時方便善巧不和合一切菩薩摩訶
薩行不離散一切菩薩摩訶薩行不和合諸
佛无上正等菩提不離散諸佛无上正等菩
提何以故如是諸法皆无自性可合離故如
是舍利子菩薩摩訶薩脩行般若波羅蜜多
勇猛正勤脩菩提道
尒時具壽舍利子復白佛言世尊若一切法
都无自性可合離者云何菩薩摩訶薩引發
般若波羅蜜多諸菩薩摩訶薩於中脩學世
尊若菩薩摩訶薩不學般若波羅蜜多終不
能得所求无上正等菩提佛告舍利子如是
如是如汝所說若菩薩摩訶薩不學般若波
羅蜜多終不能得所求无上正等菩提舍利
子諸菩薩摩訶薩要學般若波羅蜜多乃能
證得所求无上正等菩提舍利子諸菩薩摩訶
薩所求无上正等菩提要有方便善巧乃
能證得非无方便善巧而可證得舍利子諸
菩薩摩訶薩脩行般若波羅蜜多時若見有
法自性可得則應可取不見有法自性可得
當何所取所謂不取此是般若波羅蜜多此

BD02436號　大般若波羅蜜多經卷三九一　（21–12）

法自性可得則應可取不見有法自性可得
皆何所取所謂不取此是般若波羅蜜多此
是靜慮波羅蜜多此是精進波羅蜜多此是
安忍波羅蜜多此是淨戒波羅蜜多此是布
施波羅蜜多此是色此是受想行識此是眼
處此是耳鼻舌身意處此是色處此是聲香
味觸法處此是眼界此是耳鼻舌身意界此
是色界此是聲香味觸法界此是眼識界此
是耳鼻舌身意識界此是眼觸此是耳鼻舌
身意觸此是眼觸為緣所生諸受此是耳鼻
舌身意觸為緣所生諸受此是地界此是水火
風空識界此是因緣此是等无間緣所緣緣
增上緣此是從緣所生諸法此是无明此
是行識名色六處觸受愛取有生老死愁歎
苦憂惱此是內空此是外空內外空空空大
空勝義空有為空无為空畢竟空无際空
散空无變異空本性空自相空共相空一切
法空不可得空无性空自性空无性自性空
此是四念住此是四正斷四神足五根五力
七等覺支八聖道支此是苦聖諦此是
集滅道聖諦此是四靜慮此是四无量四无
色定此是八解脫此是八勝處九次第定十
遍處此是陁羅尼門此是三摩地門此是空
解脫門此是无相无願解脫門此是極喜地
此是離垢地發光地焰慧地極難勝地現前
地遠行地不動地善慧地法雲地此是五眼
此是六神通此是佛十力此是四无所畏四

BD02436號　大般若波羅蜜多經卷三九一　（21–13）

此是離垢地發光地焰慧地極難勝地現前
地遠行地不動地善慧地法雲地此是五眼
此是六神通此是佛十力此是四无所畏四
无礙解大慈大悲大喜大捨十八佛不共法
此是三十二大士夫相此是八十隨好此是
无忘失法此是恒住捨性此是一切智此是道
相智一切相智此是預流果此是一來不還
阿羅漢果獨覺菩提此是一切菩薩摩訶薩
行此是諸佛无上正等菩提此是異生此是
聲聞此是獨覺此是菩薩此是如來
舍利子菩薩摩訶薩脩行般若波羅蜜多如
實了知一切法性皆不可取所謂般若波羅
蜜多不可取靜慮波羅蜜多不可取精進波
羅蜜多不可取安忍波羅蜜多不可取淨戒
波羅蜜多不可取布施波羅蜜多不可取色
不可取受想行識不可取眼處不可取耳鼻
舌身意處不可取色處不可取聲香味觸法
處不可取眼界不可取耳鼻舌身意界不可
取色界不可取聲香味觸法處不可取眼識
界不可取耳鼻舌身意識界不可取眼觸不
可取耳鼻舌身意觸不可取眼觸為緣所生
諸受不可取耳鼻舌身意觸為緣所生諸受
不可取地界不可取水火風空識界不可取因
緣不可取等无間緣所緣緣增上緣不可
取從緣所生諸法不可取无明不可取行識
名色六處觸受愛取有生老死愁歎苦憂惱
不可取內空不可取外空內外空空空大空勝

BD02436號　大般若波羅蜜多經卷三九一　（21–14）

取從緣所生諸法不可取无明不可取行識
名色六處觸受愛取有生老死愁歎苦憂惱
不可取內空不可取外空內外空空空大空勝
義空有為空无為空畢竟空无際空散空无
變異空本性空自相空共相空一切法空不
可得空无性空自性空无性自性空不可取
四念住不可取四正斷四神足五根五力七等
覺支八聖道支不可取苦聖諦不可取集
滅道聖諦不可取四靜慮不可取四无量四
无色定不可取八解脫不可取八勝處九次
第定十遍處不可取陁羅尼門不可取三摩
地門不可取空解脫門不可取无相无願解
脫門不可取極喜地不可取離垢地發光地
焰慧地極難勝地現前地遠行地不動地善
慧地法雲地不可取五眼不可取六神通不
可取佛十力不可取四无所畏四无礙解大
慈大悲大喜大捨十八佛不共法不可取三
十二大士相不可取八十隨好不可取无忘
失法不可取恒住捨性不可取一切智不可
取道相智一切相智不可取預流果不可取
一來不還阿羅漢果獨覺菩提不可取一切
菩薩摩訶薩行不可取諸佛无上正等菩提
不可取一切異生不可取一切聲聞不可取一切
獨覺不可取一切菩薩摩訶薩不可取
一切如來不可取
舍利子是不可取波羅蜜多是无障波羅
蜜多如是无障波羅蜜多是般若波羅蜜

BD02436 號　大般若波羅蜜多經卷三九一　（21–15）

一切如來不可取
舍利子是不可取波羅蜜多是无障波羅
蜜多如是无障波羅蜜多是般若波羅蜜
多諸菩薩摩訶薩應於中學舍利子諸菩薩
摩訶薩於中學時尚不得學況得无上正等
菩提況得般若波羅蜜多況得菩薩法況得
諸佛法況得獨覺法況得聲聞法況得異生
法何以故舍利子无少法有自性於如是无
性為自性法中何等是異生法何等是預流
法何等是一來法何等是不還法何等是阿
羅漢法何等是獨覺法何等是菩薩法何等
是如來法舍利子如是諸法既不可得依何等
法可施設有補特伽羅補特伽羅既不可得
云何可說此是異生此是預流此是一來
此是不還此是阿羅漢此是獨覺此是菩薩
摩訶薩此是如來應正等覺
時舍利子白佛言世尊若一切法皆无自性
都非實有依何等事而可了知此是異生此
是異生法此是預流此是預流法此是一來
此是一來法此是不還此是不還法此是阿
羅漢此是阿羅漢法此是獨覺此是獨覺
法此是菩薩摩訶薩此是菩薩摩訶薩法此是
如來應正等覺此是如來應正等覺法佛告
舍利子於意云何為實有色實有受想行
識如諸愚夫異生執不舍利子言不也世尊
不也善逝但由顛倒愚夫異生有如是執舍
利子為實有眼處實有耳鼻舌身意處如

BD02436 號　大般若波羅蜜多經卷三九一　（21–16）

如來應正等覺出是如來應正等覺法佛告
舍利子於意云何為實有色實有受想行
識如諸愚夫異生執不舍利子言不也世尊
不也善逝但由顛倒愚夫異生有如是執舍
利子為實有眼處實有耳鼻舌身意處如
諸愚夫異生執不不也世尊不也善逝但由顛
倒愚夫異生有如是執舍利子為實有色處
實有聲香味觸法處如諸愚夫異生執不不
也世尊不也善逝但由顛倒愚夫異生有如
是執舍利子為實有眼界實有耳鼻舌身意
界如諸愚夫異生執不不世尊不也善逝但
由顛倒愚夫異生有如是執舍利子為實
有色界實有聲香味觸法界如諸愚夫異生
執不不也世尊不也善逝但由顛倒愚夫異
生有如是執舍利子為實有眼識界實有耳
鼻舌身意識界如諸愚夫愚生執不不也世
尊不也善逝但由顛倒愚夫異生有如是執
舍利子為實有眼觸實有耳鼻舌身意觸如
諸愚夫異生執不不也世尊不也善逝但由
顛倒愚夫異生有如是執舍利子為實有眼
觸為緣所生諸受實有耳鼻舌身意觸為緣
所生諸受如諸愚夫異生執不不也世尊不
也善逝但由顛倒愚夫異生有如是執舍利
子為實有地界實有水火風空識界如諸愚
夫異生執不不也世尊不也善逝但由顛倒
愚夫異生有如是執舍利子為實有因緣
實有等无間緣所緣緣增上緣如諸愚夫異生

夫異生執不不也世尊不也善逝但由顛倒
愚夫異生有如是執舍利子為實有因緣
實有等无間緣所緣緣增上緣如諸愚夫異生
執不不也世尊不也善逝但由顛倒愚夫異
生有如是執舍利子為實有從緣所生諸法
如諸愚夫異生執不不也世尊不也善逝但
由顛倒愚夫異生有如是執舍利子為實
有无明實有行識名色六處觸受愛取有生老
死愁歎苦憂惱如諸愚夫異生執不不也世
尊不也善逝但由顛倒愚夫異生有如是執
舍利子為實有布施波羅蜜多實有淨戒安
忍精進靜慮般若波羅蜜多如諸愚夫異生
執不不也世尊不也善逝但由顛倒愚夫異
生有如是執舍利子為實有內空實有外空
內外空空空大空勝義空有為空无為空畢
竟空无際空散空无變異空本性空自相空
共相空一切法空不可得空无性空自性空无
性自性空如諸愚夫異生執不不也世尊不
也善逝但由顛倒愚夫異生有如是執舍利
子為實有四念住實有四正斷四神足五根
五力七等覺支八聖道支如諸愚夫異生執
不不也世尊不也善逝但由顛倒愚夫異生
有如是執舍利子為實有苦聖諦實有集滅
道聖諦如諸愚夫異生執不不也世尊不也
善逝但由顛倒愚夫異生有如是執舍利子
為實有四靜慮實有四无量四无色定如諸
愚夫異生執不不也世尊不也善逝但由顛

善逝但由顛倒愚夫異生有如是執舍利子
為實有四靜慮實有四无量四无色定如諸
愚夫異生執不不也世尊不也善逝但由顛
倒愚夫異生有如是執舍利子為實有八解
脫實有八勝處九次第定十遍處如諸愚夫
異生執不不也世尊不也善逝但由顛倒愚
夫異生有如是執舍利子為實有陁羅尼門
實有三摩地門如諸愚夫異生執不不也世
尊不也善逝但由顛倒愚夫異生有如是執
舍利子為實有空解脫門實有无相无願解
脫門如諸愚夫異生執不不也世尊不也善
逝但由顛倒愚夫異生有如是執舍利子為
實有極喜地實有離垢地發光地焰慧地
極難勝地現前地遠行地不動地善慧地法雲
地如諸愚夫異生執不不也世尊不也善逝
但由顛倒愚夫異生有如是執舍利子為實
有五眼實有六神通如諸愚夫異生執不不
也世尊不也善逝但由顛倒愚夫異生有如
是執舍利子為實有佛十力實有四无所畏
四无礙解大慈大悲大喜大捨十八佛不共
法如諸愚夫異生執不不也世尊不也善逝
但由顛倒愚夫異生有如是執舍利子為實
有三十二大士相實有八十隨好如諸愚夫
異生執不不也世尊不也善逝但由顛倒愚
夫異生有如是執舍利子為實有无忘失法
實有恒住捨性如諸愚夫異生執不不也世
尊不也善逝但由顛倒愚夫異生有如是執

BD02436號　大般若波羅蜜多經卷三九一　（21–19）

異生執不不也世尊不也善逝但由顛倒愚
夫異生有如是執舍利子為實有无忘失法
實有恒住捨性如諸愚夫異生執不不也世
尊不也善逝但由顛倒愚夫異生有如是執
舍利子為實有一切智實有道相智一切相
智如諸愚夫異生執不不也世尊不也善逝
但由顛倒愚夫異生有如是執舍利子為實
有預流果實有一來不還阿羅漢果獨覺菩
提如諸愚夫異生執不不也世尊不也善逝
但由顛倒愚夫異生有如是執舍利子為實
有一切菩薩摩訶薩行實有諸佛无上正等
菩提如諸愚夫異生執不不也世尊不也善
逝但由顛倒愚夫異生有如是執舍利子為
實有異生實有預流一來不還阿羅漢獨覺
菩薩摩訶薩如來應正等覺如諸愚夫異
生執不不也世尊不也善逝但由顛倒愚夫異
生有如是執佛言舍利子諸菩薩摩訶薩脩
行般若波羅蜜多方便善巧雖觀諸法皆无
自性都非實有而依世俗發趣无上正等菩
提為諸有情種種宣說令得正解遠離顛
倒

大般若波羅蜜多經卷第三百九十一

BD02436號　大般若波羅蜜多經卷三九一　（21–20）

菩提如諸愚夫異生執不不也世尊不也善
逝但由顛倒愚夫異生有如是執舍利子爲
實有異生實有預流一來不還阿羅漢獨覺
菩薩摩訶薩如來應正等覺如諸愚夫異
生執不不也世尊不也善逝但由顛倒愚夫異
生有如是執佛言舍利子諸菩薩摩訶薩脩
行般若波羅蜜多方便善巧雖觀諸法皆无
自性都非實有而依世俗發趣无上正等菩
提爲諸有情種種宣說令得正解遠離顛
倒

大般若波羅蜜多經卷第三百九十一

BD02436 號　大般若波羅蜜多經卷三九一　（21–21）

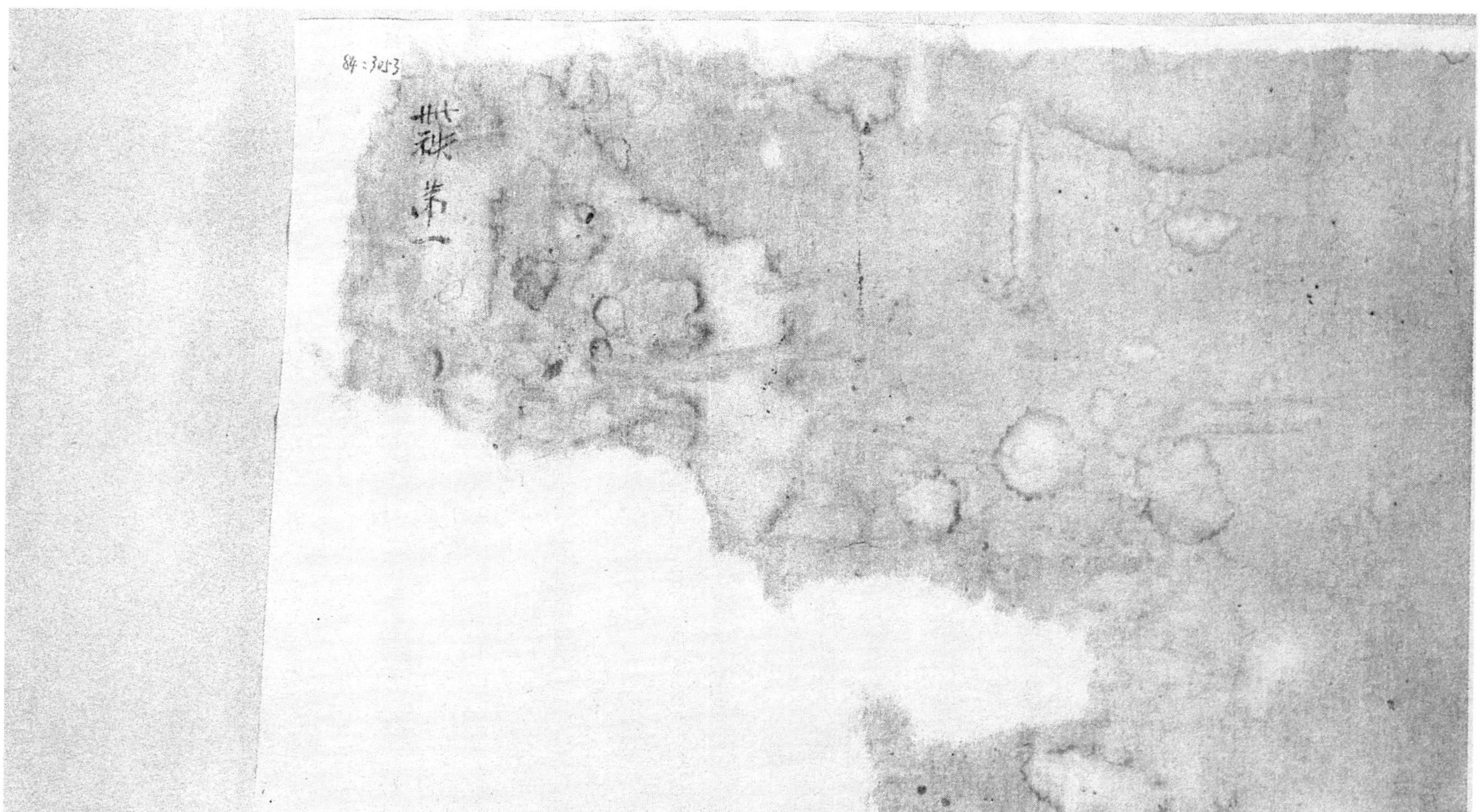

84:3053

卌袟第一

BD02436 號背　勘記　（1–1）

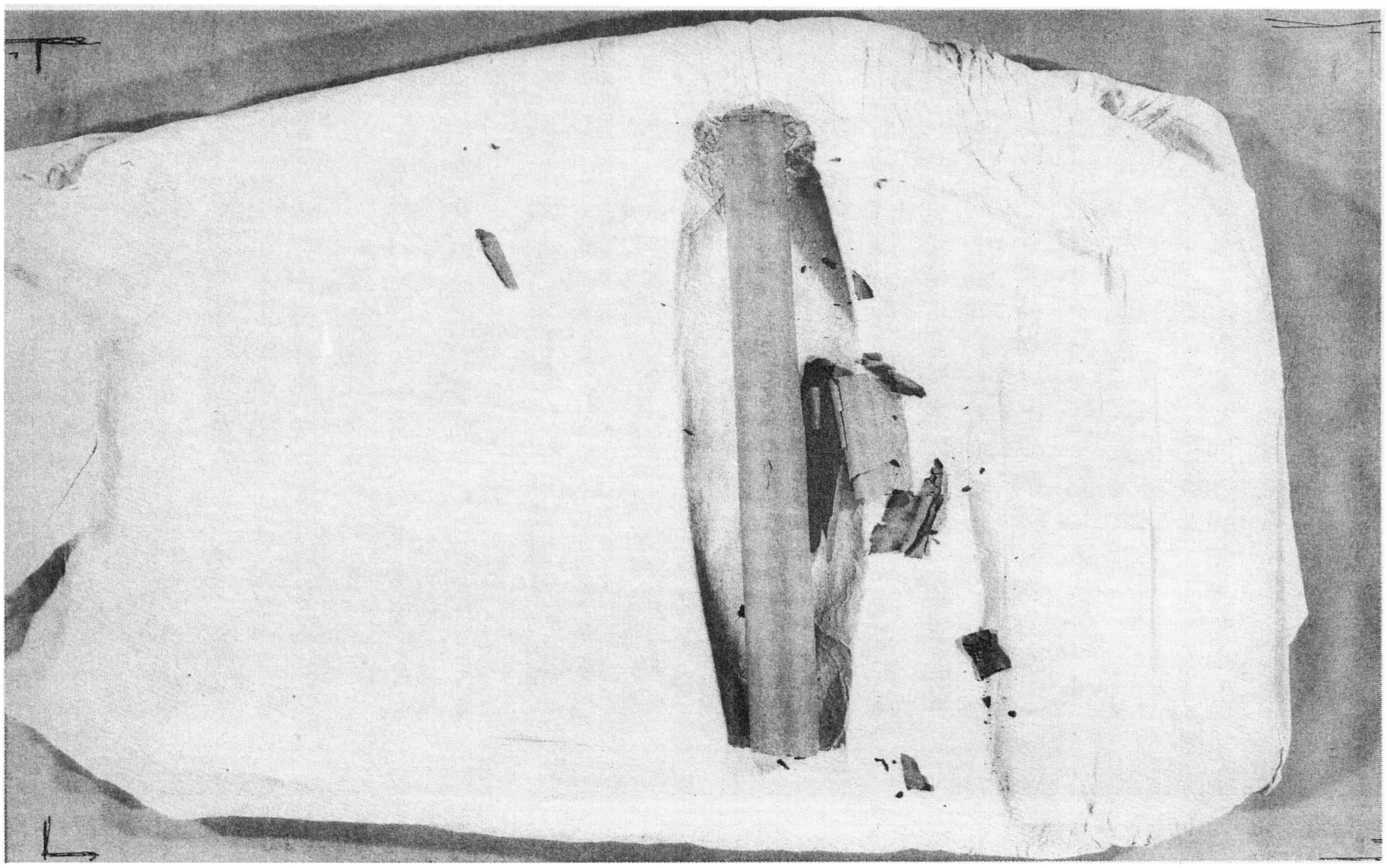

BD02437號　金剛般若波羅蜜經（僞造）　（1-1）

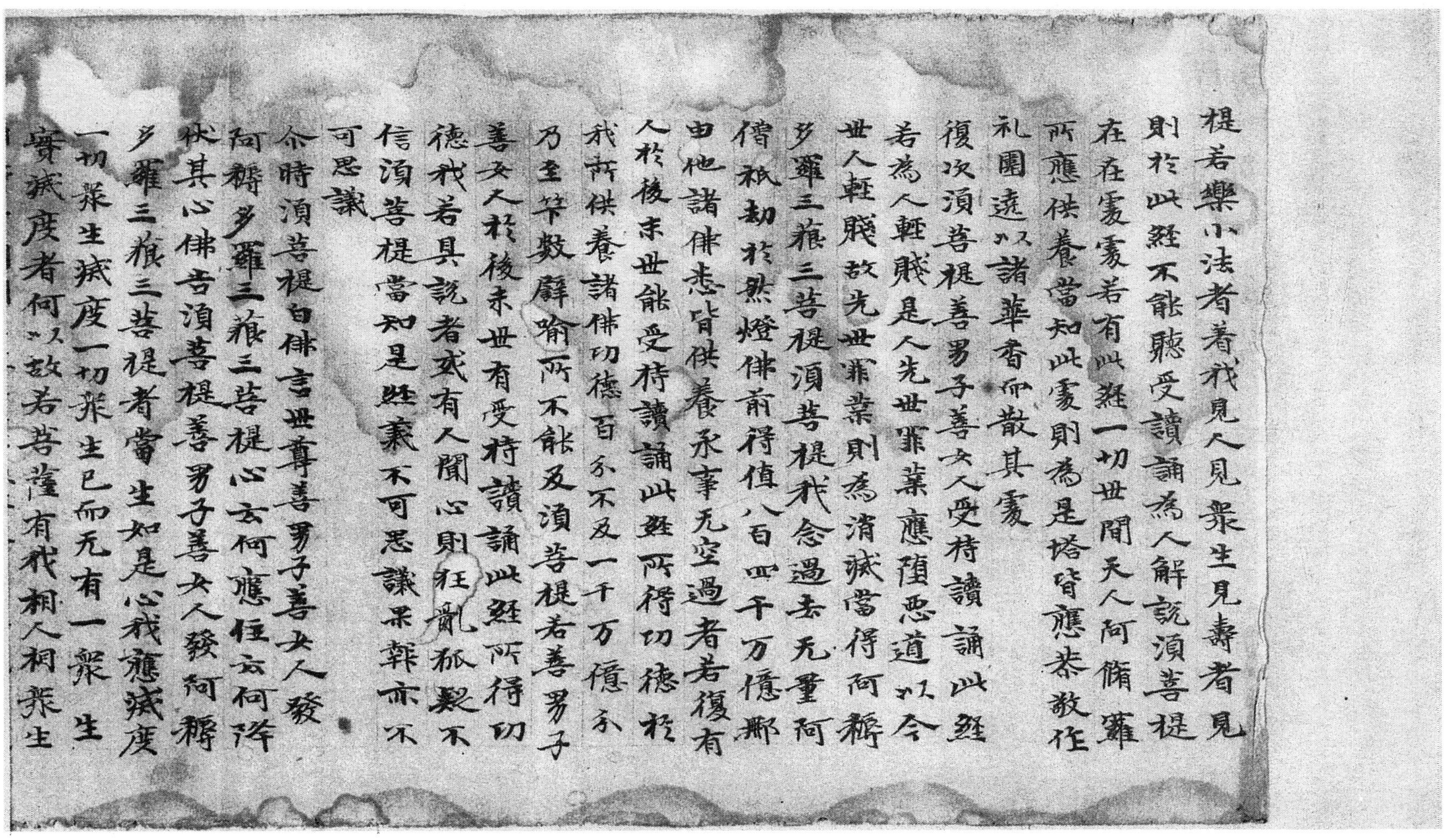

提若樂小法者著我見人見衆生見壽者見
則於此經不能聽受讀誦為人解說須菩提
在在處處若有此經一切世間天人阿脩羅
所應供養當知此處則為是塔皆應恭敬作
禮圍遶以諸華香而散其處
復次須菩提善男子善女人受持讀誦此經
若為人輕賤是人先世罪業應墮惡道以今
世人輕賤故先世罪業則為消滅當得阿耨
多羅三藐三菩提須菩提我念過去无量阿
僧祇劫於然燈佛前得值八百四千万億那
由他諸佛悉皆供養承事无空過者若復有
人於後末世能受持讀誦此經所得功德於
我所供養諸佛功德百分不及一千万億分
乃至筭數譬喻所不能及須菩提若善男子
善女人於後末世有受持讀誦此經所得功
德我若具說者或有人聞心則狂亂狐疑不
信須菩提當知是經義不可思議果報亦不
可思議
尒時須菩提白佛言世尊善男子善女人發
阿耨多羅三藐三菩提心云何應住云何降
伏其心佛告須菩提善男子善女人發阿耨
多羅三藐三菩提者當生如是心我應滅度
一切衆生滅度一切衆生已而无有一衆生
實滅度者何以故若菩薩有我相人相衆生

BD02438號　金剛般若波羅蜜經　（7-1）

爾時須菩提白佛言世尊善男子善女人發
阿耨多羅三藐三菩提心云何應住云何降
伏其心佛告須菩提善男子善女人發阿耨
多羅三藐三菩提者當生如是心我應滅度
一切衆生滅度一切衆生已而无有一衆生
實滅度者何以故若菩薩有我相人相衆生
相壽者相則非菩薩所以者何須菩提實无
有法發阿耨多羅三藐三菩提者
須菩提於意云何如来於然燈佛所有法得
阿耨多羅三藐三菩提不不也世尊如我解
佛所說義佛於然燈佛所无有法得阿耨多
羅三藐三菩提佛言如是如是須菩提實无
有法如来得阿耨多羅三藐三菩提須菩提
若有法如来得阿耨多羅三藐三菩提然燈
佛則不與我受記汝於来世當得作佛号釋
迦牟尼以實无有法得阿耨多羅三藐三菩
提是故然燈佛與我受記作是言汝於来世
當得作佛号釋迦牟尼何以故如来者即諸
法如義若有人言如来得阿耨多羅三藐三
菩提須菩提實无有法佛得阿耨多羅三藐
三菩提須菩提如来所得阿耨多羅三藐三
菩提於是中无實无虚是故如来說一切法
皆是佛法須菩提所言一切法者即非一切
法是故名一切法
須菩提譬如人身長大須菩提言世尊如来
說人身長大則為非大身是名大身
須菩提菩薩亦如是若作是言我當滅度无
量衆生則不名菩薩何以故須菩提實无有

BD02438號　金剛般若波羅蜜經　（7–2）

皆是佛法須菩提所言一切法者即非一切
法是故名一切法
須菩提譬如人身長大須菩提言世尊如来
說人身長大則為非大身是名大身
須菩提菩薩亦如是若作是言我當滅度无
量衆生則不名菩薩何以故須菩提實无有
法名為菩薩是故佛說一切法无我无人无
衆生无壽者須菩提若菩薩作是言我當莊
嚴佛土是不名菩薩何以故如来說莊嚴佛
土者即非莊嚴是名莊嚴須菩提若菩薩通
達无我法者如来說名真是菩薩
須菩提於意云何如来有肉眼不如是世尊
如来有肉眼須菩提於意云何如来有天眼
不如是世尊如来有天眼須菩提於意云何
如来有慧眼不如是世尊如来有慧眼須菩
提於意云何如来有法眼不如是世尊如来
有法眼須菩提於意云何如来有佛眼不如
是世尊如来有佛眼須菩提於意云何恒河
中所有沙佛說是沙不如是世尊如来說是
沙須菩提於意云何如一恒河中所有沙有
如是等恒河是諸恒河所有沙數佛世界如
是寧為多不甚多世尊佛告須菩提尒所國
土中所有衆生若干種心如来悉知何以故如
来說諸心皆為非心是名為心所以者何須
菩提過去心不可得現在心不可得未来
心不可得須菩提於意云何若有人滿三千
大千世界七寶以用布施是人以是因緣得
福多不如是世尊此人以是因緣得福甚多

BD02438號　金剛般若波羅蜜經　（7–3）

大千世界七寶以用布施是人以是因緣得
福多不如是世尊此人以是因緣得福甚多
須菩提若福德有實如來不說得福德多
以福德无故如來說得福德多
須菩提於意云何佛可以具足色身見不不
也世尊如來不應以具足色身見何以故如
來說具足色身即非具足色身是名具足色
身須菩提於意云何如來可以具足諸相見
不不也世尊如來不應以具足諸相見何以故
如來說諸相具足即非具足是名諸相具足
須菩提汝勿謂如來作是念我當有所說法
莫作是念何以故若人言如來有所說法即
為謗佛不能解我所說故須菩提說法者无
法可說是名說法
須菩提白佛言世尊佛得阿耨多羅三藐三
菩提為无所得耶如是如是須菩提我於阿
耨多羅三藐三菩提乃至无有少法可得是
名阿耨多羅三藐三菩提復次須菩提是法
平等无有高下是名阿耨多羅三藐三菩提
以无我无人无衆生无壽者脩一切善法則
得阿耨多羅三藐三菩提須菩提所言善法
者如來說非善法是名善法
須菩提若三千大千世界中所有諸須彌山
王如是等七寶聚有人持用布施若人以此
般若波羅蜜經乃至四句偈等受持讀誦為
他人說於前福德百分不及一百千万億分乃
至筭數譬喻所不能及

BD02438號　金剛般若波羅蜜經　（7-4）

須菩提若三千大千世界中所有諸須彌山
王如是等七寶聚有人持用布施若人以此
般若波羅蜜經乃至四句偈等受持讀誦為
他人說於前福德百分不及一百千万億分乃
至筭數譬喻所不能及
須菩提於意云何汝等勿謂如來作是念我
當度衆生須菩提莫作是念何以故實无有
衆生如來度者若有衆生如來度者如來則
有我人衆生壽者須菩提如來說有我者則
非有我而凡夫之人以為有我須菩提凡夫者
如來說則非凡夫
須菩提於意云何可以卅二相觀如來不須
菩提言如是如是以卅二相觀如來佛言須
菩提若以卅二相觀如來者轉輪聖王則是
如來須菩提白佛言世尊如我解佛所說義
不應以卅二相觀如來尒時世尊而說偈言
若以色見我以音聲求我是人行邪道不能見如來
須菩提汝若作是念如來不以具足相故得
阿耨多羅三藐三菩提須菩提莫作是念如
來不以具足相故得阿耨多羅三藐三菩提
須菩提汝若作是念發阿耨多羅三藐三菩
提者說諸法斷滅莫作是念何以故發阿耨
多羅三藐三菩提者於法不說斷滅相須菩
提若菩薩以滿恒河沙等世界七寶布施若
復有人知一切法无我得成於忍此菩薩勝
前菩薩所得功德須菩提以諸菩薩不受福
德故須菩提白佛言世尊云何菩薩不受福
德須菩提菩薩所作福德不應貪著是故

BD02438號　金剛般若波羅蜜經　（7-5）

阿耨多羅三藐三菩提須菩提莫作是念如
來不以具足相故得阿耨多羅三藐三菩提
須菩提汝若作是念發阿耨多羅三藐三菩
提者說諸法斷滅莫作是念何以故發阿耨
多羅三藐三菩提者於法不說斷滅相須菩
提若菩薩以滿恒河沙等世界七寶布施若
復有人知一切法无我得成於忍此菩薩勝
前菩薩所得功德須菩提以諸菩薩不受福
德故須菩提白佛言世尊云何菩薩不受福
德須菩提菩薩所作福德不應貪著是故
說不受福德
須菩提若有人言如來若來若去若坐若臥
是人不解我所說義何以故如來者无所從
來亦无所去故名如來
須菩提若善男子善女人以三千大千世界
碎為微塵於意云何是微塵衆寧為多不甚
多世尊何以故若是微塵衆實有者佛則不
說是微塵衆所以者何佛說微塵衆則非微
塵衆是名微塵衆世尊如來所說三千大千
世界則非世界是名世界何以故若世界實
有者則是一合相如來說一合相則非一合相
是名一合相須菩提一合相者則是不可說
但凡夫之人貪著其事須菩提若人言佛說
我見人見衆生見壽者見須菩提於意云何
是人解我所說義不世尊是人不解如來所
說義何以故世尊說我見人見衆生見壽者
見即非我見人見衆生見壽者見是名我見
人見衆生見壽者見須菩提發阿耨多羅三

BD02438號　金剛般若波羅蜜經　（7–6）

是人不解我所說義何以故如來者无所從
來亦无所去故名如來
須菩提若善男子善女人以三千大千世界
碎為微塵於意云何是微塵衆寧為多不甚
多世尊何以故若是微塵衆實有者佛則不
說是微塵衆所以者何佛說微塵衆則非微
塵衆是名微塵衆世尊如來所說三千大千
世界則非世界是名世界何以故若世界實
有者則是一合相如來說一合相則非一合相
是名一合相須菩提一合相者則是不可說
但凡夫之人貪著其事須菩提若人言佛說
我見人見衆生見壽者見須菩提於意云何
是人解我所說義不世尊是人不解如來所
說義何以故世尊說我見人見衆生見壽者
見即非我見人見衆生見壽者見是名我見
人見衆生見壽者見須菩提發阿耨多羅三
藐三菩提心者於一切法應如是知如是見
如是信解不生法相須菩提所言法相者如
來說即非法相是名法相須菩提若有人以
滿无量阿僧祇世界七寶持用布施若有善
男子善女人發菩薩心者持於此經乃至四
句偈等受持讀誦為人演說其福勝彼云何

BD02438號　金剛般若波羅蜜經　（7–7）

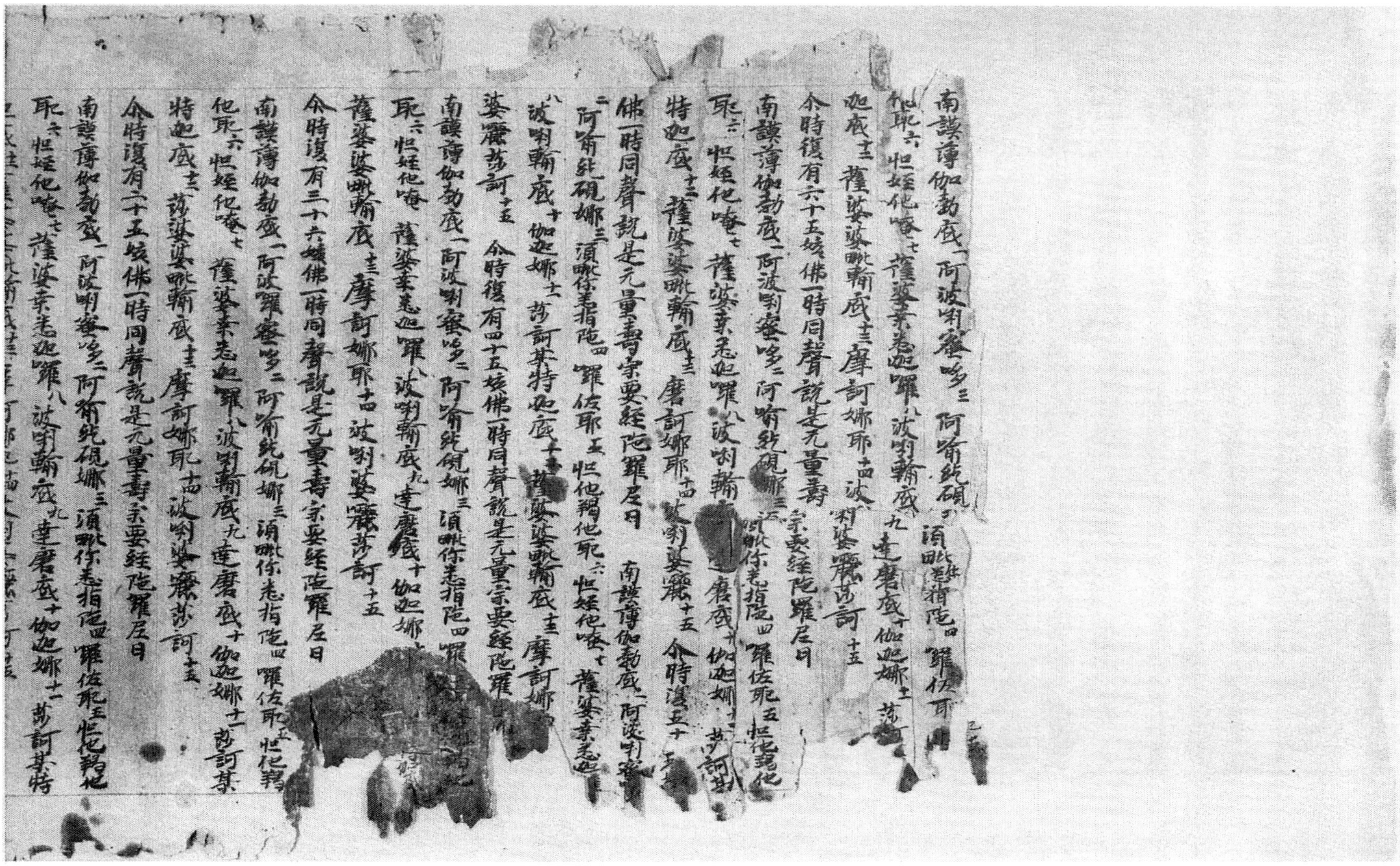

南謨薄伽勃底一 阿波唎蜜多二 阿喻紇硯娜三 須毗[…]指陀四 囉佐耶[…]
[…]耶六 怛姪他唵七 薩婆桑悉迦囉八 波唎輸底九 達磨底十 伽迦娜十一 莎[…]
迦底十二 薩婆婆毗輸底十三 摩訶娜耶十四 波唎婆㘑莎訶十五
尒時復有六十五姟佛一時同聲說是无量壽宗要經陀羅尼曰
南謨薄伽勃底一 阿波唎蜜多二 阿喻紇硯娜三 須毗你悉指陀四 囉佐耶五 怛他羯他
耶六 怛姪他唵七 薩婆桑悉迦囉八 波唎輸底九 達磨底十 伽迦娜十一 莎訶[…]
特迦底十二 薩婆婆毗輸底十三 摩訶娜耶十四 波唎婆㘑十五 尒時復五十[…]
佛一時同聲說是无量壽宗要經陀羅尼曰 南謨薄伽勃底一 阿波唎蜜[…]
二 阿喻紇硯娜三 須毗你悉指陀四 囉佐耶五 怛他羯他耶六 怛姪他唵七 薩婆桑悉迦[…]
八 波唎輸底十 伽迦娜十一 莎訶某特迦底十二 薩婆婆毗輸底十三 摩訶娜[…]
婆㘑莎訶十五 尒時復有四十五姟佛一時同聲說是无量宗要經陀羅[…]
南謨薄伽勃底一 阿波唎蜜多二 阿喻紇硯娜三 須毗你悉指陀四 囉[…]
耶六 怛姪他唵七 薩婆桑悉迦囉八 波唎輸底九 達磨底十 伽迦娜[…]
薩婆婆毗輸底十三 摩訶娜耶十四 波唎婆㘑莎訶十五
尒時復有三十六姟佛一時同聲說是无量壽宗要經陀羅尼曰
南謨薄伽勃底一 阿波囉蜜多二 阿喻紇硯娜三 須毗你悉指陀四 囉佐耶五 怛他羯
他耶六 怛姪他唵七 薩婆桑悉迦囉八 波唎輸底九 達磨底十 伽迦娜十一 莎訶某
特迦底十二 薩婆婆毗輸底十三 摩訶娜耶十四 波唎婆㘑莎訶十五
尒時復有二十五姟佛一時同聲說是无量壽宗要經陀羅尼曰
南謨薄伽勃底一 阿波唎蜜多二 阿喻紇硯娜三 須毗你悉指陀四 囉佐耶五 怛他羯他
耶六 怛姪他唵七 薩婆桑悉迦囉八 波唎輸底九 達磨底十 伽迦娜十一 莎訶某特

BD02439 號　無量壽宗要經　（5–1）

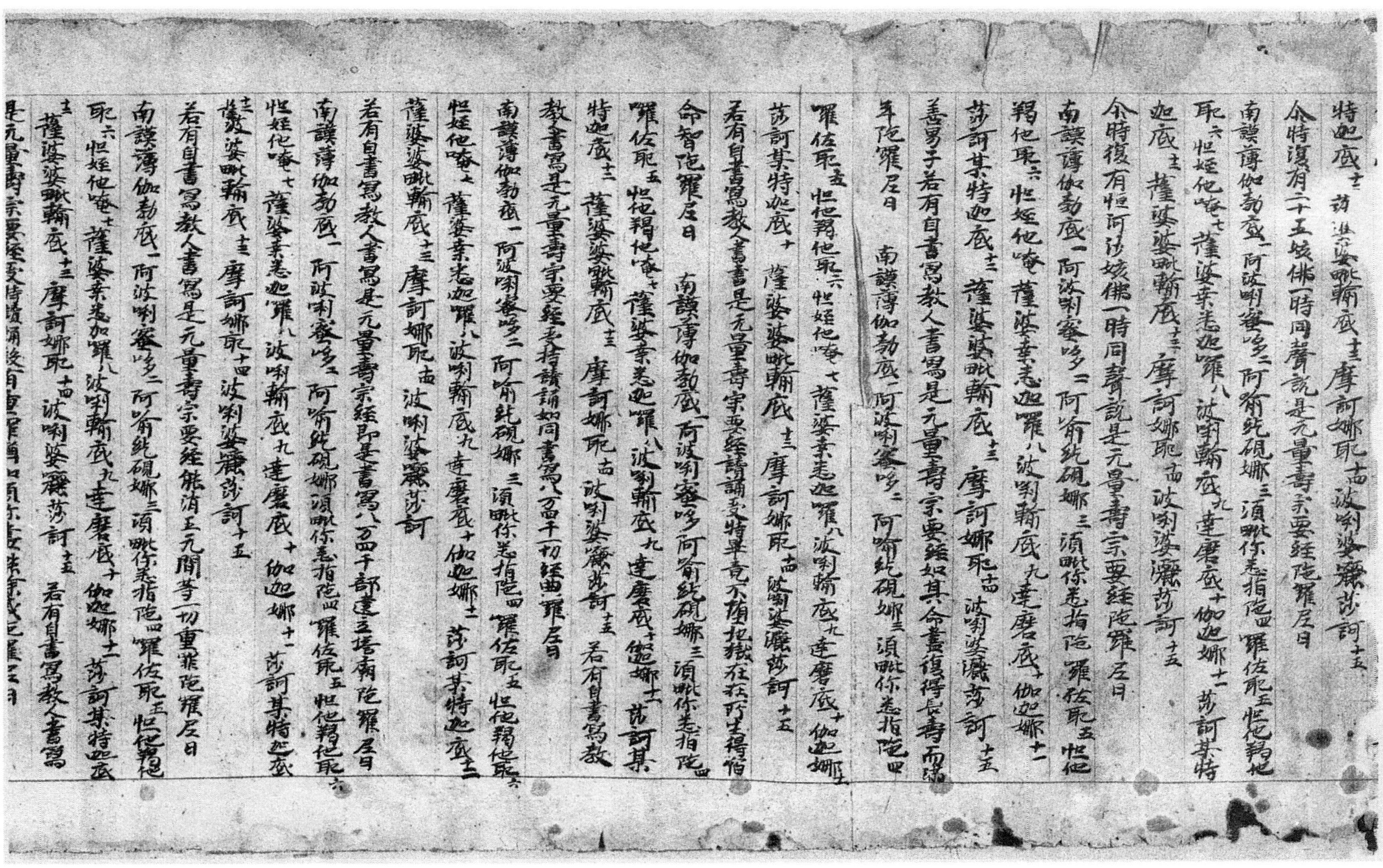

特迦底十二 薩婆婆毗輸底十三 摩訶娜耶十四 波唎婆㘑莎訶十五
尒時復有二十五姟佛一時同聲說是无量壽宗要經陀羅尼曰
南謨薄伽勃底一 阿波唎蜜多二 阿喻紇硯娜三 須毗你悉指陀四 囉佐耶五 怛他羯他
耶六 怛姪他唵七 薩婆桑悉迦囉八 波唎輸底九 達磨底十 伽迦娜十一 莎訶某特
迦底十二 薩婆婆毗輸底十三 摩訶娜耶十四 波唎婆㘑莎訶十五
尒時復有恒河沙姟佛一時同聲說是无量壽宗要經陀羅尼曰
南謨薄伽勃底一 阿波唎蜜多二 阿喻紇硯娜三 須毗你悉指陀 囉佐耶五 怛他
羯他耶六 怛姪他唵 薩婆桑悉迦囉八 波唎輸底九 達磨底十 伽迦娜十一
莎訶某特迦底十二 薩婆婆毗輸底十三 摩訶娜耶十四 波唎婆㘑莎訶十五
善男子若有自書寫教人書寫是无量壽宗要經如其命盡復得長壽而滿
年陀羅尼曰 南謨薄伽勃底一 阿波唎蜜多二 阿喻紇硯娜三 須毗你悉指陀四
囉佐耶五 怛他羯他耶六 怛姪他唵七 薩婆桑悉迦囉八 波唎輸底九 達磨底十 伽迦娜十一
莎訶某特迦底十 薩婆婆毗輸底十三 摩訶娜耶十四 波唎婆㘑莎訶十五
若有自書寫教人書寫是无量壽宗要經讀誦受持畢竟不墮地獄在在所生得宿
命智陀羅尼曰 南謨薄伽勃底一 阿波唎蜜多 阿喻紇硯娜三 須毗你悉指陀四
囉佐耶五 怛他羯他唵七 薩婆桑悉迦囉八 波唎輸底九 達磨底十 伽迦娜十一 莎訶某
特迦底十二 薩婆婆毗輸底十三 摩訶娜耶十四 波唎婆㘑莎訶十五 若有自書寫教
教書寫是无量壽宗要經受持讀誦如同書寫八万四千一切經典陀羅尼曰
南謨薄伽勃底一 阿波唎蜜多二 阿喻紇硯娜三 須毗你悉指陀四 囉佐耶五 怛他羯他耶六
怛姪他唵七 薩婆桑悉迦囉八 波唎輸底九 達磨底十 伽迦娜十一 莎訶某特迦底十二
薩婆婆毗輸底十三 摩訶娜耶十四 波唎婆㘑莎訶
若有自書寫教人書寫是无量壽宗經即是書寫八万四千部建立塔廟陀羅尼曰
南謨薄伽勃底一 阿波唎蜜多二 阿喻紇硯娜 須毗你悉指陀四 囉佐耶五 怛他羯他耶六
怛姪他唵七 薩婆桑悉迦囉八 波唎輸底九 達磨底十 伽迦娜十一 莎訶某特迦底
十二 薩婆婆毗輸底十三 摩訶娜耶十四 波唎婆㘑莎訶十五
若有自書寫教人書寫是无量壽宗要經能消五无間等一切重罪陀羅尼曰
南謨薄伽勃底一 阿波唎蜜多二 阿喻紇硯娜三 須毗你悉指陀四 囉佐耶五 怛他羯他
耶六 怛姪他唵七 薩婆桑悉加囉八 波唎輸底九 達磨底十 伽迦娜十一 莎訶某特迦底
十二 薩婆婆毗輸底十三 摩訶娜耶十四 波唎婆㘑莎訶十五 若有自書寫教人書寫

BD02439 號　無量壽宗要經　（5–2）

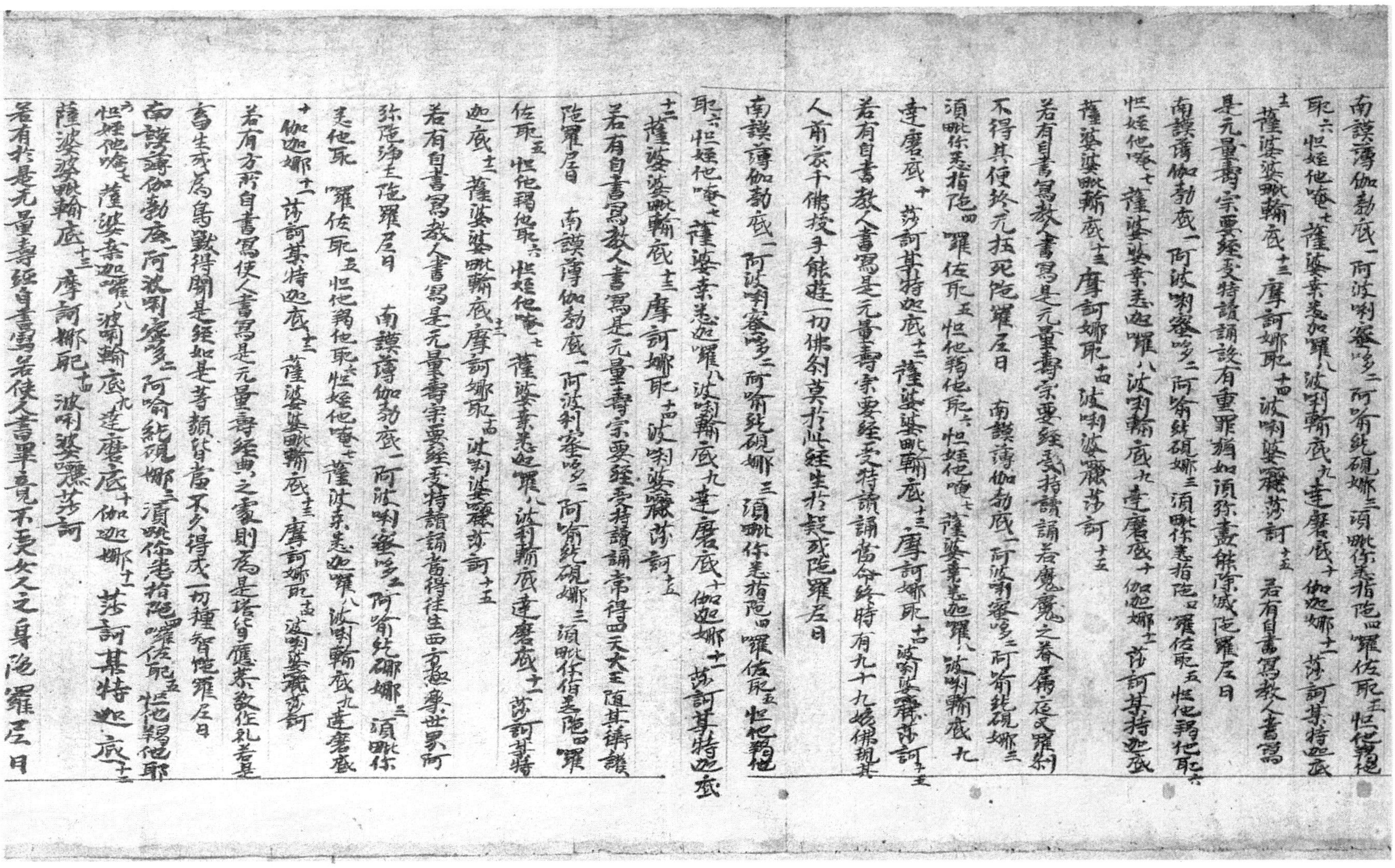

南謨薄伽勃底一阿波唎蜜哆二阿喻紇硯娜三須毗你悉指陁四囉佐耶五怛他羯他
耶六怛姪他唵七薩婆桑悉加囉八波唎輸底九達磨底十伽迦娜十一莎訶某特迦底
十二薩婆婆毗輸底十三摩訶娜耶十四波唎婆嚟莎訶十五 若有自書寫教人書寫
是无量壽宗要經受持讀誦設有重罪猶如須弥盡能除滅陁羅尼曰
南謨薄伽勃底一阿波唎蜜哆二阿喻紇硯娜三須毗你悉指陁四囉佐耶五怛他羯他耶六
怛姪他唵七薩婆桑悉迦囉八波唎輸底九達磨底十伽迦娜十一莎訶某特迦底
十二薩婆婆毗輸底十三摩訶娜耶十四波唎婆嚟莎訶十五
若有自書寫教人書寫是无量壽宗要經受持讀誦若魔魔之眷屬夜叉羅刹
不得其便終无枉死陁羅尼曰 南謨薄伽勃底一阿波唎蜜哆二阿喻紇硯娜三
須毗你悉指陁四囉佐耶五怛他羯他耶六怛姪他唵七薩婆桑悉迦囉八波唎輸底九
達磨底十莎訶某特迦底十二薩婆婆毗輸底十三摩訶娜耶十四波唎婆嚟莎訶十五
若有自書教人書寫是无量壽宗要經受持讀誦當命終時有九十九姟佛現其
人前來千佛授手能遊一切佛刹莫於此經生於疑惑陁羅尼曰
南謨薄伽勃底一阿波唎蜜哆二阿喻紇硯娜三須毗你悉指陁四囉佐耶五怛他羯他
耶六怛姪他唵七薩婆桑悉迦囉八波唎輸底九達磨底十伽迦娜十一莎訶某特迦底
十二薩婆婆毗輸底十三摩訶娜耶十四波唎婆嚟莎訶十五
若有自書寫教人書寫是无量壽宗要經受持讀誦常得四天大王隨其衛護
陁羅尼曰 南謨薄伽勃底一阿波唎蜜哆二阿喻紇硯娜三須毗你悉指陁四囉
佐耶五怛他羯他耶六怛姪他唵七薩婆桑悉迦囉八波唎輸底九達磨底十一莎訶某特
迦底十二薩婆婆毗輸底十三摩訶娜耶十四波唎婆嚟莎訶十五
若有自書寫教人書寫是无量壽宗要經受持讀誦當得往生西方極樂世界阿
弥陁淨土陁羅尼曰 南謨薄伽勃底一阿波唎蜜哆二阿喻紇硯娜三須毗你
悉他耶 囉佐耶五怛他羯他耶六怛姪他唵七薩婆桑悉迦囉八波唎輸底九達磨底
十伽迦娜十一莎訶某特迦底十二薩婆婆毗輸底十三摩訶娜耶十四波唎婆嚟莎訶
若有方處自書寫使人書寫是无量壽經典之處則爲是塔皆應恭敬作礼若是
畜生或爲鳥獸得聞是經如是等類皆當不久得成一切種智陁羅尼曰
南謨薄伽勃底一阿波唎蜜哆二阿喻紇硯娜三須毗你悉指陁四囉佐耶五怛他羯他耶
六怛姪他唵七薩婆桑悉迦囉八波唎輸底九達磨底十伽迦娜十一莎訶某特迦底十二
薩婆婆毗輸底十三摩訶娜耶十四波唎婆嚟莎訶
若有於是无量壽經自書寫若使人書畢竟不受女人之身陁羅尼曰

BD02439 號　無量壽宗要經　　（5–3）

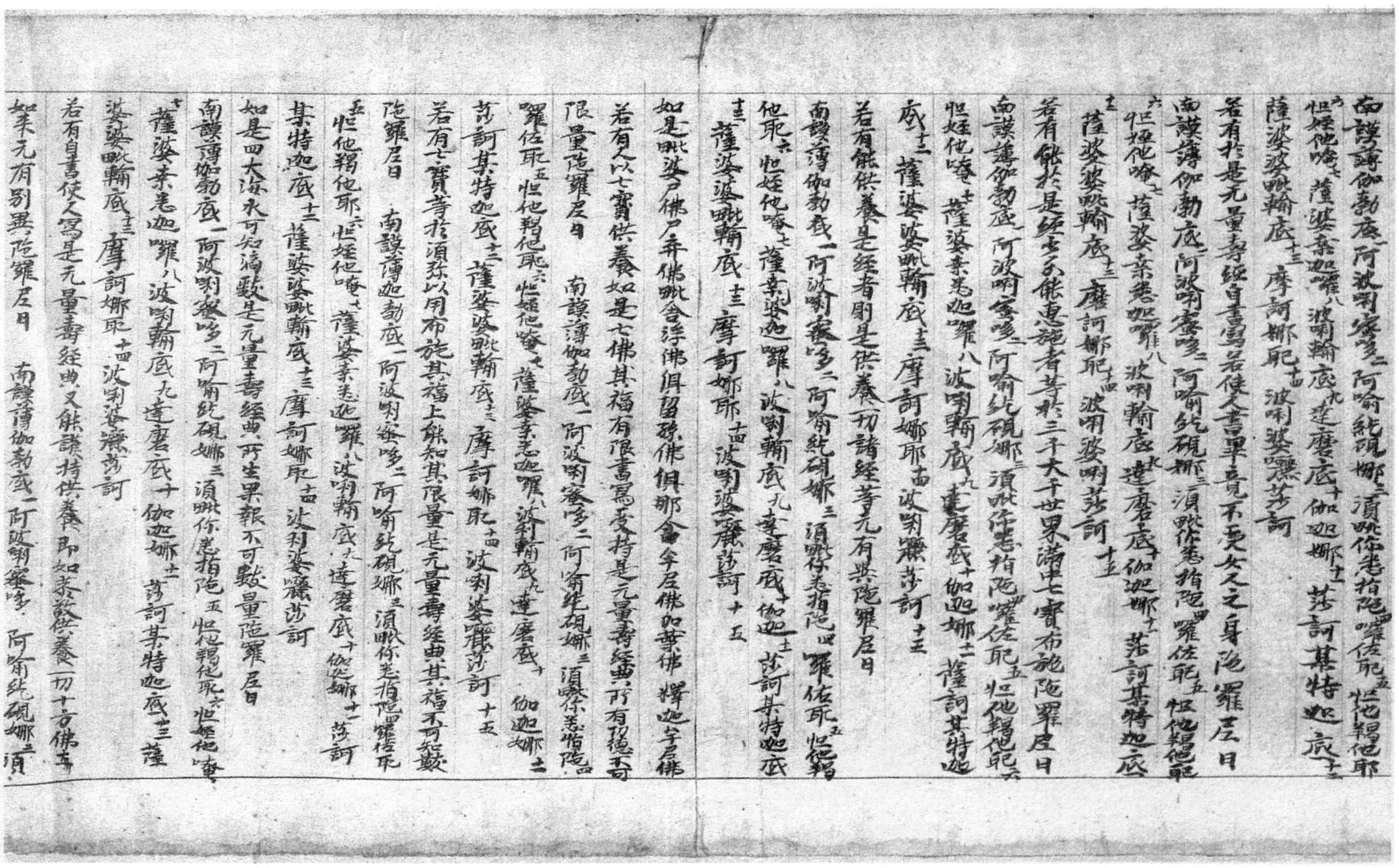

南謨薄伽勃底一阿波唎蜜哆二阿喻紇硯娜三須毗你悉指陁四囉佐耶五怛他羯他耶
六怛姪他唵七薩婆桑悉迦囉八波唎輸底九達磨底十伽迦娜十一莎訶某特迦底十二
薩婆婆毗輸底十三摩訶娜耶十四波唎婆嚟莎訶
若有於是无量壽經自書寫若使人書畢竟不受女人之身陁羅尼曰
南謨薄伽勃底一阿波唎蜜哆二阿喻紇硯娜三須毗你悉指陁四囉佐耶五怛他羯他耶
六怛姪他唵七薩婆桑悉迦囉八波唎輸底九達磨底十伽迦娜十一莎訶某特迦底
十二薩婆婆毗輸底十三摩訶娜耶十四波唎婆嚟莎訶十五
若有能於是經少分惠施者等於三千大千世界滿七寶布施陁羅尼曰
南謨薄伽勃底一阿波唎蜜哆二阿喻紇硯娜三須毗你悉指陁四囉佐耶五怛他羯他耶六
怛姪他唵七薩婆桑悉迦囉八波唎輸底九達磨底十伽迦娜十一薩訶某特迦
底十二薩婆婆毗輸底十三摩訶娜耶十四波唎婆嚟莎訶十五
若有能供養是經者則是供養一切諸經等无有異陁羅尼曰
南謨薄伽勃底一阿波唎蜜哆二阿喻紇硯娜三須毗你悉指陁四囉佐耶五怛他羯
他耶六怛姪他唵七薩婆桑悉迦囉八波唎輸底九達磨底十伽迦娜十一莎訶某特迦底
十二薩婆婆毗輸底十三摩訶娜耶十四波唎婆嚟莎訶十五
如是毗婆尸佛尸弃佛毗舍浮佛拘留孫佛拘那含牟尼佛迦葉佛釋迦牟尼佛
若有人以七寶供養如是七佛其福有限書寫受持是无量壽經典所有福德不可
限量陁羅尼曰 南謨薄伽勃底一阿波唎蜜哆二阿喻紇硯娜三須毗你悉指陁四
囉佐耶五怛他羯他耶六怛姪他唵七薩婆桑悉迦囉八波唎輸底九達磨底十伽迦娜十一
莎訶某特迦底十二薩婆婆毗輸底十三摩訶娜耶十四波唎婆嚟莎訶十五
若有七寶等於須弥以用布施其福上能知其限量是无量壽經典其福不可數
陁羅尼曰 南謨薄伽勃底一阿波唎蜜哆二阿喻紇硯娜三須毗你悉指陁四囉佐耶
五怛他羯他耶六怛姪他唵七薩婆桑悉迦囉八波唎輸底九達磨底十伽迦娜十一莎訶
某特迦底十二薩婆婆毗輸底十三摩訶娜耶十四波唎婆嚟莎訶
如是四大海水可知滴數是无量壽經典所生果報不可數量陁羅尼曰
南謨薄伽勃底一阿波唎蜜哆二阿喻紇硯娜三須毗你悉指陁四囉佐耶五怛他羯他耶六怛姪他唵
七薩婆桑悉迦囉八波唎輸底九達磨底十伽迦娜十一莎訶某特迦底十二薩
婆婆毗輸底十三摩訶娜耶十四波唎婆嚟莎訶
若有自書使人寫是无量壽經典又能讀持供養即如恭敬供養一切十方佛
如來无有別異陁羅尼曰 南謨薄伽勃底一阿波唎蜜哆二阿喻紇硯娜三須

BD02439 號　無量壽宗要經　　（5–4）

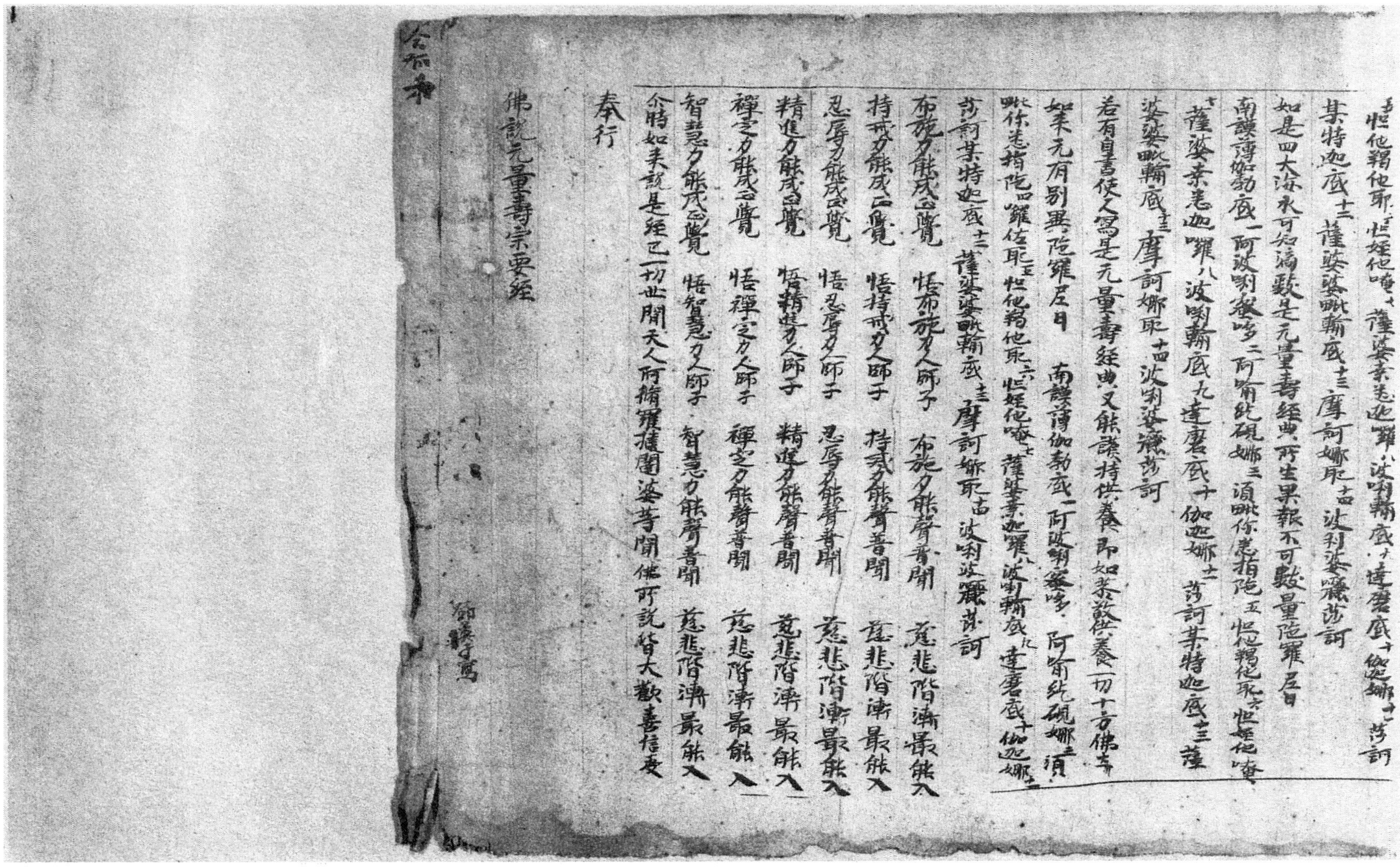
怛他羯他耶六 怛姪他唵七 薩婆桑悉迦羅八 波唎輸底九 達磨底十 伽迦娜十一 莎訶
某特迦底十二 薩婆婆毗輸底十三 摩訶娜耶十四 波利婆羅莎訶
如是四大海水可知滴數是无量壽經典所生果報不可數量陁羅尼曰
南謨薄伽勃底一 阿波唎蜜哆二 阿喻紇硯娜三 須毗你悉指陁五 怛他羯他耶六 怛姪他唵
七薩婆桑悉迦羅八 波唎輸底九 達磨底十 伽迦娜十一 莎訶某特迦底十三 薩
婆婆毗輸底十三 摩訶娜耶十四 波唎婆羅莎訶
若有自書使人寫是无量壽經典又能讀持供養即如恭敬供養一切十方佛等
如來无有別異陁羅尼曰 南謨薄伽勃底一 阿波唎蜜哆 阿喻紇硯娜三 須
毗你悉指陁四 羅佐耶五 怛他羯他耶六 怛姪他唵七 薩婆桑悉迦羅八 波唎輸底九 達磨底十 伽迦娜十一
莎訶某特迦底十二 薩婆婆毗輸底十三 摩訶娜耶十四 波唎婆羅莎訶
布施力能成正覺 悟布施力人師子 布施力能聲普聞 慈悲階漸最能入
持戒力能成正覺 悟持戒力人師子 持戒力能聲普聞 慈悲階漸最能入
忍辱力能成正覺 悟忍辱力人師子 忍辱力能聲普聞 慈悲階漸最能入
精進力能成正覺 悟精進力人師子 精進力能聲普聞 慈悲階漸最能入
禪定力能成正覺 悟禪定力人師子 禪定力能聲普聞 慈悲階漸最能入
智慧力能成正覺 悟智慧力人師子 智慧力能聲普聞 慈悲階漸最能入
介時如來說是經已一切世間天人阿脩羅揵闥婆等聞佛所說皆大歡喜信受
奉行
佛說无量壽宗要經
鄧[illegible]寫

BD02439 號　無量壽宗要經　　（5–5）

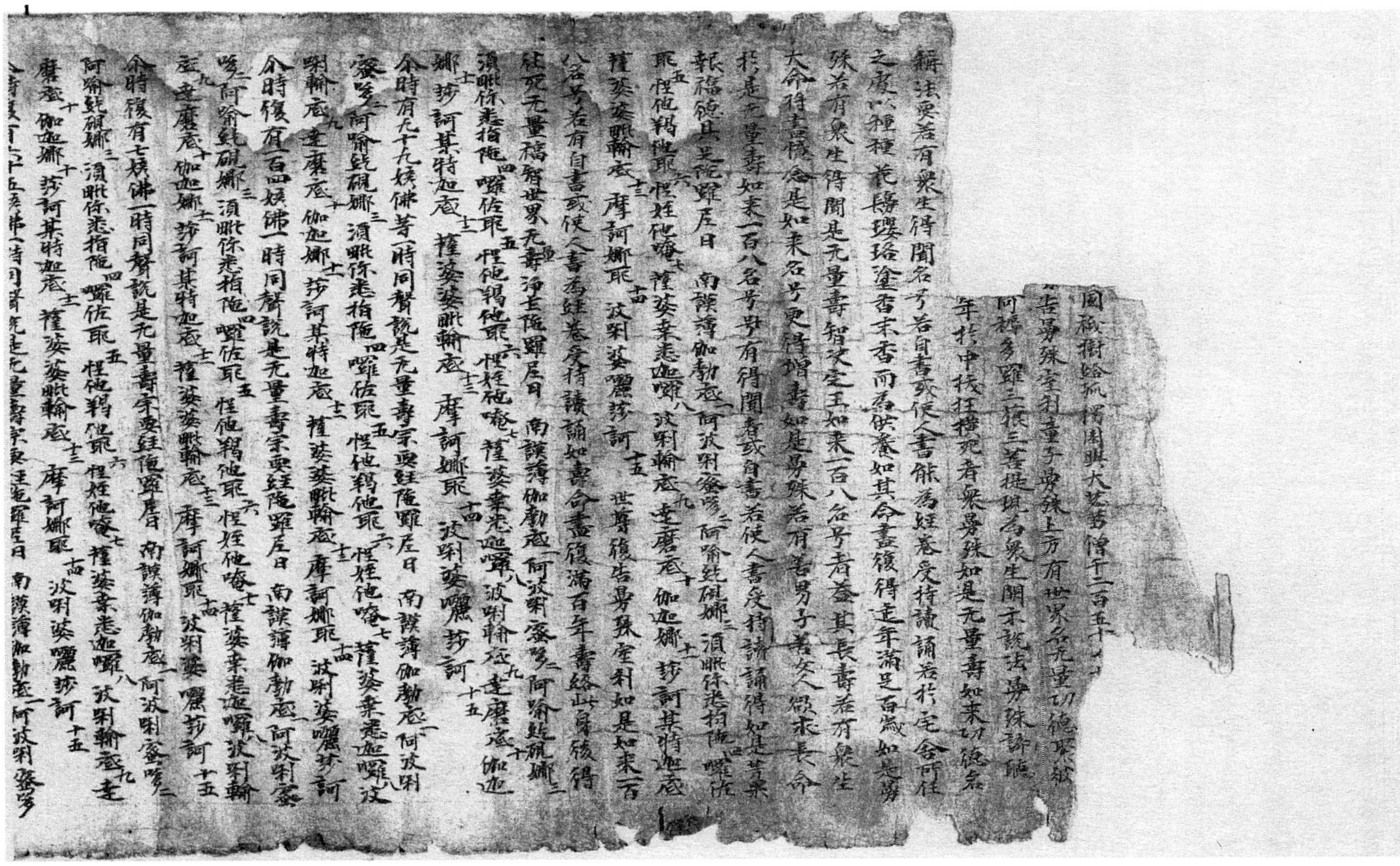
國祇樹給孤獨園與大苾芻僧千二百五十人
吉曼殊室利童子曼殊上方有世界名无量功德聚
阿耨多羅三藐三菩提與為衆生開示說法曼殊師
等於中夭狂橫死者衆曼殊如是无量壽如來功德名
稱法要若有衆生得聞名号若自書或使人書能為經卷受持讀誦若於宅舍所住
之處以種種花鬘瓔珞塗香末香而為供養如其命盡復得延年滿足百歲如是曼
殊若有衆生得聞是无量壽智決定王如來一百八名号者益其長壽若有衆生
大命將盡憶念是如來名号更得增壽如是曼殊若有善男子善女人欲求長命
於是无量壽如來一百八名号有得聞者或自書若使人書受持讀誦得如是等果
報福德具足陁羅尼曰 南謨薄伽勃底一 阿波唎蜜哆二 阿喻紇硯娜三 須毗你悉指陁四 囉佐
耶五 怛他羯他耶六 怛姪他唵七 薩婆桑悉迦囉八 波唎輸底九 達磨底十 伽迦娜十一 莎訶某特迦底
薩婆婆毗輸底十三 摩訶娜耶十四 波唎婆囉莎訶十五 世尊復告曼殊室利如是如來一百
八名号若有自書或使人書為經卷受持讀誦如壽命盡復滿百年壽終之後得
往生无量福智世界无量壽淨土陁羅尼曰 南謨薄伽勃底一 阿波唎蜜哆二 阿喻紇硯娜三
須毗你悉指陁四 囉佐耶五 怛他羯他耶六 怛姪他唵七 薩婆桑悉迦囉八 波唎輸底九 達磨底十 伽迦
娜十一 莎訶某特迦底十二 薩婆婆毗輸底十三 摩訶娜耶十四 波唎婆囉莎訶十五
介時有九十九姟佛等一時同聲說是无量壽宗要經陁羅尼曰 南謨薄伽勃底一 阿波唎
蜜哆二 阿喻紇硯娜三 須毗你悉指陁四 囉佐耶五 怛他羯他耶六 怛姪他唵七 薩婆桑悉迦囉八 波唎
輸底九 達磨底十 伽迦娜十一 莎訶某特迦底十二 薩婆婆毗輸底十三 摩訶娜耶十四 波唎婆囉莎訶十五
介時復有一百四姟佛一時同聲說是无量壽宗要經陁羅尼曰 南謨薄伽勃底一 阿波唎蜜
哆二 阿喻紇硯娜三 須毗你悉指陁四 囉佐耶五 怛他羯他耶六 怛姪他唵七 薩婆桑悉迦囉八 波唎輸
底九 達磨底十 伽迦娜十一 莎訶某特迦底十二 薩婆婆毗輸底十三 摩訶娜耶十四 波唎婆囉莎訶十五
介時復有七姟佛一時同聲說是无量壽宗要經陁羅尼曰 南謨薄伽勃底一 阿波唎蜜哆二
阿喻紇硯娜三 須毗你悉指陁四 囉佐耶五 怛他羯他耶六 怛姪他唵七 薩婆桑悉迦囉八 波唎輸底九 達
磨底十 伽迦娜十一 莎訶某特迦底十二 薩婆婆毗輸底十三 摩訶娜耶十四 波唎婆囉莎訶十五
介時復有六十五姟佛一時同聲說是无量壽宗要經陁羅尼曰 南謨薄伽勃底一 阿波唎蜜多

BD02440 號 1　無量壽宗要經　　（9–1）

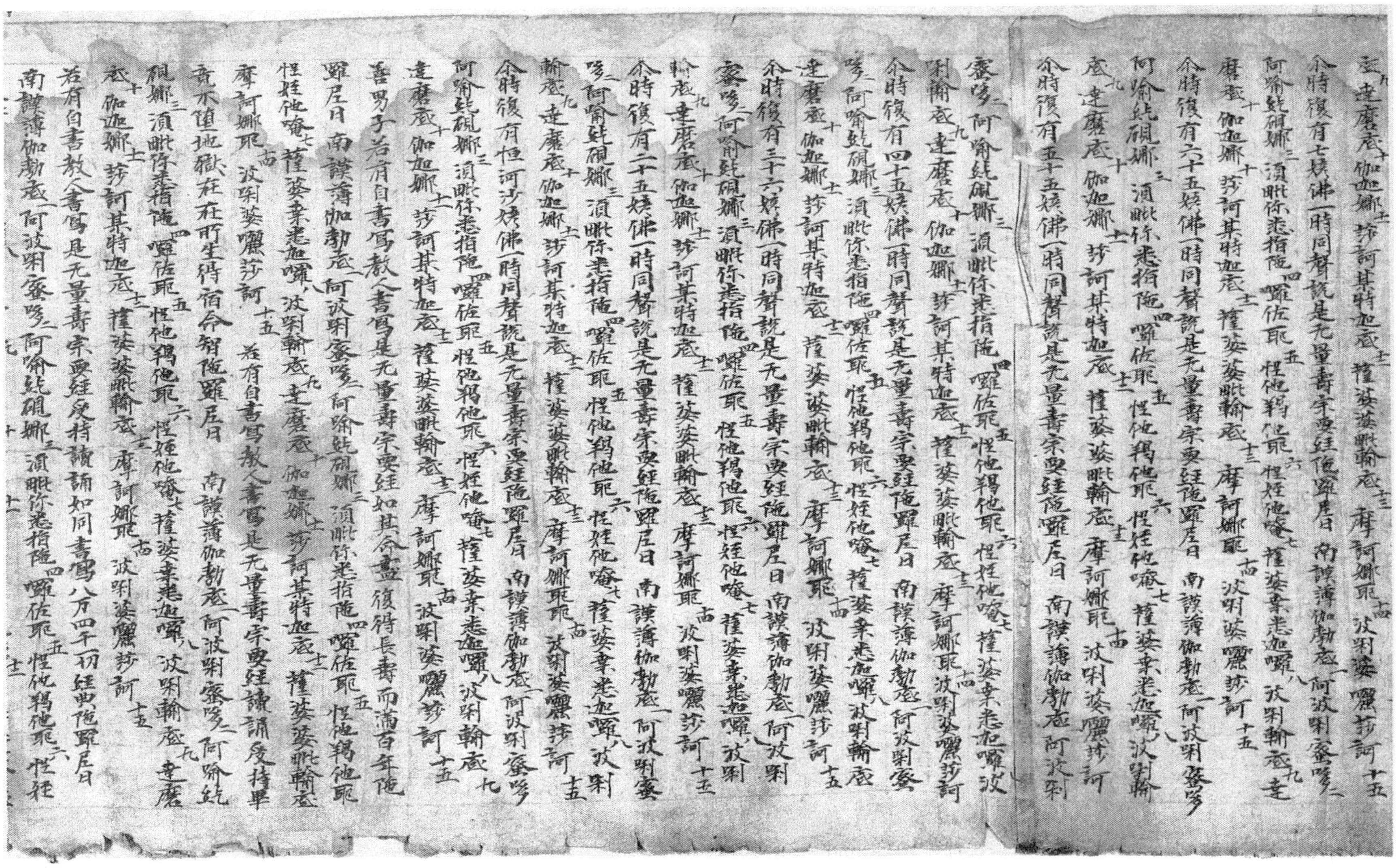
㕧九 達磨底十 伽迦娜十一 莎訶某特迦底十二 薩婆婆毗輸底十三 摩訶娜耶十四 波唎婆嚩莎訶十五
尒時復有七殑伽佛一時同聲說是无量壽宗要經陁羅尼曰 南謨薄伽勃底一 阿波唎蜜哆二
阿喻紇硯娜三 須毗你悉指陁四 囉佐耶五 怛他羯他耶六 怛姪他唵七 薩婆桒悉迦囉八 波唎輸底九 達
磨底十 伽迦娜十一 莎訶某特迦底十二 薩婆婆毗輸底十三 摩訶娜耶十四 波唎婆嚩莎訶十五
尒時復有六十五殑伽佛一時同聲說是无量壽宗要經陁羅尼曰 南謨薄伽勃底一 阿波唎蜜哆
阿喻紇硯娜三 須毗你悉指陁四 囉佐耶五 怛他羯他耶六 怛姪他唵七 薩婆桒悉迦囉八 波唎輸
底九 達磨底十 伽迦娜十一 莎訶某特迦底十二 薩婆婆毗輸底十三 摩訶娜耶十四 波唎婆嚩莎訶
尒時復有五十五殑伽佛一時同聲說是无量壽宗要經陁羅尼曰 南謨薄伽勃底 阿波唎
蜜哆二 阿喻紇硯娜三 須毗你悉指陁四 囉佐耶五 怛他羯他耶六 怛姪他唵七 薩婆桒悉迦囉八 波
唎輸底九 達磨底十 伽迦娜十一 莎訶某特迦底十二 薩婆婆毗輸底十三 摩訶娜耶十四 波唎婆嚩莎訶
尒時復有四十五殑伽佛一時同聲說是无量壽宗要經陁羅尼曰 南謨薄伽勃底一 阿波唎蜜
哆二 阿喻紇硯娜三 須毗你悉指陁四 囉佐耶五 怛他羯他耶六 怛姪他唵七 薩婆桒悉迦囉八 波唎輸底
達磨底十 伽迦娜十一 莎訶某特迦底十二 薩婆婆毗輸底十三 摩訶娜耶十四 波唎婆嚩莎訶十五
尒時復有三十六殑伽佛一時同聲說是无量壽宗要經陁羅尼曰 南謨薄伽勃底一 阿波唎
蜜哆二 阿喻紇硯娜三 須毗你悉指陁四 囉佐耶五 怛他羯他耶六 怛姪他唵七 薩婆桒悉迦囉八 波唎
輸底九 達磨底十 伽迦娜十一 莎訶某特迦底十二 薩婆婆毗輸底十三 摩訶娜耶十四 波唎婆嚩莎訶十五
尒時復有二十五殑伽佛一時同聲說是无量壽宗要經陁羅尼曰 南謨薄伽勃底一 阿波唎蜜
哆二 阿喻紇硯娜三 須毗你悉指陁四 囉佐耶五 怛他羯他耶六 怛姪他唵七 薩婆桒悉迦囉八 波唎
輸底九 達磨底十 伽迦娜十一 莎訶某特迦底十二 薩婆婆毗輸底十三 摩訶娜耶十四 波唎婆嚩莎訶十五
尒時復有恒河沙殑伽佛一時同聲說是无量壽宗要經陁羅尼曰 南謨薄伽勃底一 阿波唎蜜哆
阿喻紇硯娜三 須毗你悉指陁四 囉佐耶五 怛他羯他耶六 怛姪他唵七 薩婆桒悉迦囉八 波唎輸底
達磨底十 伽迦娜十一 莎訶某特迦底十二 薩婆婆毗輸底十三 摩訶娜耶十四 波唎婆嚩莎訶十五
善男子若有自書寫教人書寫是无量壽宗要經如其命盡復得長壽而滿百年陁
羅尼曰 南謨薄伽勃底一 阿波唎蜜哆二 阿喻紇硯娜三 須毗你悉指陁四 囉佐耶五 怛他羯他耶
怛姪他唵七 薩婆桒悉迦囉八 波唎輸底九 達磨底十 伽迦娜十一 莎訶某特迦底十二 薩婆婆毗輸底
摩訶娜耶十四 波唎婆嚩莎訶十五 若有自書寫教人書寫是无量壽宗要經讀誦受持畢
竟不墮地獄在在所生得宿命智陁羅尼曰 南謨薄伽勃底一 阿波唎蜜哆二 阿喻紇
硯娜三 須毗你悉指陁四 囉佐耶五 怛他羯他耶六 怛姪他唵七 薩婆桒悉迦囉八 波唎輸底九 達磨
底十 伽迦娜十一 莎訶某特迦底十二 薩婆婆毗輸底十三 摩訶娜耶十四 波唎婆嚩莎訶十五
若有自書教人書寫是无量壽宗要經受持讀誦如同書寫八万四千一切經典陁羅尼曰
南謨薄伽勃底一 阿波唎蜜哆二 阿喻紇硯娜三 須毗你悉指陁四 囉佐耶五 怛他羯他耶六 怛姪

BD02440 號 1　無量壽宗要經　　（9–2）

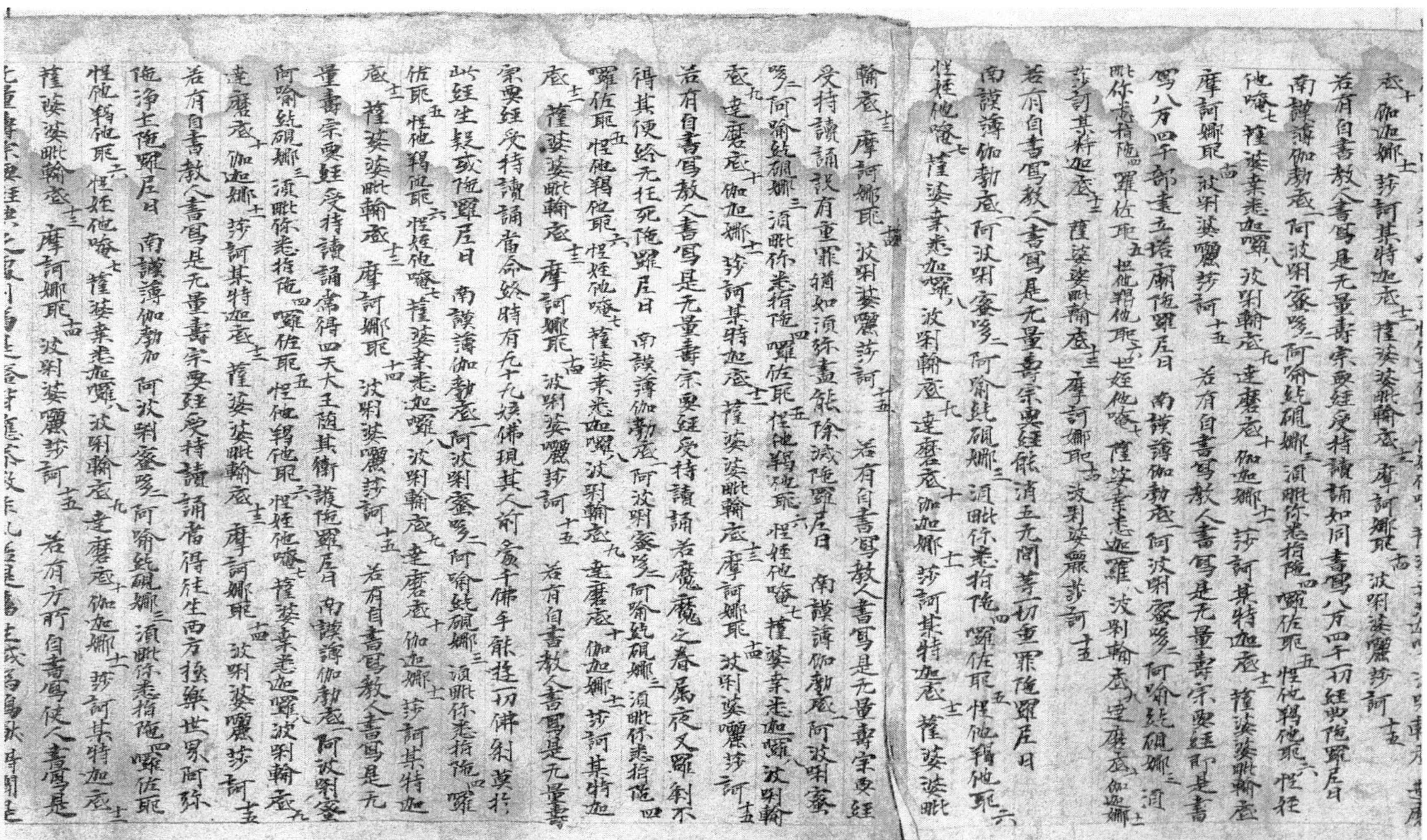
底十 伽迦娜十一 莎訶某特迦底十二 薩婆婆毗輸底十三 摩訶娜耶十四 波唎婆嚩莎訶十五
若有自書教人書寫是无量壽宗要經受持讀誦如同書寫八万四千一切經典陁羅尼曰
南謨薄伽勃底一 阿波唎蜜哆二 阿喻紇硯娜三 須毗你悉指陁四 囉佐耶五 怛他羯他耶六 怛姪
他唵七 薩婆桒悉迦囉八 波唎輸底九 達磨底十 伽迦娜十一 莎訶某特迦底十二 薩婆婆毗輸底
摩訶娜耶十四 波唎婆嚩莎訶十五 若有自書寫教人書寫是无量壽宗要經即是書
寫八万四千部建立塔廟陁羅尼曰 南謨薄伽勃底一 阿波唎蜜哆二 阿喻紇硯娜三 須
毗你悉指陁四 羅佐耶五 怛他羯他耶六 怛姪他唵七 薩婆桒悉迦羅八 波唎輸底九 達磨底十 伽迦娜十一
莎訶某特迦底十二 薩婆婆毗輸底十三 摩訶娜耶十四 波唎婆嚩莎訶十五
若有自書寫教人書寫是无量壽宗要經能消五无間等一切重罪陁羅尼曰
南謨薄伽勃底一 阿波唎蜜哆二 阿喻紇硯娜三 須毗你悉指陁四 囉佐耶五 怛他羯他耶六
怛姪他唵七 薩婆桒悉迦囉八 波唎輸底九 達磨底十 伽迦娜十一 莎訶某特迦底十二 薩婆婆毗
輸底十三 摩訶娜耶十四 波唎婆嚩莎訶十五 若有自書寫教人書寫是无量壽宗要經
受持讀誦設有重罪猶如須弥盡能除滅陁羅尼曰 南謨薄伽勃底一 阿波唎蜜
哆二 阿喻紇硯娜三 須毗你悉指陁四 囉佐耶五 怛他羯他耶六 怛姪他唵七 薩婆桒悉迦囉八 波唎輸
底九 達磨底十 伽迦娜十一 莎訶某特迦底十二 薩婆婆毗輸底十三 摩訶娜耶十四 波唎婆嚩莎訶十五
若有自書寫教人書寫是无量壽宗要經受持讀誦若魔魔之眷屬夜叉羅剎不
得其便縱无枉死陁羅尼曰 南謨薄伽勃底一 阿波唎蜜哆二 阿喻紇硯娜三 須毗你悉指陁四
囉佐耶五 怛他羯他耶六 怛姪他唵七 薩婆桒悉迦囉八 波唎輸底九 達磨底十 伽迦娜十一 莎訶某特迦
底十二 薩婆婆毗輸底十三 摩訶娜耶十四 波唎婆嚩莎訶十五 若有自書教人書寫是无量壽
宗要經受持讀誦當命終時有九十九殑佛現其人前蒙千佛手流提一切佛剎莫於
此經生疑惑陁羅尼曰 南謨薄伽勃底一 阿波唎蜜哆二 阿喻紇硯娜三 須毗你悉指陁四 囉
佐耶五 怛他羯他耶六 怛姪他唵七 薩婆桒悉迦囉八 波唎輸底九 達磨底十 伽迦娜十一 莎訶某特迦
底十二 薩婆婆毗輸底十三 摩訶娜耶十四 波唎婆嚩莎訶十五 若有自書寫教人書寫是无
量壽宗要經受持讀誦當得四天大王隨其衛護陁羅尼曰 南謨薄伽勃底一 阿波唎蜜
阿喻紇硯娜三 須毗你悉指陁四 囉佐耶五 怛他羯他耶六 怛姪他唵七 薩婆桒悉迦囉八 波唎輸底九
達磨底十 伽迦娜十一 莎訶某特迦底十二 薩婆婆毗輸底十三 摩訶娜耶十四 波唎婆嚩莎訶十五
若有自書教人書寫是无量壽宗要經受持讀誦當得往生西方極樂世界阿弥
陁淨土陁羅尼曰 南謨薄伽勃伽 阿波唎蜜哆二 阿喻紇硯娜三 須毗你悉指陁四 囉佐耶
怛他羯他耶六 怛姪他唵七 薩婆桒悉迦囉八 波唎輸底九 達磨底十 伽迦娜十一 莎訶某特迦底十二
薩婆婆毗輸底十三 摩訶娜耶十四 波唎婆嚩莎訶十五 若有方所自書寫使人書寫是

BD02440 號 1　無量壽宗要經　　（9–3）

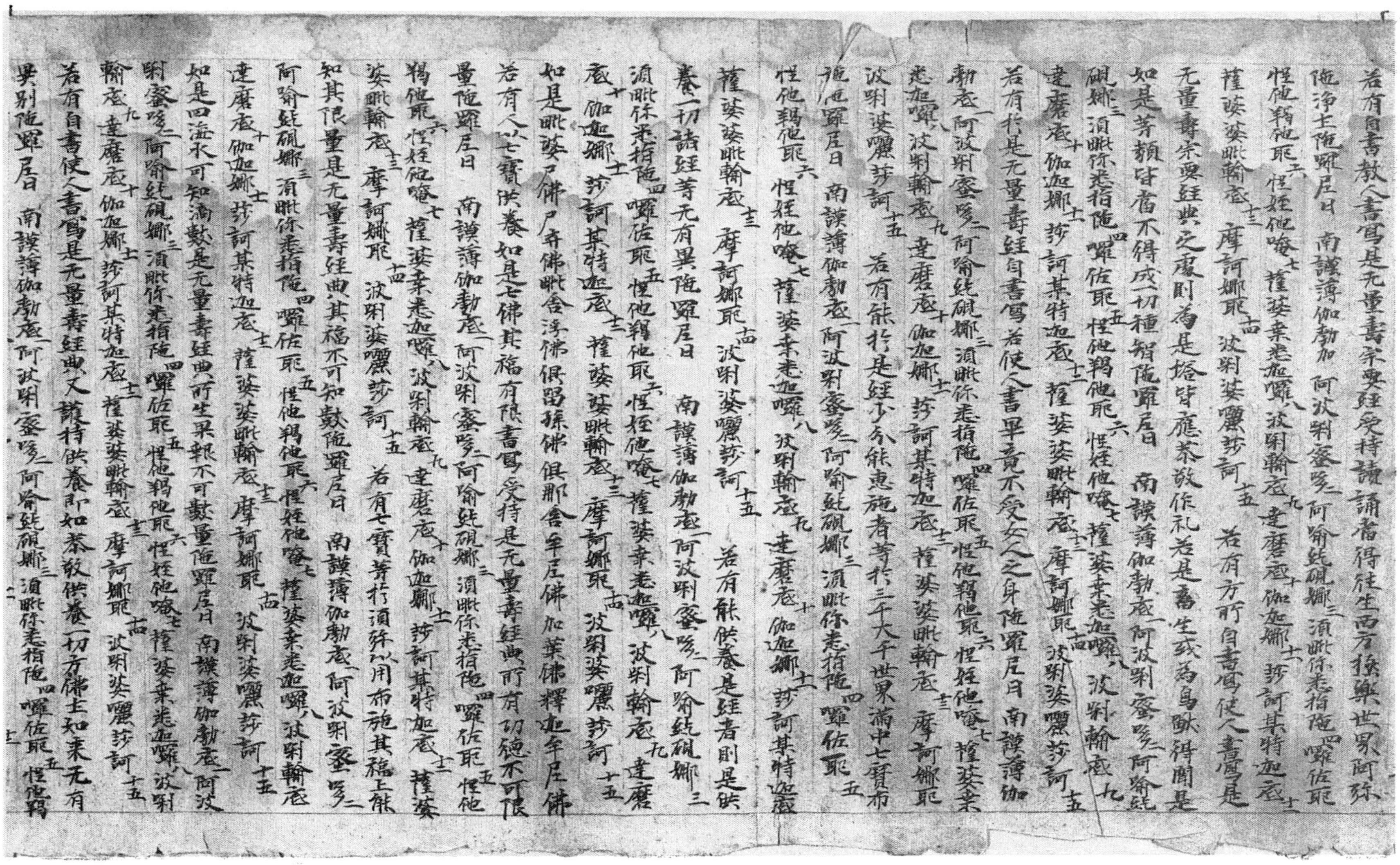
若有自書教人書寫是无量壽宗要經受持讀誦者得往生西方極樂世界阿弥
陁淨土陁羅尼曰 南謨薄伽勃伽 阿波唎蜜哆二 阿喻紇硯娜三 須毗你柰指陁四 囉佐耶
怛他羯他耶六 怛姪他唵七 薩婆桑柰悉伽囉八 波唎輸底九 達磨底十 伽迦娜十一 莎訶某特迦底十二
薩婆婆毗輸底十三 摩訶娜耶十四 波唎婆嚟莎訶十五 若有於自書寫使人書寫是
无量壽宗要經典之處則為是塔皆應恭敬作礼若是畜生或為鳥獸得聞是
如是等類皆當不得成一切種智陁羅尼曰 南謨薄伽勃底一 阿波唎蜜哆二 阿喻紇
硯娜三 須毗你柰指陁四 囉佐耶五 怛他羯他耶六 怛姪他唵七 薩婆桑柰悉伽囉八 波唎輸底九
達磨底十 伽迦娜十一 莎訶某特迦底十二 薩婆婆毗輸底十三 摩訶娜耶十四 波唎婆嚟莎訶十五
若有於是无量壽經自書寫若使人書畢竟不受女人之身陁羅尼曰 南謨薄伽
勃底一 阿波唎蜜哆二 阿喻紇硯娜三 須毗你柰指陁四 囉佐耶五 怛他羯他耶六 怛姪他唵七 薩婆桑
柰悉伽囉八 波唎輸底九 達磨底十 伽迦娜十一 莎訶某特迦底十二 薩婆婆毗輸底十三 摩訶娜耶
波唎婆嚟莎訶十五 若有能於是經少分能惠施者等於三千大千世界滿中七寶布
施陁羅尼曰 南謨薄伽勃底一 阿波唎蜜哆二 阿喻紇硯娜三 須毗你柰指陁四 囉佐耶五
怛他羯他耶六 怛姪他唵七 薩婆桑柰悉伽囉八 波唎輸底九 達磨底十 伽迦娜十一 莎訶某特迦底
薩婆婆毗輸底十三 摩訶娜耶十四 波唎婆嚟莎訶十五 若有能供養是經者則是供
養一切諸經等无有異陁羅尼曰 南謨薄伽勃底一 阿波唎蜜哆二 阿喻紇硯娜三
須毗你柰指陁四 囉佐耶五 怛他羯他耶六 怛姪他唵七 薩婆桑柰悉伽囉八 波唎輸底九 達磨
底十 伽迦娜十一 莎訶某特迦底十二 薩婆婆毗輸底十三 摩訶娜耶十四 波唎婆嚟莎訶十五
如是毗婆尸佛尸弃佛毗舍浮佛俱留孫佛俱那含牟尼佛迦葉佛釋迦牟尼佛
若有人以七寶供養如是七佛其福有限書寫受持是无量壽經典所有功德不可限
量陁羅尼曰 南謨薄伽勃底一 阿波唎蜜哆二 阿喻紇硯娜三 須毗你柰指陁四 囉佐耶五 怛他
羯他耶六 怛姪他唵七 薩婆桑柰悉伽囉八 波唎輸底九 達磨底十 伽迦娜十一 莎訶某特迦底十二 薩婆
婆毗輸底十三 摩訶娜耶十四 波唎婆嚟莎訶十五 若有七寶等於須弥以用布施其福上能
知其限量是无量壽經典其福不可知數陁羅尼曰 南謨薄伽勃底一 阿波
阿喻紇硯娜三 須毗你柰指陁四 囉佐耶五 怛他羯他耶六 怛姪他唵七 薩婆桑柰悉伽囉八 波唎輸底
達磨底十 伽迦娜十一 莎訶某特迦底十二 薩婆婆毗輸底十三 摩訶娜耶十四 波唎婆嚟莎訶十五
如是四海水可知滴數是无量壽經典所生果報不可數量陁羅尼曰 南謨薄伽勃底一 阿波
唎蜜哆二 阿喻紇硯娜三 須毗你柰指陁四 囉佐耶五 怛他羯他耶六 怛姪他唵七 薩婆桑柰悉伽囉八 波唎
輸底九 達磨底十 伽迦娜十一 莎訶某特迦底十二 薩婆婆毗輸底十三 摩訶娜耶十四 波唎婆嚟莎訶十五
若有自書使人書寫是无量壽經典人護持供養即如恭敬供養一切方佛土知來无有
異別陁羅尼曰 南謨薄伽勃底一 阿波唎蜜哆二 阿喻紇硯娜三 須毗你柰指陁四 囉佐耶五 怛他羯

BD02440 號 1　無量壽宗要經　（9–4）

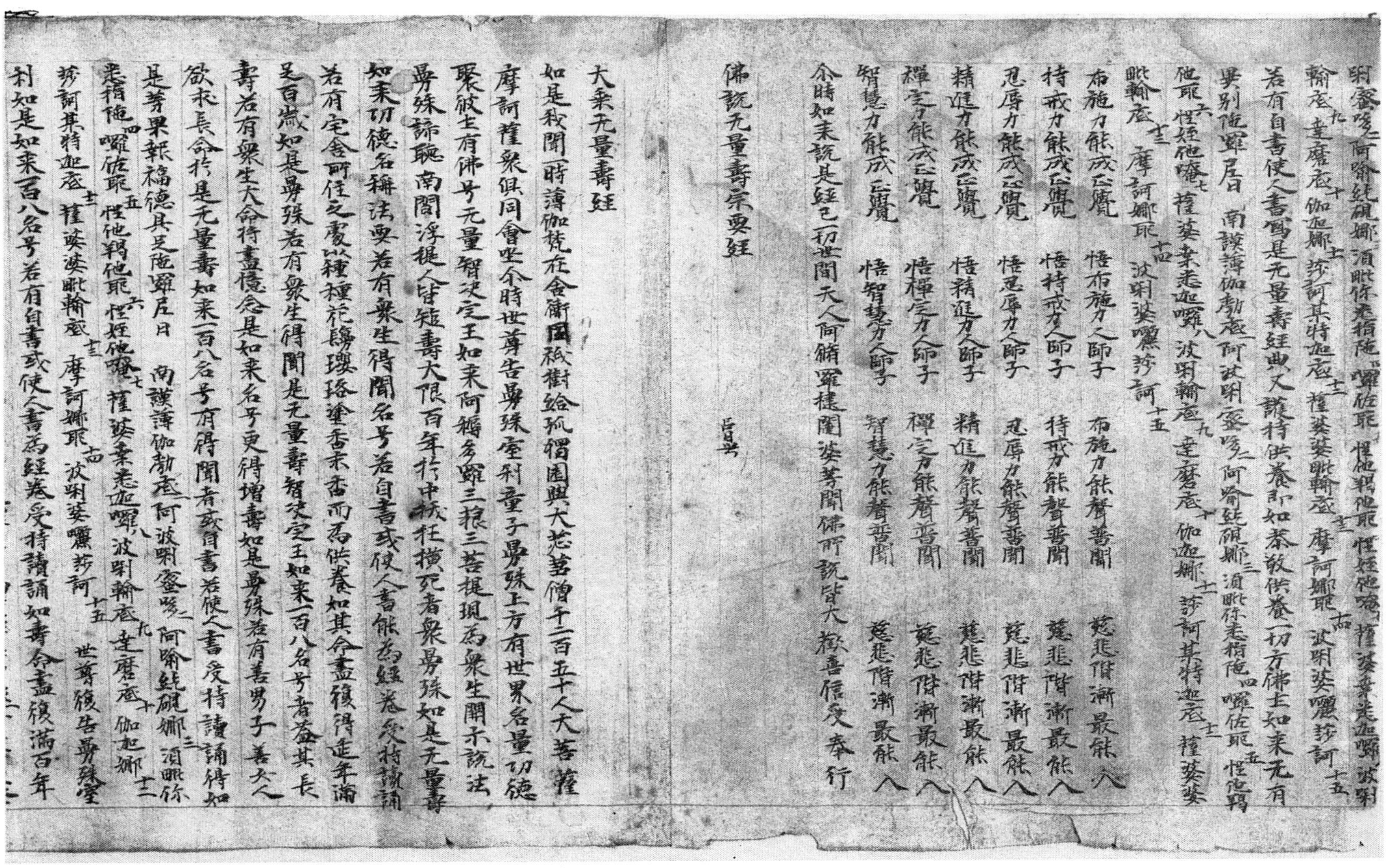
唎蜜哆二 阿喻紇硯娜三 須毗你柰指陁四 囉佐耶五 怛他羯他耶六 怛姪他唵七 薩婆桑柰悉伽囉八 波唎
輸底九 達磨底十 伽迦娜十一 莎訶某特迦底十二 薩婆婆毗輸底十三 摩訶娜耶十四 波唎婆嚟莎訶十五
若有自書使人書寫是无量壽經典人護持供養即如恭敬供養一切方佛土知來无有
異別陁羅尼曰 南謨薄伽勃底一 阿波唎蜜哆二 阿喻紇硯娜三 須毗你柰指陁四 囉佐耶五 怛他羯
他耶六 怛姪他唵七 薩婆桑柰悉伽囉八 波唎輸底九 達磨底十 伽迦娜十一 莎訶某特迦底十二 薩婆婆
毗輸底十三 摩訶娜耶十四 波唎婆嚟莎訶十五
布施力能成正覺　悟布施力人師子　布施力能聲普聞　慈悲階漸最能入
持戒力能成正覺　悟持戒力人師子　持戒力能聲普聞　慈悲階漸最能入
忍辱力能成正覺　悟忍辱力人師子　忍辱力能聲普聞　慈悲階漸最能入
精進力能成正覺　悟精進力人師子　精進力能聲普聞　慈悲階漸最能入
禪定力能成正覺　悟禪定力人師子　禪定力能聲普聞　慈悲階漸最能入
智慧力能成正覺　悟智慧力人師子　智慧力能聲普聞　慈悲階漸最能入
尒時如來說是經已一切世間天人阿脩羅揵闥婆等聞佛所說皆大歡喜信受奉行
佛說无量壽宗要經　呂日興

大乘无量壽經
如是我聞一時薄伽梵在舍衛國祇樹給孤獨園與大苾芻僧千二百五十人大菩薩
摩訶薩衆俱同會坐尒時世尊告曼殊室利童子曼殊上方有世界名量功德
聚彼土有佛号无量智決定王如來阿耨多羅三藐三菩提現為衆生開示說法
曼殊諦聽南閻浮提人皆短壽大限百年於中枉夭横死者衆曼殊如是无量壽
如來功德名稱法要若有衆生得聞名号若自書或使人書能為經卷受持讀誦
若有宅舍所住之處以種種花鬘瓔珞塗香末香而為供養如其命盡復得延年滿
足百歲如是曼殊若有衆生得聞是无量壽智決定王如來一百八名号者益其長
壽若有衆生大命將盡憶念是如來名号更得增壽如是曼殊若有善男子善女人
欲求長命於是无量壽如來一百八名号有得聞者或自書若使人書受持讀誦得如
是等果報福德具足陁羅尼曰 南謨薄伽勃底一 阿波唎蜜哆二 阿喻紇硯娜三 須毗你
柰指陁四 囉佐耶五 怛他羯他耶六 怛姪他唵七 薩婆桑柰悉伽囉八 波唎輸底九 達磨底十 伽迦娜十一
莎訶某特迦底十二 薩婆婆毗輸底十三 摩訶娜耶十四 波唎婆嚟莎訶十五 世尊復告曼殊室
利如是如來一百八名号若有自書或使人書為經卷受持讀誦如壽命盡復滿百年

BD02440 號 1　無量壽宗要經　（9–5）
BD02440 號 2　無量壽宗要經

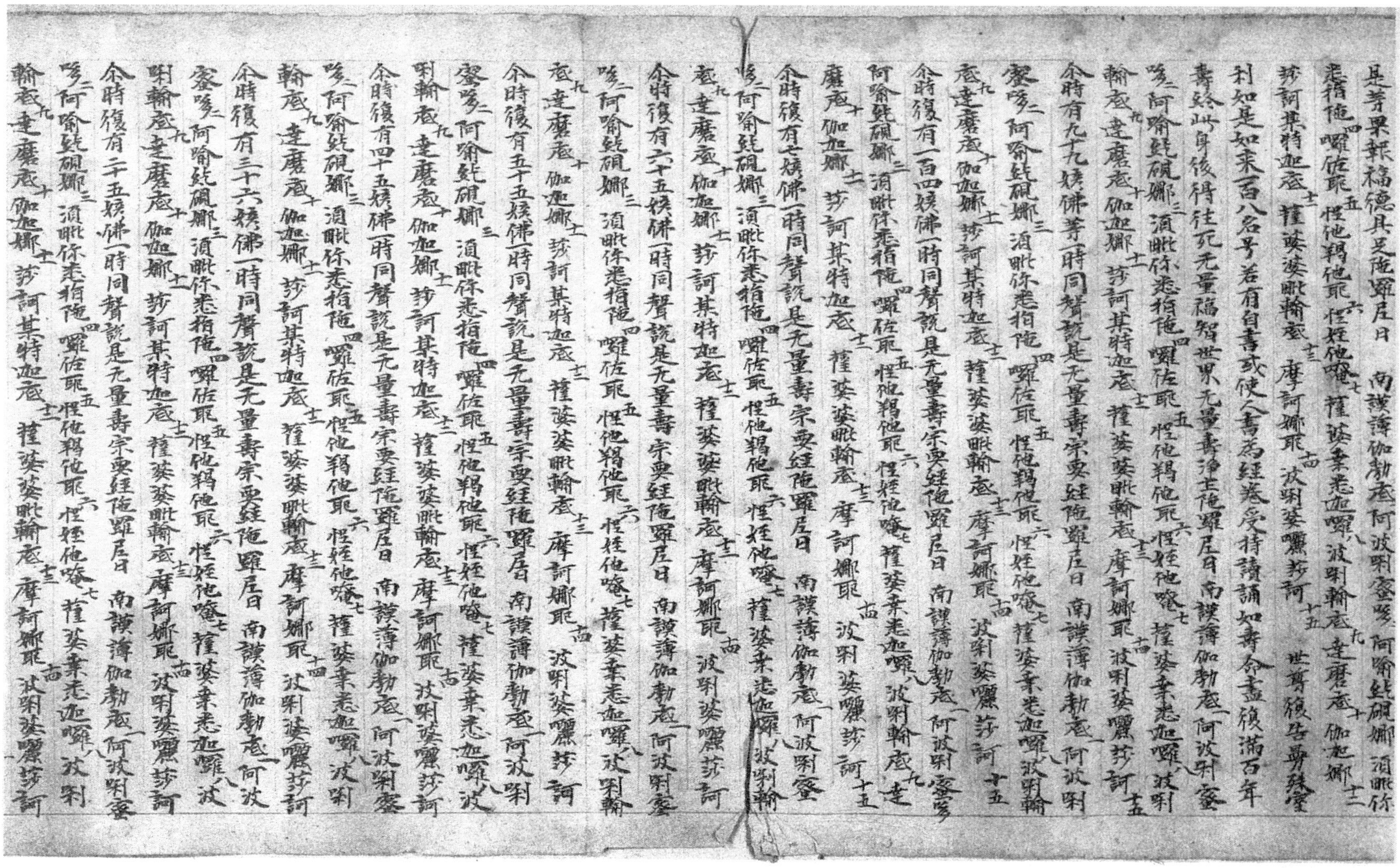

是等果報福德具足陁羅尼曰 南謨薄伽勅底一阿波唎蜜哆二阿喻紇硯娜三須毗你
悉指陁四囉佐耶五怛他羯他耶六怛姪他唵七薩婆桑悉迦囉八波唎輸底九達磨底十伽迦娜十一
莎訶某特迦底十二薩婆婆毗輸底十三摩訶娜耶十四波唎婆嚟莎訶十五 世尊復告曼殊室
利如是如來百八名号若有自書或使人書為經卷受持讀誦如壽命盡復滿百年
壽終此身後得往生无量福智世界无量壽淨土陁羅尼曰 南謨薄伽勅底一阿波唎蜜
哆二阿喻紇硯娜三須毗你悉指陁四囉佐耶五怛他羯他耶六怛姪他唵七薩婆桑悉迦囉八波唎
輸底九達磨底十伽迦娜十一莎訶某特迦底十二薩婆婆毗輸底十三摩訶娜耶十四波唎婆嚟莎訶十五
尒時有九十九姟佛一時同聲說是无量壽宗要經陁羅尼曰 南謨薄伽勅底一阿波唎
蜜哆二阿喻紇硯娜三須毗你悉指陁四囉佐耶五怛他羯他耶六怛姪他唵七薩婆桑悉迦囉八波唎輸
底九達磨底十伽迦娜十一莎訶某特迦底十二薩婆婆毗輸底十三摩訶娜耶十四波唎婆嚟莎訶十五
尒時復有一百四姟佛一時同聲說是无量壽宗要經陁羅尼曰 南謨薄伽勅底一阿波唎蜜哆二
阿喻紇硯娜三須毗你悉指陁四囉佐耶五怛他羯他耶六怛姪他唵七薩婆桑悉迦囉八波唎輸底九達
磨底十伽迦娜十一莎訶某特迦底十二薩婆婆毗輸底十三摩訶娜耶十四波唎婆嚟莎訶十五
尒時復有七姟佛一時同聲說是无量壽宗要經陁羅尼曰 南謨薄伽勅底一阿波唎蜜
哆二阿喻紇硯娜三須毗你悉指陁四囉佐耶五怛他羯他耶六怛姪他唵七薩婆桑悉迦囉八波唎輸
底九達磨底十伽迦娜十一莎訶某特迦底十二薩婆婆毗輸底十三摩訶娜耶十四波唎婆嚟莎訶
尒時復有六十五姟佛一時同聲說是无量壽宗要經陁羅尼曰 南謨薄伽勅底一阿波唎蜜
哆二阿喻紇硯娜三須毗你悉指陁四囉佐耶五怛他羯他耶六怛姪他唵七薩婆桑悉迦囉八波唎輸
底九達磨底十伽迦娜十一莎訶某特迦底十二薩婆婆毗輸底十三摩訶娜耶十四波唎婆嚟莎訶
尒時復有五十五姟佛一時同聲說是无量壽宗要經陁羅尼曰 南謨薄伽勅底一阿波唎
蜜哆二阿喻紇硯娜三須毗你悉指陁四囉佐耶五怛他羯他耶六怛姪他唵七薩婆桑悉迦囉八波
唎輸底九達磨底十伽迦娜十一莎訶某特迦底十二薩婆婆毗輸底十三摩訶娜耶十四波唎婆嚟莎訶
尒時復有四十五姟佛一時同聲說是无量壽宗要經陁羅尼曰 南謨薄伽勅底一阿波唎蜜
哆二阿喻紇硯娜三須毗你悉指陁四囉佐耶五怛他羯他耶六怛姪他唵七薩婆桑悉迦囉八波唎
輸底九達磨底十伽迦娜十一莎訶某特迦底十二薩婆婆毗輸底十三摩訶娜耶十四波唎婆嚟莎訶
尒時復有三十六姟佛一時同聲說是无量壽宗要經陁羅尼曰 南謨薄伽勅底一阿波
蜜哆二阿喻紇硯娜三須毗你悉指陁四囉佐耶五怛他羯他耶六怛姪他唵七薩婆桑悉迦囉八波
唎輸底九達磨底十伽迦娜十一莎訶某特迦底十二薩婆婆毗輸底十三摩訶娜耶十四波唎婆嚟莎訶
尒時復有二十五姟佛一時同聲說是无量壽宗要經陁羅尼曰 南謨薄伽勅底一阿波唎蜜
哆二阿喻紇硯娜三須毗你悉指陁四囉佐耶五怛他羯他耶六怛姪他唵七薩婆桑悉迦囉八波唎
輸底九達磨底十伽迦娜十一莎訶某特迦底十二薩婆婆毗輸底十三摩訶娜耶十四波唎婆嚟莎訶

BD02440 號 2　無量壽宗要經　（9–6）

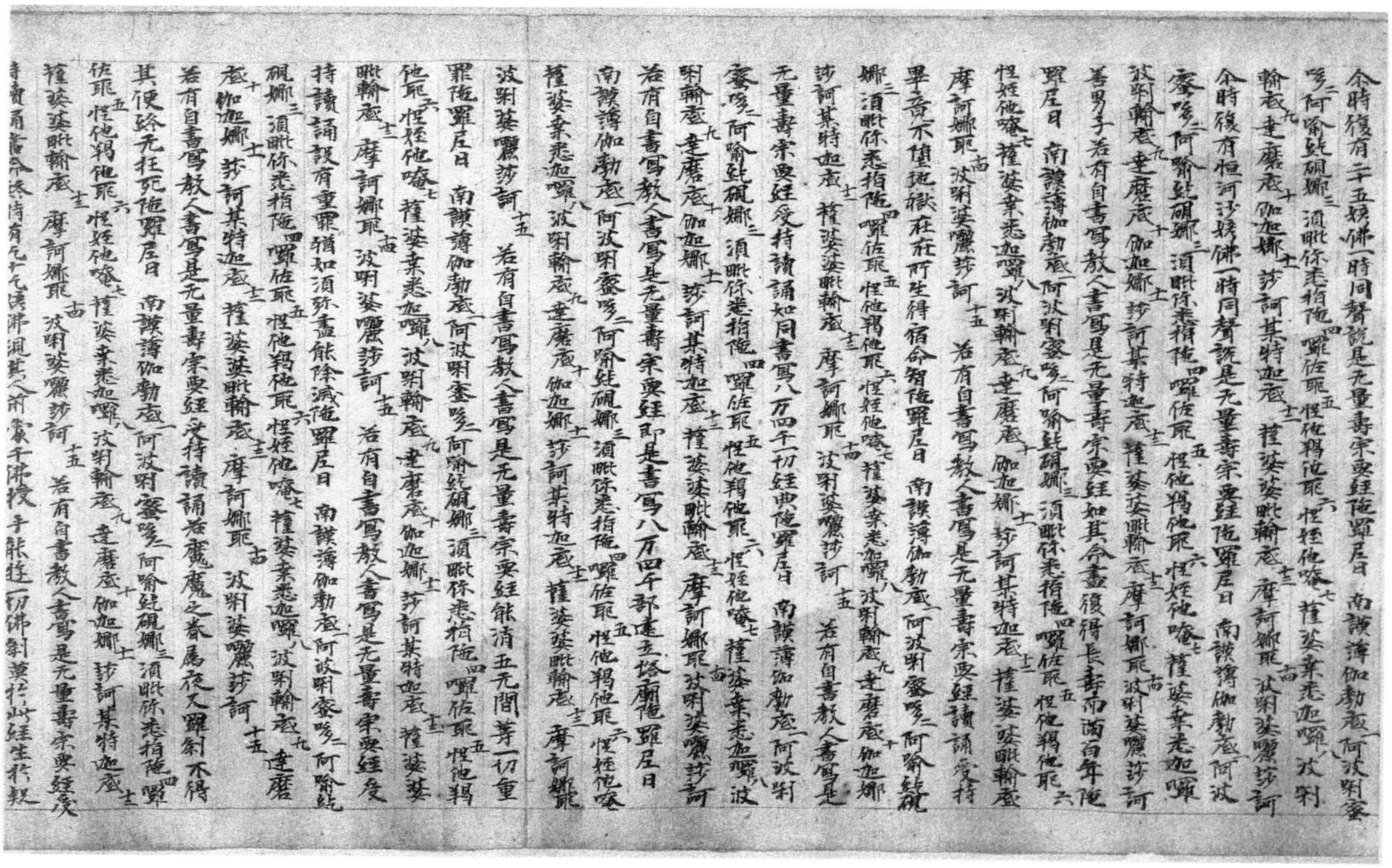

尒時復有二十五姟佛一時同聲說是无量壽宗要經陁羅尼曰 南謨薄伽勅底一阿波唎蜜
哆二阿喻紇硯娜三須毗你悉指陁四囉佐耶五怛他羯他耶六怛姪他唵七薩婆桑悉迦囉八波唎
輸底九達磨底十伽迦娜十一莎訶某特迦底十二薩婆婆毗輸底十三摩訶娜耶十四波唎婆嚟莎訶
尒時復有恒河沙姟佛一時同聲說是无量壽宗要經陁羅尼曰 南謨薄伽勅底一阿波
蜜哆二阿喻紇硯娜三須毗你悉指陁四囉佐耶五怛他羯他耶六怛姪他唵七薩婆桑悉迦囉
波唎輸底九達磨底十伽迦娜十一莎訶某特迦底十二薩婆婆毗輸底十三摩訶娜耶十四波唎婆嚟莎訶
善男子若有自書寫教人書寫是无量壽宗要經如其命盡復得長壽而滿百年陁
羅尼曰 南謨薄伽勅底一阿波唎蜜哆二阿喻紇硯娜三須毗你悉指陁四囉佐耶五怛他羯他耶六
怛姪他唵七薩婆桑悉迦囉八波唎輸底九達磨底十伽迦娜十一莎訶某特迦底十二薩婆婆毗輸底十三
摩訶娜耶十四波唎婆嚟莎訶十五 若有自書寫教人書寫是无量壽宗要經讀誦受持
畢竟不墮地獄在在所生得宿命智陁羅尼曰 南謨薄伽勅底一阿波唎蜜哆二阿喻紇硯
娜三須毗你悉指陁四囉佐耶五怛他羯他耶六怛姪他唵七薩婆桑悉迦囉八波唎輸底九達磨底十伽迦娜十一
莎訶某特迦底十二薩婆婆毗輸底十三摩訶娜耶十四波唎婆嚟莎訶十五 若有自書教人書寫是
无量壽宗要經受持讀誦如同書寫八万四千一切經典陁羅尼曰 南謨薄伽勅底一阿波唎
蜜哆二阿喻紇硯娜三須毗你悉指陁四囉佐耶五怛他羯他耶六怛姪他唵七薩婆桑悉迦囉八波
唎輸底九達磨底十伽迦娜十一莎訶某特迦底十二薩婆婆毗輸底十三摩訶娜耶十四波唎婆嚟莎訶
若有自書寫教人書寫是无量壽宗要經即是書寫八万四千部建立塔廟陁羅尼曰
南謨薄伽勅底一阿波唎蜜哆二阿喻紇硯娜三須毗你悉指陁四囉佐耶五怛他羯他耶六怛姪他唵七
薩婆桑悉迦囉八波唎輸底九達磨底十伽迦娜十一莎訶某特迦底十二薩婆婆毗輸底十三摩訶娜耶
波唎婆嚟莎訶十五 若有自書寫教人書寫是无量壽宗要經能消五无間等一切重
罪陁羅尼曰 南謨薄伽勅底一阿波唎蜜哆二阿喻紇硯娜三須毗你悉指陁四囉佐耶五怛他羯
他耶六怛姪他唵七薩婆桑悉迦囉八波唎輸底九達磨底十伽迦娜十一莎訶某特迦底十二薩婆婆
毗輸底十三摩訶娜耶十四波唎婆嚟莎訶十五 若有自書寫教人書寫是无量壽宗要經受
持讀誦設有重罪猶如須彌盡能除滅陁羅尼曰 南謨薄伽勅底一阿波唎蜜哆二阿喻紇
硯娜三須毗你悉指陁四囉佐耶五怛他羯他耶六怛姪他唵七薩婆桑悉迦囉八波唎輸底九達磨
底十伽迦娜十一莎訶某特迦底十二薩婆婆毗輸底十三摩訶娜耶十四波唎婆嚟莎訶十五
若有自書寫教人書寫是无量壽宗要經受持讀誦若魔魔之眷屬夜叉羅刹不得
其便終无枉死陁羅尼曰 南謨薄伽勅底一阿波唎蜜哆二阿喻紇硯娜三須毗你悉指陁四囉
佐耶五怛他羯他耶六怛姪他唵七薩婆桑悉迦囉八波唎輸底九達磨底十伽迦娜十一莎訶某特迦底十二
薩婆婆毗輸底十三摩訶娜耶十四波唎婆嚟莎訶十五 若有自書教人書寫是无量壽宗要經受
持讀誦命終時有九十九姟佛現其人前來千佛授手能遊一切佛刹莫於此經生於疑

BD02440 號 2　無量壽宗要經　（9–7）

其便路无枉死陁羅尼曰 南謨薄伽勃底一 阿波唎蜜多二 阿喻紇硯娜三 須毗你悉指陁四 囉
佐耶五 怛他羯他耶六 怛姪他唵七 薩婆桑悉迦囉八 波唎輸底九 達磨底十 伽迦娜十一 莎訶某特迦底十二
薩婆娑毗輸底十三 摩訶娜耶十四 波唎婆嚫莎訶十五 若有自書教人書寫是无量壽宗要經受
持讀誦當命終時有九十九殑伽沙佛現其人前來迎千佛授手能遊一切佛剎莫於此經生於疑
惑陁羅尼曰 南謨薄伽勃底一 阿波唎蜜多二 阿喻紇硯娜三 須毗你悉指陁四 囉佐耶五 怛他羯他
耶六 怛姪他唵七 薩婆桑悉迦囉八 波唎輸底九 達磨底十 伽迦娜十一 莎訶某特迦底十二 薩婆娑毗輸
底十三 摩訶娜耶十四 波唎婆嚫莎訶十五 若有自書寫教人書寫是无量壽宗要經受持讀誦
常得四天大王隨其衛護陁羅尼曰 南謨薄伽勃底一 阿波唎蜜多二 阿喻紇硯娜三
須毗你悉指陁四 囉佐耶五 怛他羯他耶六 怛姪他唵七 薩婆桑悉迦囉八 波唎輸底九 達磨底十 伽迦
娜十一 莎訶某特迦底十二 薩婆娑毗輸底十三 摩訶娜耶十四 波唎婆嚫莎訶十五 若有自書教人書寫
是无量壽宗要經受持讀誦當得往生西方極樂世界阿彌陁淨土陁羅尼曰 南謨薄伽勃底一
阿波唎蜜多二 阿喻紇硯娜三 須毗你悉指陁四 囉佐耶五 怛他羯他耶六 怛姪他唵七 薩婆桑悉迦囉八 波唎
輸底九 達磨底十 伽迦娜十一 莎訶某特迦底十二 薩婆娑毗輸底十三 摩訶娜耶十四 波唎婆嚫莎訶十五
若有方所自書寫使人書寫是无量壽經典之處則為是塔皆應恭敬作礼若是畜生
或為鳥獸得聞是經如等類皆當不久得成一切種智陁羅尼曰 南謨薄伽勃底一 阿波唎
蜜多二 阿喻紇硯娜三 須毗你悉指陁四 囉佐耶五 怛他羯他耶六 怛姪他唵七 薩婆桑悉迦囉八 波唎
輸底九 達磨底十 伽迦娜十一 莎訶某特迦底十二 薩婆娑毗輸底十三 摩訶娜耶十四 波唎婆嚫莎訶十五
若有於是无量壽經自書寫若使人書畢竟不受女人之身陁羅尼曰 南謨薄伽勃底
阿波唎蜜多二 阿喻紇硯娜三 須毗你悉指陁四 囉佐耶五 怛他羯他耶六 怛姪他唵七 薩婆桑悉迦
囉八 波唎輸底九 達磨底十 伽迦娜十一 莎訶某特迦底十二 薩婆娑毗輸底十三 摩訶娜耶十四 波唎婆嚫
莎訶十五 若有能於是經少分能惠施者等於三千大千世界滿中七寶布施陁羅尼曰
南謨薄伽勃底一 阿波唎蜜多二 阿喻紇硯娜三 須毗你悉指陁四 囉佐耶五 怛他羯他耶六 怛姪他唵七
薩婆桑悉迦囉八 波唎輸底九 達磨底十 伽迦娜十一 莎訶某特迦底十二 薩婆娑毗輸底十三 摩訶
娜耶十四 波唎婆嚫莎訶十五 若有能供養是經者則是供養一切諸經等无有異陁羅尼曰
南謨薄伽勃底一 阿波唎蜜多二 阿喻紇硯娜三 須毗你悉指陁四 囉佐耶五 怛他羯他耶六 怛姪他唵七
薩婆桑悉迦囉八 波唎輸底九 達磨底十 伽迦娜十一 莎訶某特迦底十二 薩婆娑毗輸底十三 摩訶娜耶
波唎婆嚫莎訶十五 如是毗婆尸佛尸弃佛毗舍浮佛俱留孫佛俱那含牟尼佛 加葉
佛釋迦牟尼佛 若有人以七寶供養如是七佛其福有限書寫受持是无量壽經典所有
功德不可限量陁羅尼曰 南謨薄伽勃底一 阿波唎蜜多二 阿喻紇硯娜三 須毗你悉指陁四 囉佐耶
怛他羯他耶六 怛姪他唵七 薩婆桑悉迦囉八 波唎輸底九 達磨底十 伽迦娜十一 莎訶某特迦底十二 薩婆娑
毗輸底十三 摩訶娜耶十四 波唎婆嚫莎訶十五 若有七寶等於須彌以用布施其福上能知其限

BD02440號2　無量壽宗要經　（9–8）

薩婆桑悉迦囉八 波唎輸底九 達磨底十 伽迦娜十一 莎訶某特迦底十二 薩婆娑毗輸底十三 摩訶娜耶
波唎婆嚫莎訶十五 如是毗婆尸佛尸弃佛毗舍浮佛俱留孫佛俱那含牟尼佛 加葉
佛釋迦牟尼佛 若有人以七寶供養如是七佛其福有限書寫受持是无量壽經典所有
功德不可限量陁羅尼曰 南謨薄伽勃底一 阿波唎蜜多二 阿喻紇硯娜三 須毗你悉指陁四 囉佐耶
怛他羯他耶六 怛姪他唵七 薩婆桑悉迦囉八 波唎輸底九 達磨底十 伽迦娜十一 莎訶某特迦底十二 薩婆娑
毗輸底十三 摩訶娜耶十四 波唎婆嚫莎訶十五 若有七寶等於須彌以用布施其福上能知其限
量是无量壽經典其福不可知數陁羅尼曰 南謨薄伽勃底一 阿波唎蜜多二 阿喻紇硯娜三
須毗你悉指陁四 囉佐耶五 怛他羯他耶六 怛姪他唵七 薩婆桑悉迦囉八 波唎輸底九 達磨底十 伽迦
娜十一 莎訶某特迦底十二 薩婆娑毗輸底十三 摩訶娜耶十四 波唎婆嚫莎訶十五
如是四大海水可知滴數是无量壽經典所生果報不可數量陁羅尼曰 南謨薄伽勃底
阿波唎蜜多二 阿喻紇硯娜三 須毗你悉指陁四 囉佐耶五 怛他羯他耶六 怛姪他唵七 薩婆桑悉迦囉八 波
唎輸底九 達磨底十 伽迦娜十一 莎訶某特迦底十二 薩婆娑毗輸底十三 摩訶娜耶十四 波唎婆嚫莎訶十五
若有自書使人書寫是无量壽經典又能護持供養即如恭敬供養一切十方佛土如來无
有異別陁羅尼曰 南謨薄伽勃底一 阿波唎蜜多二 阿喻紇硯娜三 須毗你悉指陁四 囉佐耶五
怛他羯他耶六 怛姪他唵七 薩婆桑悉迦囉八 波唎輸底九 達磨底十 伽迦娜十一 莎訶某特迦底十二 薩
婆娑毗輸底十三 摩訶娜耶十四 波唎婆嚫莎訶十五
布施力能成正覺 悟布施力人師子 布施力能聲普聞 慈悲階漸最能入
持戒力能成正覺 悟持戒力人師子 持戒力能聲普聞 慈悲階漸最能入
忍辱力能成正覺 悟忍辱力人師子 忍辱力能聲普聞 慈悲階漸最能入
精進力能成正覺 悟精進力人師子 精進力能聲普聞 慈悲階漸最能入
禪定力能成正覺 悟禪定力人師子 禪定力能聲普聞 慈悲階漸最能入
智慧力能成正覺 悟智慧力人師子 智慧力能聲普聞 慈悲階漸最能入
尒時如來說是經已一切世間天人阿脩羅揵闥婆等聞佛所說皆大歡喜信受奉行
佛說无量壽宗要經

BD02440號2　無量壽宗要經　（9–9）

所生死繫縛若不棄捨大菩提心還尒所劫
勤脩勝行然後乃補所退功德時具壽阿難
白佛言世尊是菩薩摩訶薩所起惡心生死
罪苦為要流轉經尒所時為於中間亦得出
離是菩薩摩訶薩所退勝行為要精勤經尒
所劫然後乃補為於中間有復本義佛告阿
難我為菩薩獨覺聲聞說有出罪還補善
法阿難當知若菩薩摩訶薩未得無上正等菩
提不退轉記於得無上正等提不退轉記
諸菩薩所起損害心鬪諍毀辱輕蔑誹謗後
無慚愧懷恨不捨不能如法發露改悔我說
彼類於其中間無有出罪還補善義要尒所
劫流轉生死遠離善友衆苦所縛若不棄捨
大菩提心要尒所劫勤脩勝行然後乃補所
退功德若菩薩摩訶薩未得無上正等菩提
不退轉記於得無上正等菩提不退轉記諸
菩薩所起損害心鬪諍毀辱輕蔑誹謗後生
慚愧心無怨結速還如法發露改悔作如是
念我今已得難得人身如何復起如是過惡
失大善利我應饒益一切有情如何於中反

BD02441號　大般若波羅蜜多經卷三三七　（3–1）

菩薩所起損害心鬪諍毀辱輕蔑誹謗後生
慚愧心無怨結速還如法發露改悔作如是
念我今已得難得人身如何復起如是過惡
失大善利我應饒益一切有情如何於中反
作衰損我應恭敬一切有情如僕事主如何
於中反生憍慢驕傲陵蔑我應忍受一切有
情捶打訶罵如何於彼反以暴惡身語加報
我應和解一切有情令相敬愛云何復起勐
惡語言與彼乖諍我應忍受一切有情長時
履踐猶如道路亦如橋梁云何於彼反為陵
辱我求無上正等菩提為脫有情生死大苦
令得究竟安樂涅槃云何復欲加之以苦我
應從今窮未來際如癡如瘂如聾如盲於諸
有情無所分別假使斷截首足身分於彼有
情終不起惡勿我起惡破壞無上正等覺心
障礙所求一切智智阿難當知是菩薩摩訶
薩我說中間亦有出罪還補善義非要經於
尒所劫數流轉生死惡魔於彼不能擾亂阿
難當知諸菩薩摩訶薩與求聲聞獨覺乘
者不應交涉設與交涉不應共住設與共住不
應與彼論義決擇所以者何若與彼類論義
決擇或當發起瞋忿等心或復令生麁惡言
說然諸菩薩於有情類不應發起瞋忿等心
亦不應生麁惡言說設被斷截首足身分亦
不應起瞋忿惡言所以者何應作是念我求
無上正等菩提為拔有情生死衆苦令得究
[illegible]

BD02441號　大般若波羅蜜多經卷三三七　（3–2）

者不應交涉設與交涉不應共住設與共住不
應與彼論義決擇所以者何若與彼類論義
決擇或當發起瞋忿等心或復令生麁惡言
說然諸菩薩於有情類不應發起瞋忿等心
亦不應生麁惡言說設被斬截首足身分亦
不應起瞋忿惡言所以者何應作是念我求
無上正等菩提爲拔有情生死衆苦令得究
竟利益安樂云何於彼復起惡事阿難當知
若諸菩薩於有情類起瞋恚心發麁惡語便
障菩薩一切智智亦壞無邊殊勝行法是故
菩薩摩訶薩衆欲證無上正等菩提於諸有
情不應瞋恚亦不應起麁惡言說

大般若波羅蜜多經卷第三百卅七

鄧英寫

BD02441 號　大般若波羅蜜多經卷三三七　　（3–3）

BD02441 號背　勘記　　（1–1）

衛国祇樹給孤獨
尒時世尊告曼殊室利童子
王如來阿耨多羅三藐三菩提
年於中數枉横死者衆曼殊室利如
自書或使人書能為經卷受持讀
為供養如其命盡復得延年
是无量壽智決定王如來一百八名号者益其長壽若有衆
來壽便得增壽如是曼殊若有善男子善女人欲求長壽
有得聞者或自書若使人書受持讀誦得如是等果報福德
南謨薄伽勃底一 阿波唎蜜哆二 阿喻紇硏那三 須毗你悉指陀四 囉佐
薩婆桑悉迦囉八 鉢唎輸底九 達磨底十 伽伽那十一 莎訶桑特迦底十二 莎婆婆毗輸底十三
摩訶娜耶十四 波唎婆唎莎訶十五
世尊復告曼殊室利如是如來一百八名号若有自書或使人書為經卷受持讀誦如
壽命盡復滿百年壽終此身後得往生无量福智世界无量壽淨土陁羅尼曰
南謨薄伽勃底一 阿波唎蜜哆二 阿喻紇硏那三 須毗你斯指陀四 囉佐耶五 怛他羯他耶六 怛姪他唵七
薩婆桑悉迦囉八 鉢唎輸底九 達摩底十 伽伽那十一 莎訶桑特迦底十二 莎婆婆毗輸底十三
摩訶娜耶十四 波唎婆唎莎訶十五
尒時有九十九俱胝佛一時同聲說是无量壽宗要經陁羅尼曰
南謨薄伽勃底一 阿波唎蜜哆二 阿喻紇硏那三 須毗你悉指陀四 囉佐耶五 怛他羯他耶六 怛姪他唵七
薩婆桑悉迦囉八 鉢唎輸底九 達摩底十 伽伽那十一 莎訶桑特迦底十二 莎婆婆毗輸底十三
摩訶娜耶十四 波唎婆唎莎訶十五
尒時復有一百四俱胝佛一時同聲說是无量壽宗要經陁羅尼曰
南謨薄伽勃底一 阿波唎蜜哆二 阿喻紇硏那三 須毗你悉指陀四 囉佐耶五 怛他羯他耶六 怛姪他唵七
薩婆桑悉迦囉八 波唎輸底九 達摩底十 伽伽那十一 莎訶桑特迦底十二 薩婆婆毗輸底十三
摩訶娜耶十四 波唎波唎莎訶十五 尒時復有七俱胝佛一時同聲說是无量壽宗要經陁羅尼曰
南謨薄伽勃底一 阿波唎蜜哆二 阿喻紇硏那三 須毗你悉指陀四 囉佐耶五 怛他羯他耶六 怛姪他唵七

BD02442 號　無量壽宗要經　　（6–1）

尒時復有一百四俱胝佛一時同聲說是无量壽宗要經陁羅尼曰
南謨薄伽勃底一 阿波唎蜜哆二 阿喻紇硏那三 須毗你悉指陀四 囉佐耶五 怛他羯他耶六 怛姪他唵七
薩婆桑悉迦囉八 波唎輸底九 達摩底十 伽伽那十一 莎訶桑特迦底十二 薩婆婆毗輸底十三
摩訶娜耶十四 波唎波唎莎訶十五 尒時復有七俱胝佛一時同聲說是无量壽宗要經陁羅尼曰
南謨薄伽勃底一 阿波唎蜜哆二 阿喻紇硏那三 須毗你悉指陀四 囉佐耶五 怛他羯他耶六 怛姪他唵七 薩
婆桑悉迦囉八 波唎輸底九 達摩底十 伽伽那十一 莎訶桑特迦底十二 薩婆婆毗輸底十三 摩訶
娜耶十四 波唎婆唎莎訶十五 尒時復有六十五俱胝佛一時同聲說是无量壽宗要經陁羅尼曰
南謨薄伽勃底一 阿波唎蜜哆二 阿喻紇硏那三 須毗你悉指陀四 囉佐耶五 怛他羯他耶六 怛姪他唵七
薩婆桑悉迦囉八 波唎輸底九 達摩底十 伽伽那十一 莎訶桑特迦底十二 莎婆婆毗輸底十三
摩訶娜耶十四 波唎婆羅莎訶十五
尒時復有五十五俱胝佛一時同聲說是无量壽宗要經陁羅尼曰
南謨薄伽勃底一 阿波唎蜜哆二 阿喻紇硏那三 須毗你悉指陀四 囉佐耶五 怛他羯他耶六 怛姪他唵七
薩婆桑悉迦囉八 波唎輸底九 達摩底十 伽伽那十一 莎訶桑特迦底十二 薩婆婆毗輸底十三 摩訶
娜耶十四 波唎婆羅莎訶十五
尒時復有四十五俱胝佛一時同聲說是无量壽宗要經陁羅尼曰
南謨薄伽勃底一 阿波唎蜜哆二 阿喻紇硏那三 須毗悉指陀四 囉佐耶五 怛他羯他耶六 怛姪
他唵七 薩婆桑悉迦囉八 波唎輸底九 達摩底十 伽伽那十一 莎訶桑特伽底十二 薩婆婆毗輸底十三
摩訶娜耶十四 波唎婆唎莎訶十五
尒時復有三十六俱胝佛一時同聲說是无量壽宗要經陁羅尼曰
南謨薄伽勃底一 阿波唎蜜哆二 阿喻紇硏那三 須毗你悉指陀四 囉佐耶五 怛他羯他耶六 怛姪
他唵七 薩婆桑悉迦囉八 波唎輸底九 達摩底十 伽伽那十一 莎訶桑特迦底十二 莎婆婆毗輸底十三 摩
訶娜耶十四 波唎婆唎莎訶十五
尒時復有二十五俱胝佛一時同聲說是无量壽宗要經陁羅尼曰
南謨薄伽勃底一 阿波唎蜜哆二 阿喻紇硏那三 須毗你悉指陀四 囉佐耶五 怛他羯他耶六 怛姪他唵七
薩婆桑悉迦囉八 波唎輸底九 達摩底十 伽伽那十一 莎訶桑特迦底十二 薩婆婆毗輸底十三 摩訶
娜耶十四 波唎婆唎莎訶十五
尒時復有恒河沙俱胝佛一時同聲說是无量壽宗要經陁羅尼曰
南謨薄伽勃底一 阿波唎蜜哆二 阿喻紇硏那三 須毗你悉指陀四 囉佐耶五 怛他羯他耶六 怛姪
他唵七 薩婆桑悉迦囉八 波唎輸底九 達摩底十 伽伽那十一 莎訶桑特迦底十二 薩婆婆毗輸底十三
摩訶娜耶十四 波唎婆唎莎訶十五
善男子若有[illegible]

BD02442 號　無量壽宗要經　　（6–2）

介時復有恒河沙佛一時同聲說是無量壽宗要經陁羅尼曰
南謨薄伽勃底一 阿波唎蜜多二 阿喻紇硯那三 須毗你悉指陀四 囉佐耶五 怛他羯他耶六
怛姪他唵七 薩婆桑悉迦囉八 波唎輸底九 達磨底十 伽迦那十一 莎訶某特伽底十二 薩婆婆毗輸底十三
摩訶娜耶十四 波唎婆囉莎訶十五
善男子若有書寫教人書寫是無量壽宗要經如其命盡復得長壽而滿年陁羅尼曰
南謨薄伽勃底一 阿波唎蜜多二 阿喻紇硯那三 須毗你悉指陀四 囉佐耶五 怛他羯他耶六 怛姪他
唵七 薩婆桑悉迦囉八 波唎輸底九 達磨底十 伽迦那十一 莎訶某特伽底十二 薩婆婆毗輸底十三
摩訶娜耶十四 波唎婆囉莎訶十五
若有自書寫教人書寫是無量壽宗要經讀誦受持畢竟不墮地獄在在所生得宿命智陁羅尼曰
南謨薄伽勃底一 阿波唎蜜多二 阿喻紇硯那三 須毗你悉指陀四 囉佐耶五 怛他羯他耶六 怛姪他唵七
薩婆桑悉迦囉八 波唎輸底九 達磨底十 伽迦那十一 莎訶某特伽底十二 薩婆婆毗輸底十三
摩訶娜耶十四 波唎婆囉莎訶十五
若有自書寫教人書寫是無量壽宗要經受持讀誦如同書寫八萬四千部經典陁羅尼曰
南謨薄伽勃底一 阿波唎蜜多二 阿喻紇硯那三 須毗你悉指陀四 囉佐耶五 怛他羯他耶六 怛姪他唵七
薩婆桑悉迦囉八 波唎輸底九 達磨底十 伽迦那十一 莎訶某特伽底十二 薩婆婆毗輸底十三
摩訶娜耶十四 波唎婆囉莎訶十五
若有自書寫教人書寫是無量壽宗要經即是書寫八萬四千部建立塔廟陁羅尼曰
南謨薄伽勃底一 阿波唎蜜多二 阿喻紇硯那三 須毗你悉指陀四 囉佐耶五 怛他羯他耶六 怛姪他唵七
薩婆桑悉迦囉八 波唎輸底九 達磨底十 伽迦那十一 莎訶某特伽底十二 薩婆婆毗輸底十三
摩訶娜耶十四 波唎婆囉莎訶十五
若有自書寫教人書寫是無量壽宗要經能消五無間等一切重罪陁羅尼曰
南謨薄伽勃底一 阿波唎蜜多二 阿喻紇硯那三 須毗你悉指陀四 囉佐耶五 怛他羯他耶六 怛姪他唵七
薩婆桑悉迦囉八 波唎輸底九 達磨底十 伽迦那十一 莎訶某特伽底十二 薩婆婆毗輸底十三
摩訶娜耶十四 波唎婆囉莎訶十五
若有自書寫教人書寫是無量壽宗要經受持讀誦設有重罪猶如須彌盡能除滅陁羅尼曰
南謨薄伽勃底一 阿波唎蜜多二 阿喻紇硯那三 須毗你悉指陀四 囉佐耶五 怛他羯他耶六 怛姪他唵七
薩婆桑悉迦囉八 波唎輸底九 達磨底十 伽迦那十一 莎訶某特伽底十二 薩婆婆毗輸底十三
摩訶娜耶十四 波唎婆囉莎訶十五
若有自書寫教人書寫是無量壽宗要經受持讀誦若魔魔之眷屬夜叉羅剎不得其便
終無枉死陁羅尼曰

BD02442號　無量壽宗要經　（6–3）

若有自書寫教人書寫是無量壽宗要經受持讀誦若魔魔之眷屬夜叉羅剎不得其便
終無枉死陁羅尼曰
南謨薄伽勃底一 阿波唎蜜多二 阿喻紇硯那三 須毗你悉指陀四 囉佐耶五 怛他羯他耶六 怛姪他唵七
薩婆桑悉迦囉八 波唎輸底九 達磨底十 伽迦那十一 莎訶某特伽底十二 薩婆婆毗輸底十三
摩訶娜耶十四 波唎婆囉莎訶十五
若有自書寫教人書寫是無量壽宗要經受持讀誦當命終時有九十九億佛現其
人前眾千佛授手能往一切佛剎莫於此經生於疑惑陁羅尼曰
南謨薄伽勃底一 阿波唎蜜多二 阿喻紇硯那三 須毗你悉指陀四 囉佐耶五 怛他羯他耶六 怛姪他
唵七 薩婆桑悉迦囉八 波唎輸底九 達磨底十 伽迦那十一 莎訶某特伽底十二 薩婆婆毗輸底十三
摩訶娜耶十四 波唎婆囉莎訶十五
若有自書寫教人書寫是無量壽宗要經受持讀誦當得四大天王隨其衛護陁羅尼曰
南謨薄伽勃底一 阿波唎蜜多二 阿喻紇硯那三 須毗你悉指陀四 囉佐耶五 怛他羯他耶六
怛姪他唵七 薩婆桑悉迦囉八 波唎輸底九 達磨底十 伽迦那十一 莎訶某特伽底十二 薩婆婆毗
輸底十三 摩訶娜耶十四 波唎婆囉莎訶十五
若有自書寫教人書寫是無量壽宗要經受持讀誦當得往生西方極樂世界阿彌
陁淨土陁羅尼曰
南謨薄伽勃底一 阿波唎蜜多二 阿喻紇硯那三 須毗你悉指陀四 囉佐耶五 怛他羯他耶六
怛姪他唵七 薩婆桑悉迦囉八 波唎輸底九 達磨底十 伽迦那十一 莎訶某特伽底十二 薩婆婆
毗輸底十三 摩訶娜耶十四 波唎婆囉莎訶十五
若有方所自書寫教人書寫是無量壽宗要經典之處則為是塔皆應恭敬作禮若是畜
生及為鳥獸得聞是經如是等類當不久得成一切種智陁羅尼曰
南謨薄伽勃底一 阿波唎蜜多二 阿喻紇硯那三 須毗你悉指陀四 囉佐耶五 怛他羯他耶六 怛姪他唵七
薩婆桑悉迦囉八 波唎輸底九 達磨底十 伽迦那十一 莎訶某特伽底十二 薩婆婆毗輸底十三
摩訶娜耶十四 波唎婆囉莎訶十五
若有於是無量壽經自書寫若使人書畢竟不受女人之身陁羅尼曰
南謨薄伽勃底一 阿波唎蜜多二 阿喻紇硯那三 須毗你悉指陀四 囉佐耶五 怛他羯他耶六 怛姪
他唵七 薩婆桑悉迦囉八 波唎輸底九 達磨底十 伽迦那十一 莎訶某特伽底十二 薩婆婆毗輸
底十三 摩訶娜耶十四 波唎婆囉莎訶十五
若有能於是經少分布施者等於三千大千世界滿中七寶布施陁羅尼曰

BD02442號　無量壽宗要經　（6–4）

底十三 摩訶娜耶十四 波唎婆唎莎訶十五

若有能於是經少分能惠施者，於三千大千世界滿中七寶布施。陁羅尼曰

南謨薄伽勃底一 阿波唎蜜哆二 阿喻紇硯娜三 須毗你悉指陁四 囉佐耶五 怛他羯他耶六 怛姪他唵七 薩婆桑悉迦囉八 波唎輸底九 達磨底十 伽伽那十一 莎訶娑特迦底十二 莎婆婆毗輸底十三 摩訶娜耶十四 波唎婆唎莎訶十五

若有能供養是經者，則是供養一切諸經，等無有異。陁羅尼曰

南謨薄伽勃底一 阿波唎蜜哆二 阿喻紇硯娜三 須毗你悉指陁四 囉佐耶五 怛他羯他耶六 怛姪他唵七 薩婆桑悉迦囉八 波唎輸底九 達磨底十 伽伽那十一 莎訶娑特迦底十二 薩婆婆毗輸底十三 摩訶娜耶十四 波唎婆唎莎訶十五

如是毗婆尸佛、尸棄佛、毗舍浮佛、俱留孫佛、拘那含牟尼佛、迦葉佛、釋迦牟尼佛，若有人以七寶供養如是七佛，其福有限；書寫受持是無量壽經典所有功德不可限量。陁羅尼曰

南謨薄伽勃底一 阿波唎蜜哆二 阿喻紇硯娜三 須毗你悉指陁四 囉佐耶五 怛他羯他耶六 怛姪他唵七 薩婆桑悉迦囉八 波唎輸底九 達磨底十 伽伽那十一 莎訶娑特迦底十二 薩婆婆毗輸底十三 摩訶娜耶十四 波唎婆唎莎訶十五

若有七寶等於須彌山用布施，其福上能知其限量；是無量壽經典其福不可數。陁羅尼曰

南謨薄伽勃底一 阿波唎蜜哆二 阿喻紇硯娜三 須毗你悉指陁四 囉佐耶五 怛他羯他耶六 怛姪他唵七 薩婆桑悉迦囉八 波唎輸底九 達磨底十 伽伽那十一 莎訶娑特迦底十二 薩婆婆毗輸底十三 摩訶娜耶十四 波唎婆唎莎訶十五

如是四大海水可知滴數，是無量壽經典所生果報不可數量。陁羅尼曰

南謨薄伽勃底一 阿波唎蜜哆二 阿喻紇硯娜三 須毗你悉指陁四 囉佐耶五 怛他羯他耶六 怛姪他唵七 薩婆桑悉迦囉八 波唎輸底九 達磨底十 伽伽那十一 莎訶娑特迦底十二 薩婆婆毗輸底十三 摩訶娜耶十四 波唎婆唎莎訶十五

若有人自書寫、使人書寫是無量壽經典，又能謙持供養，即如恭敬供養一切十方佛土，如來無有別異。陁羅尼曰

南謨薄伽勃底一 阿波唎蜜哆二 阿喻紇硯娜三 須毗你悉指陁四 囉佐耶五 怛他羯他耶六 怛姪他唵七 薩婆桑悉迦囉八 波唎輸底九 達磨底十 伽伽那十一 莎訶娑特迦底十二 薩婆婆毗輸底十三 摩訶娜耶十四 波唎婆唎莎訶十五

布施力能成正覺　悟布施力入師子　布施力能聲普聞　慈悲背漸家能入

BD02442 號　無量壽宗要經　（6–5）

摩訶娜耶十四 波唎婆唎莎訶十五

如是四大海水可知滴數，是無量壽經典所生果報不可數量。陁羅尼曰

南謨薄伽勃底一 阿波唎蜜哆二 阿喻紇硯娜三 須毗你悉指陁四 囉佐耶五 怛他羯他耶六 怛姪他唵七 薩婆桑悉迦囉八 波唎輸底九 達磨底十 伽伽那十一 莎訶娑特迦底十二 薩婆婆毗輸底十三 摩訶娜耶十四 波唎婆唎莎訶十五

若有人自書寫、使人書寫是無量壽經典，又能謙持供養，即如恭敬供養一切十方佛土，如來無有別異。陁羅尼曰

南謨薄伽勃底一 阿波唎蜜哆二 阿喻紇硯娜三 須毗你悉指陁四 囉佐耶五 怛他羯他耶六 怛姪他唵七 薩婆桑悉迦囉八 波唎輸底九 達磨底十 伽伽那十一 莎訶娑特迦底十二 薩婆婆毗輸底十三 摩訶娜耶十四 波唎婆唎莎訶十五

布施力能成正覺　悟布施力入師子　布施力能聲普聞　慈悲背漸家能入

持戒力能成正覺　悟持戒力入師子　持戒力能聲普聞　慈悲背漸家能入

忍辱力能成正覺　悟忍辱力入師子　忍辱力能聲普聞　慈悲背漸家能入

精進力能成正覺　悟精進力入師子　精進力能聲普聞　慈悲背漸家能入

禪定力能成正覺　悟禪定力入師子　禪定力能聲普聞　慈悲背漸家能入

智慧力能成正覺　悟智慧力入師子　智慧力能聲普聞　慈悲背漸家能入

尒時如來說是經已，一切世間天人阿脩羅揵闥婆等聞佛所說，皆大歡喜，信受奉行

佛說無量壽宗要經

BD02442 號　無量壽宗要經　（6–6）

可得聲界耳識界及耳觸耳觸為緣所生諸
受聲界乃至耳觸為緣所生諸受性空何以
故聲界乃至耳觸為緣所生諸受性空中聲
界乃至耳觸為緣所生諸受無所有不可得
故菩薩摩訶薩亦無所有不可得非聲界耳
識界及耳觸耳觸為緣所生諸受非聲界乃至
耳觸為緣所生諸受性空何以故非聲界乃
至耳觸為緣所生諸受性空中非聲界乃至
耳觸為緣所生諸受無所有不可得故菩薩
摩訶薩亦無所有不可得舍利子由此緣故
我作是說即耳界菩薩摩訶薩無所有不可
得離耳界菩薩摩訶薩無所有不可得即聲
界耳識界及耳觸耳觸為緣所生諸受菩薩
摩訶薩無所有不可得離聲界耳識界及耳
觸耳觸為緣所生諸受菩薩摩訶薩無所有
不可得舍利子鼻界鼻界性空何以故鼻界
性空中鼻界無所有不可得故菩薩摩訶
薩亦無所有不可得非鼻界非鼻界性空何
以故非鼻界性空中非鼻界無所有不可
得故菩薩摩訶薩亦無所有不可得香界
鼻識界及鼻觸鼻觸為緣所生諸受香界乃
至鼻觸為緣所生諸受性空何以故香界乃
至鼻觸為緣所生諸受性空中香界乃至鼻

BD02443號　大般若波羅蜜多經卷六四　（3–1）

薩亦無所有不可得非鼻界非鼻界性空何
以故非鼻界性空中非鼻界無所有不可
得故菩薩摩訶薩亦無所有不可得香界
鼻識界及鼻觸鼻觸為緣所生諸受香界乃
至鼻觸為緣所生諸受性空何以故香界乃
至鼻觸為緣所生諸受性空中香界乃至鼻
觸為緣所生諸受無所有不可得故菩薩摩
訶薩亦無所有不可得非香界鼻識界及鼻
觸鼻觸為緣所生諸受非香界乃至鼻觸
為緣所生諸受性空何以故非香界乃至
鼻觸為緣所生諸受性空中非香界乃至
鼻觸為緣所生諸受無所有不可得故菩薩
摩訶薩亦無所有不可得舍利子由此緣故我
作是說即鼻界菩薩摩訶薩無所有不可得
離鼻界菩薩摩訶薩無所有不可得即香界
鼻識界及鼻觸鼻觸為緣所生諸受菩薩摩
訶薩無所有不可得離香界鼻識界及鼻觸
鼻觸為緣所生諸受菩薩摩訶薩無所有不
可得舍利子舌界舌界性空何以故舌界性空
中舌界無所有不可得故菩薩摩訶薩亦無
所有不可得非舌界非舌界性空何以故非
舌界性空中非舌界無所有不可得故菩薩
摩訶薩亦無所有不可得味界舌識界及
舌觸舌觸為緣所生諸受味界乃至舌觸為
緣所生諸受性空何以故味界乃至舌觸為
緣所生諸受性空中味界乃至舌觸為緣所
生諸受無所有不可得故菩薩摩訶薩亦無

BD02443號　大般若波羅蜜多經卷六四　（3–2）

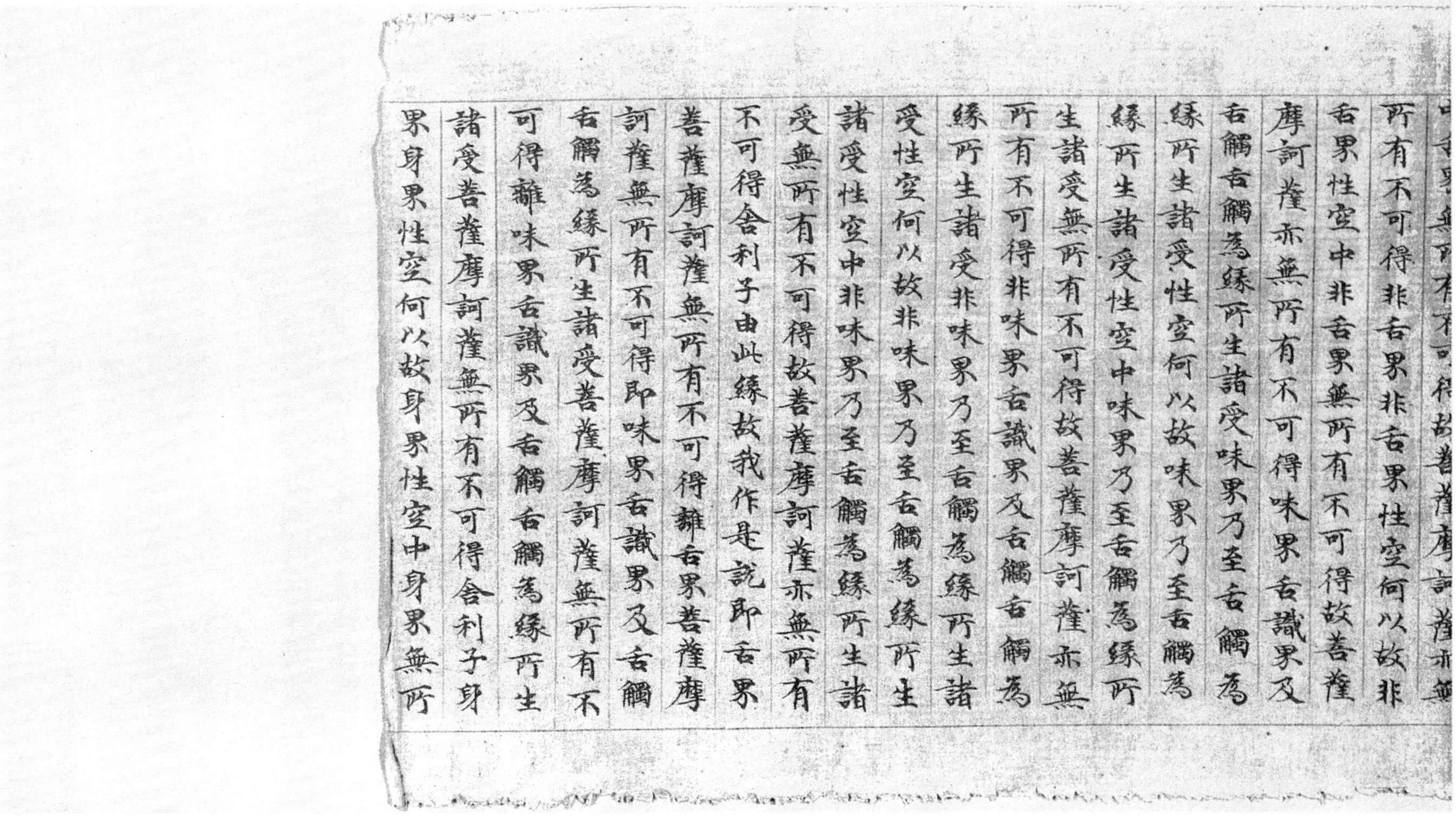

中舌界無所有不可得故菩薩摩訶薩亦無
所有不可得非舌界非舌界性空何以故非
舌界性空中非舌界無所有不可得故菩薩
摩訶薩亦無所有不可得味界舌識界及
舌觸舌觸為緣所生諸受味界乃至舌觸為
緣所生諸受性空何以故味界乃至舌觸為
緣所生諸受性空中味界乃至舌觸為緣所
生諸受無所有不可得故菩薩摩訶薩亦無
所有不可得非味界舌識界及舌觸舌觸為
緣所生諸受非味界乃至舌觸為緣所生諸
受性空何以故非味界乃至舌觸為緣所生
諸受性空中非味界乃至舌觸為緣所生諸
受無所有不可得故菩薩摩訶薩亦無所有
不可得舍利子由此緣故我作是說即舌界
菩薩摩訶薩無所有不可得離舌界菩薩摩
訶薩無所有不可得即味界舌識界及舌觸
舌觸為緣所生諸受菩薩摩訶薩無所有不
可得離味界舌識界及舌觸舌觸為緣所生
諸受菩薩摩訶薩無所有不可得舍利子身
界身界性空何以故身界性空中身界無所

BD02443 號　大般若波羅蜜多經卷六四　　（3–3）

BD02443 號背　勘記　　（1–1）

至不思議界清淨故一切智智清淨何以故若
士夫清淨若法界乃至不思議界清淨若一
切智智清淨无二无二分无別无斷故善現士
夫清淨故苦聖諦清淨苦聖諦清淨故一
切智智清淨何以故若士夫清淨若苦聖諦
清淨若一切智智清淨无二无二分无別无
斷故士夫清淨故集滅道聖諦清淨集滅
聖諦清淨故一切智智清淨何以故若士夫
清淨若集滅道聖諦清淨若一切智智清
淨无二无二分无別无斷故
善現士夫清淨故四靜慮清淨四靜慮清淨
故一切智智清淨何以故若士夫清淨若四
靜慮清淨若一切智智清淨无二无二分无
別无斷故士夫清淨故四无量四无色定清
淨四无量四无色定清淨故一切智智清淨
何以故若士夫清淨若四无量四无色定清
淨若一切智智清淨无二无二分无別无斷
故善現士夫清淨故八解脫清淨八解脫清
淨故一切智智清淨何以故若士夫清淨若
八解脫清淨若一切智智清淨无二无二分
无別无斷故士夫清淨故八勝處九次第定

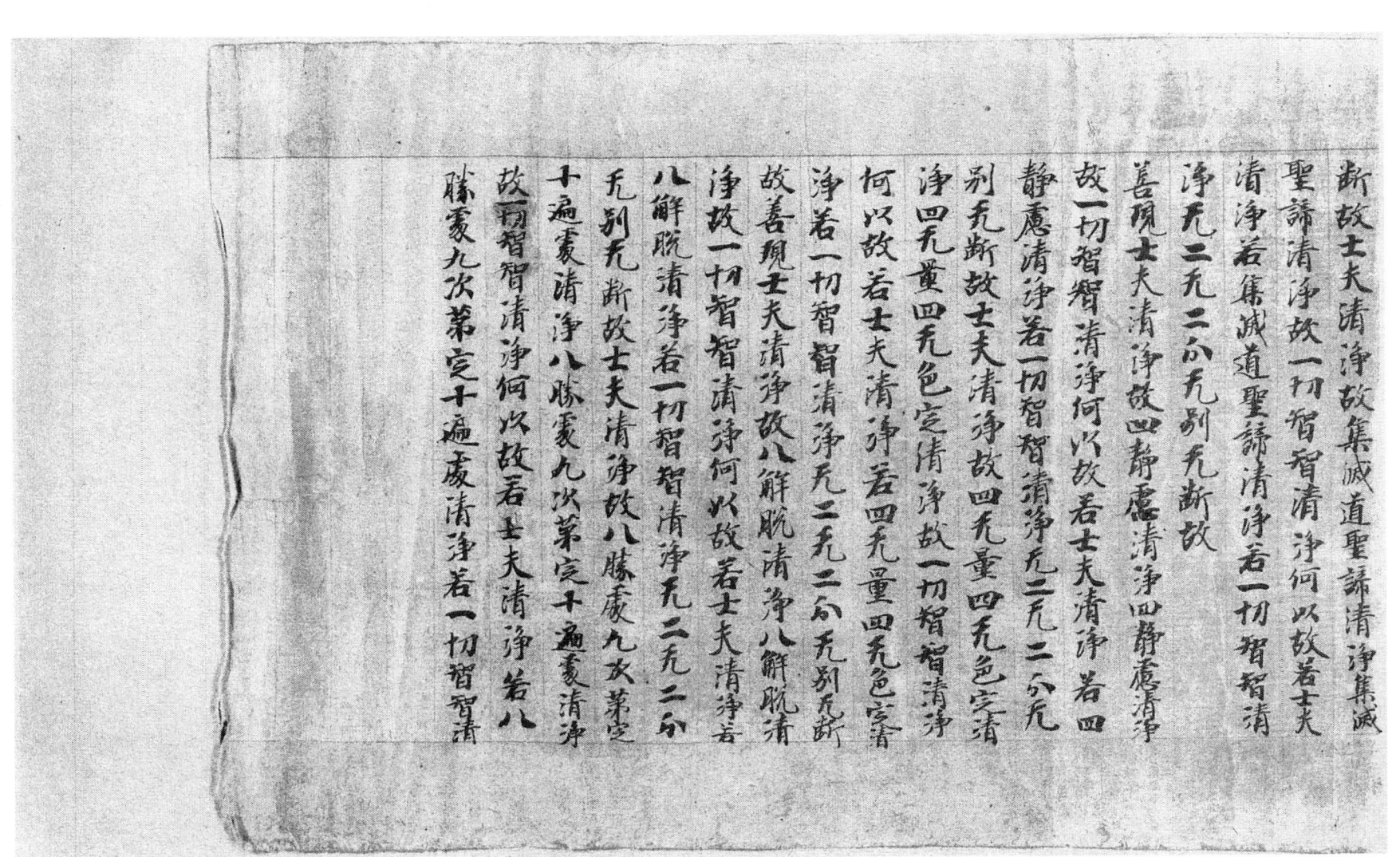

BD02444 號　大般若波羅蜜多經（兑廢稿）卷一九八　（2–1）

斷故士夫清淨故集滅道聖諦清淨集滅
聖諦清淨故一切智智清淨何以故若士夫
清淨若集滅道聖諦清淨若一切智智清
淨无二无二分无別无斷故
善現士夫清淨故四靜慮清淨四靜慮清淨
故一切智智清淨何以故若士夫清淨若四
靜慮清淨若一切智智清淨无二无二分无
別无斷故士夫清淨故四无量四无色定清
淨四无量四无色定清淨故一切智智清淨
何以故若士夫清淨若四无量四无色定清
淨若一切智智清淨无二无二分无別无斷
故善現士夫清淨故八解脫清淨八解脫清
淨故一切智智清淨何以故若士夫清淨若
八解脫清淨若一切智智清淨无二无二分
无別无斷故士夫清淨故八勝處九次第定
十遍處清淨八勝處九次第定十遍處清淨
故一切智智清淨何以故若士夫清淨若八
勝處九次第定十遍處清淨若一切智智清

BD02444 號　大般若波羅蜜多經（兑廢稿）卷一九八　（2–2）

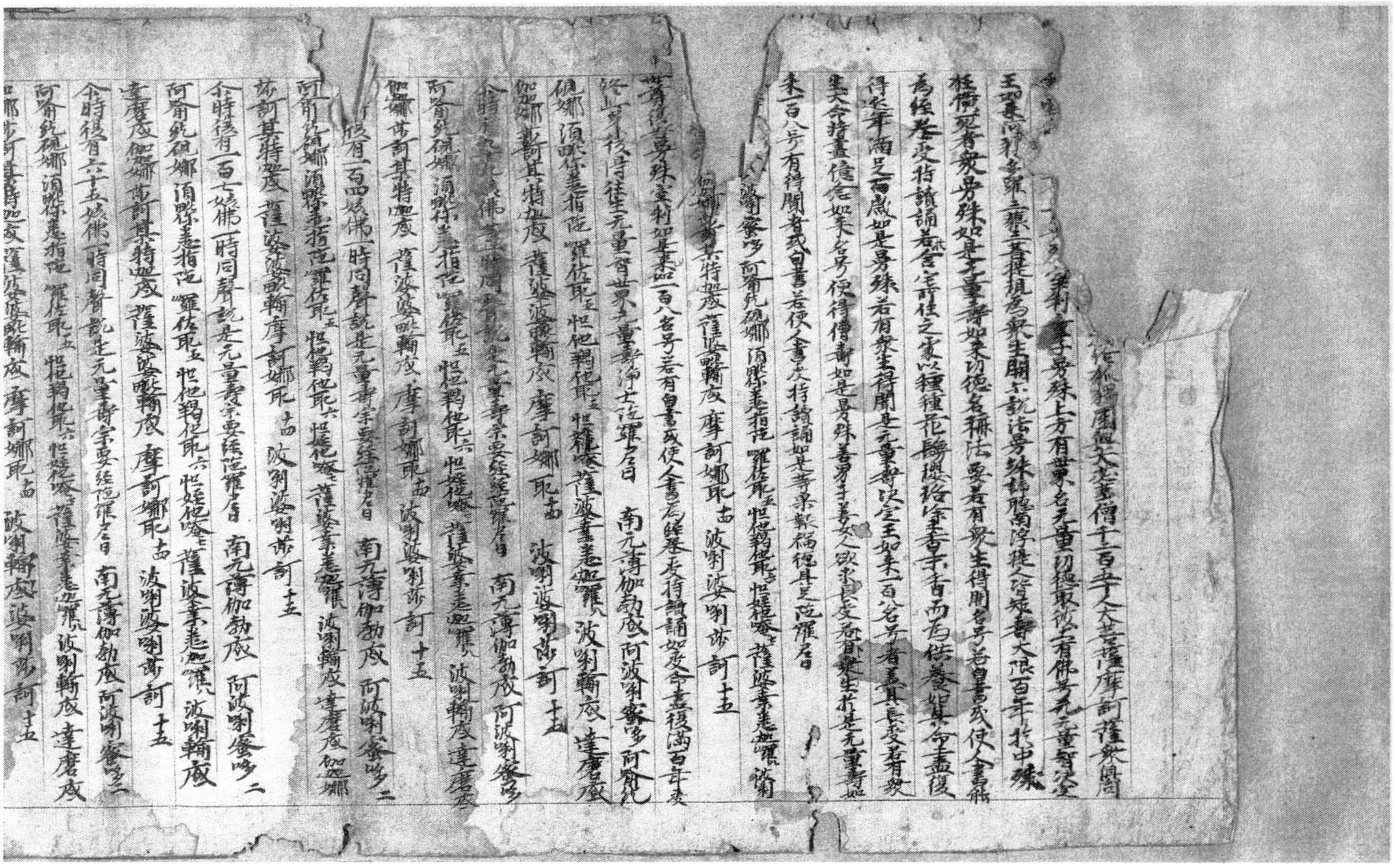

BD02445 號　無量壽宗要經　　　　（5–1）

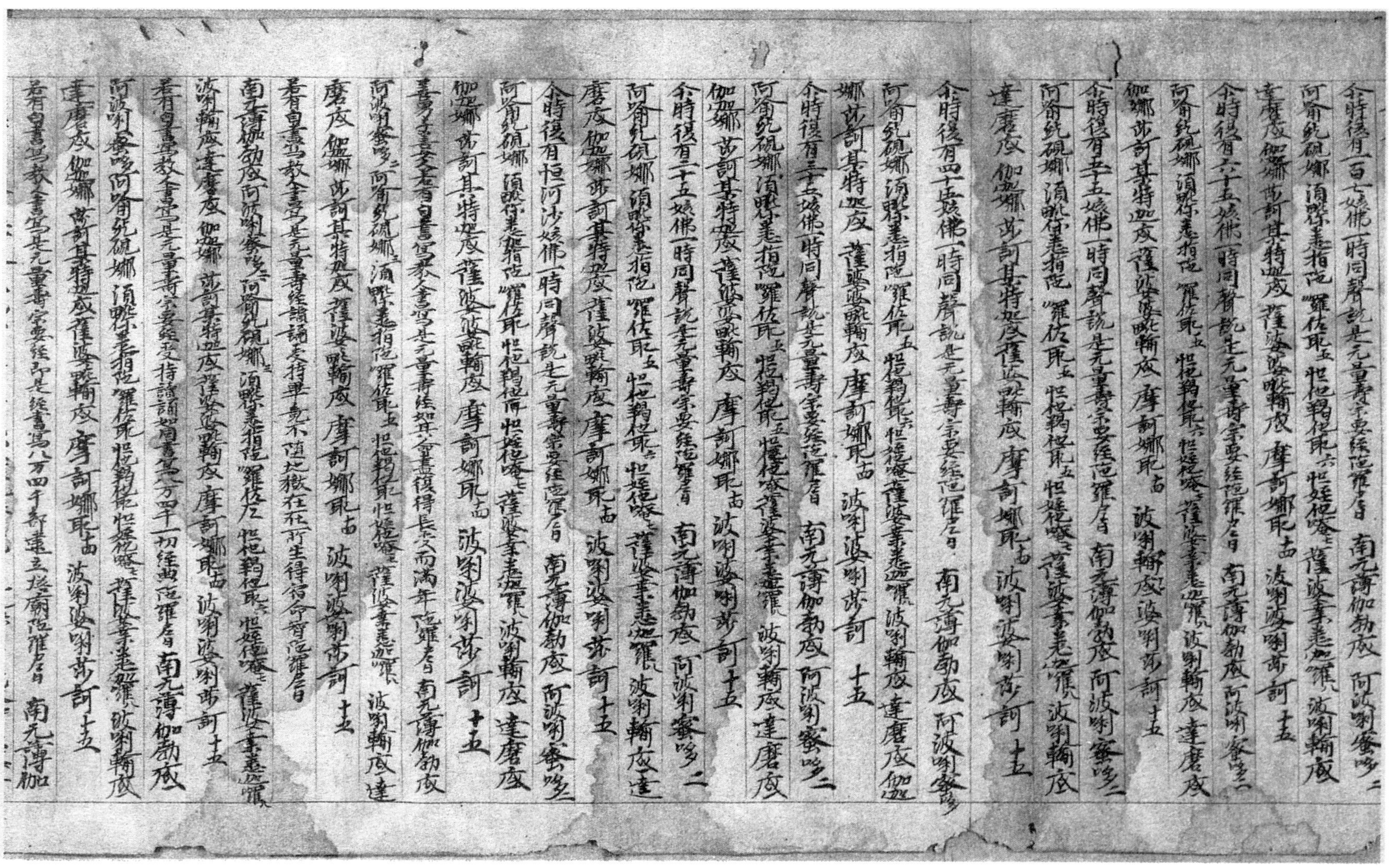

BD02445 號　無量壽宗要經　　　　（5–2）

若有自書寫教人書寫是无量壽宗要經受持讀誦即同書寫八万四千一切經典陀羅尼 南无薄伽勃底
阿波唎蜜哆 阿喻紇硯娜 須毗你失指陀 囉佐耶 怛他羯他耶 怛姪他唵 薩婆桑悉迦羅 波唎輸底
達磨底 伽伽娜 莎訶某特迦底 薩婆婆毗輸底 摩訶娜耶 十四 波唎婆唎莎訶 十五
若有自書寫教人書寫是无量壽宗要經即是書寫八万四千部建立塔廟陀羅尼 南无薄伽
勃底 阿波唎蜜哆 阿喻紇硯娜 須毗你失指陀 囉佐耶 五 怛他羯他耶 六 怛姪他唵 薩婆桑
悉迦羅 波唎輸底 達磨底 伽伽娜 莎訶某特迦底 薩婆婆毗輸底 摩訶娜耶 波唎婆唎莎訶 十五
若有自書寫教人書寫是无量壽宗要經能消五无間等一切重罪陀羅尼
南无薄伽勃底 阿波唎蜜哆 阿喻紇硯娜 須毗你失指陀 囉佐耶 五 怛他羯他耶 六
怛姪他唵 薩婆桑悉迦羅 波唎輸底 達磨底 伽伽娜 莎訶某特迦底 薩
婆婆毗輸底 摩訶娜耶 十四 波唎婆唎莎訶 十五
若有自書寫教人書寫是无量壽宗要經受持讀誦若魔魔之眷屬夜叉羅剎不得其便從无枉死
陀羅尼 南无薄伽勃底 阿波唎蜜哆 阿喻紇硯娜 須毗你失指陀 囉佐耶 五
怛他羯他耶 六 怛姪他唵 薩婆桑悉迦羅 波唎輸底 達磨底 伽伽娜 莎訶某
特迦底 薩婆婆毗輸底 摩訶娜耶 十四 波唎婆唎莎訶 十五
若有自書寫教人書寫是无量壽宗要經受持讀誦當命終時有九十九姟佛現其前來千佛授
手能往於一切佛莫於此經生於疑惑陀羅尼 南无薄伽勃底 阿波
唎蜜哆 阿喻紇硯娜 須毗你失指陀 囉佐耶 五 怛他羯他耶 怛姪他唵 薩婆桑悉
迦羅 波唎輸底 達磨底 伽伽娜 莎訶某特迦底 薩婆婆毗輸底 摩
訶娜耶 十四 波唎婆唎莎訶 十五 若有自書寫教人書寫是无量壽宗要經受持讀誦當
得四天大王隨其衛護陀羅尼 南无薄伽勃底 阿波唎蜜哆 阿喻紇硯娜 須毗你失指陀
囉佐耶 五 怛他羯他耶 六 怛姪他唵 薩婆桑悉迦羅 波唎輸底 達磨底 伽伽娜 莎訶某特
迦底 薩婆婆毗輸底 摩訶娜耶 十四 波唎婆唎莎訶 十五
若有自書寫教人書寫是无量壽宗要經受持讀誦當往生西方極樂世界阿弥陀淨土陀羅尼
南无薄伽勃底 阿波唎蜜哆 阿喻紇硯娜 須毗你失指陀 囉佐耶 怛他羯他耶 六 怛姪他唵
薩婆桑悉迦羅 波唎輸底 達磨底 伽伽娜 莎訶某特迦底 薩婆婆毗輸底
摩訶娜耶 十四 波唎婆唎莎訶 十五
若有方所自書寫使人書寫是无量壽經典之處則為是塔皆應恭敬作礼若是畜生或為鳥獸得聞
是經如是等類皆當不久得成一切種智陀羅尼
南无薄伽勃底 阿波唎蜜哆 三 阿喻紇硯娜 須毗你失指陀 囉佐耶 五 怛他羯他耶 六
怛姪他唵 七 薩婆桑悉迦羅 波唎輸底 達磨底 伽伽娜 莎訶某特迦底 薩
婆婆毗輸底 摩訶娜耶 十四 波唎婆唎莎訶 十五
若有於是无量壽經自書寫若使人書寫竟不受北狄女人之身陀羅尼

BD02445 號　無量壽宗要經　（5–3）

是經[…]
南无薄伽勃底 阿波唎蜜哆 三 阿喻紇硯娜 四 須毗你失指陀 囉佐耶 五 怛他羯他耶 六
怛姪他唵 七 薩婆桑悉迦羅 波唎輸底 達磨底 伽伽娜 莎訶某特迦底 薩
婆婆毗輸底 摩訶娜耶 十四 波唎婆唎莎訶 十五
若有於是无量壽經自書寫若使人書寫竟不受北狄女人之身陀羅尼
南无薄伽勃底 阿波唎蜜哆 阿喻紇硯娜 須毗你失指陀 囉佐耶 五 怛他羯他耶 六
怛姪他唵 薩婆桑悉迦羅 波唎輸底 達磨底 伽伽娜 莎訶某特迦底 薩婆婆毗輸底
摩訶娜耶 十四 波唎婆唎莎訶 十五
若有供養是經者則是供養一切諸經等无有別異陀羅尼
南无薄伽勃底 阿波唎蜜哆 阿喻紇硯娜 三 須毗你失指陀 囉佐耶 五 怛他羯他耶 六 怛姪
他唵 薩婆桑悉迦羅 波唎輸底 達磨底 伽伽娜 莎訶某特迦底 薩婆婆毗輸
底 摩訶娜耶 波唎婆唎莎訶 十五
如是毗婆尸佛 尸棄佛 毗舍浮佛 俱留孫佛 俱那含牟尼佛 迦葉佛 釋迦牟尼佛
若有人以七寶供養如是等七佛其福有限書寫受持是无量壽經所有功德不可限量陀羅尼
南无薄伽勃底 阿波唎蜜哆 三 阿喻紇硯娜 須毗你失指陀 囉佐耶 五 怛他羯他耶 六 怛姪
他唵 薩婆桑悉迦羅 波唎輸底 達磨底 伽伽娜 莎訶某特迦底 薩婆婆毗輸底
摩訶娜耶 十四 波唎婆唎莎訶 十五
若有七寶等於須弥山用布施其福能上能知其限量是无量壽經典其福不可知數陀羅尼
南无薄伽勃底 阿波唎蜜哆 三 阿喻紇硯娜 須毗你失指陀 囉佐耶 五 怛他羯他
耶 怛姪他唵 七 薩婆桑悉迦羅 波唎輸底 達磨底 伽伽娜 莎訶某特迦底 薩
婆婆毗輸底 摩訶娜耶 十四 波唎婆唎莎訶 十五
如是四大海水可知滴數是无量壽經典所生果報不可限量數陀羅尼
南无薄伽勃底 阿波唎蜜哆 三 阿喻紇硯娜 四 須毗你失指陀 囉佐耶 五 怛他羯他耶 怛姪他唵 薩婆桑悉迦
羅 波唎輸底 達磨底 伽伽娜 莎訶某特迦底 薩婆婆毗輸底 摩訶娜耶 十四 波唎婆唎莎訶 十五
若有自書寫使人書寫是无量經典又能護持供養如恭敬供養一切十方佛土如來
无有別異陀羅尼
南无薄伽勃底 阿波唎蜜哆 阿喻紇硯娜 須毗你失指陀 囉佐耶 五 怛他羯他耶 六 怛姪他唵 七 薩婆桑悉迦
羅 波唎輸底 達磨底 伽伽娜 莎訶某特迦底 薩婆婆毗輸底 摩訶娜耶 波唎婆唎
莎訶 十五
布施力能成正覺 悟布施力人師子 布施力能聲普聞 慈悲階漸究能入
持戒力能成正覺 悟持戒力人師子 持戒力能聲普聞 慈悲階漸究能入
忍辱力能成正覺 悟忍辱力人師子 忍辱力能聲普聞 慈悲階漸究能入

BD02445 號　無量壽宗要經　（5–4）

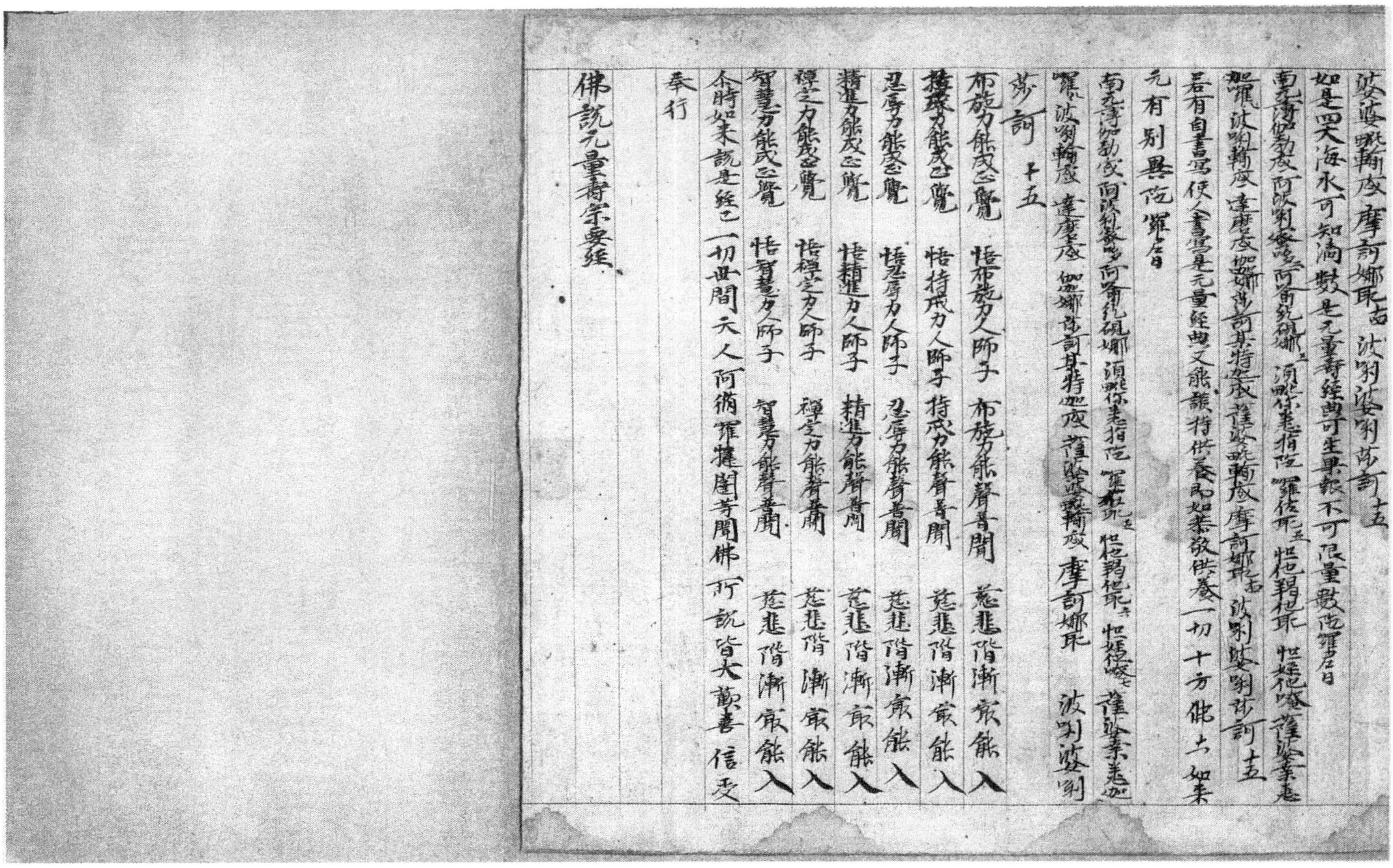

娑婆嚩輸底 摩訶娜耶十四 波唎婆唎莎訶十五
如是四大海水可知滴數，是无量壽經典所生果報不可限量數。陁羅尼曰
南謨薄伽勒底 阿波唎蜜多 阿喻紇硯娜 須毗你失指陁 囉佐耶 怛他羯他耶 怛姪他唵 薩婆桑悉迦
囉 波唎輸底 達摩底 伽伽娜 娑謨特伽底 娑婆嚩 毗輸底 摩訶娜耶 波唎婆唎莎訶十五
若有自書寫，使人書寫是无量壽經典，又能誦持、供養、禮拜，如恭敬供養一切十方諸佛如來
无有別異。陁羅尼曰
南謨薄伽勒底 阿波唎蜜多 阿喻紇硯娜 須毗你失指陁 囉佐耶 怛他羯他耶 怛姪他唵 薩婆桑悉迦
囉 波唎輸底 達摩底 伽伽娜 娑謨特伽底 娑婆嚩 毗輸底 摩訶娜耶 波唎婆唎
莎訶十五
布施力能成正覺 悟布施力人師子 布施力能聲普聞 慈悲階漸最能入
持戒力能成正覺 悟持戒力人師子 持戒力能聲普聞 慈悲階漸最能入
忍辱力能成正覺 悟忍辱力人師子 忍辱力能聲普聞 慈悲階漸最能入
精進力能成正覺 悟精進力人師子 精進力能聲普聞 慈悲階漸最能入
禪定力能成正覺 悟禪定力人師子 禪定力能聲普聞 慈悲階漸最能入
智慧力能成正覺 悟智慧力人師子 智慧力能聲普聞 慈悲階漸最能入
爾時如來說是經已，一切世間天人阿脩羅揵闥婆等聞佛所說，皆大歡喜，信受
奉行
佛說无量壽宗要經

BD02445 號　無量壽宗要經　（5–5）

大佛頂如來密因修證了義諸菩薩萬行
一名中印度
場經 於灌頂
爾時阿難及諸大
然念无始來失却本心妄
事今日開悟如失乳兒
願聞聞女如來顯出身心有
前生滅與不生滅二發
波斯匿王起立白佛我昔
見迦旃延毗羅胝子咸言
名為涅槃我雖值佛今
證知此心不生滅地
皆願聞佛告大王汝身現存
此實身為同金剛常
世尊我今此身終從變滅
佛言大王汝未曾滅云何知滅 世尊我此无
常變壞之身雖未曾滅我觀現前念念遷
謝新新不住如火成灰漸漸銷殞亡滅不
息決知此身當從滅盡

BD02446 號　大佛頂如來密因修證了義諸菩薩萬行首楞嚴經卷二　（19–1）

佛言大王汝未曾滅云何知滅世尊我此无
常變壞之身雖未曾滅我觀現前念念遷
謝新新不住如火成灰漸漸銷殞亡滅不
息決知此身當從滅盡
佛言如是大王汝今生齡已從衰老顏貌
何如童子之時世尊我昔孩孺膚腠潤澤
年至長成血氣充滿而今頹齡迫於衰
耄形色枯悴精神昏昧髮白面皺逮將不
久如何見比充盛之時
佛言大王汝之形容應不頓朽王言世尊變
化密移我誠不覺寒暑遷流漸至於此何故
我年十二雖号年少顏貌已老初十年時卅
之年又衰廿于今六十又過于二觀五十時宛
然強壯世尊我見密移雖此殂落其間流
易且限十年若復令我微細思惟其變寧
唯一紀二紀實為年變豈唯年變亦兼月
化何直月化兼有日遷沉思諦觀剎那剎那念
念之間不得停住故知我身終從變滅
佛言大王汝見變化遷改不停悟知汝滅亦
於滅時汝知身中有不滅耶波斯匿王合掌
白佛我實不知佛言我今示汝不生滅性大
王汝年幾時見恒河水王言我生三歲慈母
携我謁耆婆天經過此流尒時即知是恒
河水佛言大王如汝所說二十之時衰於十歲乃
至六十日月歲時念念遷變則汝三歲見此
河時至年十三其水云何王言如三歲時宛

BD02446號　大佛頂如來密因修證了義諸菩薩萬行首楞嚴經卷二　（19–2）

至六十日月歲時念念遷變則汝三歲見此
河時至年十三其水云何王言如三歲時宛
然无異乃至于今年六十二亦无有異佛言
汝今自傷髮白面皺其面必定皺於童年則
汝今時觀此恒河與昔童時觀河之見有童
耄不王言不也世尊佛言大王汝面雖皺而
見精性未曾皺皺者為變不皺不變變者
受滅彼不變者元无生滅云何於中受汝生
死而猶引彼末伽梨等都言此身死後全滅
王聞是言信知身後捨生趣生與諸大衆
踊躍歡喜得未曾有
阿難即從座起禮佛合掌長跪白佛世尊
若此見聞必不生滅云何世尊名我等輩遺
失真性顛倒行事願興慈悲洗我塵垢
即時如來垂金色臂輪手下指示阿難言汝
今見我母陀羅手為正為倒阿難言世間衆
生以此為倒而我不知誰正誰倒佛告阿難若
世間人以此為倒即世間人將何為正阿難
言如來竪臂兜羅綿手上指於空則名為
正佛即竪臂告阿難言若此顛倒首尾相
換諸世間人一倍瞻視則知汝身與諸如來清
淨法身比類發明如來之身名正遍知汝等
之身号性顛倒隨汝諦觀汝身佛身稱顛
倒者名字何處号為顛倒
于時阿難與諸大衆瞪瞢瞻佛目精不瞬不
知身心顛倒所在佛興慈悲哀愍阿難及諸

BD02446號　大佛頂如來密因修證了義諸菩薩萬行首楞嚴經卷二　（19–3）

倒者名字何處号為顛倒
于時阿難與諸大衆瞪瞢瞻佛目精不瞬不
知身心顛倒所在佛興慈悲哀愍阿難及諸
大衆發海潮音遍告同會諸善男子我常
說言色心諸緣及心所使諸所緣法唯心所現
汝身汝心皆是妙明真精妙心中所現物云何
汝等遺失本妙圓妙明心寶明妙性認悟中迷
晦昧為空空晦暗中結暗為色色雜妄想
想相為身聚緣內搖趣外奔逸昏擾擾相以
為心性一迷為心決定惑為色身之內不知色
身外洎山河虛空大地咸是妙明真心中物
譬如澄清百千大海棄之唯認一浮漚
體目為全潮窮盡瀛渤汝等即是迷中倍人
如我垂手等无差別如來說為可憐愍者
阿難承佛悲救深誨垂泣叉手而白佛言我
雖承佛如是妙音悟妙明心元所圓滿常住心
地而我悟佛現說法音現以緣心允所瞻仰徒
獲此心未敢認為本元心地願佛哀愍宣示
圓音拔我疑根歸无上道
佛告阿難汝等尚以緣心聽法此法亦緣非得法
性如人以手指月示人彼人因指當應看月
若復觀指以為月體此人豈唯亡失月輪亦
亡其指何以故以所標指為明月故豈唯亡
指亦復不識明之與暗何以故即以指體為

若復觀指以為月體此人豈唯亡失月輪亦
亡其指何以故以所標指為明月故豈唯亡
指亦復不識明之與暗何以故即以指體為
月明性明暗二性无所了故汝亦如是若以
分別我說法音為汝心者此心自應離分別音
有分別性譬如有客寄宿旅亭暫止便
去終不常住而掌亭人都无所去名為亭
主此亦如是若真汝心則无所去云何離聲
无分別性斯則豈唯聲分別心分別我容
離諸色相无分別性如是乃至分別都无非
色非空拘舍離等昧為冥諦離諸法緣无分別
性則汝心性各有所還云何為主
阿難言若我心性各有所還則如來說妙
明元心云何无還唯垂哀愍為我宣說
此精明心如第二月非是月影汝應諦聽今當
示汝无所還地阿難此大講堂洞開東方日
輪昇天則有明耀中夜黑月雲霧晦暝則
復昏暗戶牖之隙則復見通牆宇之間則復
觀擁分別之處則復見緣頑虛之中遍是空
性鬱㶿之象則紆昏塵澄霽斂氛又觀清
淨阿難汝咸看此諸變化相吾今各還本所
因處云何本因阿難此諸變化明還日輪何以故
无日不明明因屬日是故還日暗還黑月通
還戶牖擁還牆宇緣還分別頑虛還空鬱
㶿還塵清明還霽則諸世間一切所有不出

因處云何本因阿難此諸變化明還日輪何以故
无日不明明因屬日是故還日暗還黑月通
還戶牖擁還墻宇緣還分別頑虛還空欝
悖還塵清明還霽則諸世間一切所有不出
斯類汝見八種見精明性當欲誰還何以故若
還於明則不明時无復見暗雖明暗等種種差
別見无差別諸可還者自然非汝不汝還者
非汝而誰則知汝心本妙明淨汝自迷悶喪本
受輪於生死中常被漂溺是故如來名可
憐愍
阿難言我雖識此見性无還云何得知是
我真性
佛告阿難吾今問汝今汝未得无漏清淨承
佛神力見於初禪得无障礙而阿那律見閻
浮提如觀掌中菴摩羅菓諸菩薩等見百千
界十方如來窮盡微塵清淨國土无所不矚
眾生洞視不過分寸阿難且吾與汝觀四天
王所住宮殿中間遍覽水陸空行雖有昏明
種種形像无非前塵分別留礙汝應於此分別
自他今吾將汝擇於見中誰是我體誰為物
象阿難極汝見源從日月宮是物非汝至七金
山周遍諦觀雖種種光亦物非汝漸漸更觀
雲騰鳥飛風動塵起樹木山川草芥人畜咸物
非汝阿難是諸近遠諸有物性雖復差殊
同汝見精清淨所矚則諸物類自有差別見
性无殊此精妙明誠汝見性若見是物則汝

雲騰鳥飛風動塵起樹木山川草芥人畜咸物
非汝阿難是諸近遠諸有物性雖復差殊
同汝見精清淨所矚則諸物類自有差別見
性无殊此精妙明誠汝見性若見是物則汝
亦可見吾之見若同見者名為見吾吾不見
時何不見吾不見之處若見不見自然非彼
不見之相若不見吾不見之地自然非物云
何非汝又則汝今見物之時汝既見物物亦見
汝體性紛雜則汝與我并諸世間不成安立
阿難若汝見時是汝非我見性周遍非汝而
誰云何自疑汝之真性性汝不真取我求實
阿難白佛言世尊若此見性必我非餘我與如
來觀四天王勝藏寶居及日月宮此見周遍
娑婆國土退歸精舍祇見伽藍清心戶堂
但瞻簷廡世尊此見如是其體本來周
遍一界今在室中唯滿一室為復此見縮
大為小為當牆宇夾令斷絕我今不
知斯義所在願垂弘慈為我敷演
佛告阿難一切世間大小內外諸事所業
各屬前塵不應說言見有舒縮譬如方器
中見方空吾復問汝此方器中所見方空為
復定方為不定方若定方者別安圓器空應不
圓若不定者在方器中應无方空汝言不知
斯義所在義性如是云何為在阿難若復欲令
入无方圓但除器方空體无方不應說言更除
虛空方相所在若如汝問入室之時縮見

圓若不定者在方器中應无方空汝言不知
斯義所在義性如是云何爲在阿難若復欲令
入无方圓但除器方空體无方不應說言更除
虛空方相所在若如汝問入室之時縮見
令小仰觀日時汝豈挽見齊於日面若築牆
宇能夾見斷穿爲小竇寧无竇跡是義
不然一切衆生從无始來迷己爲物失於本
心爲物所轉故於是中觀大觀小若能轉物則
同如來身心圓明不動道場於一毛端遍
能含受十方國土
阿難白佛言世尊若此見精必我妙性今此
妙性見在我前見必我真我今身心復是
何物而今身心分別有實彼見无分別辯我身
若實我心令我今見見性實我而身非我
何殊如來先所難言物能見我唯垂大慈
開發未悟
佛告阿難今汝所言見在汝前是義非實若
實汝前汝實見者則此見精既有方所非无
指示且今與汝坐祇陁林遍觀林渠及與殿
堂上至日月前對恒河汝今於我師子座前
舉手指陳是種種相陰者林是明者是日礙
者是壁通者是空如是乃至草樹纖毫大小
雖殊但可有形无不指著若必其見現在汝
前汝應以手確實指陳何者是見阿難當知
若空是見既已成見何者是空若物是見既

BD02446 號　大佛頂如來密因修證了義諸菩薩萬行首楞嚴經卷二　（19–8）

者是壁通者是空如是乃至草樹纖毫大小
雖殊但可有形无不指著若必其見現在汝
前汝應以手確實指陳何者是見阿難當知
若空是見既已成見何者是空若物是見既
已是見何者爲物汝可微細披剝萬象析出
精明清妙見元指陳示我同彼諸物分
明无惑
阿難言我今於此重閣講堂遠洎恒河上觀
日月舉手所指縱目所觀指皆是物无是
見者世尊如佛所說況我有漏初學聲聞
乃至菩薩亦不能於萬物象前剖出精
見離一切物別有自性佛言如是如是
佛復告阿難如汝所言无有精見離一切物
別有自性則汝所指是物之中无是見者今
復告汝汝與如來坐祇陁林更觀林苑乃至
日月種種象殊必无見精受汝所指汝又發
明此諸物中何者非見阿難言我實遍見
此祇陁林不知是中何者非見何以故若樹非
見云何見樹若樹即見復云何樹如是乃至
若空非見云何見空若空即見復云何空我
又思惟是萬象中微細發明无非見者佛言
如是如是
於是大衆非无學者聞佛此言茫然不知是
義終始一時惶悚失其所守如來知其魂慮
變慴心生憐愍安慰阿難及諸大衆諸善男
子无上法王是真實語如所如說不誑不妄非

BD02446 號　大佛頂如來密因修證了義諸菩薩萬行首楞嚴經卷二　（19–9）

義終始一時惶悚失其所守如来知其魂慮
變慴心生憐愍安慰阿難及諸大衆諸善男
子无上法王是真實語如所如説不誑不妄非
末伽梨四種不死矯亂論議汝諦思惟无忝
哀慕
是時文殊師利法王子愍諸四衆在大衆
中即從座起頂礼佛足合掌恭敬而白佛言
世尊此諸大衆不悟如来發明二種見色空
是非是義世尊若此前緣色空等象若是
見者應有所指若非見者應无所矚而今
不知是義所歸故有驚怖非是疇昔善根
輕尠唯願如来大慈發明此諸物象與此見
精元是何物於其中間有是有非
佛告文殊及諸大衆十方如来及大菩薩於
其自住三摩地中見與見緣并所想相如虚
空花本无所有此見及緣元是菩提妙淨明體
云何於中有是非是文殊吾今問汝如汝文
殊更有文殊是文殊者為无文殊如是世
尊我真文殊无是文殊何以故若有是者
則二文殊然我今日非无文殊於中實无是非
二種佛言此見妙明與諸空塵亦復如是本
是妙明无上菩提淨圓真心妄為色空及
與聞見如第二月誰為是月又誰非月文殊
但一月真中間自无是月非月是以汝今觀
見與塵種種發明名為妄想不能於中出是
非是由是精真妙覺明性故能令汝出指非指

BD02446 號　大佛頂如來密因修證了義諸菩薩萬行首楞嚴經卷二　（19–10）

但一月真中間自无是月非月是以汝今觀
見與塵種種發明名為妄想不能於中出是
非是由是精真妙覺明性故能令汝出指非
指阿難白佛言世尊誠如法王所説覺緣遍
十方界湛然常住性非生滅與先梵志娑毗迦
羅所談冥諦及投灰等諸外道種説有真
我遍滿十方有何差別世尊亦曾於楞伽山
為大慧等敷演斯義彼外道等常説自然我
説因緣非彼境界我今觀此覺性自然非生非
滅遠離一切虚妄顛倒似非因緣與彼自然云
何開示不入群邪獲真實心妙覺明性
佛告阿難我今如是開示方便真實告汝汝
猶未悟惑為自然阿難若必自然自須甄
明有自然體汝且觀此妙明見中以何為自此
見為復以明為自以暗為自以空為自以塞
為自阿難若明為自應不見暗若復以空
為自體者應不見塞如是乃至諸暗等相以
為自者則於明時見性斷滅云何見明
阿難言必此妙見性非自然我今發明是因緣
生心猶未明諮詢如来是義云何合因緣
性佛言汝言因緣吾復問汝汝今同見見性
現前此見為復因明有見因暗有見因空有
見因塞有見阿難若因明有應不見暗如因
暗有應不見明如是乃至因空因塞同於明
暗復次阿難此見又復緣明有見緣暗有見
緣空有見緣塞有見阿難若緣空有應不

BD02446 號　大佛頂如來密因修證了義諸菩薩萬行首楞嚴經卷二　（19–11）

暗有應不見明如是乃至因空因塞同於明
暗復次阿難此見又復緣明有見緣暗有見
緣空有見緣塞有見阿難若緣空有應不
見塞若緣塞有應不見空如是乃至緣明緣
暗同於空塞當知如是精覺妙明非因非緣
亦非自然无非不自然无非不非无是非是離
一切相即一切法汝今云何於中措心以諸世間
戲論名相而得分別如以手掌撮摩虛空
衹益自勞虛空云何隨汝執捉
阿難白佛言世尊必妙覺性非因非緣世尊
云何常與比丘宣說具見性具四種緣所謂因
空因明因心因眼是義云何
佛言阿難我說世間諸因緣相非第一義阿
難吾復問汝諸世間人說我能見云何名見
云何不見阿難言世人因於日月燈光見種
種相名之為見若復无此三種光明則不能
見阿難若无明時名不見者應不見暗若必
見暗此但无明云何无見阿難若在暗時不
見明故名為不見今在明時不見暗相還名
不見如是二相俱名不見若復二相自相淩奪
非汝見性於中暫无如是則知二俱名見云
何不見是故阿難汝今當知見明之時見
非是明見暗之時見非是暗見空之時見
非是空見塞之時是非是塞四義成就汝復
應知見見之時見非是見見猶離見見不能

BD02446號　大佛頂如來密因修證了義諸菩薩萬行首楞嚴經卷二　（19–12）

非是明見暗之時見非是暗見空之時見
非是空見塞之時是非是塞四義成就汝復
應知見見之時見非是見見猶離見見不能
及云何復說因緣自然及和合相汝等聲
聞狹劣无識不能通達清淨實相吾今誨
汝當善思惟无得疲怠妙菩提路
阿難白佛言世尊如佛世尊為我等輩宣
說因緣及與自然諸和合相與不和合心猶
未開而今更聞見見非見重增迷悶伏願
弘慈施大慧目開示我等覺心明淨作是語已
悲淚頂礼承受聖旨
尒時世尊憐愍阿難及諸大衆將欲敷演大
陀羅尼諸三摩提妙脩行路告阿難言汝
雖强記但益多聞於奢摩他微密觀照心
猶未了汝今諦聽吾當為汝分別開示亦令
將来諸有漏者獲菩提果阿難一切衆生輪
迴世間由二顛倒分別見妄當處發生當業
輪轉云何二見一者衆生別業妄見二者衆
生同分妄見
云何名為別業妄見阿難如世間人目有眚赤
夜見燈光別有圓影五色重疊於意云何
此夜燈明所現圓光為是燈色為當見色阿
難此若燈色則非眚人何不同見而此圓影唯
眚之觀若是見色色已成色則彼眚人則
圓影者名為何等復次阿難若此圓影離

BD02446號　大佛頂如來密因修證了義諸菩薩萬行首楞嚴經卷二　（19–13）

眚之觀若是見色色見已成色則彼眚人見
圓影者名為何等復次阿難若此圓影離
燈別有則合旁觀屏帳几筵有圓影出離見
別有應非眼矚云何眚人目見圓影是故當
知色實在燈見病為影影見俱眚見眚非病
終不應言是燈是見於是中有非燈非見如第
二月非體非影何以故第二之觀捏所成故諸有
智者不應說言此捏根元是形非形離見非
見此亦如是目眚所成今欲名誰是燈是見
何況分別非燈非見
云何名為同分妄見阿難此閻浮提除大海
水中間平陸有三千洲正中大洲東西括量大
國凡有二千三百其餘小洲在諸海中其間
或有三兩百國或一或二至于卅卌五十阿
難若復此中有一小洲祇有兩國唯一國人同
感惡緣則彼小洲當土衆生覩諸一切不祥境
界或見二日或見兩月其中乃至暈適珮玦
彗孛飛流負耳虹蜺種種惡相但此國見
彼國衆生本所不見亦復不聞阿難吾今為
汝以此二事進退合明阿難如彼衆生所別業
妄見矚燈光中所現圓影雖現似境終彼見
者目眚所成眚即見勞非色所造然見眚者
終無見咎例汝今日以目觀見山河國土及諸
衆生皆是無始見病所成見與見緣似現前
境元我覺明見所緣眚覺見即眚本覺明
心覺緣非眚覺所覺眚覺非眚中此實見

BD02446號　大佛頂如來密因修證了義諸菩薩萬行首楞嚴經卷二　（19–14）

衆生皆是無始見病所成見與見緣似現前
境元我覺明見所緣眚覺見即眚本覺明
心覺緣非眚覺所覺眚覺非眚中此實見
見云何復名覺聞知見是故汝今見我及
汝并諸世間十類衆生皆即見眚非見眚者
彼見真精性非眚者故不名見阿難如彼衆
生同分妄見例彼妄見別業一人一病目人同
彼一國彼見圓影眚妄所生此衆同分所現不
祥同見業中瘴惡所起俱是無始見妄所生例
閻浮提三千洲中兼四大海娑婆世界并洎
十方諸有漏國及諸衆生同是覺明無漏
妙心見聞覺知虛妄病緣和合妄生和合妄死
若能遠離諸和合緣及不和合則復滅除諸
生死因圓滿菩提不生滅性清淨本心本覺
常住
阿難汝雖先悟本覺妙明性非因緣非自然性
而猶未明如是覺元非和合生及不和合
阿難吾今復以前塵問汝汝今猶以一切世間
妄想和合諸因緣性而自疑惑證菩提心和
合起者則汝今者妙淨見精為與明和為與
闇和為與通和為與塞和若明和者且汝觀
明當明現前何處雜見見相可辯雜何形像若
非見者云何見明若即見者云何見見必見
圓滿何處和合
見圓滿何處和明若明圓滿不合見和見必

BD02446號　大佛頂如來密因修證了義諸菩薩萬行首楞嚴經卷二　（19–15）

非見者云何見明若見者云何見見必見
圓滿何處和合
見圓滿何處和明若明圓滿不合見和見必
異明離則失彼性明名字雜失明性和明非
義彼暗與通及諸群塞亦復如是
復次阿難又汝今者妙淨見精為與明合為
與暗合為與通合為與塞合若明合者至於
暗時明相已滅此見即不與諸暗合云何見
暗若見暗時不與暗合與明合者應非見
明既不見明云何明合了明非暗彼暗與通
及諸群塞亦復如是
阿難白佛言世尊如我思惟此妙覺元與諸
緣塵及心念處非和合耶佛言汝今又言覺
非和合吾復問汝此妙見精非和合者為非
明和為非暗和為非通和為非塞和若非明
和則見與明必有邊畔汝且諦觀何處是明
何處是見在見在明自何為畔阿難若明際
中必无見者則不相及自不知其明相所在畔
云何成彼暗與通及諸群塞亦復如是又妙
見精非和合者為非明合為非暗合為非
通合為非塞合若非明合則見與明性相
乖捔如見與明了不相觸見且不知明相所在
云何甄明合非合理彼暗與通及諸群塞
亦復如是
阿難汝猶未明一切浮塵諸幻化相當處出

BD02446號　大佛頂如來密因修證了義諸菩薩萬行首楞嚴經卷二　（19–16）

乖捔如見與明了不相觸見且不知明相所在
云何甄明合非合理彼暗與通及諸群塞
亦復如是
阿難汝猶未明一切浮塵諸幻化相當處出
生隨處滅盡幻妄稱相其性真為妙覺明
體如是乃至五陰六入從十二處至十八界因
緣和合虛妄有生因緣別離虛妄名滅殊
不能生知滅去来本如来藏常住妙明不動
周圓妙真如性性真常中求於去来迷悟死
生了无所得
阿難云何五陰本如来藏妙真如性阿難辟
如有人以清淨目觀晴明空唯一精虛迥无所
有其人无故不動目睛瞪以發勞則於虛空
別見狂花復有一切狂亂非相色陰當知
亦復如是阿難是諸狂花非從空来非從目出
如是阿難若空来者既從空来還從空入若
有出入即非虛空空若非空自不容其花相
起滅如阿難體不容阿難若目出者既從目
出還從目入即此花性從見出故當合有見若
有見者去既花空旋合見眼若无見者出既
翳空旋當翳眼又見花時目應无翳云何
晴空号清明眼是故當知色陰虛妄本非
因緣非自然性
阿難辟如有人手足宴安百骸調適忽如忘
生性无違順其人无故以二手掌於空相摩

BD02446號　大佛頂如來密因修證了義諸菩薩萬行首楞嚴經卷二　（19–17）

因緣非自然性
阿難譬如有人手足宴安百骸調適忽如忘
生性无違順其人无故以二手掌於空相摩
於二手中妄生澁滑冷熱諸相受蔭當知亦
復如是阿難是諸幻觸不從空來不從掌出
如是阿難若空來者既能觸掌何不觸身
不應虛空選擇來觸若從掌出應非待合
又掌出故合則掌知離即觸入臂腕骨髓應
亦覺知入時蹤跡必有覺知知出知入自有
一物身中往來何待合知要名於觸是故當知
受蔭虛妄本非因緣非自然性
阿難譬如有人談說酢梅口中水出思蹋懸
崖足心酸澁想蔭當知亦復如是阿難如是
酢說不從梅生非從口入如是阿難若梅生者
梅合自談何待人說若從口入自合口聞何須
待耳若獨耳聞此水何不耳中而出想蹋懸
崖與說相類是故當知想蔭虛妄本非因
緣非自然性
阿難譬如暴流波浪相續前際後際不相踰
越行蔭當知亦復如是阿難如是流性不因
空生不因水有亦非水性非離空水如是阿
難若因空生則諸十方无量虛空成无盡
流世界自然俱受淪溺若因水有則此暴
流性應非水有所有相今應見在若即水性
則澄清時應非水體若離空水空非有外水外无

BD02446號　大佛頂如來密因修證了義諸菩薩萬行首楞嚴經卷二　（19–18）

則澄清時應非水體若離空水空非有外水外无
流是故當知行蔭虛妄本非因緣非自然性
阿難譬如有人取頻伽瓶塞其兩孔滿中擎
空千里遠行用餉他國識蔭當知亦復如
是阿難如是虛空非彼方來非此方入如是阿難
若彼方來則本瓶中既貯空去於本瓶地應
少虛空若此方入開孔倒瓶應見空出是故
當知識蔭虛妄本非因緣非自然性

大佛頂萬行首楞嚴經卷第二

BD02446號　大佛頂如來密因修證了義諸菩薩萬行首楞嚴經卷二　（19–19）

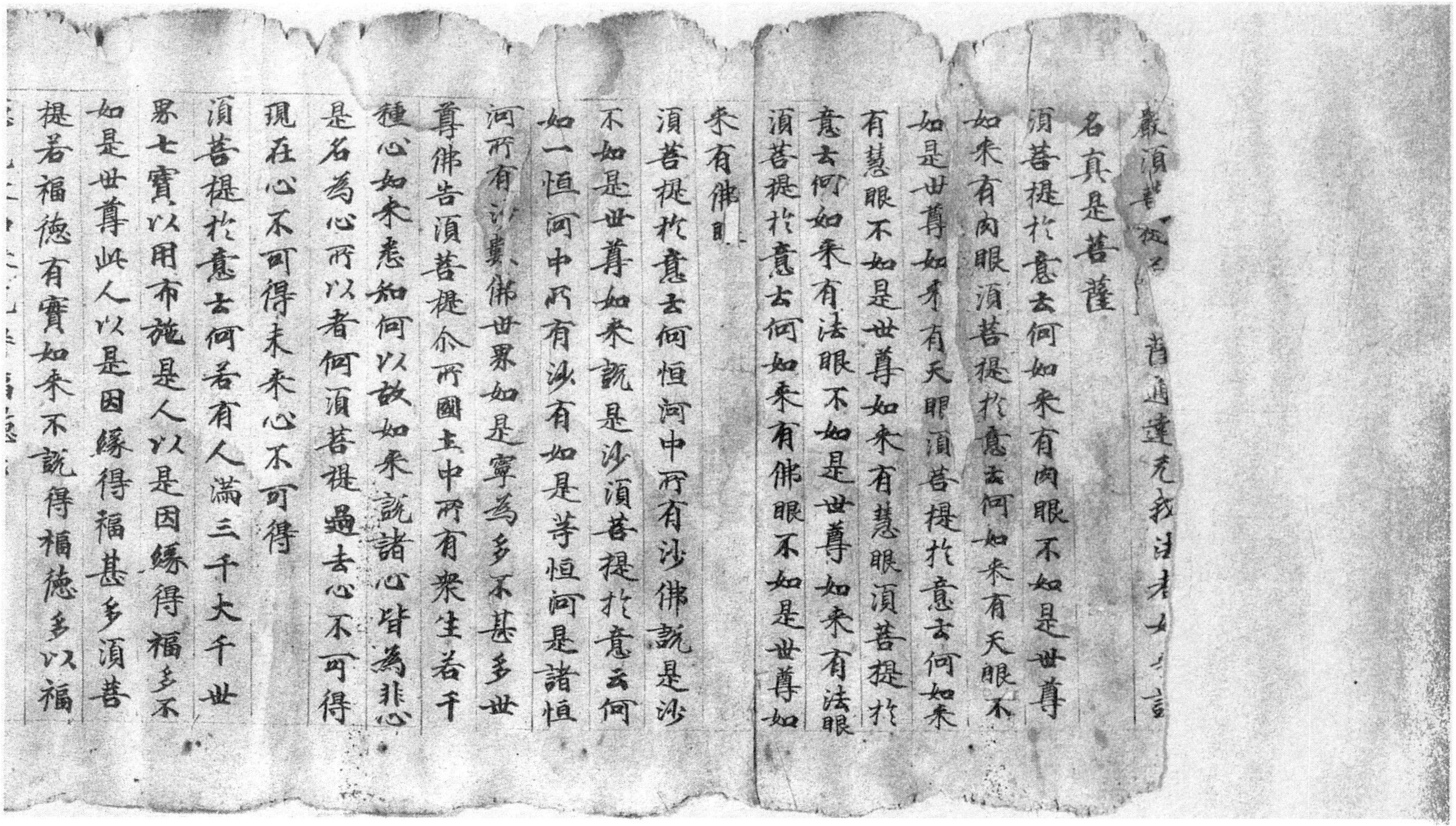

嚴須菩提若菩薩通達无我法者如來說
名真是菩薩
須菩提於意云何如來有肉眼不如是世尊
如來有肉眼須菩提於意云何如來有天眼不
如是世尊如來有天眼須菩提於意云何如來
有慧眼不如是世尊如來有慧眼須菩提於
意云何如來有法眼不如是世尊如來有法眼
須菩提於意云何如來有佛眼不如是世尊如
來有佛眼
須菩提於意云何恒河中所有沙佛說是沙
不如是世尊如來說是沙須菩提於意云何
如一恒河中所有沙有如是等恒河是諸恒
河所有沙數佛世界如是寧為多不甚多世
尊佛告須菩提尒所國土中所有衆生若干
種心如來悉知何以故如來說諸心皆為非心
是名為心所以者何須菩提過去心不可得
現在心不可得未來心不可得
須菩提於意云何若有人滿三千大千世
界七寶以用布施是人以是因緣得福多不
如是世尊此人以是因緣得福甚多須菩
提若福德有實如來不說得福德多以福

BD02447 號　金剛般若波羅蜜經　（5–1）

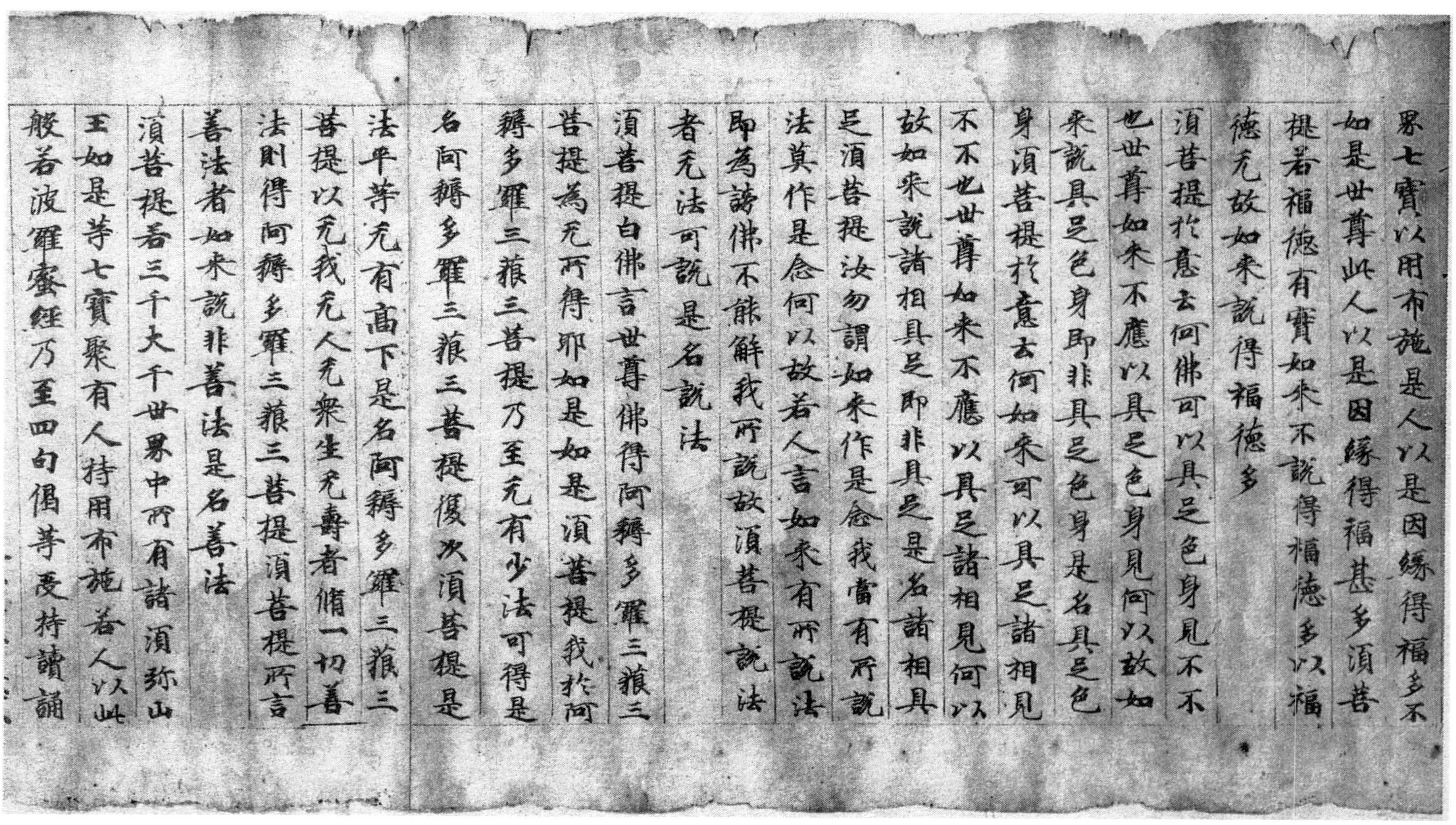

界七寶以用布施是人以是因緣得福多不
如是世尊此人以是因緣得福甚多須菩
提若福德有實如來不說得福德多以福
德无故如來說得福德多
須菩提於意云何佛可以具足色身見不不
也世尊如來不應以具足色身見何以故如
來說具足色身即非具足色身是名具足色
身須菩提於意云何如來可以具足諸相見
不不也世尊如來不應以具足諸相見何以
故如來說諸相具足即非具足是名諸相具
足須菩提汝勿謂如來作是念我當有所說
法莫作是念何以故若人言如來有所說法
即為謗佛不能解我所說故須菩提說法
者无法可說是名說法
須菩提白佛言世尊佛得阿耨多羅三藐三
菩提為无所得耶如是如是須菩提我於阿
耨多羅三藐三菩提乃至无有少法可得是
名阿耨多羅三藐三菩提復次須菩提是
法平等无有高下是名阿耨多羅三藐三
菩提以无我无人无衆生无壽者脩一切善
法則得阿耨多羅三藐三菩提須菩提所言
善法者如來說非善法是名善法
須菩提若三千大千世界中所有諸須弥山
王如是等七寶聚有人持用布施若人以此
般若波羅蜜經乃至四句偈等受持讀誦

BD02447 號　金剛般若波羅蜜經　（5–2）

須菩提若三千大千世界中所有諸須弥山
王如是等七寶聚有人持用布施若人以此
般若波羅蜜經乃至四句偈等受持讀誦
為他人說於前福德百分不及一千万億分
乃至筭數譬喻所不能及
須菩提於意云何汝等勿謂如來作是念我
當度衆生須菩提莫作是念何以故實无有
衆生如來度者若有衆生如來度者如來則
有我人衆生壽者須菩提如來說有我者則
非有我而凡夫之人以為有我須菩提凡夫者
如來說則非凡夫
須菩提於意云何可以三十二相觀如來不
須菩提言如是如是以三十二相觀如來佛
言須菩提若以三十二相觀如來者轉輪聖
王則是如來須菩提白佛言世尊如我解佛
所說義不應以三十二相觀如來尒時世尊
而說偈言
若以色見我　以音聲求我　是人行邪道　不能見如來
須菩提汝若作是念如來不以具足相故得
阿耨多羅三藐三菩提須菩提莫作是念如
來不以具足相故得阿耨多羅三藐三菩提
須菩提汝若作是念發阿耨多羅三藐三菩
提者說諸法斷滅相莫作是念何以故發阿
耨多羅三藐三菩提者於法不說斷滅相
須菩提若菩薩以滿恒河沙等世界七寶布

BD02447號　金剛般若波羅蜜經　（5-3）

耨多羅三藐三菩提者於法不說斷滅相
施若復有人知一切法无我得成於忍此菩
薩勝前菩薩所得功德須菩提以諸菩薩
不受福德故須菩提白佛言世尊云何菩薩
不受福德須菩提菩薩所作福德不應貪
著是故說不受福德須菩提若有人言如來
若來若去若坐若臥是人不解我所說義何
以故如來者无所從來亦无所去故名如來
須菩提若善男子善女人以三千大千世界
碎為微塵於意云何是微塵衆寧為多不
甚多世尊何以故若微塵衆實有者佛則不
說是微塵衆所以者何佛說微塵衆則非微
塵衆是名微塵衆世尊如來所說三千大千
世界則非世界是名世界何以故若世界實有
者則是一合相如來說一合相則非一合相是
名一合相須菩提一合相者則是不可說但
凡夫之人貪著其事
須菩提若人言佛說我見人見衆生見壽者
見須菩提於意云何是人解我所說義不世
尊是人不解如來所說義何以故世尊說我
見人見衆生見壽者見即非我見人見衆生
壽者見是名我見人見衆生見壽者見須
菩提發阿耨多羅三藐三菩提心者於一切
法應如是知如是見如是信解不生法相須

BD02447號　金剛般若波羅蜜經　（5-4）

見人見衆生見壽者見即非我見人見衆生
壽者見是名我見人見衆生見壽者見須
菩提發阿耨多羅三藐三菩提心者於一切
法應如是知如是見如是信解不生法相須
菩提所言法相者如来說即非法相是名法
相須菩提若有人以滿无量阿僧祇世界七
寶持用布施若有善男子善女人發菩薩心
者持於此經乃至四句偈等受持讀誦為人
演說其福勝彼云何為人演說不取於相如
如不動何以故
一切有為法　如夢幻泡影　如露亦如電　應作如是觀
佛說是經已長老須菩提及諸比丘比丘尼
優婆塞優婆夷一切世間天人阿脩羅聞
佛所說皆大歡喜信受奉持
金剛般若波羅蜜經

BD02447 號　金剛般若波羅蜜經　　（5–5）

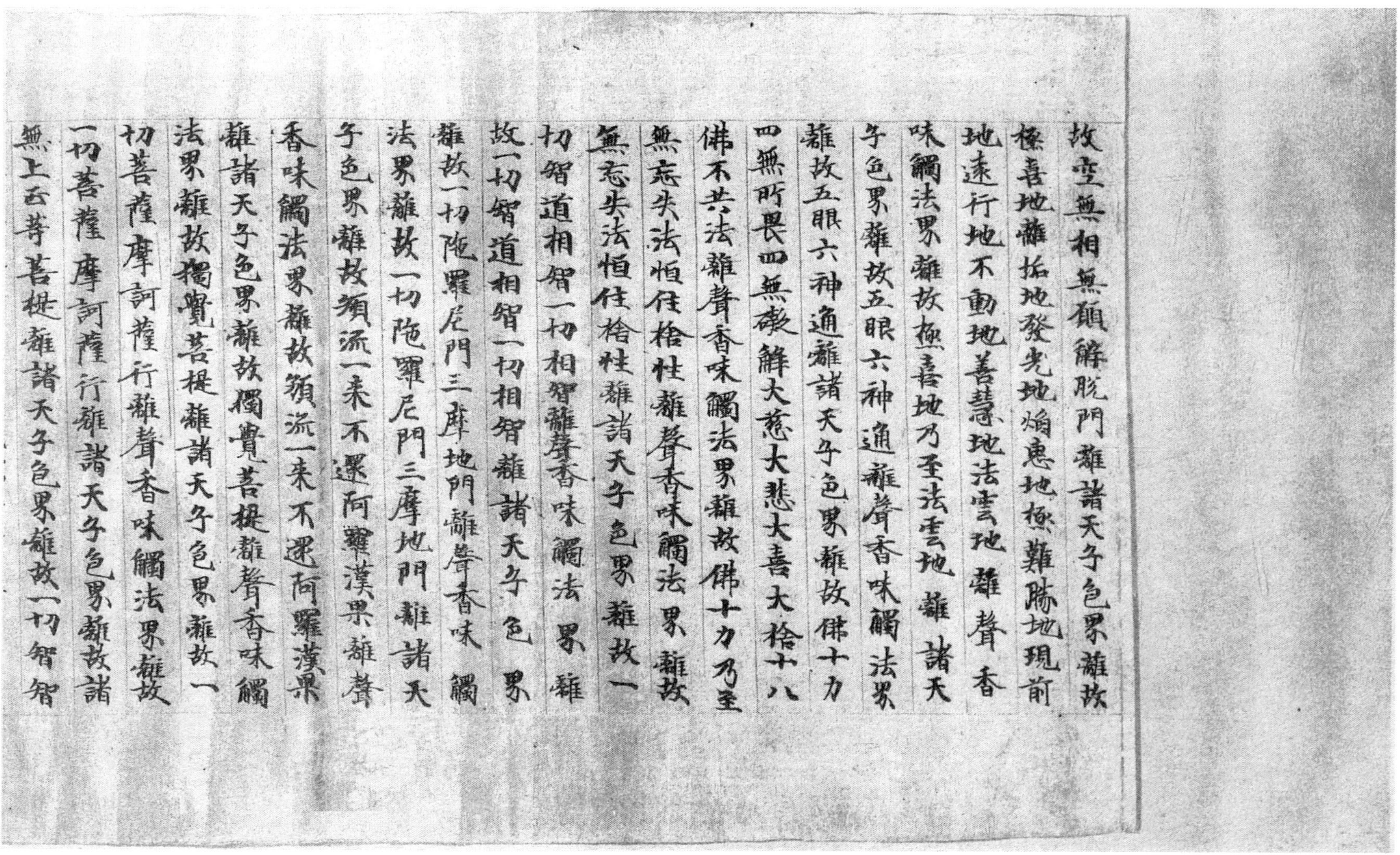
故空無相無願解脫門離諸天子色界離故
極喜地離垢地發光地焰慧地極難勝地現前
地遠行地不動地善慧地法雲地離聲香
味觸法界離故極喜地乃至法雲地離諸天
子色界離故五眼六神通離聲香味觸法界
離故五眼六神通離諸天子色界離故佛十力
四無所畏四無礙解大慈大悲大喜大捨十八
佛不共法離聲香味觸法界離故佛十力乃至
無忘失法恒住捨性離聲香味觸法界離故
無忘失法恒住捨性離諸天子色界離故一
切智道相智一切相智離聲香味觸法界離
故一切智道相智一切相智離諸天子色界
離故一切陁羅尼門三摩地門離聲香味觸
法界離故一切陁羅尼門三摩地門離諸天
子色界離故預流一来不還阿羅漢果離聲
香味觸法界離故預流一来不還阿羅漢果
離諸天子色界離故獨覺菩提離聲香味觸
法界離故獨覺菩提離諸天子色界離故一
切菩薩摩訶薩行離聲香味觸法界離故
一切菩薩摩訶薩行離諸天子色界離故諸
無上正等菩提離諸天子色界離故一切智智

BD02448 號　大般若波羅蜜多經（兌廢稿）卷三四三　　（2–1）

[illegible]
故一切智道相智一切相智離諸天子色界
離故一切陁羅尼門三摩地門離聲香味觸
法界離故一切陁羅尼門三摩地門離諸天
子色界離故預流一來不還阿羅漢果離聲
香味觸法界離故預流一來不還阿羅漢果
離諸天子色界離故獨覺菩提離聲香味觸
法界離故獨覺菩提離諸天子色界離故一
切菩薩摩訶薩行離聲香味觸法界離故
一切菩薩摩訶薩行離諸天子色界離故諸
無上正等菩提離諸天子色界離故一切智智
離聲香味觸法界離故一切智智離
復次諸天子眼識界離故布施淨戒安忍精
進靜慮般若波羅蜜多離耳鼻舌身意識
界離故布施淨戒安忍精進靜慮般若波羅

BD02448號　大般若波羅蜜多經（兌廢稿）卷三四三　（2–2）

南无法幢宮俱蘇摩王佛　南无莎羅華上光王佛
南无无垢上光王佛　南无垢意山上王佛
南无種種樂說莊嚴佛　南无量藥王成就勝王佛
南无千雲雷聲王佛　南无金光明師子奮迅王佛
南无善寂智慧月聲自在王佛　南无善住摩尼山王佛
從此已上六百佛
南无歡藏勝山王佛　南无普光上勝功德王佛
南无功德藏增上山王佛　南无動山嶽王佛
南无善住諸禪藏王佛　南无法海潮功德王佛
南无稱功德山王佛　南无一切華香自在王佛
南无銀幢蓋王佛　南无雷燈幢王佛
南无月摩尼光王佛　南无波頭摩上星宿王佛
南无无量香上王佛　南无覺王佛
南无上弥留幢王佛　南无莎羅華上王佛
南无因陁羅幢王佛　南无師子奮迅王佛
南无俱蘇摩生王佛　南无微細華佛
南无說義佛　南无无量精進佛
南无无邊弥留佛　南无離藏佛
南无无量眼佛　南无量發行佛
南无无量發行佛　南无斷諸難佛

BD02449號　佛名經（二十卷本）卷二　（23–1）

南无説義佛　南无无量精進佛
南无无邊弥留佛　南无離藏佛
南无无量眼佛　南无无量發行佛
南无无量發行佛　南无斷諸難佛
南无不定願佛　南无善住諸願佛
南无无念示現諸佛佛　南无无量善根成就諸行佛
南无无垢奮迅佛　南无不住奮迅佛
南无妙色佛　南无无相聲佛
南无盡空星宿增上王佛　南无旃檀室佛
南无樂意佛　南无善行佛
南无境界自在佛　南无樂行佛
南无樂解脫佛　南无遠離怖畏毛竪佛
南无清淨眼佛　南无進寂靜佛
南无世間可樂佛　南无隨世間意佛
南无隨世間眼佛　南无寶佛
南无種種樂說莊嚴佛　南无无量樂莊嚴成就勝王佛
南无發行難佛　南无无所發行佛
南无寶愛佛　南无羅睺羅佛
南无羅睺羅天佛　南无羅睺淨佛
南无寶慧佛　南无寶髻佛
南无寶形佛　南无羅網手佛
南无摩尼輪佛　南无解脫威德佛
南无善行佛　南无大愛佛

BD02449號　佛名經（二十卷本）卷二　（23–2）

南无摩尼輪佛　南无解脫威德佛
南无善行佛　南无大愛佛
南无人面佛　南无告佛
南无夢陁羅佛　南无淨聖佛
南无淨宿佛　南无離胎佛
南无盡空莊嚴佛　南无集功德佛
南无師子步佛　南无功德海佛
南无摩尼功德佛　南无廣功德佛
南无稱成就佛　南无大如意輪佛
南无无畏上王佛　南无俱蘇摩國土佛
南无功德懷佛　南无威德佛
南无華眼佛　南无喜身佛
南无慧國土佛　南无喜威德佛
南无波頭池智慧奮迅佛　南无功德聚佛
南无寂滅慧佛　南无降魔佛
南无无上光佛　南无法自在佛
南无得世間功德佛　南无寶諦稱佛
南无智勝佛　南无智愛佛
南无得智佛　南无智幢佛　七百
南无羅網光幢佛
善男子善女人與一切衆生安穩樂如諸
佛者當讀誦是諸佛名復作是言
南无離諸无智曀佛　南无盡空平等心佛

BD02449號　佛名經（二十卷本）卷二　（23–3）

善男子善女人與一切衆生安穩樂如諸
佛者當讀誦是諸佛名復作是言
南无離諸无智曀佛　南无虛空平等心佛
南无清淨无垢佛　南无善无垢藏佛
南无堅固行佛　南无精進聲佛
南无成就觀佛　南无斷續過佛
南无不離一切衆生門佛　南无平等須彌面佛
南无鄣身精進堅佛　南无莎羅華鬘佛
南无无量功德王佛　南无弥留燈王佛
南无藥王聲聲王佛　南无梵聲王佛
南无妙鼓聲王佛　南无雲聲王佛
南无龍自在王佛　南无世間自在王佛
南无陁羅尼自在王佛　南无深王佛
南无治諸病王佛　南无藥王佛
南无鴈王佛　南无燈王佛
南无樹提王佛　南无喜王佛
南无星宿王佛　南无雲王佛
南无雷王佛　南无莎羅佛
南无堅固自在王佛　南无功德聚佛
南无華聚佛　南无寶聚佛
南无寶住持庭燎佛　南无住持功德佛
南无住持无鄣力佛　南无住持地力進去佛
南无住持妙无垢住佛　南无一切寶莊嚴色住持佛
南无自在轉一切法佛　南无轉法輪佛

南无住持无鄣力佛　南无住持地力進去佛
南无住持妙无垢住佛　南无一切寶莊嚴色住持佛
南无自在轉一切法佛　南无轉法輪佛
南无勝威德佛　南无淨德佛
南无聖威德佛　南无大威德佛
南无師子威德佛　南无莎羅威德佛
南无悲威德佛　南无地威德佛
南无无垢威德佛　南无无垢瑠璃佛
南无无垢辟佛　南无无垢眼佛
南无无垢面佛　南无波頭摩面佛
南无月面佛　南无日面佛
南无威德莊嚴佛　南无金色佛
南无金色形佛　南无可樂色佛
南无瞻婆加色佛　南无能與樂佛
南无能與眼佛　南无難勝佛
南无難降伏佛　南无斷諸惡佛
南无難量佛　南无難成佛
南无俱蘇摩成佛　南无甘露成佛
南无寶成就佛　南无功德成就佛
南无日成就佛　南无華成就佛
南无成就樂佛　南无成就功德佛
南无大勝佛　南无妙佛
南无无垢佛　南无離鄣佛
南无婆樓那佛　南无婆樓那天佛

南无大勝佛　南无妙佛
南无无垢佛　南无離鄣佛
南无娑摟那佛　南无娑摟那天佛
南无勇猛仙佛　南无精進仙佛
南无无垢仙佛　南无金剛仙佛
南无觀眼佛　南无无鄣㝵佛
南无住虛空佛　南无住清淨佛
南无善住清淨功德寶佛　南无善踈佛
南无善思義佛　南无善化佛
南无善愛佛 八百　南无善眼佛
南无善親佛　南无善行佛
南无善生佛　南无善華佛
南无善香佛　南无善聲佛
南无善髀佛　南无善光佛
南无善山佛　南无功德山佛
南无寶山佛　南无智山佛
南无勝山佛　南无上山佛
南无光明莊嚴佛　南无大光明莊嚴佛
南无清淨莊嚴佛　南无波頭摩莊嚴佛
南无寶中佛　南无金剛合佛
南无金剛齊佛　南无碎金剛佛
南无破金剛堅佛　南无降伏魔佛
南无不空見佛　南无愛見佛
南无現見佛　南无善見佛

南无破金剛堅佛　南无降伏魔佛
南无不空見佛　南无愛見佛
南无現見佛　南无善見佛
南无大善見佛　南无普見佛
南无无垢見佛　南无見平等不平等佛
南无見一切義佛　南无斷一切鄣㝵佛
南无斷一切衆生病佛　南无一切世間愛見佛
南无上妙佛　南无大莊嚴佛
南无一切三昧佛　南无度一切疑佛
南无度一切法佛　南无不取諸法佛
南无一切清淨佛　南无一切義成就佛
南无一切通佛　南无華通佛
南无波頭摩樹提奮迅通佛　南无俱蘇摩通佛
南无海住持勝智慧奮迅通佛　南无多摩羅跋栴檀香通佛
南无常觀佛　南无常圓遠佛
南无常不輕佛　南无常憂佛
南无常喜佛　南无常嘆歡喜根佛
南无常滿足手佛　南无常舉手佛
南无常黠慧佛　南无常脩行佛
南无常精進佛　南无尼拘律佛
南无阿絺伽佛　南无金色佛
南无華闌佛　南无善決定佛
南无波頭摩光佛　南无華身佛
南无[illegible]却柔爲闍身佛　南无日輪佛

南无華開佛　南无善決定佛
南无波頭摩光佛　南无華身佛
南无手脚柔濡網身佛　南无日輪佛
南无闍滿之佛　南无相身身佛
南无勝威德佛　南无无垢身佛
南无波頭摩華身佛　南无得无㝵佛
南无得顛滿之佛　南无得普照清淨佛
南无得大无㝵佛　南无至大佛
南无至大精進究竟佛　南无大境界佛
南无大海佛　南无大樂說佛
南无大樂王佛　南无大功德佛
南无无量香佛　南无无量精進佛
南无无量行佛　南无无量功德佛
南无寶生佛　南无邊功德寶作佛
南无法作佛　南无金色作佛
南无勝作佛　南无自在作佛
南无日作佛　南无光作佛
南无大作佛 百九　南无无畏作佛
南无樂作佛　南无燈作佛
南无賢作佛　南无覺作佛
南无華作佛　南无華勝藏佛
南无俱蘇摩勝藏佛　南无憂波羅勝藏佛
南无波頭摩勝藏佛　南无功德勝藏佛

南无俱蘇摩勝藏佛　南无憂波羅勝藏佛
南无波頭摩勝藏佛　南无功德勝藏佛
南无決勝藏佛　南无福德勝藏佛
南无天勝藏佛　南无香勝藏佛
南无香勝藏佛　南无大雲藏佛
南无那羅延藏佛　南无如來藏佛
南无功德藏佛　南无根藏佛
南无如意藏佛　南无金剛藏佛
南无得藏佛　南无勢羅藏佛
南无山藏佛　南无波頭摩藏佛
南无俱蘇摩藏佛　南无香藏佛
南无摩尼藏佛　南无賢藏佛
南无普藏佛　南无月无垢藏佛
南无日藏佛　南无照藏佛
南无光明藏佛　南无月幢佛
南无功德幢佛　南无離世間幢佛
南无華幢佛　南无寶幢佛
南无法幢佛　南无自在幢佛
南无寶幢佛　南无无垢幢佛
南无大幢佛　南无月无垢幢佛
南无普照幢佛　南无彌留幢佛
南无讃妙法幢佛　南无放光明幢佛
南无善清淨无垢照幢佛　南无善清淨光明幢佛

南无普照[illegible]佛　南无弥留[illegible]佛
南无護妙法幢佛　南无放光明幢佛
南无善清淨光照幢佛　南无善清淨光明幢佛
南无善清淨光明幢佛　南无香光明佛
南无虛空光明佛　南无大光明佛
南无寶光明佛　南无火光明佛
南无日光明佛　南无月光明佛
南无日月光明佛　南无无垢光明佛
南无火輪光明佛　南无勝威德香光明佛
南无寶光明佛　南无寶照佛
南无種種多威德王勝光明佛
南无虛空清淨金色莊嚴威德光明佛
南无一法幻奮迅威德光明佛　南无清淨光明佛
南无幻德寶光明佛　南无金光光明佛
南无高光明佛　南无放光光明佛
南无俱蘇摩光明佛　南无香光明佛
南无甘露光明佛　南无无量寶花光明佛
南无水月光明佛　南无寶月光明佛
南无弥留光明佛　南无聚集日輪佛
南无雲光明佛　南无槃頭看婆伽華佛
南无无畏光明佛　南无法力光明佛
南无无垢光明佛　南无清淨光明佛
南无月光明佛　南无日光明佛
南无樹提光明佛　南无然火光明佛

BD02449號　佛名經（二十卷本）卷二　（23-10）

南无无垢光明佛　南无清淨光明佛
南无月光明佛　南无日光明佛
南无樹提光明佛　南无然火光明佛
南无焚燒光明佛　南无羅網光明佛
南无大光明佛　南无稱光明佛
南无普光明佛　南无无邊光明佛
南无色光明聲佛 千一　南无虛空聲佛
南无妙鼓聲佛　南无師子聲佛
南无雲聲佛　南无天聲佛
南无妙聲佛　南无梵聲佛
南无雲妙鼓聲佛　南无法鼓聲佛
南无法鼓出聲佛　南无聲滿法界聲佛
南无地吼聲佛　南无普遍聲佛
南无師子吼聲佛　南无无量吼聲佛
南无分別吼聲佛　南无驚怖一切魔輪聲佛
南无降伏一切聲佛　南无无鄣导月慧佛
南无法无垢月佛　南无普照月佛
南无放光明月佛　南无盧舍那月佛
南无解脫月佛　南无稱月佛
南无功德月佛　南无寶月佛
南无滿月佛　南无大月佛
南无月輪清淨佛　南无日月佛
南无月慧佛　南无无垢慧佛
南无渠慧佛　南无武慧佛

BD02449號　佛名經（二十卷本）卷二　（23-11）

南无月輪清淨佛　南无日月佛
南无月慧佛　南无无垢慧佛
南无深慧佛　南无武慧佛
南无難勝慧佛　南无阿僧祇劫脩習慧佛
南无无量功德莊嚴佛　南无无量功德莊嚴行佛
南无雜劫佛　南无勝功德王莊嚴威德王佛
南无自在滅劫佛　南无弥留劫佛
南无須弥留劫佛　南无不可說劫佛
南无金光明色光上佛　南无龍寂上佛
南无愛上佛　南无度上佛
南无法上佛　南无金剛上佛
南无威德上佛　南无无垢上佛
南无龍寂上佛　南无寶上佛
南无勝寶上佛　南无娑梨羅上佛
南无天上佛　南无波頭摩上佛
南无香上佛　南无放香佛
南无樂香佛　南无香奮迅佛
南无香烏奮迅佛　南无香烏佛
南无大香烏佛　南无多羅跋香佛
南无武香佛　南无无邊香佛
南无普遍香佛　南无薰香佛
南无多伽羅香佛　南无栴檀香佛
南无蔓陁羅香佛　南无波頭摩香佛
南无波頭摩手佛　南无波頭眼佛

南无普遍香佛　南无薰香佛
南无多伽羅香佛　南无栴檀香佛
南无蔓陁羅香佛　南无波頭摩香佛
南无波頭摩手佛　南无波頭眼佛
南无波頭摩莊嚴佛　南无波頭摩起佛
南无波頭摩勝佛　南无月勝佛
南无身勝佛　南无鷲怖勝佛
南无鵙勝雲佛　南无功德成就雲佛
南无寶雲佛　南无功德雲佛
南无雲護佛　南无普護佛
南无聖護佛　南无功德護佛
南无普遍護佛　南无精進護佛
南无精進喜佛　南无上喜佛
南无寶喜佛　南无師子喜佛
南无龍喜佛　南无寶喜佛
南无寶智佛 一千百　南无喜去佛
南无善寂靜去佛　南无大勢佛
南无甘露勢佛　南无金剛持勢佛
南无无垢處勢佛　南无不動處勢佛
南无過三界處勢佛　南无三昧處勢佛
南无定處勢佛　南无不動處勢佛
南无高去佛　南无寂滅去佛
南无師子奮迅佛　南无善步去佛
南无无蓋佛　南无海慧佛

南无定聚勢佛 南无不動聚勢佛
南无高去佛 南无寂滅去佛
南无師子奮迅佛 南无善步去佛
南无无盡佛 南无海慧佛
南无住慧佛 南无勝慧佛
南无滅諸惡慧佛 南无寂靜慧佛
南无脩行慧佛 南无密慧佛
南无堅慧佛 南无善清淨慧佛
南无大慧佛 南无普慧佛
南无无邊慧佛 南无威德慧佛
南无世慧佛 南无上慧佛
南无妙慧佛 南无快慧佛
南无觀慧佛 南无稱慧佛
南无廣慧佛 南无栴檀滿慧佛
南无金剛慧佛 南无清淨慧佛
南无覺慧佛 南无法慧佛
南无師子慧佛 南无希慧佛
南无普慧佛 南无寶慧佛
南无勝慧佛 南无勝積佛
南无勇猛積佛 南无般若積佛
南无樂說積佛 南无香積佛
南无寶積佛 南无寶髻佛
南无功德髻佛 南无天髻佛
南无龍髻佛 南无大髻佛

BD02449號 佛名經（二十卷本）卷二 （23–14）

南无寶積佛 南无寶髻佛
南无功德髻佛 南无天髻佛
南无龍髻佛 南无大髻佛
南无弥留聚佛 南无大聚佛
南无大炎聚佛 南无寶聚佛
南无寶手佛 南无寶手藥滿佛
南无寶印手佛 南无寶光明奮迅惠幢佛
南无寶大圍遶佛 南无寶天佛
南无寶勝佛 南无寶高佛
南无寶堅佛 南无寶波頭摩佛
南无寶念佛 南无寶力佛
南无寶山佛 南无寶炎佛
南无寶炎圍遶佛 南无寶照佛
南无放照佛 南无迭共華佛
南无妙說佛 南无月說佛
南无金剛說佛 南无寶說佛
南无寶杖佛 南无无量寶杖佛
南无无垢杖佛 南无无邊杖佛
南无法杖佛 南无寶蓋佛
南无均寶蓋佛 南无摩尼蓋佛
南无金蓋佛 南无奮迅王佛
南无增上大成就王佛 南无增上勇猛佛
南无勇施佛 南无智施佛
南无燃燈佛 南无燃燈火佛

BD02449號 佛名經（二十卷本）卷二 （23–15）

南无增上[illegible]王佛　南无增上勇猛佛
南无勇施佛　南无智施佛
南无燃燈佛　南无燃燈火佛
南无淨燃燈佛一千言　南无功德燃燈佛
南无福德燃燈佛　南无寶燃燈佛
南无大燃燈佛　南无无邊燃燈佛
南无火燃燈佛　南无普燃燈佛
次礼十二部經般若海藏
南无大方等大集經　南无大方等日藏經
南无大方等月藏經　南无大方等大集經
南无大威德陁羅尼經　南无法炬陁羅尼經
南无菩薩見實三昧經　南无賢劫經
南无華手經　南无大灌頂經
南无菩薩瓔珞經　南无月燈三昧經
南无十住斷結經　南无觀佛三昧經
南无大方廣十輪經　南无大方便報恩經
南无寶雲經　南无金光明經
南无法集經　南无大雲經
次礼諸大菩薩摩訶薩衆
南无解脫月菩薩　南无弥勒菩薩
南无奮迅菩薩　南无无所發菩薩
南无陁羅尼自在王菩薩　南无无盡意菩薩
南无堅意菩薩　南无日藏菩薩
南无法自在王菩薩　南无師子吼菩薩

南无陁羅尼自在王菩薩　南无无盡意菩薩
南无堅意菩薩　南无日藏菩薩
南无法自在王菩薩　南无師子吼菩薩
南无陁羅尼菩薩　南无寶藏菩薩
南无常精進菩薩　南无不休息菩薩
南无信相菩薩　歸命如是等无量无邊菩薩
南无東方九十九億百千万同名梵勝菩薩
南无南方九十九億百千万同名不降羅菩薩
南无西方九十九億百千万同名大功德菩薩
南无北方九十九億百千万同名大藥王菩薩
南无聲聞緣覺一切辟支佛
南无愛見辟支佛　南无覺辟支佛
南无乾陁羅辟支佛　南无无夷辟支佛
南无梨沙婆辟支佛　南无聲聞緣覺一切賢聖
南无過現未來三世諸佛歸命懺悔
夫論懺悔者本是改往脩來滅惡興善人
居世誰能无過學人失念尚起煩惱羅漢
結習動身口業豈况凡夫而當无過但智者
先覺便能改悔愚者覆藏遂使滋蔓所積
集長夜曉悟无有慚愧發露懺悔豈惟已
是滅罪而已亦復增長无量功德樹立如來涅槃
妙果若欲行此法者先當外肅形儀瞻奉尊
像內起敬意緣於想法懇切慇重生二種心
何等為二一者自念我此形命難可常保一朝

是滅罪而已亦復增長无量功德樹立如來涅槃
妙果若欲行此法者先當外肅形儀瞻奉尊
像內起敬意緣於想法懇切慇重生二種心
何等為二一者自念我此形命難可常保一朝
散壞不知此身何時可復若復不值諸佛賢
聖遭遇惡友造衆罪業復應墮落深坑嶮趣
二者自念我此生中雖得值遇如來正法為佛
弟子弟子之法紹繼聖種淨身口意善法自
居而今我等公自作惡而復覆藏言他不知謂
彼不見隱匿在心傲然无愧實凡夫愚惑之甚
即今現有十方諸佛諸大地菩薩諸天神
仙何故不以清淨天眼見於我等所作罪
惡又復幽顯靈祇注記罪福纖毫无差夫論
作罪之人命欲終時牛頭獄卒錄其精神在
閻羅王所辯覈是非當爾之時一切惡對皆
來證據各言汝先屠煞我身炮煮蒸炙或言
汝先剝奪於我一切財寶離我眷屬我於今
者始得汝便於時現前證據何得敢諱唯應
甘心分受宿殃如經所明地獄之中不枉治人
若其平素所作衆罪自忘失是其生時造惡之
處一諸相皆現在前各言汝昔在於我
邊作如是罪今何得諱是為作罪无藏隱
處於是閻魔羅王切齒呵責將付地獄歷劫
窮年求出莫由此事不遠不關他人正是我身

BD02449號　佛名經（二十卷本）卷二　（23–18）

邊作如是罪今何得諱是為作罪无藏隱
處於是閻魔羅王切齒呵責將付地獄歷劫
窮年求出莫由此事不遠不關他人正是我身
自作自受雖父子至親一旦對至无代受者
衆等今日及其形休體无衆疾各自努力與
性命競大怖至時悔无所及是故弟子至
心歸依十方諸佛
南无東方破疑淨光佛　南无南方无憂功德佛
南无西方華嚴神通佛　南无北方月殿清淨佛
南无東南方破一切闇佛　南无西南方大哀觀衆生佛
南无西北方[illegible]華殊勝月佛　南无東北方金剛堅強自在王佛
南无上方斷一切疑佛　南无下方離一切憂佛
如是十方盡虛空界一切三寶
弟子等從无始以來至于今日積聚无明鄣
心目隨煩惱性造三世罪或耽染愛著起於貪
欲煩惱或瞋恚忿怒懷恨煩惱或惛懵瞪
瞢不了煩惱或我慢自高輕傲煩惱疑或正道
猶豫煩惱謗无因果邪見煩惱不識緣假著
我煩惱迷於三世執斷常煩惱朋狎惡法起
見取煩惱僻稟邪師造或取煩惱乃至一切
四執橫計煩惱今日至誠皆悉懺悔
又復无始以來至于今日守惜堅著起慳悋
煩惱不攝六情奢誕煩惱心行弊惡不忍煩

BD02449號　佛名經（二十卷本）卷二　（23–19）

四執横計煩惱今日至誠皆悉懺悔
又復无始以來至于今日守惜堅著起慳恡
煩惱不攝六情奢誕煩惱心行弊惡不忍煩
惱怠情緩縱不懃煩惱情慮躁動覺觀煩
惱觸境迷惑无知觧煩惱隨世八風生彼我煩
惱諂曲面譽不直心煩惱横強難觸不調和
煩惱易忿難悅多含恨煩惱嫉妬擊刺佷
戾煩惱凶險暴害諂毒煩惱乖背二諦執相
煩惱於苦集滅道生顛倒煩惱隨從生死十二
因緣流轉煩惱乃至无始无明住地恒沙煩惱
惱起四住地構於三界苦果煩惱如是如是
諸煩惱无量无邊惱亂賢聖六道四生今日
發露向十方佛尊法聖衆皆悉懺悔
弟子等承是懺悔貪瞋癡等一切煩惱生
生世世折憍慢幢竭愛欲水滅瞋恚火破愚癡
闇拔斷疑根裂諸見網深識三界猶如牢獄
四大毒蛇五陰怨賊六入空聚愛詐親善脩
八聖道斷无明源正向涅槃不休不息卅七
品心心相應十波羅蜜常現在前
大乘蓮華寶達菩薩問荅報應沙門經
寶達即便入地獄中上高樓頭四顧望視見
罪人等各從四門哮吼而入寶達前入鐵車
鐵馬鐵牛鐵驢此四小獄併為一地獄云何
名曰鐵車鐵馬鐵牛鐵驢地獄此地獄亩

罪人等各從四門哮吼而入寶達前入鐵車
鐵馬鐵牛鐵驢此四小獄併為一地獄云何
名曰鐵車鐵馬鐵牛鐵驢地獄此地獄亩
縱廣十五由旬其中鐵城高一由旬猛火烽
赫烟燄其車鐵作焱赫熾燃中有鐵牛其身
亦然頭角毛尾皆如鋒釯毛中火然烟炎俱
出其鐵馬者身毛騣尾利如刀鋒毛尾火然
烟炎俱出其鐵驢者亦復如是其地獄中有
鐵鏃鐵錯利如鋒釯鐵鋒賚亂遍布其地
其鋒火然猛熾於前尒時地門之中有五百
沙門咩聲哮吼眼口火出唱如是言云何我
今受如此苦獄卒夜叉馬頭羅剎手捉三鈷
鐵叉撞背而鍾胷前而出復有鐵索來繫其
髀其索火然燒罪人髀復有鐵枷枷罪人咽
其枷八方利如鋒釯烟火猛熾燒罪人頭尒時
罪人宛轉倒地而不肯前馬頭羅剎手捉鐵
鋒撞頭而打罪人身體碎如微塵復有餓
鬼來食其肉復有餓鬼來飲其血馬頭羅剎騎
言活罪人即活尒時鐵牛吼喚抱地其牛吼
喚來向罪人罪人迫迮宛轉於地馬頭羅剎
手捉鐵叉又著車上罪人跳踉復隨牛上牛
毛仰刺從腹而入背上而出牛復跳踉復隨
馬上馬毛仰刺亦如鋒釯馬尾鎚之身即碎
爛須臾還活尒時鐵馬舉脚連蹴身碎如塵

其[illegible]八方和如鉾鉾焰焰猛焰焰[illegible]人至[illegible]
罪人宛轉倒地而不肯前馬頭羅刹手捉鐵
鉾望頭而打罪人身體碎如微塵復有餓
鬼來食其肉復有餓鬼來飲其血馬頭羅刹騎
言活罪人即活尒時鐵牛吼喚抱地其牛吼
喚未向罪人罪人迫迮宛轉於地馬頭羅刹
手捉鐵叉又著車上罪人跳踉復隨牛上牛
毛仰刺從腹而入背上而出牛復跳踉復隨
馬上馬毛仰刺亦如鉾鋋馬尾毬之身即碎
爛須臾還活尒時鐵馬舉腳連蹴身碎如塵
須臾還活復騎鐵驢驢即跳踉罪人隨地驢
便大瞋舉腳連蹴須臾還活一日一夜受罪无
量寶達問馬頭羅刹曰此諸沙門云何如是
羅刹荅曰此諸沙門受佛禁戒不慎將來但
取現在違犯淨戒故作惡業畜不淨財乘車
騎馬走驢治生心无慈善不謙威儀受人信
施惡因緣故墮此地獄百千万劫若得為人
身不具足聾盲閉塞不見三寶不聞正法
寶達聞之悲泣嘆曰
云何沙門　應出三界　云何惡業　受如是罪
寶達捫淚　悲泣而去

佛名經卷第二

騎馬走驢治生心无慈善不謙威儀受人信
施惡因緣故墮此地獄百千万劫若得為人
身不具足聾盲閉塞不見三寶不聞正法
寶達聞之悲泣嘆曰
云何沙門　應出三界　云何惡業　受如是罪
寶達捫淚　悲泣而去

佛名經卷第二

夜夢見妙金鼓……
法此之因緣我為汝等
善思念之過去有王名金龍主常……
讃稱歎十方三世諸佛即為大衆說其讃曰
過去未來現在佛　安住十方世界中
我今至誠稽首礼　一心讃歎諸㝡勝
无上清淨牟尼尊　身光照耀如金色
一切聲中㝡為上　如大梵響震雷音
髮彩喻若黑蜂王　宛轉旋文紺青色
齒白齊密如珂雪　平正顯現有光明
目淨無垢妙端嚴　猶如廣大青蓮葉
舌相廣長極柔爽　譬如紅蓮出水中
眉間常有白毫光　右旋宛轉頗梨色
眉細纖長類初月　其色光耀比蜂王
鼻高脩直如金鋌　淨妙光潤相無虧
一切世間殊妙香　聞時悉知其所在
世尊㝡勝身金色　一一毛端相不殊
紺青柔爽右旋文　微妙光彩難為喻
初誕身有妙光明　普照一切十方界
能滅三有衆生苦　令彼悉蒙安隱樂
地獄傍生鬼道中　阿蘇羅天及人趣

BD02450 號　金光明最勝王經卷五　（18–1）

初誕身有妙光明　普照一切十方界
能滅三有衆生苦　令彼悉蒙安隱樂
地獄傍生鬼道中　阿蘇羅天及人趣
令彼除滅於衆苦　常受自然安隱樂
身色光明常普照　譬如鎔金妙無比
面貌圓明如滿月　脣色赤好喻頻婆
行步威儀類師子　身光朗耀同初日
臂肘纖長立過膝　狀等垂下娑羅枝
圓光一尋照無邊　赫奕猶如百千日
悉能遍至諸佛刹　隨緣所在覺群迷
淨光明網無倫比　流輝遍滿百千界
普照十方無障礙　一切冥闇悉皆除
善逝慈光能與樂　妙色暎徹等金山
流光悉至百千土　衆生遇者皆出離
佛身成就無量福　一切功德共莊嚴
超過三界獨稱尊　世間殊勝無與等
所有過去一切佛　數同大地諸微塵
未來現在十方尊　亦如大地微塵衆
我以至誠身語意　稽首歸依三世佛
讃歎無邊功德海　種種香花皆供養
設我口中有千舌　經無量劫讃如来
世尊功德不思議　㝡勝甚深難可說
假令我舌有百千　讃歎一佛一功德
於中少分尚難知　況諸佛德無邊際
假使大地及諸天　乃至有頂為海水
可以毛端滴知數　佛一功德甚難量

BD02450 號　金光明最勝王經卷五　（18–2）

假令我舌有百千　讚歎一佛一功德
於中少分尚難知　況諸佛德無邊際
假使大地及諸天　乃至有頂為海水
可以毛端滴知數　佛一功德甚難量
我以至誠身語意　礼讚諸佛德無邊
所有勝福果難思　迴施眾生速成佛
彼王讚歎如來已　倍復深心發弘願
願我當於未來世　生在無量無數劫
夢中常見大金鼓　得聞顯說懺悔音
讚佛功德喻蓮花　願證無生成正覺
諸佛出世時一現　於百千劫甚難逢
夜夢常聞妙鼓音　晝則隨應而懺悔
我當圓滿修六度　拔濟眾生出苦海
然後得成無上覺　佛土清淨不思議
以妙金鼓奉如來　并讚諸佛實功德
因斯當見釋迦佛　記我當紹人中尊
金龍金光是我子　過去曾為善知識
世世願生於我家　共受無上菩提記
若有眾生無救護　長夜輪迴受眾苦
我於來世作歸依　令彼常得安隱樂
三有眾苦願除滅　悉得隨心安樂處
於未來世修菩提　皆如過去成佛者
願此金光懺悔福　永竭苦海罪消除
業障煩惱悉皆亡　令我速招清淨果
福智大海量無邊　清淨離垢深無底
願我獲斯功德海　速成無上大菩提

BD02450號　金光明最勝王經卷五　（18–3）

福智大海量無邊　清淨離垢深無底
願我獲斯功德海　速成無上大菩提
以此金光懺悔力　當獲福德淨光明
既得清淨妙光明　常以智光照一切
願我身光等諸佛　福德智慧亦復然
一切世界獨稱尊　威力自在無倫匹
有漏苦海願超越　無為樂海願常遊
現在福海願恒盈　當來智海願圓滿
願我剎土超三界　殊勝功德量無邊
諸有緣者悉同生　皆得速成清淨智
妙幢汝當知　國王金龍主　曾發如是願　彼即是汝身
往時有二子　金龍及金光　即銀相銀光　當受我所記
大眾聞是說　皆發菩提心　願現在未來　常依此懺悔

金光明最勝王經金勝陀羅尼品第八

爾時世尊復於眾中告善住菩薩摩訶薩：善
男子，有陀羅尼名曰金勝。若有善男子善女
人欲求親見過去未來現在諸佛恭敬供養
者，應當受持此陀羅尼。何以故？此陀羅尼乃
是過現未來諸佛之母，是故當知持此陀羅
尼者具大福德，已於過去無量佛所殖諸善
本，今得受持，於戒清淨，不毀不缺，無有障礙，
決定能入甚深法門。世尊即為說持呪法：先
稱諸佛及菩薩名，至心礼敬，然後誦呪。
南謨十方一切諸佛　南謨諸大菩薩摩訶薩
南謨聲聞緣覺一切賢聖

BD02450號　金光明最勝王經卷五　（18–4）

南謨十方一切諸佛　南謨諸大菩薩摩訶薩
南謨聲聞緣覺一切賢聖
南謨釋迦牟尼佛　南謨東方不動佛
南謨南方寶幢佛　南謨西方阿弥陁佛
南謨北方天鼓音王佛　南謨上方廣衆德佛
南謨下方明德佛　南謨寶藏佛
南謨普光佛　南謨普明佛
南謨香積王佛　南謨蓮花勝佛
南謨平等見佛　南謨寶髻佛
南謨寶上佛　南謨寶光佛
南謨無垢光明佛　南謨辯才莊嚴思惟佛
南謨淨月光稱相王佛　南謨花嚴光佛
南謨光明王佛　南謨善光無垢稱王佛
南謨觀察無畏自在佛　南謨無畏名稱佛
南謨冣勝王佛　、
南謨觀自在菩薩摩訶薩　南謨地藏菩薩摩訶薩
南謨虛空藏菩薩摩訶薩　南謨妙吉祥菩薩摩訶薩
南謨金剛手菩薩摩訶薩　南謨普賢菩薩摩訶薩
南謨無盡意菩薩摩訶薩　南謨大勢至菩薩摩訶薩
南謨慈氏菩薩摩訶薩　南謨善惠菩薩摩訶薩
陁羅尼曰
南謨曷喇怛那怛喇夜也　怛姪他
君睇君睇　矩折囉矩折囉
壹窒哩蜜窒哩　莎訶
佛告善住菩薩此陁羅尼是三世佛母若有
善男子善女人持此呪者能生無量無邊福

BD02450號　金光明最勝王經卷五　（18-5）

壹窒哩蜜窒哩　莎訶
佛告善住菩薩此陁羅尼是三世佛母若有
善男子善女人持此呪者能生無量無邊福
德之聚即是供養恭敬尊重讚歎無數諸佛
如是諸佛皆與此人授阿耨多羅三藐三菩
提記善住若有人能持此呪者隨其所欲衣
食財寶多聞聡慧無病長壽獲福甚多隨所
願求無不遂意善住持是呪者乃至未證無
上菩提常與金城山菩薩慈氏菩薩大海菩
薩觀自在菩薩妙吉祥菩薩大氷伽羅菩薩
等而共居止為諸菩薩之所攝護善住當知
持此呪時作如是法先應誦持滿一万八遍
為前方便次於闇室莊嚴道場黑月一日清
淨洗浴著鮮潔衣燒香散花種種供養并諸
飲食入道場中先當稱礼如前所說諸佛菩
薩至心慇重悔先罪已右膝著地可誦前呪
滿一千八遍端坐思惟念其所願日未出時
於道場中食淨黑食日唯一食至十五日方
出道場能令此人福德威力不可思議隨所
願求無不圓滿若不遂意重入道場既稱心
已常持莫忘
金光明冣勝王經顯空性品第九
尒時世尊說此呪已為欲利益菩薩摩訶薩
人天大衆令得悟解甚深真實第一義故重
明空性而說頌曰
我已於餘甚深經　廣說真空微妙法

BD02450號　金光明最勝王經卷五　（18-6）

明空性而說頌曰
我已於餘甚深經　廣說真空微妙法
今復於此經王內　略說空法不思議
於諸廣大甚深法　有情無智不能解
故我於斯重敷演　令於空法得開悟
大悲哀愍有情故　以善方便勝因緣
我今於此大衆中　演說令彼明空義
當知此身如空聚　六賊依止不相知
六塵諸賊別依根　各不相知亦如是
眼根常觀於色處　耳根聽聲不斷絕
鼻根恒嗅於香境　舌根鎮嘗於美味
身根受於輕耎觸　意根了法不知猒
此等六根隨事起　各於自境生分別
識如幻化非真實　依止根處妄貪求
如人奔走空聚中　六識依根亦如是
心遍馳求隨處轉　託根緣境了諸事
常愛色聲香味觸　於法尋思無暫停
隨緣遍行於六根　如鳥飛空無障礙
藉此諸根作依處　方能了別於外境
此身無知無作者　體不堅固託緣成
皆從虛妄分別生　譬如機關由業轉
地水火風共成身　隨彼因緣招異果
同在一處相違害　如四毒蛇居一篋
此四大蛇性各異　雖居一處有昇沉
或上或下遍於身　斯等終歸於滅法
於此四種毒蛇中　地水二蛇多沉下

BD02450號　金光明最勝王經卷五　（18–7）

此四大蛇性各異　雖居一處有昇沉
或上或下遍於身　斯等終歸於滅法
於此四種毒蛇中　地水二蛇多沉下
風火二蛇性輕舉　由此乖違衆病生
心識依止於此身　造作種種善惡業
當往人天三惡趣　隨其業力受身形
遭諸疾病身死後　大小便利悉盈流
膿爛蟲蛆不可樂　棄在屍林如朽木
汝等當觀法如是　云何執有我衆生
一切諸法盡無常　悉從無明緣力起
彼諸大種咸虛妄　本非實有體無生
故說大種性皆空　知此浮虛非實有
無明自性本是無　藉衆緣力和合有
於一切時失正慧　故我說彼為無明
行識為緣有名色　六處及觸受隨生
愛取有緣生老死　憂悲苦惱恒隨逐
衆苦惡業常纏迫　生死輪迴無息時
本來非有體是空　由不如理生分別
我斷一切諸煩惱　常以正智現前行
了五蘊宅悉皆空　求證菩提真實處
我開甘露大城門　示現甘露微妙器
既得甘露真實味　常以甘露施群生
我擊最勝大法鼓　我吹最勝大法蠡
我然最勝大明燈　我降最勝大法雨
降伏煩惱諸怨結　建立無上大法幢
於生死海濟群迷　我當關閉三惡趣

BD02450號　金光明最勝王經卷五　（18–8）

降伏煩惱諸怨結　建立無上大法幢
於生死海濟群迷　我當關閉三惡趣
煩惱熾火燒衆生　無有救護無依止
清涼甘露充足彼　身心熱惱並皆除
由是我於無量劫　恭敬供養諸如來
堅持禁戒趣菩提　求證法身安樂處
施他眼耳及手足　妻子僮僕心無悋
財寶七珎莊嚴具　隨來求者咸供給
忍等諸度皆遍修　十地圓滿成正覺
故我得稱一切智　無有衆生度量者
假使三千大千界　盡此土地生長物
所有叢林諸樹木　稻麻竹葦及枝條
此等諸物皆伐取　並悉細末作微塵
隨處積集量難知　乃至充滿虛空界
一切十方諸剎土　所有三千大千界
地土皆悉末為塵　此微塵量不可數
假使一切衆生智　以此智慧與一人
如是智者量無邊　容可知彼微塵數
牟尼世尊一念智　令彼智人共度量
於多俱胝劫數中　不能算知其少分
時諸大衆聞佛說此甚深空性有無量衆生
悉能了達四大五蘊體性俱空六根六境妄
生繫縛願捨輪迴正修出離深心慶喜如說
奉持
金光明最勝王經依空滿願品第十
尒時如意寶光耀天女於大衆中聞說深法

金光明最勝王經依空滿願品第十
尒時如意寶光耀天女於大衆中聞說深法
歡喜踊躍從座而起偏袒右肩右膝著地合
掌恭敬白佛言世尊唯願為說於甚深理修
行之法而說頌言
我問照世界　兩足最勝尊　菩薩正行法　唯願慈聽許
佛言善女天　若有疑惑者　隨汝意所問　吾當分別說
是時天女請世尊曰
云何諸菩薩　行菩提正行　離生死涅槃　饒益自他故
佛告善女天依於法界行菩提法修平等行
云何依於法界行菩提法修平等行謂於五
蘊能現法界法界即是五蘊五蘊不可說非
五蘊亦不可說何以故若法界是五蘊即是
斷見若離五蘊即是常見離於二相不著二
邊不可見過所見無名無相是則名為說於
法界善女天云何五蘊能現法界如是五蘊
不從因緣生何以故若從因緣生者為已生
故生為未生故生若已生生者何用因緣若
未生生者不可得生何以故未生諸法即是
非有無名無相非技量譬喻之所能及非是
因緣之所生故善女天譬如鼓聲依木依皮
及桴手等故得出聲如是鼓聲過去亦空未
來亦空現在亦空何以故是鼓音聲不從木
生不從皮生及桴手生不於三世生是則不
生若不可生則不可滅若不可滅無所從來
若無所從來亦無所去若無所去則非常非

来亦空現在亦空何以故是鼓音聲不從木
生不從皮生及桴手生不於三世生是則不
生若不可生則不可滅若不可滅無所從来
若無所從来亦無所去若無所去則非常非
斷若非常非斷則不一不異何以故此若是
一則不異法界若如是者凡夫之人應見真
諦得於無上安樂涅槃既不如是故知不一
若言異者一切諸佛菩薩行相即是執著未
得解脫煩惱繫縛即不證阿耨多羅三藐三
菩提何以故一切聖人於行非行同真實性
是故不異故知五蘊非有非無不從因緣生
非無因緣生是聖所知非餘境故亦非言說
之所能及無名無相無因無緣亦無譬喻始
終寂靜本来自空是故五蘊能現法界善女
天若善男子善女人欲求阿耨多羅三藐三
菩提異真異俗難可思量於凡聖境體非一
異不捨於俗不離於真依於法界行菩提行
尒時世尊作是語已時善女天踊躍歡喜即
從座起偏袒右肩右膝著地合掌恭敬一心
頂礼而白佛言世尊如上所說菩提正行我
今當學是時索訶世界主大梵天王於大衆
中問如意寶光耀善女天曰此菩提行難可
脩行汝今云何於菩提行而得自在尒時善
女天答梵王曰大梵王如佛所說實是甚深
一切異生不解其義是聖境界微妙難知若
使我今依於此法得安樂住是實語者願令

一切異生不解其義是聖境界微妙難知若
使我今依於此法得安樂住是實語者願令
一切五濁惡世無量無數無邊衆生皆得金
色卅二相非男非女坐寶蓮花受無量樂雨
天妙花諸天音樂不鼓自鳴一切供養皆悉
具足時善女天說是語已一切五濁惡世所
有衆生皆悉金色具大人相非男非女坐寶
蓮花受無量樂猶如他化自在天宮無諸惡
道寶樹行列七寶蓮花遍滿世界又雨七寶
上妙天花作天伎樂如意寶光耀善女天即
轉女身作梵天身時大梵王問如意寶光耀
菩薩言仁者如何行菩提行答言梵王若水
中月行菩提行我亦行菩提行若夢中行菩
提行我亦行菩提行若陽焰行菩提行我亦
行菩提行若谷響行菩提行我亦行菩提行
時大梵王聞此說已白菩薩言仁依何義而
說此語答言梵王無有一法是實相者但由
因緣而得成故梵王言若如是者諸凡夫人
皆悉應得阿耨多羅三藐三菩提答言仁以
何意而作是說愚癡人異智慧人異菩提異
非菩提異解脫異非解脫異梵王如是諸法
平等無異於此法界真如不異無有中間而
可執著無增無減梵王譬如幻師及幻弟子
善解幻術於四衢道取諸沙土草木葉等聚
在一處作諸幻術使人覩見象衆馬衆車兵
等衆七寶之聚種種倉庫若有衆生愚癡無

可執著無……
善解幻術於四衢道取諸沙土草木葉等聚
在一處作諸幻術使人覩見象衆馬衆車兵
等衆七寶之聚種種倉庫若有衆生愚癡無
智不能思惟不知幻本若見若聞作是思惟
我所見聞象馬等衆此是實有餘皆虛妄於
後更不審察思惟有智之人則不如是了於
幻本若見若聞作如是念如我所見象馬等
衆非是真實唯有幻事惑人眼目妄謂象等
及諸倉庫有名無實如我見聞不執為實後
時思惟知其虛妄是故智者了一切法皆無
實體但隨世俗如見如聞表宣其事思惟諦
理則不如是復由假說顯實義故梵王愚癡
異生未得出世聖慧之眼未知一切諸法真
如不可說故是諸凡愚若見若聞行非行法
如是思惟便生執著謂以為實於第一義不
能了知諸法真如是不可說是諸聖人若見
若聞行非行法隨其力能不生執著以為實
有了知一切無實行法無實非行法但妄思
量行非行相唯有名字無有實體是諸聖人
隨世俗說為欲令他知真實義如是梵王是
諸聖人以聖智見了法真如不可說故行非
行法亦復如是令他證知故說種種世俗名
言時大梵王問如意寶光耀菩薩言有幾衆
生能解如是甚深正法荅言梵王有衆幻人
心心數法能解如是甚深正法梵王曰此幻

BD02450 號　金光明最勝王經卷五　（18–13）

言時大梵王問如意寶光耀菩薩言有幾衆
生能解如是甚深正法荅言梵王有衆幻人
心心數法能解如是甚深正法梵王曰此幻
化人體是非有此之心心數從何而生荅曰若
知法界不有不無如是衆生能解深義
尒時梵王白佛言世尊是如意寶光耀菩薩
不可思議通達如是甚深之義佛言如是如
是梵王如汝所言此如意寶光耀已教汝等
發心修學無生忍法是時大梵天王與諸梵
衆從座而起偏袒右肩合掌恭敬頂礼如意
寶光耀菩薩足作如是言希有希有我等今
日幸遇大士得聞正法
尒時世尊告梵王言是如意寶光耀於未來
世當得作佛号寶𦦨吉祥藏如來應正遍知
明行圓滿善逝世間解無上士調御丈夫天
人師佛世尊說是品時有三千億菩薩於阿
耨多羅三藐三菩提得不退轉八千億天子
無量無數國王臣民遠塵離垢得法眼淨
尒時會中有五十億苾芻行菩薩行欲退菩
提心聞如意寶光耀菩薩說是法時皆得堅
固不可思議滿足上願更復發起菩提之心
各自脫衣供養菩薩重發無上勝進之心作
如是願願令我等功德善根悉皆不退迴向
阿耨多羅三藐三菩提梵王是諸苾芻依此
功德如說修行過九十大劫當得解悟出離
生死尒時世尊即為授記汝諸苾芻過卅阿

BD02450 號　金光明最勝王經卷五　（18–14）

阿耨多羅三藐三菩提梵王是諸苾芻依此
功德如說修行過九十大劫當得解悟出離
生死尒時世尊即為授記汝諸苾芻過卅阿
僧祇劫當得作佛劫名難勝光王國名無垢
光同時皆得阿耨多羅三藐三菩提皆同一
号名願莊嚴間飾王十号具足梵王是金光
明微妙經典若正聞持有大威力假使有人
於百千大劫行六波羅蜜無有方便若有善
男子善女人書寫如是金光明經半月半月
專心讀誦是功德聚於前功德百分不及一
乃至筭數譬喻所不能及梵王是故我今令
汝修學憶念受持為他廣說何以故我於往
昔行菩薩道時猶如勇士入於戰陣不惜身
命流通如是微妙經王受持讀誦為他解說
梵王譬如轉輪聖王若王在世七寶不滅王
若命終所有七寶自然滅盡梵王是金光明
微妙經王若現在世無上法寶悉皆不滅若
無是經隨處隱沒是故應當於此經王專心
聽聞受持讀誦為他解說勸令書寫行精進
波羅蜜不惜身命不憚疲勞功德中勝我諸
弟子應當如是精勤修學
尒時大梵天王與無量梵眾帝釋四王及諸
藥叉俱從座起偏袒右肩右膝著地合掌恭
敬而白佛言世尊我等皆願守護流通是金
光明微妙經典及說法師若有諸難我當除
遣令具眾善色力充足辯才無礙身意泰然

敬而白佛言世尊我等皆願守護流通是金
光明微妙經典及說法師若有諸難我當除
遣令具眾善色力充足辯才無礙身意泰然
時會聽者皆受安樂所在國土若有飢饉怨
賊非人為惱害者我等天眾皆為擁護使其
人民安隱豐樂無諸枉橫皆是我等天眾之
力若有供養是經典者我等亦當恭敬供養
如佛不異
尒時佛告大梵天王及諸梵眾乃至四王諸
藥叉等善哉善哉汝等得聞甚深妙法復能
於此微妙經王發心擁護及持經者當獲無
邊殊勝之福速成無上正等菩提時梵王等
聞佛語已歡喜頂受
金光明最勝王經四天王觀察人天品第十一
尒時多聞天王持國天王增長天王廣目天
王俱從座起偏袒右肩右膝著地合掌向佛
礼佛足已白言世尊是金光明最勝王經一
切諸佛常念觀察一切菩薩之所恭敬一切
天龍常所供養及諸天眾常生歡喜一切護
世稱揚讚歎聲聞獨覺皆共受持悉能明照
諸天宮殿能與一切眾生殊勝安樂止息地
獄餓鬼傍生諸趣苦惱一切怖畏悉能除殄
所有怨敵尋即退散飢饉惡時能令豐稔疾
疫病苦皆令蠲愈一切災變百千苦惱咸悉
消滅世尊是金光明最勝王經能為如是安
隱利樂饒益我等唯願世尊於大眾中廣為

疫病苦皆令蠲愈一切灾變百千苦惱咸悉
消滅世尊是金光明㝡勝王經能為如是安
隱利樂饒益我等唯願世尊於大衆中廣為
宣說我等四王并諸眷屬聞此甘露無上法
味氣力充實增益威光精進勇猛神通倍勝
世尊我等四王修行正法常說正法以法化
世我等令彼天龍藥叉健闥婆阿蘇羅揭路
荼俱槃荼緊那羅莫呼羅伽及諸人王常以
正法而化於世遮去諸惡所有鬼神吸人精
氣無慈悲者悉令遠去世尊我等四王與二
十八部藥叉大將并與無量百千藥叉以淨
天眼過於世人觀察擁護此贍部洲世尊以
此因緣我等諸王名護世者又復於此洲中
若有國王被他怨賊常來侵擾及多飢饉疾
疫流行無量百千灾厄之事世尊我等四王
於此金光明㝡勝王經恭敬供養若有苾芻
法師受持讀誦我等四王共往覺悟勸請其
人時彼法師由我神通覺悟力故往彼國界
廣宣流布是金光明微妙經典由經力故令
彼無量百千衰惱灾厄之事悉皆除遣世尊
若諸人王於其國內有持是經苾芻法師至
彼國時當知此經亦至其國世尊時彼國王
應往法師處聽其所說聞已歡喜於彼法師
恭敬供養深心擁護令無憂惱演說此經利
益一切世尊以是緣故我等四王皆共一心

BD02450號　金光明最勝王經卷五　（18–17）

應往法師處聽其所說聞已歡喜於彼法師
恭敬供養深心擁護令無憂惱演說此經利
益一切世尊以是緣故我等四王皆共一心
護是人王及國人民令離灾患常得安隱世
尊若有苾芻苾芻尼鄔波索迦鄔波斯迦持
是經者時彼人王隨其所須供給供養令無乏
少我等四王令彼國主及以國人悉皆安隱
遠離灾患世尊若有受持讀誦是經典者
人王於此供養恭敬尊重讚歎我等當令
彼王於諸王中恭敬尊重最為第一諸餘國
王共所稱歎大衆聞已歡喜受持

金光明㝡勝王經卷第五

夾 盛義 覲 訂校 室 丁始 稔 甚任

BD02450號　金光明最勝王經卷五　（18–18）

既得清淨妙光明　常以智光照一切
願我身光等諸佛　福德智慧亦復然
一切世界獨稱尊　威力自在無倫疋
有漏苦海願超越　無為樂海願常遊
現在福海願恒盈　當來智海願圓滿
願我剎土超三界　殊勝功德量無邊
諸有緣者悉同生　皆得速成清淨智
妙幢汝當知　國王金龍主　曾發如是願　彼即是汝身
往時有二子　金龍及金光　即銀相銀光　當受我所記
大衆聞是說　皆發菩提心　願現在未來　常依此懺悔
金光明最勝王經金勝陀羅尼品第八
尒時世尊復於衆中告善住菩薩摩訶薩：善
男子，有陀羅尼名曰金勝。若有善男子、善女
人欲求親見過去未來現在諸佛恭敬供養
者，應當受持此陀羅尼。何以故？此陀羅尼乃
是過現未來諸佛之母，是故當知持此陀羅
尼者具大福德，已於過去無量佛所殖諸善
本，今得受持，於戒清淨不毀不缺，無有障礙，
決定能入甚深法門。世尊即為說持呪法：先
稱諸佛及菩薩名，至心禮敬，然後誦呪。
南謨十方一切諸佛　南謨諸大菩薩摩訶薩

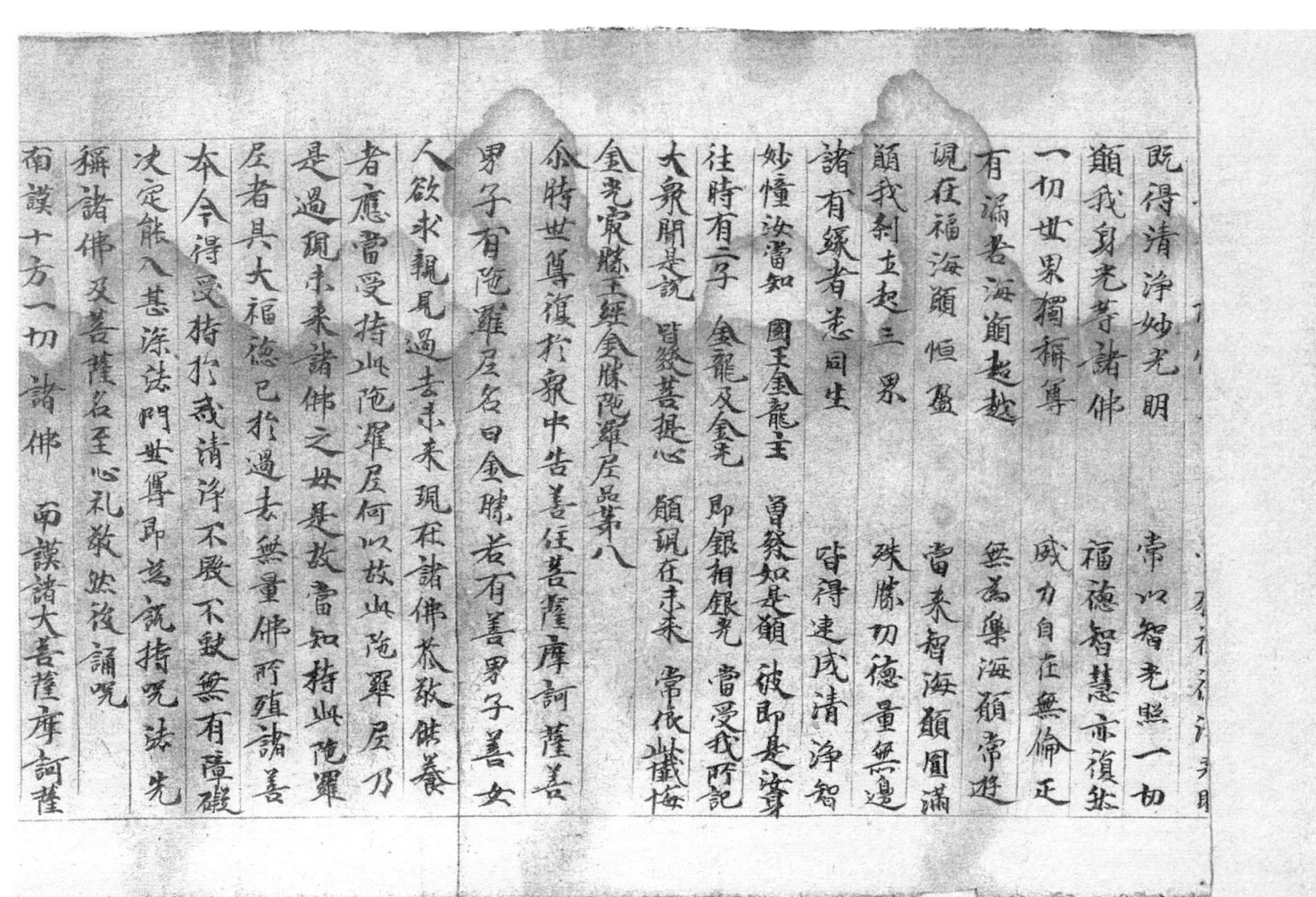

BD02451 號　金光明最勝王經卷五　（5–1）

決定能入甚深法門。世尊即為說持呪法：先
稱諸佛及菩薩名，至心禮敬，然後誦呪。
南謨十方一切諸佛　南謨諸大菩薩摩訶薩
南謨聲聞緣覺一切賢聖
南謨釋迦牟尼佛　南謨東方不動佛
南謨南方寶幢佛　南謨西方阿弥陀佛
南謨北方天鼓音王佛　南謨上方廣衆德佛
南謨下方明德佛　南謨寶藏佛
南謨善光佛　南謨善明佛
南謨香積王佛　南謨蓮花勝佛
南謨平等見佛　南謨寶髻佛
南謨寶上佛　南謨寶光佛
南謨無垢光明佛　南謨辯才莊嚴思惟佛
南謨淨月光稱相王佛　南謨花嚴光佛
南謨光明王佛　南謨善光無垢稱王佛
南謨觀察無畏自在佛　南謨無畏名稱佛
南謨寂勝王佛
南謨觀自在菩薩摩訶薩　南謨地藏菩薩摩訶薩
南謨虛空藏菩薩摩訶薩　南謨妙吉祥菩薩摩訶薩
南謨金剛手菩薩摩訶薩　南謨普賢菩薩摩訶薩
南謨無盡意菩薩摩訶薩　南謨大勢至菩薩摩訶薩
南謨慈氏菩薩摩訶薩　南謨善慧菩薩摩訶薩
陀羅尼曰：
南謨曷喇怛娜怛喇夜也　怛姪他
君睇　君睇　矩折囇　矩折囇
壹窒哩　窒哩　莎訶
佛告善住菩薩：此陀羅尼是三世佛母。若有
[illegible]入[illegible]持此呪[illegible]皆能生無量無邊福

BD02451 號　金光明最勝王經卷五　（5–2）

君睇君睇 姪折爐姪折爐
壹室哩寀室哩 莎訶
佛告善住菩薩此陁羅尼是三世佛母若有
善男子善女人持此呪者能生無量無邊福
德之聚即是供養恭敬尊重讚歎無數諸佛
如是諸佛皆與此人授阿耨多羅三藐三菩
提記善住若有人能持此呪者隨其所欲衣
食財寶多聞聡慧無病長壽獲福甚多隨所
願求無不遂意善住持是呪者乃至未證無
上菩提常與金城山菩薩慈氏菩薩大海菩
薩觀自在菩薩妙吉祥菩薩大水伽羅菩薩
等而共居止為諸菩薩之所攝護善住當知
持此呪時作如是法先應誦持滿一万八遍
為前方便次於闇室莊嚴道場黒月一日清
淨洗浴著鮮潔衣燒香散花種種供養并諸
飲食入道場中先當稱礼如前所說諸佛菩
薩至心慇重懺悔先罪已右膝著地可誦前呪
滿一千八遍端坐思惟念其所願日未出時
於道場中食淨黒食日唯一食至十五日方
出道場能令此人福德威力不可思議隨所
願求無不圓滿若不遂意重入道場既稱心
已常持莫忘
金光明最勝王經顯空性品第九
尒時世尊說此呪已為欲利益菩薩摩訶薩
人天大衆令得悟解甚深真實第一義故重
明空性而說頌曰
我已於餘甚深經　廣說真空微妙法
今復於此經王內　略說空法不思議

BD02451號　金光明最勝王經卷五

(5-3)

人天大衆令得悟解甚深真實第一義故重
明空性而說頌曰
我已於餘甚深經　廣說真空微妙法
今復於此經王內　略說空法不思議
於諸廣大甚深法　有情無智不能解
故我於斯重敷演　令於空法得開悟
大悲哀愍有情故　以善方便勝因緣
我今於此大衆中　演說令彼明空義
當知此身如空聚　六賊依止不相知
六塵諸賊別依根　各不相知亦如是
眼根常觀於色處　耳根聽聲不斷絕
鼻根恒齅於香境　舌根鎮嘗於美味
身根受於輕軟觸　意根了法不知猒
此等六根隨事起　各於自境生分別
識如幻化非真實　依止根處妄貪求
如人奔走空聚中　六識依根亦如是
心遍馳求隨處轉　託根緣境了諸事
常愛色聲香味觸　於法尋思無暫停
隨緣遍行於六根　如鳥飛空無障礙
藉此諸根作依處　方能了別於外境
此身無知無作者　體不堅固託緣成
皆從虛妄分別生　譬如機關由業轉
地水火風共成身　隨彼因緣招異果
同在一處相違害　如四毒蛇居一篋
此四大蛇性各異　雖居一處有昇沉
或上或下遍於身　斯等終歸於滅法
於此四種毒蛇中　地水二蛇多沉下
[illegible]

BD02451號　金光明最勝王經卷五

(5-4)

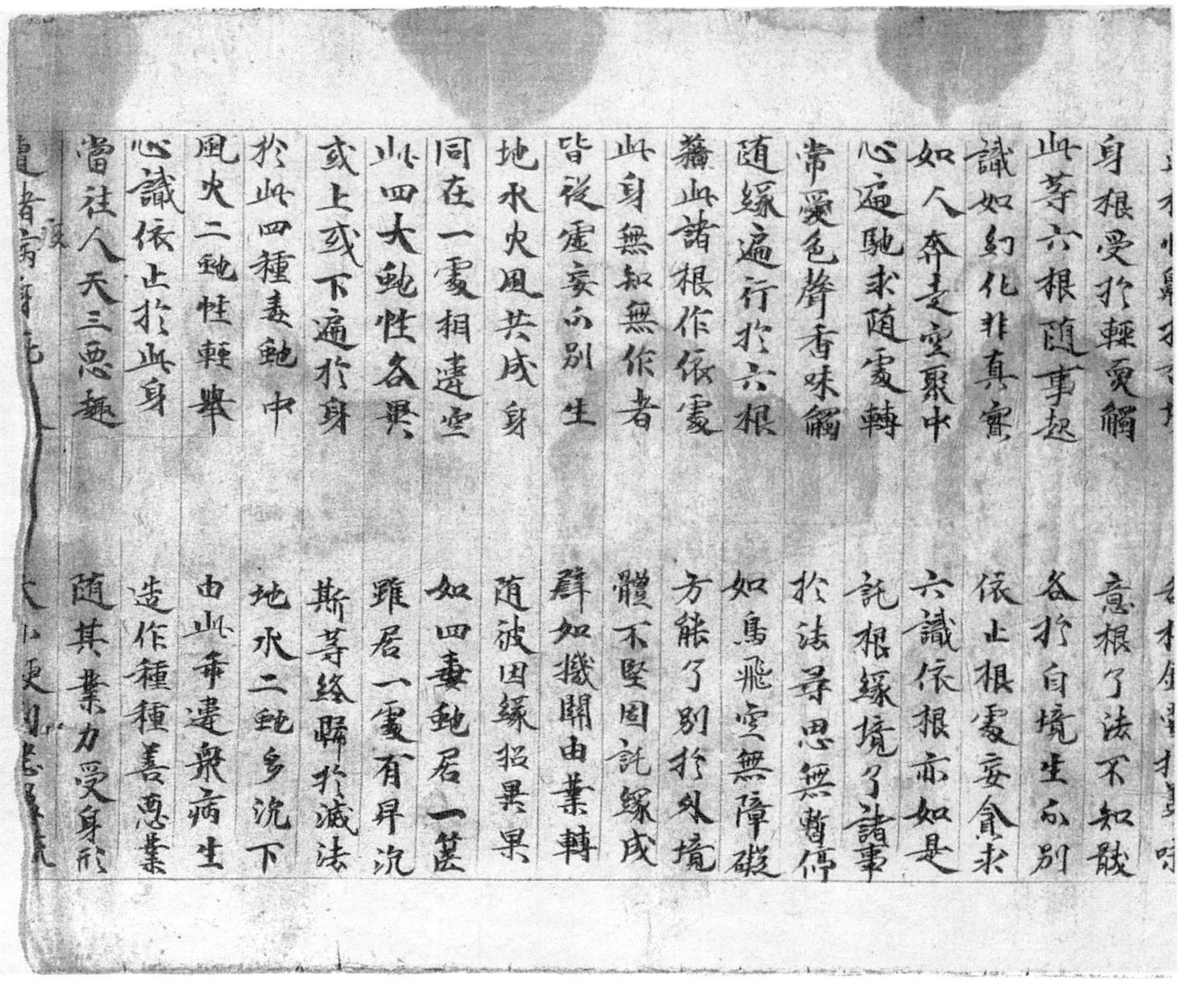
身根受於輕軟觸　意根了法不知厭
此等六根隨事起　各於自境生分別
識如幻化非真實　依止根處妄貪求
如人奔走空聚中　六識依根亦如是
心遍馳求隨處轉　託根緣境了諸事
常愛色聲香味觸　於法尋思無暫停
隨緣遍行於六根　如鳥飛空無障礙
藉此諸根作依處　方能了別於外境
此身無知無作者　體不堅固託緣成
皆從虛妄分別生　譬如機關由業轉
地水火風共成身　隨彼因緣招異果
同在一處相違害　如四毒蛇居一篋
此四大蛇性各異　雖居一處有昇沉
或上或下遍於身　斯等終歸於滅法
於此四種毒蛇中　地水二蛇多沉下
風火二蛇性輕舉　由此乖違眾病生
心識依止於此身　造作種種善惡業
當往人天三惡趣　隨其業力受身形

BD02451 號　金光明最勝王經卷五　（5–5）

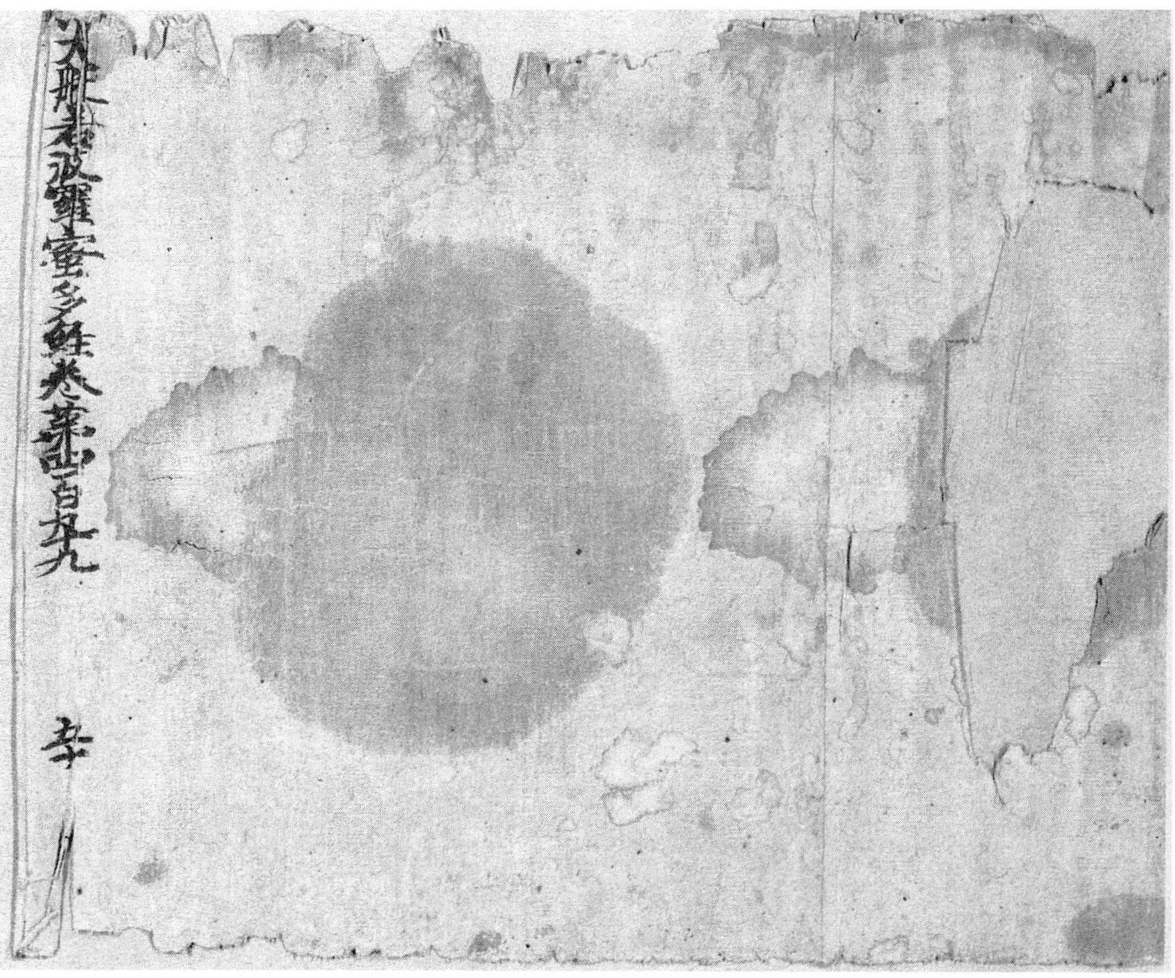
大般若波羅蜜多經卷第四百九十九
辛

BD02452 號背　大般若波羅蜜多經卷四九九護首　（1–1）

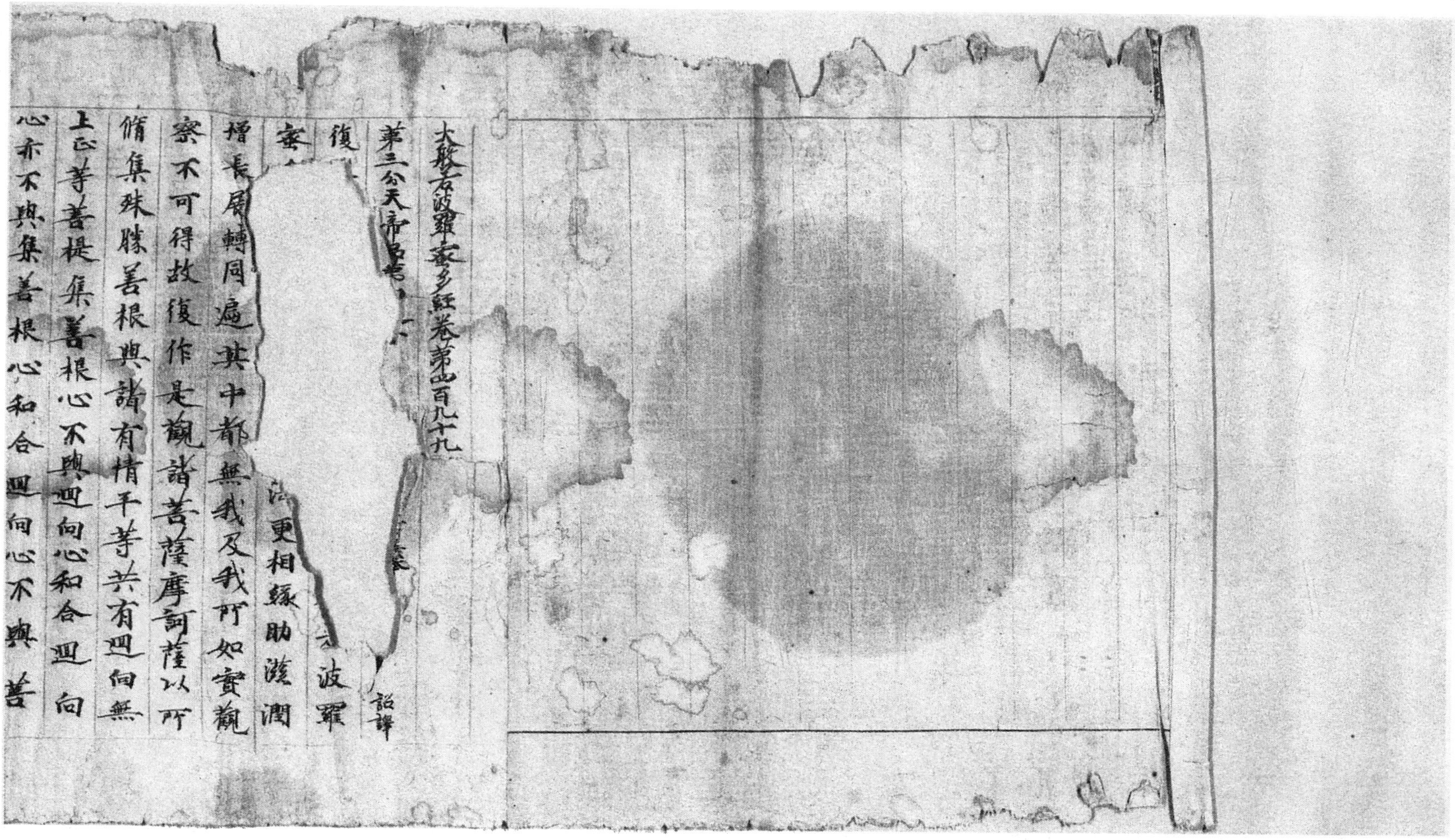

BD02452號　大般若波羅蜜多經卷四九九　（2–1）

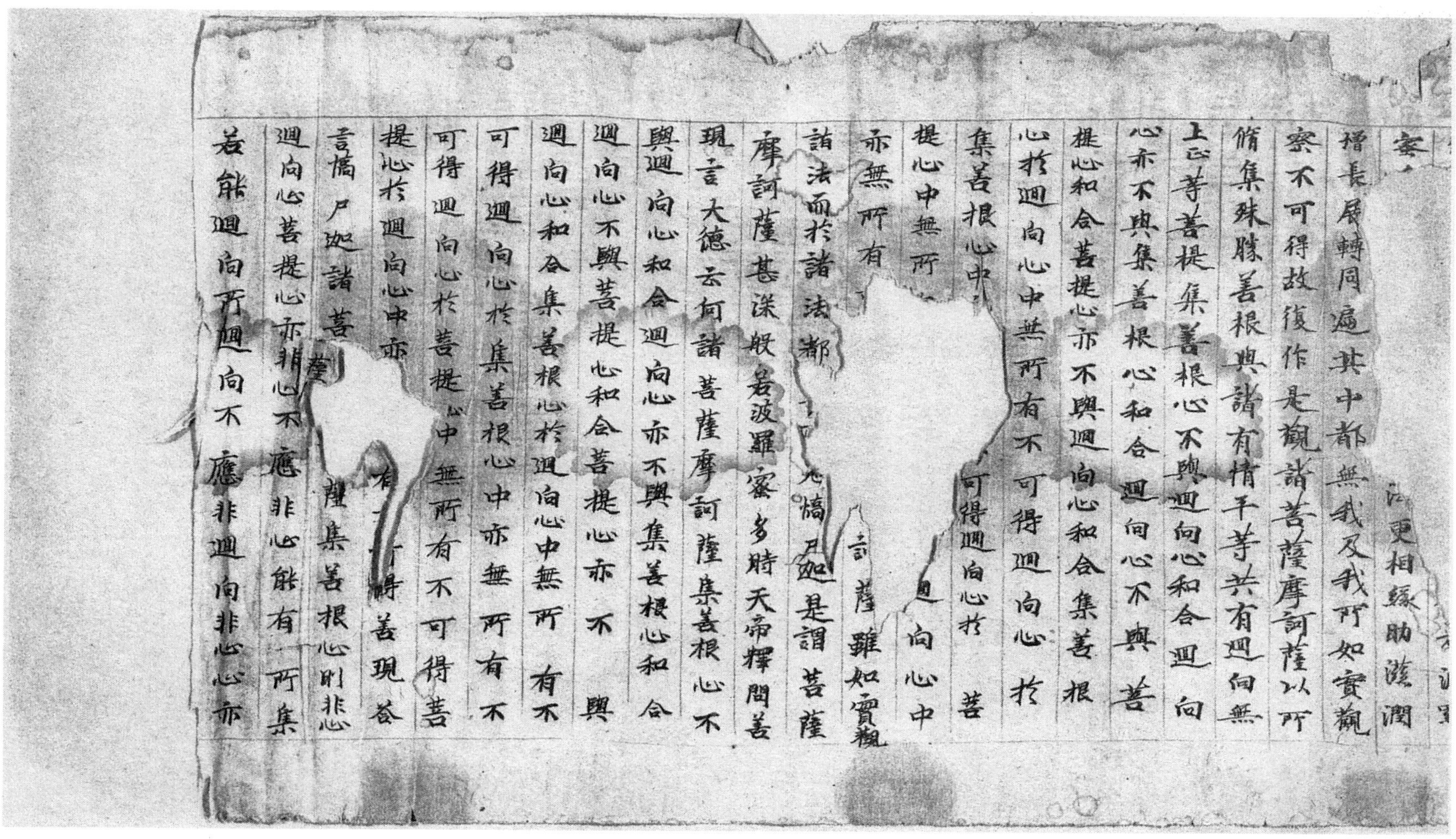

BD02452號　大般若波羅蜜多經卷四九九　（2–2）

之又為他方現在諸佛之所護
力及志願力諸善根力當知是人與如来
共宿則為手摩其頭藥王在在處處
若說若讀若誦若書若經卷所住處皆應
起七寶塔極令高廣嚴飾不須復安舍利所以
者何此中已有如来全身此塔應以一切華香
瓔珞繒蓋幢幡伎樂歌頌供養恭敬尊重讚
歎若有人得見此塔礼拜供養當知是等皆
近阿耨多羅三藐三菩提藥王多有人在家
出家行菩薩道若不能得見聞讀誦書持供
養是法華經者當知是人未善行菩薩道
若有得聞是經典者乃能善行菩薩之道其
有衆生求佛道者若見若聞是法華經聞已
信解受持者當知是人得近阿耨多羅三藐
三菩提
藥王譬如有人渴乏須水於彼高原穿鑿求
之猶見乾土知水尚遠施功不已轉見濕土
遂漸至泥其心決定知水必近菩薩亦復如
是若未聞未解未能修習是法華經當知是
人去阿耨多羅三藐三菩提尚遠若得聞解
思惟修習必知得近阿耨多羅三藐三菩提

BD02453號　妙法蓮華經卷四　（18–1）

是若未聞未解未能修習是法華經當知是
人去阿耨多羅三藐三菩提尚遠若得聞解
思惟修習必知得近阿耨多羅三藐三菩提
所以者何一切菩薩阿耨多羅三藐三菩提
皆屬此經此經開方便門示真實相是法華
經藏深固幽遠无人能到今佛教化成就菩
薩而為開示藥王若有菩薩聞是法華經驚
疑怖畏當知是為新發意菩薩若聲聞人聞
是經驚疑怖畏當知是為增上慢者藥王若
有善男子善女人如来滅後欲為四衆說是
法華經者云何應說是善男子善女人入如来
室著如来衣坐如来座爾乃應為四衆廣說
斯經如来室者一切衆生中大慈悲心是如
来衣者柔和忍辱心是如来座者一切法空
是安住是中然後以不懈怠心為諸菩薩及四
衆廣說是法華經藥王我於餘國遣化人為
其集聽法衆亦遣化比丘比丘尼優婆塞優
婆夷聽其說法是諸化人聞法信受隨順不
逆若說法者在空閑處我時廣遣天龍鬼
神乾闥婆阿脩羅等聽其說法我雖在異國
時時令說法者得見我身若於此經忘失句
逗我還為說令得具足尒時世尊欲重宣
此義而說偈言
欲捨諸懈怠　應當聽此經　是經難得聞　信受者亦難
如人渴須水　穿鑿於高原　猶見乾燥土　知去水尚遠
漸見濕土泥　決定知近水

BD02453號　妙法蓮華經卷四　（18–2）

欲捨諸懈怠 應當聽此經 是經難得聞 信受者亦難
如人渴須水 穿鑿於高原 猶見乾燥土 知去水尚遠
漸見濕土泥 決定知近水
藥王汝當知 如是諸人等 不聞法華經 去佛智甚遠
若聞是深經 決了聲聞法 是諸經之王 聞已諦思惟
當知此人等 近於佛智慧 若人說此經 應入如來室
著於如來衣 而坐如來座 處衆无所畏 廣為分別說
大慈悲為室 柔和忍辱衣 諸法空為座 處此為說法
若說此經時 有人惡口罵 加刀杖瓦石 念佛故應忍
我千万億土 現淨堅固身 於无量億劫 為衆生說法
若我滅度後 能說此經者 我遣化四衆 比丘比丘尼
及清信士女 供養於法師 引導諸衆生 集之令聽法
若人欲加惡 刀杖及瓦石 則遣變化人 為之作衛護
若說法之人 獨在空閑處 寂寞无人聲 讀誦此經典
我尒時為現 清淨光明身 若忘失章句 為說令通利
若人具是德 或為四衆說 空處讀誦經 皆得見我身
若人在空閑 我遣天龍王 夜叉鬼神等 為作聽法衆
是人樂說法 分別无罣礙 諸佛護念故 能令大衆喜
若親近法師 速得菩薩道 隨順是師學 得見恒沙佛

妙法蓮華經見寶塔品第十一

尒時佛前有七寶塔高五百由旬縱廣二百
五十由旬從地踊出住在空中種種寶物而
莊挍之五千欄楯龕室千万无數幢幡以為
嚴飾垂寶瓔珞寶鈴万億而懸其上四面皆出
多摩羅跋栴檀之香充遍世界其諸幡蓋以
金銀琉璃車𤦲馬瑙真珠玫瑰七寶合成高

BD02453號　妙法蓮華經卷四　（18–3）

莊挍之五千欄楯龕室千万无數幢幡以為
嚴飾垂寶瓔珞寶鈴万億而懸其上四面皆出
多摩羅跋栴檀之香充遍世界其諸幡蓋以
金銀琉璃車𤦲馬瑙真珠玫瑰七寶合成高
至四天王宮三十三天雨天曼陀羅華供養
寶塔餘諸天龍夜叉乾闥婆阿脩羅迦樓羅
緊那羅摩睺羅伽人非人等千万億衆以一
切華香瓔珞幡蓋伎樂供養寶塔恭敬尊重
讚歎尒時寶塔中出大音聲歎言善哉善哉
釋迦牟尼世尊能以平等大慧教菩薩法佛
所護念妙法華經為大衆說如是如是釋迦
牟尼世尊如所說者皆是真實
尒時四衆見大寶塔住在空中又聞塔中所
出音聲皆得法喜怪未曾有從座而起恭敬
合掌却住一面尒時有菩薩摩訶薩名大樂
說知一切世間天人阿脩羅等心之所疑而
白佛言世尊以何因緣有此寶塔從地踊出
又於其中發是音聲尒時佛告大樂說菩
薩此寶塔中有如來全身乃往過去東方无量
千万億阿僧祇世界國名寶淨彼中有佛号
曰多寶其佛行菩薩道時作大誓願若我成
佛滅度之後於十方國土有說法華經處我
之塔廟為聽是經故踊現其前為作證明讚
言善哉彼佛成道已臨滅度時於天人大衆
中告諸比丘我滅度後欲供養我全身者
應起一大塔其佛以神通願力十方世界在在處

BD02453號　妙法蓮華經卷四　（18–4）

之塔廟為聽是經故踊現其前為作證明讚
言善哉彼佛成道已臨滅度時於天人大衆
中告諸比丘我滅度後欲供養我全身者
應起一大塔其佛以神通願力十方世界在在處
處若有說法華經者彼之寶塔皆踊出其
前全身在於塔中讚言善哉善哉大樂說今
多寶如來塔聞說法華經故從地踊出讚言
善哉善哉是時大樂說菩薩以如來神力故
白佛言世尊我等願欲見此佛身佛告大樂
說菩薩摩訶薩是多寶佛有深重願若我
寶塔為聽法華經故出於諸佛前時其有欲以
我身示四衆者彼佛分身諸佛在於十方世
界說法盡還集一處然後我身乃出現耳大
樂說我分身諸佛在於十方世界說法者今
應當集大樂說白佛言世尊我等亦願欲見
世尊分身諸佛礼拜供養
尒時佛放白毫一光即見東方五百万億那
由他恒河沙等國土諸佛彼諸國土皆以頗
梨為地寶樹寶衣以為莊嚴无數千万億
菩薩充滿其中遍張寶幔寶網羅上彼國諸
佛以大音妙而說諸法及見无量千万億菩薩
遍滿諸國為衆說法南西北方四維上下白
毫相光所照之處亦復如是尒時十方諸佛
各告衆菩薩言善男子我今應往娑婆世界
釋迦牟尼佛所并供養多寶如來寶塔時娑
婆世界即變清淨瑠璃為地寶樹莊嚴黃金

各告衆菩薩言善男子我今應往娑婆世界
釋迦牟尼佛所并供養多寶如來寶塔時娑
婆世界即變清淨瑠璃為地寶樹莊嚴黃金
為繩以界八道无諸聚落村營城邑大海江
河山川林藪燒大寶香曼陁羅華遍布其地
以寶網幔羅覆其上懸諸寶鈴唯留此會衆
移諸天人置於他土是時諸佛各將一大菩
薩以為侍者至娑婆世界各到寶樹下一一
寶樹高五百由旬枝葉華菓次第莊嚴諸
寶樹下皆有師子之座高五由旬亦以大寶
而校飾之
尒時諸佛各於此座結加趺坐如是展轉遍
滿三千大千世界而於釋迦牟尼佛一方所
分之身猶故未盡時釋迦牟尼佛欲容受所
分身諸佛故八方各更變二百万億那由他
國皆令清淨无有地獄餓鬼畜生及阿脩羅
又移諸天人置於他土所化之國亦以瑠璃為
地寶樹莊嚴樹高五百由旬枝葉華菓次
第莊嚴樹下皆有寶師子座高五由旬種種
諸寶以為莊嚴亦无大海江河及目真隣陁
山摩訶目真隣陁山鐵圍山大鐵圍山須弥
山等諸山王通為一佛國土寶地平正寶交
露幔遍覆其上懸諸幡蓋燒大寶香諸天寶
華遍布其地釋迦牟尼佛為諸佛當來坐故
復於八方各更變二百万億那由他國皆令清
淨无有地獄餓鬼畜生及阿脩羅又移諸天

華遍覆其地釋迦牟尼佛為諸佛當來坐故
復於八方各變二百万億那由他國皆令清
淨无有地獄餓鬼畜生及阿脩羅又移諸天
人置於他土所化之國亦以瑠璃為地寶樹
莊嚴樹高五百由旬枝葉華菓次第莊嚴
樹下皆有寶師子座高五由旬亦以大寶而校
飾之亦无大海江河及目真隣陀山摩訶目
真隣陀山鐵圍山大鐵圍山須弥山等諸山
王通為一佛國土寶地平正寶交露幔遍覆
其上懸諸幡蓋燒大寶香諸天寶華遍布
其地尒時東方釋迦牟尼佛所分之身百千万
億那由他恒河沙等國土中諸佛各各說法
来集於此如是次第十方諸佛皆悉来集
坐於八方尒時一一方四百万億那由他國土諸佛
如来遍滿其中是時諸佛各在寶樹下坐師
子座皆遣侍者問訊釋迦牟尼佛各賫寶華
滿掬而告之言善男子汝往詣耆闍崛山釋迦
牟尼佛所如我辭曰少病少惱氣力安樂及
菩薩聲聞衆悉安隱不以此寶華散佛供養
而作是言彼某甲佛與欲開此寶塔諸佛遣使
亦復如是尒時釋迦牟尼佛見所分身佛悉已
来集各各坐於師子之座皆聞諸佛與欲同
開寶塔即從座起住虛空中一切四衆起立
合掌一心觀佛於是釋迦牟尼佛以右指開七
寶塔戶出大音聲如却關鑰開大城門即時
一切衆會皆見多寶如来於寶塔中坐師
子座全身不散如入禪定又聞其言善哉

合掌一心觀佛於是釋迦牟尼佛以右指開七
寶塔戶出大音聲如却關鑰開大城門即時
一切衆會皆見多寶如来於寶塔中坐師
子座全身不散如入禪定又聞其言善哉善
哉釋迦牟尼佛快說是法華經我為聽是經
故而来至此尒時四衆等見過去无量千万
億劫滅度佛說如是言歎未曾有以天寶華
聚散多寶佛及釋迦牟尼佛上尒時多寶佛
於寶塔中分半座與釋迦牟尼佛而作是言
釋迦牟尼佛可就此座即時釋迦牟尼佛入
其塔中坐其半座結加趺坐尒時大衆見二
如来在七寶塔中師子座上結加趺坐各作
是念佛座高遠唯願如来以神通力令我等
輩俱處虛空即時釋迦牟尼佛以神通力
接諸大衆皆在虛空以大音聲普告四衆
誰能於此娑婆國土廣說妙法華經今正是
時如来不久當入涅槃佛欲以此妙法華經付
囑有在尒時世尊欲重宣此義而說偈言
聖主世尊　雖久滅度　在寶塔中　尚為法来
諸人云何　不勤為法
此佛滅後　无央數劫　處處聽法　以難遇故
彼佛本願　我滅度後　在在所往　常為聽法
又我分身　无量諸佛　如恒沙等　来欲聽法
及見滅度　多寶如来　各捨妙土　及弟子衆
天人龍神　諸供養事　令法久住　故来至此
為坐諸佛　以神通力　移无量衆　令國清淨

及見滅度　多寶如来　各捨妙土　及弟子衆
天人龍神　諸供養事　令法久住　故来至此
為坐諸佛　以神通力　移无量衆　令國清淨
諸佛各各　詣寶樹下　如清淨池　蓮華莊嚴
其寶樹下　諸師子座　佛坐其上　光明嚴飾
如夜闇中　然大炬火　身出妙香　遍十方國
衆生蒙薰　喜不自勝　譬如大風　吹小樹枝
以是方便　令法久住　告諸大衆　我滅度後
誰能護持　讀誦斯經　今於佛前　自說誓言
其多寶佛　雖久滅度　以大誓願　而師子吼
多寶如来　及與我身　所集化佛　當知此意
諸佛子等　誰能護法　當發大願　令得久住
其有能護　此經法者　則為供養　我及多寶
此多寶佛　處於寶塔　常遊十方　為是經故
亦復供養　諸来化佛　莊嚴光飾　諸世界者
若說此經　則為見我　多寶如来　及諸化佛
諸善男子　各諦思惟　此為難事　宜發大願
諸餘經典　數如恒沙　雖說此等　未足為難
若接須弥　擲置他方　无數佛土　亦未為難
若以足指　動大千界　遠擲他國　亦未為難
若立有頂　為衆演說　无量餘經　亦未為難
若佛滅後　於惡世中　能說此經　是則為難
假使有人　手把虛空　而以遊行　亦未為難
於我滅後　若自書持　若使人書　是則為難
若以大地　置足甲上　昇於梵天　亦未為難
佛滅度後　於惡世中　暫讀此經　是則為難

BD02453號　妙法蓮華經卷四　（18–9）

於我滅後　若自書持　若使人書　是則為難
若以大地　置足甲上　昇於梵天　亦未為難
佛滅度後　於惡世中　暫讀此經　是則為難
假使劫燒　擔負乾草　入中不燒　亦未為難
我滅度後　若持此經　為一人說　是則為難
若持八万　四千法藏　十二部經　為人演說
令諸聽者　得六神通　雖能如是　亦未為難
於我滅後　聽受此經　問其義趣　是則為難
若人說法　令千万億　无量无數　恒沙衆生
得阿羅漢　具六神通　雖有此益　亦未為難
於我滅後　若能奉持　如斯經典　是則為難
我為佛道　於无量土　從始至今　廣說諸經
而於其中　此經第一　若有能持　則持佛身
諸善男子　於我滅後　誰能受持　讀誦此經
今於佛前　自說誓言　此經難持　若暫持者
我則歡喜　諸佛亦然　如是之人　諸佛所歎
是則勇猛　是則精進　是名持戒　行頭陀者
則為疾得　无上佛道　能於来世　讀持此經
是真佛子　住淳善地　佛滅度後　能解其義
是諸天人　世間之眼　於恐畏世　能須臾說
一切天人　皆應供養

妙法蓮華經提婆達多品第十二

尒時佛告諸菩薩及天人四衆　吾於過去无
量劫中求法華經无有懈惓　於多劫中常作
國王發願求於无上菩提心不退轉　為欲滿足
六波羅蜜勤行布施心无恡惜　象馬七珎

BD02453號　妙法蓮華經卷四　（18–10）

量劫中求法華經无有懈倦於多劫中常作
國王發願求於无上菩提心不退轉為欲滿足
六波羅蜜勤行布施心无悋惜象馬七珎
國城妻子奴婢僕從頭目髓腦身肉手足不
惜軀命時世人民壽命无量為於法故捐捨
國位委政太子擊鼓宣令四方求法誰能為
我說大乘者吾當終身供給走使時有仙人
來白王言我有大乘名妙法蓮華經若不違
我當為宣說王聞仙言歡喜踊躍即隨仙人
供給所須採菓汲水拾薪設食乃至以身而
為牀坐身心无倦于時奉事經於千歲為於
法故精勤給侍令无所乏尒時世尊欲重宣
此義而說偈言

我念過去世　為求大法故　雖作世國王　不貪五欲樂
搥鍾告四方　誰有大法者　若為我解說　身當為奴僕
時有阿私仙　來白於大王　我有微妙法　世間所希有
若能修行者　吾當為汝說　時王聞仙言　心生大喜悅
即便隨仙人　供給於所須　採薪及菓蓏　隨時恭敬與
情存妙法故　身心无懈惓　普為諸衆生　勤求於大法
亦不為己身　及以五欲樂　故為大國王　勤求獲此法
遂致得成佛　今故為汝說

佛告諸比丘尒時王者則我身是時仙人者
今提婆達多是由提婆達多善知識故令我
具足六波羅蜜慈悲喜捨三十二相八十種
好紫磨金色十力四无所畏四攝法十八不共
神通道力成等正覺廣度衆生皆因提婆

BD02453號　妙法蓮華經卷四

(18-11)

今提婆達多是由提婆達多善知識故令我
具足六波羅蜜慈悲喜捨三十二相八十種
好紫磨金色十力四无所畏四攝法十八不共
神通道力成等正覺廣度衆生皆因提婆
達多善知識故告諸四衆提婆達多却後過
无量劫當得成佛号曰天王如來應供正遍
知明行足善逝世間解无上士調御丈夫天
人師佛世尊世界名天道時天王佛住世二
十中劫廣為衆生說於妙法恒河沙等衆生
得阿羅漢果无量衆生發緣覺心恒河沙衆生
發无上道心得无生法忍至不退轉時天王
佛般涅槃後正法住世二十中劫全身舍利
起七寶塔高六十由旬縱廣四十由旬諸天
人民悉以雜華末香燒香塗香衣服瓔珞幢
幡寶蓋伎樂歌頌禮拜供養七寶妙塔无量
衆生得阿羅漢果无量衆生悟辟支佛不可
思議衆生發菩提心至不退轉佛告諸比丘
未來世中若有善男子善女人聞妙法蓮
華經提婆達多品淨心信敬不生疑惑者不
墮地獄餓鬼畜生生十方佛前所生之處常
聞此經若生人天中受勝妙樂若在佛前蓮
華化生於時下方多寶世尊所從菩薩名曰
智積白多寶佛當還本土釋迦牟尼佛告智
積曰善男子且待須臾此有菩薩名文殊師
利可與相見論說妙法可還本土
尒時文殊師利坐千葉蓮華大如車輪俱來

BD02453號　妙法蓮華經卷四

(18-12)

積曰善男子且待須臾此有菩薩名文殊師
利可與相見論說妙法可還本土
尒時文殊師利坐千葉蓮華大如車輪俱來
菩薩亦坐寶蓮華從於大海娑竭羅龍宮自
然踊出住虛空中詣靈鷲山從蓮華下至於
佛所頭面敬礼二世尊足脩敬已畢往智積
所共相慰問却坐一面智積菩薩問文殊師
利仁往龍宮所化眾生其數幾何文殊師利
言其數无量不可稱計非口所宣非心所測
且待須臾自當有證所言未竟无數菩薩
坐寶蓮華從海踊出詣靈鷲山住在虛空
此諸菩薩皆是文殊師利之所化度具菩薩
行皆共論說六波羅蜜本聲聞人在虛空中
說聲聞行今皆脩行大乘空義文殊師利謂
智積曰於海教化其事如此尒時智積菩薩
以偈讚曰
大智德勇健　化度无量眾　今此諸大會　及我皆已見
演暢實相義　開闡一乘法　廣導諸眾生　令速成菩提
文殊師利言我於海中唯常宣說妙法華經
智積問文殊師利言此經甚深微妙諸經中
寶世所希有頗有眾生勤加精進脩行此經
速得佛不文殊師利言有娑竭羅龍王女年
始八歲智慧利根善知眾生諸根行業得陁
羅尼諸佛所說甚深秘藏悉能受持深入禪
定了達諸法於剎那頃發菩提心得不退轉
辯才无㝵慈念眾生猶如赤子功德具足心

羅尼諸佛所說甚深秘藏悉能受持深入禪
定了達諸法於剎那頃發菩提心得不退轉
辯才无㝵慈念眾生猶如赤子功德具足心
念口演微妙廣大慈悲仁讓志意和雅能至
菩提智積菩薩言我見釋迦如來於无量劫
難行苦行積功累德求菩薩道未曾止息觀
三千大千世界乃至无有如芥子許非是菩
薩捨身命處為眾生故然後乃成菩提道
不信此女於須臾頃便成正覺言論未訖時
龍王女忽現於前頭面礼敬却住一面以偈
讚曰
深達罪福相　遍照於十方　微妙淨法身　具相三十二
以八十種好　用莊嚴法身　天人所戴仰　龍神咸恭敬
一切眾生類　无不宗奉者　又聞成菩提　唯佛當證知
我闡大乘教　度脫苦眾生
時舍利弗語龍女言汝謂不久得无上道是
事難信所以者何女身垢穢非是法器云何
能得无上菩提佛道懸曠經无量劫勤苦積
行具脩諸度然後乃成又女身猶有五障一
者不得作梵天王二者帝釋三者魔王四者轉
輪聖王五者佛身云何女身速得成佛尒時
龍女有一寶珠價直三千大千世界持以上佛
佛即受之龍女謂智積菩薩尊者舍利弗
言我獻寶珠世尊納受是事疾不答言甚
疾女言以汝神力觀我成佛復速於此當時眾
會皆見龍女忽然之間變成男子具菩薩行

龍女言以汝神力觀我成佛復速於此當時衆
會皆見龍女忽然之間變成男子具菩薩行
即往南方无垢世界坐寶蓮華成等正覺
三十二相八十種好普為十方一切衆生演
說妙法尒時娑婆世界菩薩聲聞天龍八部
人與非人皆遥見彼龍女成佛普為時會人
天說法心大歡喜悉遥礼敬无量衆生聞法
解悟得不退轉无量衆生得受道記无垢
世界六反震動娑婆世界三千衆生住不退地
三千衆生發菩提心而得受記智積菩薩
及舍利弗一切衆會默然信受
妙法蓮華經勸持品第十三
尒時藥王菩薩摩訶薩及大樂說菩薩摩
訶薩與二万菩薩眷屬俱皆於佛前作是誓
言唯願世尊不以為慮我等於佛滅後當奉持
讀誦說此經典後惡世衆生善根轉少多增
上慢貪利供養增不善根遠離解脫雖難可
教化我等當起大忍力讀誦此經持說書寫
種種供養不惜身命尒時衆中五百阿羅漢
得受記者白佛言世尊我等亦自誓願於異
國土廣說此經復有學无學八千人得受記
者從座而起合掌向佛作是誓言世尊我等
亦當於他國土廣說此經所以者何是娑婆國
中人多弊惡懷增上慢功德淺薄瞋濁諂曲
心不實故
尒時佛姨母摩訶波闍波提比丘尼與學无學

BD02453號　妙法蓮華經卷四

（18–15）

中人多弊惡懷增上慢功德淺薄瞋濁諂曲
心不實故
尒時佛姨母摩訶波闍波提比丘尼與學无學
比丘尼六千人俱從座而起一心合掌瞻仰尊
顏目不暫捨於時世尊告憍曇弥何故憂
色而視如来汝心將无謂我不說汝名授阿
耨多羅三藐三菩提記耶憍曇弥我先總說
一切聲聞皆已授記今汝欲知記者將来之世
當於六万八千億諸佛法中為大法師及六千
學无學比丘尼俱為法師汝如是漸漸具
菩薩道當得作佛号一切衆生喜見如来
應供正遍知明行足善逝世間解无上士
調御丈夫天人師佛世尊憍曇弥是一切衆
生喜見佛及六千菩薩轉次授記得阿耨多
羅三藐三菩提尒時羅睺羅母耶輸陀羅比
丘尼作是念世尊於授記中獨不說我名佛
告耶輸陀羅汝於来世百千万億諸佛法中
脩菩薩行為大法師漸具佛道於善國中當
得作佛号具足千万光相如来應供正遍知
明行足善逝世間解无上士調御丈夫天人
師佛世尊佛壽无量阿僧祇劫尒時摩訶波
闍波提比丘尼及耶輸陀羅比丘尼并其眷
屬皆大歡喜得未曾有即於佛前而說偈言
世尊導師　安隱天人　我等聞記　心安具足
諸比丘尼說是偈已白佛言世尊我等亦
能於他國土廣宣此經

BD02453號　妙法蓮華經卷四

（18–16）

[illegible]
世尊導師　安隱天人　我等聞記　心安具足
諸比丘尼說是偈已白佛言世尊我等亦
能於他國土廣宣此經
尒時世尊視八十万億那由他諸菩薩摩訶
薩是諸菩薩皆是阿惟越致轉不退法輪得
諸陁羅尼即從座起至於佛前一心合掌而
作是念若世尊告勅我等持說此經者當
如佛教廣宣斯法復作是念佛今默然不見告
勅我當云何時諸菩薩敬順佛意并欲自滿
本願便於佛前作師子吼而發誓言世尊我等
於如來滅後周旋往反十方世界能令衆生書
寫此經受持讀誦解說其義如法修行正憶
念皆是佛之威力唯願世尊在於他方遥見
守護即時諸菩薩俱同發聲而說偈言
唯願不為慮　於佛滅度後　恐怖惡世中　我等當廣說
有諸无智人　惡口罵詈等　及加刀杖者　我等皆當忍
惡世中比丘　邪智心諂曲　未得謂為得　我慢心充滿
或有阿練若　納衣在空閑　自謂行真道　輕賤人間者
貪著利養故　與白衣說法　為世所恭敬　如六通羅漢
是人懷惡心　常念世俗事　假名阿練若　好出我等過
而作如是言　此諸比丘等　為貪利養故　說外道論議
自作此經典　誑惑世間人　為求名聞故　分別於是經
常在大衆中　欲毀我等故　向國王大臣　婆羅門居士
及餘比丘衆　誹謗說我惡　謂是邪見人　說外道論議
我等敬佛故　悉忍是諸惡　為斯所輕言　汝等皆是佛
如此輕慢言　[illegible]

[illegible]
及餘比丘衆　誹謗說我惡　謂是邪見人　說外道論議
我等敬佛故　悉忍是諸惡　為斯所輕言　汝等皆是佛
如此輕慢言　皆當忍受之
濁劫惡世中　多有諸恐怖　惡鬼入其身　罵詈毀辱我
我等敬信佛　當著忍辱鎧　為說是經故　忍此諸難事
我不愛身命　但惜无上道　我等於來世　護持佛所囑
世尊自當知　濁世惡比丘　不知佛方便　隨宜所說法
惡口而顰蹙　數數見擯出　遠離於塔寺　如是等衆惡
念佛告勅故　皆當忍是事
諸聚落城邑　其有求法者　我皆到其所　說佛所囑法
我是世尊使　處衆无所畏　我當善說法　願佛安隱住
我於世尊前　諸來十方佛　發如是誓言　佛自知我心

妙法蓮華經卷第四

日光掩蔽　地上清涼　靉靆垂布　如可承攬
其雨普等　四方俱下　流澍无量　率土充洽
山川嶮谷　幽邃所生　卉木藥草　大小諸樹
百穀苗稼　甘蔗蒲萄　雨之所潤　无不豐足
乾地普洽　藥木並茂　其雲所出　一味之水
草木叢林　隨分受潤　一切諸樹　上中下等
稱其大小　各得生長　根莖枝葉　華菓光色
一雨所及　皆得鮮澤　如其體相　性分大小
所潤是一　而各滋茂　佛亦如是　出現於世
譬如大雲　普覆一切　既出于世　為諸衆生
分別演說　諸法之實　大聖世尊　於諸天人
一切衆中　而宣是言　我為如來　兩足之尊
出于世間　猶如大雲　充潤一切　枯槁衆生
皆令離苦　得安隱樂　世間之樂　及涅槃樂
諸天人衆　一心善聽　皆應到此　覲无上尊
我為世尊　无能及者　安隱衆生　故現於世
為大衆說　甘露淨法　其法一味　解脫涅槃
以一妙音　演暢斯義　常為大乘　而作因緣
我觀一切　普皆平等　无有彼此　愛憎之心
我无貪著　亦无限礙　恒為一切　平等說法

BD02454號　妙法蓮華經卷三

（16–1）

為大衆說　甘露淨法　其法一味　解脫涅槃
以一妙音　演暢斯義　常為大乘　而作因緣
我觀一切　普皆平等　无有彼此　愛憎之心
我无貪著　亦无限礙　恒為一切　平等說法
如為一人　衆多亦然　常演說法　曾无他事
去來坐立　終不疲厭　充足世間　如雨普潤
貴賤上下　持戒毀戒　威儀具足　及不具足
正見邪見　利根鈍根　等雨法雨　而无懈惓
一切衆生　聞我法者　隨力所受　住於諸地
或處人天　轉輪聖王　釋梵諸王　是小藥草
知无漏法　能得涅槃　起六神通　及得三明
獨處山林　常行禪定　得緣覺證　是中藥草
求世尊處　我當作佛　行精進定　是上藥草
又諸佛子　專心佛道　常行慈悲　自知作佛
決定无疑　是名小樹　安住神通　轉不退輪
度无量億　百千衆生　如是菩薩　名為大樹
佛平等說　如一味雨　隨衆生性　所受不同
如彼草木　所稟各異　佛以此喻　方便開示
種種言辭　演說一法　於佛智慧　如海一渧
我雨法雨　充滿世間　一味之法　隨力脩行
如彼叢林　藥草諸樹　隨其大小　漸增茂好
諸佛之法　常以一味　令諸世間　普得具足
漸次脩行　皆得道果　聲聞緣覺　處於山林
住最後身　聞法得果　是名藥草　各得增長
若諸菩薩　智慧堅固　了達三界　求最上乘
是名小樹　而得增長　復有住禪　得神通力

BD02454號　妙法蓮華經卷三

（16–2）

住最後身　聞法得果　是名藥草　各得增長
若諸菩薩　智慧堅固　了達三界　求最上乘
是名小樹　而得增長　復有住禪　得神通力
聞諸法空　心大歡喜　放无數光　度諸衆生
是名大樹　而得增長　如是迦葉　佛所說法
譬如大雲　以一味雨　潤於人華　各得成實
迦葉當知　以諸因緣　種種譬喻　開示佛道
是我方便　諸佛亦然　今為汝等　說最實事
諸聲聞衆　皆非滅度　汝等所行　是菩薩道
漸漸脩學　悉當成佛

妙法蓮華經授記品第六

尒時世尊說是偈已告諸大衆唱如是言我
此弟子摩訶迦葉於未來世當得奉覲三
百万億諸佛世尊供養恭敬尊重讚歎廣
宣諸佛无量大法於最後身得成為佛名曰光
明如來應供正遍知明行足善逝世間解无上
士調御丈夫天人師佛世尊國名光德劫名
大莊嚴佛壽十二小劫正法住世二十小劫像
法亦住二十小劫國界嚴飾无諸穢惡凡
礫荊棘便利不淨其土平正无有高下坑
坎堆阜琉璃為地寶樹行列黃金為繩以界
道側散諸寶華周遍清淨其國菩薩无量
千億諸聲聞衆亦復无數无有魔事雖有魔
及魔民皆護佛法尒時世尊欲重宣此義而說
偈言
告諸比丘　我以佛眼　見是迦葉　於未來世

BD02454號　妙法蓮華經卷三　（16–3）

及魔民皆護佛法尒時世尊欲重宣此義而說
偈言
告諸比丘　我以佛眼　見是迦葉　於未來世
過无數劫　當得作佛　而於來世　供養奉覲
三百万億　諸佛世尊　為佛智慧　淨脩梵行
供養最上　二足尊已　脩習一切　无上之慧
於最後身　得成為佛　其土清淨　琉璃為地
多諸寶樹　行列道側　金繩界道　見者歡喜
常出好香　散衆名華　種種奇妙　以為莊嚴
其地平正　无有丘坑　諸菩薩衆　不可稱計
其心調柔　逮大神通　奉持諸佛　大乘經典
諸聲聞衆　无漏後身　法王之子　亦不可計
乃以天眼　不能數知　其佛當壽　十二小劫
正法住世　二十小劫　像法亦住　二十小劫
光明世尊　其事如是
尒時大目揵連須菩提摩訶迦旃延等皆
悉悚慄一心合掌瞻仰尊顏目不暫捨即
共同聲而說偈言
大雄猛世尊　諸釋之法王　哀愍我等故　而賜佛音聲
若知我深心　見為授記者　如以甘露灑　除熱得清涼
如從飢國來　忽遇大王膳　心猶懷疑懼　未敢即便食
若復得王教　然後乃敢食　我等亦如是　每惟小乘過
不知當云何　得佛无上慧　雖聞佛音聲　言我等作佛
心尚懷憂懼　如未敢便食　若蒙佛授記　尒乃快安樂
大雄猛世尊　常欲安世間　願賜我等記　如飢須教食
尒時世尊知諸大弟子心之所念告諸比丘

BD02454號　妙法蓮華經卷三　（16–4）

心尚懷憂懼 如未敢便食 若蒙佛授記 爾乃快安樂
大雄猛世尊 常欲安世間 願賜我等記 如飢須教食
爾時世尊知諸大弟子心之所念告諸比丘
是須菩提於當來世奉覲三百万億那由他
佛供養恭敬尊重讚歎常脩梵行具菩薩
道於最後身得成為佛号曰名相如來應供
正遍知明行足善逝世間解无上士調御丈夫
天人師佛世尊劫名有寶國名寶生其土平
正頗梨為地寶樹莊嚴无諸丘坑沙礫荊
棘便利之穢寶華覆地周遍清淨其土人民
皆處寶臺珎妙樓閣聲聞弟子无量无邊
筭數譬喻所不能知諸菩薩眾无數千万
億那由他佛壽十二小劫正法住世二十小劫像
法亦住二十小劫其佛常處虛空為眾說
法度脫无量菩薩及聲聞眾爾時世尊欲
重宣此義而說偈言
諸比丘眾 今告汝等 皆當一心 聽我所說
我大弟子 須菩提者 當得作佛 号曰名相
當供无數 萬億諸佛 隨佛所行 漸具大道
最後身得 三十二相 端正姝妙 猶如寶山
其佛國土 嚴淨第一 眾生見者 无不愛樂
佛於其中 度无量眾 其佛法中 多諸菩薩
皆悉利根 轉不退輪 彼國常以 菩薩莊嚴
諸聲聞眾 不可稱數 皆得三明 具六神通
住八解脫 有大威德 其佛說法 現於无量
神通變化 不可思議 諸天人民 數如恒沙
皆共合掌 聽受佛語 其佛當壽 十二小劫

BD02454 號　妙法蓮華經卷三 （16–5）

住八解脫 有大威德 其佛說法 現於无量
神通變化 不可思議 諸天人民 數如恒沙
皆共合掌 聽受佛語 其佛當壽 十二小劫
正法住世 二十小劫 像法亦住 二十小劫
爾時世尊復告諸比丘眾我今語汝是大迦
旃延於當來世以諸供具供養奉事八千
億佛恭敬尊重諸佛滅後各起塔廟高千
由旬縱廣正等五百由旬以金銀琉璃車𤦲馬
瑙真珠玫瑰七寶合成眾華瓔珞塗香抹香
燒香繒蓋幢幡供養塔廟過是已後當復
供養二万億佛亦復如是供養是諸佛已具
菩薩道當得作佛号曰閻浮那提金光如來
應供正遍知明行足善逝世間解无上士調御
丈夫天人師佛世尊其土平正頗梨為地寶樹莊
嚴黃金為繩以界道側妙華覆地周遍
清淨見者歡喜无四惡道地獄餓鬼畜生阿
脩羅道多有天人諸聲聞眾及諸菩薩无
量万億莊嚴其國佛壽十二小劫正法住世二
十小劫像法亦住二十小劫爾時世尊欲重宣
此義而說偈言
諸比丘眾 皆一心聽 如我所說 真實无異
是迦旃延 當以種種 妙好供具 供養諸佛
諸佛滅後 起七寶塔 亦以華香 供養舍利
其最後身 得佛智慧 成等正覺 國土清淨
度脫无量 萬億眾生 皆為十方 之所供養
佛之光明 无能勝者 其佛号曰 閻浮金光

BD02454 號　妙法蓮華經卷三 （16–6）

其最後身　得佛智慧　成等正覺　國土清淨
度脫无量　萬億衆生　皆爲十方之所供養
佛之光明　无能勝者　其佛號曰　閻浮金光
菩薩聲聞　斷一切有　无量无數　莊嚴其國
尒時世尊復告大衆我今語汝是大目揵連
當以種種供具供養八千諸佛恭敬尊重諸
佛滅後各起塔廟高千由旬縱廣正等五百
由旬以金銀琉璃車𤦲馬瑙真珠玫瑰七寶合
成衆華瓔珞塗香抹香燒香繒蓋幢幡
以用供養過是已後當復供養二百万億諸
佛亦復如是當得成佛號曰多摩羅跋栴檀
香如來應供正遍知明行足善逝世間解无上
士調御丈夫天人師佛世尊劫名喜滿國名
意樂其土平正頗梨爲地寶樹莊嚴散真
珠華周遍清淨見者歡喜多諸天人菩薩
聲聞其數无量佛壽二十四小劫正法住世
四十小劫像法亦住四十小劫尒時世尊欲
重宣此義而說偈言
我此弟子　大目揵連　捨是身已　得見八千
二百萬億　諸佛世尊　爲佛道故　供養恭敬
於諸佛所　常脩梵行　於无量劫　奉持佛法
諸佛滅後　起七寶塔　長表金刹　華香伎樂
而以供養　諸佛塔廟　漸漸具足　菩薩道已
於意樂國　而得作佛　號多摩羅　栴檀之香
其佛壽命　二十四劫　常爲天人　演說佛道
聲聞无量　如恒河沙　三明六道　有大威德

BD02454號　妙法蓮華經卷三　（16–7）

於意樂國　而得作佛　號多摩羅　栴檀之香
其佛壽命　二十四劫　常爲天人　演說佛道
聲聞无量　如恒河沙　三明六通　有大威德
菩薩无數　志固精進　於佛智慧　皆不退轉
佛滅度後　正法當住　四十小劫　像法亦尒
我諸弟子　威德具足　其數五百　皆當授記
於未來世　咸得成佛
我及汝等　宿世因緣　吾今當說　汝等善聽
妙法蓮華經化城喻品第七
佛告諸比丘乃往過去无量无邊不可思議
阿僧祇劫尒時有佛名大通智勝如來應供
正遍知明行足善逝世間解无上士調御丈
夫天人師佛世尊其國名好成劫名大相諸
比丘彼佛滅度已來甚大久遠譬如三千大
千世界所有地種假使有人磨以爲墨過於
東方千國土乃下一點大如微塵又過千國土
復下一點如是展轉盡地種墨於汝等意云
何是諸國土若筭師若筭師弟子能得
邊際知其數不不也世尊諸比丘是人所經
國土若點不點盡抹爲塵一塵一劫彼佛滅
度已來復過是數无量无邊百千万億阿僧
祇劫我以如來知見力故觀彼久遠猶若今日
尒時世尊欲重宣此義而說偈言
我念過去世　无量无邊劫　有佛兩足尊　名大通智勝
如人以力磨　三千大千土　盡此諸地種　皆悉以爲墨
過於千國土　乃下一塵點　如是展轉點　盡此諸塵墨

BD02454號　妙法蓮華經卷三　（16–8）

如人以力磨　三千大千土　盡此諸地種　皆悉以爲墨
過於千國土　乃下一塵點　如是展轉點　盡此諸塵墨
如是諸國土　點與不點等　復盡末爲塵　一塵爲一劫
此諸微塵數　其劫復過是　彼佛滅度來　如是无量劫
如來无礙智　知彼佛滅度　及聲聞菩薩　如見今滅度
諸比丘當知　佛智淨微妙　无漏无所礙　通達无量劫
佛告諸比丘大通智勝佛壽五百四十萬億
那由他劫其佛本坐道場破魔軍已垂得阿
耨多羅三藐三菩提而諸佛法不現在前如
是一小劫乃至十小劫結加趺坐身心不動而
諸佛法猶不在前尒時忉利諸天先爲彼佛
於菩提樹下敷師子座高一由旬佛於此坐
當得阿耨多羅三藐三菩提適坐此座時
諸梵天王雨衆天華面百由旬香風時來吹
去萎華更雨新者如是不絶滿十小劫供養
於佛乃至滅度常雨此華四天諸天爲供養
佛常擊天鼓其餘諸天作天伎樂滿十小劫
至于滅度亦復如是諸比丘大通智勝佛過
十小劫諸佛之法乃現在前成阿耨多羅三
藐三菩提其佛未出家時有十六子其第一
者名曰智積諸子各有種種珎異玩好之具
聞父得成阿耨多羅三藐三菩提皆捨所珎
往詣佛所諸母涕泣而隨送之其祖轉輪聖
王與一百大臣及餘百千万億人民皆共圍繞
隨至道場咸欲親近大通智勝如來供養恭
敬尊重讚歎到已頭面礼足繞佛畢已一心

王與一百大臣及餘百千万億人民皆共圍繞
隨至道場咸欲親近大通智勝如來供養恭
敬尊重讚歎到已頭面礼足繞佛畢已一心
合掌瞻仰世尊以偈頌曰
大威德世尊　爲度衆生故　於无量億歲　尒乃得成佛
諸願已具足　善哉吉无上　世尊甚希有　一坐十小劫
身體及手足　靜然安不動　其心常憺怕　未曾有散亂
究竟永寂滅　安住无漏法　今者見世尊　安隱成佛道
我等得善利　稱慶大歡喜　衆生常苦惱　盲瞑无導師
不識苦盡道　不知求解脫　長夜增惡趣　減損諸天衆
從瞑入於瞑　永不聞佛名　今佛得最上　安隱无漏道
我等及天人　爲得最大利　是故咸稽首　歸命无上尊
尒時十六王子偈讚佛已勸請世尊轉於法輪
咸作是言世尊說法多所安隱憐愍饒益
諸天人民重說偈言
世雄无等倫　百福自莊嚴　得无上智慧　願爲世間說
度脫於我等　及諸衆生類　爲分別顯示　令得是智慧
若我等得佛　衆生亦復然　世尊知衆生　深心之所念
亦知所行道　又知智慧力　欲樂及脩福　宿命所行業
世尊悉知已　當轉无上輪
佛告諸比丘大通智勝佛得阿耨多羅三藐
三菩提時十方各五百万億諸佛世界六種
震動其國中間幽瞑之處日月威光所不能
照而皆大明其中衆生各得相見咸作是言
此中云何忽生衆生又其國界諸天宮殿乃
至梵宮六種震動大光普照遍滿世界勝
諸天光尒時東方五百万億諸國土中梵天宮

此中云何忽生衆生又其國界諸天宮殿乃
至梵宮六種震動大光普照遍滿世界勝
諸天光尒時東方五百万億諸國土中梵天宮
殿光明照曜倍於常明諸梵天王各作是念
今者宮殿光明昔所未有以何因緣而現此
相是時諸梵天王即各相詣共議此事時彼
衆中有一大梵天王名救一切爲諸梵衆而
說偈言
我等諸宮殿　光明昔未有　此是何因緣　宜各共求之
爲大德天生　爲佛出世間　而此大光明　遍照於十方
尒時五百万億國土諸梵天王與宮殿俱各以
衣裓盛諸天華共詣西方推尋是相見大通
智勝如來處于道場菩提樹下坐師子座
諸天龍王乾闥婆緊那羅摩睺羅伽人非人
等恭敬圍繞及見十六王子請佛轉法輪即
時諸梵天王頭面礼佛繞百千帀即以天華
而散佛上其所散華如須弥山并以供養佛
菩提樹其菩提樹高十由旬華供養已各以
宮殿奉上彼佛而作是言唯見哀愍饒益我
等所獻宮殿願垂納處時諸梵天王即於
佛前一心同聲以偈頌曰
世尊甚希有　難可得值遇　具无量功德　能救護一切
天人之大師　哀愍於世間　十方諸衆生　普皆蒙饒益
我等所從來　五百万億國　捨深禪定樂　爲供養佛故
我等先世福　宮殿甚嚴飾　今以奉世尊　唯願哀納受
尒時諸梵天王偈讚佛已各作是言唯願世
尊轉於法輪度脫衆生開涅槃道時諸

BD02454號　妙法蓮華經卷三　（16–11）

我等所從來　五百万億國　捨深禪定樂　爲供養佛故
我等先世福　宮殿甚嚴飾　今以奉世尊　唯願哀納受
尒時諸梵天王偈讚佛已各作是言唯願世
尊轉於法輪度脫衆生開涅槃道時諸
梵天王一心同聲而說偈言
世雄兩足尊　唯願演說法　以大慈悲力　度苦惱衆生
尒時大通智勝如來默然許之又諸比丘東南
方五百萬億國土諸大梵王各自見宮殿
光明照曜昔所未有歡喜踊躍生希有心即
各相詣共議此事時彼衆中有一大梵天王
名曰大悲爲諸梵衆而說偈言
是事何因緣　而現如此相　我等諸宮殿　光明昔未有
爲大德天生　爲佛出世間　未曾見此相　當共一心求
過千万億土　尋光共推之　多是佛出世　度脫苦衆生
尒時五百万億諸梵天王與宮殿俱各以衣
裓盛諸天華共詣西北方推尋是相見大通
智勝如來處于道場菩提樹下坐師子座諸
天龍王乾闥婆緊那羅摩睺羅伽人非人等
恭敬圍繞及見十六王子請佛轉法輪時諸梵
天王頭面礼佛繞百千帀即以天華而散
佛上所散之華如須弥山并以供養佛菩提
樹華供養已各以宮殿奉上彼佛而作是言
唯見哀愍饒益我等所獻宮殿願垂納受尒
時諸梵天王即於佛前一心同聲以偈頌曰
聖主天中王　迦陵頻伽聲　哀愍衆生者　我等今敬礼
世尊甚希有　久遠乃一現　一百八十劫　空過无有佛
三惡道充滿　諸天衆減少　今佛出於世　爲衆生作眼

BD02454號　妙法蓮華經卷三　（16–12）

聖主天中王　迦陵頻伽聲　哀愍衆生者　我等今敬禮
世尊甚希有　久遠乃一現　一百八十劫　空過无有佛
三惡道充滿　諸天衆減少　今佛出於世　爲衆生作眼
世間所歸趣　救護於一切　爲衆生之父　哀愍饒益者
我等宿福慶　今得值世尊
尒時諸梵天王偈讚佛已各作是言唯願世
尊哀愍一切轉於法輪度脫衆生時諸梵天
王一心同聲而說偈言
大聖轉法輪　顯示諸法相　度苦惱衆生　令得大歡喜
衆生聞此法　得道若生天　諸惡道減少　忍善者增益
尒時大通智勝如來默然許之又諸比丘南方
五百萬億國土諸大梵王各自見宮殿光明
照曜昔所未有歡喜踊躍生希有心即各
相詣共議此事以何因緣我等宮殿有此光
曜而彼衆中有一大梵天王名曰妙法爲諸
梵衆而說偈言
我等諸宮殿　光明甚威曜　此非无因緣　是相宜求之
過於百千劫　未曾見是相　爲大德天生　爲佛出世間
尒時五百萬億諸梵天王與宮殿俱各以衣
祴盛諸天華共詣北方推尋是相見大通智
勝如來處于道場菩提樹下坐師子座諸天
龍王乾闥婆緊那羅摩睺羅伽人非人等恭
敬圍繞及見十六王子請佛轉法輪時諸梵
天王頭面礼佛繞百千帀即以天華而散佛
上所散之華如須弥山并以供養佛菩提樹
華供養已各以宮殿奉上彼佛而作是言唯
見哀愍饒益我等所獻宮殿願垂納受尒時

BD02454號　妙法蓮華經卷三　（16–13）

華供養已各以宮殿奉上彼佛而作是言唯
見哀愍饒益我等所獻宮殿願垂納受尒時
諸梵天王即於佛前一心同聲以偈頌曰
世尊甚難見　破諸煩惱者　過百三十劫　今乃得一見
諸飢渴衆生　以法雨充滿　昔所未曾覩　无量智慧者
如優曇鉢羅　今日乃值遇　我等諸宮殿　蒙光故嚴飾
世尊大慈愍　唯願垂納受
尒時諸梵天王偈讚佛已各作是言唯願世
尊轉於法輪令一切世間諸天魔梵沙門婆
羅門皆獲安隱而得度脫時諸梵天王一心
同聲以偈頌曰
唯願天人尊　轉无上法輪　擊于大法鼓　而吹大法螺
普雨大法雨　度无量衆生　我等咸歸請　當演深遠音
尒時大通智勝如來默然許之西南方乃至
下方亦復如是尒時上方五百万億國土諸
大梵王皆悉自覩所止宮殿光明威曜昔所
未有歡喜踊躍生希有心即各相詣共議此
事以何因緣我等宮殿有斯光明時彼衆中有
一大梵天王名曰尸棄爲諸梵衆而說偈言
今以何因緣　我等諸宮殿　威德光明曜　嚴飾未曾有
如是之妙相　昔所未聞見　爲大德天生　爲佛出世間
尒時五百萬億諸梵天王與宮殿俱各以衣
祴盛諸天華共詣下方推尋是相見大通智
勝如來處于道場菩提樹下坐師子座諸天
龍王乾闥婆緊那羅摩睺羅伽人非人等恭
敬圍繞及見十六王子請佛轉法輪時諸梵天
王頭面礼佛繞百千帀即以天華而散佛上

BD02454號　妙法蓮華經卷三　（16–14）

龍王乾闥婆緊那羅摩睺羅伽人非人等恭
敬圍繞及見十六王子請佛轉法輪時諸梵天
王頭面礼佛繞百千帀即以天華而散佛上
所散之華如須弥山并以供養佛菩提樹
華供養已各以宮殿奉上彼佛而作是言唯
見哀愍饒益我等所獻宮殿願垂納受時
諸梵天王即於佛前一心同聲以偈頌曰
善哉見諸佛　救世之聖尊　能於三界獄　勉出諸衆生
普智天人尊　哀愍群萌類　能開甘露門　廣度於一切
於昔无量劫　空過无有佛　世尊未出時　十方常闇暝
三惡道增長　阿脩羅亦盛　諸天衆轉減　死多墮惡道
不從佛聞法　常行不善事　色力及智慧　斯等皆減少
罪業因緣故　失樂及樂想　住於邪見法　不識善儀則
不蒙佛所化　常墮於惡道　佛為世間眼　久遠時乃出
哀愍諸衆生　故現於世間　超出成正覺　我等甚欣慶
及餘一切衆　喜歎未曾有　我等諸宮殿　蒙光故嚴飾
今以奉世尊　唯垂哀納受　願以此功德　普及於一切
我等與衆生　皆共成佛道
尒時五百萬億諸梵天王偈讚佛已各白佛
言唯願世尊轉於法輪多所安隱多所度脫
時諸梵天王而說偈言
世尊轉法輪　擊甘露法鼓　度苦惱衆生　開示涅槃道
唯願受我請　以大微妙音　哀愍而敷演　无量劫習法
尒時大通智勝如來受十方諸梵天王及十
六王子請即時三轉十二行法輪若沙門婆羅
門若天魔梵及餘世間所不能轉謂是苦
是苦集是苦滅是苦滅道及廣說十二因緣

三惡道增長　阿脩羅亦盛　諸天衆轉減　死多墮惡道
不從佛聞法　常行不善事　色力及智慧　斯等皆減少
罪業因緣故　失樂及樂想　住於邪見法　不識善儀則
不蒙佛所化　常墮於惡道　佛為世間眼　久遠時乃出
哀愍諸衆生　故現於世間　超出成正覺　我等甚欣慶
及餘一切衆　喜歎未曾有　我等諸宮殿　蒙光故嚴飾
今以奉世尊　唯垂哀納受　願以此功德　普及於一切
我等與衆生　皆共成佛道
尒時五百萬億諸梵天王偈讚佛已各白佛
言唯願世尊轉於法輪多所安隱多所度脫
時諸梵天王而說偈言
世尊轉法輪　擊甘露法鼓　度苦惱衆生　開示涅槃道
唯願受我請　以大微妙音　哀愍而敷演　无量劫習法
尒時大通智勝如來受十方諸梵天王及十
六王子請即時三轉十二行法輪若沙門婆羅
門若天魔梵及餘世間所不能轉謂是苦
是苦集是苦滅是苦滅道及廣說十二因緣
法无明緣行[illegible]緣識緣名色名色緣六入
六入[illegible]

南无一切同名清淨面遊…
南无十千莊嚴王佛　南无一切同名羽嚴王佛
南无十千星宿佛　南无一切同名星宿佛
南无一万八千娑羅王佛　南无一切同名娑羅王佛
南无一万八千娑羅自在王佛
南无一切同名娑羅自在王佛　南无一万八千普護佛
南无一切同名普護佛　南无四万顛莊嚴佛
南无一切同名顛莊嚴佛　南无三千毗盧舍那佛
南无一切同名盧舍那佛　南无三千放光佛
南无一切同名放光佛　南无三千釋迦牟尼佛
南无一切同名釋迦牟尼佛　南无三万日月太白佛
南无一切同名日月太白佛　南无六万波頭摩上王佛
南无一切同名波頭摩上王佛　南无六万能令衆生離諸見佛
南无一万同名能令衆生離諸見佛　南无六十百千万成就義見佛
南无一切同名成就義見佛　南无无量百千万名不可勝佛
南无一切同名名不可勝佛　南无二億拘隣佛
南无一切同名拘隣佛　南无三億弗沙佛
南无一切同名弗沙佛　南无六十億大莊嚴佛
南无一切同名大莊嚴佛　南无八十億寶體法決定佛
南无一切同名寶體法決定佛
南无六十億娑羅自在王佛　南无一切同名娑羅自在王佛

BD02455 號　佛名經（十六卷本）卷一　（5–1）

南无一切同名大莊嚴佛　南无八十億寶體法決定佛
南无一切同名寶體法決定佛
南无六十億娑羅自在王佛　南无一切同名娑羅自在王佛
南无八十億寶體法決定佛　南无一切同名寶體法決定佛
南无六億日月燈明佛　南无一切同名日月燈明佛
南无百億決定光明佛　南无一切同名決定光明佛
南无二十億日月燈明佛　南无一切同名日月燈明佛
南无二十億妙聲王佛　南无一切同名妙聲王佛
南无二十百億雲自在王佛　南无一切同名雲自在王佛
南无三十億釋迦牟尼佛　南无一切同名釋迦牟尼佛
南无二十億千怖畏聲王佛　南无一切同名怖畏聲王佛
南无四十億那由他妙聲佛　南无一切同名妙聲佛
南无億千樂莊嚴佛　南无一切同名樂莊嚴佛
南无億那由他百千覺華佛　南无一切同名覺華佛
南无六十頻婆羅遠離諸怖畏佛
南无一切同名遠離諸怖畏佛
南无須彌微塵數一切功德山王勝佛
南无一切同名一切功德山王勝名佛
南无成就義佛　南无…
南无大海佛　南无无盡意佛
歸命未來如是等无量无邊佛善男子若
人受持讀誦是諸佛名現世安隱遠離諸
難及消滅諸罪未來畢竟阿耨多羅三藐
三菩提
南无无垢光佛　南无樂莊嚴思惟佛
南无无垢月幢稱佛　南无華光佛

BD02455 號　佛名經（十六卷本）卷一　（5–2）

難及消滅諸罪未来畢竟阿耨多羅三藐
三菩提
南无无垢光佛　南无樂莊嚴思惟佛
南无无垢月幢稱佛　南无華光佛
南无火光佛　南无寶上佛
南无无畏觀佛　南无遠離諸畏驚怖佛
南无无子奮迅力佛　南无金光明王佛
若善男子善女人十日讀誦思惟是佛名
必遠離一切業障
南无一切同名佛　南无日龍奮迅二佛
南无一切同名日龍奮迅佛　南无六十功德寶佛
南无一切同名功德寶佛　南无六十二毗留羅佛
南无一切同名毗留羅佛　南无八万四千同名自在幢佛
南无一切同名自在幢佛　南无三百大幢佛
南无一切同名大幢佛　南无五百淨聲王佛
南无一切同名淨聲王佛　南无五百波頭摩佛
南无一切同名日聲佛　南无五百樂自在聲佛
南无一切同名樂自在聲佛　南无五百日佛
南无一切同名日佛　南无五百普光佛
南无一切同名普光佛　南无五百波頭摩上王佛
南无一切同名波頭摩上王佛　南无七百法光莊嚴佛
南无一切同名法光莊嚴佛　南无千法莊嚴王佛
南无一切同名法光莊嚴佛　南无千法莊嚴王佛
南无一切同名法莊嚴王佛　南无千八百稱聲王佛
南无一切同名千八百稱聲王佛　南无三万散華佛

BD02455號　佛名經（十六卷本）卷一　（5-3）

南无一切同名普光佛　南无五百波頭摩上王佛
南无一切同名波頭摩上王佛　南无七百法光莊嚴佛
南无一切同名法光莊嚴佛　南无千法莊嚴王佛
南无一切同名法光莊嚴佛　南无千法莊嚴王佛
南无一切同名法莊嚴王佛　南无千八百稱聲王佛
南无一切同名千八百稱聲王佛　南无三万散華佛
南无一切同名散華佛　南无三万三百稱聲王佛
南无一切同名稱聲王佛　南无八万四千阿難陁佛
南无一切同名阿難陁佛　南无千八百齋滅佛
南无一切同名齋滅佛　南无五百歡喜佛
南无一切同名歡喜佛　南无五百威德佛
南无一切同名威德佛　南无五百上威德佛
南无一切同名上威德佛　南无五百日王佛
南无一切同名日王佛　南无千雲雷聲王佛
南无一切同名雲雷聲王佛　南无千日藏自在聲佛
南无一切同名日藏自在聲佛　南无千離垢聲自在王佛
南无一切同名離垢聲自在佛　南无千勢自在聲佛
南无一切同名勢自在聲佛　南无千功德蓋幢安[illegible]佛
南无一切同名功德蓋幢安隱自在王佛
南无千閻浮檀佛　南无一切同名閻浮檀佛
南无千无垢聲自在王佛　南无一切同名无垢聲自在佛
南无千遠離諸怖聲自在王佛
南无一切同名遠離諸怖聲自在王佛
南无二千駒隣佛　南无一切同名駒隣佛
南无二千寶幢佛　南无一切同名寶幢佛
南无八千堅精進佛　南无一切同名堅精進佛

BD02455號　佛名經（十六卷本）卷一　（5-4）

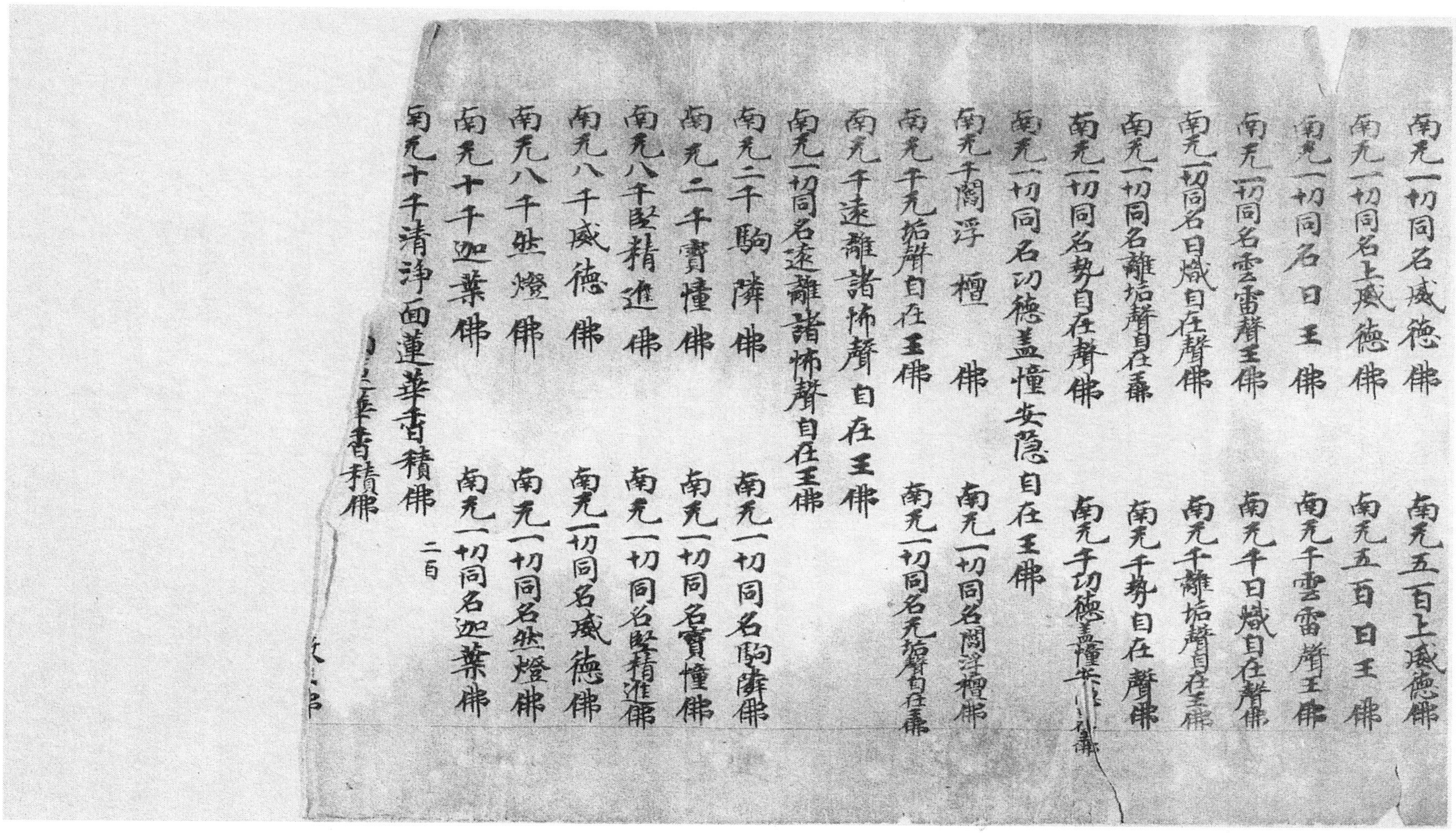

南无一切同名威德佛　南无五百上威德佛
南无一切同名上威德佛　南无五百日王佛
南无一切同名日王佛　南无千雲雷聲王佛
南无一切同名雲雷聲王佛　南无千日熾自在聲佛
南无一切同名日熾自在聲佛　南无千離垢聲自在王佛
南无一切同名離垢聲自在王佛　南无千勢自在聲佛
南无一切同名勢自在聲佛　南无千功德蓋幢安隱自在王佛
南无一切同名功德蓋幢安隱自在王佛
南无千閻浮檀佛　南无一切同名閻浮檀佛
南无千无垢聲自在王佛　南无一切同名无垢聲自在王佛
南无千遠離諸怖聲自在王佛
南无一切同名遠離諸怖聲自在王佛
南无二千駒隣佛　南无一切同名駒隣佛
南无二千寶幢佛　南无一切同名寶幢佛
南无八千堅精進佛　南无一切同名堅精進佛
南无八千威德佛　南无一切同名威德佛
南无八千然燈佛　南无一切同名然燈佛
南无十千迦葉佛　南无一切同名迦葉佛　二百
南无十千清淨面蓮華香積佛

BD02455 號　佛名經（十六卷本）卷一　（5–5）

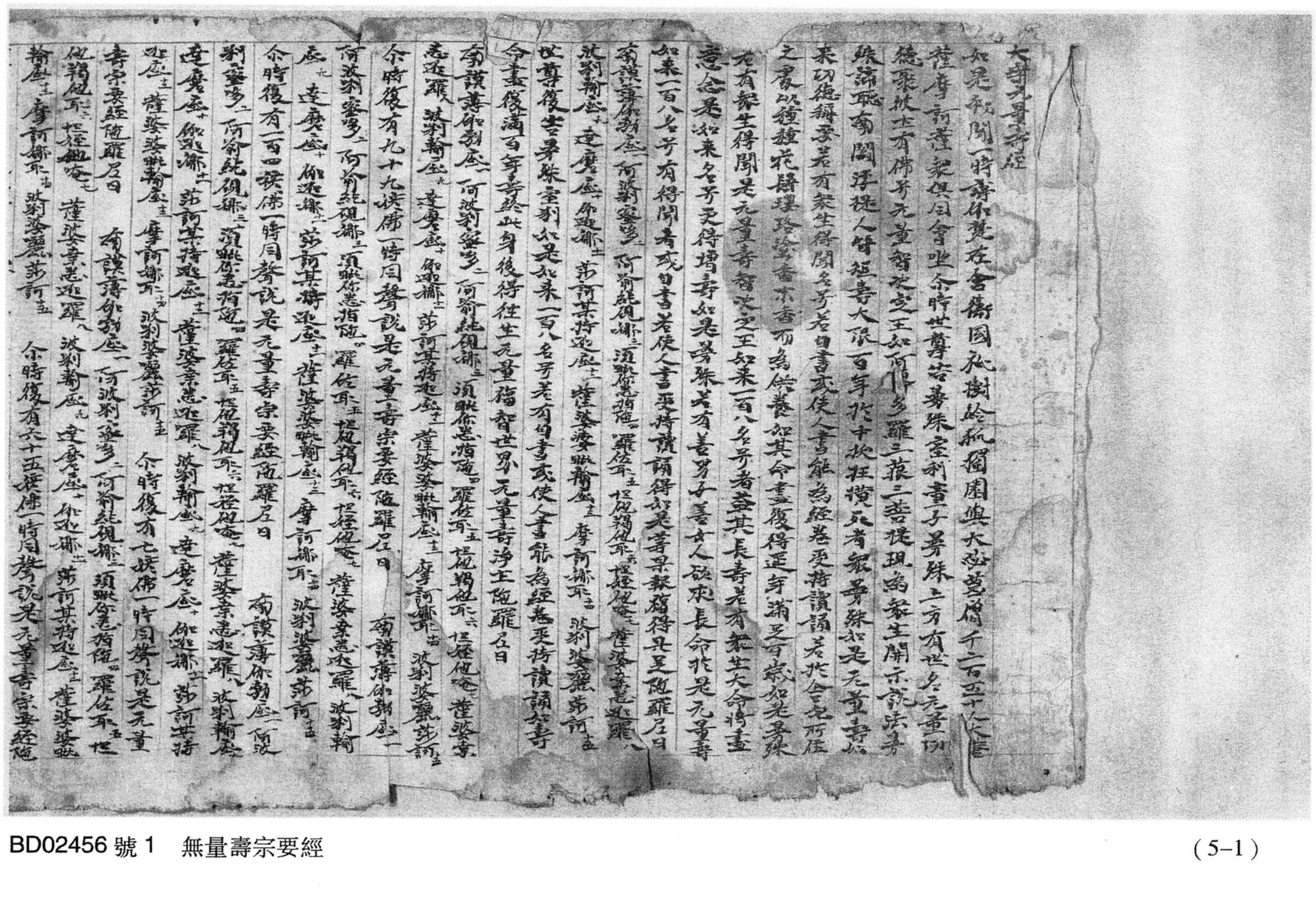

大乘无量壽經
如是我聞一時薄伽梵在舍衛國祇樹給孤獨園與大苾芻僧千二百五十人俱大菩
薩摩訶薩衆俱同會坐尒時世尊告曼殊室利童子曼殊上方有世名无量功
德聚彼土有佛號无量智決定王如來阿耨多羅三藐三菩提現爲衆生開示說法曼
殊諦聽南閻浮提人壽短壽大限百年於中枉橫死者衆曼殊如是无量壽如
來功德稱號若有衆生得聞名號若自書或使人書能爲經卷受持讀誦若於舍宅所住
之處以種種花鬘瓔珞塗香末香而爲供養如其命盡復得延年滿足百歲如是曼殊
无有衆生得聞是无量壽智決定王如來一百八名號者益其長壽若有衆生大命將盡
意念是如來名號更得增壽如是曼殊若有善男子善女人欲求長命於是无量壽
如來一百八名號有得聞者或自書若使人書受持讀誦得如是等果報福得具足陀羅尼曰
南謨薄伽勃底一 阿波唎蜜多二 阿喻紇硯那三 須毗你失指陀四 羅佐耶五 怛他羯他耶六 怛姪他唵七 薩婆桑悉迦羅八
波唎輸底九 達磨底十 伽伽那十一 莎訶某持迦底十二 薩婆婆毗輸底十三 摩訶那耶十四 波唎婆嚟莎訶十五
尒時世尊復告曼殊室利如是如來一百八名號若有自書或使人書能爲經卷受持讀誦如壽
命盡復滿百年壽終此身後得往生无量福智世界无量壽淨土陀羅尼曰
南謨薄伽勃底一 阿波唎蜜多二 阿喻紇硯那三 須毗你失指陀四 羅佐耶五 怛他羯他耶六 怛姪他唵七 薩婆桑
悉迦羅八 波唎輸底九 達磨底十 伽伽那十一 莎訶某持迦底十二 薩婆婆毗輸底十三 摩訶那耶十四 波唎婆嚟莎訶十五
尒時復有九十九俱胝佛一時同聲說是无量壽宗要經陀羅尼曰 南謨薄伽勃底一
阿波唎蜜多二 阿喻紇硯那三 須毗你失指陀四 羅佐耶五 怛他羯他耶六 怛姪他唵七 薩婆桑悉迦羅八 波唎輸
底九 達磨底十 伽伽那十一 莎訶某持迦底十二 薩婆婆毗輸底十三 摩訶那耶十四 波唎婆嚟莎訶十五
尒時復有一百四俱胝佛一時同聲說是无量壽宗要經陀羅尼曰 南謨薄伽勃底一 阿波
唎蜜多二 阿喻紇硯那三 須毗你失指陀四 羅佐耶五 怛他羯他耶六 怛姪他唵七 薩婆桑悉迦羅八 波唎輸底
達磨底十 伽伽那十一 莎訶某持迦底十二 薩婆桑悉迦羅八 波唎輸底九 達磨底十 伽伽那十一 莎訶某持
迦底十二 薩婆婆毗輸底十三 摩訶那耶十四 波唎婆嚟莎訶十五 尒時復有七俱胝佛一時同聲說是无量
壽宗要經陀羅尼曰 南謨薄伽勃底一 阿波唎蜜多二 阿喻紇硯那三 須毗你失指陀四 羅佐耶五 怛
他羯他耶六 怛姪他唵七 薩婆桑悉迦羅八 波唎輸底九 達磨底十 伽伽那十一 莎訶某持迦底十二 薩婆婆毗
輸底十三 摩訶那耶十四 波唎婆嚟莎訶十五 尒時復有六十五俱胝佛一時同聲說是无量壽宗要經陀

BD02456 號 1　無量壽宗要經　（5–1）

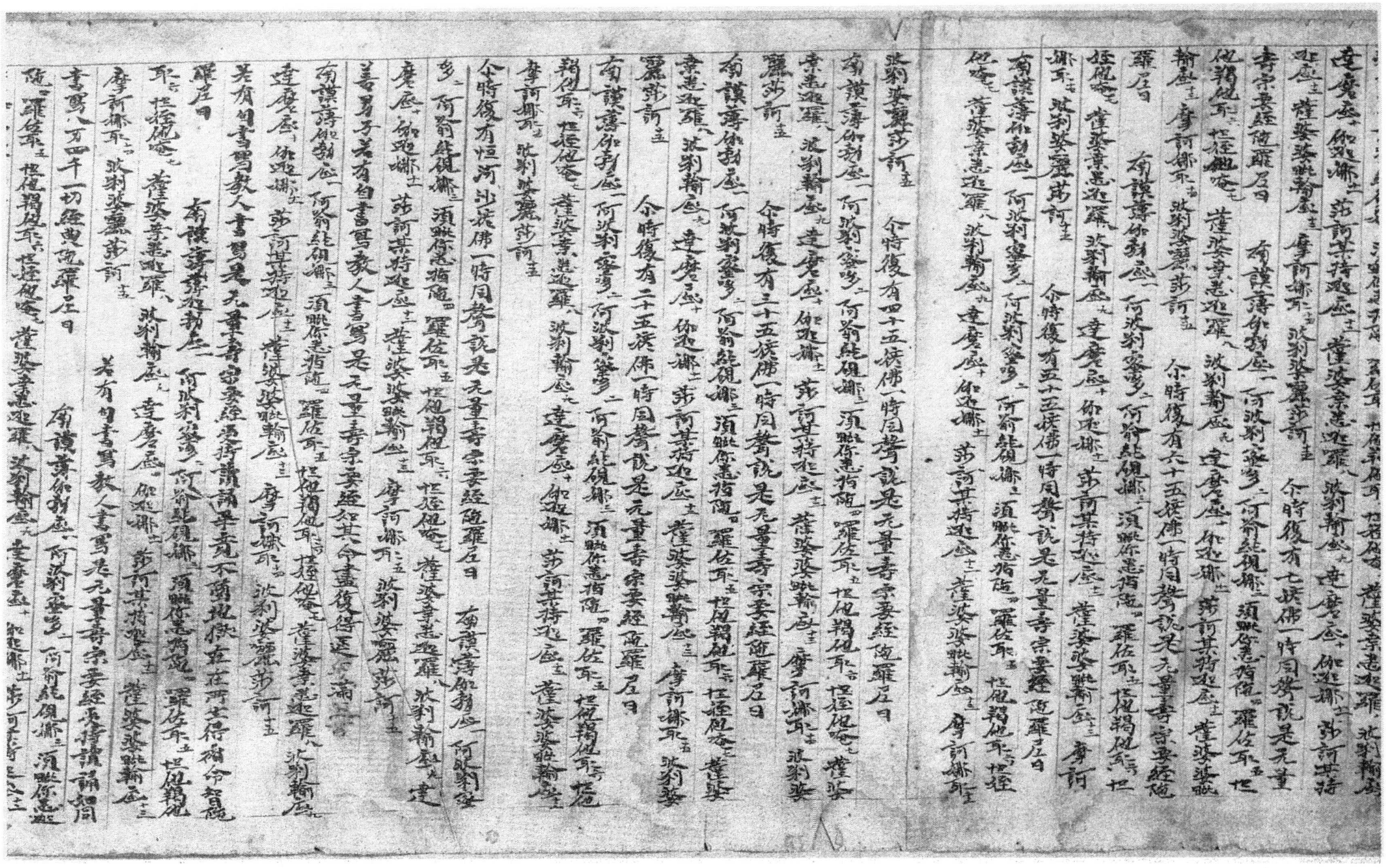

……達麼底 伽伽那 莎訶某持迦底 薩婆婆毗輸底 摩訶娜耶 波唎婆羅莎訶

爾時復有七俱胝佛一時同聲說是無量壽宗要經陀羅尼曰

南謨薄伽勃底 阿波唎蜜多 阿喻紇硯孃 須毗你悉指陀 囉佐耶 怛他羯他耶 怛姪他 唵 薩婆桑塞迦羅 波唎輸底 達麼底 伽伽那 莎訶某持迦底 薩婆婆毗輸底 摩訶娜耶 波唎婆羅莎訶

爾時復有六十五俱胝佛一時同聲說是無量壽宗要經陀羅尼曰

南謨薄伽勃底 阿波唎蜜多 阿喻紇硯孃 須毗你悉指陀 囉佐耶 怛他羯他耶 怛姪他 唵 薩婆桑塞迦羅 波唎輸底 達麼底 伽伽那 莎訶某持迦底 薩婆婆毗輸底 摩訶娜耶 波唎婆羅莎訶

爾時復有五十五俱胝佛一時同聲說是無量壽宗要經陀羅尼曰

南謨薄伽勃底 阿波唎蜜多 阿喻紇硯孃 須毗你悉指陀 囉佐耶 怛他羯他耶 怛姪他 唵 薩婆桑塞迦羅 波唎輸底 達麼底 伽伽那 莎訶某持迦底 薩婆婆毗輸底 摩訶娜耶 波唎婆羅莎訶

爾時復有四十五俱胝佛一時同聲說是無量壽宗要經陀羅尼曰

南謨薄伽勃底 阿波唎蜜多 阿喻紇硯孃 須毗你悉指陀 囉佐耶 怛他羯他耶 怛姪他 唵 薩婆桑塞迦羅 波唎輸底 達麼底 伽伽那 莎訶某持迦底 薩婆婆毗輸底 摩訶娜耶 波唎婆羅莎訶

爾時復有三十五俱胝佛一時同聲說是無量壽宗要經陀羅尼曰

南謨薄伽勃底 阿波唎蜜多 阿喻紇硯孃 須毗你悉指陀 囉佐耶 怛他羯他耶 怛姪他 唵 薩婆桑塞迦羅 波唎輸底 達麼底 伽伽那 莎訶某持迦底 薩婆婆毗輸底 摩訶娜耶 波唎婆羅莎訶

爾時復有二十五俱胝佛一時同聲說是無量壽宗要經陀羅尼曰

南謨薄伽勃底 阿波唎蜜多 阿喻紇硯孃 須毗你悉指陀 囉佐耶 怛他羯他耶 怛姪他 唵 薩婆桑塞迦羅 波唎輸底 達麼底 伽伽那 莎訶某持迦底 薩婆婆毗輸底 摩訶娜耶 波唎婆羅莎訶

爾時復有恒河沙俱胝佛一時同聲說是無量壽宗要經陀羅尼曰

南謨薄伽勃底 阿波唎蜜多 阿喻紇硯孃 須毗你悉指陀 囉佐耶 怛他羯他耶 怛姪他 唵 薩婆桑塞迦羅 波唎輸底 達麼底 伽伽那 莎訶某持迦底 薩婆婆毗輸底 摩訶娜耶 波唎婆羅莎訶

善男子若有自書寫教人書寫是無量壽宗要經如其命盡復得延年滿百歲陀羅尼曰

南謨薄伽勃底 阿波唎蜜多 阿喻紇硯孃 須毗你悉指陀 囉佐耶 怛他羯他耶 怛姪他 唵 薩婆桑塞迦羅 波唎輸底 達麼底 伽伽那 莎訶某持迦底 薩婆婆毗輸底 摩訶娜耶 波唎婆羅莎訶

若有自書寫教人書寫是無量壽宗要經受持讀誦者竟不墮地獄在在所生得宿命智陀羅尼曰

南謨薄伽勃底 阿波唎蜜多 阿喻紇硯孃 須毗你悉指陀 囉佐耶 怛他羯他耶 怛姪他 唵 薩婆桑塞迦羅 波唎輸底 達麼底 伽伽那 莎訶某持迦底 薩婆婆毗輸底 摩訶娜耶 波唎婆羅莎訶

若有自書寫教人書寫是無量壽宗要經受持讀誦知同書寫八萬四千一切經典陀羅尼曰

南謨薄伽勃底 阿波唎蜜多 阿喻紇硯孃 須毗你悉指陀……

BD02456 號 1　無量壽宗要經　（5–2）

……囉佐耶 怛他羯他耶 怛姪他 唵 薩婆桑塞迦羅 波唎輸底 達麼底 伽伽那 莎訶某持迦底 薩婆婆毗輸底 摩訶娜耶 波唎婆羅莎訶

若有自書寫教人書寫是無量壽宗要經即是書寫八萬四千部建立塔廟陀羅尼曰

南謨薄伽勃底 阿波唎蜜多 阿喻紇硯孃 須毗你悉指陀 囉佐耶 怛他羯他耶 怛姪他 唵 薩婆桑塞迦羅 波唎輸底 達麼底 伽伽那 莎訶某持迦底 薩婆婆毗輸底 摩訶娜耶 波唎婆羅莎訶

若有自書寫教人書寫是無量壽宗要經能消五無間等一切重罪陀羅尼曰

南謨薄伽勃底 阿波唎蜜多 阿喻紇硯孃 須毗你悉指陀 囉佐耶 怛他羯他耶 怛姪他 唵 薩婆桑塞迦羅 波唎輸底 達麼底 伽伽那 莎訶某持迦底 薩婆婆毗輸底 摩訶娜耶 波唎婆羅莎訶

若有自書寫教人書寫是無量壽宗要經受持讀誦設有重罪猶如須彌盡能除滅陀羅尼曰

南謨薄伽勃底 阿波唎蜜多 阿喻紇硯孃 須毗你悉指陀 囉佐耶 怛他羯他耶 怛姪他 唵 薩婆桑塞迦羅 波唎輸底 達麼底 伽伽那 莎訶某持迦底 薩婆婆毗輸底 摩訶娜耶 波唎婆羅莎訶

若有自書寫教人書寫是無量壽宗要經受持讀誦者魔子之眷屬夜叉羅剎不得其便終無枉死陀羅尼曰

南謨薄伽勃底 阿波唎蜜多 阿喻紇硯孃 須毗你悉指陀 囉佐耶 怛他羯他耶 怛姪他 唵 薩婆桑塞迦羅 波唎輸底 達麼底 伽伽那 莎訶某持迦底 薩婆婆毗輸底 摩訶娜耶 波唎婆羅莎訶

是有自書寫教人書寫是無量壽宗要經受持讀誦當得命終有九十九俱胝佛現其人前來授手接遊一切佛剎莫於此經生於疑惑陀羅尼曰

南謨薄伽勃底 阿波唎蜜多 阿喻紇硯孃 須毗你悉指陀 囉佐耶 怛他羯他耶 怛姪他 唵 薩婆桑塞迦羅 波唎輸底 達麼底 伽伽那 莎訶某持迦底 薩婆婆毗輸底 摩訶娜耶 波唎婆羅莎訶

若有自書寫教人書寫是無量壽宗要經受持讀誦常得四大天王隨其衛護陀羅尼曰

南謨薄伽勃底 阿波唎蜜多 阿喻紇硯孃 須毗你悉指陀 囉佐耶 怛他羯他耶 怛姪他 唵 薩婆桑塞迦羅 波唎輸底 達麼底 伽伽那 莎訶某持迦底 薩婆婆毗輸底 摩訶娜耶 波唎婆羅莎訶

若有自書寫教人書寫是無量壽宗要經受持讀誦當得往生西方極樂世界阿彌陀佛淨土陀羅尼曰

南謨薄伽勃底 阿波唎蜜多 阿喻紇硯孃 須毗你悉指陀 囉佐耶 怛他羯他耶 怛姪他 唵 薩婆桑塞迦羅 波唎輸底 達麼底 伽伽那 莎訶某持迦底 薩婆婆毗輸底 摩訶娜耶 波唎婆羅莎訶

是有自所書寫使人書寫是無量壽經典之處則為是塔皆應恭敬作禮若是畜生禽獸得聞是經如是等類皆當不久得成一切種智陀羅尼曰

南謨薄伽勃底 阿波唎蜜多 阿喻紇硯孃 須毗你悉指陀 囉佐耶 怛他羯他耶 怛姪他 唵 薩婆桑塞迦羅……

BD02456 號 1　無量壽宗要經　（5–3）

[illegible]

波唎輸底九 達麼底十 伽伽那十一 莎訶娑摩伽底十二 薩婆婆毗輸底十三 摩訶娜耶十四 波唎婆嚟莎訶十五

若有自書寫使人書寫是无量壽經典之處則為是塔皆應恭敬作礼若是畜生或為鳥

獸得聞是經如是等類皆當不久得成一切種智 陁羅尼曰

南謨薄伽勃底一 阿波唎蜜多二 阿喻紇硟那三 須毗你悉指陀四 羅佐耶五 怛他羯他耶六 怛姪他七 薩婆桑悉迦羅八

波唎輸底九 達麼底十 伽伽那十一 莎訶娑摩伽底十二 薩婆婆毗輸底十三 摩訶娜耶十四 波唎婆嚟莎訶十五

若有於是无量壽經典自書寫或使人書寫畢竟不更女人之身 陁羅尼曰

南謨薄伽勃底一 阿波唎蜜多二 阿喻紇硟那三 須毗你悉指陀四 羅佐耶五 怛他羯他耶六 怛姪他七 薩婆桑悉迦羅八

波唎輸底九 達麼底十 伽伽那十一 莎訶娑摩伽底十二 薩婆婆毗輸底十三 摩訶娜耶十四 波唎婆嚟莎訶十五

若有能於是經少分能惠施者等於三千大千世界滿中七寶布施 陁羅尼曰

南謨薄伽勃底一 阿波唎蜜多二 阿喻紇硟那三 須毗你悉指陀四 羅佐耶五 怛他羯他耶六 怛姪他七 薩婆桑悉迦羅八

波唎輸底九 達麼底十 伽伽那十一 莎訶娑摩伽底十二 薩婆婆毗輸底十三 摩訶娜耶十四 波唎婆嚟莎訶十五

若有能供養是經者時則供養一切佛刹寶於此經生无有異 陁羅尼曰

南謨薄伽勃底一 阿波唎蜜多二 阿喻紇硟那三 須毗你悉指陀四 羅佐耶五 怛他羯他耶六 怛姪他七 薩婆桑悉迦羅八

波唎輸底九 達麼底十 伽伽那十一 莎訶娑摩伽底十二 薩婆婆毗輸底十三 摩訶娜耶十四 波唎婆嚟莎訶十五

如是毗婆尸佛尸棄佛毗舍浮佛俱留孫佛迦葉佛釋迦牟尼佛若有人以七寶供養如是七佛其福

有限書寫受持是无量壽經典所有功德不可限量 陁羅尼曰

南謨薄伽勃底一 阿波唎蜜多二 阿喻紇硟那三 須毗你悉指陀四 羅佐耶五 怛他羯他耶六 怛姪他七 薩婆桑悉迦

羅八 波唎輸底九 達麼底十 伽伽那十一 莎訶娑摩伽底十二 薩婆婆毗輸底十三 摩訶娜耶十四 波唎婆嚟莎訶十五

若有七寶等於須弥山用布施其福上能知其限量是无量壽經典其福不可知數 陁羅尼曰

南謨薄伽勃底一 阿波唎蜜多二 阿喻紇硟那三 須毗你悉指陀四 羅佐耶五 怛他羯他耶六 怛姪他七 薩婆桑悉迦羅八

波唎輸底九 達麼底十 伽伽那十一 莎訶娑摩伽底十二 薩婆婆毗輸底十三 摩訶娜耶十四 波唎婆嚟莎訶十五

如是四大海水可知滴數是无量壽經典所生果報不可數量 陁羅尼曰

南謨薄伽勃底一 阿波唎蜜多二 阿喻紇硟那三 須毗你悉指陀四 羅佐耶五 怛他羯他耶六 怛姪他七 薩婆桑悉迦

羅八 波唎輸底九 達麼底十 伽伽那十一 莎訶娑摩伽底十二 薩婆婆毗輸底十三 摩訶娜耶十四 波唎婆嚟莎訶十五

若有自書使人書寫是无量壽經典又能讀持供養即如恭敬一切十方佛土如來无有別異 陁羅尼曰

南謨薄伽勃底一 阿波唎蜜多二 阿喻紇硟那三 須毗你悉指陀四 羅佐耶五 怛他羯他耶六 怛姪他七 薩婆桑悉迦

羅八 波唎輸底九 達麼底十 伽伽那十一 莎訶娑摩伽底十二 薩婆婆毗輸底十三 摩訶娜耶十四 波唎婆嚟莎訶十五

布施力能成正覺 悟布施力人師子 布施力能聲普聞 慈悲階漸眾能入

持戒力能成正覺 悟持戒力人師子 持戒力能聲普聞 慈悲階漸眾能入

忍辱力能成正覺 悟忍辱力人師子 忍辱力能聲普聞 慈悲階漸眾能入

精進力能成正覺 悟精進力人師子 精進力能聲普聞 慈悲階漸眾能入

禪定力能成正覺 悟禪定力人師子 禪定力能聲普聞 慈悲階漸眾能入

智慧力[illegible]

BD02456 號 1 無量壽宗要經 （5–4）

布施力[illegible]

持戒力能成正覺 悟持戒力人師子 持戒力能聲普聞 慈悲階漸眾能入

忍辱力能成正覺 悟忍辱力人師子 忍辱力能聲普聞 慈悲階漸眾能入

精進力能成正覺 悟精進力人師子 精進力能聲普聞 慈悲階漸眾能入

禪定力能成正覺 悟禪定力人師子 禪定力能聲普聞 慈悲階漸眾能入

智慧力能成正覺 悟智慧力人師子 智慧力能聲普聞 慈悲階漸眾能入

尒時如來說是經已一切世間天人阿脩羅揵闥婆等聞佛所說皆大歡喜信受奉行

佛說无量壽宗要經

[illegible]晏兒寫

大乘无量壽經

如是我聞一時薄伽梵在舍衛國祇樹給孤獨園與大苾芻僧千二百五十人大菩薩摩

訶薩眾俱同會坐尒時世尊告曼殊室利童子曼殊上方有世界[illegible]

土有佛号无量[illegible]

BD02456 號 1 無量壽宗要經 （5–5）

BD02456 號 2 無量壽宗要經

妙法蓮華經一部卷下

BD02457 號背　妙法蓮華經（二卷本）卷下護首　　　　（1–1）

妙法蓮華經提婆達多品第十二
爾時佛告諸菩薩及天人四衆吾於過去无量劫中求法華經无
有懈惓於多劫中常作國王發願求於无上菩提心不退轉為欲
滿足六波羅蜜勤行布施心无悋惜象馬七珍國城妻子奴婢僕
從頭目髓腦身肉手足不惜軀命時世人民壽命无量為於法
故捐捨國位委政太子擊鼓宣令四方求法誰能為我說大乘
者吾當終身供給走使時有仙人來白王言我有大乘名妙法
蓮華經若不違我當為宣說王聞仙言歡喜踊躍即隨仙人供給
所須採菓汲水拾薪設食乃至以身而為床座身心无惓于時奉

BD02457 號　妙法蓮華經（二卷本）卷下　　　　（20–1）

故捐捨國位委政太子擊鼓宣令四方求法誰能為我說大乘
者吾當終身供給走使時有仙人來白王言我有大乘名妙法
蓮華經若不違我當為宣說王聞仙言歡喜踊躍即隨仙人供給
所須採菓汲水拾薪設食乃至以身而為床座身心无惓于時奉
經於千歲為於法故精勤給侍令无所乏尒時世尊欲重宣此義而
說偈言 我念過去劫 為求大法故 雖作世國王 不貪五欲樂 捶鍾告四方
誰有大法者 若為我解說 身當為奴僕 時有阿私仙
來白於大王 我有微妙法 世間所希有 若有脩行者 吾當為汝說
時王聞仙言 心生大喜悅 即便隨仙人 供給於所須 採薪及菓蓏
隨時恭敬與 情存妙法故 身心无懈惓 普為諸衆生 勤求於大法
亦不為己身 及以五欲樂 故為大國王 勤求獲此法 遂致得成佛
今故為汝說 佛告諸比丘尒時王者則我身是時仙人者今提婆
達多是由提婆達多善知識故令我具足六波羅蜜慈悲喜捨三十
二相八十種好紫磨金色十力四无所畏四攝法十八不共神通道力
成等正覺廣度衆生皆因提婆達多善知識故告諸四衆提婆
達多却後過无量劫當得成佛号曰天王如來應供正遍知明行足
善逝世間解无上士調御丈夫天人師佛世尊世界名天道時天
王佛住世二十中劫廣為衆生說於妙法恒河沙衆生得阿羅漢
果无量衆生發緣覺心恒河沙衆生發无上道心得无生法忍至不
退轉時天王佛般涅槃後正法住世二十中劫全身舍利起七寶塔高六
十由旬縱廣四十由旬諸天人民悉以雜華末香燒香塗香衣服
瓔珞幢幡寶蓋伎樂歌頌礼拜供養七寶妙塔无量衆生得阿
羅漢果无量衆生悟辟支佛不可思議衆生發菩提心至不退轉
佛告諸比丘未來世中若有善男子善女人聞妙法華經提婆達
多品淨心信敬不生疑惑者不墮地獄餓鬼畜生生十方佛前
所生之處常聞此經若生人天中受勝妙樂若在佛前蓮華化生
於時下方多寶世尊所從菩薩名曰智積啓多寶佛當還本土
釋迦牟尼佛告智積曰善男子且待須臾此有菩薩名文殊師利
可與相見論說妙法可還本土尒時文殊師利坐千葉蓮華大如
車輪俱來菩薩亦坐寶蓮華從於大海娑竭羅龍宮自然踊出
住虛空中詣靈鷲山從蓮華下至於佛所頭面敬礼二世尊足脩敬
已畢往智積所共相慰問却坐一面智積菩薩問文殊師利仁往龍
宮所化衆生其數幾何文殊師利言其數无量不可稱計非口所

BD02457號 妙法蓮華經（二卷本）卷下 （20–2）

可與相見論說妙法可還本土尒時文殊師利坐千葉蓮華大如
車輪俱來菩薩亦坐寶蓮華從於大海娑竭羅龍宮自然踊出
住虛空中詣靈鷲山從蓮華下至於佛所頭面敬礼二世尊足脩敬
已畢往智積所共相慰問却坐一面智積菩薩問文殊師利仁往龍
宮所化衆生其數幾何文殊師利言其數无量不可稱計非口所
宣非心所測且待須臾自當有證所言未竟无數菩薩坐寶蓮
華從海踊出詣靈鷲山住在虛空此諸菩薩皆是文殊師利之所
化度具菩薩行皆共論說六波羅蜜本聲聞行今皆脩行大乘
空義文殊師利謂智積曰於海教化其事如此尒時智積菩薩以偈
讚曰 大智德勇健 化度无量衆 今此諸大會 及我皆已見 演暢實相義
開闡一乘法 廣導諸衆生 令速成菩提 文殊師利言我於海中唯常
宣說妙法華經智積問文殊師利言此經甚深微妙諸經中寶世所希
有頗有衆生勤加精進脩行此經速得佛不文殊師利言有娑竭
羅龍王女年始八歲智慧利根善知衆生諸根利鈍得陀羅尼諸
佛所說甚深祕藏悉能受持深入禪定了達諸法於剎那頃發
菩提心得不退轉辯才无礙慈念衆生猶如赤子功德具足心念
口演微妙廣大慈悲仁讓志意和雅能至菩提智積菩薩言我見
釋迦如來於无量劫難行苦行積功累德求菩提道未曾止息觀
三千大千世界乃至无有如芥子許非是菩薩捨身命處為衆生
故然後乃得成菩提道不信此女於須臾頃便成正覺言論未訖
時龍王女忽現於前頭面礼敬却住一面以偈讚曰
深達罪福相 遍照於十方 微妙淨法身 具相三十二 以八十種好
用莊嚴法身 天人所戴仰 龍神咸恭敬 一切衆生類 无不宗奉者
又聞成菩提 唯佛當證知 我闡大乘教 度脫苦衆生
尒時舍利弗語龍女言汝謂不久得无上道是事難信所以者何女身
垢穢非是法器云何能得无上菩提佛道懸曠經无量劫勤苦積
行具脩諸度然後乃成又女人身猶有五障一者不得作梵天王
二者帝釋三者魔王四者轉輪聖王五者佛身云何女身速得成佛
尒時龍女有一寶珠價直三千大千世界持以上佛佛即受之龍女謂
智積菩薩尊者舍利弗言我獻寶珠世尊納受是事疾不答言
甚疾女言以汝神力觀我成佛復速於此當時衆會皆見龍女忽
然之間變成男子具菩薩行即往南方无垢世界坐寶蓮華成等正
覺三十二相八十種好普為十方一切衆生演說妙法尒時娑婆世界
菩薩聲聞天龍八部人與非人皆遙見彼龍女成佛普為時會人天

BD02457號 妙法蓮華經（二卷本）卷下 （20–3）

甚疾女言以汝神力觀我成佛復速於此當時衆會皆見龍女忽
然之間變成男子具菩薩行即往南方无垢世界坐寶蓮華成等正
覺三十二相八十種好普為十方一切衆生演說妙法尒時娑婆世界
菩薩聲聞天龍八部人與非人皆遥見彼龍女成佛普為時會人天
說法心大歡喜悉遥敬礼无量衆生聞法解悟得不退轉无量衆生
得受道記无垢世界六反震動娑婆世界三千衆生住不退地三千衆
生發菩提心而得受記智積菩薩及舍利弗一切衆會嘿然信受

妙法蓮華經持品第十三

尒時藥王菩薩摩訶薩及大樂
說菩薩摩訶薩與二万菩薩眷屬俱皆於佛前作是誓言唯願世尊
不以為慮我等於佛滅後當奉持讀誦說此經典後惡世衆生
善根轉少多增上慢貪利供養增不善根遠離解脫雖難可教
化我等當起大忍力讀誦此經持說書寫種種供養不惜身命尒時
衆中五百阿羅漢得受記者白佛言世尊我等亦自誓願於異
國土廣說此經復有學无學八千人得受記者從座而起合掌向佛作
是誓言世尊我等亦當於他國土廣說此經所以者何是娑婆國中人
多弊惡懷增上慢功德淺薄瞋濁諂曲心不實故尒時佛姨母摩訶
波闍波提比丘尼與學无學比丘尼六千人俱從座而起一心合掌瞻仰
尊顏目不暫捨於時世尊告憍曇弥何故憂色而視如來汝心將
无謂我不說汝名授阿耨多羅三藐三菩提記耶憍曇弥我先總
說一切聲聞皆已授記今汝欲知記者將來之世當於六万八千億諸
佛法中為大法師及六千學无學比丘尼俱為法師汝如是漸漸具菩薩
道當得作佛号一切衆生喜見如來應供正遍知明行足善逝世間解无
上士調御丈夫天人師佛世尊憍曇弥是一切衆生喜見佛及六千
菩薩轉次授記得阿耨多羅三藐三菩提尒時羅睺羅母耶輸陁
羅比丘尼作是念世尊於授記中獨不說我名佛告耶輸陁羅汝於
來世百千万億諸佛法中脩菩薩行為大法師漸具佛道於善國中
當得作佛号具足千万光相如來應供正遍知明善逝世間解无
上士調御丈夫天人師佛世尊佛壽无量阿僧祇劫尒時摩訶波
闍波提比丘尼及耶輸陁羅比丘尼并其眷屬皆大歡喜得未曾有
即於佛前而說偈言　世尊導師　安隱天人　我等聞記
心安具足　諸比丘尼說是偈已白佛言世尊我等亦能於他方國土廣宣
此經尒時世尊視八十万億那由他諸菩薩摩訶薩是諸菩薩皆阿

闍波提比丘尼及耶輸陁羅比丘尼并其眷屬皆大歡喜得未曾有
即於佛前而說偈言　世尊導師　安隱天人　我等聞記
心安具足　諸比丘尼說是偈已白佛言世尊我等亦能於他方國土廣宣
此經尒時世尊視八十万億那由他諸菩薩摩訶薩是諸菩薩皆阿
惟越致轉不退法輪得諸陁羅尼即從座起至於佛前一心合掌而作
是念若世尊告勅我等持說此經者當如佛教廣宣斯法復作是
念佛今嘿然不見告勅我當云何時諸菩薩敬順佛意并欲自滿本
願便於佛前作師子吼而發誓言世尊我等於如來滅後周旋往返十方
世界能令衆生書寫此經受持讀誦解說其義如法脩行正憶念皆是
佛之威力唯願世尊在於他方遥見守護即時諸菩薩俱同發聲而
說偈言　唯願不為慮　於佛滅度後　恐怖惡世中　我等當廣說
有諸无智人　惡口罵詈等　及加刀杖者　我等皆當忍　惡世中比丘
邪智心諂曲　未得謂為得　我慢心充滿　或有阿練若　納衣在空閑
自謂行真道　輕賤人間者　貪著利養故　與白衣說法　為世所恭敬
如六通羅漢　是人懷惡心　常念世俗事　假名阿練若　好出我等過
而作如是言　此諸比丘等　為貪利養故　說外道論議　自作此經典
誑惑世間人　為求名聞故　分別於是經　常在大衆中　欲毀我等故
向國王大臣　婆羅門居士　及餘比丘衆　誹謗說我惡　謂是邪見人
說外道論議　我等敬佛故　悉忍是諸惡　為斯所輕言　汝等皆是佛
如此輕慢言　皆當忍受之　濁劫惡世中　多有諸恐怖　惡鬼入其身
罵詈毀辱我　我等敬信佛　當著忍辱鎧　為說是經故　忍此諸難事
我不愛身命　但惜无上道　我等於來世　護持佛所囑　世尊自當知
濁世惡比丘　不知佛方便　隨宜所說法　惡口而顰蹙　數數見擯出
遠離於塔寺　如是等衆惡　念佛告勅故　皆當忍是事　諸聚落城邑
其有求法者　我皆到其所　說佛所囑法　我是世尊使　處衆无所畏
我當善說法　願佛安隱住　我於世尊前　諸來十方佛　發如是誓言
佛自知我心

妙法蓮華經安樂行品第十四

尒時文殊師利法王子菩薩摩訶薩白佛言世尊是諸菩薩甚
為難有敬順佛故發大誓願於後惡世護持讀誦說是法華經世
尊菩薩摩訶薩於後惡世云何能說是經佛告文殊師利若菩薩
摩訶薩於後惡世欲說是經當安住四法一者安住菩薩行處親
近處能為衆生演說是經文殊師利云何名菩薩摩訶薩行處

甚難菩薩摩訶薩於後惡世云何能說是經佛告文殊師利若菩薩
摩訶薩於後惡世欲說是經當安住四法一者安住菩薩行處親
近處能為衆生演說是經文殊師利云何名菩薩摩訶薩行處
若菩薩摩訶薩住忍辱地柔和善順而不卒暴心亦不驚又復於
法无所行而觀諸法如實相亦不行不分別是名菩薩摩訶薩行處
云何名菩薩摩訶薩親近處菩薩摩訶薩不親近國王王子大臣官
長不親近諸外道梵志尼揵子等及造世俗文筆讚詠外書及路伽
耶陀逆路伽耶陀者亦不親近諸有凶戲相扠相撲及那羅等種種變
現之戲又不親近旃陀羅及畜猪羊雞狗畋獵漁捕諸惡律儀如
是人等或時來者則為說法无所悕望又不親近求聲聞比丘比丘
尼優婆塞優婆夷亦不問訊若於房中若經行處若在講堂中不
共住止或時來者隨宜說法无所悕求文殊師利又菩薩摩訶薩不
應於女人身取能生欲想相而為說法亦不樂見若入他家不與小女
處女寡女等共語亦復不近五種不男之人以為親厚不獨入他家若
有因緣須獨入時但一心念佛若為女人說法不露齒笑不現胸臆乃
至為法猶不親厚況復餘事不樂畜年少弟子沙彌小兒亦不樂
與同師常好坐禪在於閑處修攝其心文殊師利是名初親近處復
次菩薩摩訶薩觀一切法空如實相不顛倒不動不退不轉如虛空
无所有性一切語言道斷不生不出不起无名无相實无所有无
量无邊无礙无障但以因緣有從顛倒生故說常樂觀如是法相
是名菩薩摩訶薩第二親近處爾時世尊欲重宣此義而說偈言
若有菩薩　於後惡世　无怖畏心　欲說是經　應入行處　及親近處
常離國王　及國王子　大臣官長　凶險戲者　及旃陀羅　外道梵志
亦不親近　增上慢人　貪著小乘　三藏學者　破戒比丘　名字羅漢
及比丘尼　好戲笑者　深著五欲　求現滅度　諸優婆夷　皆勿親近
若是人等　以好心來　到菩薩所　為聞佛道　菩薩則以　无所畏心
不懷悕望　而為說法　寡女處女　及諸不男　皆勿親近　以為親厚
亦莫親近　屠兒魁膾　畋獵漁捕　為利殺害　販肉自活　衒賣女色
如是之人　皆勿親近　凶險相撲　種種嬉戲　諸婬女等　盡勿親近
莫獨屏處　為女說法　若說法時　无得戲笑　入里乞食　將一比丘
若无比丘　一心念佛　是則名為　行處近處　以此二處　能安樂說
又復不行　上中下法　有為无為　實不實法　亦不分別　是男是女
不得諸法　不知不見　是則名為　菩薩行處　一切諸法　空无所有

BD02457 號　妙法蓮華經（二卷本）卷下　（20–6）

莫獨屏處　為女說法　若說法時　无得戲笑　入里乞食　將一比丘
若无比丘　一心念佛　是則名為　行處近處　以此二處　能安樂說
又復不行　上中下法　有為无為　實不實法　亦不分別　是男是女
不得諸法　不知不見　是則名為　菩薩行處　一切諸法　空无所有
无有常住　亦无起滅　是名智者　所親近處　顛倒分別　諸法有无
是實非實　是生非生　在於閑處　修攝其心　安住不動　如須彌山
觀一切法　皆无所有　猶如虛空　无有堅固　不生不出　不動不退
常住一相　是名近處　若有比丘　於我滅後　入是行處　及親近處
說斯經時　无有怯弱　菩薩有時　入於靜室　以正憶念　隨義觀法
從禪定起　為諸國王　王子臣民　婆羅門等　開化演暢　說斯經典
其心安隱　无有怯弱　文殊師利　是名菩薩　安住初法　能於後世
說法華經　又文殊師利如來滅後於末法中欲說是經應住安樂
行若口宣說若讀經時不樂說人及經典過亦不輕慢諸餘法師
不說他人好惡長短於聲聞人亦不稱名說其過惡亦不稱名讚歎
其美又亦不生怨嫌之心善脩如是安樂心故諸有聽者不逆其意
有所難問不以小乘法答但以大乘而為解說令得一切種智爾時世尊
重宣此義而說偈言　菩薩常樂　安隱說法　於清淨地　而施床座
以油塗身　澡浴塵穢　著新淨衣　內外俱淨　安處法座　隨問為說
若有比丘　及比丘尼　諸優婆塞　及優婆夷　國王王子　群臣士民
以微妙義　和顏為說　若有難問　隨義而答　因緣譬喻　敷演分別
以是方便　皆使發心　漸漸增益　入於佛道　除嬾惰意　及懈怠想
離諸憂惱　慈心說法　晝夜常說　无上道教　以諸因緣　无量譬喻
開示衆生　咸令歡喜　衣服臥具　飲食醫藥　而於其中　无所悕望
但一心念　說法因緣　願成佛道　令衆亦尒　是則大利　安樂供養
我滅度後　若有比丘　能演說斯　妙法華經　心无嫉恚　諸惱障礙
亦无憂愁　及罵詈者　又无怖畏　加刀杖等　亦无擯出　安住忍故
智者如是　善脩其心　能住安樂　如我上說　其人功德　千万億劫
筭數譬喻　說不能盡　又文殊師利菩薩摩訶薩於後末世法欲滅時
受持讀誦斯經典者无懷嫉妬諂誑之心亦勿輕罵學佛道者求其長
短若比丘比丘尼優婆塞優婆夷求聲聞者求辟支佛者求菩薩道
者无得惱之令其疑悔語其人言汝等去道甚遠終不能得一切
種智所以者何汝是放逸之人於道懈怠故又亦不應戲論諸法有

BD02457 號　妙法蓮華經（二卷本）卷下　（20–7）

短若比丘比丘尼優婆塞優婆夷求聲聞者求辟支佛者求菩薩道
者无得惱之令其疑悔語其人言汝等去道甚遠終不能得一切
種智所以者何汝是放逸之人於道懈怠故又亦不應戲論諸法有
所諍競當於一切衆生起大悲想於諸如來起慈父想於諸菩薩
起大師想於十方諸大菩薩常應深心恭敬禮拜於一切衆生平等
說法以順法故不多不少乃至深愛法者亦不為多說文殊師利是菩
薩摩訶薩於後末世法欲滅時有成就是第三安樂行者說是法
時无能惱亂得好同學共讀誦是經亦得大衆而來聽受聽已能持持
已能誦誦已能說說已能書若使人書供養經卷恭敬尊重讚
歎尒時世尊欲重宣此義而說偈言

若欲說是經　當捨嫉恚慢
諂誑邪偽心　常修質直行　不輕蔑於人　亦不戲論法　不令他疑悔
云汝不得佛　是佛子說法　常柔和能忍　慈悲於一切　不生懈怠心
十方大菩薩　愍衆故行道　應生恭敬心　是則我大師　於諸佛世尊
生无上父想　破於憍慢心　說法无障礙　第三法如是　智者應守護
一心安樂行　无量衆所敬　又文殊師利菩薩摩訶薩於後末世法欲滅
時有持法華經者於在家出家人中生大慈心於非菩薩人中生大悲
心應作是念如是之人則為大失如來方便隨宜說法不聞不知不覺不
問不信不解其人雖不問不信不解是經我得阿耨多羅三藐三菩提時
隨在何地以神通力智慧力引之令得住是法中文殊師利是菩薩摩訶
薩於如來滅後有成就此第四法者說是法時无有過失常為比丘比丘
尼優婆塞優婆夷國王王子大臣人民婆羅門居士等供養恭敬尊重
讚歎虛空諸天為聽法故亦常隨侍若在聚落城邑空閑林中有
人來欲難問者諸天晝夜常為法故而衛護之能令聽者皆得歡喜所
以者何此經是一切過去未來現在諸佛神力所護故文殊師利是法華經
於无量國中乃至名字不可得聞何況得見受持讀誦文殊師利譬如
強力轉輪聖王欲以威勢降伏諸國而諸小王不順其命時轉輪王起種種
兵而往討伐王見兵衆戰有功者即大歡喜隨功賞賜或與田宅聚落
城邑或與衣服嚴身之具或與種種珍寶金銀琉璃車𤦲馬瑙珊瑚虎
珀象馬車乘奴婢人民唯髻中明珠不以與之所以者何獨王頂上有此一
珠若以與之王諸眷屬必大驚怪文殊師利如來亦復如是以禪定智慧力
得法國土王於三界而諸魔王不肯順伏如來賢聖諸將與之共戰
其有功者心亦歡喜於四衆中為說諸經令其心悅賜以禪定解脫
无漏根力諸法之財又復賜與涅槃之城言得滅度引導其心令皆歡

BD02457號　妙法蓮華經（二卷本）卷下　（20–8）

珀象馬車乘奴婢人民唯髻中明珠不以與之所以者何獨王頂上有此一
珠若以與之王諸眷屬必大驚怪文殊師利如來亦復如是以禪定智慧力
得法國土王於三界而諸魔王不肯順伏如來賢聖諸將與之共戰
其有功者心亦歡喜於四衆中為說諸經令其心悅賜以禪定解脫
无漏根力諸法之財又復賜與涅槃之城言得滅度引導其心令皆歡
喜而不為說是法華經文殊師利如轉輪王見諸兵衆有大功者
心甚歡喜以此難信之珠久在髻中不妄與人而今與之如來亦復如是
於三界中為大法王以法教化一切衆生見賢聖軍與五陰魔煩惱魔
死魔共戰有大功勳滅三毒出三界破魔網尒時如來亦大歡喜此
法華經能令衆生至一切智一切世間多怨難信先所未說而今說之
文殊師利此法華經是諸如來第一之說於諸說中最為甚深末後賜
與如彼強力之王久護明珠今乃與之文殊師利此法華經諸佛如來秘
密之藏於諸經中最在其上長夜守護不妄宣說始於今日乃與
汝等而敷演之尒時世尊欲重宣此義而說偈言

常行忍辱　哀愍一切　乃能演說　佛所讚經　後末世時　持此經者
於家出家　及非菩薩　應生慈悲　斯等不聞　不信是經　則為大失
我得佛道　以諸方便　為說此法　令住其中　譬如強力　轉輪之王
兵戰有功　賞賜諸物　象馬車乘　嚴身之具　及諸田宅　聚落城邑
或與衣服　種種珍寶　奴婢財物　歡喜賜與　如有勇健　能為難事
王解髻中　明珠賜之　如來亦尒　為諸法王　忍辱大力　智慧寶藏
以大慈悲　如法化世　見一切人　受諸苦惱　欲求解脫　與諸魔戰
為是衆生　說種種法　以大方便　說此諸經　既知衆生　得其力已
末後乃為　說是法華　如王解髻　明珠與之　此經為尊　衆經中上
我常守護　不妄開示　今正是時　為汝等說　我滅度後　求佛道者
欲得安隱　演說斯經　應當親近　如是四法　讀是經者　常无憂惱
又无病痛　顏色鮮白　不生貧窮　卑賤醜陋　衆生樂見　如慕賢聖
諸天童子　以為給使　刀杖不加　毒不能害　若人惡罵　口則閉塞
遊行无畏　如師子王　智慧光明　如日之照　若於夢中　但見妙事
見諸如來　坐師子座　諸比丘衆　圍繞說法　又見龍神　阿脩羅等
數如恒沙　恭敬合掌　自見其身　而為說法　又見諸佛　身相金色
放无量光　照於一切　以梵音聲　演說諸法　佛為四衆　說无上法
見身處中　合掌讚佛　聞法歡喜　而為供養　得陀羅尼　證不退智
佛知其心　深入佛道　即為授記　成最正覺　汝善男子　當於來世
得无量智　佛之大道　國土嚴淨　廣大无比　亦有四衆　合掌聽法

BD02457號　妙法蓮華經（二卷本）卷下　（20–9）

數如恒沙　恭敬合掌　自見其身　而爲說法　又見諸佛　身相金色
放无量光　照於一切　以梵音聲　演說諸法　佛爲四衆　說无上法
見身處中　合掌讚佛　聞法歡喜　而爲供養　得陀羅尼　證不退智
佛知其心　深入佛道　即爲授記　成最正覺　汝善男子　當於來世
得无量智　佛之大道　國土嚴淨　廣大无比　亦有四衆　合掌聽法
又見自身　在山林中　脩習善法　證諸實相　深入禪定　見十方佛
諸佛身金色　百福相莊嚴　聞法爲人說　常有是好夢　又夢作國王
捨宮殿眷屬　及上妙五欲　行詣於道場　在菩提樹下　而處師子座
求道過七日　得諸佛之智　成无上道已　起而轉法輪　爲四衆說法
經千万億劫　說无漏妙法　度无量衆生　後當入涅槃　如烟盡燈滅
若後惡世中　說是第一法　是人得大利　如上諸功德
妙法蓮華經從地踊出品第十五
尒時他方國土諸來菩薩摩
訶薩過八恒河沙數於大衆中起立合掌作礼而白佛言世尊若聽
我等於佛滅後在此娑婆世界勤加精進護持讀誦書寫供養
是經典者當於此土而廣說之尒時佛告諸菩薩摩訶薩衆止善
男子不須汝等護持此經所以者何我娑婆世界自有六万恒河沙等菩
薩摩訶薩一一菩薩各有六万恒河沙眷屬是諸人等能於我滅後
護持讀誦廣說此經佛說是時娑婆世界三千大千國土地皆震裂而
於其中有无量千万億菩薩摩訶薩同時踊出是諸菩薩身皆金
色三十二相无量光明先盡在此娑婆世界之下此界虛空中住是諸
菩薩聞釋迦牟尼佛所說音聲從下發來一一菩薩皆是大衆唱導
之首各將六万恒河沙眷屬况將五万四万三万二万一万恒河沙等
眷屬者况復乃至一恒河沙半恒沙四分之一乃至千万億那由他分
之一况復千万億那由他眷屬况復億万眷屬况復千万百万乃至
一万况復一千一百乃至一十况復將五四
三二一弟子者况復單己樂遠離行如是等比无量无邊筭數譬
喻所不能知是諸菩薩從地出已各詣虛空七寶妙塔多寶如來釋
迦牟尼佛所到已向二世尊頭面礼足及至諸寶樹下師子座上佛所
亦皆作礼右繞三帀合掌恭敬以諸菩薩種種讚法而以讚歎住
在一面欣樂瞻仰於二世尊是諸菩薩摩訶薩從初踊出以諸菩薩
種種讚法而讚於佛如是時間經五十小劫是時釋迦牟尼佛嘿然而
坐及諸四衆亦皆嘿然五十小劫佛神力故令諸大衆謂如半日尒時
四衆亦以佛神力故見諸菩薩遍滿无量百千万億國土虛空是菩

BD02457號　妙法蓮華經（二卷本）卷下

（20-10）

在一面欣樂瞻仰於二世尊是諸菩薩摩訶薩從初踊出以諸菩薩
種種讚法而讚於佛如是時間經五十小劫是時釋迦牟尼佛嘿然而
坐及諸四衆亦皆嘿然五十小劫佛神力故令諸大衆謂如半日尒時
四衆亦以佛神力故見諸菩薩遍滿无量百千万億國土虛空是菩
薩衆中有四導師一名上行二名无邊行三名淨行四名安立行是四
菩薩於其衆中最爲上首唱導之師在大衆前各共合掌觀釋
迦牟尼佛而問訊言世尊少病少惱安樂行不所應度者受教易
不不令世尊生疲勞耶尒時四大菩薩而說偈言
世尊安樂　少病少惱　教化衆生　得无疲惓　又諸衆生　受化易不
不令世尊　生疲勞耶　尒時世尊於菩薩大衆中而作是言如是如
是諸善男子如來安樂少病少惱諸衆生等易可化度无有疲勞
所以者何是諸衆生世世已來常受我化亦於過去諸佛供養尊重
種諸善根此諸衆生始見我身聞我所說即皆信受入如來
慧除先脩習學小乘者如是之人我今亦令得聞是經入於佛慧尒
時諸大菩薩而說偈言　善哉善哉　大雄世尊　諸衆生等
易可化度　能問諸佛　甚深智慧　聞已信行　我等隨喜　於時世
尊讚歎上首諸大菩薩善哉善哉善男子汝等能於如來發隨
喜心尒時弥勒菩薩及八千恒河沙諸菩薩衆皆作是念我從昔
來不見不聞如是大菩薩摩訶薩衆從地踊出住世尊前合掌供
養問訊如來時弥勒菩薩摩訶薩知八千恒河沙諸菩薩等心之所
念并欲自決所疑合掌向佛以偈問曰　无量千万億　大衆諸菩薩
昔所未曾見　願兩足尊說　是從何所來　以何因緣集　巨身大神通
智慧叵思議　其志念堅固　有大忍辱力　衆生所樂見　爲從何所來
一一諸菩薩　所將諸眷屬　其數无有量　如恒河沙等　或有大菩薩
將六万恒沙　如是諸大衆　一心求佛道　是諸大師等　六万恒河沙
俱來供養佛　及護持此經　將五万恒沙　其數過於是　四万及三万
二万至一万　一千一百等　乃至一恒沙　半及三四分　億万分之一
千万那由他　万億諸弟子　乃至於半億　其數復過上　百万至一万
一千及一百　五十與一十　乃至三二一　單己无眷屬　樂於獨處者
俱來至佛所　其數轉過上　如是諸大衆　若人行籌數　過於恒沙劫
猶不能盡知　是諸大威德　精進菩薩衆　誰爲其說法　教化而成就
從誰初發心　稱揚何佛法　受持行誰經　脩習何佛道　如是諸菩薩
神通大智力　四方地震裂　皆從中踊出　世尊我昔來　未曾見是事

BD02457號　妙法蓮華經（二卷本）卷下

（20-11）

單己无眷屬 樂於獨處者
俱來至佛所 其數轉過上 如是諸大衆 若人行籌數 過於恒沙劫
猶不能盡知 是諸大威德 精進菩薩衆 誰為其說法 教化而成就
從誰初發心 稱揚何佛法 受持行誰經 修習何佛道 如是諸菩薩
神通大智力 四方地震裂 皆從中踊出 世尊我昔來 未曾見是事
願說其所從 國土之名号 我常遊諸國 未曾見是衆 我於此衆中
乃不識一人 忽然從地出 願說其因緣 今此之大會 无量百千億
是諸菩薩等 皆欲知此事 是諸菩薩衆 本末之因緣 无量德世尊
唯願決衆疑 尒時釋迦牟尼佛分身諸佛從无量千万億他方國
土來者 在於八方諸寶樹下師子座上結跏趺坐 其佛侍者各各
見是菩薩大衆於三千大千世界四方從地踊出住於虛空 各白其
佛言 世尊 此諸无量无邊阿僧祇菩薩大衆從何所來 尒時諸
佛各告侍者 諸善男子 且待須臾 有菩薩摩訶薩名曰弥勒 釋迦
牟尼佛之所授記 次後作佛 已問斯事 佛今答之 汝等自當因是得
聞 尒時釋迦牟尼佛告弥勒菩薩 善哉善哉 阿逸多 乃能問佛
如是大事 汝等當共一心 被精進鎧 發堅固意 如來今欲顯發宣示諸
佛智慧 諸佛自在神通之力 諸佛師子奮迅之力 諸佛威猛大勢之力
尒時世尊欲重宣此義而說偈言 當精進一心 我欲說此事
勿得有疑悔 佛智叵思議 汝今出信力 住於忍善中 昔所未聞法
今皆當得聞 我今安慰汝 勿得懷疑懼 佛无不實語 智慧不可量
所得第一法 甚深叵分別 如是今當說 汝等一心聽 尒時世尊說
此偈已 告弥勒菩薩 我今於此大衆宣告汝等 阿逸多 是諸大菩薩摩
訶薩无量无數阿僧祇從地踊出 汝等昔所未見者 我於是娑婆世
界得阿耨多羅三藐三菩提已 教化示導是諸菩薩 調伏其心 令發道
意 此諸菩薩皆於是娑婆世界之下 此界虛空中住 於諸經典讀誦
通利 思惟分別 正憶念 阿逸多 是諸善男子等 不樂在衆多有所
說 常樂靜處 勤行精進 未曾休息 亦不依止人天而住 常樂深智 无有障
㝵 亦常樂於諸佛之法 一心精進 求无上慧 尒時世尊欲重宣此義而
說偈言 阿逸汝當知 是諸大菩薩 從无數劫來 修習佛智慧
悉是我所化 令發大道心 此等是我子 依止是世界 常行頭陀事
志樂於靜處 捨大衆憒鬧 不樂多所說 如是諸子等 學習我道法
晝夜常精進 為求佛道故 在娑婆世界 下方空中住 志念力堅固
常勤求智慧 說種種妙法 其心无所畏 我於伽耶城 菩提樹下坐
得成最正覺 轉无上法輪 尒乃教化之 令初發道心 今皆住不退

BD02457 號 妙法蓮華經(二卷本)卷下 (20–12)

說偈言 阿逸汝當知 是諸大菩薩 從无數劫來 修習佛智慧
悉是我所化 令發大道心 此等是我子 依止是世界 常行頭陀事
志樂於靜處 捨大衆憒鬧 不樂多所說 如是諸子等 學習我道法
晝夜常精進 為求佛道故 在娑婆世界 下方空中住 志念力堅固
常勤求智慧 說種種妙法 其心无所畏 我於伽耶城 菩提樹下坐
得成最正覺 轉无上法輪 尒乃教化之 令初發道心 今皆住不退
悉當得成佛 我今說實語 汝等一心信 我從久遠來 教化是等衆
尒時弥勒菩薩摩訶薩及无數諸菩薩等心生疑惑 怪未曾有 而
作是念 云何世尊於少時間教化如是无量无邊阿僧祇諸大菩薩
令住阿耨多羅三藐三菩提 即白佛言 世尊 如來為太子時 出於釋宮
去伽耶城不遠 坐於道場 得成阿耨多羅三藐三菩提 從是已來 始
過四十餘年 世尊 云何於此少時大作佛事 以佛勢力 以佛功德 教化
如是无量大菩薩衆 當成阿耨多羅三藐三菩提 世尊 此大菩
薩衆 假使有人於千万億劫數不能盡 不得其邊 斯等久遠已來
於无量无邊諸佛所殖諸善根 成就菩薩道 常修梵行 世尊 如此
之事 世所難信 譬如有人 色美髮黑 年二十五 指百歲人 言是我子 其
百歲人亦指年少 言是我父 生育我等 是事難信 佛亦如是 得道已來
其實未久 而此大衆諸菩薩等 已於无量千万億劫 為佛道故 勤行
精進 善入出住无量百千万億三昧 得大神通 久修梵行 善能次
第習諸善法 巧於問答 人中之寶 一切世間甚為希有 今日世尊方
云得佛道時 初令發心 教化示導 令向阿耨多羅三藐三菩提 世尊
得佛未久 乃能作此大功德事 我等雖復信佛隨宜所說 佛所出
言未曾虛妄 佛所知者 皆悉通達 然諸新發意菩薩 於佛滅後 若
聞是語 或不信受 而起破法罪業因緣 唯然世尊 願為解說 除我等
疑 及未來世諸善男子聞此事已 亦不生疑 尒時弥勒菩薩欲重宣此
義而說偈言 佛昔從釋種 出家近伽耶 坐於菩提樹 尒來尚未久
此諸佛子等 其數不可量 久已行佛道 住於神通力 善學菩薩道
不染世間法 如蓮華在水 從地而踊出 皆起恭敬心 住於世尊前
是事難思議 云何而可信 佛得道甚近 所成就甚多 願為除衆疑
如實分別說 譬如少壯人 年始二十五 示人百歲子 髮白而面皺
是等我所生 子亦說是父 父少而子老 舉世所不信 世尊亦如是
得道來甚近 是諸菩薩等 志固无怯弱 從无量劫來 而行菩薩道
巧於難問答 其心无所畏 忍辱心決定 端正有威德 十方佛所讚

BD02457 號 妙法蓮華經(二卷本)卷下 (20–13)

如實分別說　譬如少壯人　年始二十五　示人百歲子　髮白而面皺
是等我所生　子亦說是父　父少而子老　舉世所不信　世尊亦如是
得道來甚近　是諸菩薩等　志固无怯弱　從无量劫來　而行菩薩道
巧於難問答　其心无所畏　忍辱心決定　端正有威德　十方佛所讚
善能分別說　不樂在人衆　常好在禪定　為求佛道故　於下空中住
我等從佛聞　於此事无疑　願佛為未來　演說令開解　若有於此經
生疑不信者　即當墮惡道　願今為解說　是无量菩薩　云何於少時
教化令發心　而住不退地
妙法蓮華經如來壽量品第十六
尒時佛告諸菩薩及一切大衆諸善男子汝等當信解如來誠諦
之語復告大衆汝等當信解如來誠諦之語又復告諸大衆汝等
當信解如來誠諦之語是時菩薩大衆弥勒為首合掌白佛言世
尊唯願說之我等當信受佛語如是三白已復言唯願說之我等
當信受佛語尒時世尊知諸菩薩三請不止而告之言汝等諦
聽如來秘密神通之力一切世間天人及阿脩羅皆謂今釋迦牟尼
佛出釋氏宮去伽耶城不遠坐於道場得阿耨多羅三藐三菩
提然善男子我實成佛已來无量无邊百千万億那由他劫譬
如五百千万億那由他阿僧祇三千大千世界假使有人抹為微
塵過於東方五百千万億那由他阿僧祇國乃下一塵如是東行
盡是微塵諸善男子於意云何是諸世界可得思惟挍計知其數
不弥勒菩薩等俱白佛言世尊是諸世界无量无邊非筭數所
知亦非心力所及一切聲聞辟支佛以无漏智不能思惟知其限數
我等住阿惟越致地於是事中亦所不達世尊如是諸世界无量
无邊尒時佛告大菩薩衆諸善男子今當分明宣語汝等是諸
世界若著微塵及不著者盡以為塵一塵一劫我成佛已來
復過於此百千万億那由他阿僧祇劫自從是來我常在此娑
婆世界說法教化亦於餘處百千万億那由他阿僧祇國導利衆
生諸善男子於是中間我說然燈佛等又復言其入於涅槃
如是皆以方便分別諸善男子若有衆生來至我所我以佛眼
觀其信等諸根利鈍隨所應度處處自說名字不同年紀大小亦復
現言當入涅槃又以種種方便說微妙法能令衆生發歡喜心諸善
男子如來見諸衆生樂於小法德薄垢重者為是人說我少出家得
阿耨多羅三藐三菩提然我實成佛已來久遠若斯但以方便教
化衆生令入佛道作如是說諸善男子如來所演經典皆為度脫衆

BD02457號　妙法蓮華經（二卷本）卷下　（20–14）

觀其信等諸根利鈍隨所應度處處自說名字不同年紀大小亦復
現言當入涅槃又以種種方便說微妙法能令衆生發歡喜心諸善
男子如來見諸衆生樂於小法德薄垢重者為是人說我少出家得
阿耨多羅三藐三菩提然我實成佛已來久遠若斯但以方便教
化衆生令入佛道作如是說諸善男子如來所演經典皆為度脫衆
生或說己身或說他身或示己身或示他身或示己事或示他事
諸所言說皆實不虛所以者何如來如實知見三界之相无有生死
若退若出亦无在世及滅度者非實非虛非如非異不如三界見於
三界如斯之事如來明見无有錯謬以諸衆生有種種性種種欲種種
行憶想分別故欲令生諸善根以若干因緣譬喻言辭種種說法所作
佛事未曾暫廢如是我成佛已來甚大久遠壽命无量阿僧祇
劫常住不滅諸善男子我本行菩薩道所成壽命今猶未盡復倍
上數然今非實滅度而便唱言當取滅度如來以是方便教化衆生
所以者何若佛久住於世薄德之人不種善根貧窮下賤貪著五
欲入於憶想妄見網中若見如來常在不滅便起憍恣而懷猒怠
不能生難遭之想恭敬之心是故如來以方便說比丘當知諸佛出
世難可值遇所以者何諸薄德人過无量百千万億劫或有見佛
或不見者以此事故我作是言諸比丘如來難可得見斯衆生
等聞如是語必當生於難遭之想心懷戀慕渴仰於佛便種善根
是故如來雖不實滅而言滅度又善男子諸佛如來法皆如是為度
衆生皆實不虛譬如良醫智慧聰達明練方藥善治衆病其
人多諸子息若十二十乃至百數以有事緣遠至餘國諸子於後飲
他毒藥藥發悶亂宛轉于地是時其父還來歸家諸子飲毒或
失本心或不失者遙見其父皆大歡喜拜跪問訊善安隱歸我等
愚癡誤服毒藥願見救療更賜壽命父見子等苦惱如是依諸
經方求好藥草色香美味皆悉具足擣篩和合與子令服而作是
言此大良藥色香美味皆悉具足汝等可服速除苦惱无復衆患
其諸子中不失心者見此良藥色香俱好即便服之病盡除愈
餘失心者見其父來雖亦歡喜問訊求索治病然與其藥而不肯
服所以者何毒氣深入失本心故於此好色香藥而謂不美父作是
念此子可愍為毒所中心皆顛倒雖見我喜求索救療如是好藥而
不肯服我今當設方便令服此藥即作是言汝等當知我今衰老
死時已至是好良藥今留在此汝可取服勿憂不差作是教已復至

BD02457號　妙法蓮華經（二卷本）卷下　（20–15）

餘失心者見其父來雖亦歡喜問訊求索治病然與其藥而不肯
服所以者何毒氣深入失本心故於此好色香藥而謂不美父作是
念此子可愍為毒所中心皆顛倒雖見我喜求索救療如是好藥而
不肯服我今當設方便令服此藥即作是言汝等當知我今衰老
死時已至是好良藥今留在此汝可取服勿憂不差作是教已復至
他國遣使還告汝父已死是時諸子聞父背喪心大憂惱而作是念若
父在者慈愍我等能見救護今者捨我遠喪他國自惟孤露无復
恃怙常懷悲感心遂醒悟乃知此藥色香味美即取服之毒病皆
愈其父聞子悉已得差尋便來歸咸使見之諸善男子於意云何
頗有人能說此良醫虛妄罪不不也世尊佛言我亦如是成佛已來无
量无邊百千万億那由他阿僧祇劫為眾生故以方便力言當滅度
亦无有能如法說我虛妄過者爾時世尊欲重宣此義而說偈言
自我得佛來　所經諸劫數　无量百千万　億載阿僧祇　常說法教化
无數億眾生　令入於佛道　爾來无量劫　為度眾生故　方便現涅槃
而實不滅度　常住此說法　我常住於此　以諸神通力　令顛倒眾生
雖近而不見　眾見我滅度　廣供養舍利　咸皆懷戀慕　而生渴仰心
眾生既信伏　質直意柔軟　一心欲見佛　不自惜身命　時我及眾僧
俱出靈鷲山　我時語眾生　常在此不滅　以方便力故　現有滅不滅
餘國有眾生　恭敬信樂者　我復於彼中　為說无上法　汝等不聞此
但謂我滅度　我見諸眾生　沒在於苦惱　故不為現身　令其生渴仰
因其心戀慕　乃出為說法　神通力如是　於阿僧祇劫　常在靈鷲山
及餘諸住處　眾生見劫盡　大火所燒時　我此土安隱　天人常充滿
園林諸堂閣　種種寶莊嚴　寶樹多華菓　眾生所遊樂　諸天擊天鼓
雨曼陀羅華　散佛及大眾　我淨土不毀　而眾見燒盡　憂怖諸苦惱
如是悉充滿　是諸罪眾生　以惡業因緣　過阿僧祇劫　不聞三寶名
諸有修功德　柔和質直者　則皆見我身　在此而說法　或時為此眾
說佛壽无量　久乃見佛者　為說佛難值　我智力如是　慧光照无量
壽命无數劫　久修業所得　汝等有智者　勿於此生疑　當斷令永盡
佛語實不虛　如醫善方便　為治狂子故　實在而言死　无能說虛妄
我亦為世父　救諸苦患者　為凡夫顛倒　實在而言滅　以常見我故
而生憍恣心　放逸著五欲　墮於惡道中　我常知眾生　行道不行道
隨應所可度　為說種種法　每自作是意　以何令眾生　得入无上道
速成就佛身　妙法蓮華經分別功德品第十七
爾時大會聞佛說壽命劫數長遠如是无量无邊阿僧祇眾生得大饒

BD02457 號　妙法蓮華經（二卷本）卷下　（20–16）

以常見我故
而生憍恣心　放逸著五欲　墮於惡道中　我常知眾生　行道不行道
隨應所可度　為說種種法　每自作是意　以何令眾生　得入无上道
速成就佛身　妙法蓮華經分別功德品第十七
爾時大會聞佛說壽命劫數長遠如是无量无邊阿僧祇眾生得大饒
益於時世尊告彌勒菩薩摩訶薩阿逸多我說是如來壽命長遠時
六百八十万億那由他恒河沙眾生得无生法忍復有千倍菩薩摩訶薩
得聞持陀羅尼門復有一世界微塵數菩薩摩訶薩得樂說无礙
辯才復有一世界微塵數菩薩摩訶薩得百千万億无量旋陀羅尼復
有三千大千世界微塵數菩薩摩訶薩能轉不退法輪復有二千中
國土微塵數菩薩摩訶薩能轉清淨法輪復有小千國土微塵數菩
薩摩訶薩八生當得阿耨多羅三藐三菩提復有四四天下微塵
數菩薩摩訶薩四生當得阿耨多羅三藐三菩提復有三四天下
微塵數菩薩摩訶薩三生當得阿耨多羅三藐三菩提復有二四
天下微塵數菩薩摩訶薩二生當得阿耨多羅三藐三菩提復
有一四天下微塵數菩薩摩訶薩一生當得阿耨多羅三藐三菩提復
有八世界微塵數眾生皆發阿耨多羅三藐三菩提心佛說是
諸菩薩摩訶薩得大法利時於虛空中雨曼陀羅華摩訶曼
陀羅華以散无量百千万億寶樹下師子座上諸佛并散七寶塔
中師子座上釋迦牟尼佛及久滅度多寶如來亦散一切諸大菩薩及
四部眾又雨細末栴檀沈水香等於虛空中天鼓自鳴妙聲深遠
又雨千種天衣垂諸瓔珞真珠瓔珞摩尼珠瓔珞如意珠瓔珞遍於九
方眾寶香爐燒无價香自然周至供養大會一一佛上有諸菩薩
執持幡蓋次第而上至于梵天是諸菩薩以妙音聲歌无量頌讚
歎諸佛爾時彌勒菩薩從座而起偏袒右肩合掌向佛而說偈言
佛說希有法　昔所未曾聞　世尊有大力　壽命不可量　无數諸佛子
聞世尊分別　說得法利者　歡喜充遍身　或住不退地　或得陀羅尼
或无礙樂說　万億旋總持　或有大千界　微塵數菩薩　各各皆能轉
不退之法輪　復有中千界　微塵數菩薩　各各皆能轉　清淨之法輪
復有小千界　微塵數菩薩　餘各八生在　當得成佛道　復有四三二
如此四天下　微塵諸菩薩　隨數生成佛　或一四天下　微塵數菩薩
餘有一生在　當成一切智　如是等眾生　聞佛壽長遠　得无量无漏
清淨之果報　復有八世界　微塵數眾生　聞佛說壽命　皆發无上心
世尊說无量　不可思議法　多有所饒益　如虛空无邊　雨天曼陀羅

BD02457 號　妙法蓮華經（二卷本）卷下　（20–17）

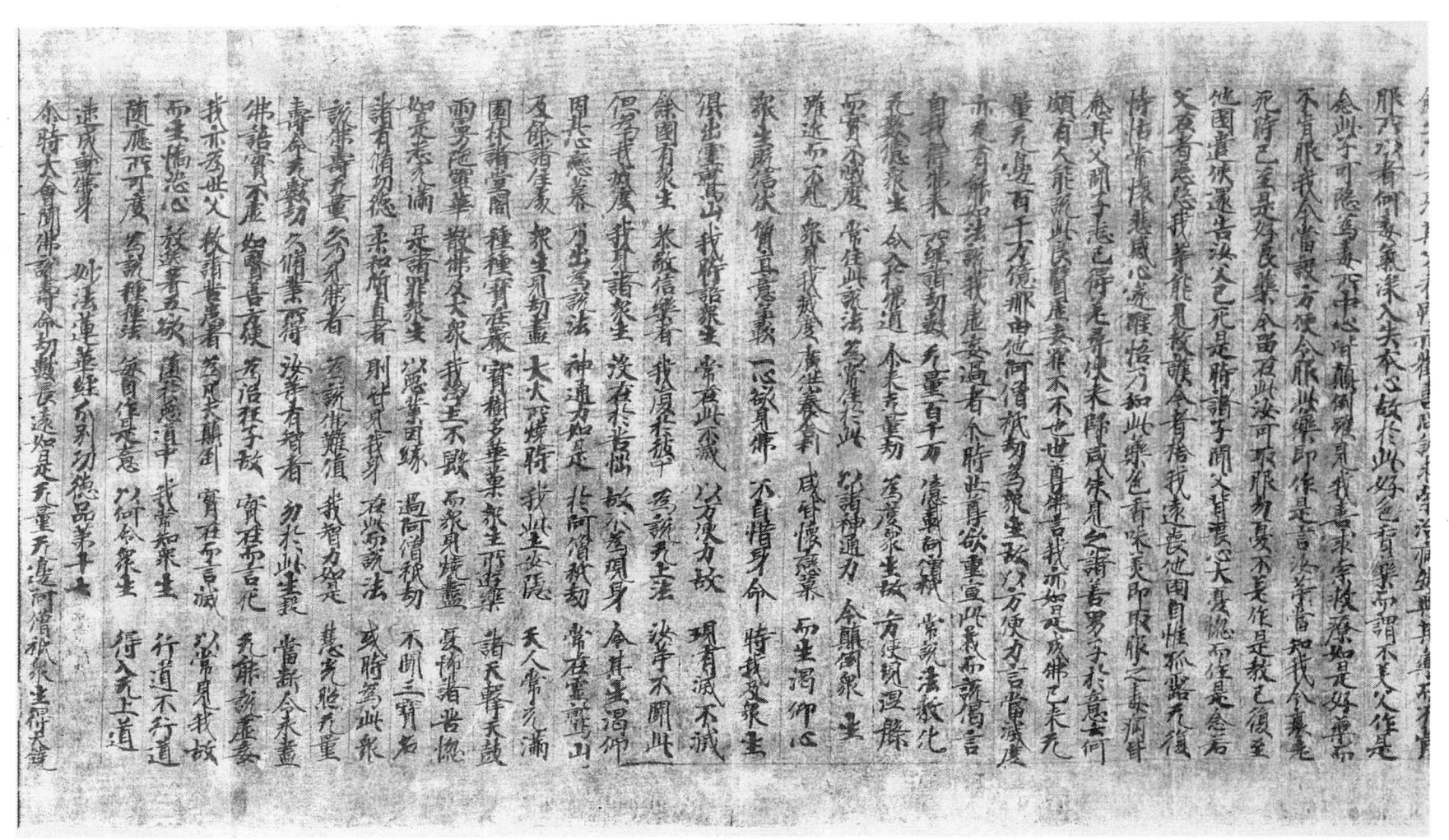

餘各八生在 當得成佛道 復有四三二
如此四天下 微塵數菩薩 隨數生成佛 或一四天下
餘有一生在 當成一切智 如是等眾生 聞佛壽長遠 得無量無漏
清淨之果報 復有八世界 微塵數眾生 聞佛說壽命 皆發無上心
世尊說無量 不可思議法 多有所饒益 如虛空無邊 雨天曼陀羅
摩訶曼陀羅 釋梵如恒沙 無數佛土來 雨栴檀沈水 繽紛而亂墜
如鳥飛空下 供散於諸佛 天鼓虛空中 自然出妙聲 天衣千萬種
旋轉而來下 眾寶妙香爐 燒無價之香 自然悉周遍 供養諸世尊
其大菩薩眾 執七寶幡蓋 高妙萬億種 次第至梵天 一一諸佛前
寶幢懸勝幡 亦以千萬偈 歌詠諸如來 如是種種事 昔所未曾有
聞佛壽無量 一切皆歡喜 佛名聞十方 廣饒益眾生 一切具善根
以助無上心 爾時佛告彌勒菩薩摩訶薩阿逸多其有眾生聞
佛壽命長遠如是乃至能生一念信解所得功德無有限量若有善
男子善女人為阿耨多羅三藐三菩提故於八十萬億那由他劫行五波
羅蜜檀波羅蜜尸羅波羅蜜羼提波羅蜜毘梨耶波羅蜜禪波羅蜜
除般若波羅蜜以是功德比前功德百分千分百千萬億分不及其一
乃至算數譬喻所不能知若善男子有如是功德於阿耨多羅三藐
三菩提退者無有是處爾時世尊欲重宣此義而說偈言
若人求佛慧 於八十萬億 那由他劫數 行五波羅蜜
於是諸劫中 布施供養佛 及緣覺弟子 并諸菩薩眾
珍異之飲食 上服與臥具 栴檀立精舍 以園林莊嚴 如是等布施
種種皆微妙 盡此諸劫數 以迴向佛道 若復持禁戒
清淨無缺漏 求於無上道 諸佛之所歎 若復行忍辱 住於調柔地
設眾惡來加 其心不傾動 諸有得法者 懷於增上慢 為此所輕惱
如是亦能忍 若復勤精進 志念常堅固 於無量億劫 一心不懈息
又於無數劫 住於空閑處 若坐若經行 除睡常攝心 以是因緣故
能生諸禪定 八十億萬劫 安住心不亂 持此一心福 願求無上道
我得一切智 盡諸禪定際 是人於百千 萬億劫數中 行此諸功德
如上之所說 有善男女等 聞我說壽命 乃至一念信 其福過於彼
若人悉無有 一切諸疑悔 深心須臾信 其福為如此 其有諸菩薩
無量劫行道 聞我說壽命 是則能信受 如是諸人等 頂受此經典
願我於未來 長壽度眾生 如今日世尊 諸釋中之王 道場師子吼
說法無所畏 我等未來世 一切所尊敬

BD02457號　妙法蓮華經（二卷本）卷下　（20–18）

乃至一念信 其福過於彼 若人悉無有 一切諸疑悔 深心須臾信
其福為如此 其有諸菩薩 無量劫行道 聞我說壽命 是則能信受
如是諸人等 頂受此經典 願我於未來 長壽度眾生 如今日世尊
諸釋中之王 道場師子吼 說法無所畏 我等未來世 一切所尊敬
坐於道場時 說壽亦如是 若有深心者 清淨而質直 多聞能總持
隨義解佛語 如是之人等 於此無有疑 又阿逸多若有聞佛壽命
長遠解其言趣是人所得功德無有限量能起如來無上之慧何況
廣聞是經若教人聞若自持若教人持若自書若教人書若以華香
瓔珞幢幡繒蓋香油蘇燈供養經卷是人功德無量無邊能生一切
種智阿逸多若善男子善女人聞我說壽命長遠深心信解則為
見佛常在耆闍崛山共大菩薩諸聲聞眾圍繞說法又見此娑
婆世界其地瑠璃坦然平正閻浮檀金以界八道寶樹行列諸臺樓觀
皆悉寶成其菩薩眾咸處其中若有能如是觀者當知是為深信
解相又復如來滅後若聞是經而不毀呰起隨喜心當知已為深
信解相何況讀誦受持之者斯人則為頂戴如來阿逸多是善男
子善女人不須為我復起塔寺及作僧坊以四事供養眾僧所以
者何是善男子善女人受持讀誦是經典者為已起塔造立僧坊供
養眾僧則為以佛舍利起七寶塔高廣漸小至于梵天懸諸幡蓋及
眾寶鈴華香瓔珞末香塗香燒香眾鼓伎樂簫笛箜篌種種儛
戲以妙音聲歌唄讚頌則為於無量千萬億劫作是供養已阿逸
多若我滅後聞是經典有能受持若自書若教人書則為起立
僧坊以赤栴檀作諸殿堂三十有二高八多羅樹高廣嚴好百千比
丘於其中止園林浴池經行禪窟衣服飲食床褥湯藥一切樂具充
滿其中如是僧坊堂閣若干百千萬億其數無量以此現前供養於
我及比丘僧是故我說如來滅後若有受持讀誦為他人說若自書若
教人書供養經卷不須復起塔寺及造僧坊供養眾僧況復有人
能持是經兼行布施持戒忍辱精進一心智慧其德最勝無量無邊
譬如虛空東西南北四維上下無量無邊是人功德亦復如是無量無邊
疾至一切種智若人讀誦受持是經為他人說若自書若教人書復能
起塔及造僧坊供養讚歎聲聞眾僧亦以百千萬億讚歎之法讚歎
菩薩功德又為他人種種因緣隨義解說此法華經復能清淨持戒
與柔和者而共同止忍辱無瞋志念堅固常貴坐禪得諸深定精進
勇猛攝諸善法利根智慧善答問難阿逸多若我滅後諸善男

BD02457號　妙法蓮華經（二卷本）卷下　（20–19）

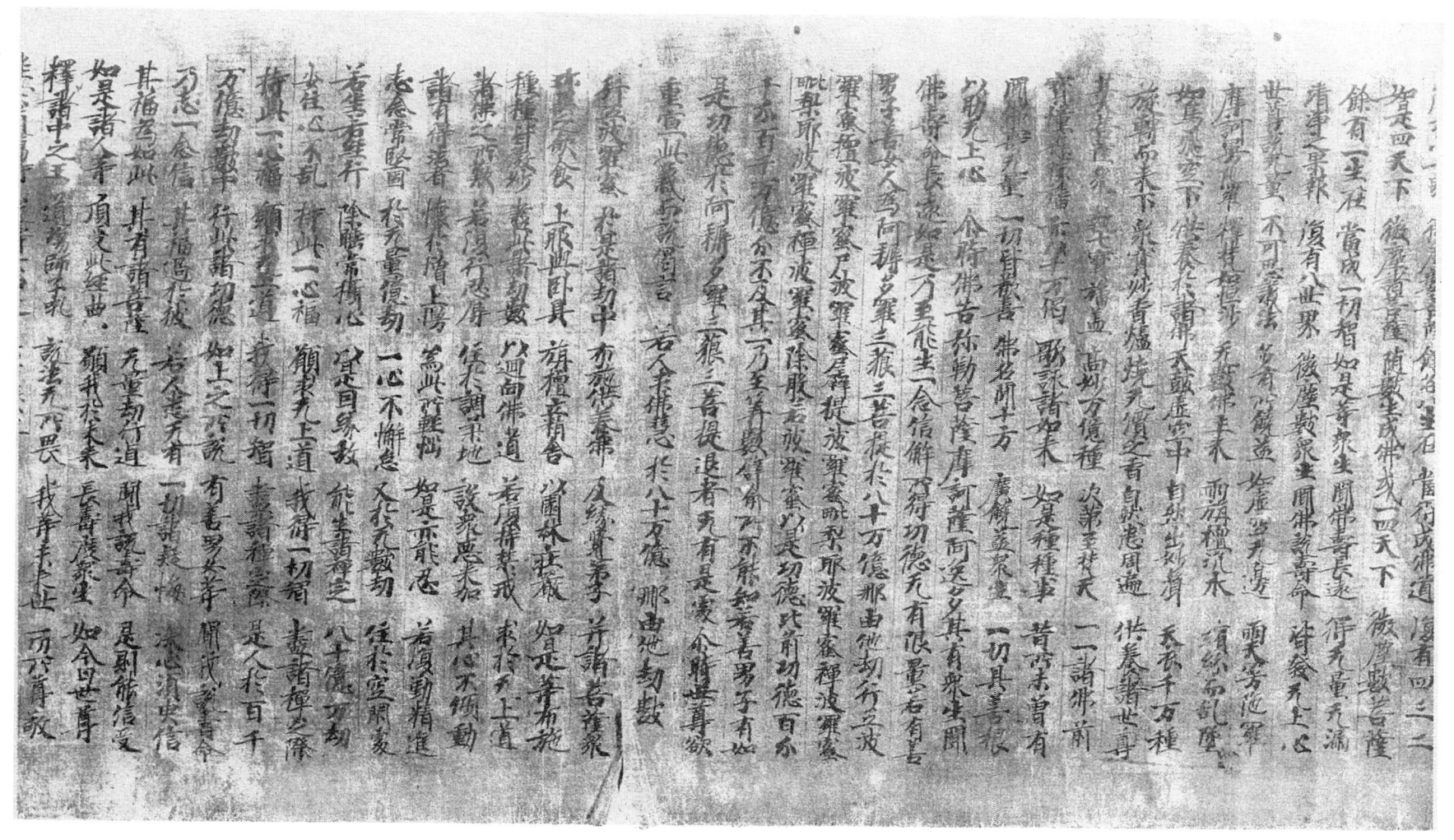

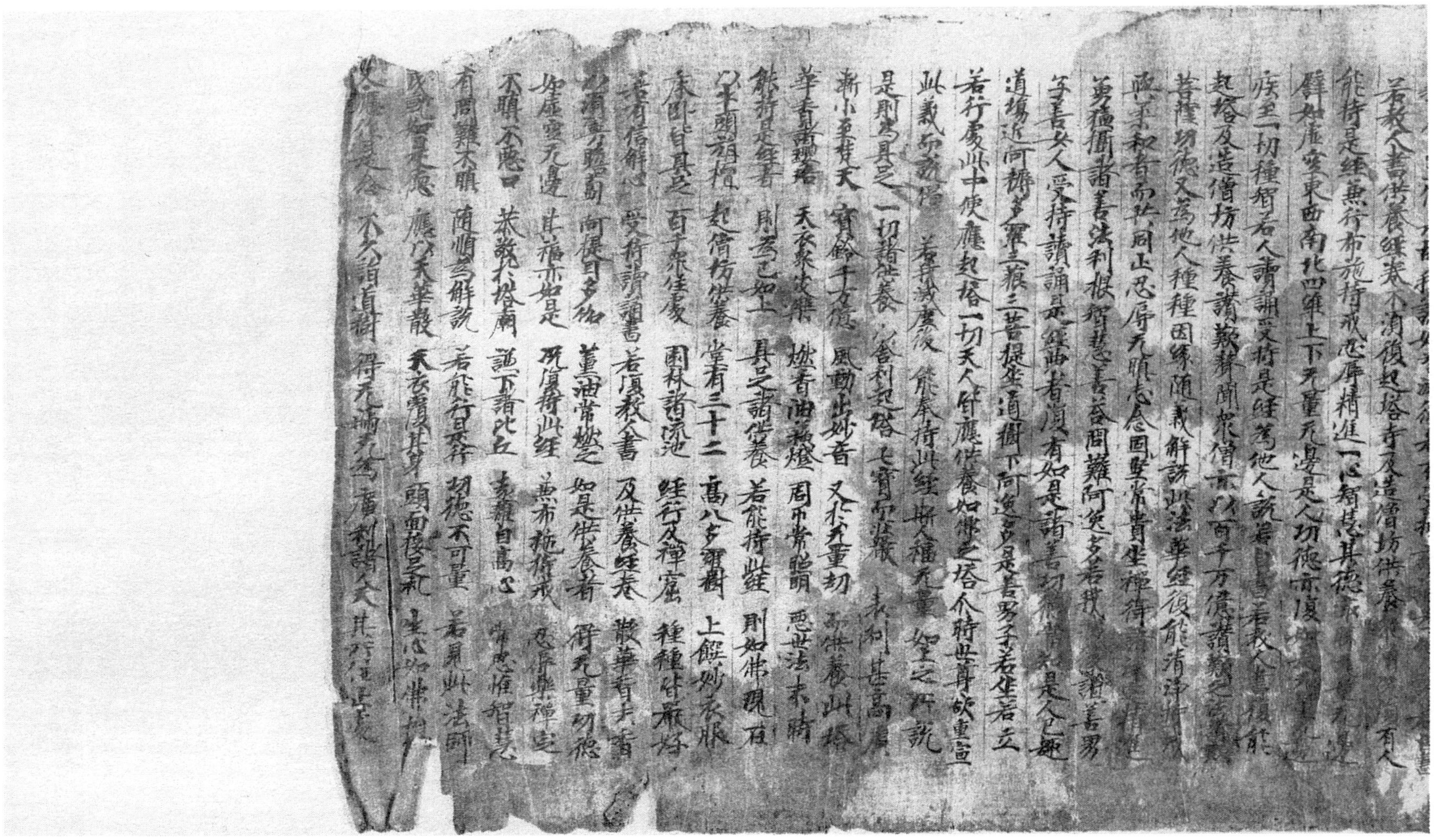

BD02457 號　妙法蓮華經（二卷本）卷下　（20–20）

BD02458 號背　大般若波羅蜜多經卷二三五護首　（1–1）

大般若波羅蜜多經卷第二百卅五
初分難信解品第卅四之五十四　三藏法師玄奘奉　詔譯
善現四無所畏清淨故真如清淨真如清淨
故一切智智清淨何以故若四無所畏清淨
若真如清淨若一切智智清淨無二無二分無

BD02458號　大般若波羅蜜多經卷二三五

（4–1）

故一切智智清淨何以故若四無所畏清淨
若真如清淨若一切智智清淨無二無二分無
別無斷故四無所畏清淨故法界法性不虛
妄性不變異性平等性離生性法定法住實
際虛空界不思議界清淨法界乃至不思
議界清淨故一切智智清淨何以故若四無所
畏清淨若法界乃至不思議界清淨若一
切智智清淨無二無二分無別無斷故善現四
無所畏清淨故苦聖諦清淨苦聖諦清淨
故一切智智清淨何以故若四無所畏清淨
若苦聖諦清淨若一切智智清淨無二無二
分無別無斷故四無所畏清淨故集滅道聖
諦清淨集滅道聖諦清淨故一切智智清淨
何以故若四無所畏清淨若集滅道聖諦清
淨若一切智智清淨無二無二分無別無斷故
善現四無所畏清淨故四靜慮清淨四靜慮
清淨故一切智智清淨何以故若四無所畏
清淨若四靜慮清淨若一切智智清淨無
二無二分無別無斷故四無所畏清淨故四
無量四無色定清淨四無量四無色定清淨
故一切智智清淨何以故若四無所畏清淨若
四無量四無色定清淨若一切智智清淨無
二無二分無別無斷故善現四無所畏清
淨故八解脫清淨八解脫清淨故一切智智
清淨何以故若四无所畏清淨若八解脫清
淨若一切智智清淨无二无二分无別無斷
故四无所畏清淨故八勝處九次第定十遍

BD02458號　大般若波羅蜜多經卷二三五

（4–2）

清淨何以故若四无所畏清淨若八解脫清
淨若一切智智清淨无二无二分无別無斷
故四无所畏清淨故八勝處九次第定十遍
處清淨八勝處九次第定十遍處清淨故一
切智智清淨何以故若四无所畏清淨若八
勝處九次第定十遍處清淨若一切智智清
淨无二无二分无別无斷故善現四无所畏
清淨故四念住清淨四念住清淨故一切智
智清淨何以故若四无所畏清淨若四念住
清淨若一切智智清淨无二无二分无別无
斷故四无所畏清淨故四正斷四神足五根
五力七等覺支八聖道支清淨四正斷乃至
八聖道支清淨故一切智智清淨何以故若
四无所畏清淨若四正斷乃至八聖道支清
淨若一切智智清淨无二无二分无別无斷
故善現四无所畏清淨故空解脫門清淨空
解脫門清淨故一切智智清淨何以故若四
无所畏清淨若空解脫門清淨若一切智智
清淨无二无二分无別无斷故四无所畏清
淨故无相无願解脫門清淨无相无願解脫
門清淨故一切智智清淨何以故若四无所
畏清淨若无相无願解脫門清淨若一切智
智清淨无二无二分无別无斷故善現四无
所畏清淨故菩薩十地清淨菩薩十地清淨
故一切智智清淨何以故若四无所畏清淨
若菩薩十地清淨若一切智智清淨无二无
二分无別无斷故

BD02458 號　大般若波羅蜜多經卷二三五　（4-3）

清淨若一切智智清淨无二无二分无別无
斷故四无所畏清淨故四正斷四神足五根
五力七等覺支八聖道支清淨四正斷乃至
八聖道支清淨故一切智智清淨何以故若
四无所畏清淨若四正斷乃至八聖道支清
淨若一切智智清淨无二无二分无別无斷
故善現四无所畏清淨故空解脫門清淨空
解脫門清淨故一切智智清淨何以故若四
无所畏清淨若空解脫門清淨若一切智智
清淨无二无二分无別无斷故四无所畏清
淨故无相无願解脫門清淨无相无願解脫
門清淨故一切智智清淨何以故若四无所
畏清淨若无相无願解脫門清淨若一切智
智清淨无二无二分无別无斷故善現四无
所畏清淨故菩薩十地清淨菩薩十地清淨
故一切智智清淨何以故若四无所畏清淨
若菩薩十地清淨若一切智智清淨无二无
二分无別无斷故

BD02458 號　大般若波羅蜜多經卷二三五　（4-4）

大般若波羅蜜多經卷第三百九十四　三藏法師玄奘奉詔譯
初分嚴淨佛土品第七十二之二
復次善現有菩薩摩訶薩以通願力盛滿三
千大千世界上妙七寶施佛法僧施已歡喜
發弘誓願我持如是所種善根與諸有情平
等共有迴向所求嚴淨佛土當令我土七寶
莊嚴一切有情隨意受用種種珎寶而無染
着復次善現有菩薩摩訶薩以通願力擊奏
無量天上人中諸妙音樂供養三寶及佛制
多供已歡喜發弘誓願我持如是所種善根
與諸有情平等共有迴向所求嚴淨佛土當
令我土常奏如是上妙樂音有情聞之身心
悅豫而無染着復次善現有菩薩摩訶薩以
通願力盛滿三千大千世界人中天上諸妙
香花供養三寶及佛制多供已歡喜發弘誓
願我持如是所種善根與諸有情平等共有
迴向所求嚴淨佛土當令我土常有如是諸
妙香花有情受用身心悅豫而無染着復次
善現有菩薩摩訶薩以通願力營辦百味上

BD02459 號　大般若波羅蜜多經卷三九四　（2–1）

等共有迴向所求嚴淨佛土當令我土七寶
莊嚴一切有情隨意受用種種珎寶而無染
着復次善現有菩薩摩訶薩以通願力擊奏
無量天上人中諸妙音樂供養三寶及佛制
多供已歡喜發弘誓願我持如是所種善根
與諸有情平等共有迴向所求嚴淨佛土當
令我土常奏如是上妙樂音有情聞之身心
悅豫而無染着復次善現有菩薩摩訶薩以
通願力盛滿三千大千世界人中天上諸妙
香花供養三寶及佛制多供已歡喜發弘誓
願我持如是所種善根與諸有情平等共有
迴向所求嚴淨佛土當令我土常有如是諸
妙香花有情受用身心悅豫而無染着復次
善現有菩薩摩訶薩以通願力營辦百味上
妙飲食供養諸佛獨覺聲聞及諸菩薩摩訶
薩衆供已歡喜發弘誓願我持如是所種善
根與諸有情平等共有迴向所求嚴淨佛土
當得無上正等覺時令我土中諸有情類皆
食如是百味飲食資悅身心而無染着復次
善現有菩薩摩訶薩以通願力營辦種種天
上人中上妙塗香細軟衣服奉施諸佛獨覺

BD02459 號　大般若波羅蜜多經卷三九四　（2–2）

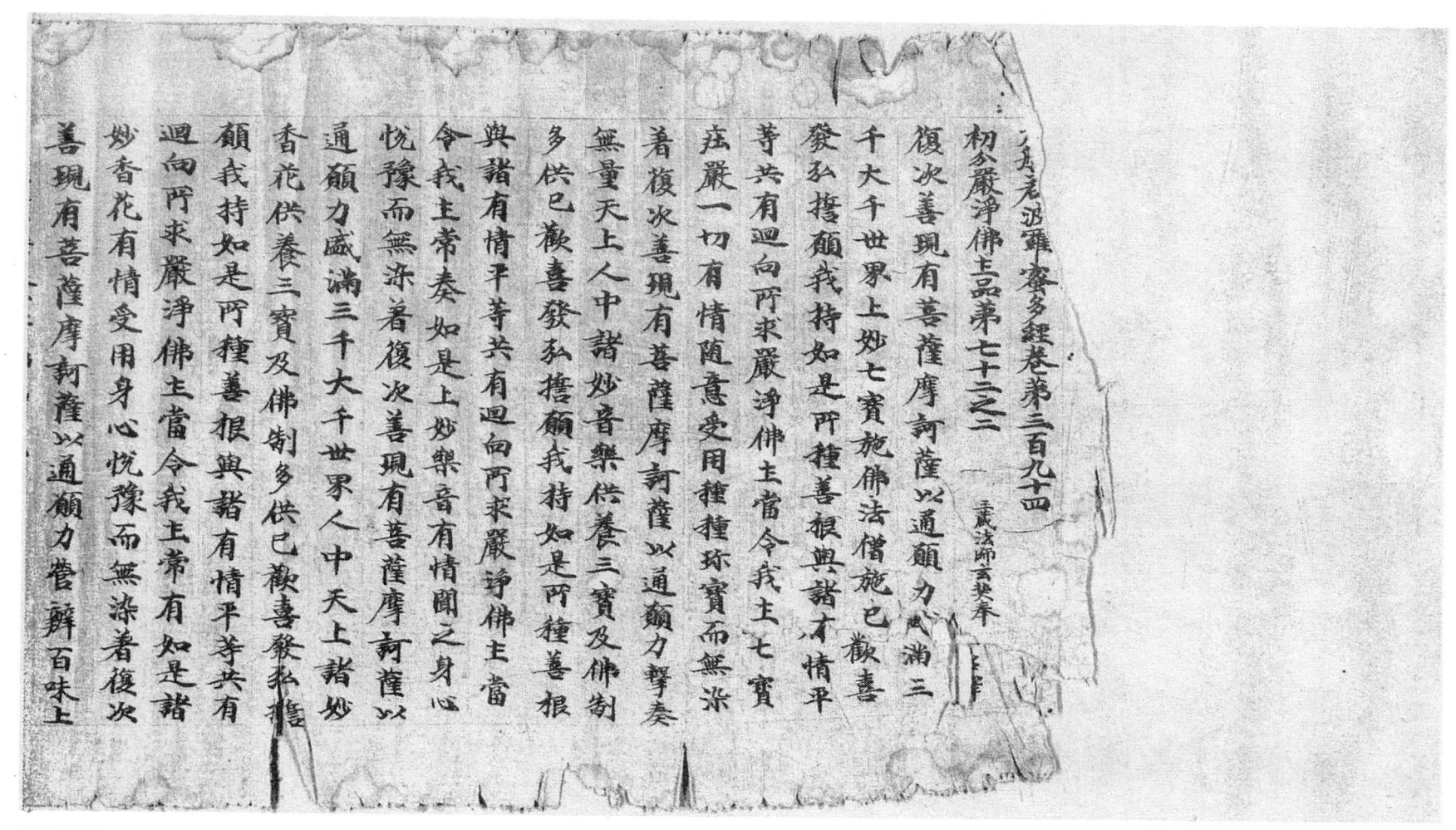

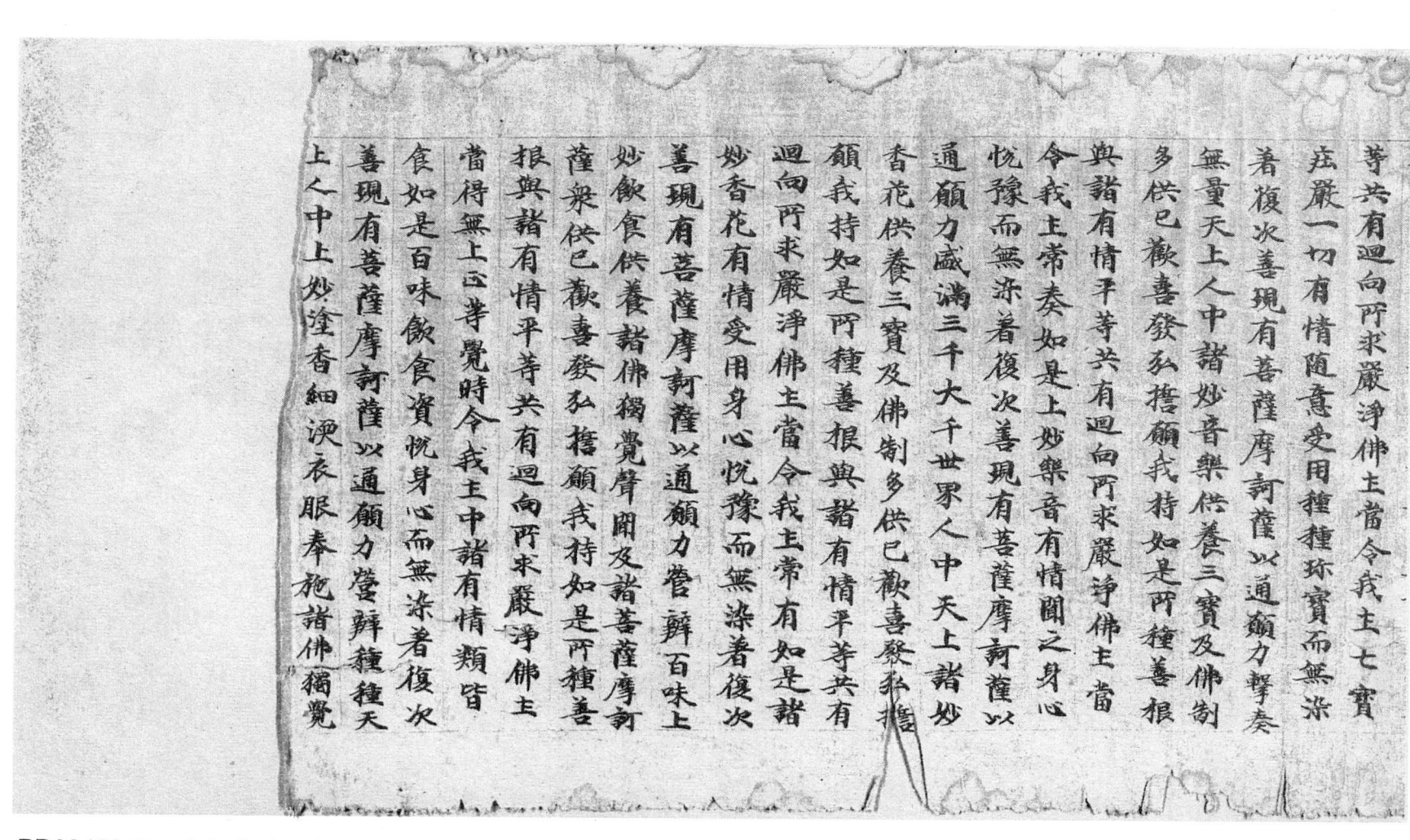

□□□□佛

□无師子佛　南无□□佛

南无照佛　南无□燈佛

南无无垢佛　南无山勝佛

南无波頭摩藏佛　南无盧舍那佛

南无普眼佛　南无梵命佛

南无波藪天佛

南无无邊光明平等法界莊嚴王佛

南无力光明佛　南无高行佛

南无攝禪達佛　南无金色意佛

南无妙歛佛　南无高聲佛

南无寂勝佛　南无高見佛

南无吉沙佛　南无弗沙佛

南无高稱佛　南无妙波頭摩佛

南无普功德佛　南无作燈佛

南无善目佛　南无一切法佛吼王佛

BD02460號　佛名經（十六卷本）卷一二　（8–1）

南无普功德佛　南无作燈佛

南无善目佛　南无一切法佛吼王佛

南无幢身眼勝佛

南无寶勝然燈功德幢佛

南无普寶智炎勝功德佛

南无功德幢佛

南无因陁羅幢勝雞兜佛

從此以上九千一百佛十二部經一切賢聖

南无勝佛　南无大悲雲幢佛

南无金剛那羅延雞兜佛

南无无障㝵勝安隱滿足佛

南无火炎山勝莊嚴佛

南无一切法海勝王佛

南无深法海光佛

南无寶髻炎滿足燈佛

南无一切十億國土微塵數同名金剛藏佛

南无十億國土微塵數同名金剛雞兜佛

南无十億國土微塵數同名金剛幢佛

南无十百千國土微塵數同名善法佛

BD02460號　佛名經（十六卷本）卷一二　（8–2）

南无十億國土微塵數同名金剛難究佛
南无十億國土微塵數同名金剛幢佛
南无十百千國土微塵數同名善法佛
南无十百千國土微塵數同名稱心佛
南无一國土微塵同名普功德佛
南无十佛國土微塵數同名普幢佛
南无不可說佛國土微塵數同名毗婆尸佛
南无不可說佛國土微塵數同名不可勝佛
南无八十億佛國土微塵數不可數百千万
億那由他同名普賢佛
南无一佛國土微塵數同名佛像佛
南无十佛國土微塵數百千万億那由他不
可說同名普稱自在佛
南无賢勝佛
南无功德海光明勝照藏佛
南无法界虛空滿足不退佛
南无法界乳佛　南无不退轉法界聲佛
南无法樹威德佛　南无一切法堅固乳王佛
南无寶光然燈幢王佛
南无[illegible]

BD02460號　佛名經（十六卷本）卷一二　（8–3）

南无法樹山威德佛　南无一切法堅固乳王佛
南无寶光然燈幢王佛
南无功德山光明威德王佛
南无法雲乳王佛　南无智炬王佛
南无法雷幢王藏佛
南无法燈智師力山威德王佛
南无一切法印乳威德王佛
南无无垢法山威德燈佛
南无法輪光明頂佛　南无法光明勝雲佛
南无法海說聲王佛　南无法日智輪然佛
南无法華高幢雲佛　南无法炎山雞皃王佛
南无法行深勝月佛　南无法智普光明藏佛
南无常智作佛　南无山王勝藏王佛
南无普門賢孫留法疾精進幢佛
南无一切法寶俱蘇摩勝雲佛
南无寂靜光明身髻佛
南无法光明慧鏡像身佛
南无炎勝海佛　南无智日普照佛
南无普輪佛　南无智照頂王佛
南无智山法界十方光明威德王佛

BD02460號　佛名經（十六卷本）卷一二　（8–4）

南无[illegible]勝[illegible]佛　南无智白普照佛
南无普輪佛　南无智照頂王佛
南无智山法界十方光明威德王佛
次礼十二部經大藏法輪
南无國王薩經　南无阿弥曇經
南无金剛密經　南无持世經
南无阿那律八念經　南无等集經
南无迦羅越經　南无阿難問因緣持戒經
南无薩和達王經　南无阿難邠邸四時施經
南无阿闍世王經　南无阿閦佛經
南无德光太子經　南无小阿闍經
南无阿陁三昧經　南无胞藏經
南无阿鳩留經　南无漸備一切智經
南无菩薩悔過經　南无阿闍世女經
南无曉所諍不解者經　南无菩薩十遍和經
南无阿抆經　南无惡人經
南无菩薩等行分別國經
南无阿眠曇九十八結經
南无趣度世道經　南无惟越經
次礼十方諸大菩薩

南无趣度世道經　南无惟越經
次礼十方諸大菩薩
南无文殊師利菩薩摩訶薩
南无觀世音菩薩　南无大勢至菩薩
南无普賢菩薩　南无龍勝菩薩
南无龍德菩薩　南无勝成就菩薩
南无勝藏菩薩　南无波頭勝菩薩
南无成就有菩薩　南无地持菩薩
南无寶掌菩薩　南无寶印手菩薩
南无師子意菩薩　南无虛空藏菩薩
南无師子奮迅吼聲菩薩
南无發心即轉法輪菩薩
從此以上九千二百佛十二部經一切賢聖
南无一切聲衆刹衆說菩薩　南无山樂說菩薩
南无大海音菩薩　南无大山菩薩
南无愛見菩薩　南无歡喜王菩薩
南无无邊觀菩薩
次礼聲聞緣覺一切賢聖
南无善快辟支佛　南无難陁辟支佛

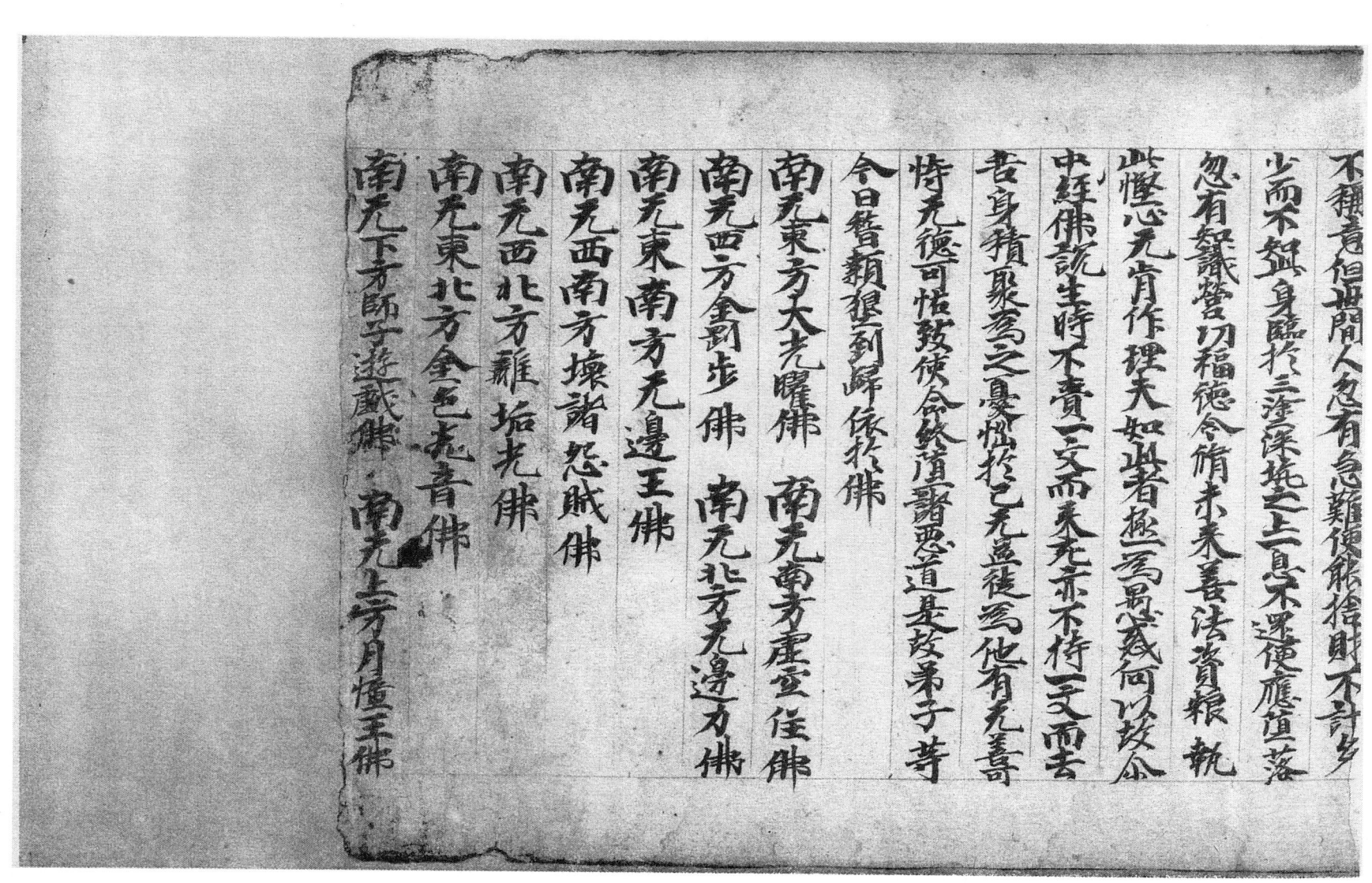

南无无邊觀菩薩
次礼聲聞緣覺一切賢聖
南无善快辟支佛　南无違陀辟支佛
南无吉沙辟支佛　南无憂波吉沙辟支佛
南无斷有辟支佛　南无憂波支羅辟支佛
南无斷愛辟支佛　南无施婆羅辟支佛
南无轉覺辟支佛　南无吉垢辟支佛
南无高去辟支佛　南无阿恚多辟支佛
歸命如是等无量无邊辟支佛
礼三寶已次復懺悔
已懺地獄報竟今當復次懺悔三惡道報經
中佛說多欲之人多求利故苦惱亦多知足之
人雖卧地上猶以為樂不知足者雖處天堂猶
不稱意但世間人忽有急難便能捨財不計多
少而不知身臨於三塗深坑之上一息不還便應墮落
忽有知識營一切福德令脩未來善法資粮執
此慳心无肯作理夫如此者極為愚惑何以故分
中經佛說生時不齎一文而來死亦不持一文而去
苦身積聚為之憂惱於已无益徒為他有无善

BD02460號　佛名經（十六卷本）卷一二　（8–7）

不稱意但世間人忽有急難便能捨財不計多
少而不知身臨於三塗深坑之上一息不還便應墮落
忽有知識營一切福德令脩未來善法資粮執
此慳心无肯作理夫如此者極為愚惑何以故分
中經佛說生時不齎一文而來死亦不持一文而去
苦身積聚為之憂惱於已无益徒為他有无善
恃无德可怙致使命終墮諸惡道是故弟子等
今日奮類狠到歸依於佛
南无東方大光曜佛　南无南方虛空住佛
南无西方金剛步佛　南无北方无邊力佛
南无東南方无邊王佛
南无西南方壞諸怨賊佛
南无西北方離垢光佛
南无東北方金色光音佛
南无下方師子遊戲佛　南无上方月幢王佛

BD02460號　佛名經（十六卷本）卷一二　（8–8）

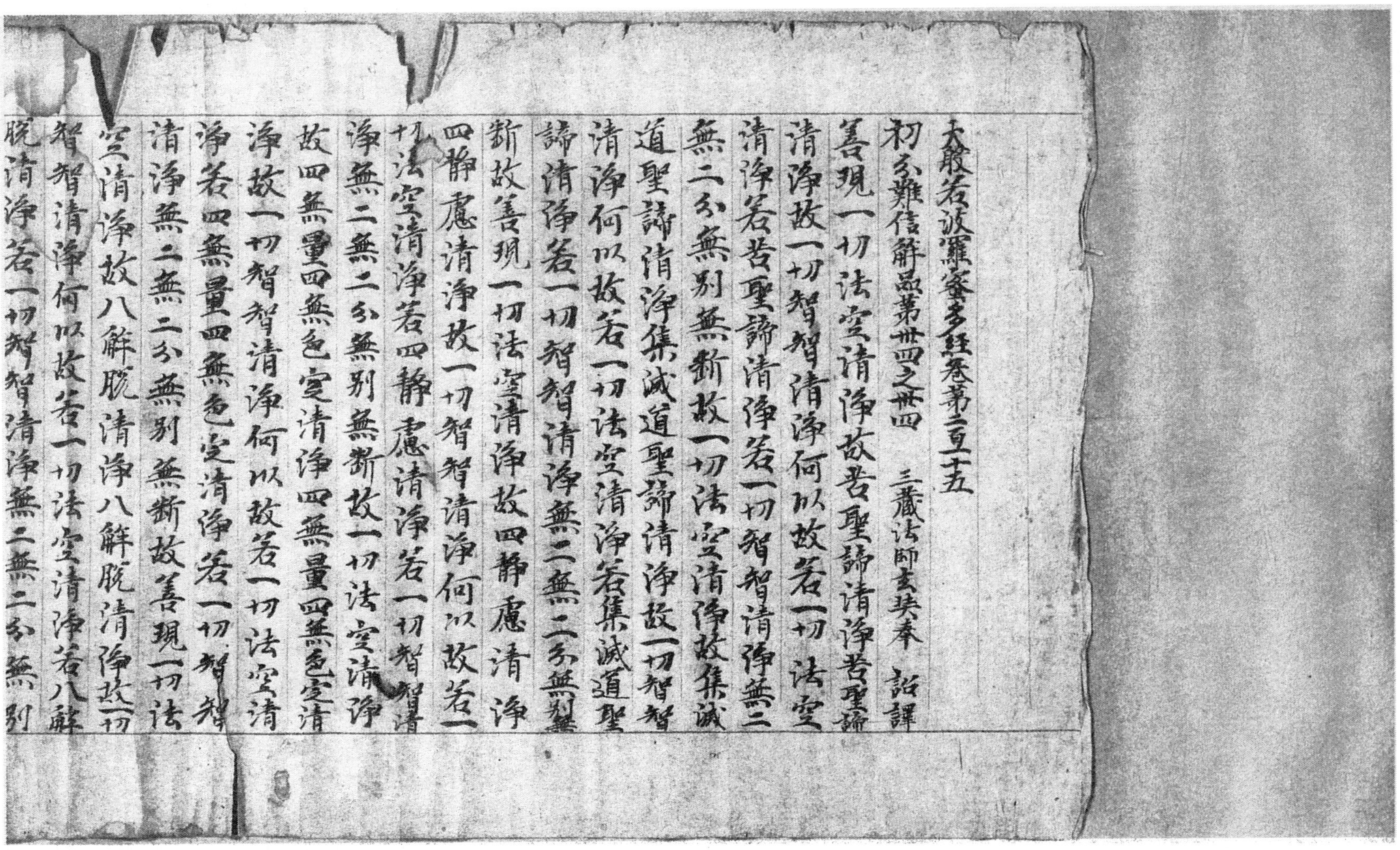

大般若波羅蜜多經卷第二百十五
初分難信解品第卅四之卅四　三藏法師玄奘奉　詔譯
善現一切法空清淨故苦聖諦清淨苦聖諦
清淨故一切智智清淨何以故若一切法空
清淨若苦聖諦清淨若一切智智清淨無二
無二分無別無斷故一切法空清淨故集滅
道聖諦清淨集滅道聖諦清淨故一切智智
清淨何以故若一切法空清淨若集滅道聖
諦清淨若一切智智清淨無二無二分無別無
斷故善現一切法空清淨故四靜慮清淨
四靜慮清淨故一切智智清淨何以故若一
切法空清淨若四靜慮清淨若一切智智清
淨無二無二分無別無斷故一切法空清淨
故四無量四無色定清淨四無量四無色定清
淨故一切智智清淨何以故若一切法空清
淨若四無量四無色定清淨若一切智智
清淨無二無二分無別無斷故善現一切法
空清淨故八解脫清淨八解脫清淨故一切
智智清淨何以故若一切法空清淨若八解
脫清淨若一切智智清淨無二無二分無別

BD02461號　大般若波羅蜜多經（兌廢稿）卷二一五　（2–1）

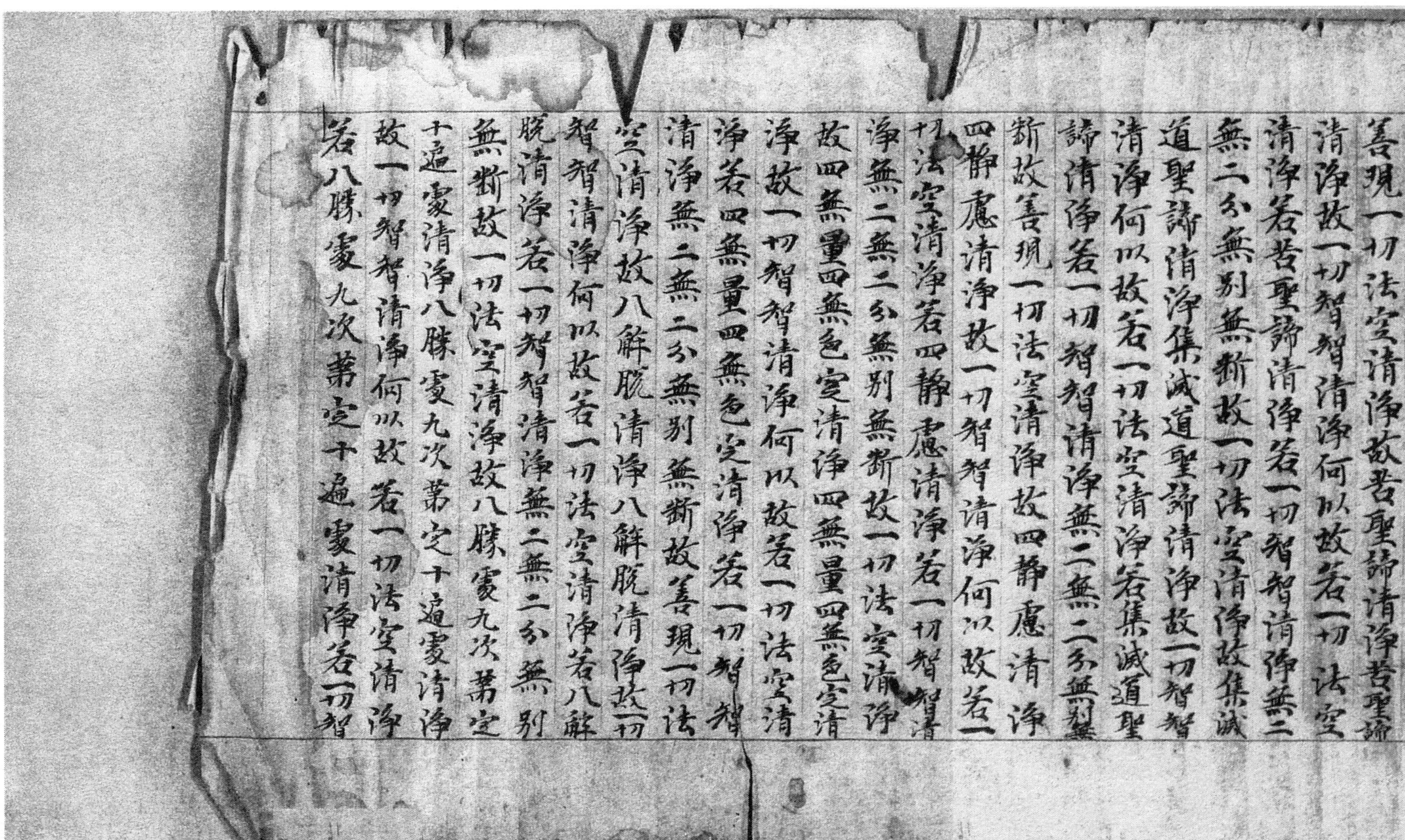

善現一切法空清淨故苦聖諦清淨苦聖諦
清淨故一切智智清淨何以故若一切法空
清淨若苦聖諦清淨若一切智智清淨無二
無二分無別無斷故一切法空清淨故集滅
道聖諦清淨集滅道聖諦清淨故一切智智
清淨何以故若一切法空清淨若集滅道聖
諦清淨若一切智智清淨無二無二分無別無
斷故善現一切法空清淨故四靜慮清淨
四靜慮清淨故一切智智清淨何以故若一
切法空清淨若四靜慮清淨若一切智智清
淨無二無二分無別無斷故一切法空清淨
故四無量四無色定清淨四無量四無色定清
淨故一切智智清淨何以故若一切法空清
淨若四無量四無色定清淨若一切智智
清淨無二無二分無別無斷故善現一切法
空清淨故八解脫清淨八解脫清淨故一切
智智清淨何以故若一切法空清淨若八解
脫清淨若一切智智清淨無二無二分無別
無斷故一切法空清淨故八勝處九次第定
十遍處清淨八勝處九次第定十遍處清淨
故一切智智清淨何以故若一切法空清淨
若八勝處九次第定十遍處清淨若一切智

BD02461號　大般若波羅蜜多經（兌廢稿）卷二一五　（2–2）

BD02461 號背　勘記

(1–1)

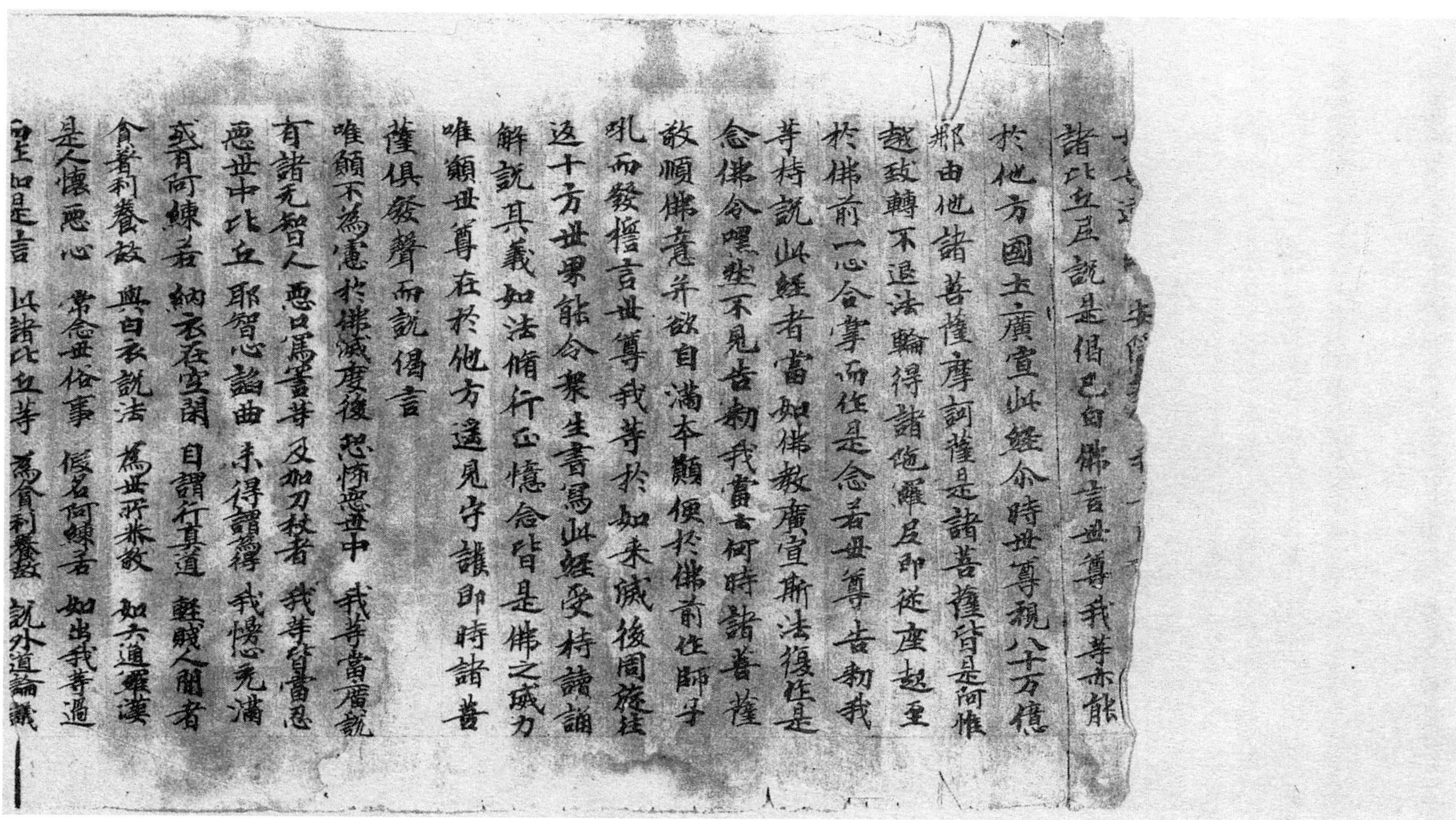
諸比丘尼說是偈已白佛言世尊我等亦能
於他方國土廣宣此經尒時世尊視八十萬億
那由他諸菩薩摩訶薩是諸菩薩皆是阿惟
越致轉不退法輪得諸陁羅尼即從座起至
於佛前一心合掌而作是念若世尊告勑我
等持說此經者當如佛教廣宣斯法復作是
念佛今嘿然不見告勑我當云何時諸菩薩
敬順佛意并欲自滿本願便於佛前作師子
吼而發誓言世尊我等於如來滅後周旋往
返十方世界能令衆生書寫此經受持讀誦
解說其義如法脩行正憶念皆是佛之威力
唯願世尊在於他方遥見守護即時諸菩
薩俱發聲而說偈言
唯願不為慮　於佛滅度後　恐怖惡世中　我等當廣說
有諸无智人　惡口罵詈等　及加刀杖者　我等皆當忍
惡世中比丘　耶智心諂曲　未得謂為得　我慢心充滿
或有阿練若　納衣在空閑　自謂行真道　輕賤人間者
貪著利養故　與白衣說法　為世所恭敬　如六通羅漢
是人懷惡心　常念世俗事　假名阿練若　好出我等過
而作如是言　此諸比丘等　為貪利養故　說外道論議

BD02462 號　妙法蓮華經（八卷本）卷五

(18–1)

或有阿練若　納衣在空閑　自謂行真道　輕賤人間者
貪著利養故　與白衣說法　為世所恭敬　如六通羅漢
是人懷惡心　常念世俗事　假名阿練若　好出我等過
而作如是言　此諸比丘等　為貪利養故　說外道論議
自作此經典　誑惑世間人　為求名聞故　分別於是經
常在大衆中　欲毀我等故　向國王大臣　婆羅門居士
及餘比丘衆　誹謗說我惡　謂是邪見人　說外道論議
我等敬佛故　悉忍是諸惡　為斯所輕言　汝等皆是佛
如此輕慢言　皆當忍受之
濁劫惡世中　多有諸恐怖　惡鬼入其身　罵詈毀辱我
我等敬信佛　當著忍辱鎧　為說是經故　忍此諸難事
我不愛身命　但惜无上道　我等於來世　護持佛所囑
世尊自當知　濁世惡比丘　不知佛方便　隨宜所說法
惡口而顰蹙　數數見擯出　遠離於塔寺　如是等衆惡
念佛告勑故　皆當忍是事
諸聚落城邑　其有求法者　我皆到其所　說佛所囑法
我是世尊使　處衆无所畏　我當善說法　願佛安隱住
我於世尊前　諸來十方佛　發如是誓言　佛自知我心

妙法蓮華經安樂行品第十四

尒時文殊師利法王子菩薩摩訶薩白佛言
世尊是諸菩薩甚為難有敬順佛故發大誓
願於後惡世護持讀誦說是法華經世尊菩
薩摩訶薩於後惡世云何能說是經佛告文
殊師利若菩薩摩訶薩於後惡世欲說是經
當安住四法一者安住菩薩行處親近處能

BD02462號　妙法蓮華經(八卷本)卷五　(18-2)

薩摩訶薩於後惡世云何能說是經佛告文
殊師利若菩薩摩訶薩於後惡世欲說是經
當安住四法一者安住菩薩行處親近處能
為衆生演說是經文殊師利云何名菩薩摩
訶薩行處若菩薩摩訶薩住忍辱地柔和善
順而不卒暴心亦不驚又復於法无所行而
觀諸法如實相亦不行不分別是名菩薩摩
訶薩行處云何名菩薩摩訶薩親近處菩薩
摩訶薩不親近國王王子大臣官長不親近
諸外道梵志尼揵子等及造世俗文筆讚詠
外書及路伽耶陀逆路伽耶陀者亦不親近
諸有凶戲相扠相撲及那羅等種種變現之
戲又不親近旃陀羅及畜猪羊雞狗畋獵
魚捕諸惡律儀如是人等或時來者則為說
法无所悕望又不親近求聲聞比丘比丘尼優
婆塞優婆夷亦不問訊若於房中若經行
處若在講堂中不共住止或時來者隨宜說法
无所悕求文殊師利又菩薩摩訶薩不應於
女人身取能生欲想相而為說法亦不樂見若
入他家不與小女處女寡女等共語亦復不近
五種不男之人以為親厚不獨入他家若有
因緣須獨入時但一心念佛若為女人說
法不露齒笑不現胸臆乃至為法猶不親厚
況復餘事不樂畜年少弟子沙彌小兒亦不
樂與同師常好坐禪在於閑處脩攝其心文

BD02462號　妙法蓮華經(八卷本)卷五　(18-3)

法不[illegible]
況復餘事不樂畜年少弟子沙弥小兒亦不
樂與同師常好坐禪在於閑處脩攝其心文
殊師利是名初親近處復次菩薩摩訶薩
觀一切法空如實相不顛倒不動不退不轉如
虛空无所有性一切語言道斷不生不出不
起无名无相實无所有无量无邊无㝵无鄣
但以因緣有從顛倒生故說常樂觀如是法
相是名菩薩摩訶薩第二親近處尒時世
尊欲重宣此義而說偈言
若有菩薩　於後惡世　无怖畏心　欲說是經
應入行處　及親近處　常離國王　及國王子
大臣官長　凶險戲者　及旃陀羅　外道梵志
亦不親近　增上慢人　貪著小乘　三藏學者
破戒比丘　名字羅漢　及比丘尼　好戲笑者
深著五欲　求現滅度　諸優婆夷　皆勿親近
若是人等　以好心來　到菩薩所　為聞佛道
菩薩則以　无所畏心　不懷悕望　而為說法
寡女處女　及諸不男　皆勿親近　以為親厚
亦莫親近　屠兒魁膾　田獵漁捕　為利殺害
販肉自活　衒賣女色　如是之人　皆勿親近
兇險相撲　種種嬉戲　諸婬女等　盡勿親近
莫獨屏處　為女說法　若說法時　无得戲笑
入里乞食　將一比丘　若无比丘　一心念佛
是則名為　行處近處　以此二處　能安樂說
又復不行　上中下法　有為无為　實不實法

莫獨屏處　為女說法　若說法時　无得戲笑
入里乞食　將一比丘　若无比丘　一心念佛
是則名為　行處近處　以此二處　能安樂說
又復不行　上中下法　有為无為　實不實法
亦不分別　是男是女　不得諸法　不知不見
是則名為　菩薩行處　一切諸法　空无所有
无有常住　亦无起滅　是名智者　所親近處
顛倒分別　諸法有无　是實非實　是生非生
在於閑處　脩攝其心　安住不動　如須弥山
觀一切法　皆无所有　猶如虛空　无有堅固
不生不出　不動不退　常住一相　是名近處
若有比丘　於我滅後　入是行處　及親近處
說斯經時　无有怯弱　菩薩有時　入於靜室
以正憶念　隨義觀法　從禪定起　為諸國王
王子臣民　婆羅門等　開化演暢　說斯經典
其心安隱　无有怯弱　文殊師利　是名菩薩
安住初法　能於後世　說法華經
又文殊師利如來滅後於末法中欲說是經
應住安樂行若口宣說若讀經時不樂說
人及經典過亦不輕慢諸餘法師不說他人好
惡長短於聲聞人亦不稱名說其過惡亦
不稱名讚歎其美又亦不生怨嫌之心善脩如
是安樂心故諸有聽者不逆其意有所難
問不以小乘法荅但以大乘而為解說令得一
切種智尒時世尊欲重宣此義而說偈言
菩薩常樂　安隱說法　於清淨地　而施牀座

[illegible]
聞不以小乘法荅但以大乘而為解說令得一
切種智尒時世尊欲重宣此義而說偈言
菩薩常樂　安隱說法　於清淨地　而施床座
以油塗身　澡浴塵穢　著新淨衣　内外俱淨
安處法座　随問為說　若有比丘　及比丘尼
諸優婆塞　及優婆夷　國王王子　群臣士民
以微妙義　和顏為說　若有難問　随義而荅
因緣譬喻　敷演分別　以是方便　皆使發心
漸漸增益　入於佛道　除嬾惰意　及懈怠想
離諸憂惱　慈心說法　晝夜常說　无上道教
以諸因緣　无量譬喻　開示眾生　咸令歡喜
衣服卧具　飲食醫藥　而於其中　无所悕望
但一心念　說法因緣　願成佛道　令眾亦尒
是則大利　安樂供養
我滅度後　若有比丘　能演說斯　妙法華經
心无嫉恚　諸惱鄣㝵　亦无憂愁　及罵詈者
又无怖畏　加刀杖等　亦不檳出　安住忍故
智者如是　善脩其心　能住安樂　如我上說
其人功德　千万億劫　筭數譬喻　說不能盡
又文殊師利菩薩摩訶薩於後末世法欲滅
時受持讀誦斯經典者无懷嫉妬諂誑之心
亦勿輕罵學佛道者求其長短若比丘比丘
尼優婆塞優婆夷求聲聞者求辟支佛者
求菩薩道者无得惱之令其疑悔語其人言
汝等去道甚遠終不能得一切種智所以者

BD02462號　妙法蓮華經（八卷本）卷五　（18-6）

尼優婆塞優婆夷求聲聞者求辟支佛者
求菩薩道者无得惱之令其疑悔語其人言
汝等去道甚遠終不能得一切種智所以者
何汝是放逸之人於道懈怠故又亦不應戲論
諸法有所諍競當於一切眾生起大悲想於
諸如来起慈父想於諸菩薩起大師想於十
方諸大菩薩常應深心恭敬礼拜於一切眾生
平等說法以順法故不多不少乃至深愛法者
亦不為多說文殊師利是菩薩摩訶薩於
後末世法欲滅時有成就是第三安樂行者
說是法時无能惱亂得好同學共讀誦是經
亦得大眾而来聽受聽已能持持已能誦
誦已能說說已能書若使人書供養經卷
恭敬尊重讚歎尒時世尊欲重宣此義而說偈言
若欲說是經　當捨嫉恚慢　諂誑耶僞心　常脩質直行
不輕蔑於人　亦不戲論法　不令他疑悔　云汝不得佛
是佛子說法　常柔和能忍　慈悲於一切　不生懈怠心
十方大菩薩　愍眾故行道　應生恭敬心　是則我大師
於諸佛世尊　生无上父想　破於憍慢心　說法无鄣㝵
第三法如是　智者應守護　一心安樂行　无量眾所敬
又文殊師利菩薩摩訶薩於後末世法欲滅
時有持是法華經者於在家出家人中生大
慈心於非菩薩人中生大悲心應作是念如
是之人則為大失如来方便随宜說法不聞
不知不覺不問不信不解其人雖不問不信不
解是經我得阿耨多羅三藐三菩提時随

BD02462號　妙法蓮華經（八卷本）卷五　（18-7）

是之人則為大失如来方便隨冝說法不聞
不知不覺不問不信不解其人雖不問不信不
解是經我得阿耨多羅三藐三菩提時隨
在何地以神通力智慧力引之令得住是法
中文殊師利是菩薩摩訶薩於如来滅後有
成就此第四法者說是法時无有過失常為
比丘比丘尼優婆塞優婆夷國王王子大臣
人民婆羅門居士等供養恭敬尊重讚嘆虛
空諸天為聽法故亦常隨侍若在聚落城邑
空閑林中有人来欲難問者諸天晝夜常為
法故而衛護之能令聽者皆得歡喜所以者
何此經是一切過去未来現在諸佛神力所
護故文殊師利是法華經於无量國中乃至
名字不可得聞何況得見受持讀誦文殊師
利譬如強力轉輪聖王欲以威勢降伏諸國
而諸小王不順其命時轉輪王起種種兵而
往討伐王見兵衆戰有功者即大歡喜隨功
賞賜或与田宅聚落城邑或與衣服嚴身之
具或与種種珎寶金銀瑠璃車𤦲馬瑙珊瑚
虎珀象馬車乘奴婢人民唯髻中明珠不以
与之所以者何獨王頂上有此一珠若以与之
王諸眷屬必大驚恠文殊師利如来亦復如
是以禪定智慧力得法國土王於三界而諸
魔王不肯順伏如来賢聖諸將与之共戰
其有功者心亦歡喜於四衆中為說諸經令其
心悅賜以禪

BD02462號　妙法蓮華經（八卷本）卷五　（18–8）

是以禪定智慧力得法國土王於三界而諸
魔王不肯順伏如来賢聖諸將与之共戰
其有功者心亦歡喜於四衆中為說諸經令其
心悅賜以禪定解脫无漏根力諸法之財又
復賜与涅槃之城言得滅度引導其心皆令
歡喜而不為說是法華經文殊師利如轉輪
王見諸兵衆有大功者心甚歡喜以此難信
之珠久在髻中不妄与人而今与之如来亦復
如是於三界中為大法王以法教化一切衆
生見賢聖軍与五陰魔煩惱魔死魔共戰
有大功勳滅三毒出三界破魔網爾時如来
亦大歡喜此法華經能令衆生至一切智
一切世間多怨難信先所未說而今說之文
殊師利此法華經是諸如来第一之說於諸
說中最為甚深末後賜与如彼強力之王久
護明珠今乃與之文殊師利此法華經諸佛
如来秘密之藏於諸經中最在其上長夜守
護不妄宣說始於今日乃与汝等而敷演之
爾時世尊欲重宣此義而說偈言
常行忍辱　哀愍一切　乃能演說　佛所讚經
後末世時　持此經者　於家出家　及非菩薩
應生慈悲　斯等不聞　不信是經　則為大失
我得佛道　以諸方便　為說此法　令住其中
譬如強力　轉輪之王　兵戰有功　賞賜諸物
象馬車乘　嚴身之具　及諸田宅　聚落城邑
或與衣服　種種珎寶　奴婢財物　歡喜賜与

BD02462號　妙法蓮華經（八卷本）卷五　（18–9）

我得佛道　以諸方便　為說此法　令住其中
譬如強力　轉輪之王　兵戰有功　賞賜諸物
象馬車乘　嚴身之具　及諸田宅　聚落城邑
或與衣服　種種珍寶　奴婢財物　歡喜賜與
如有勇健　能為難事　王解髻中　明珠賜之
如來亦尒　為諸法王　忍辱大力　智慧寶藏
以大慈悲　如法化世　見一切人　受諸苦惱
欲求解脫　與諸魔戰　為是眾生　說種種法
以大方便　說此諸經　既知眾生　得其力已
末後乃為　說是法華　如王解髻　明珠與之
此經為尊　眾經中上　我常守護　不妄開示
今正是時　為汝等說
我滅度後　求佛道者　欲得安隱　演說斯經
應當親近　如是四法
讀是經者　常无憂惱　又无病痛　顏色鮮白
不生貧窮　卑賤醜陋　眾生樂見　如慕賢聖
天諸童子　以為給使　刀杖不加　毒不能害
若人惡罵　口則閉塞　遊行无畏　如師子王
智慧光明　如日之照　若於夢中　但見妙事
見諸如來　坐師子座　諸比丘眾　圍遶說法
又見龍神　阿脩羅等　數如恒沙　恭敬合掌
自見其身　而為說法　又見諸佛　身相金色
放无量光　照於一切　以梵音聲　演說諸法
佛為四眾　說无上法　見身處中　合掌讚佛
聞法歡喜　而為供養　得陀羅尼　證不退智
佛知其心　深入佛道　即為授記　成最正覺

BD02462號　妙法蓮華經（八卷本）卷五　（18–10）

佛為四眾　說无上法
聞法歡喜　而為供養　得陀羅尼　證不退智
佛知其心　深入佛道　即為授記　成最正覺
汝善男子　當於來世　得无量智　佛之大道
國土嚴淨　廣大无比　亦有四眾　合掌聽法
又見自身　在山林中　脩習善法　證諸實相
深入禪定　見十方佛
諸佛身金色　百福相莊嚴　聞法為人說　常有是好夢
又夢作國王　捨宮殿眷屬　及上妙五欲　行詣於道場
在菩提樹下　而處師子座　求道過七日　得諸佛之智
成无上道已　起而轉法輪　為四眾說法　經千万億劫
說无漏妙法　度无量眾生　後當入涅槃　如烟盡燈滅
若後惡世中　說是第一法　是人得大利　如上諸功德

妙法蓮華經從地踊出品第十五

尒時他方國土諸來菩薩摩訶薩過八恒河沙數於大眾中起合掌作禮而白佛言世尊若聽我等於佛滅後在此娑婆世界懃加精進護持讀誦書寫供養是經典者當於此土而廣說之尒時佛告諸菩薩摩訶薩眾止善男子不須汝等護持此經所以者何我娑婆世界自有六万恒河沙等菩薩摩訶薩一一菩薩各有六万恒河沙眷屬是諸人等能於我滅後護持讀誦廣說此經佛說是時娑婆世界三千大千國土地皆震裂而於其中有无量千万億菩薩摩訶薩同時踊出是諸菩薩身皆金色三十二相无量光明先盡在此

BD02462號　妙法蓮華經（八卷本）卷五　（18–11）

於我滅後護持讀誦廣說此經
世界三千大千國土地皆震裂而於其中有
无量千万億菩薩摩訶同時踊出是諸菩
薩身皆金色三十二相无量光明先盡在此
娑婆世界之下此界虛空中住是諸菩薩
聞釋迦牟尼佛所說音聲從下發來一一菩
薩皆是大衆唱導之首各將六万恒河沙眷
屬況將五万四万三万二万一万恒河沙等眷
屬者況復乃至一恒河沙半恒河沙四分之
一乃至十万億那由他分之一況復千万億那
由他眷屬況復億万眷屬況復千万百万
乃至一万況復一千一百乃至一十況復將
五四三二一弟子者況復單己樂遠離行如
是等比无量无邊筭數譬喻所不能知是
諸菩薩從地出已各詣虛空七寶妙塔多寶
如來釋迦牟尼佛所到已向二世尊頭面礼足
及至諸寶樹下師子座上佛所亦皆作礼右
遶三匝合掌恭敬以諸菩薩種種讚法而以
讚嘆住於一面欣樂瞻仰於二世尊是諸菩
薩摩訶薩從初踊出以諸菩薩種種讚法而
讚於佛如是時間逕五十小劫是時釋迦牟
尼佛嘿然而坐及諸四衆亦皆嘿然五十小劫
佛神力故令諸大衆謂如半日尒時四衆亦
以佛神力故見諸菩薩遍滿无量百千万億
國土虛空是菩薩衆中有四道師一名上行
二名无邊行三名淨行四名安立行是四菩

BD02462號　妙法蓮華經（八卷本）卷五　　（18–12）

佛神力故令諸大衆謂如半日尒時四衆亦
以佛神力故見諸菩薩遍滿无量百千万億
國土虛空是菩薩衆中有四道師一名上行
二名无邊行三名淨行四名安立行是四菩
薩於其衆中㝡為上首唱導之師在大衆
前各共合掌觀釋迦牟尼佛而問訊言世
尊少病少惱安樂行不應度者受教易不不令
世尊生疲勞耶尒時四大菩薩而說偈言
世尊安樂　少病少惱　教化衆生　得无疲惓
又諸衆生　受化易不　不令世尊　生疲勞耶
尒時世尊於菩薩大衆中而作是言如是如
是諸善男子如來安樂少病少惱諸衆生等
易可化度无有疲勞所以者何是諸衆生世
世已來常受我化亦於過去諸佛供養尊重
種諸善根此諸衆生始見我身聞我所說
即皆信受入如來慧除先脩習學小乘者如
是之人我今亦令得聞是經入於佛慧尒時諸
大菩薩而說偈言
善哉善哉　大雄世尊　諸衆生等　易可化度
能問諸佛　甚深智慧　聞已信行　我等隨喜
於時世尊　讚嘆上首　諸大菩薩　善哉善哉
善男子汝等能於如來發隨喜心尒時弥勒
菩薩及八千恒河沙諸菩薩衆皆作是念我等
從昔已來不見不聞如是大菩薩摩訶薩衆
從地踊出住世尊前合掌供養問訊如來時
弥勒菩薩摩訶薩知八千恒河沙諸菩薩等

BD02462號　妙法蓮華經（八卷本）卷五　　（18–13）

從昔已來不見不聞如是大菩薩摩訶薩衆
從地踊出住世尊前合掌供養問訊如來時
弥勒菩薩摩訶薩知八千恒河沙諸菩薩等
心之所念幷欲自決所疑合掌向佛以偈問
曰
无量千万億　大衆諸菩薩　昔所未曾見　願兩足尊說
是從何所來　以何因緣集　巨身大神通　智慧叵思議
其志念堅固　有大忍辱力　衆生所樂見　爲從何所來
一一諸菩薩　所將諸眷屬　其數无有量　如恒河沙等
或有大菩薩　將六万恒沙　如是諸大衆　一心求佛道
是諸大師等　六万恒河沙　俱來供養佛　及護持是經
將五万恒沙　其數過於是　四万及三万　二万至一万
一千一百等　乃至一恒沙　半及三四分　億万分之一
千万那由他　万億諸弟子　乃至於半億　其數復過上
百万至一万　一千及一百　五十與一十　乃至三二一
單己无眷屬　樂於獨處者　俱來至佛所　其數轉過上
如是諸大衆　若人行籌數　過於恒沙劫　猶不能盡知
是諸大威德　精進菩薩衆　誰爲其說法　教化而成就
從誰初發心　稱揚何佛法　受持行誰經　脩習何佛道
如是諸菩薩　神通大智力　四方地震裂　皆從中踊出
世尊我昔來　未曾見是事　願說其所從　國土之名号
我常遊諸國　未曾見是衆
我於此衆中　乃不識一人　忽然從地出　願說其因緣
今此之大會　无量百千億　是諸菩薩等　皆欲知此事
是諸菩薩衆　本末之因緣　无量德世尊　唯願決衆疑

BD02462 號　妙法蓮華經（八卷本）卷五　（18–14）

我於此衆中　乃不識一人　忽然從地出　願說其因緣
今此之大會　无量百千億　是諸菩薩等　皆欲知此事
是諸菩薩衆　本末之因緣　无量德世尊　唯願決衆疑
尒時釋迦牟尼分身諸佛從无量千万億他方
國土來者在於八方諸寶樹下師子座上結
跏趺坐其佛侍者各各見是菩薩大衆於
三千大千世界四方從地踊出住於虛空各
白其佛言世尊此諸无量无邊阿僧祇菩薩
大衆從何所來尒時諸佛各告侍者諸善男
子且待須臾此有菩薩摩訶薩名曰弥勒釋
迦牟尼佛之所授記次後作佛已問斯事佛
今答之汝等自當因是得聞尒時釋迦牟尼佛
告弥勒菩薩善哉善哉阿逸多乃能問佛如
是大事汝等當共一心被精進鎧發堅固意
如來今欲顯發宣示諸佛智慧諸佛自在神
通之力諸佛師子奮迅之力諸佛威猛大勢
之力尒時世尊欲重宣此義而說偈言
當精進一心　我欲說此事　勿得有疑悔　佛智叵思議
汝今出信力　住於忍善中　昔所未聞法　今皆當得聞
我今安慰汝　勿得懷疑懼　佛无不實語　智慧不可量
所得第一法　甚深叵分別　如是今當說　汝等一心聽
尒時世尊說此偈已告弥勒菩薩我今於此
大衆宣告汝等阿逸多是諸大菩薩摩訶薩
无量无數阿僧祇從地踊出汝等昔所未見
者我於是娑婆世界得阿耨多羅三藐三菩

BD02462 號　妙法蓮華經（八卷本）卷五　（18–15）

无量无數阿僧祇從地踊出汝等昔所未見
者我於是娑婆世界得阿耨多羅三藐三菩
提已教化示導是諸菩薩調伏其心令發道
意此諸菩薩皆於是娑婆世界之下此界虚
空中住於諸經典讀誦通利思惟分別正憶
念阿逸多是諸善男子等不樂在衆多有所
說常樂靜處懃行精進未曾休息亦不依止
人天而住常樂深智无有障㝵亦常樂於諸
佛之法一心精進求无上慧尒時世尊欲重
宣此義而說偈言

阿逸汝當知　是諸大菩薩　從无數劫來　脩習佛智慧
悉是我所化　令發大道心　此等是我子　依止是世界
常行頭陁事　志樂於靜處　捨大衆憒閙　不樂多所說
如是諸子等　學習我道法　晝夜常精進　為求佛道故
在娑婆世界　下方空中住
志念力堅固　常懃求智慧　說種種妙法　其心无所畏
我於伽耶城　菩提樹下坐　得成最正覺　轉无上法輪
尒乃教化之　令初發道心　今皆住不退　悉當得成佛
我今說實語　汝等一心信　我從久遠來　教化是等衆

尒時彌勒菩薩摩訶薩及无數諸菩薩等心
生疑惑怪未曾有而作是念云何世尊於少
時間教化如是无量无邊阿僧祇諸大菩薩
令住阿耨多羅三藐三菩提即白佛言世尊如
来為太子時出於釋氏宮去伽耶城不遠
坐於道場得成阿耨多羅三藐三菩提從是

BD02462號　妙法蓮華經（八卷本）卷五　（18-16）

令住阿耨多羅三藐三菩提即白佛言世尊如
来為太子時出於釋氏宮去伽耶城不遠
坐於道場得成阿耨多羅三藐三菩提從是
已來始過四十餘年世尊云何於此少時大作
佛事以佛勢力以佛功德教化如是无量大菩
薩衆當成阿耨多羅三藐三菩提世尊此
大菩薩衆假使有人於千万億劫數不能盡
不得其邊斯等久遠已來於无量无邊諸
佛所殖諸善根成就菩薩道常脩梵行世尊如
此之事世所難信譬如有人色美髮黑年二
十五指百歲人言是我子其百歲人亦指年
少言是我父生育我等是事難信佛亦如
是得道已來其實未久而此大衆諸菩薩等
已於无量千万億劫為佛道故懃行精進善
入出住无量百千万億三昧得大神通久脩梵
行善能次第習諸善法巧於問荅人中之寶
一切世間甚為希有今日世尊方云得佛道
時初令發心教化示導令向阿耨多羅三藐
三菩提世尊得佛未久乃能作此大功德事
我等雖復信佛隨宜所說佛所出言未曾虚
妄佛所知者皆悉通達然諸新發意菩薩於
佛滅後若聞是語或不信受而起破法罪業
因緣唯然世尊願為解說除我等疑及未来
世諸善男子聞此事已亦不生疑尒時彌勒
菩薩欲重宣此義而說偈言

BD02462號　妙法蓮華經（八卷本）卷五　（18-17）

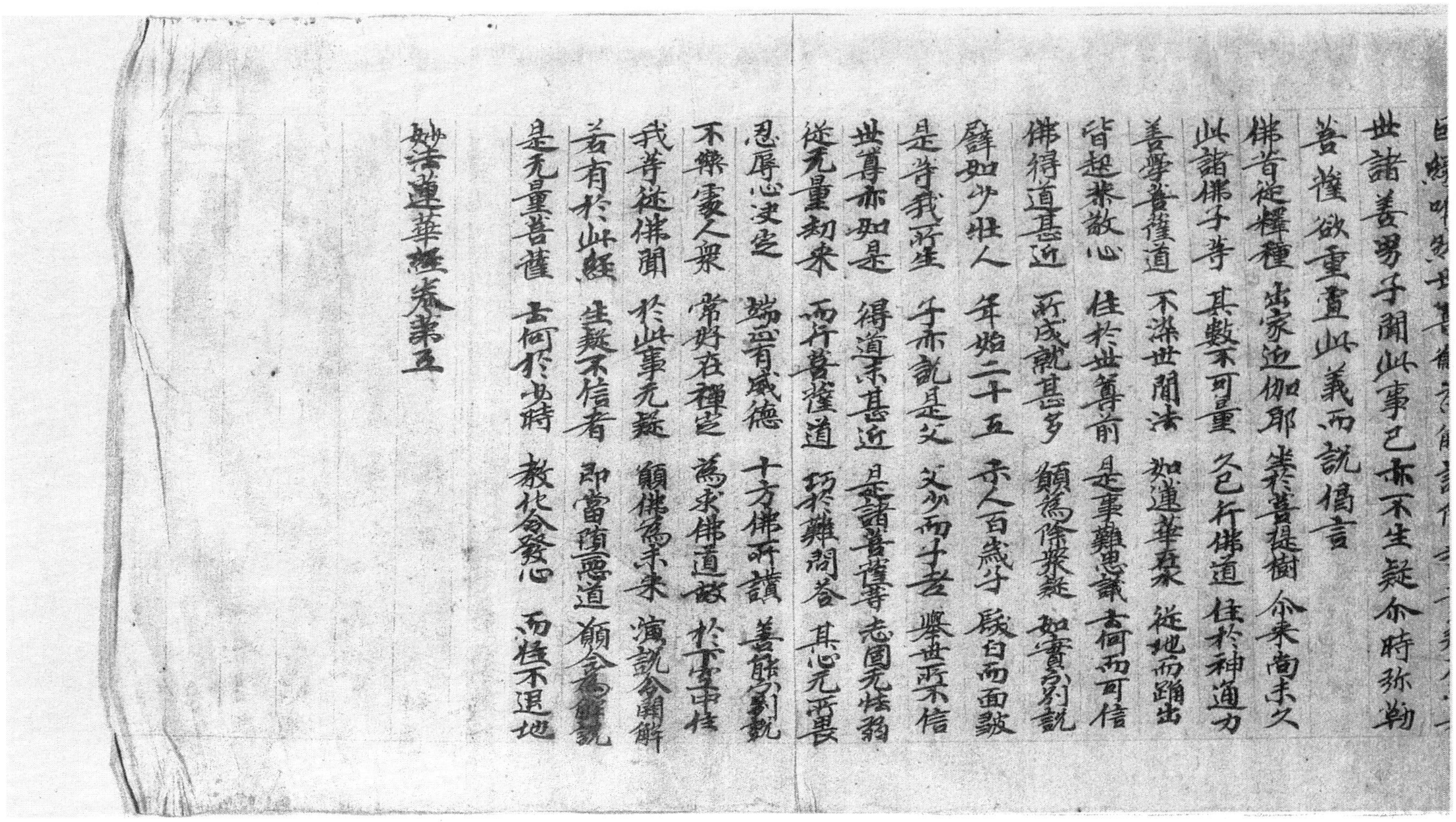
白佛言唯然世尊願為解說除我等疑及未來
世諸善男子聞此事已亦不生疑尒時弥勒
菩薩欲重宣此義而說偈言
佛昔從釋種　出家近伽耶　坐於菩提樹　尒來尚未久
此諸佛子等　其數不可量　久已行佛道　住於神通力
善學菩薩道　不染世間法　如蓮華在水　從地而踊出
皆起恭敬心　住於世尊前　是事難思議　云何而可信
佛得道甚近　所成就甚多　願為除衆疑　如實分別說
譬如少壯人　年始二十五　示人百歲子　髮白而面皺
是等我所生　子亦說是父　父少而子老　舉世所不信
世尊亦如是　得道來甚近　是諸菩薩等　志固无怯弱
從无量劫來　而行菩薩道　巧於難問答　其心无所畏
忍辱心決定　端正有威德　十方佛所讚　善能分別說
不樂在人衆　常好在禪定　為求佛道故　於下空中住
我等從佛聞　於此事无疑　願佛為未來　演說令開解
若有於此經　生疑不信者　即當墮惡道　願今為解說
是无量菩薩　云何於少時　教化令發心　而住不退地
妙法蓮華經卷第五

BD02462 號　妙法蓮華經（八卷本）卷五　　（18–18）

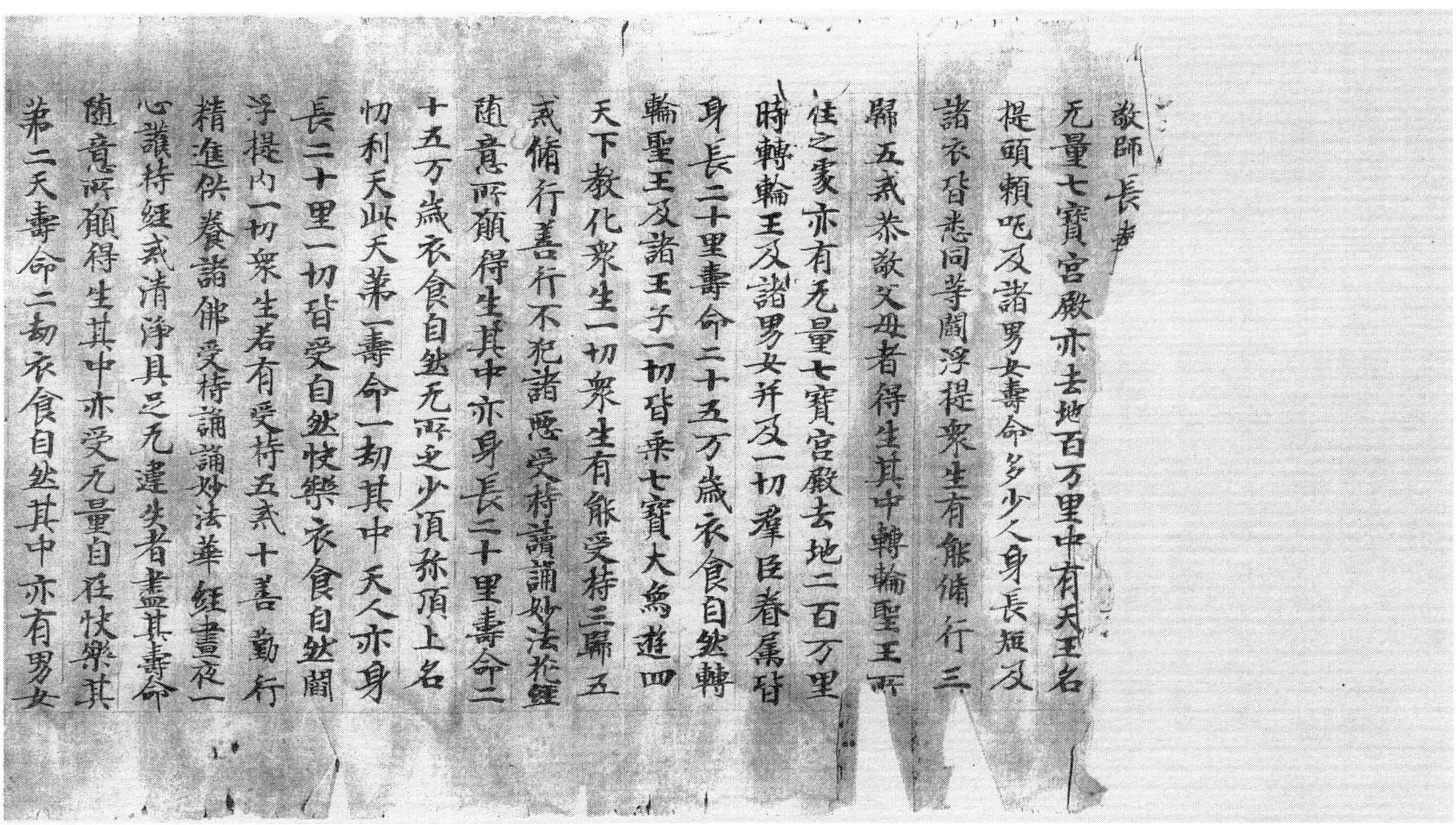
敬師長者
无量七寶宮殿亦去地百万里中有天王名
提頭賴吒及諸男女壽命多少人身長短及
諸衣皆悉同等閻浮提衆生有能脩行三
歸五戒恭敬父母者得生其中轉輪聖王所
住之處亦有无量七寶宮殿去地二百万里
時轉輪王及諸男女并及一切羣臣眷屬皆
身長二十里壽命二十五万歲衣食自然轉
輪聖王及諸王子一切皆乘七寶大象遊四
天下教化衆生一切衆生有能受持三歸五
戒脩行善行不犯諸惡受持讀誦妙法花經
隨意所願得生其中亦身長二十里壽命二
十五万歲衣食自然无所乏少須弥頂上名
忉利天此天第一壽命一劫其中天人亦身
長二十里一切皆受自然快樂衣食自然閻
浮提內一切衆生若有受持五戒十善勤行
精進供養諸佛受持讀誦妙法華經晝夜一
心護持經戒清淨具足无違失者盡其壽命
隨意所願得生其中亦受无量自在快樂其
第二天壽命二劫衣食自然其中亦有男女

BD02463 號　妙法蓮華經度量天地品　　（11–1）

精進供養諸佛受持誦讀妙法華經晝夜一
心讀持經戒清淨具足无違失者盡其壽命
隨意所願得生其中亦受无量自在快樂其
苐二天壽命二劫衣食自然其中亦有男女
身長二十里受持五戒十善得生其中其苐
三天壽命四劫衣食自然其中亦有男女身長
二十里受持五戒十善得生其中其苐四天
壽命八劫衣食自然其中亦有男女身長二
十里受持五戒十善得生其中其苐五天壽
命十六劫衣食自然其中亦有男女身長二
十里受持五戒十善得生其中其苐六天壽
命三十二劫衣食自然其中亦有男女身長
二十里受持五戒十善得生其中其苐七天
壽命六十四劫其中天人見食即飽亦有男
女身長二十里受持五戒十善得生其中其
苐八天壽命一百二十八劫見食即飽其中
亦有男女身長二十里受持五戒十善得生
其中其苐九天壽命二百五十六劫見食即
飽其中亦有男女身長二十里受持五戒十
善得生其中其苐十天壽命五百三十二劫
見食即飽其中亦有男女身長二十里受持
五戒十善得生其中其苐十一天壽命一千
六十四劫見食即飽其中亦有男女身長二
十里受持五戒十善得生其中其苐十二天
壽命二千一百二十八劫聞食即飽其中亦
有男女身長二十里受持五戒十善得生其

BD02463號　妙法蓮華經度量天地品

（11–2）

六十四劫見食即飽其中亦有男女身長二
十里受持五戒十善得生其中其苐十二天
壽命二千一百二十八劫聞食即飽其中亦
有男女身長二十里受持五戒十善得生其
中其苐十三天壽命二千四百五十六劫聞
食即飽其中亦有男女身長二十里受持五
戒十善得生其中其苐十四天壽命四千九
百一十二劫聞食即飽其中亦有男女身長
二十里受持五戒十善得生其中其苐十五
天壽命一万劫聞食即飽其中亦有男女身
長二十里受持五戒十善得生其中其苐十
六天壽命二万劫憶食即飽其中亦有男女
身長二十里受持五戒十善得生其中其苐
十七天壽命四万劫憶食即飽其中亦有男
女身長二十里受持五戒十善得生其中其
苐十八天壽命八万劫憶食即飽其中亦有
男女身長二十里受持五戒十善得生其中
其苐十九天壽命十六万劫憶食即飽其中
亦有男女身長二十里受持五戒十善得生
其中其苐二十天壽命三十二万劫其中天
人无有煩惱心身清淨无所味著神通自在
无有障礙如諸菩薩同等无異其苐二十一
天乃至有頂三十三天於是中間无有天人
唯有諸佛菩薩以為上住壽命劫數不可思
議又天地相去百万億由旬日月去地八十
億万里星宿去地七十億万里須弥山從黄

BD02463號　妙法蓮華經度量天地品

（11–3）

唯有諸佛菩薩以爲上任壽命劫數不可思
議又天地相去百万億由旬日月去地八十
億万里星宿去地七十億万里須弥山縱廣
三百三十六万里高下亦尒南閻浮提地亦
縱廣三百三十六万里西瞿耶尼縱廣四百
四十八万里北欝單越縱廣六百六十四万
里東弗于逮縱廣五百五十三万里金剛圍
山高二百万里大鐵圍山亦高二百万里小
鐵圍山高百二十万里其大海廣五千里深
三千里其小海廣千五百里深千里其大江
廣八十里深四十里小江廣四十里深二十
里其盟津廣三里深一里半如是三千大千
世界百億日月百億大海小海江河百億四
天下百億四天王百億轉輪王百億忉利天
乃至百億三十三天人身長短壽命劫數次
苐多少若有食不食見色聞憶皆悉同等
无有異也諸須弥山高下大小四方大地闊狹多
少諸鐵圍山及與大海小海江河高下深淺
皆悉同等无有别異日月去地亦復如是又
諸日月悉皆周圍一千七百里大星周圍百
二十里中星周圍八十里小星周圍四十五里
氷車火車亦周圍一千七百里天下四時冬
天極寒夏天極熱春秋調和何以故日行三
道冬行南道夏行北道春秋中道黄金水精
爲日白銀琉璃爲月及餘星宿悉皆白銀諸

BD02463號　妙法蓮華經度量天地品　（11–4）

道冬行南道夏行北道春秋中道黄金水精
爲日白銀琉璃爲月及餘星宿悉皆白銀諸
星宿上各有諸天皆白銀身随星大小以爲
居止皆受快樂自在无礙黄金水精爲日夏
天之時水精盡退黄金正現火車助之其須
弥山有百億金剛皆共助熱夏行北道當人
之上是故天下悉皆大熱冬天之時禰去大
車黄金盡退水精正現氷車助之冬行南道
氷山上是故天下悉皆大寒月在天中照曜
天下一月之中而有生滅明時極明闇時極
闇所以者何白銀琉璃爲月何須輪王而典
之自以身手番覆轉側初生之時現於琉璃
少出白銀如是日日漸漸而轉至十五日琉
璃隱沒白銀正現是故天下一切皆明過十
五日已漸漸覆而轉至三十日白銀盡沒琉璃
正現是故天下悉皆大闇
佛告觀世音天下一切四方衆生各有著别
汝今善聽當爲汝説何以故閻浮提内一切
衆生身長八尺壽命百歲西瞿耶尼諸衆
生等身長十里壽命千二百歲北欝單越所
有衆生身長二十里壽命千歲東弗于逮衆
生之類身長九里壽命五百歲閻浮衆生多受
苦惱多有憂悲煩惱患難壽百歲夜消其半
長命者得壽百歲短命者胞胎傷墮兼復中
夭人生之時父母養育年既長大自持𪟝健

BD02463號　妙法蓮華經度量天地品　（11–5）

生之類身長九里壽命五百歲[illegible]
若惱多有憂悲煩惱患難壽百歲夜消其半
長命者得壽百歲短命者胞胎傷墮兼復中
夭人生之時父母養育年既長大自持強健
擔輕負重不自裁量勤身營務以為給濟如
是日夜不能自足衣不蓋形食不充口兼復
王調於時課領方復橫為水火賊盜焚漂劫
奪如是憂惱勤苦无量此中眾生雖受苦惱
有能脩行五戒十善受持讀誦妙法華經勤
行精進供養諸佛晝夜一心奉持經戒清淨
具足无缺漏者因是果報得成佛身西瞿耶
尼諸眾生等一切皆受无量快樂无有一人
受苦惱者皆不由父母胞胎各各皆當蓮華
化生河被油衣自然著體若欲食時有七寶
鉢器所謂金銀琉璃車𤦲馬瑙珊瑚虎珀諸
妙珍寶如是之鉢隨其時節自然而現百味
天廚充滿其中馨香芬馥食之甘美身心柔
濡氣力調和身體平正端嚴微妙聰明智慧
高才明達神通功德不可思議初生之時各各
皆有被油河衣在其身體又其衣者隨身
長大至於年老不著餘衣如是清淨寶是大
樂北欝單越一切眾生雖有男女无有婬欲
男從父膝而生女從母膝化生須衣架上而
須食有粳米飯皆長七寸隨其時節自生盂
中如是諸食不施功力食之甘美氣力充實
身體安寧无有病苦如是清淨亦為大樂東

BD02463 號　妙法蓮華經度量天地品

（11-6）

須食有粳米飯皆長七寸隨其時節自生盂
中如是諸食不施功力食之甘美氣力充實
身體安寧无有病苦如是清淨亦為大樂東
弗于逮无量眾生雖為田殖耕犁種作无有
王調於時課領亦无怨家水火賊盜自任自
得无有奪集者如是安隱亦无憂惱西瞿耶
尼閻浮提內一切眾生不問貧富貴賤好醜
有能端心捨家棄俗行作沙門脩口四過謹
持禁戒清淨具足无缺漏者隨意所願得生
其中北欝單越閻浮眾生亦復不問貧富貴
賤善惡好醜有能脩行受持五戒一月六齋
一年三長齋供養諸佛常无闕時脩口攝意
不犯五事者盡其壽命必得往東弗于逮
閻浮眾生亦復不問貧富貴賤善惡好醜
有能信心受持三歸讓持三事无違犯者得
生其中如是三千大千世界百億閻浮提百億
瞿耶尼百億欝單越百億弗于逮如是百億
四方眾生貧富貴賤善惡好醜衣食不衣食
性分大小壽命長短皆悉同等无有別異隨
本業力生於四方尒時世尊欲重宣此義
而說偈言
佛告觀世音　及諸菩薩眾　并及於一切　諸天人民等
汝等今善聽　當為汝分別　今汝諸大眾　一切皆得聞
吾今說實事　勿得有疑惑　此大地深遠　二十億万里
次有香潤澤　亦二十万里　其次有雜寶　金銀及頗梨

BD02463 號　妙法蓮華經度量天地品

（11-7）

汝等今善聽　當為汝分別　今汝諸大衆　一切皆得聞
吾今說實事　勿得有疑惑　此大地深遠　二十億万里
次有香潤澤　亦二十万里　其次有雜寶　金銀及頗梨
車渠與馬瑙　玫瑰琉璃珠　是諸珍寶等　四十億万里
金粟及銀剛　皆八十万億　銀粟百万里　金剛二百億
无極大風持　不使得傾動　如是諸大地　是天之梁柱
天下一切物　皆因依於地　一切諸川流　大海與小海
江河及溪谷　藥草諸樹木　如是之等類　皆因地而生
土山與黑山　及諸珍樓山　鐵圍大鐵圍　金剛及須彌
并及於一切　衆如七寶山　皆因此大地　涌出珍寶成
及諸須彌山　於諸山中王　四寶涌出城　高出於世間
何等以為四　南名為琉璃　西名為頗梨　北名為馬瑙
東名為黃金　故名為四寶　琉璃光炎色　照耀於南方
衆生得見者　謂名為清天　頗梨光炎照　天下悉皆白
馬瑙與黃金　隨色而照耀　其四寶光明　照耀於四方
一切衆生見　皆言謂為天　護世四天王　皆依止四住
无量寶宮殿　去地百万里　王及諸男女　身長二千里
一切悉皆壽　八万七千歲　衣服諸飲食　各各皆自然
閻浮諸衆生　孝養父母者　盡其壽命已　必得生世間
諸聖轉輪王　亦依止於山　七寶諸宮殿　去地二百万
王及諸男女　羣臣眷屬等　一切皆當壽　二十五万歲
身長二十里　衣食皆自然　尒時轉輪王　乘大千寶爲
遊行四天下　教化於一切　天下諸衆生　脩行於十善
讀誦法華經　必得生於彼　衣服諸飲食　悉等无有異
有切利諸天　居在須彌頂　其中諸天人　自在受快樂

BD02463號　妙法蓮華經度量天地品　（11-8）

身長二十里　衣食皆自然　尒時轉輪王　乘大千寶爲
遊行四天下　教化於一切　天下諸衆生　脩行於十善
讀誦法華經　必得生於彼　衣服諸飲食　悉等无有異
有切利諸天　居在須彌頂　其中諸天人　自在受快樂
壽命於一切　衣食皆自然　閻浮諸衆生　若有能受持
五戒十善行　讀誦法華經　勤行於精進　供養於諸佛
晝夜常一心　奉持於經戒　清淨无缺漏　必得生此天
衣服諸飲食　一切皆自然　此天名第一　第二及第三
第四與第五　乃至第六天　壽命轉轉倍　衣食亦如是
第七及第八　乃至第二十　其壽命劫數　轉轉而增倍
其中諸天人　不復須衣食　但見色聞香　自然而飽滿
其身意清淨　心无所味著　功得智慧力　不可得稱量
神通力自在　无有諸障礙　若有能受持　妙法華經者
得解其義趣　如說而脩行　勤行供養佛　及供養經卷
晝夜護禁戒　清淨具足者　隨其心所願　必得生彼間
功德神通力　悉等无有異　其第二十二　乃至有頂天
而於是中間　无有諸天人　謂佛菩薩等　於中而止住
其壽命劫數　不可得思議　其天地相去　百万億由旬
日月去於地　八十億万里　諸星宿去地　皆七十億万
其次須彌王　縱廣有三百　三十六万里　高下亦如是
閻浮提縱廣　其數皆如是　西方瞿耶尼　其縱廣四百
四十八万里　清淨无瑕穢　北方欝單越　縱廣於六百
六十四万里　无有諸煩惱　弗于逮縱廣　五百五万里
金剛大鐵圍　高二百万里　其小鐵圍山　高百二十万
大海廣五千　深於三千里　小海千五里　其水深一千

BD02463號　妙法蓮華經度量天地品　（11-9）

金剛大鐵圍 高二百万里 其小鐵圍山 高百二十万
大海廣五千 深於三千里 小海千五里 其水深一千
大江八十里 水深於四十 小江廣四十 深於二十里
其河廣二里 深於一里半 其日月周圍 一千七百里
大星百二十 中星廣八十 其諸小星等 皆四十五里
觀世音當知 天下有四時 寒熱及調和 是事何因緣
日行於三道 冬行於南道 夏行於北道 春秋行中道
是故今天下 調和无寒熱 黃金水精日 白銀琉璃月
及諸星宿等 悉皆為白銀 於上有諸天 皆為白銀身
隨諸星大小 於上而止息 夏行於北道 盡退於水精
黃金皆正現 金剛及火車 皆悉而佐助 是故天下熱
冬行南道 攝去於火車 盡退於黃金 水精而正現
以氷車助之 是故天下寒 月在於天下 照曜於天下
而有生滅相 是事何因緣 阿須輪王等 而典知於月
自以於身手 轉側而翻覆 自於初生時 而現於琉璃
少出於白銀 故名為初生 過初生日已 日日漸漸轉
隱弊於琉璃 而漸見白銀 至於十五日 琉璃盡隱沒
正現於白銀 是故天下明 過十五日已 漸漸而復轉
隱弊於白銀 漸現於琉璃 至於三十日 白銀悉皆沒
琉璃皆正現 是故天下闇 是大三千界 一切百億天
壽命及劫數 多少與次第 若食若不食 悉皆同平等
百億須彌山 高下及大小 四方諸大地 闊狹與多少
鐵圍大鐵圍 諸大海水等 小海江河水 高下及深淺
如是種種事 悉等无有異 百億諸日月 高下及周圍
寒熱與明闇 一切皆周等 天下諸衆生 性分及大小
衣食不衣食 貧富與貴賤 受樂及受苦 長短與好醜

BD02463 號　妙法蓮華經度量天地品　（11–10）

自以於身手 轉側而翻覆 自於初生時 而現於琉璃
少出於白銀 故名為初生 過初生日已 日日漸漸轉
隱弊於琉璃 而漸見白銀 至於十五日 琉璃盡隱沒
正現於白銀 是故天下明 過十五日已 漸漸而復轉
隱弊於白銀 漸現於琉璃 至於三十日 白銀悉皆沒
琉璃皆正現 是故天下闇 是大三千界 一切百億天
壽命及劫數 多少與次第 若食若不食 悉皆同平等
百億須彌山 高下及大小 四方諸大地 闊狹與多少
鐵圍大鐵圍 諸大海水等 小海江河水 高下及深淺
如是種種事 悉等无有異 百億諸日月 高下及周圍
寒熱與明闇 一切皆周等 天下諸衆生 性分及大小
衣食不衣食 貧富與貴賤 受樂及受苦 長短與好醜
善惡業力報 在於四方生 三千世界中 一切皆如是
觀世音菩薩 聞佛說是已 心懷大歡喜 以偈而讚言
稱讚言善哉 善哉无上尊 我常遊諸國 饒益於衆生
下至阿鼻獄 上至有頂天 盡皆入其中 現身為說法
而未知天地 深淺及遠近 我等於今日 得聞佛所說
心皆大歡喜 无有諸疑惑

BD02463 號　妙法蓮華經度量天地品　（11–11）

……无餘涅
槃而滅度之而是滅度无量无□□□□□□□
眾生得滅度者何以故須菩□□□□□我
相人相眾生相壽者相即非菩薩
復次須菩提菩薩於法應无所住行於布施
所謂不住色布施不住聲香味觸法布施須
菩提菩薩應如是布施不住於相何以故若
菩薩不住相布施其福德不可思量須菩提
於意云何東方虛空可思量不不也世尊須
菩提南西北方四維上下虛空可思量不不
也世尊須菩提菩薩无住相布施福德亦復
如是不可思量須菩提菩薩但應如所教住
須菩提於意云何可以身相見如來不不也
世尊不可以身相得見如來何以故如來所
說身相即非身相佛告須菩提凡所有相皆
是虛妄若見諸相非相則見如來
須菩提白佛言世尊頗有眾生得聞如是言
說章句生實信不佛告須菩提莫作是說如
來滅後後五百歲有持戒脩福者於此章句
能生信心以此為實當知是人不於一佛二
佛三四五佛而種善根已於无量千万佛所
種諸善根聞是章句乃至一念生淨信者須
菩提如來悉知悉見是諸眾生得如是无量
福德何以故是諸眾生无復我相人相眾生
相壽者相无法相亦无非法相何以故是諸

BD02464 號　金剛般若波羅蜜經　（12–1）

佛三四五佛而種善根已於无量千万佛所
種諸善根聞是章句乃至一念生淨信者須
菩提如來悉知悉見是諸眾生得如是无量
福德何以故是諸眾生无復我相人相眾生
相壽者相无法相亦无非法相何以故是諸
眾生若心取相則為著我人眾生壽者若取
法相即著我人眾生壽者何以故若取非法相
即著我人眾生壽者是故不應取法不應
取非法以是義故如來常說汝等比丘知我
說法如筏喻者法尚應捨何況非法
須菩提於意云何如來得阿耨多羅三藐三
菩提耶如來有所說法耶須菩提言如我解
佛所說義无有定法名阿耨多羅三藐三菩
提亦无有定法如來可說何以故如來所說
法皆不可取不可說非法非非法所以者何
一切賢聖皆以无為法而有差別
須菩提於意云何若人滿三千大千世界七
寶以用布施是人所得福德寧為多不須菩
提言甚多世尊何以故是福德即非福德性
是故如來說福德多若復有人於此經中受
持乃至四句偈等為他人說其福勝彼何以
故須菩提一切諸佛及諸佛阿耨多羅三藐
三菩提法皆從此經出須菩提所謂佛法者
即非佛法
須菩提於意云何須陀洹能作是念我得須
陀洹果不須菩提言不也世尊何以故須陀洹
名為入流而无所入不入色聲香味觸法是名
須陀洹須菩提於意云何斯陀含能作是念
我得斯陀含須菩提言不不也世尊何以
故斯陀含名一往來而實无往來是名
斯陀含須菩提於意云何阿那含能作是念

BD02464 號　金剛般若波羅蜜經　（12–2）

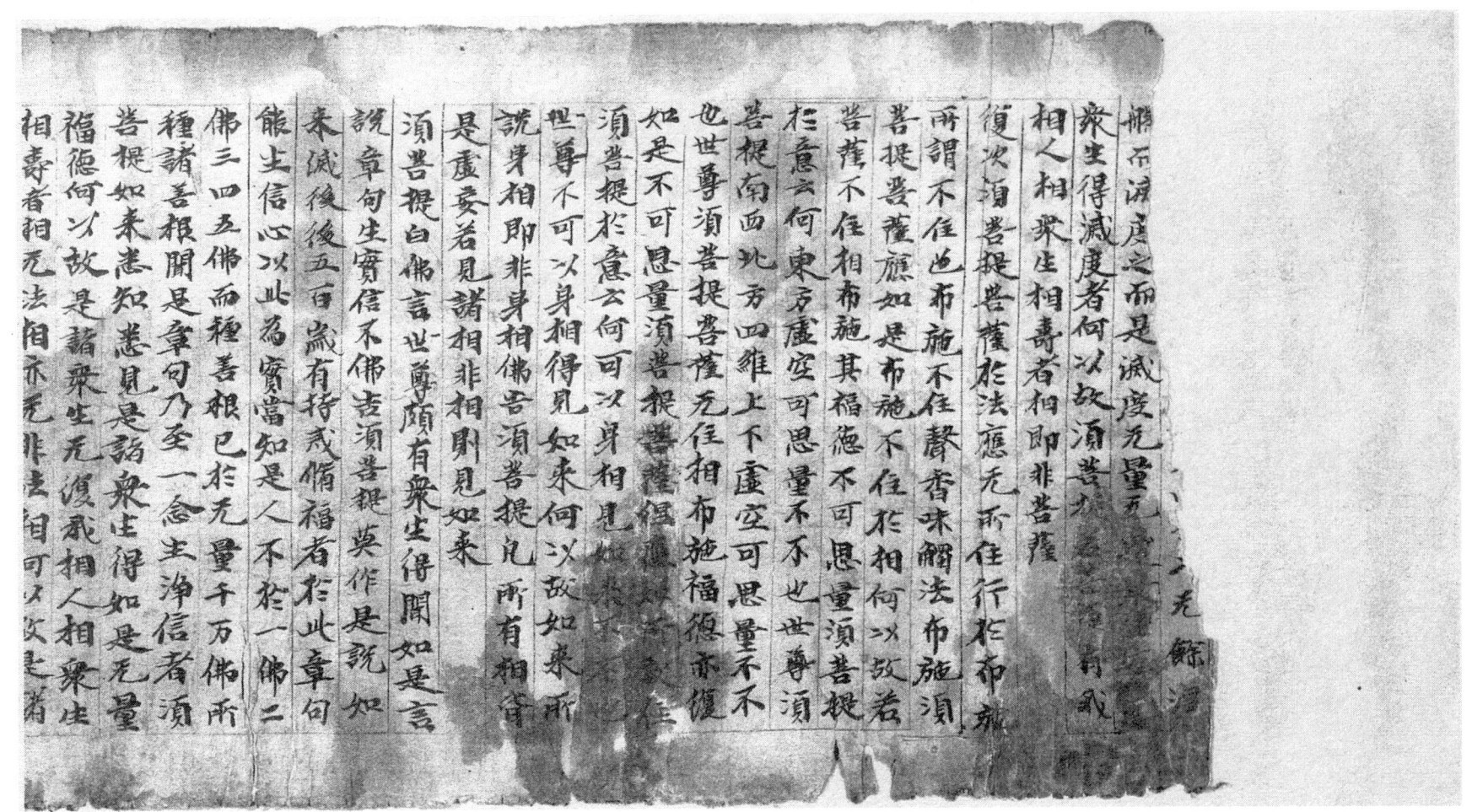

我得斯陀含須菩提言不不也世尊何以
故斯陀含名一往來而實无往來是名
斯陀含須菩提於意云何阿那含能作是念
我得阿那含果不須菩提言不也世尊何以
故阿那含名爲不來而實无來是故名阿那
須菩提於意云何阿羅漢能作是念我得
阿羅漢道不須菩提言不也世尊何以故實
无有法名阿羅漢世尊若阿羅漢作是念
我得阿羅漢道即爲著我人衆生壽者世尊
佛說我得无諍三昧人中最爲第一是第一離
欲阿羅漢我不作是念我得離欲阿羅漢
世尊我若作是念我得阿羅漢道世尊則不
說須菩提是樂阿蘭那行者以須菩提實无
所行而名須菩提是樂阿蘭那行
佛告須菩提於意云何如來昔在然燈佛所
於法有所得不世尊如來在然燈佛所於法
實无所得
須菩提於意云何菩薩莊嚴佛土不不也世
尊何以故莊嚴佛土者則非莊嚴是名莊
嚴故是須菩提諸菩薩摩訶薩應如是生清
淨心不應住色生心不應住聲香味觸法生心
應无所住而生其心須菩提譬如有人身如
須彌山王於意云何是身爲大不須菩提言
甚大世尊何以故佛說非身是名大身
須菩提如恒河中所有沙數如是沙等恒河
於意云何是諸恒河沙寧爲多不須菩提言
甚多世尊但諸恒河尚多无數何況其沙須
菩提我今實言告汝若有善男子善女人以
七寶滿尒所恒河沙數三千大千世界以用
布施得福多不須菩提言甚多世尊佛告須

BD02464 號　金剛般若波羅蜜經　（12–3）

菩提我今實言告汝若有善男子善女人以
七寶滿尒所恒河沙數三千大千世界以用
布施得福多不須菩提言甚多世尊佛告須
菩提若善男子善女人於此經中乃至受持
四句偈等爲他人說而此福德勝前福德
復次須菩提隨說是經乃至四句偈等當知
此處一切世間天人阿脩羅皆應供養如佛塔
廟何況有人盡能受持讀誦須菩提當知
是人成就最上第一希有之法若是經典所
在之處則爲有佛若尊重弟子
尒時須菩提白佛言世尊當何名此經我等
云何奉持佛告須菩提是經名爲金剛般若
波羅蜜以是名字汝當奉持所以者何須菩
提佛說般若波羅蜜則非般若波羅蜜須菩
提於意云何如來有所說法不須菩提白佛
言世尊如來无所說須菩提於意云何三千
大千世界所有微塵是爲多不須菩提言甚
多世尊須菩提諸微塵如來說非微塵是名
微塵如來說世界非世界是名世界須菩提
於意云何可以三十二相見如來不不也世
尊不可以三十二相得見如來何以故如來
說三十二相即是非相是名三十二相
須菩提若有善男子善女人以恒河沙等身
命布施若復有人於此經中乃至受持四句
偈等爲他人說其福甚多
尒時須菩提聞說是經深解義趣涕淚悲泣
而白佛言希有世尊佛說如是甚深經典我
從昔來所得慧眼未曾得聞如是之經世尊
若復有人得聞是經信心清淨則生實相當
知是人成就第一希有功德世尊是實相者
則是非相是故如來說名實相世尊我今

BD02464 號　金剛般若波羅蜜經　（12–4）

若復有人得聞是經信心清淨則生實相當
知是人成就弟一希有功德世尊是實相者
則是非相是故如來說名實相世尊我今得
聞如是經典信解受持不足為難若當來世
後五百歲其有衆生得聞此經信解受持是
人則為弟一希有何以故此人无我相人相
衆生相壽者相即非是相何以故離一切諸相
則名諸佛
佛告須菩提如是如是若復有人得聞是經
衆生相壽者相即是非相何以故離一切諸
相則名諸佛
佛告須菩提如是如是若復有人得聞是經
不驚不怖不畏當知是人甚為希有何以故
須菩提如來說弟一波羅蜜非弟一波羅蜜
是名弟一波羅蜜
須菩提忍辱波羅蜜如來說忍辱波羅蜜
何以故須菩提如我昔為歌利王割截身體
我於尒時无我相无人相无衆生相无壽者
相何以故我於往昔節節支解時若有我相
人相衆生相壽者相應生恨瞋須菩提又念
過去於五百世作忍辱仙人於尒所世无我
相无我相无衆生相壽者相是故須菩提
菩薩應離一切相發阿耨多羅三藐三菩提
心不應住色生心不應住聲香味觸法生心
應生无所住心若心有住則為非住是故佛
說菩薩心不應住色布施須菩提菩薩為利
益一切衆生應如是布施如來說一切諸相即
是非相又說一切衆生則非衆生須菩提如來
是真語者實語者如語者不誑語者不異
語者須菩提如來所得法此法无實无虛
須菩提菩薩心住於法而行布施如人入

BD02464號　金剛般若波羅蜜經　(12–5)

是非相又說一切衆生則非衆生須菩提如來
是真語者實語者如語者不誑語者不異
語者須菩提如來所得法此法无實无虛
須菩提若菩薩心住於法而行布施如人入
闇則无所見若菩薩心不住法而行布施如人
有目日光明照見種種色須菩提當來之世若
有善男子善女人能於此經受持讀誦則為如來
以佛智慧悉知是人悉見是人皆得成就无量
无邊功德須菩提若有善男子善女人初日分
以恒河沙等身布施中日分復以恒河沙等
身布施後日分亦以恒河沙等身布施如是
无量百千万億劫以身布施若復有人聞此
經典信心不逆其福勝彼何況書寫受持讀
誦為人解說須菩提以要言之是經有不可
思議不可稱量无邊功德如來為發大乘者
說為發最上乘者說若有人能受持讀誦廣
為人說如來悉知是人悉見是人皆得成就不
可量不可稱无有邊不可思議功德如是人
等則為荷
擔如來阿耨多羅三藐三菩提何以故須菩
提若樂小法者著我見人見衆生見壽者見
則於此經不能聽受讀誦為人解說須菩
提在在處處若有此經一切世間天人阿修
羅所應供養當知此處則為是塔皆應恭
敬作禮圍遶以諸華香而散其處
復次須菩提善男子善女人受持讀誦此經
若為人輕賤是人先世罪業應墮惡道以今
世人輕賤故先世罪業則為消滅當得阿耨
多羅三藐三菩提須菩提我念過去无量阿
僧祇劫於然燈佛前得值八百四千万億那
[illegible]

BD02464號　金剛般若波羅蜜經　(12–6)

世人輕賤故先世罪業則為消滅當得阿耨
多羅三藐三菩提須菩提我念過去无量阿
僧祇劫於然燈佛前得值八百四千万億那
由他諸佛悉皆供養承事无空過者若復有
人於後末世能受持讀誦此經所得功德於
我所供養諸佛功德百分不及一千万億分
乃至算數譬喻所不能及須菩提若善男子
善女人於後末世有受持讀誦此經所得功
德我若具說者或有人聞心則狂亂狐疑不
信須菩提當知是經義不可思議果報亦不
可思議
尒時須菩提白佛言世尊善男子善女人發
阿耨多羅三藐三菩提心云何應住云何降
伏其心佛告須菩提善男子善女人發阿耨
多羅三藐三菩提者當生如是心我應滅度
一切衆生滅度一切衆生已而无有一衆生
實滅度者何以故若菩薩有我相人相衆生
相壽者相則非菩薩所以者何須菩提實无
有法發阿耨多羅三藐三菩提者
須菩提於意云何如來於然燈佛所有法得
阿耨多羅三藐三菩提不不也世尊如我解
佛所說義佛於然燈佛所无有法得阿耨多
羅三藐三菩提佛言如是如是須菩提實无
有法如來得阿耨多羅三藐三菩提須菩提
若有法如來得阿耨多羅三藐三菩提者然燈
佛則不與我受記汝於來世當得作佛号釋
迦牟尼以實无有法得阿耨多羅三藐三菩
提是故然燈佛與我受記作是言汝於來世

BD02464號　金剛般若波羅蜜經

（12-7）

佛則不與我受記汝於來世當得作佛号釋
迦牟尼以實无有法得阿耨多羅三藐三菩
提是故然燈佛與我受記作是言汝於來世
當得作佛号釋迦牟尼何以故如來者即諸
法如義若有人言如來得阿耨多羅三藐三
菩提須菩提實无有法佛得阿耨多羅三藐
三菩提須菩提如來所得阿耨多羅三藐三
菩提於是中无實无虛是故如來說一切法
皆是佛法須菩提所言一切法者即非一切
法是故名一切法
須菩提譬如人身長大須菩提言世尊如來
說人身長大則為非大身是名大身
須菩提菩薩亦如是若作是言我當滅度无
量衆生則不名菩薩何以故須菩提實无有
法名為菩薩是故佛說一切法无我无人无
衆生无壽者須菩提若菩薩作是言我當莊
嚴佛土是不名菩薩何以故如來說莊嚴佛
土者即非莊嚴是名莊嚴須菩提若菩薩通
達无我法者如來說名真是菩薩
須菩提於意云何如來有肉眼不如是世尊
如來有肉眼須菩提於意云何如來有天眼
不如是世尊如來有天眼須菩提於意云何
如來有慧眼不如是世尊如來有慧眼須菩
提於意云何如來有法眼不如是世尊如來
有法眼須菩提於意云何如來有佛眼不如
是世尊如來有佛眼須菩提於意云何恒河
中所有沙佛說是沙不如是世尊如來說是
沙須菩提於意云何如一恒河中所有沙有

BD02464號　金剛般若波羅蜜經

（12-8）

有法眼須菩提於意云何如來有佛眼不如
是世尊如來有佛眼須菩提於意云何恒河
中所有沙佛說是沙不如是世尊如來說是
沙須菩提於意云何如一恒河中所有沙有
如是等恒河是諸恒河所有沙數佛世界如
是寧為多不甚多世尊佛告須菩提尒所國
土中所有衆生若干種心如來悉知何以故
如來說諸心皆為非心是名為心所以者何
須菩提過去心不可得現在心不可得未來
心不可得須菩提於意云何若有人滿三千
大千世界七寶以用布施是人以是因緣得
福多不如是世尊此人以是因緣得福甚多
須菩提若福德有實如來不說得福德多以
福德无故如來說得福德多
須菩提於意云何佛可以具足色身見不不
也世尊如來不應以具足色身見何以故如
來說具足色身即非具足色身是名具足色
身須菩提於意云何如來可以具足諸相見
不不也世尊如來不應以具足諸相見何以故
如來說諸相具足即非具足是名諸相具足
須菩提汝勿謂如來作是念我當有所說法
莫作是念何以故若人言如來有所說法即
為謗佛不能解我所說故須菩提說法者无
法可說是名說法
須菩提白佛言世尊佛得阿耨多羅三藐三
菩提為无所得耶如是如是須菩提我於阿
耨多羅三藐三菩提乃至无有少法可得
是名阿耨多羅三藐三菩提復次須菩提是

BD02464號　金剛般若波羅蜜經　（12–9）

須菩提白佛言世尊佛得阿耨多羅三藐三
菩提為无所得耶如是如是須菩提我於阿
耨多羅三藐三菩提乃至无有少法可得
是名阿耨多羅三藐三菩提復次須菩提是
法平等无有高下是名阿耨多羅三藐三菩
提以无我无人无衆生无壽者修一切善法則
得阿耨多羅三藐三菩提須菩提所言善法
者如來說非善法是名善法
須菩提若三千大千世界中所有諸須弥山
王如是等七寶聚有人持用布施若人以此
般若波羅蜜經乃至四句偈等受持讀誦為
他人說於前福德百分不及一百千万億分
乃至筭數譬喻所不能及
須菩提於意云何汝等勿謂如來作是念我
當度衆生須菩提莫作是念何以故實无有
衆生如來度者若有衆生如來度者如來則
有我人衆生壽者須菩提如來說有我者則
非有我而凡夫之人以為有我須菩提凡夫
者如來說則非凡夫
須菩提於意云何可以三十二相觀如來不
須菩提言如是如是以三十二相觀如來佛言
須菩提若以三十二相觀如來者轉輪聖王則
是如來須菩提白佛言世尊如我解佛所說義
不應以三十二相觀如來尒時世尊而說偈言
若以色見我　以音聲求我　是人行邪道　不能見如來
須菩提汝若作是念如來不以具足相故得
阿耨多羅三藐三菩提須菩提莫作是念如
來不以具足相故得阿耨多羅三藐三菩提是

BD02464號　金剛般若波羅蜜經　（12–10）

若以色見我　以音聲求我　是人行邪道　不能見如来
須菩提汝若作是念如来不以具足相故得
阿耨多羅三藐三菩提須菩提莫作是念如
来不以具足相故得阿耨多羅三藐三菩提
須菩提汝若作是念發阿耨多羅三藐三菩
提者說諸法斷滅莫作是念何以故發阿耨
多羅三藐三菩提者於法不說斷滅相須菩
提若菩薩以滿恒河沙等世界七寶布施若
復有人知一切法无我得成於忍此菩薩勝
前菩薩所得功德須菩提以諸菩薩不受福
德故須菩提白佛言世尊云何菩薩不受福
德須菩提菩薩所作福德不應貪著是故說
不受福德
須菩提若有人言如来若来若去若坐若卧
是人不解我所說義何以故如来者无所從
来亦无所去故名如来
須菩提若善男子善女人以三千大千世界
碎為微塵於意云何是微塵衆寧為多不甚
多世尊何以故若是微塵衆實有者佛則不
說是微塵衆所以者何佛說微塵衆則非微
塵衆是名微塵衆世尊如来所說三千大千
世界則非世界是名世界何以故若世界實
有者則是一合相如来說一合相則非一合相
是名一合相須菩提一合相者則是不可說
但凡夫之人貪著其事須菩提若人言佛說
我見人見衆生見壽者見須菩提於意云何
是人解我所說義不世尊是人不解如来所

BD02464號　金剛般若波羅蜜經

（12–11）

我見人見衆生見壽者見須菩提於意云何
是人解我所說義不世尊是人不解如来所
說義何以故世尊說我見人見衆生見壽者
見即非我見人見衆生見壽者見是名我見
人見衆生見壽者見須菩提發阿耨多羅三
藐三菩提心者於一切法應如是知如是見
如是信解不生法相須菩提所言法相者如
来說即非法相是名法相須菩提若有人以
滿无量阿僧祇世界七寶持用布施若有善
男子善女人發菩薩心者持於此經乃至四
句偈等受持讀誦為人演說其福勝彼云何
為人演說不取於相如如不動何以故
一切有為法　如夢幻泡影　如露亦如電　應作如是觀
佛說是經已長老須菩提及諸比丘比丘尼
優婆塞優婆夷一切世間天人阿脩羅聞佛
所說皆大歡喜信受奉行

金剛般若波羅蜜經

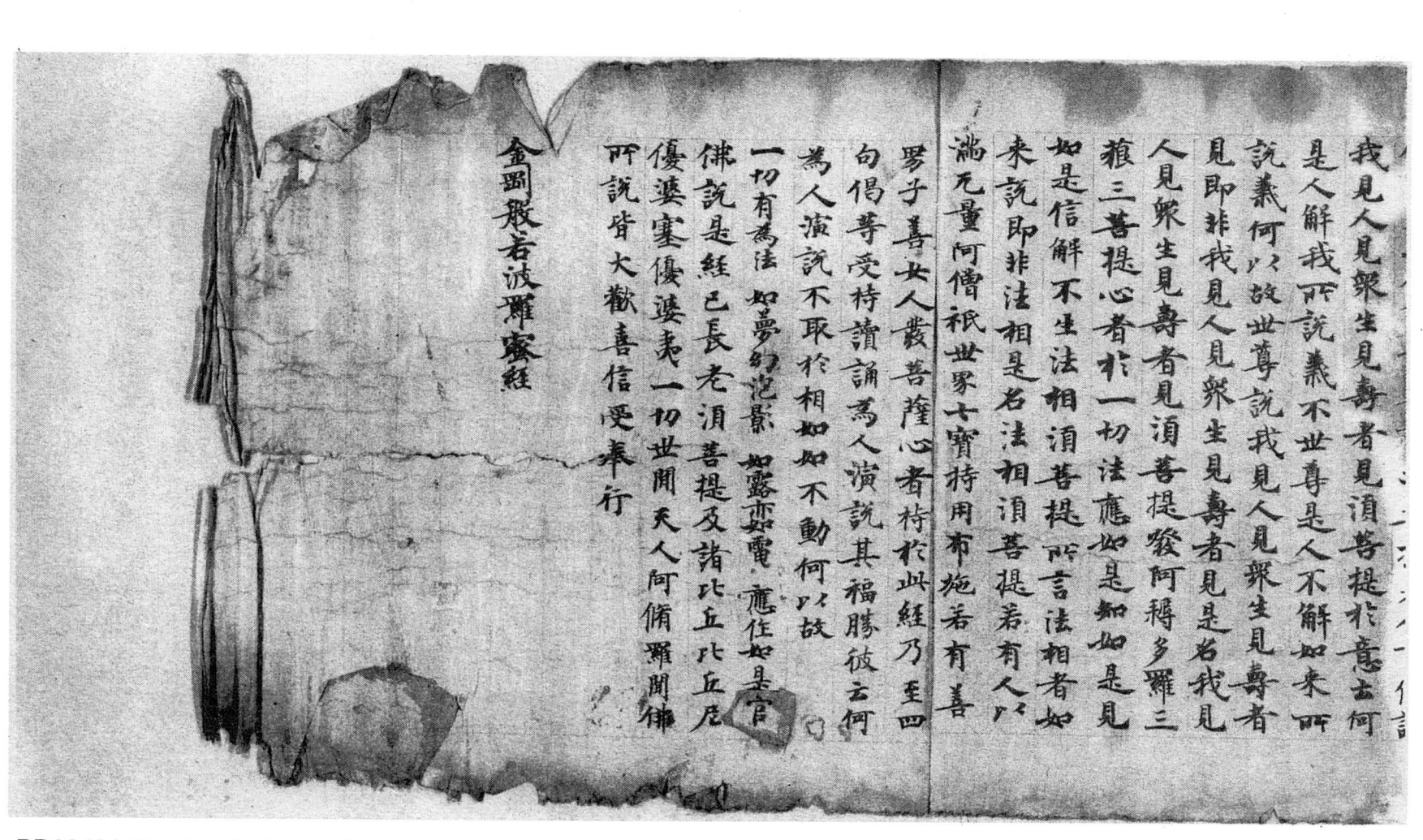

BD02464號　金剛般若波羅蜜經

（12–12）

頂礼佛足右遶
須菩提在大衆中
即從坐起偏袒右[illegible]右膝著地向佛合掌恭
敬而立白佛言希有世尊如來應供正遍知
善護念諸菩薩善付囑諸菩薩
住分明見道第三
世尊云何菩薩大乘中發阿耨多羅三藐三
菩提心應云何住云何脩行云何降伏其心
尒時佛告須菩提善哉善哉須菩提如汝所
說如來善護念諸菩薩善付囑諸菩薩汝今
諦聽當為汝說如菩薩大乘中發阿耨多羅
三藐三菩提心應如是住如是脩行如是降
伏其心須菩提白佛言世尊如是願樂欲聞
佛告須菩提諸菩薩生如是心所有一切衆
生衆生所攝若卵生若胎生若濕生若化生
若有色若无色若有想若无想若非有想非
无想所有衆生界衆生所攝我皆令入无餘
涅槃而滅度之如是滅度无量无邊衆生實
无衆生得滅度者何以故須菩提若菩薩有

BD02465號　金剛般若波羅蜜經（菩提留支本三十二分本）　（6–1）

无想所有衆生界衆生所攝我皆令入无餘
涅槃而滅度之如是滅度无量无邊衆生實
无衆生得滅度者何以故須菩提若菩薩有
衆生相即非菩薩何以故非須菩提若菩薩
起衆生相人相壽者相則不名菩薩
脩行分明脩道第四
復次須菩提菩薩不住於事行於布施无所
住行於布施不住色布施不住聲香味觸法
布施須菩提菩薩應如是布施不住於相想
何以故若菩薩不住相布施其福德聚不可
思量須菩提於汝意云何東方虛空可思量
不須菩提言不也世尊佛言如是須菩提南
西北方四維上下虛空可思量不須菩提言
不也世尊佛言如是如是須菩提菩薩无住
相布施福德聚亦復如是不可思量佛復告
須菩提菩薩但應如是行於布施
非有為相分第五
須菩提於意云何可以相成就見如來不須
菩提言不也世尊不可以相成就得見如來
何以故如來所說相即非相佛告須菩提凡
所有相皆是妄語若見諸相非相則非妄語
如是諸相非相則見如來
信者分亦名我空法空分第六
須菩提白佛言世尊頗有衆生於未來世末
世得聞如是脩多羅章句生實相不佛告須
菩提莫作是說頗有衆生於未來世末世得

BD02465號　金剛般若波羅蜜經（菩提留支本三十二分本）　（6–2）

須菩提白佛言世尊頗有衆生於未来世末
世得聞如是脩多羅章句生實相不佛告須
菩提莫作是說頗有衆生於未来世末世得
聞如是脩多羅章句生實相不佛復告須菩
提有未来世末世有菩薩摩訶薩法欲滅時
有持戒脩福德智慧者於此脩多羅章句能
生信心以此為實佛復告須菩提當知彼菩
薩摩訶薩非於一佛二佛三四五佛所脩行
供養非於一佛二佛三四五佛所而種善根
佛復告須菩提已於无量百千万諸佛所脩
行供養无量百千万諸佛所種諸善根聞是
脩多羅乃至一念能生淨信須菩提如来悉
知是諸衆生如来悉見是諸衆生須菩提是
諸菩薩生如是无量福德聚取如是无量福
德何以故須菩提是諸菩薩无復我相衆生
相人相壽者相須菩提是諸菩薩无法相亦
非无法相无相亦非无相何以故須菩提是
諸菩薩若取法相則為著我人衆生壽者須
菩提若是菩薩有法相即著我相人相衆生
相壽者相何以故須菩提不應取法非不取
法以是義故如来常說栰喻法門是法應捨
非捨法故
復次佛告慧命須菩提須菩提於意云何如
来得阿耨多羅三藐三菩提耶如来有所說
法耶須菩提言如我解佛所說義无有定法
如来得阿耨多羅三藐三菩提亦无有定法

BD02465號　金剛般若波羅蜜經（菩提留支本三十二分本）　（6–3）

復次佛告慧命須菩提須菩提於意云何如
来得阿耨多羅三藐三菩提耶如来有所說
法耶須菩提言如我解佛所說義无有定法
如来得阿耨多羅三藐三菩提亦无有定法
如来可說何以故如来所說法皆不可取不
可說非法非非法何以故一切聖人皆以无
為法得名

校量勝分第七

須菩提於意云何若滿三千大千世界七寶
以用布施須菩提於意云何是善男子善女
人所得福德寧為多不須菩提言甚多婆伽
婆甚多脩伽陁彼善男子善女人得福甚多
何以故世尊是福德聚即非福德聚是故如
来說福德聚福德聚佛言須菩提若善男子
善女人以滿三千大千世界七寶持用布施
若復有人於此經中受持乃至四句偈等為
他人說其福勝彼无量不可數何以故須菩
提一切諸佛阿耨多羅三藐三菩提法皆從
此經出一切諸佛如来皆從此經生須菩提
所謂佛法佛法者即非佛法是名佛法
須菩提於意云何須陁洹能作是念我得須
陁洹果不須菩提言不也世尊何以故實无
有法名須陁洹不入色聲香味觸法是名須
陁洹佛言須菩提於意云何斯陁含能作是
念我得斯陁含果不須菩提言不也世尊何
以故實无有法名斯陁含是名斯陁含須菩
提於意云何阿那含能作是念我得阿那含

BD02465號　金剛般若波羅蜜經（菩提留支本三十二分本）　（6–4）

有法名須陀洹不入色聲香味觸法是名須
陀洹佛言須菩提於意云何斯陀含能作是
念我得斯陀含果不須菩提言不也世尊何
以故實无有法名斯陀含是名斯陀含須菩
提於意云何阿那含能作是念我得阿那含
果不須菩提言不也世尊何以故實无有法
名阿那含是名阿那含須菩提於意云何阿
羅漢能作是念我得阿羅漢果不須菩提言
不也世尊何以故實无有法名阿羅漢世尊
若阿羅漢作是念我得阿羅漢即爲著我人
衆生壽者世尊佛説我得无諍三昧冣爲第
一世尊説我是離欲阿羅漢世尊我不作是
念我是離欲阿羅漢世尊我若作是念我得
阿羅漢世尊則不記我无諍行第一以須菩
提實无所行而名須菩提无諍无諍行
佛告須菩提於意云何如來昔在然燈佛所
得阿耨多羅三藐三菩提法不須菩提言不
也世尊如來在然燈佛所於法實无所得阿
耨多羅三藐三菩提
佛告須菩提若菩薩作是言我莊嚴佛國土
彼菩薩不實語何以故須菩提如來所説莊
嚴佛土者則非莊嚴是名莊嚴佛土是故須
菩提諸菩薩摩訶薩應如是生清淨心而无
所住不住色生心不住聲香味觸法生心應
无所住而生其心須菩提譬如有人身如須
弥山王須菩提於意云何是身爲大不須菩
提言甚大世尊何以故佛説非身是名大身

BD02465 號　金剛般若波羅蜜經（菩提留支本三十二分本）　（6–5）

无所住而生其心須菩提譬如有人身如須
弥山王須菩提於意云何是身爲大不須菩
提言甚大世尊何以故佛説非身是名大身
彼身非身是名大身
佛言須菩提如恒河中所有沙數如是沙等
恒河於意云何是諸恒河沙寧爲多不須菩
提言甚多世尊但諸恒河尚多无數何況其
沙佛言須菩提我今實言告汝若有善男子
善女人以七寶滿尒所恒沙數世界以施諸
佛如來須菩提於意云何彼善男子善女人
得福多不須菩提言甚多世尊彼善男子善
女人得福甚多佛告須菩提以七寶滿尒數
恒河沙世界持用布施若善男子善女人於
此法門乃至受持四句偈等爲他人説而此
福德勝前福德无量阿僧祇
復次須菩提隨所有處説是法門乃至四句
偈等當知此處一切世間天人阿脩羅皆應
供養如佛塔廟何況有人盡能受持讀誦此
經須菩提當知是人成就冣上第一希有之
法若是經典所在之處則爲有佛若尊重似
佛尒時須菩提白佛言世尊當何名此法門
我等云何奉持佛告須菩提是法門名爲金
剛般若波羅蜜以是名字汝當奉持何以故
[illegible]提佛説般若波羅蜜則非般若波羅蜜
[illegible]云何如來有所説法不須菩提
[illegible]提於意云何三

BD02465 號　金剛般若波羅蜜經（菩提留支本三十二分本）　（6–6）

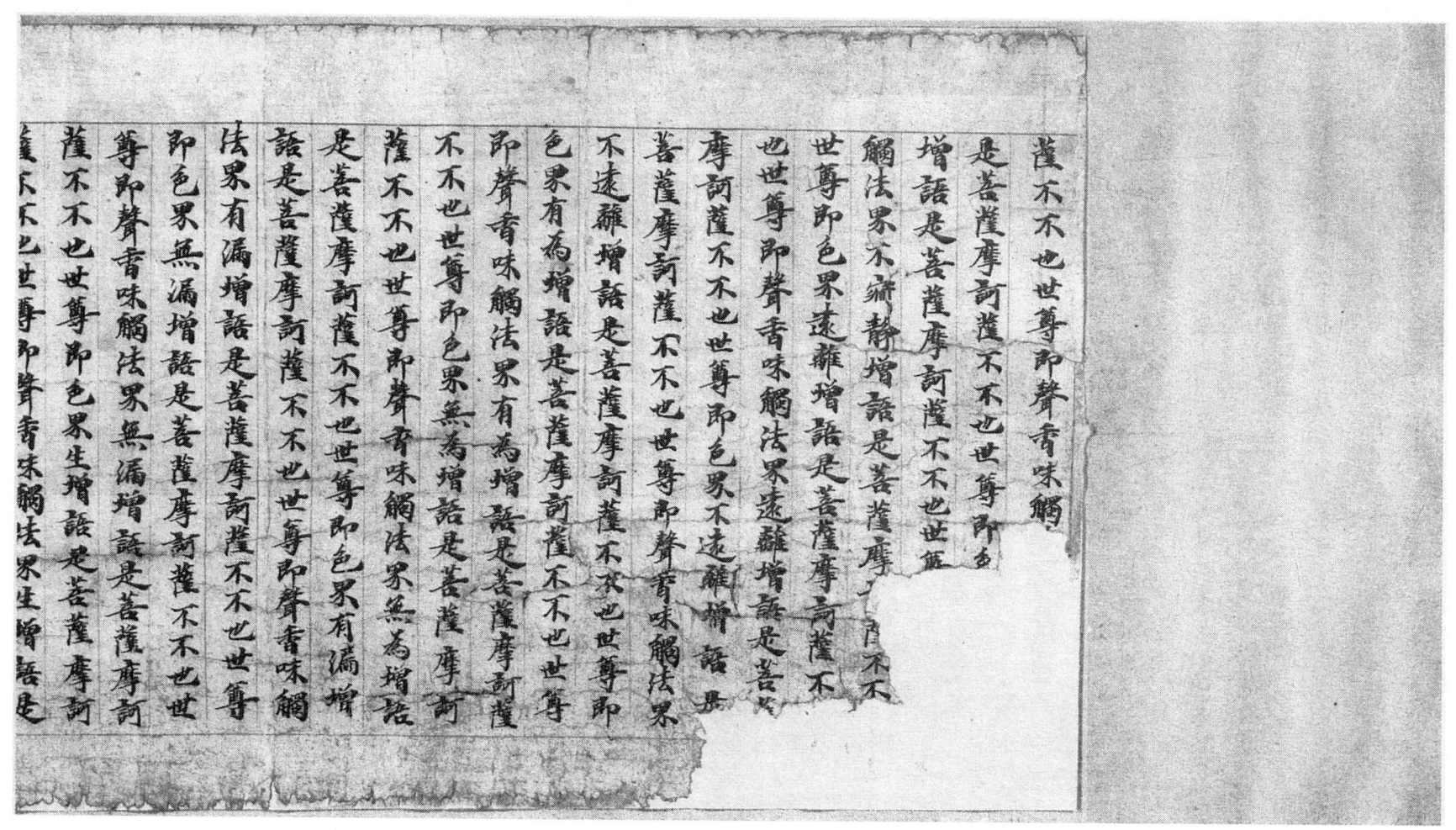

薩不不也世尊即聲香味觸
是菩薩摩訶薩不不也世尊即色
增語是菩薩摩訶薩不不也世尊
觸法界不寂靜增語是菩薩摩薩不不
世尊即色界遠離增語是菩薩摩訶薩不
也世尊即聲香味觸法界遠離增語是菩
摩訶薩不不也世尊即色界不遠離增語是
菩薩摩訶薩不不也世尊即聲香味觸法界
不遠離增語是菩薩摩訶薩不不也世尊即
色界有為增語是菩薩摩訶薩不不也世尊
即聲香味觸法界有為增語是菩薩摩訶薩
不不也世尊即色界無為增語是菩薩摩訶
薩不不也世尊即聲香味觸法界無為增語
是菩薩摩訶薩不不也世尊即色界有漏增
語是菩薩摩訶薩不不也世尊即聲香味觸
法界有漏增語是菩薩摩訶薩不不也世尊
即色界無漏增語是菩薩摩訶薩不不也世
尊即聲香味觸法界無漏增語是菩薩摩訶
薩不不也世尊即色界生增語是菩薩摩訶
薩不不也世尊即聲香味觸法界生增語是

BD02466 號　大般若波羅蜜多經卷一八　（18–1）

即色界無漏增語是菩薩摩訶薩不不也世
尊即聲香味觸法界無漏增語是菩薩摩訶
薩不不也世尊即色界生增語是菩薩摩訶
薩不不也世尊即聲香味觸法界生增語是
菩薩摩訶薩不不也世尊即色界滅增語是
菩薩摩訶薩不不也世尊即聲香味觸法界
滅增語是菩薩摩訶薩不不也世尊即色界
善增語是菩薩摩訶薩不不也世尊即聲香
味觸法界善增語是菩薩摩訶薩不不也
尊即色界非善增語是菩薩摩訶薩不不
世尊即聲香味觸法界非善增語是菩薩
訶薩不不也世尊即色界有罪增語是菩
摩訶薩不不也世尊即聲香味觸法界有罪
增語是菩薩摩訶薩不不也世尊即色界無
罪增語是菩薩摩訶薩不不也世尊即聲香
味觸法界無罪增語是菩薩摩訶薩不不也
世尊即色界有煩惱增語是菩薩摩訶薩不
不也世尊即聲香味觸法界有煩惱增語是
菩薩摩訶薩不不也世尊即色界無煩惱增
語是菩薩摩訶薩不不也世尊即聲香味觸
法界無煩惱增語是菩薩摩訶薩不不也世
尊即色界世間增語是菩薩摩訶薩不不也
世尊即聲香味觸法界世間增語是菩薩摩
訶薩不不也世尊即色界出世間增語是菩
薩摩訶薩不不也世尊即聲香味觸法界出
世間增語是菩薩摩訶薩不不也世尊即色
界雜染增語是菩薩摩訶薩不不也世尊即

BD02466 號　大般若波羅蜜多經卷一八　（18–2）

世尊即聲香味觸法界世間增語是菩薩摩
訶薩不不也世尊即色界出世間增語是菩
薩摩訶薩不不也世尊即聲香味觸法界出
世間增語是菩薩摩訶薩不不也世尊即色
界雜染增語是菩薩摩訶薩不不也世尊即
聲香味觸法界雜染增語是菩薩摩訶薩不
不也世尊即色界清淨增語是菩薩摩訶薩
不不也世尊即聲香味觸法界清淨增語是
菩薩摩訶薩不不也世尊即色界屬生死增
語是菩薩摩訶薩不不也世尊即聲香味觸
法界屬生死增語是菩薩摩訶薩不不也世
尊即色界屬涅槃增語是菩薩摩訶薩不不
也世尊即聲香味觸法界屬涅槃增語是菩
薩摩訶薩不不也世尊即色界在內增語是
菩薩摩訶薩不不也世尊即聲香味觸法界
在內增語是菩薩摩訶薩不不也世尊即色
界在外增語是菩薩摩訶薩不不也世尊即
聲香味觸法界在外增語是菩薩摩訶薩不
不也世尊即色界在兩間增語是菩薩摩訶
薩不不也世尊即聲香味觸法界在兩間增
語是菩薩摩訶薩不不也世尊即色界可得
增語是菩薩摩訶薩不不也世尊即聲香味
觸法界可得增語是菩薩摩訶薩不不也世
尊即色界不可得增語是菩薩摩訶薩不不
也世尊即聲香味觸法界不可得增語是菩
薩摩訶薩不不也世尊

BD02466 號　大般若波羅蜜多經卷一八　（18–3）

觸法界可得增語是菩薩摩訶薩不不也世
尊即色界不可得增語是菩薩摩訶薩不不
也世尊即聲香味觸法界不可得增語是菩
薩摩訶薩不不也世尊
復次善現所言菩薩摩訶薩者於意云何即
眼識界增語是菩薩摩訶薩不不也世尊即
耳鼻舌身意識界增語是菩薩摩訶薩不不
也世尊即眼識界常增語是菩薩摩訶薩不
不也世尊即耳鼻舌身意識界常增語是菩
薩摩訶薩不不也世尊即眼識界無常增語
是菩薩摩訶薩不不也世尊即耳鼻舌身意
識界無常增語是菩薩摩訶薩不不也世尊
即眼識界樂增語是菩薩摩訶薩不不也世
尊即耳鼻舌身意識界樂增語是菩薩摩訶
薩不不也世尊即眼識界苦增語是菩薩摩
訶薩不不也世尊即耳鼻舌身意識界苦增
語是菩薩摩訶薩不不也世尊即眼識界我
增語是菩薩摩訶薩不不也世尊即耳鼻舌
身意識界我增語是菩薩摩訶薩不不也世
尊即眼識界無我增語是菩薩摩訶薩不不
也世尊即耳鼻舌身意識界無我增語是菩
薩摩訶薩不不也世尊即眼識界淨增語是
菩薩摩訶薩不不也世尊即耳鼻舌身意識
界淨增語是菩薩摩訶薩不不也世尊即眼
識界不淨增語是菩薩摩訶薩不不也世尊
即耳鼻舌身意識界不淨增語是菩薩摩訶

BD02466 號　大般若波羅蜜多經卷一八　（18–4）

界淨增語是菩薩摩訶薩不不也世尊即眼
識界不淨增語是菩薩摩訶薩不不也世尊
即耳鼻舌身意識界不淨增語是菩薩摩訶
薩不不也世尊即眼識界空增語是菩薩摩
訶薩不不也世尊即耳鼻舌身意識界空增
語是菩薩摩訶薩不不也世尊即眼識界不
空增語是菩薩摩訶薩不不也世尊即耳鼻
舌身意識界不空增語是菩薩摩訶薩不不
也世尊即眼識界有相增語是菩薩摩訶薩
不不也世尊即耳鼻舌身意識界有相增語
是菩薩摩訶薩不不也世尊即眼識界無相
增語是菩薩摩訶薩不不也世尊即耳鼻舌
身意識界無相增語是菩薩摩訶薩不不也
世尊即眼識界有願增語是菩薩摩訶薩不
不也世尊即耳鼻舌身意識界有願增語是
菩薩摩訶薩不不也世尊即眼識界無願增
語是菩薩摩訶薩不不也世尊即耳鼻舌身
意識界無願增語是菩薩摩訶薩不不也世
尊即眼識界寂靜增語是菩薩摩訶薩不不
也世尊即耳鼻舌身意識界寂靜增語是菩
薩摩訶薩不不也世尊即眼識界不寂靜增
語是菩薩摩訶薩不不也世尊即耳鼻舌身
意識界不寂靜增語是菩薩摩訶薩不不也
世尊即眼識界遠離增語是菩薩摩訶薩不
不也世尊即耳鼻舌身意識界遠離增語是
菩薩摩訶薩不不也世尊即眼識界不遠離

BD02466號　大般若波羅蜜多經卷一八　（18–5）

意識界不寂靜增語是菩薩摩訶薩不不也
世尊即眼識界遠離增語是菩薩摩訶薩不
不也世尊即耳鼻舌身意識界遠離增語是
菩薩摩訶薩不不也世尊即眼識界不遠離
增語是菩薩摩訶薩不不也世尊即耳鼻舌
身意識界不遠離增語是菩薩摩訶薩不不
也世尊即眼識界有為增語是菩薩摩訶薩
不不也世尊即耳鼻舌身意識界有為增語
是菩薩摩訶薩不不也世尊即眼識界無為
增語是菩薩摩訶薩不不也世尊即耳鼻舌
身意識界無為增語是菩薩摩訶薩不不也
世尊即眼識界有漏增語是菩薩摩訶薩不
不也世尊即耳鼻舌身意識界有漏增語是
菩薩摩訶薩不不也世尊即眼識界無漏增
語是菩薩摩訶薩不不也世尊即耳鼻舌身
意識界無漏增語是菩薩摩訶薩不不也世尊
即眼識界生增語是菩薩摩訶薩不不也世
尊即耳鼻舌身意識界生增語是菩薩摩訶
薩不不也世尊即眼識界滅增語是菩薩摩
訶薩不不也世尊即耳鼻舌身意識界滅增語
是菩薩摩訶薩不不也世尊即眼識界善
增語是菩薩摩訶薩不不也世尊即耳鼻舌
身意識界善增語是菩薩摩訶薩不不也世
尊即眼識界非善增語是菩薩摩訶薩不不
也世尊即耳鼻舌身意識界非善增語是菩
薩摩訶薩不不也世尊即眼識界有罪增語

BD02466號　大般若波羅蜜多經卷一八　（18–6）

尊即眼識界非善增語是菩薩摩訶薩不不
也世尊即耳鼻舌身意識界非善增語是菩
薩摩訶薩不不也世尊即眼識界有罪增語
是菩薩摩訶薩不不也世尊即耳鼻舌身意
識界有罪增語是菩薩摩訶薩不不也世尊
即眼識界無罪增語是菩薩摩訶薩不不也
世尊即耳鼻舌身意識界無罪增語是菩薩
摩訶薩不不也世尊即眼識界有煩惱增語
是菩薩摩訶薩不不也世尊即耳鼻舌身意
識界有煩惱增語是菩薩摩訶薩不不也世
尊即眼識界無煩惱增語是菩薩摩訶薩不
不也世尊即耳鼻舌身意識界無煩惱增語
是菩薩摩訶薩不不也世尊即眼識界世間
增語是菩薩摩訶薩不不也世尊即耳鼻舌
身意識界世間增語是菩薩摩訶薩不不也
世尊即眼識界出世間增語是菩薩摩訶薩
不不也世尊即耳鼻舌身意識界出世間增
語是菩薩摩訶薩不不也世尊即眼識界雜
染增語是菩薩摩訶薩不不也世尊即耳鼻
舌身意識界雜染增語是菩薩摩訶薩不不
也世尊即眼識界清淨增語是菩薩摩訶薩
不不也世尊即耳鼻舌身意識界清淨增語
是菩薩摩訶薩不不也世尊即眼識界屬生
死增語是菩薩摩訶薩不不也世尊即耳鼻
舌身意識界屬生死增語是菩薩摩訶薩不
不也世尊即眼識界屬涅槃增語是菩薩摩

BD02466號　大般若波羅蜜多經卷一八　（18-7）

死增語是菩薩摩訶薩不不也世尊即耳鼻
舌身意識界屬生死增語是菩薩摩訶薩不
不也世尊即眼識界屬涅槃增語是菩薩摩
訶薩不不也世尊即耳鼻舌身意識界屬涅
槃增語是菩薩摩訶薩不不也世尊即眼識
界在內增語是菩薩摩訶薩不不也世尊即
耳鼻舌身意識界在內增語是菩薩摩訶薩
不不也世尊即眼識界在外增語是菩薩摩
訶薩不不也世尊即耳鼻舌身意識界在外
增語是菩薩摩訶薩不不也世尊即眼識界
在兩間增語是菩薩摩訶薩不不也世尊即
耳鼻舌身意識界在兩間增語是菩薩摩訶
薩不不也世尊即眼識界可得增語是菩薩
摩訶薩不不也世尊即耳鼻舌身意識界可
得增語是菩薩摩訶薩不不也世尊即眼識
界不可得增語是菩薩摩訶薩不不也世尊
即耳鼻舌身意識界不可得增語是菩薩摩
訶薩不不也世尊
復次善現所言菩薩摩訶薩者於意云何即
眼觸增語是菩薩摩訶薩不不也世尊即耳
鼻舌身意觸增語是菩薩摩訶薩不不也世
尊即眼觸常增語是菩薩摩訶薩不不也世
尊即耳鼻舌身意觸常增語是菩薩摩訶薩
不不也世尊即眼觸無常增語是菩薩摩訶
薩不不也世尊即耳鼻舌身意觸無常增語
是菩薩摩訶薩不不也世尊即眼觸樂增語
是菩薩摩訶薩不不也世尊即耳鼻舌身意

BD02466號　大般若波羅蜜多經卷一八　（18-8）

薩不不也世尊即耳鼻舌身意觸無常增語
是菩薩摩訶薩不不也世尊即眼觸樂增語
是菩薩摩訶薩不不也世尊即耳鼻舌身意
觸樂增語是菩薩摩訶薩不不也世尊即眼
觸苦增語是菩薩摩訶薩不不也世尊即耳
鼻舌身意觸苦增語是菩薩摩訶薩不不也
世尊即眼觸我增語是菩薩摩訶薩不不也
世尊即耳鼻舌身意觸我增語是菩薩摩訶
薩不不也世尊即眼觸無我增語是菩薩摩
訶薩不不也世尊即耳鼻舌身意觸無我增
語是菩薩摩訶薩不不也世尊即眼觸淨增
語是菩薩摩訶薩不不也世尊即耳鼻舌身
意觸淨增語是菩薩摩訶薩不不也世尊即
眼觸不淨增語是菩薩摩訶薩不不也世尊
即耳鼻舌身意觸不淨增語是菩薩摩訶薩
不不也世尊即眼觸空增語是菩薩摩訶薩
不不也世尊即耳鼻舌身意觸空增語是菩
薩摩訶薩不不也世尊即眼觸不空增語是
菩薩摩訶薩不不也世尊即耳鼻舌身意觸
不空增語是菩薩摩訶薩不不也世尊即眼
觸有相增語是菩薩摩訶薩不不也世尊即
耳鼻舌身意觸有相增語是菩薩摩訶薩不
不也世尊即眼觸無相增語是菩薩摩訶薩
不不也世尊即耳鼻舌身意觸無相增語是
菩薩摩訶薩不不也世尊即眼觸有願增語
是菩薩摩訶薩不不也世尊即耳鼻舌身意

BD02466 號　大般若波羅蜜多經卷一八　　（18–9）

不不也世尊即耳鼻舌身意觸無相增語是
菩薩摩訶薩不不也世尊即眼觸有願增語
是菩薩摩訶薩不不也世尊即耳鼻舌身意
觸有願增語是菩薩摩訶薩不不也世尊即
眼觸無願增語是菩薩摩訶薩不不也世尊
即耳鼻舌身意觸無願增語是菩薩摩訶薩
不不也世尊即眼觸寂靜增語是菩薩摩訶
薩不不也世尊即耳鼻舌身意觸寂靜增語
是菩薩摩訶薩不不也世尊即眼觸不寂靜
增語是菩薩摩訶薩不不也世尊即耳鼻舌
身意觸不寂靜增語是菩薩摩訶薩不不也
世尊即眼觸遠離增語是菩薩摩訶薩不不
也世尊即耳鼻舌身意觸遠離增語是菩薩
摩訶薩不不也世尊即眼觸不遠離增語是
菩薩摩訶薩不不也世尊即耳鼻舌身意觸
不遠離增語是菩薩摩訶薩不不也世尊即
眼觸有為增語是菩薩摩訶薩不不也世尊
即耳鼻舌身意觸有為增語是菩薩摩訶薩
不不也世尊即眼觸無為增語是菩薩摩訶
薩不不也世尊即耳鼻舌身意觸無為增語
是菩薩摩訶薩不不也世尊即眼觸有漏增
語是菩薩摩訶薩不不也世尊即耳鼻舌身
意觸有漏增語是菩薩摩訶薩不不也世尊
即眼觸無漏增語是菩薩摩訶薩不不也世
尊即耳鼻舌身意觸無漏增語是菩薩摩訶
薩不不也世尊即眼觸生增語是菩薩摩訶
薩不不也世尊即耳鼻舌身意觸生增語是

BD02466 號　大般若波羅蜜多經卷一八　　（18–10）

尊即耳鼻舌身意觸無漏增語是菩薩摩訶
薩不不也世尊即眼觸生增語是菩薩摩訶
薩不不也世尊即耳鼻舌身意觸生增語是
菩薩摩訶薩不不也世尊即眼觸滅增語是
菩薩摩訶薩不不也世尊即耳鼻舌身意觸
滅增語是菩薩摩訶薩不不也世尊即眼觸
善增語是菩薩摩訶薩不不也世尊即耳鼻
舌身意觸善增語是菩薩摩訶薩不不也世
尊即眼觸非善增語是菩薩摩訶薩不不也
世尊即耳鼻舌身意觸非善增語是菩薩摩
訶薩不不也世尊即眼觸有罪增語是菩薩
摩訶薩不不也世尊即耳鼻舌身意觸有罪
增語是菩薩摩訶薩不不也世尊即眼觸無
罪增語是菩薩摩訶薩不不也世尊即耳鼻
舌身意觸無罪增語是菩薩摩訶薩不不也
世尊即眼觸有煩惱增語是菩薩摩訶薩不
不也世尊即耳鼻舌身意觸有煩惱增語是
菩薩摩訶薩不不也世尊即眼觸無煩惱增
語是菩薩摩訶薩不不也世尊即耳鼻舌身
意觸無煩惱增語是菩薩摩訶薩不不也世
尊即眼觸世間增語是菩薩摩訶薩不不也
世尊即耳鼻舌身意觸世間增語是菩薩摩
訶薩不不也世尊即眼觸出世間增語是菩
薩摩訶薩不不也世尊即耳鼻舌身意觸出
世間增語是菩薩摩訶薩不不也世尊即眼
觸雜染增語是菩薩摩訶薩不不也世尊即

BD02466號　大般若波羅蜜多經卷一八　（18–11）

世間增語是菩薩摩訶薩不不也世尊即眼
觸雜染增語是菩薩摩訶薩不不也世尊即
耳鼻舌身意觸雜染增語是菩薩摩訶薩不
不也世尊即眼觸清淨增語是菩薩摩訶薩
不不也世尊即耳鼻舌身意觸清淨增語是
菩薩摩訶薩不不也世尊即眼觸屬生死增
語是菩薩摩訶薩不不也世尊即耳鼻舌身
意觸屬生死增語是菩薩摩訶薩不不也世
尊即眼觸屬涅槃增語是菩薩摩訶薩不不
也世尊即耳鼻舌身意觸屬涅槃增語是菩
薩摩訶薩不不也世尊即眼觸在內增語是
菩薩摩訶薩不不也世尊即耳鼻舌身意觸
在內增語是菩薩摩訶薩不不也世尊即眼
觸在外增語是菩薩摩訶薩不不也世尊即
耳鼻舌身意觸在外增語是菩薩摩訶薩不
不也世尊即眼觸在兩間增語是菩薩摩訶
薩不不也世尊即耳鼻舌身意觸在兩間增
語是菩薩摩訶薩不不也世尊即眼觸可得
增語是菩薩摩訶薩不不也世尊即耳鼻舌
身意觸可得增語是菩薩摩訶薩不不也世
尊即眼觸不可得增語是菩薩摩訶薩不不
也世尊即耳鼻舌身意觸不可得增語是菩
薩摩訶薩不不也世尊
復次善現所言菩薩摩訶薩者於意云何即
眼觸為緣所生諸受增語是菩薩摩訶薩不
不也世尊即耳鼻舌身意觸為緣所生諸受

BD02466號　大般若波羅蜜多經卷一八　（18–12）

薩摩訶薩不不也世尊
復次善現所言菩薩摩訶薩者於意云何即
眼觸為緣所生諸受增語是菩薩摩訶薩不
不也世尊即耳鼻舌身意觸為緣所生諸受
增語是菩薩摩訶薩不不也世尊即眼觸為
緣所生諸受常增語是菩薩摩訶薩不不也
世尊即耳鼻舌身意觸為緣所生諸受常增
語是菩薩摩訶薩不不也世尊即眼觸為緣所
生諸受無常增語是菩薩摩訶薩不不也世
尊即耳鼻舌身意觸為緣所生諸受無常增
語是菩薩摩訶薩不不也世尊即眼觸為緣
所生諸受樂增語是菩薩摩訶薩不不也世
尊即耳鼻舌身意觸為緣所生諸受樂增語
是菩薩摩訶薩不不也世尊即眼觸為緣所
生諸受苦增語是菩薩摩訶薩不不也世尊
即耳鼻舌身意觸為緣所生諸受苦增語是
菩薩摩訶薩不不也世尊即眼觸為緣所生
諸受我增語是菩薩摩訶薩不不也世尊即
耳鼻舌身意觸為緣所生諸受我增語是菩
薩摩訶薩不不也世尊即眼觸為緣所生諸
受無我增語是菩薩摩訶薩不不也世尊即
耳鼻舌身意觸為緣所生諸受無我增語是
菩薩摩訶薩不不也世尊即眼觸為緣所生
諸受淨增語是菩薩摩訶薩不不也世尊即
耳鼻舌身意觸為緣所生諸受淨增語是菩
薩摩訶薩不不也世尊即眼觸為緣所生諸
受不淨增語是菩薩摩訶薩不不也世尊即

BD02466號　大般若波羅蜜多經卷一八　（18–13）

菩薩摩訶薩不不也世尊即眼觸為緣所生
諸受淨增語是菩薩摩訶薩不不也世尊即
耳鼻舌身意觸為緣所生諸受淨增語是菩
薩摩訶薩不不也世尊即眼觸為緣所生諸
受不淨增語是菩薩摩訶薩不不也世尊即
耳鼻舌身意觸為緣所生諸受不淨增語是
菩薩摩訶薩不不也世尊即眼觸為緣所生
諸受空增語是菩薩摩訶薩不不也世尊即
耳鼻舌身意觸為緣所生諸受空增語是菩
薩摩訶薩不不也世尊即眼觸為緣所生諸
受不空增語是菩薩摩訶薩不不也世尊即
耳鼻舌身意觸為緣所生諸受不空增語是
菩薩摩訶薩不不也世尊即眼觸為緣所生
諸受有相增語是菩薩摩訶薩不不也世尊
即耳鼻舌身意觸為緣所生諸受有相增語
是菩薩摩訶薩不不也世尊即眼觸為緣所
生諸受無相增語是菩薩摩訶薩不不也世
尊即耳鼻舌身意觸為緣所生諸受無相增
語是菩薩摩訶薩不不也世尊即眼觸為緣
所生諸受有願增語是菩薩摩訶薩不不也
世尊即耳鼻舌身意觸為緣所生諸受有願
增語是菩薩摩訶薩不不也世尊即眼觸為
緣所生諸受無願增語是菩薩摩訶薩不不
也世尊即耳鼻舌身意觸為緣所生諸受無
願增語是菩薩摩訶薩不不也世尊即眼觸
為緣所生諸受寂靜增語是菩薩摩訶薩不
不也世尊即耳鼻舌身意觸為緣所生諸受

BD02466號　大般若波羅蜜多經卷一八　（18–14）

顛增語是菩薩摩訶薩不不也世尊即眼觸
為緣所生諸受寂靜增語是菩薩摩訶薩不
不也世尊即耳鼻舌身意觸為緣所生諸受
寂靜增語是菩薩摩訶薩不不也世尊即眼
觸為緣所生諸受不寂靜增語是菩薩摩訶
薩不不也世尊即耳鼻舌身意觸為緣所生
諸受不寂靜增語是菩薩摩訶薩不不也世
尊即眼觸為緣所生諸受遠離增語是菩薩
摩訶薩不不也世尊即耳鼻舌身意觸為緣
所生諸受遠離增語是菩薩摩訶薩不不也
世尊即眼觸為緣所生諸受不遠離增語是
菩薩摩訶薩不不也世尊即耳鼻舌身意觸
為緣所生諸受不遠離增語是菩薩摩訶薩
不不也世尊即眼觸為緣所生諸受有為增
語是菩薩摩訶薩不不也世尊即耳鼻舌身
意觸為緣所生諸受有為增語是菩薩摩訶
薩不不也世尊即眼觸為緣所生諸受無為
增語是菩薩摩訶薩不不也世尊即耳鼻舌
身意觸為緣所生諸受無為增語是菩薩摩
訶薩不不也世尊即眼觸為緣所生諸受有
漏增語是菩薩摩訶薩不不也世尊即耳鼻
舌身意觸為緣所生諸受有漏增語是菩薩
摩訶薩不不也世尊即眼觸為緣所生諸受
無漏增語是菩薩摩訶薩不不也世尊即耳
鼻舌身意觸為緣所生諸受無漏增語是菩
薩摩訶薩不不也世尊即眼觸為緣所生諸

BD02466號　大般若波羅蜜多經卷一八　（18–15）

摩訶薩不不也世尊即眼觸為緣所生諸受
無漏增語是菩薩摩訶薩不不也世尊即耳
鼻舌身意觸為緣所生諸受無漏增語是菩
薩摩訶薩不不也世尊即眼觸為緣所生諸
受生增語是菩薩摩訶薩不不也世尊即耳
鼻舌身意觸為緣所生諸受生增語是菩薩
摩訶薩不不也世尊即眼觸為緣所生諸受
滅增語是菩薩摩訶薩不不也世尊即耳鼻
舌身意觸為緣所生諸受滅增語是菩薩摩
訶薩不不也世尊即眼觸為緣所生諸受善
增語是菩薩摩訶薩不不也世尊即耳鼻舌
身意觸為緣所生諸受善增語是菩薩摩訶
薩不不也世尊即眼觸為緣所生諸受非善
增語是菩薩摩訶薩不不也世尊即耳鼻舌
身意觸為緣所生諸受非善增語是菩薩摩
訶薩不不也世尊即眼觸為緣所生諸受有
罪增語是菩薩摩訶薩不不也世尊即耳鼻
舌身意觸為緣所生諸受有罪增語是菩薩
摩訶薩不不也世尊即眼觸為緣所生諸受
無罪增語是菩薩摩訶薩不不也世尊即耳
鼻舌身意觸為緣所生諸受無罪增語是菩
薩摩訶薩不不也世尊即眼觸為緣所生諸
受有煩惱增語是菩薩摩訶薩不不也世尊
即耳鼻舌身意觸為緣所生諸受有煩惱增
語是菩薩摩訶薩不不也世尊即眼觸為緣
所生諸受無煩惱增語是菩薩摩訶薩不不
也世尊即耳鼻舌身意觸為緣所生諸受無

BD02466號　大般若波羅蜜多經卷一八　（18–16）

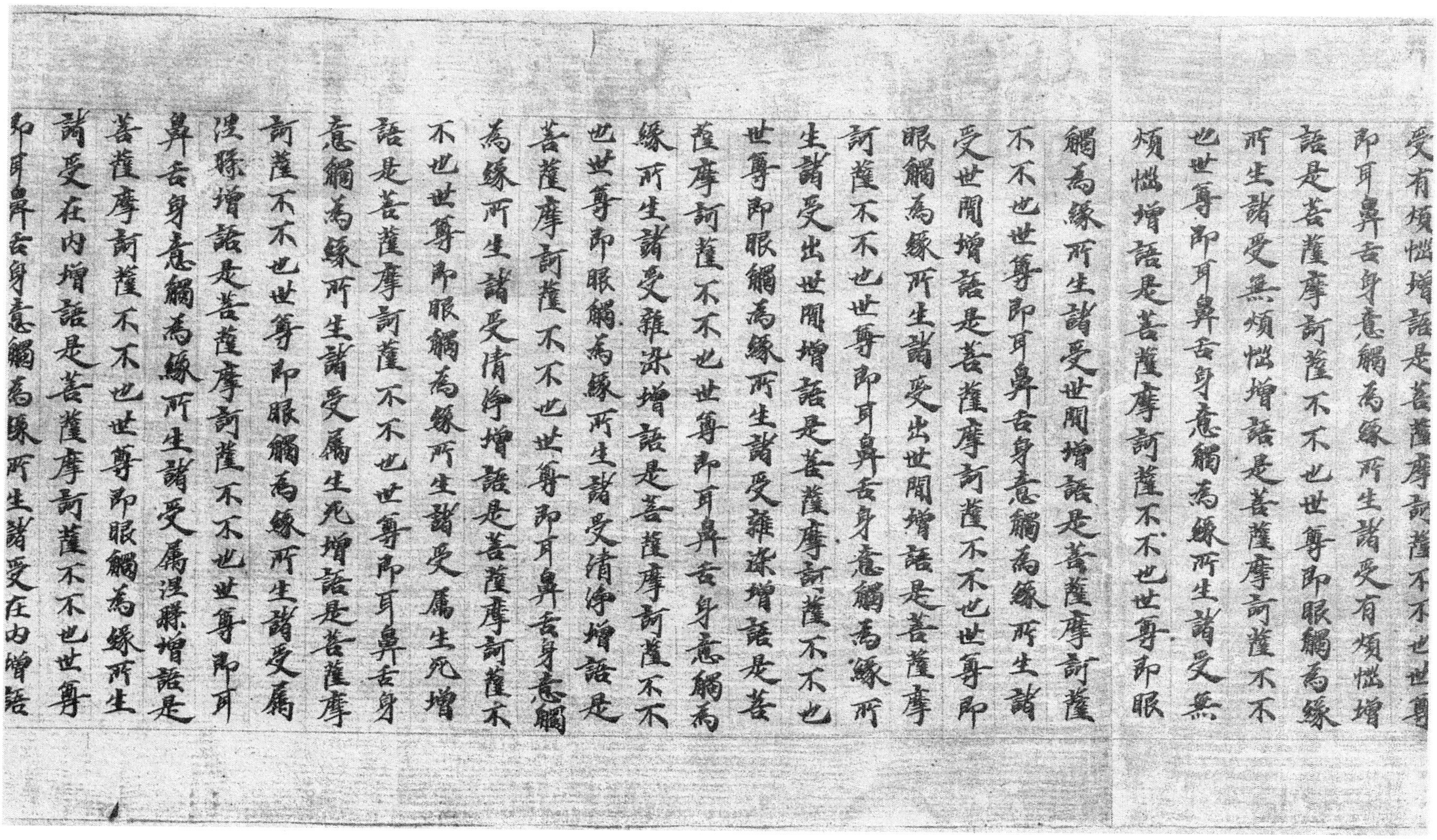

受有煩惱增語是菩薩摩訶薩不不也世尊
即耳鼻舌身意觸為緣所生諸受有煩惱增
語是菩薩摩訶薩不不也世尊即眼觸為緣
所生諸受無煩惱增語是菩薩摩訶薩不不
也世尊即耳鼻舌身意觸為緣所生諸受無
煩惱增語是菩薩摩訶薩不不也世尊即眼
觸為緣所生諸受世間增語是菩薩摩訶薩
不不也世尊即耳鼻舌身意觸為緣所生諸
受世間增語是菩薩摩訶薩不不也世尊即
眼觸為緣所生諸受出世間增語是菩薩摩
訶薩不不也世尊即耳鼻舌身意觸為緣所
生諸受出世間增語是菩薩摩訶薩不不也
世尊即眼觸為緣所生諸受雜染增語是菩
薩摩訶薩不不也世尊即耳鼻舌身意觸為
緣所生諸受雜染增語是菩薩摩訶薩不不
也世尊即眼觸為緣所生諸受清淨增語是
菩薩摩訶薩不不也世尊即耳鼻舌身意觸
為緣所生諸受清淨增語是菩薩摩訶薩不
不也世尊即眼觸為緣所生諸受屬生死增
語是菩薩摩訶薩不不也世尊即耳鼻舌身
意觸為緣所生諸受屬生死增語是菩薩摩
訶薩不不也世尊即眼觸為緣所生諸受屬
涅槃增語是菩薩摩訶薩不不也世尊即耳
鼻舌身意觸為緣所生諸受屬涅槃增語是
菩薩摩訶薩不不也世尊即眼觸為緣所生
諸受在內增語是菩薩摩訶薩不不也世尊
即耳鼻舌身意觸為緣所生諸受在內增語

BD02466 號　大般若波羅蜜多經卷一八　（18–17）

鼻舌身意觸為緣所生諸受屬涅槃增語是
菩薩摩訶薩不不也世尊即眼觸為緣所生
諸受在內增語是菩薩摩訶薩不不也世尊
即耳鼻舌身意觸為緣所生諸受在內增語
是菩薩摩訶薩不不也世尊即眼觸為緣所
生諸受在外增語是菩薩摩訶薩不不也世
尊即耳鼻舌身意觸為緣所生諸受在外增
語是菩薩摩訶薩不不也世尊即眼觸為緣
所生諸受在兩間增語是菩薩摩訶薩不不
也世尊即耳鼻舌身意觸為緣所生諸受在
兩間增語是菩薩摩訶薩不不也世尊即眼
觸為緣所生諸受可得增語是菩薩摩訶薩
不不也世尊即耳鼻舌身意觸為緣所生諸
受可得增語是菩薩摩訶薩不不也世尊即
眼觸為緣所生諸受不可得增語是菩薩摩
訶薩不不也世尊即耳鼻舌身意觸為緣所
生諸受不可得增語是菩薩摩訶薩不不也
世尊

大般若波羅蜜多經卷第十八

BD02466 號　大般若波羅蜜多經卷一八　（18–18）

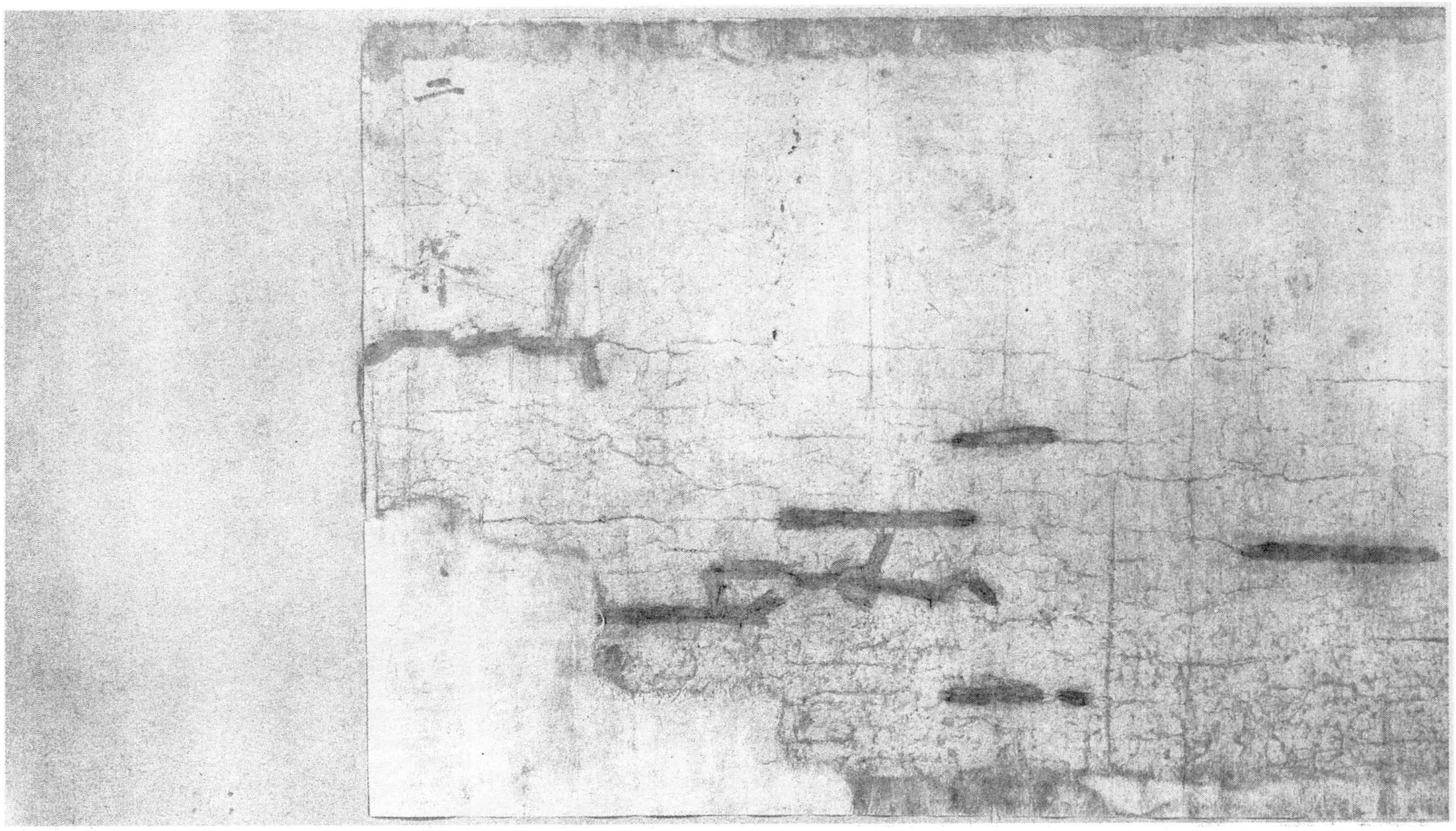

BD02466 號背　勘記、寺院題名　　（1–1）

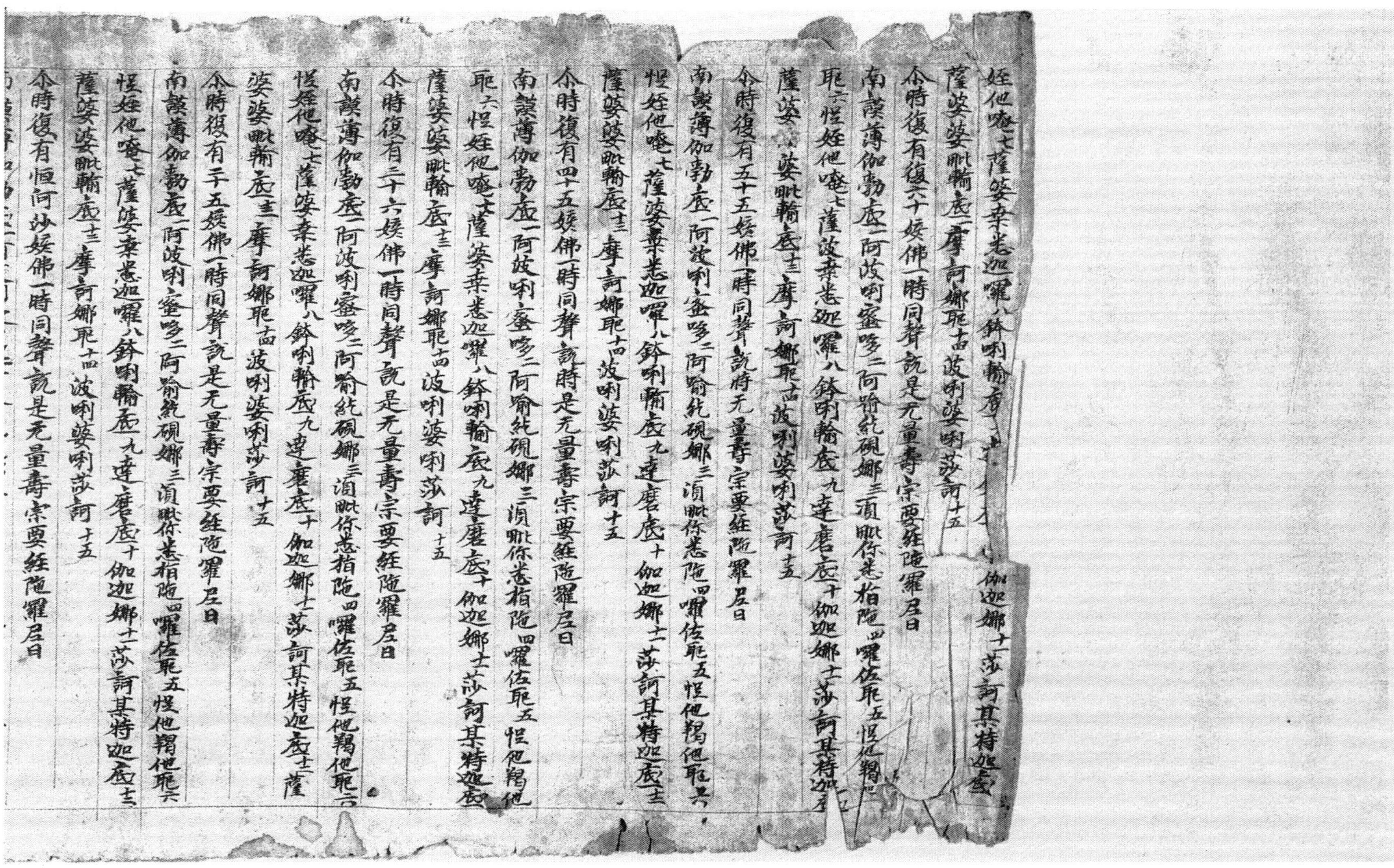

娑他喭七薩婆桒悲迦囉八鉢唎輸[illegible]伽迦娜十一莎訶其特迦底
薩婆娑毗輸底十三摩訶娜耶十四波唎婆唎莎訶十五
尒時復有六十姟佛一時同聲說是无量壽宗要經陁羅尼曰
南謨薄伽勃底一阿波唎蜜哆二阿喻紇硯娜三須毗你悲栺陁四囉佐耶五怛他羯他
耶六怛姪他唵七薩波桒悲迦囉八鉢唎輸底九達磨底十伽迦娜十一莎訶其特迦底十二
薩婆娑毗輸底十三摩訶娜耶十四波唎婆唎莎訶十五
尒時復有五十五姟佛一時同聲說時无量壽宗要經陁羅尼曰
南謨薄伽勃底一阿波唎蜜哆二阿喻紇硯娜三須毗你悲陁四囉佐耶五怛他羯他耶六
怛姪他唵七薩婆桒悲迦囉八鉢唎輸底九達磨底十伽迦娜十一莎訶其特迦底十二
薩婆娑毗輸底十三摩訶娜耶十四波唎婆唎莎訶十五
尒時復有四十五姟佛一時同聲說時是无量壽宗要經陁羅尼曰
南謨薄伽勃底一阿波唎蜜哆二阿喻紇硯娜三須毗你悲栺陁四囉佐耶五怛他羯他
耶六怛姪他唵七薩婆桒悲迦囉八鉢唎輸底九達磨底十伽迦娜十一莎訶其特迦底十二
薩婆娑毗輸底十三摩訶娜耶十四波唎婆唎莎訶十五
尒時復有二十六姟佛一時同聲說是无量壽宗要經陁羅尼曰
南謨薄伽勃底一阿波唎蜜哆二阿喻紇硯娜三須毗你悲栺陁四囉佐耶五怛他羯他耶六
怛姪他唵七薩婆桒悲迦囉八鉢唎輸底九達磨底十伽迦娜十一莎訶其特迦底十二薩
婆娑毗輸底十三摩訶娜耶十四波唎婆唎莎訶十五
尒時復有二十五姟佛一時同聲說是无量壽宗要經陁羅尼曰
南謨薄伽勃底一阿波唎蜜哆二阿喻紇硯娜三須毗你悲栺陁四囉佐耶五怛他羯他耶六
怛姪他唵七薩婆桒悲迦囉八鉢唎輸底九達磨底十伽迦娜十一莎訶其特迦底十二
薩婆娑毗輸底十三摩訶娜耶十四波唎婆唎莎訶十五
尒時復有恒河沙姟佛一時同聲說是无量壽宗要經陁羅尼曰
南謨[illegible]

BD02467 號　無量壽宗要經　　（5–1）

南謨薄伽勃底一阿波唎蜜哆二阿喻紇硯娜三須毗你悉指陁四囉佐耶五怛他羯他耶六
怛姪他唵七薩婆桒悉迦囉八鉢唎輸底九達磨底十伽迦娜十一莎訶其特迦底十二
薩婆婆毗輸底十三摩訶娜耶十四波唎婆唎莎訶十五
尒時復有恒河沙娱佛一時同聲說是无量壽宗要經陁羅尼曰
南謨薄伽勃底一阿波唎蜜哆二阿喻紇硯娜三須毗你悉指陁四囉佐耶五怛他羯他
耶六怛姪他唵七薩婆桒悉迦八鉢唎婆唎莎訶九達磨底十伽迦娜十一莎訶其
特迦底十二薩婆婆毗輸底十三摩訶娜耶十四波唎婆唎莎訶十五
善男子若有自書寫教人書寫是无量壽宗要經如其命終盡復得長壽而滿年陁羅尼
曰　南謨薄伽勃底一阿波唎蜜哆二阿喻紇硯娜三須毗你悉指陁四囉佐耶五
怛他羯他耶六怛姪他唵七薩婆桒悉迦囉八鉢唎輸底九達磨底十伽迦娜十一莎
訶其特迦底十二薩婆婆毗輸底十三摩訶娜耶十四波唎婆唎莎訶十五
若有自書寫教人書寫是无量壽宗要經讀誦受持畢竟不墮地獄在在所生
得宿命智陁羅尼曰　南謨薄伽勃底一阿波唎蜜哆二阿喻
紇硯娜三須毗你悉指陁四囉佐耶五怛他羯他耶六怛姪他唵七薩婆桒悉迦囉八鉢
唎輸底九達磨底十伽迦娜十一莎訶其特迦底十二薩婆婆毗輸底十三摩訶娜耶
波唎婆唎莎訶十五　若有自書寫教人書寫是无量壽宗要經受
持讀誦如同書寫八万四千一切經典陁羅尼曰
南謨薄伽勃底一阿波唎蜜哆二阿喻紇硯娜三須毗你悉指陁四囉耶佐五怛他羯
他耶六怛姪他唵七薩婆桒悉迦囉八鉢唎輸底九達磨底十伽迦娜十一莎訶其
特迦底十二薩婆婆毗輸底十三摩訶娜耶十四波唎婆唎莎訶十五
若有自書教人書寫是无量壽宗要經即是書寫八万四千部建立塔廟陁羅尼曰
南謨薄伽勃底一阿波唎蜜哆二阿喻紇硯娜三須毗你悉指陁四囉佐耶五怛他羯他耶
怛姪他唵七薩婆桒悉迦囉八鉢唎輸底九達磨底十伽迦娜十一莎訶其特迦底十二
薩婆婆毗輸底十三摩訶娜耶十四波唎婆唎莎訶十五
若有自書寫教人書是寫无量壽宗要經能消五无間等一切重罪陁羅尼曰
南謨薄伽勃底一阿波唎蜜哆二阿喻紇硯娜三須毗你悉指陁四囉佐耶五怛他羯他
耶六怛姪他唵七薩婆桒悉迦囉八波唎輸底九達磨底十伽迦娜十一莎訶其特迦
底十二薩婆婆毗輸底十三摩訶娜耶十四波唎婆唎莎訶十五
若有自書寫教人書寫是无量壽宗要經受持讀誦設有重罪猶如須弥盡能
除滅陁羅尼曰　南謨薄伽勃底一阿波唎蜜哆二阿喻紇硯娜三須毗
你悉指陁四囉佐耶五怛他羯他耶六怛姪他唵七薩婆桒悉迦囉八鉢唎輸底九

BD02467 號　無量壽宗要經　（5–2）

若有自書寫教人書寫是无量壽宗要經受持讀誦設有重罪猶如須弥盡能
除滅陁羅尼曰　南謨薄伽勃底一阿波唎蜜哆二阿喻紇硯娜三須毗
你悉指陁四囉佐耶五怛他羯他耶六怛姪他唵七薩婆桒悉迦囉八鉢唎輸底九
達磨底十伽迦娜十一莎訶其特迦底十二薩婆婆毗輸底十三摩訶娜耶十四波唎婆
唎莎訶十五　若有自書教人書寫是无量壽宗要經受持讀誦若魔之眷
屬夜叉羅刹不得其便於无枉死陁羅尼曰
南謨薄伽勃底一阿波唎蜜哆二阿喻紇娜硯三須毗你悉指陁四囉佐耶五怛他羯
他耶六怛姪他唵七薩婆桒悉迦羅八鉢唎輸底九達磨底十伽迦娜十一莎訶其特
迦底十二薩婆婆毗輸底十三摩訶娜耶十四波唎婆唎莎訶十五
若有自書教人書寫是无壽量宗要經受持讀誦當命終時有九十九俱胝佛現其人前
豙千佛授手能遊一切佛剎莫於此經生於疑惑陁羅尼曰
南謨薄伽勃底一阿波唎蜜哆二阿喻紇硯娜三須毗你悉指陁四囉佐耶五怛他羯他耶六
怛姪他唵七薩婆桒悉迦囉八鉢唎輸底九達磨底十伽迦娜十一莎訶其特迦
底十二薩婆婆毗輸底十三摩訶娜耶十四波唎婆唎莎訶十五
若有自書寫教人書寫是无量壽宗要經受持讀誦常得四天大王隨其衛護陁羅尼曰
南謨薄伽勃底一阿波唎蜜哆二阿喻紇硯娜三須毗你悉指陁四囉佐耶五怛他羯他
耶六怛姪他唵七薩婆桒迦悉囉八鉢唎輸底九達磨底十伽迦娜十一莎訶
其特迦底十二薩婆婆毗輸底十三摩訶娜耶十四波唎婆唎莎訶十五
若有自書寫教人書寫是无量壽宗要經受持讀誦當得往生西方極樂世界阿弥陁
淨土陁羅尼曰　南謨薄伽勃底一阿波唎蜜哆二阿喻紇硯娜三囉佐耶四
怛他羯他耶六怛姪他唵七薩婆桒悉迦囉八鉢唎輸底九達磨底十伽迦娜十一莎
訶其迦底十二薩婆婆毗輸底十三摩訶娜耶十四波唎婆唎莎訶十五
若有方所自書寫使人書寫是无量壽經典之處則為是塔皆應恭敬作礼若是畜
生或為鳥獸得聞是經如是等類皆當不久得成一切種智陁羅尼曰
南謨薄伽勃底一阿波唎蜜哆二阿喻紇硯娜三須毗你悉指陁四囉佐耶五怛他羯他耶
怛姪他唵七薩婆桒悉迦囉八鉢唎輸底九達磨底十伽迦娜十一莎訶其特迦底十二
薩婆婆毗輸底十三摩訶娜耶十四波唎婆唎莎訶十五
若有於是无量壽經自書寫若使人書畢竟不受女人之身陁羅尼曰
南謨薄伽勃底一阿波唎蜜哆二阿喻紇硯娜三須毗你悉指陁四囉佐耶五怛他羯他耶
怛姪他唵七薩婆桒悉迦囉八鉢唎輸底九達磨底十伽迦娜十一莎訶其特迦底十二怛
薩婆婆毗輸底十三摩訶娜耶十四波唎婆唎莎訶十五

BD02467 號　無量壽宗要經　（5–3）

若有於是无量壽經自書寫若使人書畢竟不受女人之身陀羅尼曰
南謨薄伽勃底一阿波唎蜜哆二阿喻紇硯娜三須毗你悉指陁四囉佐耶五怛他羯他耶
六怛姪他唵七薩婆桒悉迦囉八鉢唎輸底九達磨底十伽迦娜十一莎訶其特迦底十二怛
薩婆娑毗輸底十三摩訶娜耶十四波唎婆唎莎訶十五
若有能於是經少分能惠施者等於三千大千世界滿中七寶布施陀羅尼曰
南謨薄伽勃底一阿波唎蜜哆二阿喻紇硯娜三須毗你悉指陁四囉佐耶五怛他羯他耶六
怛姪他唵七薩婆桒悉迦囉八鉢唎輸底九達磨底十伽迦娜十一莎訶其特迦底十二
薩婆娑毗輸底十三摩訶娜耶十四波唎婆唎莎訶十五
若有能供養是經者則是供養一切諸經等无有異陀羅尼曰
南謨薄伽勃底一阿波唎蜜哆二阿喻紇硯娜三須毗你悉指陁四囉佐耶五怛他羯他耶
怛姪他唵七薩婆桒悉迦囉八鉢唎輸底九達磨底十伽迦娜十一莎訶其特迦底十二薩婆
婆輸毗底十三摩訶娜耶十四波唎婆唎莎訶十五
如是毗婆尸佛尸棄佛毗舍浮佛俱留孫佛俱那含牟尼佛迦葉佛釋迦牟尼佛
若有人以七寶供養如是七佛其福有限書寫受持是无量壽經典所有功德不可限量
阿羅尼曰　南謨薄伽勃底一阿波唎蜜哆二阿喻紇硯娜三須毗你悉指陁四囉佐
耶五怛他羯他耶六怛姪他唵七薩婆桒悉迦囉八鉢唎輸底九達磨底十伽迦娜十一莎訶
其特迦底十二薩婆娑毗輸底十三摩訶娜耶十四波唎婆唎莎訶十五
若有七寶等於須弥以用布施其福上能知其限量是无量壽經典其福不可知數陀羅
尼曰　南謨薄伽勃底一阿波唎蜜哆二阿喻紇硯娜三須毗你悉指陁四囉佐耶五
怛他羯他耶六怛姪他唵七薩婆桒悉迦囉八鉢唎輸底九達磨底十伽迦娜十一莎訶
其特迦底十二薩婆娑毗輸底十三摩訶娜耶十四波唎婆唎莎訶十五
如四海水可知滴數是无量壽經典所生果報不可數量陀羅尼曰
南謨薄伽勃底一阿波唎蜜哆二阿喻紇娜硯三須毗你悉指陁四羅佐耶五怛他羯他耶
怛姪他唵七薩婆桒悉迦囉八鉢唎輸底九達磨底十伽迦娜十一（莎訶其特迦底）薩婆娑毗輸底十三
摩訶娜耶十四波唎婆唎莎訶十五
若有自書使人書寫是无量壽經典又能獲持供養即如敬供養一切十方佛土如來无
有別異陀羅尼曰
南謨薄伽勃底一阿波唎蜜哆二阿喻紇硯娜三須毗你悉指陁四囉佐耶五怛他羯他耶
怛姪他唵七薩婆桒悉迦囉八鉢唎輸底九達磨底十伽迦娜十一莎訶其特
羯迦底十二薩婆娑毗輸底十三摩訶娜耶十四波唎婆唎莎訶十五
布施力能成正覺　悟布施力人師子　布施力能聲普聞　慈悲背漸最能入

BD02467 號　無量壽宗要經　（5–4）

南謨薄伽勃底一阿波唎蜜哆二阿喻紇娜硯三須毗你悉指陁四囉佐耶五怛他羯他耶
怛姪他唵七薩婆桒悉迦囉八鉢唎輸底九達磨底十伽迦娜十一（莎訶其特迦底）薩婆娑毗輸底十三
摩訶娜耶十四波唎婆唎莎訶十五
若有自書使人書寫是无量壽經典又能獲持供養即如敬供養一切十方佛土如來无
有別異陀羅尼曰
南謨薄伽勃底一阿波唎蜜哆二阿喻紇硯娜三須毗你悉指陁四囉佐耶五怛他羯他耶
怛姪他唵七薩婆桒悉迦囉八鉢唎輸底九達磨底十伽迦娜十一莎訶其特
羯迦底十二薩婆娑毗輸底十三摩訶娜耶十四波唎婆唎莎訶十五
布施力能成正覺　悟布施力人師子　布施力能聲普聞　慈悲背漸最能入
持戒力能成正覺　悟持戒力人師子　持戒力能聲普聞　慈悲背漸最能入
忍辱力能成正覺　悟忍辱力人師子　忍辱力能聲普聞　慈悲背漸最能入
精進力能成正覺　悟精進力人師子　精進力能聲普聞　慈悲背漸最能入
禪定力能成正覺　悟禪定力人師子　禪定力能聲普聞　慈悲背漸最能入
智慧力能成正覺　悟智慧力人師子　智慧力能聲普聞　慈悲背漸最能入
尒時如來說是經已一切世間天人阿脩羅揵闥婆等聞佛所說皆大歡喜
信受奉行
佛說无量壽宗要經
張員

BD02467 號　無量壽宗要經　（5–5）

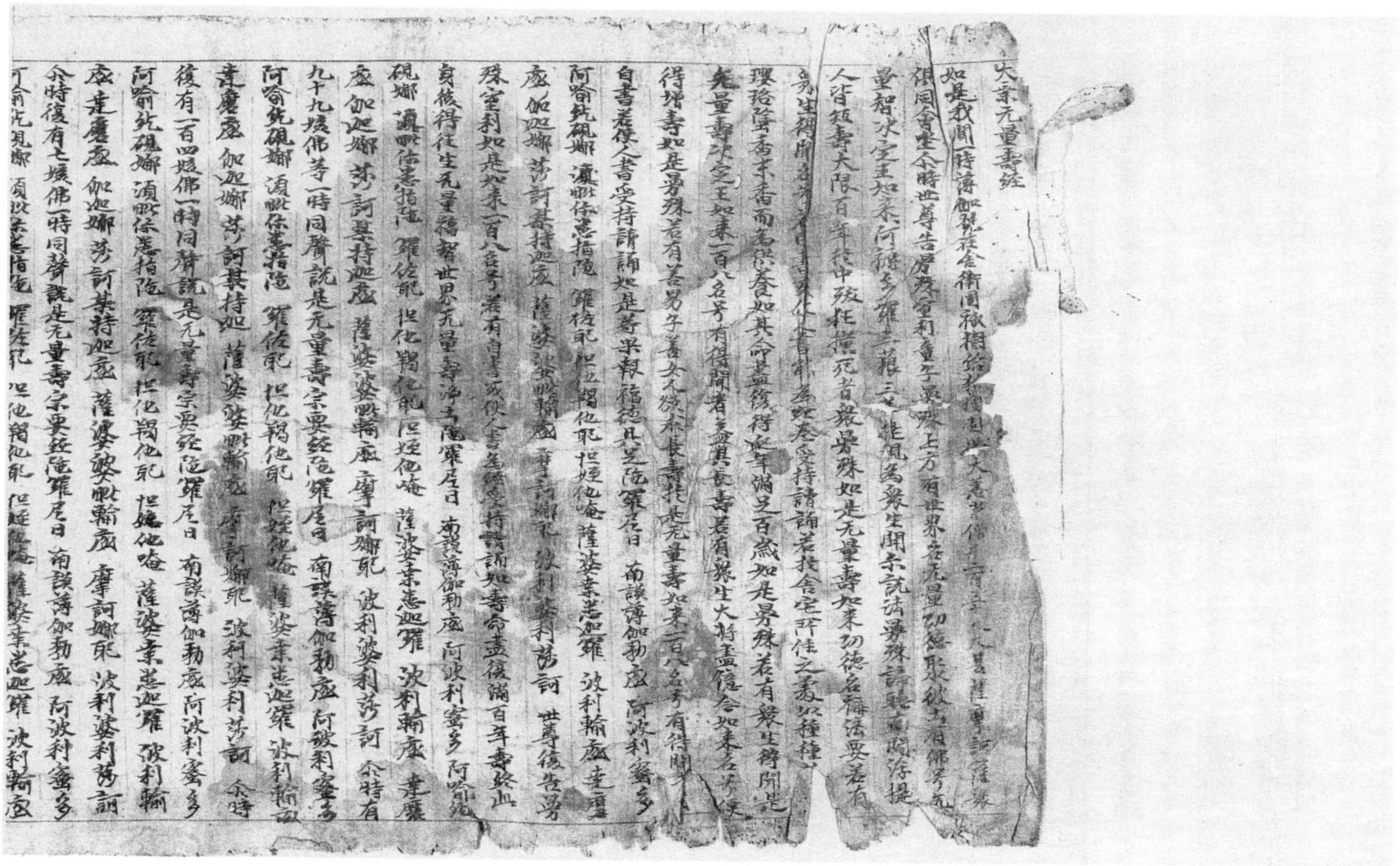

大乘无量壽經
如是我聞一時薄伽梵在舍衛國祇樹給孤獨園[illegible]大苾芻[illegible]菩薩摩訶薩衆
俱同會坐尒時世尊告曼殊室利童子曼殊上方有世界名无量功德聚彼土有佛名无
量智決定王如來阿羅訶三藐三佛陀現爲衆生開示說法曼殊諦聽閻浮提
人皆短壽大限百年於中殀枉横死者衆曼殊如是无量壽如來功德名稱法要若有
衆生得聞名号[illegible]若自書若使人書爲經卷受持讀誦若於舍宅所住之處以種種
瓔珞[illegible]香末香而爲供養如其命盡復得延年滿足百歲如是曼殊若有衆生得聞是
无量壽決定王如來一百八名号有得聞者益其長壽若有衆生大將盡復念如來名号便
得增壽如是曼殊若有善男子善女人欲求長壽者於是无量壽如來一百八名号有得聞
自書若使人書受持讀誦如是等果報福德具足陁羅尼曰 南謨薄伽勃底 阿波利蜜多
阿喻紇硯娜 須毗你悉指陁 羅佐耶 怛他羯他耶 怛姪他唵 薩婆桑悉迦羅 波利輸底 達磨
底 伽迦娜 莎訶某持迦底 薩婆[illegible]輸底 摩訶娜耶 波利婆利莎訶 世尊復告曼
殊室利如是如來一百八名号若有自書或使人書爲經卷受持讀誦如壽命盡復滿百年壽終血
身後得往生无量福智世界无量壽淨土陁羅尼曰 南謨薄伽勃底 阿波利蜜多 阿喻紇
硯娜 須毗你悉指陁 羅佐耶 怛他羯他耶 怛姪他唵 薩婆桑悉迦羅 波利輸底 達磨
底 伽迦娜 莎訶某持迦底 薩婆婆毗輸底 摩訶娜耶 波利婆利莎訶 尒時有
九十九姟佛等一時同聲說是无量壽宗要經陁羅尼曰 南謨薄伽勃底 阿波利蜜多
阿喻紇硯娜 須毗你悉指陁 羅佐耶 怛他羯他耶 怛姪他唵 薩婆桑悉迦羅 波利輸底
達磨底 伽迦娜 莎訶某持迦 薩婆婆毗輸底 摩訶娜耶 波利婆利莎訶 尒時
復有一百四姟佛一時同聲說是无量壽宗要經陁羅尼曰 南謨薄伽勃底 阿波利蜜多
阿喻紇硯娜 須毗你悉指陁 羅佐耶 怛他羯他耶 怛姪他唵 薩婆桑悉迦羅 波利輸
底 達磨底 伽迦娜 莎訶某持迦底 薩婆婆毗輸底 摩訶娜耶 波利婆利莎訶
尒時復有七姟佛一時同聲說是无量壽宗要經陁羅尼曰 南謨薄伽勃底 阿波利蜜多
阿喻紇硯娜 須毗你悉指陁 羅佐耶 怛他羯他耶 怛姪他唵 薩婆桑悉迦羅 波利輸底

BD02468 號　無量壽宗要經　（5–1）

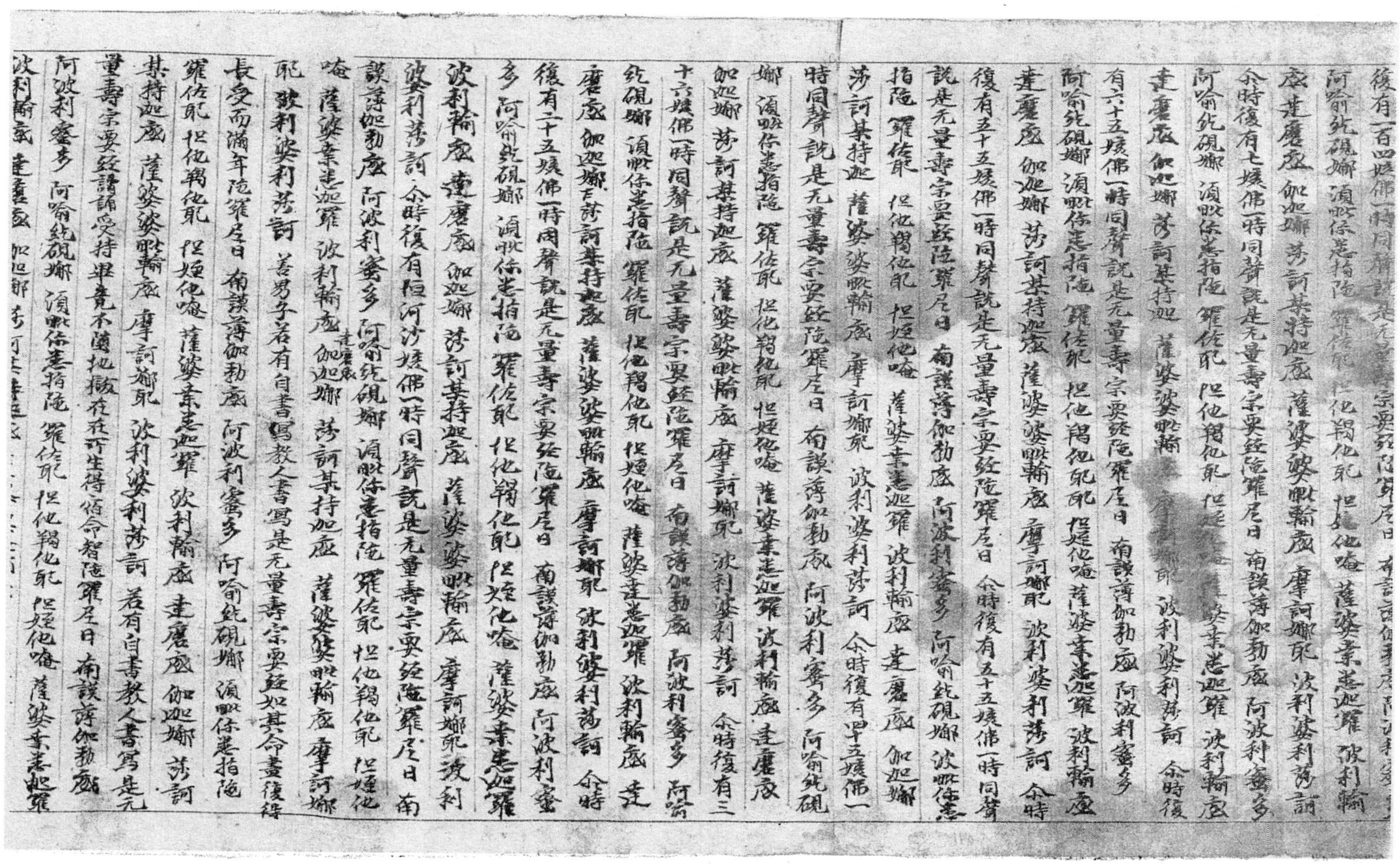

復有一百四姟佛一時同聲說是无量壽宗要經陁羅尼曰 南謨薄伽勃底 阿波利蜜多
阿喻紇硯娜 須毗你悉指陁 羅佐耶 怛他羯他耶 怛姪他唵 薩婆桑悉迦羅 波利輸
底 達磨底 伽迦娜 莎訶某持迦底 薩婆婆毗輸底 摩訶娜耶 波利婆利莎訶
尒時復有七姟佛一時同聲說是无量壽宗要經陁羅尼曰 南謨薄伽勃底 阿波利蜜多
阿喻紇硯娜 須毗你悉指陁 羅佐耶 怛他羯他耶 怛姪他唵 薩婆桑悉迦羅 波利輸底
達磨底 伽迦娜 莎訶某持迦 薩婆婆毗輸底 [illegible] 波利婆利莎訶 尒時復
有六十五姟佛一時同聲說是无量壽宗要經陁羅尼曰 南謨薄伽勃底 阿波利蜜多
阿喻紇硯娜 須毗你悉指陁 羅佐耶 怛他羯他耶 怛姪他唵 薩婆桑悉迦羅 波利輸底
達磨底 伽迦娜 莎訶某持迦底 薩婆婆毗輸底 摩訶娜耶 波利婆利莎訶 尒時
復有五十五姟佛一時同聲說是无量壽宗要經陁羅尼曰 尒時復有五十五姟佛一時同聲
說是无量壽宗要經陁羅尼曰 南謨薄伽勃底 阿波利蜜多 阿喻紇硯娜 須毗你悉
指陁 羅佐耶 怛他羯他耶 怛姪他唵 薩婆桑悉迦羅 波利輸底 達磨底 伽迦娜
莎訶某持迦 薩婆婆毗輸底 摩訶娜耶 波利婆利莎訶 尒時復有四十五姟佛一
時同聲說是无量壽宗要經陁羅尼曰 南謨薄伽勃底 阿波利蜜多 阿喻紇硯
娜 須毗你悉指陁 羅佐耶 怛他羯他耶 怛姪他唵 薩婆桑悉迦羅 波利輸底 達磨底
伽迦娜 莎訶某持迦底 薩婆婆毗輸底 摩訶娜耶 波利婆利莎訶 尒時復有三
十六姟佛一時同聲說是无量壽宗要經陁羅尼曰 南謨薄伽勃底 阿波利蜜多 阿喻
紇硯娜 須毗你悉指陁 羅佐耶 怛他羯他耶 怛姪他唵 薩婆桑悉迦羅 波利輸底 達
磨底 伽迦娜 莎訶某持迦底 薩婆婆毗輸底 摩訶娜耶 波利婆利莎訶 尒時
復有二十五姟佛一時同聲說是无量壽宗要經陁羅尼曰 南謨薄伽勃底 阿波利蜜
多 阿喻紇硯娜 須毗你悉指陁 羅佐耶 怛他羯他耶 怛姪他唵 薩婆桑悉迦羅
波利輸底 達磨底 伽迦娜 莎訶某持迦底 薩婆婆毗輸底 摩訶娜耶 波利
婆利莎訶 尒時復有恒河沙姟佛一時同聲說是无量壽宗要經陁羅尼曰 南
謨薄伽勃底 阿波利蜜多 阿喻紇硯娜 須毗你悉指陁 羅佐耶 怛他羯他耶 怛姪他
唵 薩婆桑悉迦羅 波利輸底 達磨底 伽迦娜 莎訶某持迦底 薩婆婆毗輸底 摩訶娜
耶 波利婆利莎訶 若男子若有自書寫教人書寫是无量壽宗要經如其命盡復得
長受而滿年陁羅尼曰 南謨薄伽勃底 阿波利蜜多 阿喻紇硯娜 須毗你悉指陁
羅佐耶 怛他羯他耶 怛姪他唵 薩婆桑悉迦羅 波利輸底 達磨底 伽迦娜 莎訶
某持迦底 薩婆婆毗輸底 摩訶娜耶 波利婆利莎訶 若有自書教人書寫是无
量壽宗要經讀誦受持畢竟不墮地獄在在所生得宿命智陁羅尼曰 南謨薄伽勃底
阿波利蜜多 阿喻紇硯娜 須毗你悉指陁 羅佐耶 怛他羯他耶 怛姪他唵 薩婆桑悉迦羅
波利輸底 達磨底 伽迦娜 [illegible]

BD02468 號　無量壽宗要經　（5–2）

羅佐耶 怛他羯他耶 怛姪他唵 薩婆桑塞迦羅 波利輸底 達磨底 伽迦娜 莎訶
某持迦底 薩婆婆毗輸底 摩訶娜耶 波利婆利莎訶 若有自書教人書寫是无
量壽宗要經讀誦受持畢竟不墮地獄在在所生得宿命智陁羅尼曰 南謨薄伽勃底
阿波利蜜多 阿喻紇硯娜 須毗你悉指陀 羅佐耶 怛他羯他耶 怛姪他唵 薩婆桑塞迦羅
波利輸底 達磨底 伽迦娜 莎訶某持迦底 薩婆婆毗輸底 摩訶娜耶 波利婆利
莎訶 若有自書教人書寫是无量壽宗要經受持讀誦如同書寫八万四千一切經典陁羅
尼曰 南謨薄伽勃底 阿波利蜜多 阿喻紇硯娜 須毗你悉指陀 羅佐耶 怛他羯他耶
怛姪他唵 薩婆桑塞迦羅 波利輸底 達磨底 伽迦娜 莎訶某持迦底 薩婆婆毗輸
底 摩訶娜耶 波利婆利莎訶 若有自書寫教人書寫是无量壽宗要經即是書寫八
万四千部建立塔廟陁羅尼曰 南謨薄伽勃底 阿波利蜜多 阿喻紇硯娜 須毗你悉
指陀 羅佐耶 怛他羯他耶 怛姪他唵 薩婆桑塞迦羅 波利輸底 達磨底 伽迦娜
莎訶某持迦底 薩婆婆毗輸底 摩訶娜耶 波利婆利莎訶 若有自書寫教人書寫
是无量壽宗要經能消五无間等一切重罪陁羅尼曰 南謨薄伽勃底 阿波利蜜多 阿喻
紇硯娜 須毗你悉指陀 羅佐耶 怛他羯他耶 怛姪他唵 薩婆桑塞迦羅 波利輸底 達
磨底 伽迦娜 莎訶某持迦底 薩婆婆毗輸底 摩訶娜耶 波利婆利莎訶 若有
自書寫教人書寫是无量壽宗要經受持讀誦設有重罪猶如須弥盡能除滅陁
羅尼曰 南謨薄伽勃底 阿波利蜜多 阿喻紇硯娜 須毗你悉指陀 羅佐耶 怛他羯
他耶 怛姪他唵 薩婆桑塞迦羅 波利輸底 達磨底 伽迦娜 莎訶某持迦底
薩婆婆毗輸底 摩訶娜耶 波利婆利莎訶 若有自書寫教人書寫是无量
壽宗要經受持讀誦若魔魔之眷屬夜叉羅剎不得其便終无枉死陁羅尼曰
南謨薄伽勃底 阿波利蜜多 阿喻紇硯娜 須毗你悉指陀 羅佐耶 怛他羯他耶 怛
姪他唵 薩婆桑塞迦羅 波利輸底 達磨底 伽迦娜 莎訶某持迦底 薩婆婆毗
輸底 摩訶娜耶 波利婆利莎訶 若有自書寫教人書寫是无量壽宗要經受持讀
誦當命終時有九十九姟佛現其人前來千佛授手能遊一切佛剎莫於此經生於疑惑
陁羅尼曰 南謨薄伽勃底 阿波利蜜多 阿喻紇硯娜 須毗你悉指陀 羅佐耶 怛他羯他
耶 怛姪他唵 薩婆桑塞迦羅 波利輸底 達磨底 伽迦娜 莎訶某持迦底 薩婆婆
毗輸底 摩訶娜耶 波利婆利莎訶 若有自書寫教人書寫是无量壽宗要經受持
讀誦常得四天大王隨其衛護陁羅尼曰 南謨薄伽勃底 阿波利蜜多 阿喻紇硯娜
須毗你悉指陀 羅佐耶 怛他羯他耶 怛姪他唵 薩婆桑塞迦羅 波利輸底 達磨底 伽
迦娜 莎訶某持迦底 薩婆婆毗輸底 摩訶娜耶 波利婆利莎訶 若有自書寫
教人書寫是无量壽宗要經受持讀誦當得往生西方极樂世界阿弥陁淨土陁羅尼曰
南謨薄伽勃底 阿波利蜜多 阿喻紇硯娜 須毗你悉指陀 羅佐耶 怛他羯他耶 怛姪他唵

BD02468 號　無量壽宗要經　　（5–3）

讀誦常得四天大王隨其衛護陁羅尼曰 南謨薄伽勃底 阿波利蜜多 阿喻紇硯娜
須毗你悉指陀 羅佐耶 怛他羯他耶 怛姪他唵 薩婆桑塞迦羅 波利輸底 達磨底 伽
迦娜 莎訶某持迦底 薩婆婆毗輸底 摩訶娜耶 波利婆利莎訶 若有自書寫
教人書寫是无量壽宗要經受持讀誦當得往生西方极樂世界阿弥陁淨土陁羅尼曰
南謨薄伽勃底 阿波利蜜多 阿喻紇硯娜 須毗你悉指陀 羅佐耶 怛他羯他耶 怛姪他
唵 薩婆桑塞迦羅 波利輸底 達磨底 伽迦娜 莎訶某持迦底 薩婆婆毗輸
底 摩訶娜耶 波利婆利莎訶 若有有所自書寫使人書寫是无量壽經典之處則
為是塔皆應恭敬作礼若是畜生禽獸鳥獸得聞是經如是等類皆當不久得成一切種
智陁羅尼曰 南謨薄伽勃底 阿波利蜜多 阿喻紇硯娜 須毗你悉指陀 羅佐耶 怛他羯他
耶 怛姪他唵 薩婆桑塞迦羅 波利輸底 達磨底 伽迦娜 莎訶某持迦底 薩婆婆
毗輸底 摩訶娜耶 波利婆利莎訶 若有我是无量壽經自書寫若使人書寫畢竟不受
女人之身陁羅尼曰 南謨薄伽勃底 阿波利蜜多 阿喻紇硯娜 須毗你悉指陀 羅佐耶 怛
他羯他耶 怛姪他唵 薩婆桑塞迦羅 波利輸底 達磨底 伽迦娜 莎訶某持迦底 薩婆
婆毗輸底 摩訶娜耶 波利婆利莎訶 若有能於是經少分能惠施者等於三千
大千世界滿中七寶布施陁羅尼曰 南謨薄伽勃底 阿波利蜜多 阿喻紇硯娜 須毗你
悉指陀 羅佐耶 怛他羯他耶 怛姪他唵 薩婆桑塞迦羅 波利輸底 達磨底 伽迦娜 莎訶某持
迦底 薩婆婆毗輸底 摩訶娜耶 波利婆利莎訶 若有供養是經者則是供養
一切諸經等无有別異陁羅尼曰 南謨薄伽勃底 阿波利蜜多 阿喻紇硯娜 須毗你
悉指陀 羅佐耶 怛他羯他耶 怛姪他唵 薩婆桑塞迦羅 波利輸底 達磨底 伽迦娜
摩訶娜耶 波利婆利莎訶
如是毗婆尸佛 尸弃佛 毗舍浮佛 俱留孫佛 俱那含牟尼佛 伽葉佛 釋迦牟尼佛
若有人以七寶供養如是七佛其福有限書寫受持是无量經所有功德不可限量陁羅尼曰
南謨薄伽勃底 阿波利蜜多 阿喻紇硯娜 須毗你悉指陀 羅佐耶 怛他羯他耶 怛
姪他唵 薩婆桑塞迦羅 波利輸底 達磨底 伽迦娜 莎訶某持迦底 薩婆婆毗
輸底 摩訶娜耶 波利婆利莎訶 若有七寶等於須弥山用布施其福上能知其
限量是无量壽經典其福不可知數陁羅尼曰 南謨薄伽勃底 阿波利蜜多 阿喻紇
硯娜 須毗你悉指陀 羅佐耶 怛他羯他耶 怛姪他唵 薩婆桑塞迦羅 波利輸底 達
磨底 伽迦娜 莎訶某持迦底 薩婆婆毗輸底 摩訶娜耶 波利婆利莎訶
如是四大海水可知滴數是无量壽經典可生果報不可數量陁羅尼曰 南謨薄伽勃底
阿波利蜜多 阿喻紇硯娜 須毗你悉指陀 羅佐耶 怛他羯他耶 怛姪他唵 薩婆桑
塞迦羅 波利輸底 達磨底 伽迦娜 莎訶某持迦底 薩婆婆毗輸底 摩訶

BD02468 號　無量壽宗要經　　（5–4）

[illegible]

如是四大海水可知滴數是无量壽經典可生果報不可數量陁羅尼曰　南謨薄伽勃底

阿波利蜜多　阿喻紇硯娜　須毗你悉指陁　囉佐耶　怛他羯他耶　怛姪他唵　薩婆桑

塞迦羅　波利輸底　達摩底　伽迦娜　莎訶　娑持迦底　薩婆婆毗輸底　摩訶

娜耶　波利婆利莎訶　若有人自書寫使人書寫是无量壽經典又能誦持供養

一切十方佛土如來无有別異陁羅尼曰　南謨薄伽勃底　阿波利蜜多　阿喻

紇硯娜　須毗你悉指陁　囉佐耶　怛他羯他耶　怛姪他唵　薩婆桑塞迦羅　波利輸

底　達摩底　伽迦娜　莎訶　娑持迦底　薩婆婆毗輸底　摩訶娜耶　波利婆利

莎訶

布施力能成正覺　悟布施力人師子　布施力能聲善聞　慈悲階漸宗能入

持戒力能成正覺　悟持戒力人師子　持戒力能聲善聞　慈悲階漸宗能入

忍辱力能成正覺　悟忍辱力人師子　忍辱力能聲善聞　慈悲階漸宗能入

精進力能成正覺　悟精進力人師子　精進力能聲善聞　慈悲階漸宗能入

禪定力能成正覺　悟禪定力人師子　禪定力能聲善聞　慈悲階漸宗能入

智慧力能成正覺　悟智慧力人師子　智慧力能聲善聞　慈悲階漸宗能入

尒時如來說是經已一切世間天人阿脩羅揵闥婆等聞佛所說皆大

歡喜信受奉行

佛說无量壽宗要經

張共国

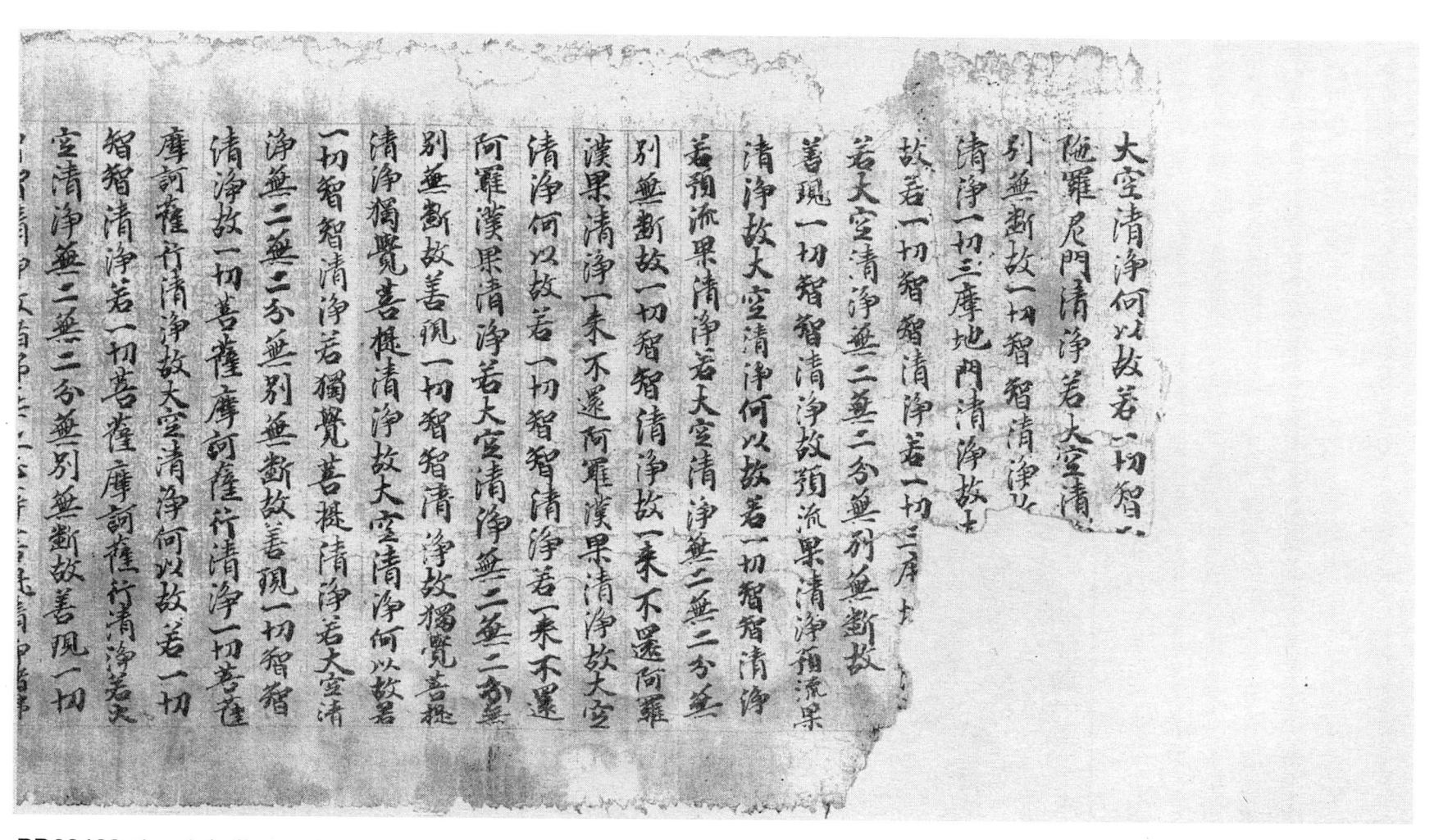

BD02468號　無量壽宗要經　（5–5）

大空清淨何以故若一切智

陁羅尼門清淨若大空清

別無斷故一切智智清淨若

清淨一切三摩地門清淨故大

故若一切智智清淨若一切三摩

善現一切智智清淨故預流果清淨預流果

若大空清淨無二無二分無別無斷故

清淨故大空清淨何以故若一切智智清淨

若預流果清淨若大空清淨無二無二分無

別無斷故一切智智清淨故一來不還阿羅

漢果清淨一來不還阿羅漢果清淨故大空

清淨何以故若一切智智清淨若一來不還

阿羅漢果清淨若大空清淨無二無二分無

別無斷故善現一切智智清淨故獨覺菩提

清淨獨覺菩提清淨故大空清淨何以故若

一切智智清淨若獨覺菩提清淨若大空清

淨無二無二分無別無斷故善現一切智智

清淨故一切菩薩摩訶薩行清淨一切菩薩

摩訶薩行清淨故大空清淨何以故若一切

智智清淨若一切菩薩摩訶薩行清淨若大

空清淨無二無二分無別無斷故善現一切

智智清淨故諸佛無上正等菩提清淨諸佛

BD02469號　大般若波羅蜜多經卷二五〇　（3–1）

清淨故一切菩薩摩訶薩行清淨一切菩薩
摩訶薩行清淨故大空清淨何以故若一切
智智清淨若一切菩薩摩訶薩行清淨若大
空清淨無二無二分無別無斷故善現一切
智智清淨故諸佛無上正等菩提清淨諸佛
無上正等菩提清淨故大空清淨何以故若
一切智智清淨若諸佛無上正等菩提清淨
若大空清淨無二無二分無別無斷故
復次善現一切智智清淨故色清淨色清淨
故勝義空清淨何以故若一切智智清淨若
色清淨若勝義空清淨無二無二分無別無
斷故一切智智清淨故受想行識清淨受想
行識清淨故勝義空清淨何以故若一切智
智清淨若受想行識清淨若勝義空清淨
無二無二分無別無斷故善現一切智智清淨
故眼處清淨眼處清淨故勝義空清淨何以
故若一切智智清淨若眼處清淨若勝義空
清淨無二無二分無別無斷故一切智智清
淨故耳鼻舌身意處清淨耳鼻舌身意處
清淨故勝義空清淨何以故若一切智智清淨
若耳鼻舌身意處清淨若勝義空清淨無二
無二分無別無斷故善現一切智智清淨故
色處清淨色處清淨故勝義空清淨何以故
若一切智智清淨若色處清淨若勝義空清
淨無二無二分無別無斷故一切智智清淨
故聲香味觸法處清淨聲香味觸法處清淨

BD02469號　大般若波羅蜜多經卷二五〇　（3–2）

清淨故勝義空清淨何以故若一切智智清淨
若耳鼻舌身意處清淨若勝義空清淨無二
無二分無別無斷故善現一切智智清淨故
色處清淨色處清淨故勝義空清淨何以故
若一切智智清淨若色處清淨若勝義空清
淨無二無二分無別無斷故一切智智清淨
故聲香味觸法處清淨聲香味觸法處清淨
故勝義空清淨何以故若一切智智清淨若
聲香味觸法處清淨若勝義空清淨無二無
二分無別無斷故善現一切智智清淨故眼
界清淨眼界清淨故勝義空清淨何以故若
一切智智清淨若眼界清淨若勝義空清淨
無二無二分無別無斷故一切智智清淨故
色界眼識界及眼觸眼觸為緣所生諸受清
淨色界乃至眼觸為緣所生諸受清淨故勝
義空清淨何以故若一切智智清淨若色界
乃至眼觸為緣所生諸受清淨若勝義空清
淨無二無二分無別無斷故善現一切智智
清淨故耳界清淨耳界清淨故勝義空清淨
何以故若[illegible]智清淨若耳界清淨若勝

BD02469號　大般若波羅蜜多經卷二五〇　（3–3）

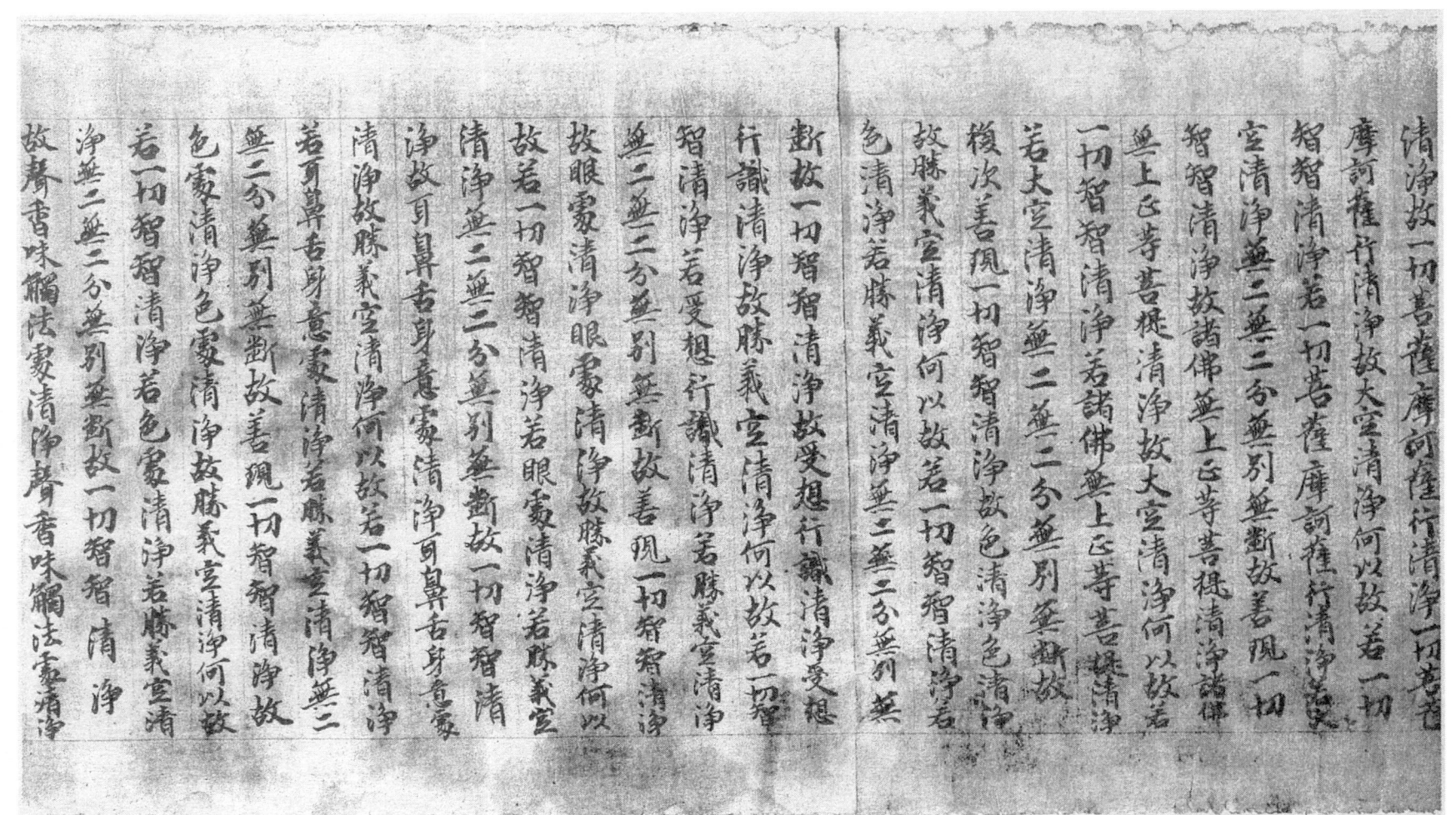

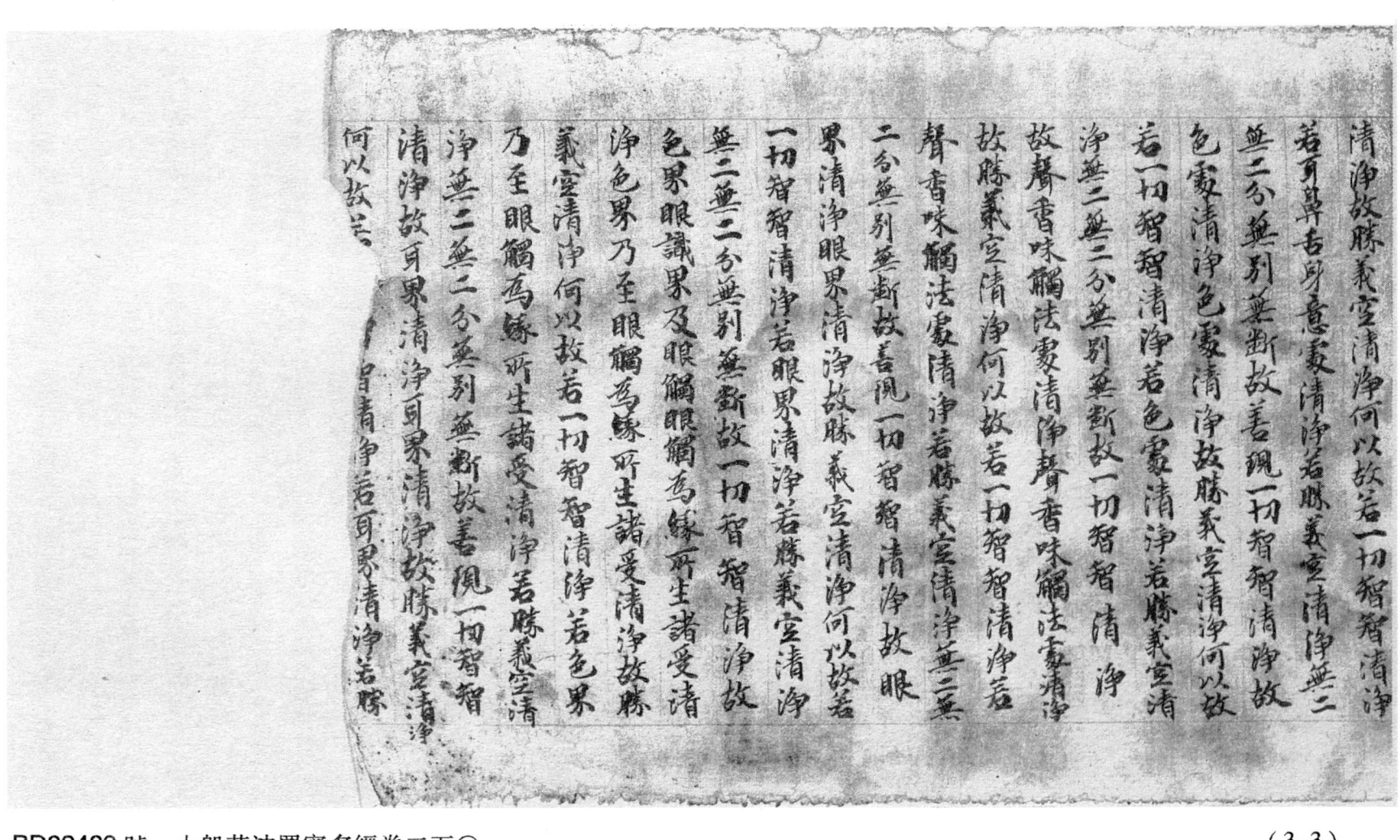

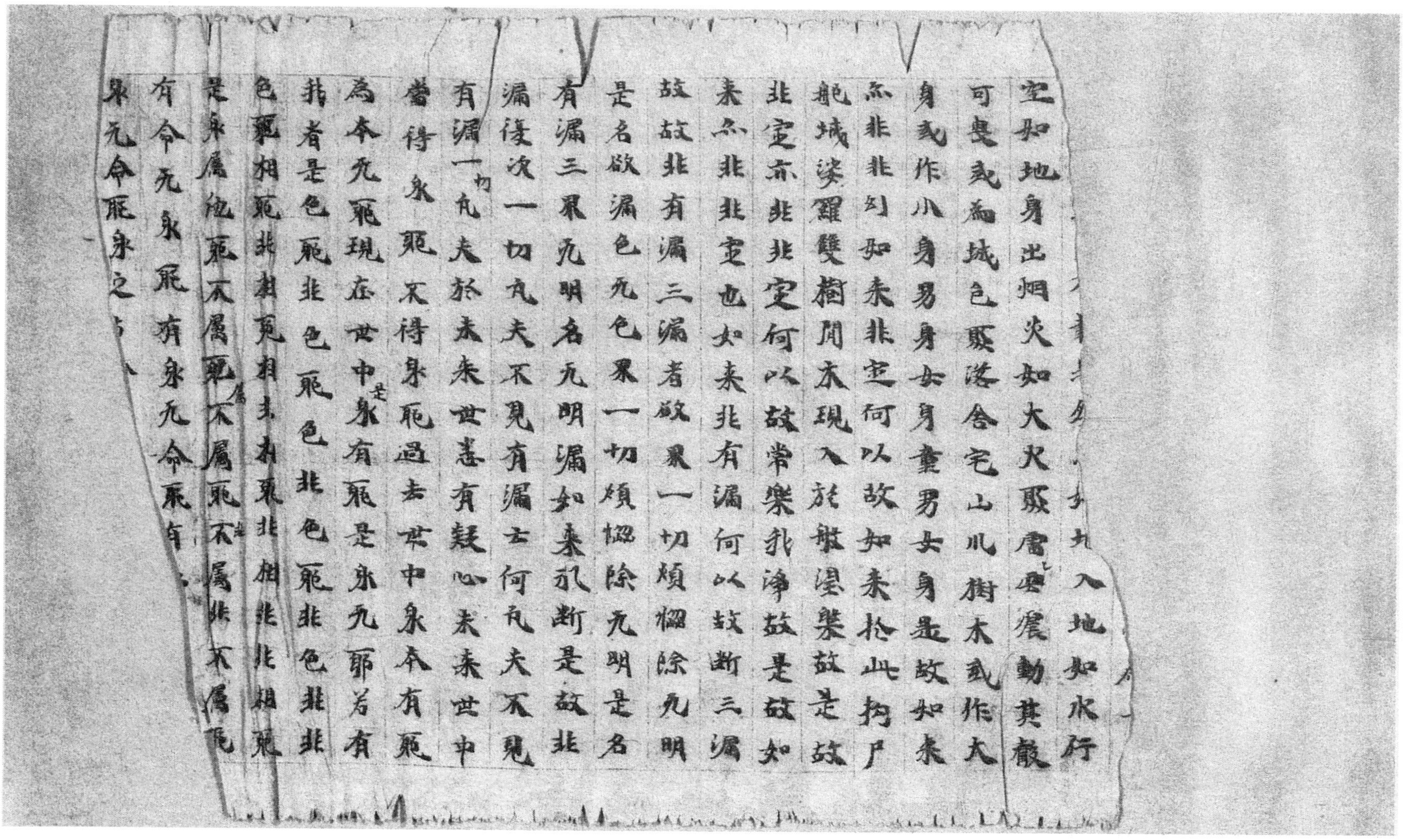

入地如水行
空如地身出烟炎如大火聚雷震動其聲
可畏或為城邑聚落舍宅山川樹木或作大
身或作小身男身女身童男童女身是故如來
亦非非幻如來非定何以故如來於此拘尸
那城娑羅雙樹間示現入於般涅槃是故
非定亦非非定何以故常樂我淨是故如
來亦非非定也如來非有漏何以故斷三漏
故故非有漏三漏者欲界一切煩惱除无明
是名欲漏色无色界一切煩惱除无明是名
有漏三界无明名无明漏如來永斷是故非
漏復次一切凡夫不見有漏去何凡夫不見
有漏一切凡夫於未來世悉有疑心未來世中
當得身耶不得身耶過去世中身本有耶
為本无耶現在世中是身有耶是身无耶若有
我者是色耶非色耶色非色耶非色非非
色耶想耶非想耶想非想耶非想非非想耶
是身屬他耶不屬耶屬不屬耶非屬非不屬耶
有命无身耶有身无命耶有身有命耶
身无命耶身之

BD02470 號　大般涅槃經（北本）卷二二

（1–1）

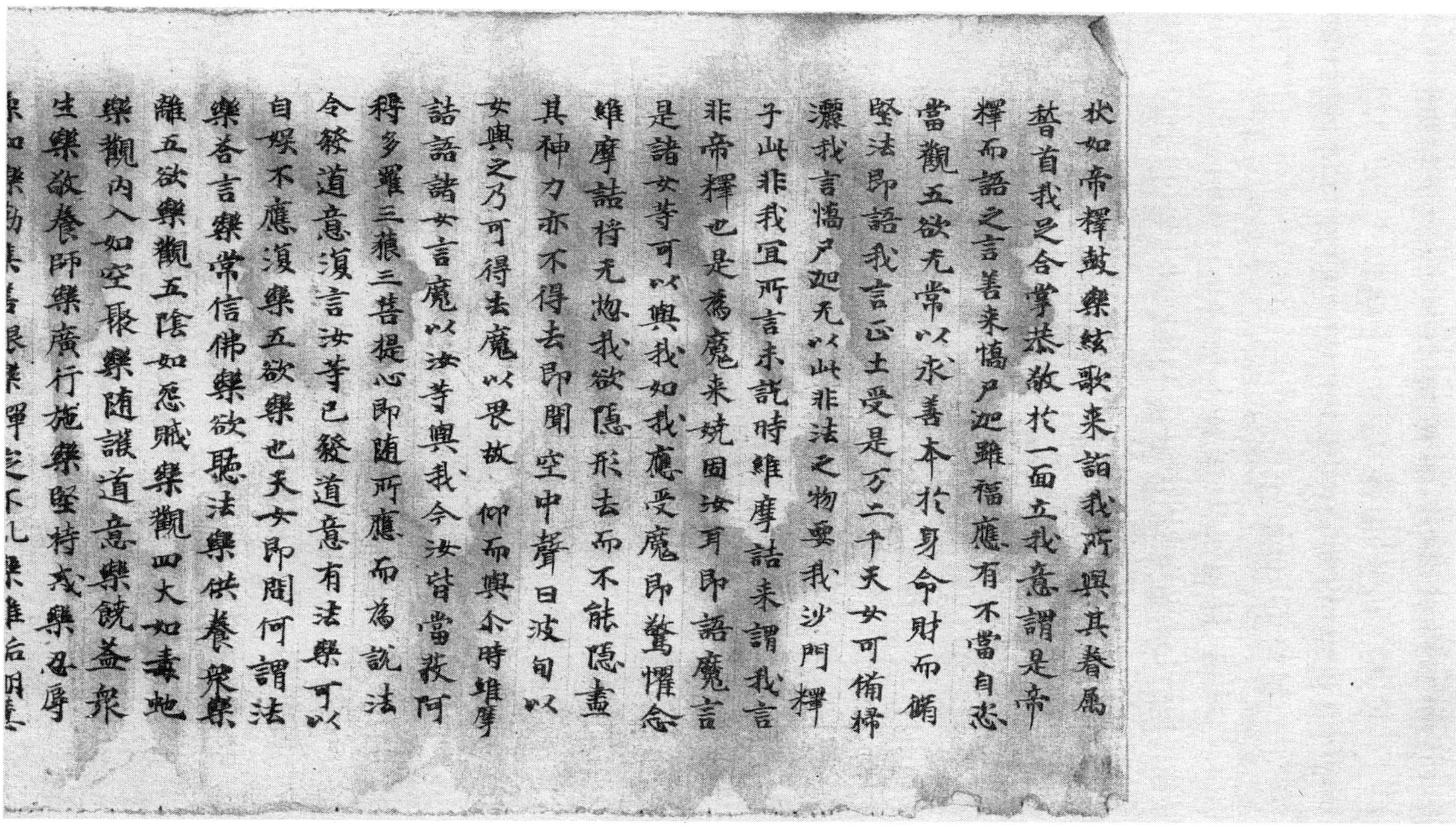

狀如帝釋鼓樂絃歌來詣我所與其眷屬
稽首我足合掌恭敬於一面立我意謂是帝
釋而語之言善來憍尸迦雖福應有不當自恣
當觀五欲无常以求善本於身命財而修
堅法即語我言正士受是万二千天女可備掃
灑我言憍尸迦无以此非法之物要我沙門釋
子此非我宜所言未訖時維摩詰來謂我言
非帝釋也是為魔來嬈固汝耳即語魔言
是諸女等可以與我如我應受魔即驚懼念
維摩詰將无惱我欲隱形去而不能隱盡
其神力亦不得去即聞空中聲曰波旬以
女與之乃可得去魔以畏故俛仰而與尒時維摩
詰語諸女言魔以汝等與我今汝皆當發阿
耨多羅三藐三菩提心即隨所應而為說法
令發道意復言汝等已發道意有法樂可以
自娛不應復樂五欲樂也天女即問何謂法
樂答言樂常信佛樂欲聽法樂供養眾樂
離五欲樂觀五陰如怨賊樂觀四大如毒蛇
樂觀內入如空聚樂隨護道意樂饒益眾
生樂敬養師樂廣行施樂堅持戒樂忍辱
樂柔和樂勤集善根樂禪定不亂樂離垢明慧

BD02471 號　維摩詰所說經卷上

（5–1）

樂荅言樂常信佛樂欲聽法樂供養衆樂
離五欲樂觀五陰如怨賊樂觀四大如毒蛇
樂觀內入如空聚樂隨護道意樂饒益衆
生樂敬養師樂廣行施樂堅持戒樂忍辱
柔和樂勤集善根樂禪定不亂樂離垢明慧
樂廣菩提心樂降伏衆魔樂斷諸煩惱樂淨
佛國土樂成就相好故脩諸功德樂嚴道場樂
聞深法不畏樂三脫門不樂非時樂近同學樂
於非同學中心无恚㝵樂将護惡知識樂近善知
識樂心喜清淨樂脩无量道品之法是爲菩
薩法樂於是波旬告諸女言我欲與汝俱還
天宮諸女言以我等與此居士有法樂我等
甚樂不復樂五欲樂也魔言居士可捨此女
一切所有施於他者是爲菩薩維摩詰言
我已捨矣汝便将去令一切衆生得法願具
足於是諸女問維摩詰我等云何止於魔
宮維摩詰言諸姊有法門名无盡燈汝等
當學无盡燈者譬如一燈然百千燈冥者
皆明明終不盡如是諸姊夫一菩薩開導百
千衆生令發阿耨多羅三藐三菩提心於
其道意亦不滅盡隨所說而自增益一切善
法是名无盡燈也汝等雖住魔宮以是无盡燈
令无數天子天女發阿耨多羅三藐三菩提心
者爲報佛恩亦大饒益一切衆生尒時天女頭
面礼維摩詰足隨魔還宮忽然不現世尊
維摩詰有如是自在神力智慧辯才故我
不任詣彼問疾

BD02471 號　維摩詰所說經卷上　（5-2）

令无數天子天女發阿耨多羅三藐三菩提心
者爲報佛恩亦大饒益一切衆生尒時天女頭
面礼維摩詰足隨魔還宮忽然不現世尊
維摩詰有如是自在神力智慧辯才故我
不任詣彼問疾
佛告長者子善德汝行詣維摩詰問疾善
德白佛言世尊我不堪任詣彼問疾所以者何
憶念我昔自於父舍設大施會供養一切沙
門婆羅門及諸外道貧窮下賤孤獨乞人
滿七日時維摩詰来入會中謂我言長者子夫
大施會不當如汝所設當爲法施之會何用
是財施會爲我言居士何謂法施之會法施
會者无前无後一時供養一切衆生是名法
施之會何謂也謂以菩提起於慈心以救衆
生起大悲心以持正法起於喜心以攝智慧行
於捨心以攝慳貪起檀波羅蜜以化犯戒
起尸羅波羅蜜以无我法起羼提波羅蜜
以離身心相起毗梨耶波羅蜜以菩提相起
禪波羅蜜以一切智起般若波羅蜜教化衆
生而起於空不捨有爲法而起无相示現受
生而起无作護持正法起方便力以度衆生
起四攝法以敬事一切起除慢法於身命財起
三堅法於六念中起思念法於六和敬起質
直心正行善法起於淨命心淨歡喜起近賢
聖不憎惡人起調伏心以出家法起於深心以
說行起於多聞以无諍法起空閑處趣向
佛慧起於宴坐解衆生縛起脩行地以具

BD02471 號　維摩詰所說經卷上　（5-3）

南无福德藏佛　南无法佛
南无天愛佛　南无无畏佛
南无愛佛　南无智勝佛
南无威德光佛　南无月德佛
南无功德聚佛　南无无邊光佛
南无[illegible]佛　南无釋幢佛
南无[illegible]明吼佛　南无普功德佛
南无上幢佛　南无那羅延佛
南无寶信佛　南无普思惟佛
南无善思惟佛　南无善智佛
南无不可量威德佛　南无師子髀佛
南无光明意佛　南无王天佛
南无寶幢佛　南无善住意佛
南无无量天佛　南无聖化佛
南无大功德佛　南无大幢佛
南无大光日佛　南无真法佛
南无[illegible]月佛　南无真報佛
南无勝天佛　南无觀解脱佛
南无寶光明佛　南无孔雀聲佛
南无普行佛　南无成就光佛
南无无量眼佛　南无釋愛佛
南无善讓佛　南无信天佛
南无不可量步佛　南无大成佛
南无心智佛　南无仙步佛
南无大脩佛　南无大步佛
南无勝天佛　南无成就義脩佛

BD02472號　佛名經（十六卷本）卷六　（30–2）

南无心智佛　南无仙步佛
南无大脩佛　南无大步佛
南无勝天佛　南无成就義脩佛
南无月愛佛　南无師子聲佛
南无信說佛　南无智光佛
南无華威德佛　南无光明聚佛
南无神通光佛　南无无量威德佛
南无无量光佛　南无勝藏佛
南无善勝釋佛　南无寶幢佛
南无勝威德佛　南无日幢佛
南无大弥留佛　南无供養莊嚴佛
南无世間聞名佛　南无勝德佛
南无勝釋佛　南无成就步佛
南无大供養佛　南无寶佛
南无不可降伏釋佛　南无應光明佛
南无大燈佛　南无行威儀畏佛
南无奮迅佛　南无障导見佛
南无離疑佛　南无大行佛
南无不失步佛　南无天國土佛
南无喜喜佛　南无華光佛
南无能與光明佛　南无天愛佛
南无解脱光明佛　南无放光明佛
南无作功德佛　南无成智佛
南无道光佛　南无海佛
南无喜菩提佛　南无法光佛
南无大天佛　南无深智佛

BD02472號　佛名經（十六卷本）卷六　（30–3）

南无□功德佛　南无成智佛
南无道光佛　南无海光佛
南无喜菩提佛　南无法光佛
南无大天佛　南无誅智佛
從此以上四千六百佛十二部經一切賢聖
南无法自在佛　南无大信佛
南无智心意佛　南无智光佛
南无不謀思佛　南无起福德佛
南无漏稱佛　南无大莊嚴佛
南无月光佛　南无天光佛
南无清淨行佛　南无功德愛佛
南无師子意佛　南无地清淨佛
南无寶光明佛　南无使光明佛
南无種種日佛　南无月愛佛
南无月蓋佛　南无普觀佛
南无誅佛　南无稱勝佛
南无月面佛　南无龍天佛
南无功德聚佛　南无功德智佛
南无華勝佛　南无世愛佛
南无甘露威德佛　南无寶幢佛
南无日光明佛　南无甘露光佛
南无說法愛佛　南无應愛佛
南无地光佛　南无功德作佛
南无華勝佛　南无功德辯佛
南无法燈佛　南无普光佛
南无梵聲佛　南无大莊嚴佛
南无解脫日佛　南无堅精進佛

BD02472號　佛名經（十六卷本）卷六　（30–4）

南无華勝佛　南无功德辯佛
南无法燈佛　南无普光佛
南无梵聲佛　南无大莊嚴佛
南无解脫日佛　南无堅精進佛
南无佛光明佛　南无功德稱佛
南无智慧佛　南无不可量莊嚴佛
南无師子愛佛　南无功德步佛
南无上天佛　南无觀行佛
南无日天佛　南无電光佛
南无勝愛佛　南无孫留幢佛
南无華光佛　南无上意佛
南无香山佛　南无功德奮迅佛
南无勝意佛　南无信聖佛
南无寶洲佛　南无上威德佛
南无冣後見佛　南无歡喜莊嚴佛
南无功德藏勝佛　南无无垢鏡佛
南无威德力佛　南无清淨眼佛
南无智行佛　南无不謀足佛
南无聖眼佛　南无藥解脫佛
南无大聲佛　南无上國土佛
南无脩行光明佛　南无念業佛
南无信功德佛　南无盧舍稱佛
南无照闇佛　南无愛自在佛
南无月光佛　南无上聲佛
南无功德勝佛　南无攝受擇佛
南无相王佛　南无離病智佛
南无能与聖佛　南无法洲佛

BD02472號　佛名經（十六卷本）卷六　（30–5）

南无功德勝佛　南无攝受擇佛
南无相王佛　南无離病智佛
南无能与聖佛　南无法洲佛
南无甘露功德佛　南无无瞋恨佛
南无甘露香佛　南无月明佛
南无吼聲佛　南无无畏日佛
南无得无畏佛　南无喜愛佛
從此以上四千七百佛十二部經一切賢聖
南无天燈佛　南无信聖佛
南无天盖佛　南无龍光佛
南无勝步佛　南无法威德佛
南无見有佛　南无慚愧面佛
南无勝色佛　南无普眼佛
南无功德光佛　南无勝積佛
南无定實佛　南无功德幢佛
南无世自在劫佛　南无无畏親佛
南无攝智佛　南无降怨佛
南无去光明佛　南无勝積佛
南无一念光佛　南无力士奮迅佛
南无師子足佛　南无求愛佛
南无信世間佛　南无勝威德光明佛
南无師子奮迅聲佛　南无无垢去佛
南无快定智佛　南无離无明佛
南无功德聚佛　南无攝慧佛
南无大智味佛　南无實步佛
南无心日佛　南无觀方佛

BD02472號　佛名經（十六卷本）卷六　（30–6）

南无功德聚佛　南无攝慧佛
南无大智味佛　南无實步佛
南无心日佛　南无觀方佛
南无信說佛　南无思惟忍佛
南无法盖佛　南无不可降伏月佛
南无天華佛　南无天波頭摩佛
南无普威德佛　南无月明佛
南无功德莊嚴佛　南无相王佛
南无稱思惟佛　南无樹幢佛
南无淨行佛　南无威德步佛
南无信衆佛　南无善香佛
南无智者讚歎佛　南无智慧光明佛
南无智鎧佛　南无威德力佛
南无勝威德佛　南无佛歡喜佛
南无勝信佛　南无一切愛佛
南无離諸佛　南无思義佛
南无大高佛　南无聖人面佛
南无黠慧信佛　南无攝菩提佛
南无妙聲佛　南无大威德佛
南无樂師子佛　南无普實佛
南无一切世愛佛　南无分金剛佛
南无師子聲佛　南无過火佛
南无道師佛　南无人月佛
南无大莊嚴佛　南无日光佛
南无快佛　南无普摩尼香佛
南无舜行佛　南无攝稱佛

BD02472號　佛名經（十六卷本）卷六　（30–7）

[illegible]
南无大莊嚴佛　南无日光佛
南无快佛　南无普摩后香佛
南无舜行佛　南无攝稱佛
南无梵供養佛　南无大吼佛
南无應供佛　南无黠慧信佛
南无无量願佛　南无世光佛
南无見忍佛　南无大華佛
南无有我佛　南无如意佛
南无善菩提根佛　南无地得佛
南无天德佛　南无不怯弱聲佛
南无普現佛　南无月光明佛
南无勝信佛　南无決定色佛
從此以上四千八百佛十二部經一切賢聖
南无方便心佛　南无智味佛
南无功德信佛　南无難降伏佛
南无普見佛　南无月光明佛
南无月蓋佛　南无世福佛
南无信供養佛　南无樂勝佛
南无善蓋佛　南无慚愧賢佛
南无能觀佛　南无師子聲佛
南无大行佛　南无普信佛
南无器聲佛　南无勝愛佛
南无普行佛　南无普智佛
南无大奮迅佛　南无月幢佛
南无堅行佛　南无天供養佛
南无能驚怖佛　南无勝稱佛

南无普行佛　南无普智佛
南无大奮迅佛　南无月幢佛
南无堅行佛　南无天供養佛
南无能驚怖佛　南无勝稱佛
南无成就一切德佛　南无堅固佛
南无甘露光佛　南无大聲佛
南无高聲佛　南无大力佛
南无大盡佛　南无信甘露佛
南无行菩提佛　南无勝聲思惟佛
南无高光佛　南无怖勝佛
南无樂種種聲佛　南无愛義佛
南无脩行信佛　南无離憂佛
南无善生佛　南无威德力佛
南无信功德佛　南无齊稱佛
南无放光明德佛　南无疑奮迅佛
南无勝王佛　南无林華佛
南无功德華佛　南无捨諍佛
南无大廣佛　南无大稱佛
南无虛空愛佛　南无甘露奮迅佛
南无日聚佛　南无月聲佛
南无天幢佛　南无与清淨佛
南无能日佛　南无快可見佛
南无堅意勝聲佛　南无雨甘露佛
南无无畏聲佛　南无善根聲佛
南无勝聲佛　南无勝愛佛
南无甘露稱佛　南无法華佛
[illegible]

南无无畏聲佛　南无善相聲佛
南无勝聲佛　南无勝愛佛
南无甘露稱佛　南无法華佛
南无大莊嚴佛　南无世間尊重佛
南无勝意佛　南无弥留光佛
南无清淨思惟佛　南无高光明佛
南无破怨佛　南无甘露城佛
南无華佛　南无大稱佛
次礼十二部尊經大藏法輪
南无弥勒上下經　南无陁羅尼經
南无小泥洹經　南无摩登伽經
南无十輪經　南无五戒經
南无不退輪經　南无入大乘輪經
南无付法藏經　南无楞伽經
南无楞伽阿拔多羅經　南无大夫經
南无善辟菩薩經　南无弥勒發問經
南无法自在經　南无勝鬘經
南无文殊師利經　南无佛說明度經
南无佛說安般經　南无十緣經
從此以上四千九百佛十二部經一切賢聖
南无佛說般泥洹經　南无佛說決定比丘經
南无佛說觀弥勒菩薩生兜率天經
南无佛說危脆經　南无相經　解脫經
南无實車經　南无千佛名目七十佛名經
南无僧忍經
次礼十方諸大菩薩
南无日藏菩薩　南无不歇意菩薩

BD02472 號　佛名經（十六卷本）卷六　（30–10）

南无實車經　南无千佛名目七十佛名經
南无僧忍經
次礼十方諸大菩薩
南无日藏菩薩　南无不歇意菩薩
南无觀世音菩薩　南无满尸利菩薩
南无執實印菩薩　南无常舉手菩薩
南无弥勒菩薩　南无敬首菩薩
南无覺首菩薩　南无實首菩薩
南无惠首菩薩　南无德首菩薩
南无目首菩薩　南无明首菩薩
南无法首菩薩　南无智首菩薩
南无賢首菩薩　南无法慧菩薩
南无功德林菩薩　南无金剛幢菩薩
南无金剛藏菩薩　南无善財童子菩薩
南无轉不退法輪菩薩　南无發即轉法輪菩薩
南无離垢淨菩薩　南无除諸蓋菩薩
南无示威儀見皆愛喜菩薩
南无妙相嚴淨王意菩薩
南无不誑一切眾生菩薩
南无无量功德海意菩薩
南无諸根常定不亂菩薩
南无實意菩薩
次礼聲聞緣覺一切賢聖
南无阿利多辟支佛　南无婆梨多辟支佛
南无多伽樓辟支佛　南无稱辟支佛
南无見辟支佛　南无愛見辟支佛
南无覺辟支佛　南无乾陁羅辟支佛

BD02472 號　佛名經（十六卷本）卷六　（30–11）

南无多伽樓辟支佛　南无稱辟支佛
南无見辟支佛　南无愛見辟支佛
南无覺辟支佛　南无乹陁羅辟支佛
南无妻辟支佛　南无梨沙婆辟支佛

礼三寶已次復懺悔
已懺煩惱障已懺悔業障今
當次第披陳懺悔經中說言業報至時非
非海中非入山石間无有他方所脫之不
受報唯有懺悔力乃能得除滅何以知然
釋提桓因五衰相見恐懼切心歸誠三
寶五相即滅得延天年如是等比經教
所明其事非一故知懺悔實能滅禍但
凡夫之人若不值善友鮮導則靡惡不造
致使大命將盡臨窮之際地獄惡相皆
現在前當命之時悔懼交至不預脩善
臨窮方悔悔復將何及乎殃禍異處宿預嚴
持當獨趣入遠到地獄所住得前行入於
火鑊身心摧碎精神痛苦如此之時欲求
一礼一懺豈復可得衆生等莫自恃盛
年財寶勢力懶墮懈怠放逸自恣死苦
一至无問老少貧富貴賤皆悉磨滅奄
忽而至不令人知夫人命无常喻如朝露
出息雖存入息難保云何以此而不懺悔
且爭天使者既來无常煞鬼卒至盛年壯
色无得免者當命之時華堂遠宇何關
人事高車大馬豈得自隨妻子眷屬非復

BD02472 號　佛名經（十六卷本）卷六　（30–12）

且爭天使者既來无常煞鬼卒至盛年壯
色无得免者當命之時華堂遠宇何關
人事高車大馬豈得自隨妻子眷屬非復
我親七寶珍錢迴爲他玩以此而言世間
果報皆爲幻化上天雖樂會歸敗壞壽盡
䰟逝墮落三塗是故佛語須跋陁言法師
贊頭藍弗利根聰明能伏煩惱至於非非
想處命終還作畜生道中飛狸之身况
復其餘故知未登聖果已還皆應流轉脩
經惡趣如不謹慎忽命一朝親嬰斯事
將悔不及或如今被罪行詣公門已是小苦
情地悼惶眷屬恐懼求救百端地獄衆苦
比於此者百千万倍不得爲喻衆等相与
歷劫以來罪若須弥云何聞此晏然不畏不
驚不恐今此精神復嬰斯苦實爲可痛
是爲弟子運此單誠歸依佛
南无東方調御佛　南无南方金剛藏佛
南无西方登弦界佛　南无北方无邊眼佛
南无東南方无憂德佛
南无西南方壞諸怖畏佛
南无西北方勇猛伏佛
南无東北方大力光明佛
南无下方歡喜路佛　南无上方香上王佛
弟子等從无始以來至於今日所有報障
然其重者第一唯有阿鼻地獄如經所明
今當略說其相此獄周匝有七重鐵城復

BD02472 號　佛名經（十六卷本）卷六　（30–13）

南无下方樹書路佛　南无上方香上王佛
弟子等從无始以来至於今日所有報障
然其重者第一唯有阿鼻地獄如經所明
今當略說其相此獄周匝有七重鐵城復
有七重鐵網羅覆其上下有七重刀林无
量猛火縱廣八万四千由旬罪人之身遍
滿其中罪業因緣不相妨㝵上火徹下
下火徹上東西南北通徹交過如魚在熬脂
膏皆盡此中罪普赤復如是其城四門有
四大銅狗其身縱廣四千由旬牙爪鋒鉅眼
如掣電復有无量鐵嘴諸鳥奮翼飛騰
噉罪人肉牛頭獄卒形如羅剎而有九尾
尾如鐵叉復有八頭頭上有十八角有六十
四眼一一眼中皆悉迸出諸鐵丸燒罪人肉
然其一嗔一怒皆吼之時聲如霹靂復有
无量自然刀輪空中而下從罪人頂入從足
而出於是罪人痛徹骨髓苦切肝心如是
經无量歲求生不得求死不得如是等報
今日皆悉稽顙慚愧懺悔其餘地獄刀山
劍樹身首脫落罪報懺悔鑊湯爐炭
地獄燒煑罪報懺悔鐵床銅柱地獄樵
然罪報懺悔刀輪火車地獄霹靂罪報
懺悔拔舌犁耕地獄楚痛罪報懺悔吞
噉鐵丸烊銅灌口地獄五內消爛罪報懺
悔鐵碓鐵磨地獄骨肉灰粉罪報懺悔
黑繩鐵鋸地獄支節分離罪報懺悔灰

懺悔拔舌犁耕地獄楚痛罪報懺悔吞
噉鐵丸烊銅灌口地獄五內消爛罪報懺
悔鐵碓鐵磨地獄骨肉灰粉罪報懺悔
黑繩鐵鋸地獄支節分離罪報懺悔灰
河沸屎地獄惱悶罪報懺悔醎水寒氷
地獄皮膚折裂裸凍罪報懺悔虎狼
鷹犬地獄更相殘害罪報懺悔刀兵距
地獄更相搏掠斫刺罪報懺悔火坑地
獄炮炙罪報懺悔雨石相磕地獄形骸
破碎罪報懺悔衆合黑耳地獄解剝
罪報懺悔闇冥肉山地獄斬剉罪報懺
悔鋸解釘身地獄斷截罪報懺悔鐵
捧倒懸地獄屠割罪報懺悔燋熱叫喚
地獄煩惌罪報懺悔大小鐵圍山間長
夜冥冥不識三光罪報懺悔阿波波地
獄阿婆婆地獄阿吒吒地獄阿羅羅地獄
如是八寒八熱一切諸地獄一一獄中復有八
万四千鬲子地獄以為眷屬此中罪普炮煑
楚痛剝皮剺肉削骨打髓抽腸拔肺无
量諸苦不可聞不可說
南无佛今日在此中者或是我等无始
以来經生父母一切眷屬我等相與命終
之後或當墮如此獄中今日洗心至到
叩頭稽顙向十方佛大地菩薩求哀懺
悔令此一切報障畢竟消滅
願弟子等承是懺悔地獄等報所生功
德即持破壞可鼻[illegible][illegible]與淨土无

叩頭稽顙向十方佛大地菩薩求哀懺
悔令此一切報障畢竟消滅
願弟子等承是懺悔地獄等報所生功
德即時破壞阿鼻鐵城悉與淨土无
惡道名其餘地獄一切皆具轉爲樂緣刀
山劍樹變成寶林鑊湯爐炭蓮華化生牛
頭獄卒除捨暴虐皆起慈悲无有惡念地
獄衆生得離苦果更不造因等受安樂如
第三禪一時俱發无上道心 礼一拜
南无安隱恩佛 南无道威德佛
南无清淨心佛 南无天供養佛
南无度垢佛 南无離有佛
南无諸華佛 南无大勝佛
南无可樂光明佛 南无火光佛
南无見愛佛 南无光明愛佛
南无喜聲佛 南无大施德佛
南无寶步佛 南无无滯身智佛
南无得威德佛 南无月藏佛
南无淨光明佛 南无大莊嚴佛
南无得樂自在佛 南无妙光明佛
南无齊光佛 南无離疑佛
南无无過智慧佛 南无成就行佛
南无清淨身佛 南无无畏愛佛
南无稱吼佛 南无大吼佛
南无善思佛 南无大思佛
南无清淨色佛 南无大奮迅佛

BD02472號　佛名經（十六卷本）卷六　（30–16）

南无稱吼佛 南无大吼佛
南无善思佛 南无大思佛
南无清淨色佛 南无大奮迅佛
南无樂眼佛 南无命清淨佛
南无行清淨佛 南无離熱智佛
南无應禱佛 南无善集智佛
從此以上五千佛十二部經一切賢聖
南无普信佛 南无設尸威德佛
南无不死成佛 南无不誑聲佛
南无化日佛 南无善住思惟佛
南无高信佛 南无須摩那光明佛
南无光明力佛 南无功德布佛
南无諸俱拘蘇摩佛 南无淨威德佛
南无淨行佛 南无天色心佛
南无力佛 南无普觀佛
南无梵供養佛 南无聖華佛
南无虛空佛 南无降伏鬱孫佛
南无无闢智佛 南无降伏刺佛
南无降伏賊佛 南无應愛佛
南无式功德佛 南无平等勿思佛
南无不怯弱心佛 南无精進信佛
南无高光明佛 南无聞智佛
南无无身心聲佛 南无无畏光佛
南无甘露聲佛 南无種種日佛
南无勝默慧佛 南无可備敵佛

BD02472號　佛名經（十六卷本）卷六　（30–17）

南无甘露聲佛　南无種種日佛
南无勝默慧佛　南无可脩敵佛
南无德王佛　南无諸根佛
南无禪解脫佛　南无大威德佛
南无旃檀香佛　南无見信佛
南无妙橋梁佛　南无可觀佛
南无不可量智佛　南无千日威德佛
南无捨重擔佛　南无稱信佛
南无諸方聞佛　南无自在佛
南无无邊智佛　南无无垢光佛
南无甘露信佛　南无妙眼佛
南无解脫行佛　南无可樂見佛
南无高光明佛　南无大聲佛
南无大威德聚佛　南无光明幢佛
南无應供養佛　南无稱德威德精佛
南无信相佛　南无大炎佛
南无應信佛　南无善住思惟佛
南无須提他佛　南无智作佛
南无普寶佛　南无日光佛
南无說提他佛　南无灰眼佛
南无師子身佛　南无稱親光佛
南无清淨聲佛　南无怖樂佛
南无寂靜增上佛　南无寶威德佛
南无善成德供養佛　南无毛光佛
南无世間尊佛　南无善行淨佛
南无善思□□佛　南无□眼佛

BD02472 號　佛名經（十六卷本）卷六　（30–18）

南无善成德供養佛　南无毛光佛
南无世間尊佛　南无善行淨佛
南无菩提他威德佛　南无應眼佛
南无大步佛　南无成義佛
南无安隱愛佛　南无天摩拉多佛
南无捨湯流佛　南无捨寶佛
南无智端佛　南无橋佛
南无解脫賢佛　南无衆步佛
南无光明威德佛　南无慈力佛
南无月勝佛　南无寂光佛
從此以上五千一百佛十二部經一切賢聖
南无愛眼佛　南无賒尸羅聲佛
南无不死色佛　南无樂法佛
南无大月佛　南无无障导聲佛
南无功德奮迅佛　南无不死華佛
南无平等見佛　南无大月佛
南无功德味佛　南无十光佛
南无種種華佛　南无龍德佛
南无雲聲佛　南无功德步佛
南无思功德佛　南无大聲佛
南无了聲佛　南无遠離惡處佛
南无天華佛　南无快眼佛
南无大然燈佛　南无離癡行佛
南无堅固希佛　南无捨耶佛
南无相華佛　南无不可思議光明佛
南无普賢佛　南无月妙佛

BD02472 號　佛名經（十六卷本）卷六　（30–19）

南无[illegible]佛　南无[illegible]行佛
南无堅固希佛　南无捨耶佛
南无相華佛　南无不可思議光明佛
南无普賢佛　南无月妙佛
南无樂德佛　南无清淨聲佛
南无勝慧佛　南无賢光佛
南无堅固華佛　南无光明意佛
南无福德佛　南无意成就佛
南无樂解脫佛　南无離闇河佛
南无調怨佛　南无不吉捨佛
南无甘露光明佛
南无樂聲佛　南无不可量眼佛
南无快脩行佛　南无妙高光佛
南无集功德佛　南无可樂佛
南无大心佛　南无天信佛
南无思惟甘露佛　南无豔慧佛
南无勝燈佛　南无堅意佛
南无力步佛　南无蓮華葉眼佛
南无菩提光明佛　南无妙吼聲佛
南无六通聲佛　南无威德力佛
南无人稱佛　南无勝華集佛
南无大髻佛　南无不隨他佛
南无无畏行佛　南无不怯弱佛
南无離憂闇佛　南无過湖佛
南无月光佛　南无心勇猛佛
南无解脫慧佛　南无不取捨佛
南无薝蔔燈佛　南无勝火佛

BD02472 號　佛名經（十六卷本）卷六　（30–20）

南无離憂闇佛　南无過湖佛
南无月光佛　南无心勇猛佛
南无解脫慧佛　南无不取捨佛
南无薝蔔燈佛　南无勝火佛
南无善思意佛　南无勝威德色佛
南无信世間佛　南无妙慧佛
南无善善信佛　南无華光佛
南无人華佛　南无善香佛
南无勝功德佛　南无種種華佛
南无高勝佛　南无虛空劫佛
南无天信佛　南无可敬橋佛
南无月光佛　南无大聚佛
南无家力佛　南无智地佛
南无高意佛　南无山王智佛
南无快昇佛　南无妙身佛
南无勝親佛　南无離疑佛
從此以上五千二百佛十二部經一切賢聖
南无應行佛　南无勝香佛
南无无諍行佛　南无脩行功德佛
南无大精進心佛　南无然光明佛
南无攝步佛　南无脩行深心佛
南无香希佛　南无香手佛
南无寂靜智佛　南无妙心佛
南无功德莊嚴佛　南无增上行佛
南无智意佛　南无功德山清淨聲佛
南无攝集佛　南无妙信佛

BD02472 號　佛名經（十六卷本）卷六　（30–21）

南无功德莊嚴佛　南无增上行佛
南无智意佛　南无功德山清淨聲佛
南无攝集佛　南无妙信佛
南无月見佛　南无功德王光明佛
南无法不可力佛　南无離諸疑奮迅佛
南无稱王佛　南无攝諸根佛
南无上去佛　南无甘露光佛
南无甘露心佛　南无諸衆上佛
南无琵佛　南无不可降伏色佛
南无普信佛　南无莊嚴王佛
南无甘露日佛　南无勝燈佛
南无波頭上佛　南无寶藏佛
南无普光佛　南无衆勝王佛
南无普光明上勝積王佛
南无普現佛
南无普賢佛　南无蓮華勝佛
南无自在轉法王佛　南无千世自在聲佛
南无千善无垢聲自在王佛
南无離千无畏聲自在王佛
南无千垢威德自在王佛
南无五百自在佛
南无五百樂自在聲佛　南无日龍歡喜佛
南无離畏稱王佛　南无妙光幢佛
南无離光聲佛　南无稱自在聲佛
南无妙法稱聲佛　南无勝藏稱王佛
南无不可思議意王佛　南无寶幢佛

BD02472號　佛名經（十六卷本）卷六　（30–22）

南无離畏稱王佛　南无妙光幢佛
南无離光聲佛　南无稱自在聲佛
南无妙法稱聲佛　南无勝藏稱王佛
南无不可思議意王佛　南无寶幢佛
南无火自在佛
南无聖智自在幢勇猛王佛
南无不可思慧佛　南无智藏佛
南无智高幢佛　南无智海王佛
南无大精進聲自在王佛
南无弥留勝劫佛
南无智願脩自在種子善无垢吼自在王佛
南无降伏功德海王佛　南无智成就力王佛
南无勝道自在王佛　南无勝闇積自在佛
南无華勝積智佛　南无金剛師子佛
南无成勝佛　南无賢勝佛
南无无邊光佛　南无師子喜佛
南无无盡智積佛　南无寶行佛
南无智波羅蜜佛　南无師子稱佛
南无智功德王佛　南无法華雨佛
南无能作光佛　南无高山佛
南无法妙王无垢佛　南无香自在无垢眼佛
南无集大身佛　南无无障身力王佛
南无自福德力佛　南无智衣佛
南无自在佛　南无无量安隱佛
南无智集佛　南无大弥留佛
南无日藏佛　南无作功德莊嚴佛

BD02472號　佛名經（十六卷本）卷六　（30–23）

南无[illegible]佛　南无[illegible]王佛
南无自福德力佛　南无智衣佛
南无自在佛　南无无量安隱佛
南无智集佛　南无大弥留佛
南无日藏佛　南无作功德莊嚴佛
南无華憶佛　南无功德光明佛
南无離功德闇王佛
南无功德王佛　南无法憶佛
從此以上五千三百佛十二部經一切賢聖
南无聲自在王佛　南无自護佛
南无金剛密迹佛　南无寶自在佛
南无妙憶佛　南无山劫佛
南无樂雲佛　南无法作佛
南无莎羅王佛
南无普功德堅固王佛
南无栴檀佛
南无善住佛　南无善至佛
南无幢勝燈佛　南无智步佛
南无堅幢佛　南无散法稱佛
南无降伏憍慢佛　南无功德炎佛
南无智光明佛　南无智燃燈佛
南无无畏王佛　南无智聲幢稱佛
南无金剛燈佛　南无莊嚴王佛
南无勝數佛　南无善住意佛
南无月王佛　南无次第降伏王佛
南无堅固自在王佛　南无師子步佛
南无那羅延勝藏佛　南无集寶藏佛

BD02472 號　佛名經（十六卷本）卷六　　（30–24）

南无勝數佛　南无善住意佛
南无月王佛　南无次第降伏王佛
南无堅固自在王佛　南无師子步佛
南无那羅延勝藏佛　南无集寶藏佛
南无樹提藏佛　南无星宿差別稱佛
南无功德力堅固王佛　南无妙聲佛
南无梵聲佛　南无勝梵佛
南无堅固土佛　南无千香佛
南无波頭摩勝王佛　南无光輪光佛
南无大光明王佛　南无香波頭摩王佛
南无无邊功德海智上佛
南无閻浮影佛　南无功德山幢佛
南无師子幢佛　南无龍吼佛
南无華威德王佛　南无善香種子佛
南无无我甘露功德威德王劫佛
南无復有八千同名无我甘露功德威王劫佛
南无法智佛　南无龍自在解脫佛
南无金華佛　南无龍吼自在聲佛
南无寶積佛　南无華照佛
南无大香佛　南无須摩那華佛
南无山王佛　南无世眼佛
南无淨王佛　南无閻浮影佛
南无根本上佛　南无寶山佛
南无海藏佛　南无堅力佛
南无上聖佛　南无自在聖佛

BD02472 號　佛名經（十六卷本）卷六　　（30–25）

南无[illegible]佛 南无阿[illegible]佛
南无根本上佛 南无寶山佛
南无海藏佛 南无堅力佛
南无上聖佛 南无自在聖佛
南无拘隣佛 南无師子步佛
南无智幢佛 南无佛聞聲佛
南无廣勝佛 南无安佛
南无智光佛 南无大自在佛
南无奇世佛 南无手書佛
南无居拘律王佛 南无金銀佛
南无供養佛 南无日喜佛
南无寶炎佛 南无善眼佛
南无高淨佛 南无淨聖佛
南无吼聲佛 南无見義佛
南无釋喜佛 南无釋勝佛
次礼十二部尊經大藏法輪
南无八龍王大神呪經 南无和休經
南无羅什譬喻經 南无稻芋經
從此以上五千四百佛十二部經一切賢聖
南无觀發諸王惡偈經 南无鸚鵡王經
南无佛說陁隣尼經 南无方便心論經
南无佛說王耶經 南无鉢記經
南无佛說四願經 南无佛說六字呪王經
南无佛說迦葉經 南无佛說中心經
南无照明三昧經 南无五夢經
南无賢者威儀經 南无法鏡經

南无佛說四願經 南无佛說六字呪王經
南无佛說迦葉經 南无佛說中心經
南无照明三昧經 南无五夢經
南无賢者威儀經 南无法鏡經
南无老女人經 南无未曾有經
南无未生怨經 南无弥勒慧經
南无大泥洹經 南无薩和普王經
南无人本欲生經 南无十二因緣經
南无野雞經 南无我所經
次礼十方諸大菩薩
南无陁羅居自在王菩薩
南无辯才莊嚴菩薩 南无須弥頂王菩薩
南无海德寶嚴淨意菩薩
南无大嚴淨菩薩 南无大相菩薩
南无光相菩薩 南无光德菩薩
南无淨意菩薩 南无喜王菩薩
南无堅勢菩薩 南无堅意菩薩
南无慈王法王子菩薩 南无大日法王子菩薩
南无梵音法王子菩薩 南无妙色法王子菩薩
南无旃檀林法王子菩薩
南无師子吼音法王子菩薩
南无妙聲法王子菩薩
南无妙色形狼法王子菩薩
南无種種莊嚴法王子菩薩
南无釋幢法王子菩薩
南无頂生法王子菩薩

……法王子菩薩
南无種種莊嚴法王子菩薩
南无釋幢法王子菩薩
南无頂生法王子菩薩
次礼聲聞緣覺一切賢聖
南无聞辟支佛　南无智身辟支佛
南无毗耶離辟支佛　南无俱薩羅辟支佛
南无跋藕陁辟支佛　南无无盡淨心辟支佛
南无黑辟支佛　南无唯黑辟支佛
礼三寶已次復懺悔
已懺地獄報竟今當復次懺悔三惡道
報經中佛說多欲之人多求利故苦惱亦
多知足之人雖卧地上猶以為樂不知足者
雖處天堂猶不稱意但世間人忽有急
難便能捨財不計多少而不知此身臨
於三塗深坑之上一息不還便應墮落
忽有知識營功德福令循未來善法資
粮執此慳執心无肯作理夫如此者極
為愚惑何以故命經中佛說生時不費
一文而来死亦不持一文而去皆身積
聚為之憂惱於已无益徒為他有无善
可恃无德可怙致使命終墮諸惡道是
故弟子等今日稽顙歸依佛
南无東方大光曜佛　南无南方虛空住佛
南无西方金剛步佛　南无北方无邊力佛
南无東南方无邊善佛　南无西南方壞諸怨賊佛

南无東方大光曜佛　南无南方虛空住佛
南无西方金剛步佛　南无北方无邊力佛
南无東南方无邊善佛　南无西南方壞諸怨賊佛
南无西北方離垢光佛　南无東北方金色音佛
南无下方師子遊戲佛　南无上方月幢王佛
如是十方盡虛空界一切三寶
弟子今日次復懺悔畜生道中无所識
知罪報懺悔畜生道中負重牽犁償他
宿債罪報懺悔畜生道中不得自在為
他所刲屠割罪報懺悔畜生道中身諸毛
羽鱗甲之内為諸小虫之所唼食罪報如是畜
生道中有无量罪報今日至誠皆悉懺悔
次復懺悔餓鬼道中長飢罪報懺悔餓鬼百千
万歲初不曾聞漿水之名罪報懺悔餓鬼道中
食噉膿血糞穢罪報懺悔餓鬼動身之時一切支
節火燃罪報懺悔餓鬼腹大咽小罪報而是餓
鬼道中无量苦報今日稽顙悉皆懺悔
復次一切鬼神脩羅道中諂詐罪報懺悔鬼
神道中擔沙負石填河塞海罪報懺悔鬼神羅
剎鳩槃荼之惡鬼神生噉血肉受此醜陋罪報如
是鬼神道中无量无邊一切罪報今日稽顙向十
方佛大地菩薩求哀懺悔悉令消滅
願弟子等承是懺悔畜生等報所生功德生生
世世滅愚癡垢自識業緣智慧明照斷惡道身
有戒我鬼等報所生功德生生世世永離慳貪

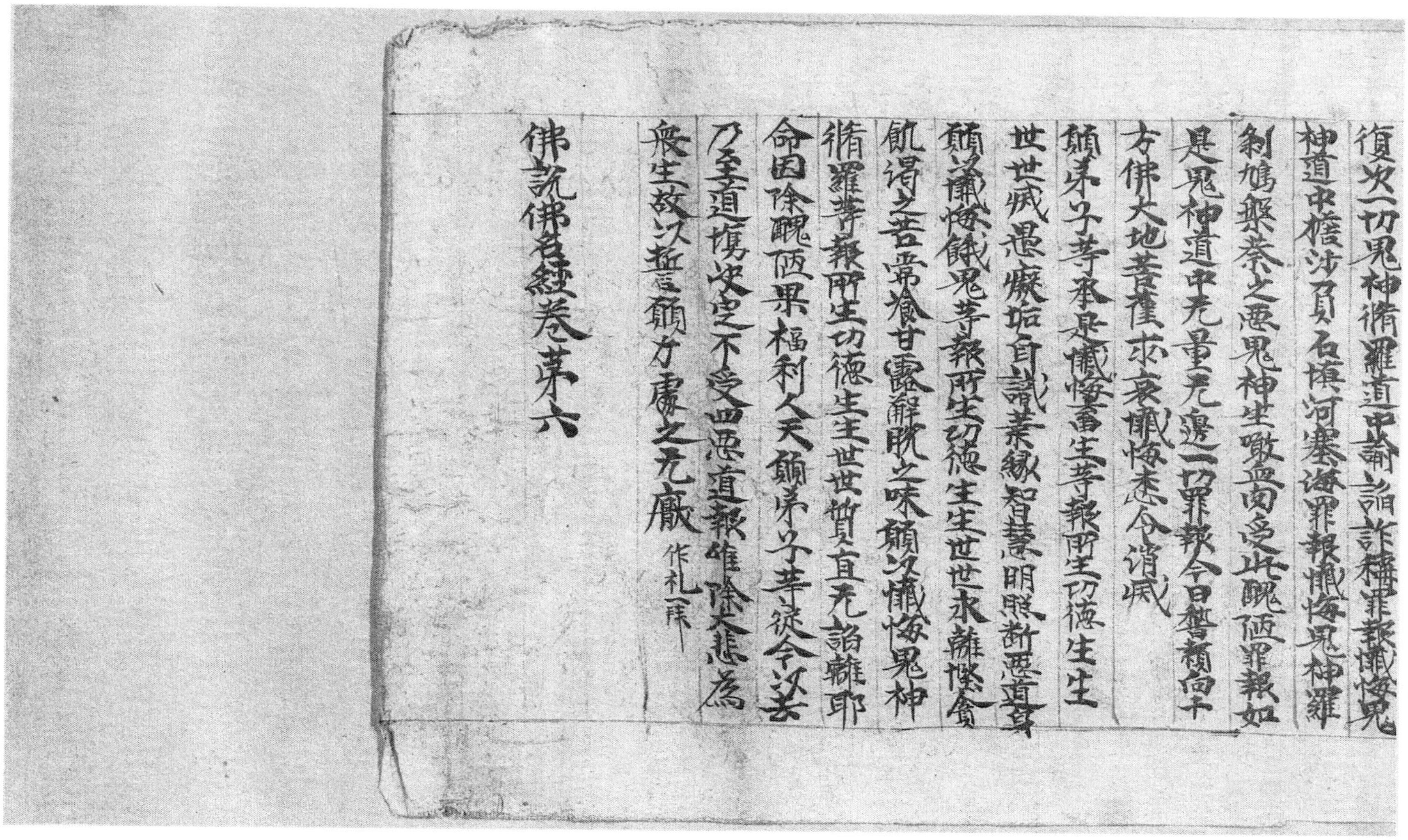

復次一切鬼神脩羅道中諂誑詐稱罪報懺悔鬼
神道中擔沙負石填河塞海罪報懺悔鬼神羅
剎鳩槃荼之惡鬼神生噉血肉受此醜陋罪報如
是鬼神道中無量無邊一切罪報今日慚愧向十
方佛大地菩薩求哀懺悔悉令消滅
願弟子等承是懺悔畜生等報所生功德生生
世世滅愚癡垢自識業緣智慧明照斷惡道身
願以懺悔餓鬼等報所生功德生生世世永離慳貪
飢渴之苦常飡甘露解脫之味願以懺悔鬼神
脩羅等報所生功德生生世世質直無諂離邪
命因除醜陋果福利人天願弟子等從今以去
乃至道場決定不受四惡道報唯除大悲為
衆生故以誓願力處之無厭 作礼一拜

佛說佛名經卷第六

BD02472 號　佛名經（十六卷本）卷六　　（30–30）

BD02472 號卷尾背　勘記　　（1–1）

即現梵王身而為說法應以帝釋身得度者
即現帝釋身而為說法應以自在天身得度
者即現自在天身而為說法應以大自在天
身得度者即現大自在天身而為說法應以
天大將軍身得度者即現天大將軍身而為
說法應以毗沙門身得度者即現毗沙門身
而為說法應以小王身得度者即現小王身
而為說法應以長者身得度者即現長者身
而為說法應以居士身得度者即現居士身
而為說法應以宰官身得度者即現宰官身
而為說法應以婆羅門身得度者即現婆
羅門身而為說法應以比丘比丘尼優婆塞
優婆夷身得度者即現比丘比丘尼優婆塞優
婆夷身而為說法應以長者居士宰官婆羅
門婦女身得度者即現婦女身而為說法應以
童男童女身得度者即現童男童女身而為
說法應以天龍夜叉乾闥婆阿脩羅迦樓羅
緊那羅摩睺羅伽人非人等身得度者即
皆現之而為說法應以執金剛神得度者即
現執金剛神而為說法无盡意是觀世音菩
薩成就如是功德以種種形遊諸國土度脫
眾生是故汝等應當一心供養觀世音菩薩

BD02473 號　妙法蓮華經卷七　（3–1）

現執金剛神而為說法无盡意是觀世音菩
薩成就如是功德以種種形遊諸國土度脫
眾生是故汝等應當一心供養觀世音菩薩
是觀世音菩薩摩訶薩於怖畏急難之中能
施无畏是故此娑婆世界皆號之為施无畏
者无盡意菩薩白佛言世尊我今當供養
觀世音菩薩即解頸眾寶珠瓔珞價直百千兩
金而以與之作是言仁者受此法施珎寶瓔
珞時觀世音菩薩不肯受之无盡意復白觀
世音菩薩言仁者愍我等故受此瓔珞
尒時佛告觀世音菩薩當愍此无盡意菩薩
及四眾天龍夜叉乾闥婆阿脩羅迦樓羅緊
那羅摩睺羅伽人非人等故受是瓔珞即時
觀世音菩薩愍諸四眾及於天龍人非人等
受其瓔珞分作二分一分奉釋迦牟尼佛一
分奉多寶佛塔无盡意觀世音菩薩有如是
自在神力遊於娑婆世界尒時无盡意菩薩
以偈問曰
世尊妙相具　我今重問彼　佛子何因緣　名為觀世音
具足妙相尊　偈荅无盡意　汝聽觀音行　善應諸方所
弘誓深如海　歷劫不思議　侍多千億佛　發大清淨願
我為汝略說　聞名及見身　心念不空過　能滅諸有苦
假使興害意　推落大火坑　念彼觀音力　火坑變成池
或漂流巨海　龍魚諸鬼難　念彼觀音力　波浪不能沒
或在須彌峯　為人所推墮　念彼觀音力　如日虛空住
或被惡人逐　墮落金剛山　念彼觀音力　不能損一毛
或值怨賊繞　各執刀加害　念彼觀音力　咸即起慈心

BD02473 號　妙法蓮華經卷七　（3–2）

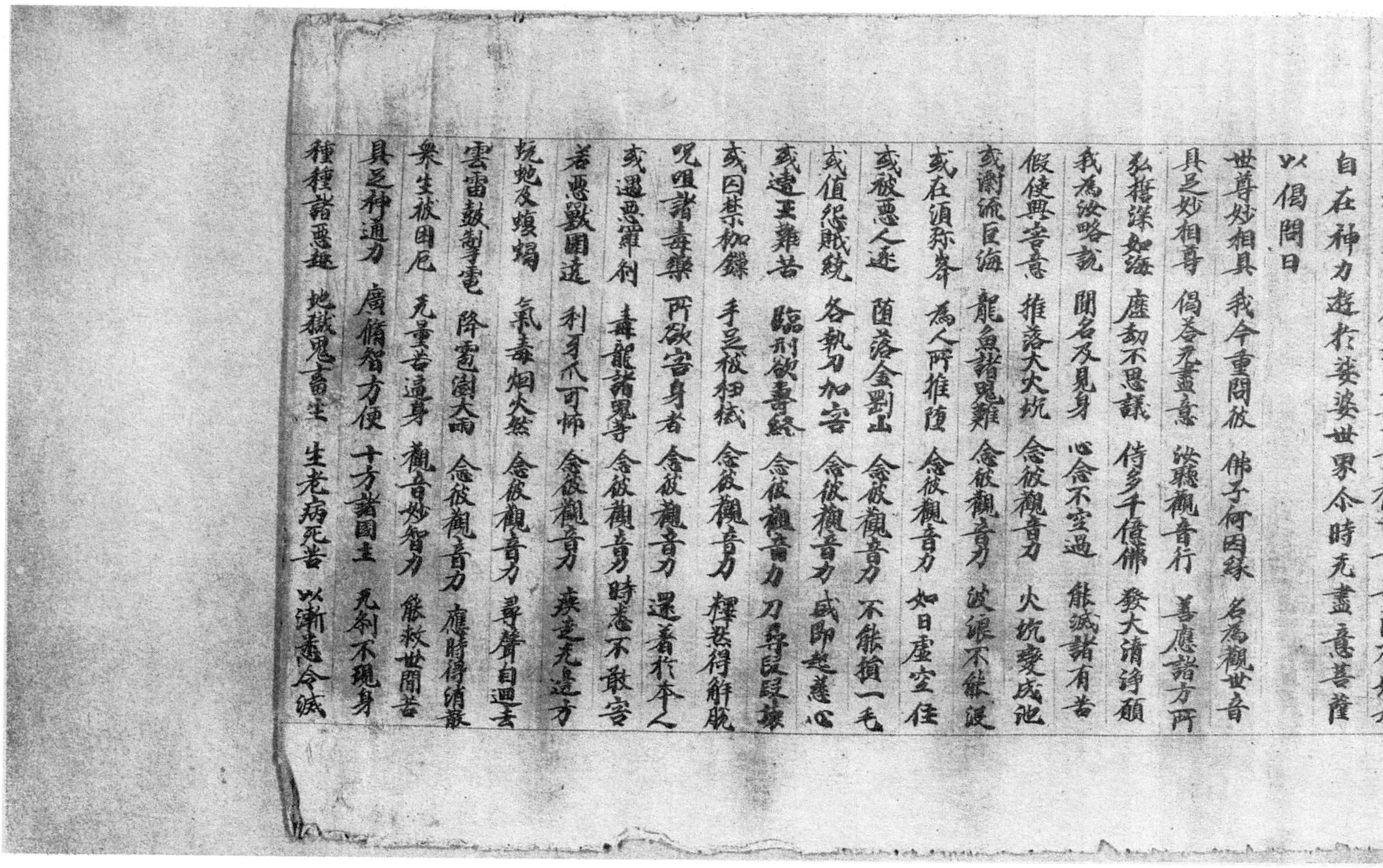
分奉多寶佛塔无盡意觀世音菩薩有如是
自在神力遊於娑婆世界尒時无盡意菩薩
以偈問曰
世尊妙相具 我今重問彼 佛子何因緣 名為觀世音
具足妙相尊 偈荅无盡意 汝聽觀音行 善應諸方所
弘誓深如海 歷劫不思議 侍多千億佛 發大清淨願
我為汝略說 聞名及見身 心念不空過 能滅諸有苦
假使興害意 推落大火坑 念彼觀音力 火坑變成池
或漂流巨海 龍魚諸鬼難 念彼觀音力 波浪不能沒
或在須弥峯 為人所推墮 念彼觀音力 如日虛空住
或被惡人逐 墮落金剛山 念彼觀音力 不能損一毛
或值怨賊繞 各執刀加害 念彼觀音力 咸即起慈心
或遭王難苦 臨刑欲壽終 念彼觀音力 刀尋段段壞
或囚禁枷鎖 手足被杻械 念彼觀音力 釋然得解脫
呪詛諸毒藥 所欲害身者 念彼觀音力 還著於本人
或遇惡羅剎 毒龍諸鬼等 念彼觀音力 時悉不敢害
若惡獸圍遶 利牙爪可怖 念彼觀音力 疾走无邊方
蚖蛇及蝮蝎 氣毒烟火然 念彼觀音力 尋聲自迴去
雲雷鼓掣電 降雹澍大雨 念彼觀音力 應時得消散
眾生被困厄 无量苦逼身 觀音妙智力 能救世間苦
具足神通力 廣脩智方便 十方諸國土 无剎不現身
種種諸惡趣 地獄鬼畜生 生老病死苦 以漸悉令滅

BD02473 號　妙法蓮華經卷七　　（3–3）

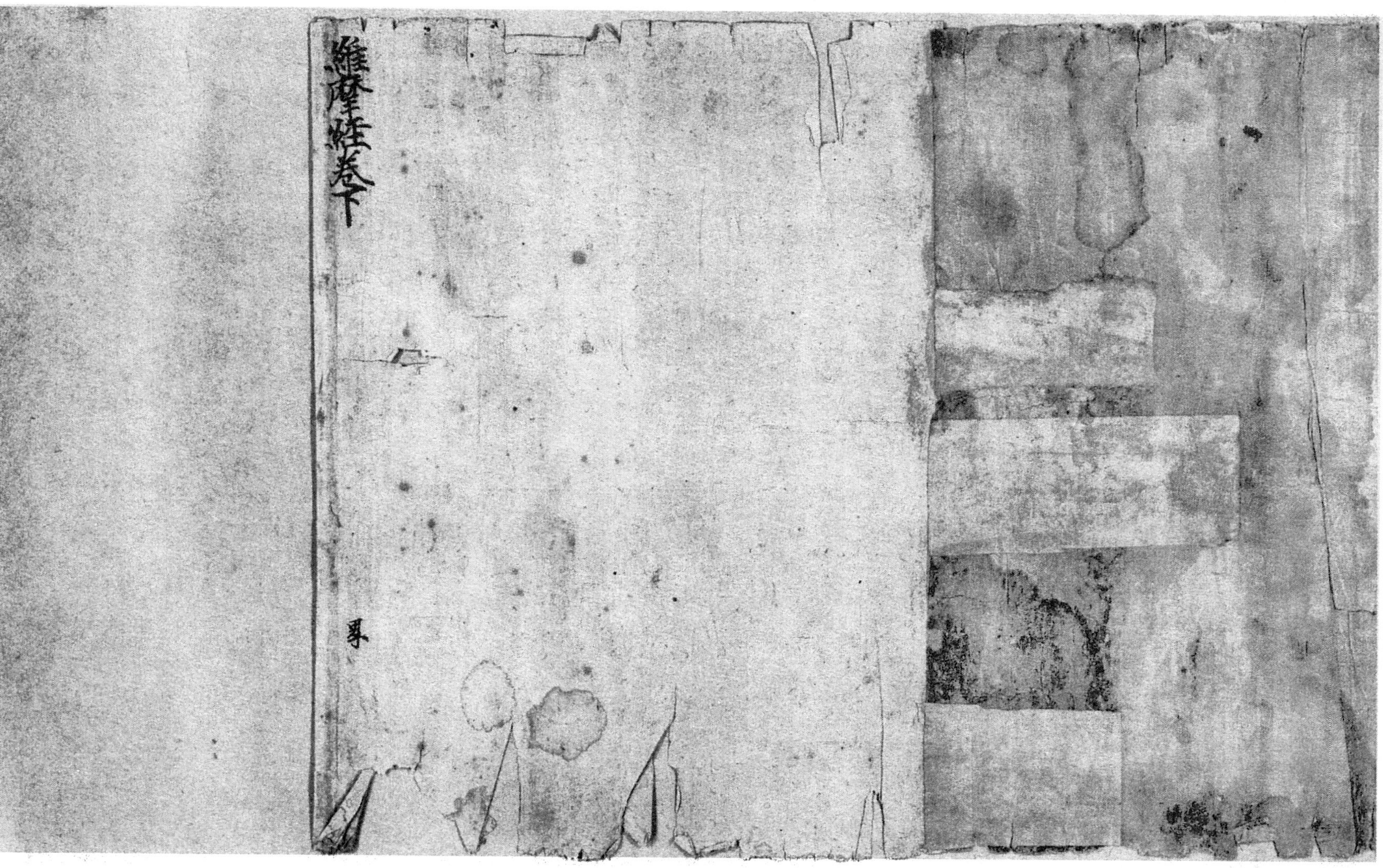
維摩經卷下

BD02474 號背　維摩詰所說經卷下護首　　（1–1）

香積品第十
於時舍利弗心念日時欲至此諸菩薩當於何食時維摩
詰知其意而語言佛說八解脫仁者受行豈雜欲食而聞
法乎若欲食者且待須臾當令汝得未曾有食時維摩詰
即入三昧以神通力示諸大衆上方界分過四十二恒河沙佛
土有國名衆香佛号香積今現在其國香氣比於十方
諸佛世界人天之香最為第一彼土无有聲聞辟支佛名
唯有清淨大菩薩衆佛為說法其界一切皆以香作樓閣
經行香地苑園皆香其食香氣周流十方无量世界時彼
佛與諸菩薩方共坐食有諸天子皆号香嚴悉發阿耨

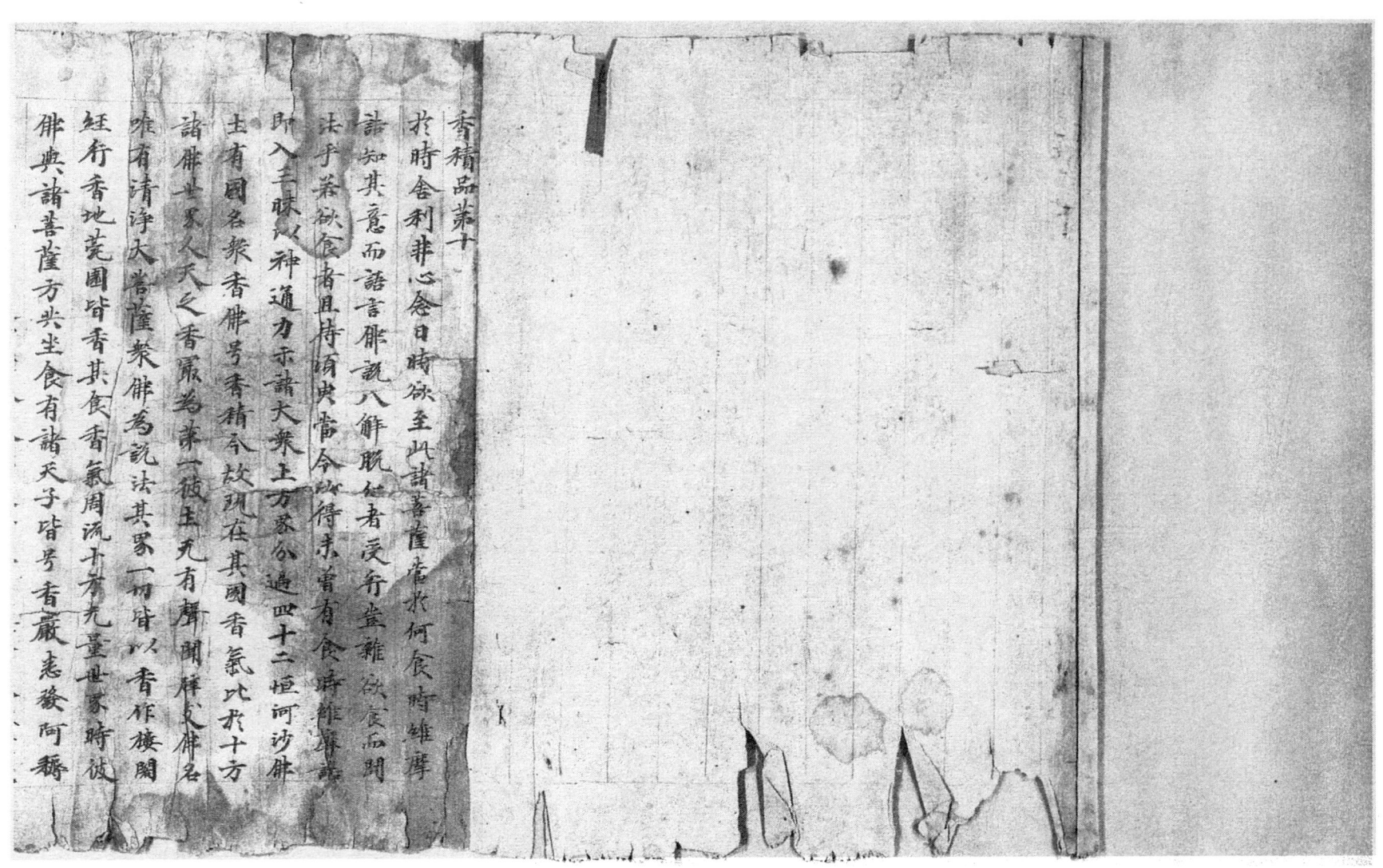

BD02474 號　維摩詰所說經卷下　（16–1）

諸佛世界人天之香最為第一彼土无有聲聞辟支佛名
唯有清淨大菩薩衆佛為說法其界一切皆以香作樓閣
經行香地苑園皆香其食香氣周流十方无量世界時彼
佛與諸菩薩方共坐食有諸天子皆号香嚴悉發阿耨
多羅三藐三菩提心供養彼佛及諸菩薩此諸大衆莫不
目見時維摩詰問衆菩薩諸仁者誰能致彼佛飯以文
殊師利威神力故咸皆默然維摩詰言仁者此大衆无乃可
恥文殊師利曰如佛所言勿輕未學於是維摩詰不起于坐
居衆會前化作菩薩相好光明威德殊勝蔽於衆會而告
之曰汝往上方界分度如四十二恒河沙佛土有國名衆香佛
号香積與諸菩薩方共坐食汝往到彼如我辭曰維摩詰
稽首世尊足下致敬无量問訊起居少病少惱氣力安不
願得世尊所食之餘當於娑婆世界施作佛事令此樂小
法者得弘大道亦使如來名聲普聞時化菩薩即於會前
昇于上方舉衆皆見其去到衆香界礼彼佛足又聞其
言維摩詰稽首世尊足下致敬无量問訊起居少病少惱
氣力安不願得世尊所食之餘欲於娑婆世界施作佛事
使此樂小法者得弘大道亦使如來名聲普聞彼諸大士
見化菩薩歎未曾有今此上人從何所來娑婆世界為在
何許云何名為樂小法者即以問佛佛告之曰下方度如
四十二恒河沙佛土有世界名娑婆佛号釋迦牟尼今現
在於五濁惡世為樂小法衆生敷演道教彼有菩薩名維摩
詰住不可思議解脫為諸菩薩說法故遣化來稱揚我名
并讚此土令彼菩薩增益功德彼菩薩言其人何如乃作
是化德力无畏神足若斯佛言甚大一切十方皆遣化往
施作佛事饒益衆生
於是香積如來以衆香鉢盛滿香飯與化菩薩時彼九百萬菩
薩俱發聲言我欲詣娑婆世界供養釋迦牟尼佛并欲見維
摩詰等諸菩薩衆佛言可往攝汝身香无令彼諸衆生起

BD02474 號　維摩詰所說經卷下　（16–2）

於是香積如來以衆香鉢盛滿香飯與化菩薩時彼九百萬菩薩俱發聲言我欲詣娑婆世界供養釋迦牟尼佛并欲見維摩詰等諸菩薩衆佛言可往攝汝身香无令彼諸衆生起惑著心又當捨汝本形勿使彼國求菩薩者而自鄙恥又汝於彼莫懷輕賤而作礙想所以者何十方國土皆如虛空又諸佛為欲化諸樂小法者不盡現其清淨土耳時化菩薩既受鉢飯與彼九百萬菩薩俱承佛威神及維摩詰力於彼世界忽然不現須臾之間至維摩詰舍維摩詰即化作九百萬師子之座嚴好如前諸菩薩皆坐其上化菩薩以滿鉢香飯與維摩詰飯香普熏毗耶離城及三千大千世界時毗耶離婆羅門居士等聞是香氣身意快然歎未曾有於是長者主月蓋從八萬四千人來入維摩詰舍見其室中菩薩甚多諸師子座高廣嚴好皆大歡喜礼衆菩薩及大弟子却住一面諸地神虛空神及欲色界諸天聞此香氣亦皆來入維摩詰舍時維摩詰語舍利弗等諸大聲聞仁者可食如來甘露味飯大悲所薰无以限意食之使不消也有異聲聞念是飯少而此大衆人人當食化菩薩曰勿以聲聞小德小智稱量如來无量福慧四海有竭此飯无盡使一切人食揣若須彌乃至一劫猶不能盡所以者何无盡戒定智慧解脫解脫知見功德具足者所食之餘終不可盡於是鉢飯悉飽衆會猶故不賜其諸菩薩聲聞天人食此飯者身安快樂譬如一切樂莊嚴國諸菩薩也又諸毛孔皆出妙香亦如衆香國土諸樹之香尒時維摩詰問衆香菩薩香積如來以何說法彼菩薩曰我土如來无文字說但以衆香令諸天人得入律行菩薩各各坐香樹下聞斯妙香即獲一切德藏三昧得是三昧者菩薩所有功德皆悉具足彼諸菩薩問維摩詰今世尊釋迦牟尼以何說法維摩詰言此土衆生剛強難化故佛為說剛強之語以調伏之言是地獄是畜生是餓鬼是諸難處是愚人生

BD02474 號　維摩詰所說經卷下

(16–3)

薩所有功德皆悉具足彼諸菩薩問維摩詰今世尊釋迦牟尼以何說法維摩詰言此土衆生剛強難化故佛為說剛強之語以調伏之言是地獄是畜生是餓鬼是諸難處是愚人生處是身邪行是身邪行報是口邪行是口邪行報是意邪行是意邪行報是煞生是煞生報是不與取是不與取報是邪婬是邪婬報是妄語是妄語報是兩舌是兩舌報是惡口是惡口報是无義語是无義語報是貪嫉是貪嫉報是瞋惱是瞋惱報是邪見是邪見報是慳悋是慳悋報是毀戒是毀戒報是瞋恚是瞋恚報是懈怠是懈怠報是亂意是亂意報是愚癡是愚癡報是結戒是持戒是犯戒是應作是不應作是鄣礙是不鄣礙是得罪是離罪是淨是垢是有漏是无漏是邪道是正道是有為是无為是世間是涅槃以難化之人心如猿猴故以若干種法制御其心乃可調伏譬如象馬𢤱悷不調加諸楚毒至乃徹骨然後調伏如是剛強難化衆生故以一切苦切之言乃可入律彼諸菩薩聞說是已皆曰未曾有也如釋迦牟尼佛隱其无量自在之力乃以貧所樂法度脫衆生斯諸菩薩亦能勞謙以无量大悲生是佛土維摩詰言此土菩薩於諸衆生大悲堅固誠如所言然其一世饒益衆生多於彼國百千劫行所以者何此娑婆世界有十事善法諸餘淨土之所无有何等為十以布施攝貧窮以淨戒攝毀禁以忍辱攝瞋恚以精進攝懈怠以禪定攝亂意以智慧攝愚癡說除難法度八難者以大乘法度樂小乘者以諸善根濟无德者常以四攝成就衆生是為十彼菩薩曰菩薩成就幾法於此世界行无瘡疣生于淨土維摩詰言菩薩成就八法於此世界行无瘡疣生于淨土何等為八饒益衆生而不望報代一切衆生受諸苦惱所作功德盡以施之等心衆生謙下无礙於諸菩薩視之如佛所未聞經聞之不疑不與聲聞而相

BD02474 號　維摩詰所說經卷下

(16–4)

无瘡疣生于淨土何等為八饒益衆生而不望報代一切
衆生受諸苦惱所作功德盡以施之等心衆生謙下无礙
於諸菩薩視之如佛所未聞經聞之不疑不與聲聞而相
違背不嫉彼供不高己利而於其中調伏其心常省己過不
訟彼短恒以一心求諸功德是為八維摩詰文殊師利於大
衆中說是法時百千天人皆發阿耨多羅三藐三菩提心十
千菩薩得无生法忍

菩薩行品第十一

是時佛說法於菴羅樹園其地忽然廣博嚴事一切衆會
皆作金色阿難白佛言世尊以何因緣有此瑞應是處忽
然廣博嚴事一切衆會皆作金色佛告阿難是維摩詰
文殊師利與諸大衆恭敬圍繞發意欲來先為此瑞應於是
維摩詰語文殊師利可共見佛與諸菩薩礼事供養文殊
師利言善哉行矣今正是時維摩詰即以神力持諸大衆
并師子座置於右掌往詣佛所到已著地稽首佛足右遶七
帀一心合掌在一面立其諸菩薩即皆避坐稽首佛足亦遶七
帀於一面立諸大弟子釋梵四天王等亦皆避坐稽首佛足
在一面立於是世尊如法慰問諸菩薩已各令復坐即皆受
教衆坐已定佛語舍利弗汝見菩薩大士自在神力之所為
乎唯然已見汝意云何世尊我覩其為不可思議非意所
圖非度所測尒時阿難白佛言世尊今所聞香自昔未有
是為何香佛告阿難是彼菩薩毛孔之香於是舍利弗
語阿難言我等毛孔亦出是香阿難言此所從來曰是長
者維摩詰從衆香國取佛餘飯於舍食者一切毛孔皆香
若此阿難問維摩詰是香氣住當久如維摩詰言至此
飯消曰此飯久如當消曰此飯勢力至于七日然後乃消又阿
難若聲聞人未入正位食此飯者得入正位然後乃消已入正
位食此飯者得心解脫然後乃消若未發大乘意食此飯者
至發意乃消已發意食此飯者得无生忍然後乃消已得无

BD02474 號　維摩詰所說經卷下　（16–5）

飯消曰此飯久如當消曰此飯勢力至于七日然後乃消又阿
難若聲聞人未入正位食此飯者得入正位然後乃消已入正
位食此飯者得心解脫然後乃消若未發大乘意食此飯者
至發意乃消已發意食此飯者得无生忍然後乃消已得无
生忍食此飯者至一生補處然後乃消譬如有藥名曰上味
其有服者身諸毒滅然後乃消此飯如是滅除一切煩惱毒
然後乃消阿難白佛言未曾有也世尊如此香飯能作佛事
佛言如是如是阿難或有佛土以佛光明而作佛事有以
諸菩薩而作佛事有以佛所化人而作佛事有以菩提樹而
作佛事有以佛衣服臥具而作佛事有以飯食而作佛事
有以園林臺觀而作佛事有以三十二相八十隨形好而作佛
事有以佛身而作佛事有以虛空而作佛事衆生應以此
緣得入律行有以夢幻影響鏡中像水中月熱時焰如是
等喻而作佛事有以音聲語言文字而作佛事或有清淨
佛土寂寞无言无說无示无識无作无為而作佛事如是阿
難諸佛威儀進止諸所施為无非佛事阿難有此四魔八
萬四千諸煩惱門而諸衆生為之疲勞諸佛即以此法而
作佛事是名入一切諸佛法門菩薩入此門者若見一切淨
妙佛土不以為喜不貪不高若見一切不淨佛土不以為憂
不礙不沒但於諸佛生清淨心歡喜恭敬未曾有也諸佛
如來功德平等為教化衆生故而現佛土不同阿難汝見諸
佛國土地有若干而虛空无若干也如是見諸佛色身有
若干耳其无礙慧无若干也阿難諸佛色身威相種姓戒
定智慧解脫解脫知見力无所畏不共之法大慈大悲威
儀所行及其壽命說法教化成就衆生淨佛國土具諸佛
法悉皆同等是故名為三藐三佛陀名為多陀阿伽度名為
佛陀阿難若我廣說此三句義汝以劫壽不能盡受正使三
千大千世界滿中衆生皆如阿難多聞第一得念總持此諸人
等以劫之壽亦不能受如是阿難諸佛阿耨多羅三藐三菩

BD02474 號　維摩詰所說經卷下　（16–6）

法悉皆同等是故名為三藐三佛陀名為多陀阿伽度名為
佛陀阿難若我廣說此三句義汝以劫壽不能盡受正使三
千大千世界滿中衆生皆如阿難多聞第一得念捴持此諸人
等以劫之壽亦不能受如是阿難諸佛阿耨多羅三藐三菩
提无有限量智慧辯才不可思議阿難白佛我從今已往
不敢自謂以為多聞佛告阿難勿起退意所以者何我說汝
於聲聞中為最多聞非謂菩薩且止阿難其有智者不應
限量諸菩薩也一切海淵尚可測量菩薩禪定智慧捴
持辯才一切功德不可量也阿難汝等捨置菩薩所行是
維摩詰一時所現神通之力一切聲聞辟支佛於百千劫
盡力變化所不能作
尒時衆香世界菩薩來者合掌白佛言世尊我等初
見此土生下劣想今自悔責捨離是心所以者何諸佛方
便不可思議為度衆生故隨其所應現佛國異唯然世尊
願賜少法還於本土當念如來佛告諸菩薩有盡无盡
解脫法門汝等當學何謂為盡謂有為法何謂无盡謂
无為法如菩薩者不盡有為不住无為何謂不盡有為謂
不離大慈不捨大悲深發一切智心而不忽忘教化衆生終
不猒惓於四攝法常念順行護持正法不惜軀命種諸善
根无有疲猒志常安住方便迴向求法不懈說法无悋勤
供諸佛故入生死而无所畏於諸榮辱心无憂喜不輕未
學敬學如佛墮煩惱者令發正念於遠離樂不以為貴
不著己樂慶於彼樂在諸禪定如地獄想於生死中如園
觀想見來求者為善師想捨諸所有具一切智想見毀戒
人起救護想諸波羅蜜為父母想道品之法為眷屬想發行
善根无有齊限以諸淨國嚴飾之事成己佛土行不限
施具足相好除一切惡淨身口意故生死无數劫意而有勇
聞佛无量德志而不惓以智慧劒破煩惱賊出陰界入荷
負衆生永使解脫以大精進摧伏魔軍常求无念實相

善根无有齊限以諸淨國嚴飾之事成己佛土行不限
施具足相好除一切惡淨身口意故生死无數劫意而有勇
聞佛无量德志而不惓以智慧劒破煩惱賊出陰界入荷
負衆生永使解脫以大精進摧伏魔軍常求无念實相
智慧行少欲知足而不捨世法不壞威儀而能隨俗起神
通慧引導衆生得念捴持所聞不忘善別諸根斷衆生
疑以樂說辯演法无㝵淨十善道受天人福脩四无量開
梵天道勸請說法隨喜讚善得佛音聲身口意善得佛
威儀深脩善法所行轉勝以大乘教成菩薩僧心无放
逸不失衆善行如此法是名菩薩不盡有為何謂菩薩
不住无為謂脩學空不以空為證脩學无相无作不以无相
无作為證脩學无起不以无起為證觀於无常而不猒善
本觀世間苦而不惡生死觀於无我而誨人不惓觀於寂
滅而不永寂滅觀於遠離而身心脩善觀无所歸而歸
趣善法觀於无生而以生法荷負一切觀於无漏而不斷
諸漏觀无所行而以行法教化衆生觀於空无而不捨大
悲觀正法位而不隨小乘觀諸法虛妄无牢无人无主无
相本願未滿而不虛福德禪定智慧脩如此法是名菩薩
不住无為又具福德故不住无為具智慧故不盡有為大
慈悲故不住无為滿本願故不盡有為集法藥故不住无
為隨授藥故不盡有為知衆生病故不住无為滅衆生
病故不盡有為諸正士菩薩已脩此法不盡有為不住无
為是名盡无盡解脫法門汝等當學尒時彼諸菩薩聞
說是法皆大歡喜以衆妙華若干種色若干種香散遍
三千大千世界供養於佛及此經法并諸菩薩已稽首佛
足歎未曾有言釋迦牟尼佛乃能於此善行方便言已忽
然不現還到彼國
見阿閦佛品第十二
尒時世尊問維摩詰汝欲見如來為以何等觀如來乎
維摩詰言如自觀身實相觀佛亦然我觀如來前際不

然不現還到彼國
見阿閦佛品第十二
尒時世尊問維摩詰汝欲見如來爲以何等觀如來乎
維摩詰言如自觀身實相觀佛亦然我觀如來前際不
來後際不去今則不住不觀色不觀色如不觀色性不
觀受想行識不觀識如不觀識性非四大起同於虛空六
入无積眼耳鼻舌身心已過不在三界三垢已離順三解脫
門三明與无明等不一相不異相不自相不他相非无相非
取相不此岸不彼岸不中流而化衆生觀於寂滅亦不
永滅不此不彼不以此不以彼不可以智知不可以識識无
晦无明无名无相无強无弱非淨非穢不在方不離方
非有為非无為无示无說不施不慳不戒不犯不忍不恚
不進不怠不定不亂不智不愚不誠不欺不來不去不出
不入一切言說道斷非福田非不福田非應供養非不應供
養非取非捨非有相非无相同真際等法性不可稱不可量
過諸稱量非大非小非見非聞非覺非知離衆結縛等諸
智同衆生於諸法无分別一切无失无濁无惱无作无起无生
无滅无畏无憂无喜无厭无著无有已有无當有无今有不可
以一切言說分別顯示世尊如來身為若此作如是觀以斯
觀者名為正觀若他觀者名為邪觀
尒時舍利弗問維摩詰汝於何沒而來生此維摩詰言汝
所得法有沒生乎舍利弗言无沒生也若諸法无沒生相云
何問言汝於何沒而來生此於意云何譬如幻師幻作男女
寧沒生耶舍利弗言无沒生也汝豈不聞佛說諸法如幻
相乎答曰如是若一切法如幻相者云何問言汝於何沒而來
生此舍利弗沒者為虛誑法壞敗之相生者為虛誑法相
續之相菩薩雖沒不盡善本雖生不長諸惡是時佛告
舍利弗有國名妙喜佛号无動是維摩詰於彼國沒而
來生此舍利弗言未曾有也世尊是人乃能捨清淨土而

BD02474號　維摩詰所說經卷下　（16–9）

生此舍利弗沒者為虛誑法壞敗之相生者為虛誑法相
續之相菩薩雖沒不盡善本雖生不長諸惡是時佛告
舍利弗有國名妙喜佛号无動是維摩詰於彼國沒而
來生此舍利弗言未曾有也世尊是人乃能捨清淨土而
來樂此多怒害處維摩詰語舍利弗於意云何日光出時
與冥合乎答曰不也日光出時則无衆冥維摩詰言夫日何
故行閻浮提答曰欲以明照為之除冥維摩詰言菩薩如
是雖生不淨佛土化衆生不與愚闇而共合也但滅衆生
煩惱闇耳
是時大衆渴仰欲見妙喜世界无動如來及其菩薩聲
聞之衆佛知一切衆會所念告維摩詰言善男子為此
衆會現妙喜國无動如來及諸菩薩聲聞之衆衆皆
欲見於是維摩詰心念吾當不起于坐接妙喜國鐵圍
山川溪谷江河大海泉源須彌諸山及日月星宿天龍鬼
神梵天等宮并諸菩薩聲聞之衆城邑聚落男女大小乃
至无動如來及菩提樹諸妙蓮華能於十方作佛事者
三道寶階從閻浮提至忉利天以此寶階諸天來下悉為
禮敬无動如來聽受經法閻浮提人亦登其階上昇忉利
見彼諸天妙喜世界成就如是无量功德上至阿迦膩吒
天下至水際以右手斷取如陶家輪入此世界猶持華鬘
示一切衆作是念已入於三昧現神通力以其右手斷取妙
喜世界置於此土彼得神通菩薩及聲聞衆并餘天
人俱發聲言唯然世尊誰取我去願見救護无動佛言
非我所為是維摩詰神力所作其餘未得神通者不覺不
知已之所往妙喜世界雖入此土而不增減於是世界亦
不迫隘如本无異
尒時釋迦牟尼佛告諸大衆汝等且觀妙喜世界无動
如來其國嚴飾菩薩行淨弟子清白皆曰唯然已見佛
言若菩薩欲得如是清淨佛土當學无動如來所行之

BD02474號　維摩詰所說經卷下　（16–10）

不逮阿如本无異
尒時釋迦牟尼佛告諸大衆汝等且觀妙喜世界无動
如来其國嚴飾菩薩行淨弟子清白皆曰唯然已見佛
言若菩薩欲得如是清淨佛土當學无動如来所行之
道現此妙喜國時娑婆世界十四那由他人發阿耨多羅三
藐三菩提心皆願生於妙喜佛土釋迦牟尼佛即記之曰
當生彼國時妙喜世界於此國土所應饒益其事訖已還
復本處舉衆皆見佛告舍利弗汝見此妙喜世界及无
動佛不唯然已見世尊願使一切衆生得清淨國土如无
動佛獲神通力如維摩詰世尊我等快得善利得見
是人親近供養其諸衆生若今現在若佛滅後聞此經
者亦得善利况復聞已信解受持讀誦解說如法修行
若有手得是經典者便為已得法寶之藏若有讀誦解
釋其義如說修行則為諸佛之所護念其有供養如是
人者當知則為供養於佛其有書持此經卷者當知其室
則有如来若聞是經能隨喜者斯人則為取一切智若能信
解此經乃至一四句偈為他說者當知此人即是受阿耨多
羅三藐三菩提記

法供養品第十三

尒時釋提桓因於大衆中白佛言世尊我雖從佛及文
殊師利聞百千經未曾聞此不可思議自在神通决定實
相經典如我解佛所說義趣若有衆生聞是經典信解
受持讀誦之者必得是法不疑何况如說修行斯人則為
閉衆惡趣開諸善門常為諸佛之所護念降伏外學摧
滅魔怨修治菩提安處道場履踐如来所行之跡世尊若
有受持讀誦如說修行者我當與諸眷屬供養給事所
在聚落城邑山林曠野有是經處我亦與諸眷屬聽受
法故共到其所其未信者當令生信其已信者當為作護

BD02474號　維摩詰所說經卷下　(16–11)

滅魔怨修治菩提安處道場履踐如来所行之跡世尊若
有受持讀誦如說修行者我當與諸眷屬供養給事所
在聚落城邑山林曠野有是經處我亦與諸眷屬聽受
法故共到其所其未信者當令生信其已信者當為作護
佛言善哉善哉天帝如汝所說吾助尒喜此經廣說過去
未来現在諸佛不可思議阿耨多羅三藐三菩提是故天
帝若善男子善女人受持讀誦供養是經者則為供養
去来今佛天帝正使三千大千世界如来滿中譬如甘蔗竹
葦稻麻叢林若有善男子善女人或一劫或減一劫恭敬尊
重讃歎供養奉諸所安乃至諸佛滅後以一一全身舍利
起七寶塔縱廣一四天下高至梵天表剎莊嚴以一切華香
瓔珞幢幡伎樂微妙第一若一劫若減一劫而供養之於
天帝於意云何其人植福寧為多不釋提桓因言多矣世
尊彼之福德若以百千億劫說不能盡佛告天帝當知
是善男子善女人聞是不可思議解脫經典信解受持
讀誦修行福多於彼所以者何諸佛菩提皆從是生菩
提之相不可限量以是因緣福不可量
佛告天帝過去无量阿僧祇劫時世有佛号曰藥王如
来應供正遍知明行足善逝世間解无上士調御丈夫天
人師佛世尊世界曰大寶莊嚴劫曰莊嚴佛壽二十小劫
其聲聞僧三十六億那由他菩薩僧有十二億天帝是時
有轉輪聖王名曰寶蓋七寶具足王四天下王有千子端
政勇健能伏怨敵尒時寶蓋與其眷屬供養藥王如
来施諸所安至滿五劫過五劫已告其千子汝等亦當如
我以深心供養於佛於是千子受父王命供養藥王如来
復滿五劫一切施安其王一子名曰月蓋獨坐思惟寧有供
養殊過此者以佛神力空中有天曰善男子法之供養勝
諸供養即問何謂法之供養天曰汝可往問藥王如来
當廣為汝說法之供養即時月蓋王子行詣藥王

BD02474號　維摩詰所說經卷下　(16–12)

復滿五劫一切施安其王一子名曰月蓋獨坐思惟寧有供
養殊過此者以佛神力空中有天曰善男子法之供養勝
諸供養即問何謂法之供養天曰汝可往問藥王如來
當廣為汝說法之供養即時月蓋王子行詣藥王如來
稽首佛足却住一面白佛言世尊諸供養中法供養勝云
何為法供養佛言善男子法供養者諸佛所說深經一切
世間難信難受微妙難見清淨无染非但分別思惟之所能
得菩薩法藏所攝陀羅尼印印之至不退轉成就六度善
分別義順菩提法衆經之上入大慈悲離衆魔事及諸邪
見順因緣法无我无人无衆生无壽命空无相无作无起
能令衆生坐於道場而轉法輪諸天龍神乹闥婆等所共
歎譽能令衆生入佛法藏攝諸賢聖一切智慧說衆菩薩
所行之道依諸法實相之義明宣无常苦空无我寂滅能
救一切毀禁衆生諸魔外道及貪著者能使怖畏諸佛
賢聖所共稱歎背生死苦示涅槃樂十方三世諸佛所說若
聞如是等經信解受持讀誦以方便力為諸衆生分別解
說顯示分明守護法故是名法之供養又於諸法如說修行隨
順十二因緣離諸邪見得无生忍決定无我无有衆生而於
因緣果報无違无諍離諸我所依於義不依語依於智不
依識依了義經不依不了義經依於法不依人隨順法相
无所入无所歸无明畢竟滅故諸行亦畢竟滅乃至生畢
竟滅故老死亦畢竟滅作如是觀十二因緣无有盡相不
復起見是名最上法之供養
佛告天帝王子月蓋從藥王佛聞如是法得柔順忍即
解寶衣嚴身之具以供養佛白佛言世尊如來滅後我
當行供養守護正法願以威神加哀建立令我得降魔
怨修菩薩行佛知其深心所念而記之曰汝於末後守護
法城天帝時王子月蓋見法清淨聞佛授記以信出家修

佛告天帝王子月蓋從藥王佛聞如是法得柔順忍即
解寶衣嚴身之具以供養佛白佛言世尊如來滅後我
當行供養守護正法願以威神加哀建立令我得降魔
怨修菩薩行佛知其深心所念而記之曰汝於末後守護
法城天帝時王子月蓋見法清淨聞佛授記以信出家修
集法善精進不久得五神通菩薩道得陀羅尼无斷辯
才於佛滅後以其所得神通揔持辯才之力滿十小劫
藥王如來所轉法輪隨而分布月蓋比丘以守護法勤行
精進即於此身化百萬億人於阿耨多羅三藐三菩提
立不退轉十四那由他人深發聲聞辟支佛心无量衆生
得生天上天帝時王寶蓋豈異人乎今現得佛号寶焰
如來其王千子即賢劫中千佛是也從迦羅鳩孫䭾為始
得佛最後如來号曰樓志月蓋比丘則我身是如是天
帝當知此要以法供養於諸供養為上為苐一无比是
故天帝當以法之供養供養於佛

囑累品苐十四

於是佛告彌勒菩薩言彌勒我今以是无量億阿僧
祇劫所集阿耨多羅三藐三菩提法付囑於汝如是輩
經於佛滅後末世之中汝等當以神力廣宣流布於閻
浮提无令斷絕所以者何未來世中當有善男子善女人
及天龍鬼神乹闥婆羅剎等發阿耨多羅三藐三菩提
心樂于大法若使不聞如是等經則失善利如此輩人聞
是等經必多信樂發希有心當以頂受隨諸衆生所應
得利而為廣說彌勒當知菩薩有二相何謂為二一者
好於雜句文飾之事二者不畏深義如實能入若好雜
句文飾事者當知是為新學菩薩若於如是无染无
著甚深經典无有恐畏能入其中聞已心淨受持讀誦
如說修行當知是為久修道行彌勒復有二法名新學
者不能決定於甚深法何等為二一者所未聞深經聞

如說脩行當知是為久脩道行弥勒復有二法名新學
者不能決定於甚深法何等為二一者所未聞深經聞
之驚怖生疑不能隨順毀謗不信而作是言我初不聞從
何所來二者若有持護解說如是深經者不肯親近供
養恭敬或時於中說其過惡有此二法當知是新學菩
薩為自毀傷不能於深法中調伏其心弥勒復有二法
菩薩雖信解深法猶自毀傷而不能得无生法忍何等
為二一者輕慢新學菩薩而不教誨二者雖解深法而取
相分別是為二法弥勒菩薩聞說是已白佛言世尊未曾
有也如佛所說我當遠離如斯之惡奉持如來无數阿僧
祇劫所集阿耨多羅三藐三菩提法若未來世善男子
善女人求大乘者當令手得如是等經典其念力使受
持讀誦為他廣說世尊若後末世有能受持讀誦為他
說者當知是為弥勒神力之所建立佛言善哉善哉
弥勒如汝所說佛助尒喜於是一切菩薩合掌白佛我
等亦於如來滅後十方國土廣宣流布阿耨多羅三藐
三菩提復當開導諸說法者令得是經
尒時四天王白佛言世尊在在處處城邑聚落山林曠
野有是經卷讀誦解說者我當率諸官屬為聽法故
往詣其所擁護其人面百由旬令无伺求得其便者是
時佛告阿難受持是經廣宣流布阿難言唯然我
已受持要者世尊當何名斯經佛言阿難是經名
為維摩詰所說亦不名可思議解脫法門如是受
持佛說是經已長者維摩詰文殊師利舍利弗阿難
等及諸天人阿脩羅一切大衆聞佛所說皆大歡喜

維摩詰經卷下

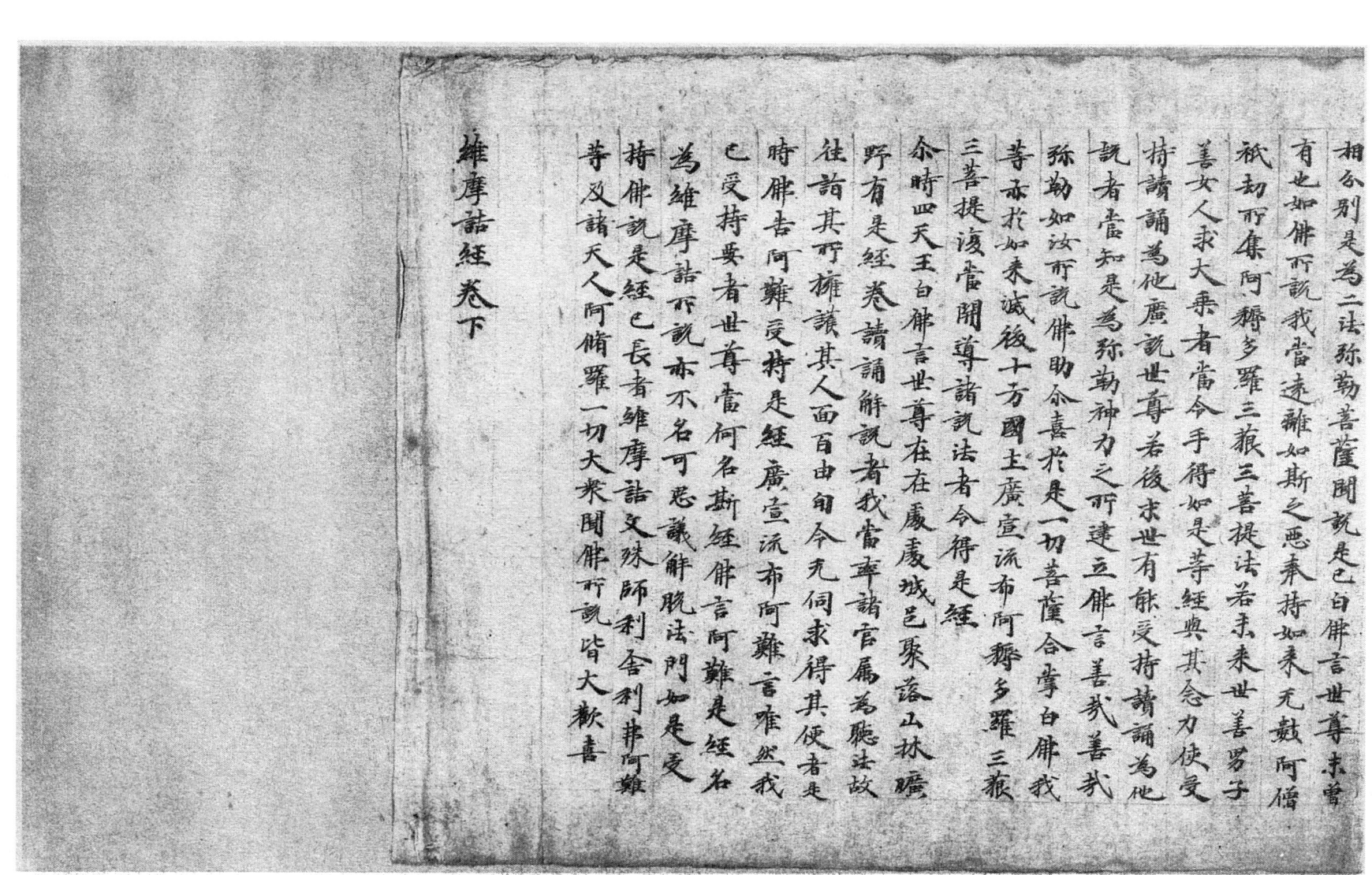

BD02474號　維摩詰所說經卷下　（16–15）

相分別是為二法弥勒菩薩聞說是已白佛言世尊未曾
有也如佛所說我當遠離如斯之惡奉持如來无數阿僧
祇劫所集阿耨多羅三藐三菩提法若未來世善男子
善女人求大乘者當令手得如是等經典其念力使受
持讀誦為他廣說世尊若後末世有能受持讀誦為他
說者當知是為弥勒神力之所建立佛言善哉善哉
弥勒如汝所說佛助尒喜於是一切菩薩合掌白佛我
等亦於如來滅後十方國土廣宣流布阿耨多羅三藐
三菩提復當開導諸說法者令得是經
尒時四天王白佛言世尊在在處處城邑聚落山林曠
野有是經卷讀誦解說者我當率諸官屬為聽法故
往詣其所擁護其人面百由旬令无伺求得其便者是
時佛告阿難受持是經廣宣流布阿難言唯然我
已受持要者世尊當何名斯經佛言阿難是經名
為維摩詰所說亦不名可思議解脫法門如是受
持佛說是經已長者維摩詰文殊師利舍利弗阿難
等及諸天人阿脩羅一切大衆聞佛所說皆大歡喜

維摩詰經卷下

BD02474號　維摩詰所說經卷下　（16–16）

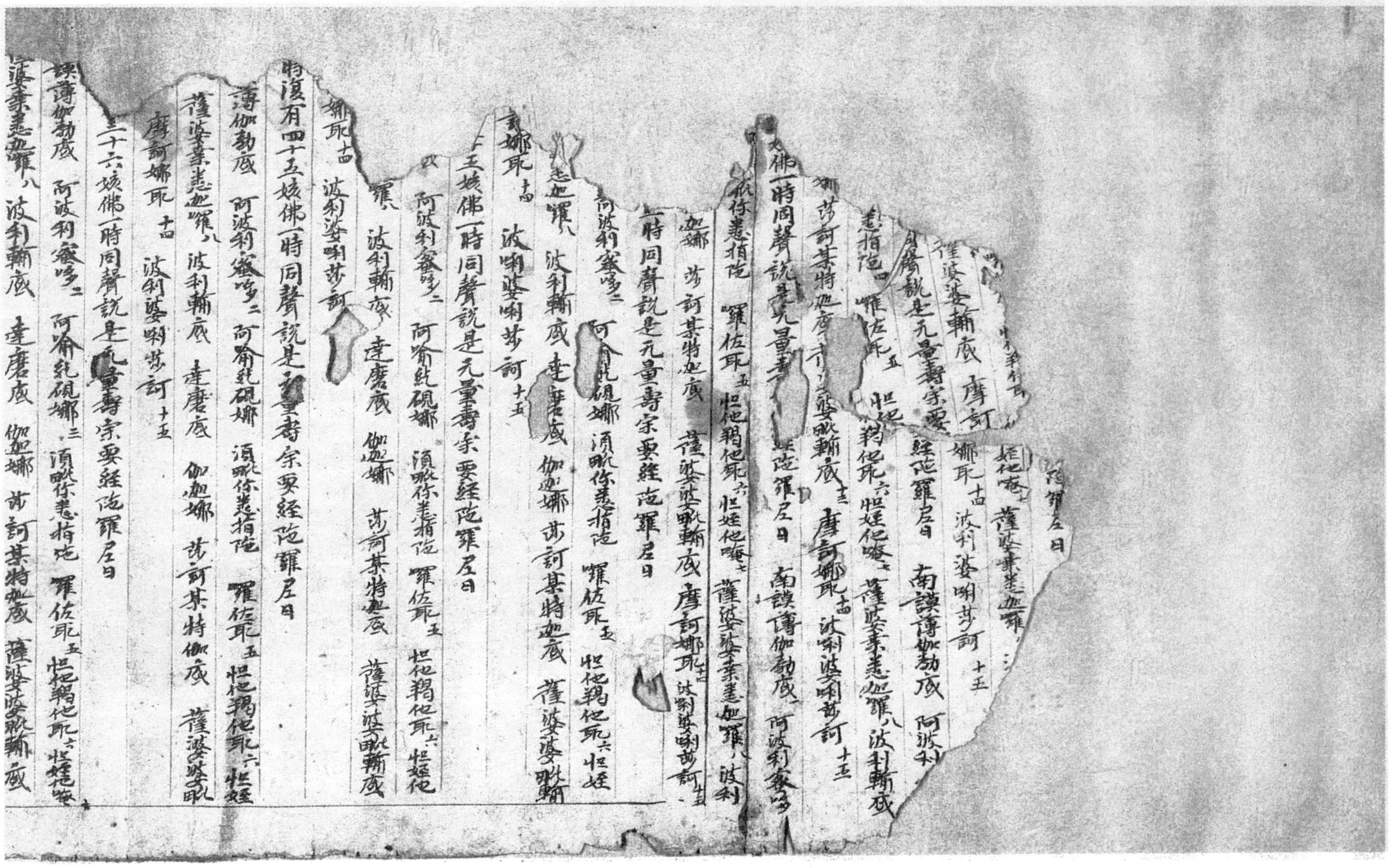

陀羅尼曰
姪他唵七 薩婆桑塞迦羅八
薩婆娑輸底 摩訶娜耶十四 波唎婆唎莎訶 十五
時同聲說是无量壽宗要經陀羅尼曰 南謨薄伽勃底 阿波利
悉指陀四 囉佐耶五 怛他羯他耶六 怛姪他唵七 薩婆桑塞迦羅八 波利輸底
娜 莎訶桑特迦底 十二 薩婆娑毗輸底 十三 摩訶娜耶十四 波唎婆唎莎訶 十五
佛一時同聲說是无量壽宗要經陀羅尼曰 南謨薄伽勃底一 阿波利蜜哆
你悉指陀 囉佐耶五 怛他羯他耶六 怛姪他唵七 薩婆桑塞迦羅八 波利
迦娜 莎訶桑特迦底 薩婆娑毗輸底 摩訶娜耶十四 波唎婆唎莎訶 十五
一時同聲說是无量壽宗要經陀羅尼曰
阿波利蜜哆二 阿喻紇硯娜 須毗你悉指陀 囉佐耶五 怛他羯他耶六 怛姪
悉迦羅八 波利輸底 達磨底 伽伽娜 莎訶桑特迦底 薩婆娑毗輸
娜耶十四 波唎婆唎莎訶 十五
三十五姟佛一時同聲說是无量壽宗要經陀羅尼曰
阿波利蜜哆二 阿喻紇硯娜 須毗你悉指陀 囉佐耶五 怛他羯他耶六 怛姪他
羅八 波利輸底 達磨底 伽伽娜 莎訶桑特迦底 薩婆娑毗輸底
娜耶十四 波利婆唎莎訶
時復有四十五姟佛一時同聲說是无量壽宗要經陀羅尼曰
薄伽勃底 阿波利蜜哆二 阿喻紇硯娜 須毗你悉指陀 囉佐耶五 怛他羯他耶六 怛姪
薩婆桑塞迦羅八 波利輸底 達磨底 伽伽娜 莎訶桑特伽底 薩婆娑毗
摩訶娜耶十四 波利婆唎莎訶 十五
三十六姟佛一時同聲說是无量壽宗要經陀羅尼曰
謨薄伽勃底 阿波利蜜哆二 阿喻紇硯娜三 須毗你悉指陀 囉佐耶五 怛他羯他耶六 怛姪他唵
薩婆桑塞迦羅八 波利輸底 達磨底 伽伽娜 莎訶桑特迦底 薩婆娑毗輸底

BD02475 號　無量壽宗要經　（5–1）

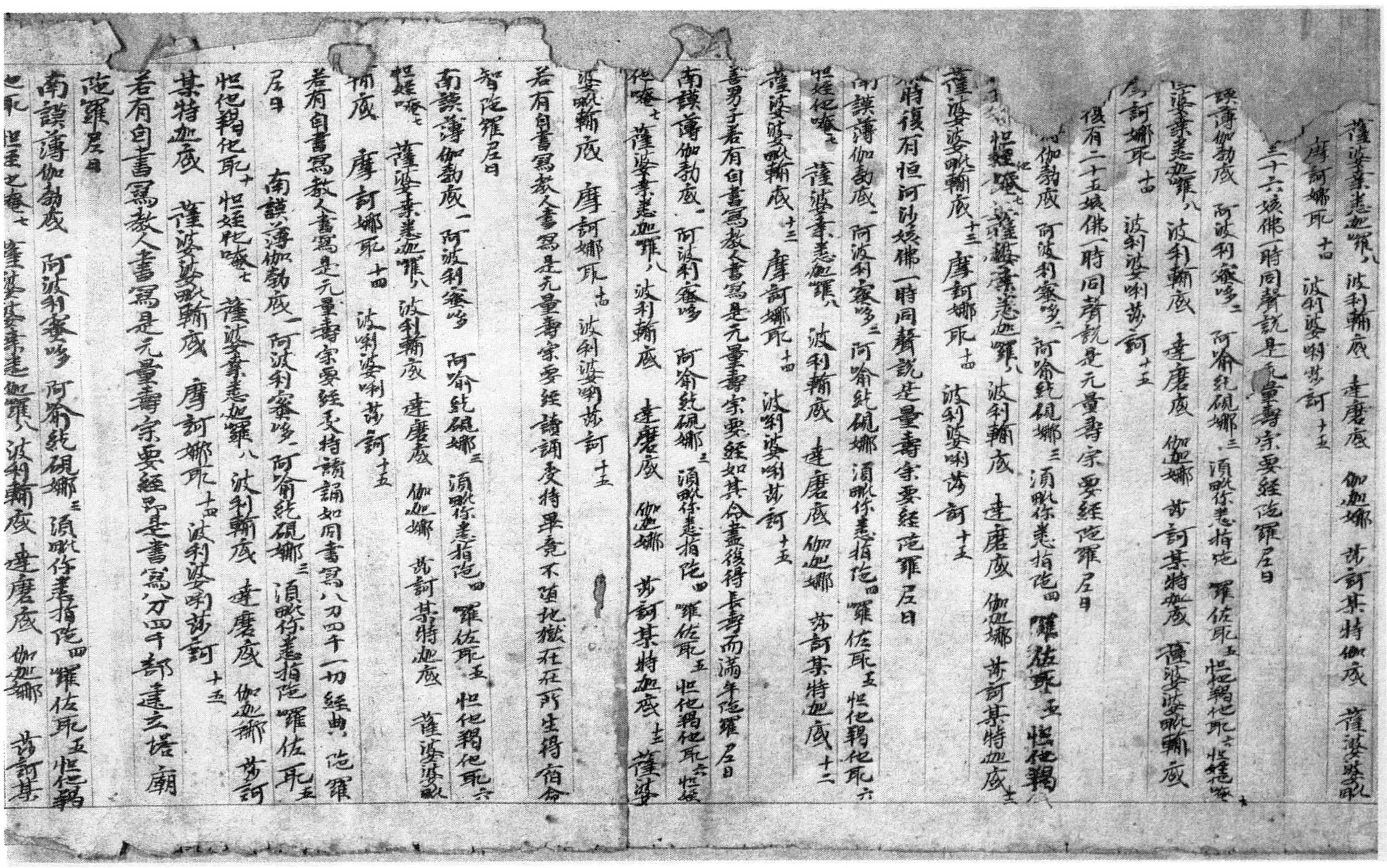

薩婆桑塞迦羅八 波利輸底 達磨底 伽伽娜 莎訶桑特伽底 薩婆娑毗
摩訶娜耶十四 波利婆唎莎訶 十五
三十六姟佛一時同聲說是无量壽宗要經陀羅尼曰
謨薄伽勃底 阿波利蜜哆二 阿喻紇硯娜三 須毗你悉指陀 囉佐耶五 怛他羯他耶六 怛姪他唵
薩婆桑塞迦羅八 波利輸底 達磨底 伽伽娜 莎訶桑特迦底 薩婆娑毗輸底
摩訶娜耶十四 波利婆唎莎訶 十五
復有二十五姟佛一時同聲說是无量壽宗要經陀羅尼曰
薄伽勃底 阿波利蜜哆二 阿喻紇硯娜三 須毗你悉指陀四 囉佐耶五 怛他羯
怛姪他唵七 薩婆桑塞迦羅八 波利輸底 達磨底 伽伽娜 莎訶桑特迦底十二
薩婆娑毗輸底十三 摩訶娜耶十四 波利婆唎莎訶 十五
時復有恒河沙姟佛一時同聲說是无量壽宗要經陀羅尼曰
南謨薄伽勃底一 阿波利蜜哆二 阿喻紇硯娜 須毗你悉指陀四 囉佐耶五 怛他羯他耶六
怛姪他唵七 薩婆桑塞迦羅八 波利輸底 達磨底 伽伽娜 莎訶桑特迦底十二
薩婆娑毗輸底十三 摩訶娜耶十四 波唎婆唎莎訶 十五
善男子若有自書寫教人書寫是无量壽宗要經如其命盡復得長壽而滿年陀羅尼曰
南謨薄伽勃底一 阿波利蜜哆 阿喻紇硯娜三 須毗你悉指陀四 囉佐耶五 怛他羯他耶六 怛姪
他唵七 薩婆桑塞迦羅八 波利輸底 達磨底 伽伽娜 莎訶桑特迦底十二 薩婆
娑毗輸底 摩訶娜耶十四 波利婆唎莎訶 十五
若有自書寫教人書寫是无量壽宗要經讀誦受持畢竟不墮地獄在在所生得宿命
智陀羅尼曰
南謨薄伽勃底一 阿波利蜜哆 阿喻紇硯娜三 須毗你悉指陀四 囉佐耶五 怛他羯他耶六
怛姪他唵七 薩婆桑塞迦羅八 波利輸底 達磨底 伽伽娜 莎訶桑特迦底 薩婆娑毗
輸底 摩訶娜耶十四 波唎婆唎莎訶 十五
若有自書寫教人書寫是无量壽宗要經受持讀誦如同書寫八万四千一切經典陀羅
尼曰
南謨薄伽勃底一 阿波利蜜哆二 阿喻紇硯娜三 須毗你悉指陀 囉佐耶五
怛他羯他耶十 怛姪他唵七 薩婆桑塞迦羅八 波利輸底 達磨底 伽伽娜 莎訶
桑特迦底 薩婆娑毗輸底 摩訶娜耶十四 波利婆唎莎訶 十五
若有自書寫教人書寫是无量壽宗要經即是書寫八万四千部建立塔廟
陀羅尼曰
南謨薄伽勃底 阿波利蜜哆 阿喻紇硯娜三 須毗你悉指陀四 囉佐耶五 怛他羯
他耶 怛姪他唵七 薩婆桑塞迦羅八 波利輸底 達磨底 伽伽娜 莎訶桑

BD02475 號　無量壽宗要經　（5–2）

某特迦底　薩婆娑婆毗輸底　摩訶娜耶十四　波利婆㖿莎訶
若有自書寫教人書寫是无量壽宗要經即是書寫八万四千部建立塔廟
陁羅尼曰
南謨薄伽勃底　阿波利蜜哆　阿喻紇硯娜三　須毗你失指陁四　囉佐耶五　怛他羯
他耶　怛姪他唵七　薩婆桑塞迦囉八　波利輸底　達磨底　伽伽娜　莎訶某
特迦底　薩婆娑婆毗輸底十三　摩訶娜耶十四　波利婆㖿莎訶十五
若有自書寫教人書寫是无量壽宗要經能消五无間等一切重罪陁羅尼曰
南謨薄伽勃底一　阿波利蜜哆二　阿喻紇硯娜三　須毗你失指陁四　囉佐耶五　怛他羯
他耶六　怛姪他唵七　薩婆桑塞迦囉八　波利輸底　達磨底　伽伽娜　莎訶某特迦底十二
薩婆娑婆毗輸底十三　摩訶娜耶十四　波唎波唎莎訶十五
若有自書寫教人書寫是无量壽宗要經受持讀誦設有重罪猶如須弥盡能除滅
陁羅尼曰　南謨薄伽勃底一　阿波利蜜哆二　阿喻紇硯娜三　須毗你失指陁四　囉佐耶五
怛他羯他耶六　怛姪他唵七　薩婆桑塞迦囉八　波利輸底　達磨底　伽伽娜　莎訶某特迦底　薩
婆娑婆毗輸底十三　摩訶娜耶十四　波利婆㖿莎訶十五
若有自書寫教人書寫是无量壽宗要經受持讀誦若魔魔之眷屬夜叉羅刹不得其便終无枉
死陁羅尼曰　南謨薄伽勃底一　阿波利蜜哆　阿喻紇硯娜　須毗你失指陁　囉佐耶五　怛他
羯他耶六　怛姪他唵七　薩婆桑塞迦囉八　波利輸底　達磨底十　伽伽娜　莎訶某特迦底　薩婆娑婆毗輸底　摩
訶娜耶十四　波唎婆唎莎訶十五　若有自書寫教人書寫是无量壽宗要經受持讀誦當命終時有九十九俱胝佛現
其前來授手從一佛剎至一佛剎莫於此經生疑陁羅尼曰　南謨薄伽勃底一　阿波利蜜哆二　阿喻紇硯娜　須毗你失指陁
囉佐耶五　怛他羯他耶六　怛姪他唵七　薩婆桑塞迦囉八　波利輸底　達磨底　伽伽娜　莎訶某特迦底　薩婆娑婆毗輸底　摩訶娜耶十四
若有自書寫教人書寫是无量壽宗要經受持讀誦常得四天大王隨其衛護陁羅尼曰
南謨薄伽勃底　阿波利蜜哆二　阿喻紇硯娜　須毗你失指陁　囉佐耶五　怛他羯他耶六　怛姪他
唵七　薩婆桑塞迦囉八　波利輸底　達磨底十　伽伽娜　莎訶某特迦底十二　薩婆娑婆毗輸底十三
摩訶娜耶十四　波利婆㖿莎訶十五
若有自書寫教人書寫是无量壽宗要經受持讀誦當得往生西方極樂世界阿弥陁淨土陁羅
尼曰　南謨薄伽勃底一　阿波利蜜哆二　阿喻紇硯娜　須毗你失指陁　囉佐耶五　怛他羯
他耶六　怛姪他唵七　薩婆桑塞迦囉八　波利輸底　達磨底　伽伽娜　莎訶某特迦底　薩婆
娑婆毗輸底十三　摩訶娜耶十四　波利婆㖿莎訶十五
若有方所自書寫使人書寫是无量壽經典之處則為是塔皆應恭敬作礼若是畜生
或為禽獸得聞是經如是等類皆當不久得成一切種智陁羅尼曰
南謨薄伽勃底　阿波利蜜哆二　阿喻紇硯娜三　須毗你失指陁　囉佐耶五　怛他羯他耶六　怛姪

BD02475號　無量壽宗要經　（5–3）

他耶六　怛姪他唵七　薩婆桑塞迦囉八　波利輸底　達磨底　伽伽娜　莎訶某特迦底　薩婆
娑婆毗輸底十三　摩訶娜耶十四　波利婆㖿莎訶十五
若有方所自書寫使人書寫是无量壽經典之處則為是塔皆應恭敬作礼若是畜生
或為禽獸得聞是經如是等類皆當不久得成一切種智陁羅尼曰
南謨薄伽勃底　阿波利蜜哆二　阿喻紇硯娜三　須毗你失指陁　囉佐耶五　怛他羯他耶六　怛姪
他唵七　薩婆桑塞迦囉八　波利輸底　達磨底　伽伽娜　莎訶某特迦底　薩婆娑婆
毗輸底　摩訶娜耶十四　波唎婆唎莎訶十五
若有於是无量壽經自書寫若使人書畢竟不受女人之身陁羅尼曰
南謨薄伽勃底　阿波利蜜哆二　阿喻紇硯娜三　須毗你失指陁　囉佐耶五　怛他羯他耶六
怛姪他唵七　薩婆桑塞迦囉八　波利輸底　達磨底　伽伽娜　莎訶某特迦底十二　薩婆娑婆
毗輸底　摩訶娜耶十四　波唎婆唎莎訶十五
若有能於是經少分能惠施者等於三千大千世界滿中七寶布施陁羅尼曰
南謨薄伽勃底一　阿波利蜜哆二　阿喻紇硯娜　須毗你失指陁　囉佐耶五　怛他羯他耶六
怛姪他唵七　薩婆桑塞迦囉八　波利輸底九　達磨底　伽伽娜　莎訶某特迦底十二　薩婆娑婆
毗輸底　摩訶娜耶十四　波利婆㖿莎訶十五
若有能供養是經者則是供養一切諸經等无有異陁羅尼曰
南謨薄伽勃底一　阿波利蜜哆二　阿喻紇硯娜　須毗你失指陁　囉佐耶五　怛他羯他耶六　怛姪他
唵七　薩婆桑塞迦囉八　波利輸底　達磨底　伽伽娜　莎訶某特迦底十二　薩婆娑婆
毗輸底　摩訶娜耶十四　波利婆㖿莎訶十五
如是毗婆尸佛尸弃佛毗舍浮佛俱留孫佛俱那含牟尼佛迦葉佛釋迦牟尼佛
若有人以七寶供養如是七佛其福有限書寫受持是无量壽經典所有功德
不可限量陁羅尼曰　南謨薄伽勃底　阿波利蜜哆二　阿喻紇硯娜　須毗你失指陁四
囉佐耶五　怛他羯他耶六　怛姪他唵七　薩婆桑塞迦囉八　波利輸底　達磨底　伽伽娜
莎訶某特迦底　薩婆娑婆毗輸底　摩訶娜耶十四　波利婆㖿莎訶十五
若有七寶等於須弥以用布施其上能知其限量是无量壽經典其福不可知數陁
羅尼曰　南謨薄伽勃底一　阿波利蜜哆二　阿喻紇硯娜　須毗你失指陁　囉佐耶五
怛他羯他耶六　怛姪他唵七　薩婆桑塞迦囉八　波利輸底　達磨底　伽伽娜　莎訶某特
迦底　薩婆娑婆毗輸底　摩訶娜耶十四　波利婆㖿莎訶十五
如是四大海水可知滴數是无量壽經典所生果報不可數量陁羅尼曰
南謨薄伽勃底一　阿波利蜜哆二　阿喻紇硯娜　須毗你失指陁四　囉佐耶五　怛他羯他耶六　怛姪
他唵七　薩婆桑塞迦囉八　波利輸底九　達磨底　伽伽娜　莎訶某特迦底十二　薩婆

BD02475號　無量壽宗要經　（5–4）

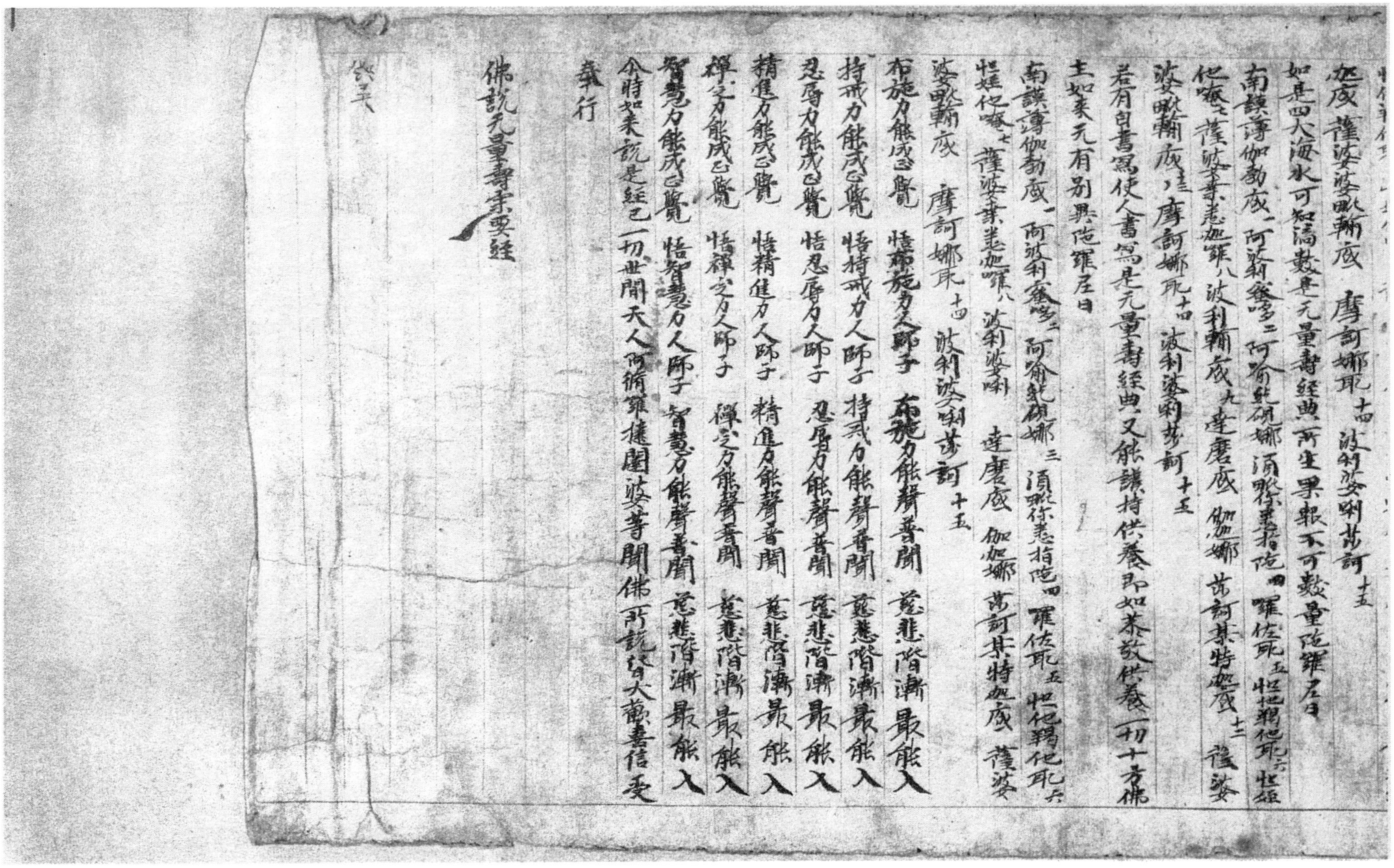
𡿨底 薩婆娑婆毗輸底 摩訶娜耶十四 波唎婆唎莎訶十五
如是四大海水可知滴數是无量壽經典所生果報不可數量陀羅尼曰
南謨薄伽勃底一阿波唎蜜哆二阿喻紇硯娜須毗你悉指陀四囉佐耶五怛他羯他耶六怛姪
他唵七薩婆桑悉迦羅八波唎輸底九達磨底伽伽娜莎訶桑特伽底十二薩婆
娑毗輸底十三摩訶娜耶十四波唎婆唎莎訶十五
若有自書寫使人書寫是无量壽經典又能讀持供養即如恭敬供養一切十方佛
土如來无有別異陀羅尼曰
南謨薄伽勃底一阿波唎蜜哆二阿喻紇硯娜三須毗你悉指陀四囉佐耶五怛他羯他耶六
怛姪他唵七薩婆桑悉迦羅八波唎輸底 達磨底 伽伽娜 莎訶桑特伽底 薩婆
娑毗輸底 摩訶娜耶十四 波唎婆唎莎訶十五
布施力能成正覺 悟布施力入師子 布施力能聲普聞 慈悲階漸最能入
持戒力能成正覺 悟持戒力入師子 持戒力能聲普聞 慈悲階漸最能入
忍辱力能成正覺 悟忍辱力入師子 忍辱力能聲普聞 慈悲階漸最能入
精進力能成正覺 悟精進力入師子 精進力能聲普聞 慈悲階漸最能入
禪定力能成正覺 悟禪定力入師子 禪定力能聲普聞 慈悲階漸最能入
智慧力能成正覺 悟智慧力入師子 智慧力能聲普聞 慈悲階漸最能入
今時如來說是經已一切世間天人阿脩羅揵闥婆等聞佛所說皆大歡喜信受
奉行
佛說无量壽宗要經

BD02475 號　無量壽宗要經　（5–5）

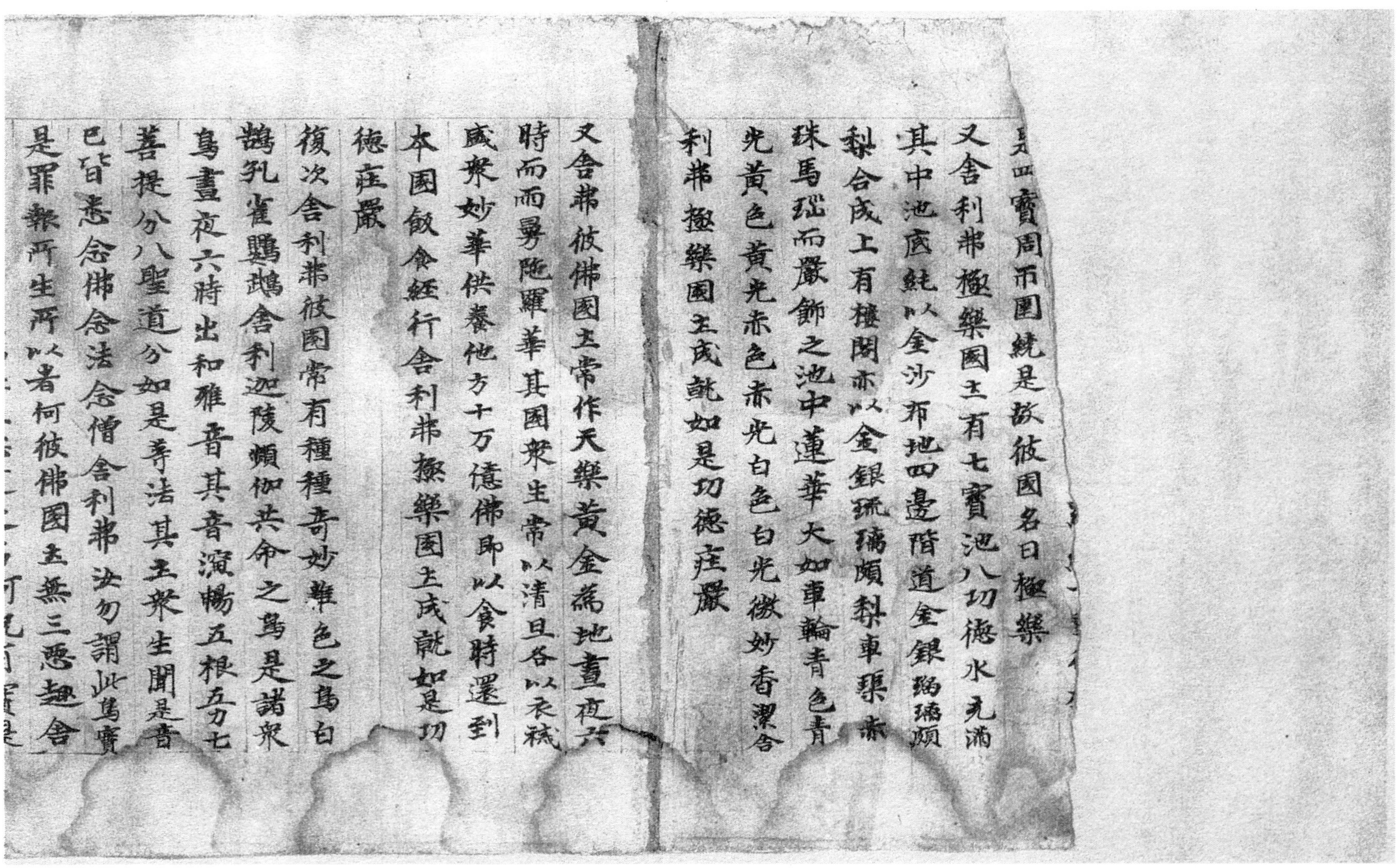
是四寶周帀圍繞是故彼國名曰極樂
又舍利弗極樂國土有七寶池八功德水充滿
其中池底純以金沙布地四邊階道金銀瑠璃頗
梨合成上有樓閣亦以金銀瑠璃頗梨車璖赤
珠馬瑙而嚴飾之池中蓮華大如車輪青色青
光黃色黃光赤色赤光白色白光微妙香潔舍
利弗極樂國土成就如是功德莊嚴
又舍利弗彼佛國土常作天樂黃金為地晝夜六
時而雨曼陀羅華其國眾生常以清旦各以衣裓
盛眾妙華供養他方十万億佛即以食時還到
本國飯食經行舍利弗極樂國土成就如是功
德莊嚴
復次舍利弗彼國常有種種奇妙雜色之鳥白
鵠孔雀鸚鵡舍利迦陵頻伽共命之鳥是諸眾
鳥晝夜六時出和雅音其音演暢五根五力七
菩提分八聖道分如是等法其土眾生聞是音
已皆悉念佛念法念僧舍利弗汝勿謂此鳥實
是罪報所生所以者何彼佛國土無三惡趣舍

BD02476 號　阿彌陀經　（4–1）

鳥晝夜六時出和雅音其音演暢五根五
善提分八聖道分如是等法其土衆生聞是音
已皆悉念佛念法念僧舍利弗汝勿謂此鳥實
是罪報所生所以者何彼佛國土無三惡趣舍
利弗其佛國土尚無三惡道之名何況有實是
諸鳥皆是阿弥陁佛欲令法音宣流變化所作舍
利弗彼佛國土微風吹動諸寶行樹及寶羅網
出微妙音譬如百千種樂同時俱作聞是音者
皆自然生念佛念法念僧之心舍利弗其佛國土
成就如是功德莊嚴
舍利弗於汝意云何彼佛何故号阿弥陁舍利弗
彼佛光明無量照十方國無所障礙是故号為
阿弥陁又舍利弗彼佛壽命及其人民無量無
邊阿僧祇劫故名阿弥陁舍利弗阿弥陁佛成
佛已來於今十劫又舍利弗彼佛有無量無邊
聲聞弟子皆阿羅漢非是算數之所能知諸
菩薩亦如是舍利弗彼佛國土成就如是功德莊
嚴
又舍利弗極樂國土衆生生者皆是阿鞞䟦致其
中多有一生補處其數甚多非是算數所能
知之但可以無量無邊阿僧祇劫說舍利弗
衆生聞者應當發願願生彼國所以者何得
與如是諸上善人俱會一處舍利弗不可以少
善根福德因緣得生彼國舍利弗若有善男
子善女人聞說阿弥陁佛執持名号若一日若

BD02476 號　阿彌陀經　（4–2）

與如是諸上善人俱會一處舍利弗不可以少
善根福德因緣得生彼國舍利弗若有善男
子善女人聞說阿弥陁佛執持名号若一日若
二日若三日若四日若五日若六日若七日一
心不乱其人臨命終時阿弥陁佛與諸聖衆
現在其前是人終時心不顛倒即得往生阿弥
佛極樂國土舍利弗我見是利故說此言若
有衆生聞是說者應當發願生彼國土
舍利弗如我今者讚歎阿弥陁佛不可思議功
德東方亦有阿閦鞞佛須弥相佛大須弥佛須
弥光佛妙音佛如是等恒河沙數諸佛各於
其國出廣長舌相遍覆三千大千世界說誠
實言汝等衆生當信是稱讚不可思議功德
一切諸佛所護念經
舍利弗南方世界有日月燈佛名聞光佛大
焰肩佛須弥燈佛無量精進佛如是等恒河
沙數諸佛各於其國出廣長舌相遍覆三
千大千世界說誠實言汝等衆生當信是稱
讚不可思議功德一切諸佛所護念經
舍利弗西方世界有無量壽佛無量相佛無
量幢佛大光佛大明佛寶相佛淨光佛如是
等恒河沙數諸佛各於其國廣長舌相遍覆
三千大千世界說誠實言汝等衆生當信是
稱讚不可思議功德一切諸佛所護念經
舍利弗北方世界有焰肩佛最勝音佛難沮

BD02476 號　阿彌陀經　（4–3）

焰肩佛須彌燈佛無量精進佛如是等恒河
沙數諸佛各於其國出廣長舌相遍覆三
千大千世界說誠實言汝等衆生當信是稱
讚不可思議功德一切諸佛所護念經
舍利弗西方世界有無量壽佛無量相佛無
量幢佛大光佛大明佛寶相佛淨光佛如是
等恒河沙數諸佛各於其國廣長舌相遍覆
三千大千世界說誠實言汝等衆生當信是
稱讚不可思議功德一切諸佛所護念經
舍利弗北方世界有焰肩佛最勝音佛難沮

BD02476 號　阿彌陀經　　（4–4）

大乘無量壽經
如是我聞一時薄伽梵在舍衛國祇樹給孤獨與大苾芻僧千二百五十人大[illegible]
坐爾時世尊告曼殊室利童子曼殊室利上方有世界名無量功德聚彼土有佛號無量智決[illegible]
多羅三藐三菩提現爲衆生開示說法曼殊室利諦聽南閻浮提人皆短壽大限百年[illegible]
死者衆多曼殊室利如是無量壽如來功德名稱法要若有衆生得名號自書或使人書[illegible]
讀誦若於舍宅所住之處以種種花鬘瓔珞塗香末香而爲供養如其命盡復得延年滿足百歲
是曼殊室利若有衆生得聞是無量壽決定王如來一百八名號者益其長壽若有衆生大命將盡念如
來名號便得增壽如是曼殊室利若有善男子善女人欲求長壽於是無量壽如來一百八名號有持聞
者或自書若使人書寫讀誦得如是等果報福德具足陀羅尼曰
南謨薄伽勃底　阿波唎蜜多　阿喻紇硯娜　須毗儞失指陀　囉佐耶　怛他揭他耶　怛姪他　薩婆桑
塞迦囉　波唎輸底　達摩底　伽伽娜　莎訶　摩訶娜耶　波唎婆唎莎訶
世尊告曼殊室利如是如來一百八名號若有自書若使人書寫爲經卷受持讀誦知壽命盡復滿百
年壽終此身後得生無量福智世界無量壽淨土陀羅尼曰
南謨薄伽勃底　阿波唎蜜多　阿喻紇硯娜　須毗儞失指陀　囉佐耶　怛他揭他耶　怛姪他　薩婆桑塞迦囉
波唎輸底　達摩底　伽伽娜　莎訶　摩訶娜耶　波唎婆唎莎訶
爾時九十九姟佛一時同聲說是無量壽宗要經陀羅尼曰
南謨薄伽勃底　阿波唎蜜多　阿喻紇硯娜　須毗儞失指陀　囉佐耶　怛他揭他耶　怛姪他　薩婆桑塞迦
囉　波唎輸底　達摩底　伽伽娜　莎訶　摩訶娜耶　波唎婆唎莎訶
爾時復有一百四姟佛一時同聲說是無量壽經陀羅尼曰
南謨薄伽勃底　阿波唎蜜多　阿喻紇硯娜　須毗儞失指陀　囉佐耶　怛他揭他耶　怛姪他　薩婆桑塞迦
[illegible]

BD02477 號　無量壽宗要經　　（5–1）

南謨薄伽勃底 阿波利蜜多 阿喻紇硯娜 須毗你悉指陀 囉佐耶 怛他羯他耶 怛姪他 薩婆桑悉

迦囉 波利輸底 達磨底 伽伽娜 莎訶其持娜底 薩婆婆毗輸底 摩訶娜耶 波利婆利 莎訶

尒時復有一百四姟佛一時同聲說是無量壽經陀羅尼曰

南謨薄伽勃底 阿波利蜜多 阿喻紇硯娜 須毗你悉指陀 囉佐耶 怛他羯他耶 怛姪他 薩婆桑悉迦

囉 波利輸底 達磨底 伽伽娜 莎訶其持娜底 薩婆婆毗輸底 摩訶娜耶 波利婆利 莎訶

尒時復有七姟佛一時同聲說是無量壽經陀羅尼曰

南謨薄伽勃底 阿波利蜜多 阿喻紇硯娜 須毗你悉指陀 囉佐耶 怛他羯他耶 怛姪他

薩婆桑悉迦囉 波利輸底 達磨底 伽伽娜 莎訶其持娜底 薩婆婆毗輸底 摩訶娜耶

波利婆利 莎訶

尒時復有六十五姟佛一時同聲說是無量壽經陀羅尼曰

南謨薄伽勃底 阿波利蜜多 阿喻紇硯娜 須毗你悉指陀 囉佐耶 怛他羯他耶 怛姪他 薩婆桑悉迦囉

波利輸底 達磨底 伽伽娜 莎訶其持娜底 薩婆婆毗輸底 摩訶娜耶 波利婆利 莎訶

尒時復有五十五姟佛一時同聲說是無量壽宗要經陀羅尼曰

南謨薄伽勃底 阿波利蜜多 阿喻紇硯娜 須毗你悉指陀 囉佐耶 怛他羯他耶 怛姪他 薩婆桑悉迦囉

波利輸底 達磨底 伽伽娜 莎訶其持娜底 薩婆婆毗輸底 摩訶娜耶 波利婆利 莎訶

尒時復有四十五姟佛一時同聲說是無量壽宗要經陀羅尼曰

南謨薄伽勃底 阿波利蜜多 阿喻紇硯娜 須毗你悉指陀 囉佐耶 怛他羯他耶 怛姪他 薩婆桑悉

迦囉 波利輸底 達磨底 伽伽娜 莎訶其持娜底 薩婆婆毗輸底 摩訶娜耶 波利婆利 莎訶

尒時復有三十五姟佛一時同聲說是無量壽宗要經陀羅尼曰

南謨薄伽勃底 阿波利蜜多 阿喻紇硯娜 須毗你悉指陀 囉佐耶 怛他羯他耶 怛姪他 薩婆桑悉

迦囉 波利輸底 達磨底 伽伽娜 莎訶其持娜底 薩婆婆毗輸底 摩訶娜耶 波利婆利 莎訶

尒時復有二十五姟佛一時同聲說是無量壽宗要經陀羅尼曰

南謨薄伽勃底 阿波利蜜多 阿喻紇硯娜 須毗你悉指陀 囉佐耶 怛他羯他耶 怛姪他 薩婆桑悉

囉 波利輸底 達磨底 伽伽娜 莎訶其持娜底 薩婆婆毗輸底 摩訶娜耶 波利婆利 莎訶

尒時復有恒河沙姟佛一時同聲說是無量壽宗要經陀羅尼曰

南謨薄伽勃底 阿波利蜜多 阿喻紇硯娜 須毗你悉指陀 囉佐耶 怛他羯他耶 怛姪他 薩婆桑悉迦

波利輸底 達磨底 伽伽娜 莎訶其持娜底 薩婆婆毗輸底 摩訶娜耶 波利婆利 莎訶

若男子若有書寫教人書寫是無量壽宗要經如其命盡復長壽而滿年陀羅尼曰

南謨薄伽勃底 阿波利蜜多 阿喻紇硯娜 須毗你悉指陀 囉佐耶 怛他羯他耶 怛姪他 薩婆桑悉迦囉

波利輸底 達磨底 伽伽娜 莎訶其持娜底 薩婆婆毗輸底 摩訶娜耶 波利婆利 莎訶

若自有書寫教人書寫是無量壽宗要經受持畢竟不隨地獄在在所生宿命智陀羅尼曰

南謨薄伽勃底 阿波利蜜多 阿喻紇硯娜 須毗你悉指陀 囉佐耶 怛他羯他耶 怛姪他 薩婆桑悉迦囉

BD02477 號　無量壽宗要經　　（5–2）

南謨薄伽勃底 阿波利蜜多 阿喻紇硯娜 須毗你悉指陀 囉佐耶 怛他羯他耶 怛姪他 薩婆桑悉迦囉

波利輸底 達磨底 伽伽娜 莎訶其持娜底 薩婆婆毗輸底 摩訶娜耶 波利婆利 莎訶

若自有書寫教人書寫是無量壽宗要經受持畢竟不隨地獄在在所生宿命智陀羅尼曰

南謨薄伽勃底 阿波利蜜多 阿喻紇硯娜 須毗你悉指陀 囉佐耶 怛他羯他耶 怛姪他 薩婆桑悉迦囉

波利輸底 達磨底 伽伽娜 莎訶其持娜底 薩婆婆毗輸底 摩訶娜耶 波利婆利 莎訶

若有自書寫教人書寫是無量壽宗要經受持讀誦如同書寫八万四千一切經典陀羅尼曰

南謨薄伽勃底 阿波利蜜多 阿喻紇硯娜 須毗你悉指陀 囉佐耶 怛他羯他耶 怛姪他 薩婆桑悉迦

囉 波利輸底 達磨底 伽伽娜 莎訶其持娜底 薩婆婆毗輸底 摩訶娜耶 波利婆利 莎訶

若有自書寫教人書寫是無量壽經即是書寫八四千部建立塔廟陀羅尼曰

南謨薄伽勃底 阿波利蜜多 阿喻紇硯娜 須毗你悉指陀 囉佐耶 怛他羯他耶 怛姪他 薩婆桑悉迦

囉 波利輸底 達磨底 伽伽娜 莎訶其持娜底 薩婆婆毗輸底 摩訶娜耶 波利婆利 莎訶

若有自書寫教人書寫是無量壽宗要經能消五開等一切重陀羅尼曰

南謨薄伽勃底 阿波利蜜多 阿喻紇硯娜 須毗你悉指陀 囉佐耶 怛他羯他耶 怛姪他 薩婆桑悉迦

波利輸底 達磨底 伽伽娜 莎訶其持娜底 薩婆婆毗輸底 摩訶娜耶 波利婆利 莎訶

若有自書寫教人書寫是無量壽宗要經受持讀誦者有重罪猶如須彌盡能除滅陀羅尼曰

南謨薄伽勃底 阿波利蜜多 阿喻紇硯娜 須毗你悉指陀 囉佐耶 怛他羯他耶 怛姪他 薩婆桑悉迦

囉 波利輸底 達磨底 伽伽娜 莎訶其持娜底 薩婆婆毗輸底 摩訶娜耶 波利婆利 莎訶

若有自書寫教人書寫是量壽宗要經受持讀誦者魔之眷屬夜叉羅剎不得其便

陀羅尼曰

南謨薄伽勃底 阿波利蜜多 阿喻紇硯娜 須毗你悉指陀 囉佐耶 怛他羯他耶 怛姪他 薩婆桑悉迦囉

波利輸底 達磨底 伽伽娜 莎訶其持娜底 薩婆婆毗輸底 摩訶娜耶 波利婆利 莎訶

南謨薄伽勃底 阿波利蜜多 阿喻紇硯娜 須毗你悉指陀 囉佐耶 怛他羯他耶 怛姪他 薩婆桑悉迦囉

波利輸底 達磨底 伽伽娜 莎訶其持娜底 薩婆婆毗輸底 摩訶娜耶 波利婆利 莎訶

南謨薄伽勃底 阿波利蜜多 阿喻紇硯娜 須毗你悉指陀 囉佐耶 怛他羯他耶 怛姪他 薩婆桑悉迦囉

波利輸底 達磨底 伽伽娜 莎訶其持娜底 薩婆婆毗輸底 摩訶娜耶 波利婆利 莎訶

若有自書寫教人書寫是無量壽宗要經受持讀誦當得四天大王隨其衛護陀羅尼曰

南謨薄伽勃底 阿波利蜜多 阿喻紇硯娜 須毗你悉指陀 囉佐耶 怛他羯他耶 怛姪他 薩婆桑悉迦囉

波利輸底 達磨底 伽伽娜 莎訶其持娜底 薩婆婆毗輸底 摩訶娜耶 波利婆利 莎訶

若有自書寫教人書寫是無量壽宗要經受持讀誦當得往生西方極樂世界阿彌陀淨土陀羅尼曰

南謨薄伽勃底 阿波利蜜多 阿喻紇硯娜 須毗你悉指陀 囉佐耶 怛他羯他耶 怛姪他 薩婆桑悉迦囉

囉 波利輸底 達磨底 伽伽娜 莎訶其持娜底 薩婆婆毗輸底 摩訶娜耶 波利婆利 莎訶

BD02477 號　無量壽宗要經　　（5–3）

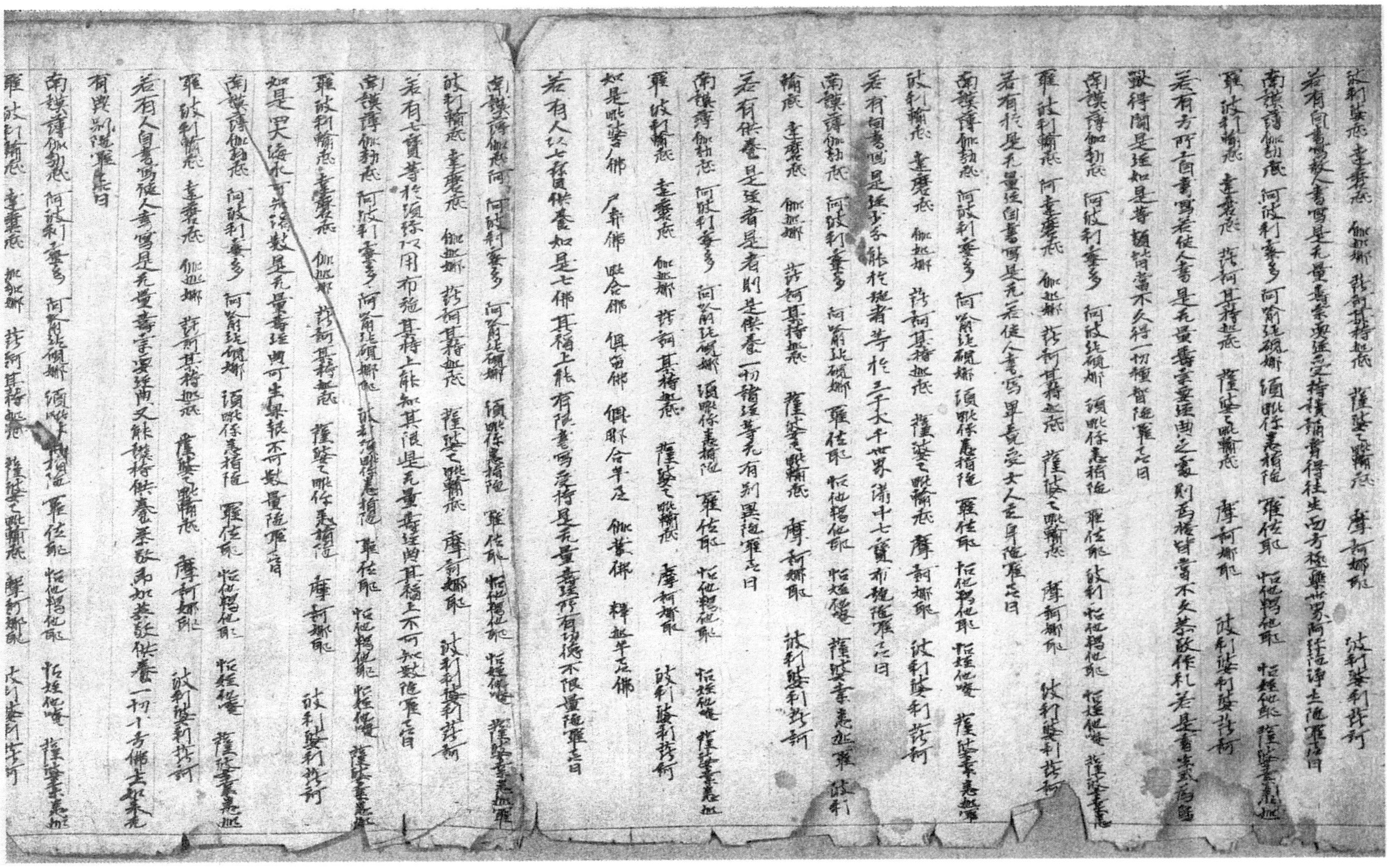

跋利輸底 達摩底 伽伽娜 莎訶其持娑底 薩婆婆毗輸底 摩訶娜耶 跋利婆利莎訶
若有自書寫教人書寫是无量壽宗要經受持讀誦當得往生西方極樂世界阿彌陁淨土陁羅尼曰
南謨薄伽勃底 阿波利蜜多 阿喻紇硯娜 須毗你悉指陁 囉佐耶 怛他羯他耶 怛姪他 薩婆桑悉迦無
羅跋利輸底 達摩底 伽伽娜 莎訶其持娑底 薩婆婆毗輸底 摩訶娜耶 跋利婆利莎訶
若有方所自書寫若使人書是无量壽宗要經典之處則為是塔皆當不久恭敬作礼若是畜[illegible]
獸得聞是經如是等類皆當不久得一切種智陁羅尼曰
南謨薄伽勃底 阿波利蜜多 阿喻紇硯娜 須毗你悉指陁 羅佐耶 跋利 怛他羯他耶 怛姪他 薩婆桑悉迦無
羅跋利輸底 達摩底 伽伽娜 莎訶其持娑底 薩婆婆毗輸底 摩訶娜耶 跋利婆利莎訶
若有於是无量經自書寫若使人書寫畢竟受女人之身陁羅尼曰
南謨薄伽勃底 阿波利蜜多 阿喻紇硯娜 須毗你悉指陁 羅佐耶 怛他羯他耶 怛姪他 薩婆桑悉迦無
跋利輸底 達摩底 伽伽娜 莎訶其持娑底 薩婆婆毗輸底 摩訶娜耶 跋利婆利莎訶
若有自書寫是經少分能於施者等於三千大千世界滿中七寶布施陁羅尼曰
南謨薄伽勃底 阿波利蜜多 阿喻紇硯娜 羅佐耶 怛他羯他耶 怛姪他 薩婆桑悉迦羅 跋利
輸底 達摩底 伽伽娜 莎訶其持娑底 薩婆婆毗輸底 摩訶娜耶 跋利婆利莎訶
若有供養是經者是者則是供養一切諸經等无有別異陁羅尼曰
南謨薄伽勃底 阿波利蜜多 阿喻紇硯娜 須毗你悉指陁 羅佐耶 怛他羯他耶 怛姪他 薩婆桑悉迦無
羅跋利輸底 達摩底 伽伽娜 莎訶其持娑底 薩婆婆毗輸底 摩訶娜耶 跋利婆利莎訶
如是毗婆尸佛 尸棄佛 毗舍佛 俱留佛 俱那含牟尼 伽葉佛 釋迦牟尼佛
若有人以七寶供養如是七佛 其福上能有限 書寫受持是无量壽經所有功德不限量陁羅尼曰
南謨薄伽勃底 阿波利蜜多 阿喻紇硯娜 須毗你悉指陁 羅佐耶 怛他羯他耶 怛姪他 薩婆桑悉迦無羅
跋利輸底 達摩底 伽伽娜 莎訶其持娑底 薩婆婆毗輸底 摩訶娜耶 跋利婆利莎訶
若有七寶等於須彌以用布施 其福上能知其限 是无量壽經典其福不可知數陁羅尼曰
南謨薄伽勃底 阿波利蜜多 阿喻紇硯娜 跋利須毗你悉指陁 羅佐耶 怛他羯他耶 怛姪他 薩婆桑悉迦無
羅跋利輸底 達摩底 伽伽娜 莎訶其持娑底 薩婆婆毗你悉指陁 摩訶娜耶 跋利婆利莎訶
如是四大海水可知滴數 是无量壽經典可生果報不可數量陁羅尼曰
南謨薄伽勃底 阿波利蜜多 阿喻紇硯娜 須毗你悉指陁 羅佐耶 怛他羯他耶 怛姪他 薩婆桑悉迦無
羅跋利輸底 達摩底 伽伽娜 莎訶其持娑底 薩婆婆毗輸底 摩訶娜耶 跋利婆利莎訶
若有人自書寫使人書寫是无量壽宗要經典又能恭持供養恭敬禮拜如恭敬供養一切十方佛土如来无
有異別陁羅尼曰
南謨薄伽勃底 阿波利蜜多 阿喻紇硯娜 須毗你悉指陁 羅佐耶 怛他羯他耶 怛姪他 薩婆桑悉迦無
羅跋利輸底 達摩底 伽伽娜 莎訶其持娑底 薩婆婆毗輸底 摩訶娜耶 大利婆利莎訶

BD02477 號　無量壽宗要經　　（5–4）

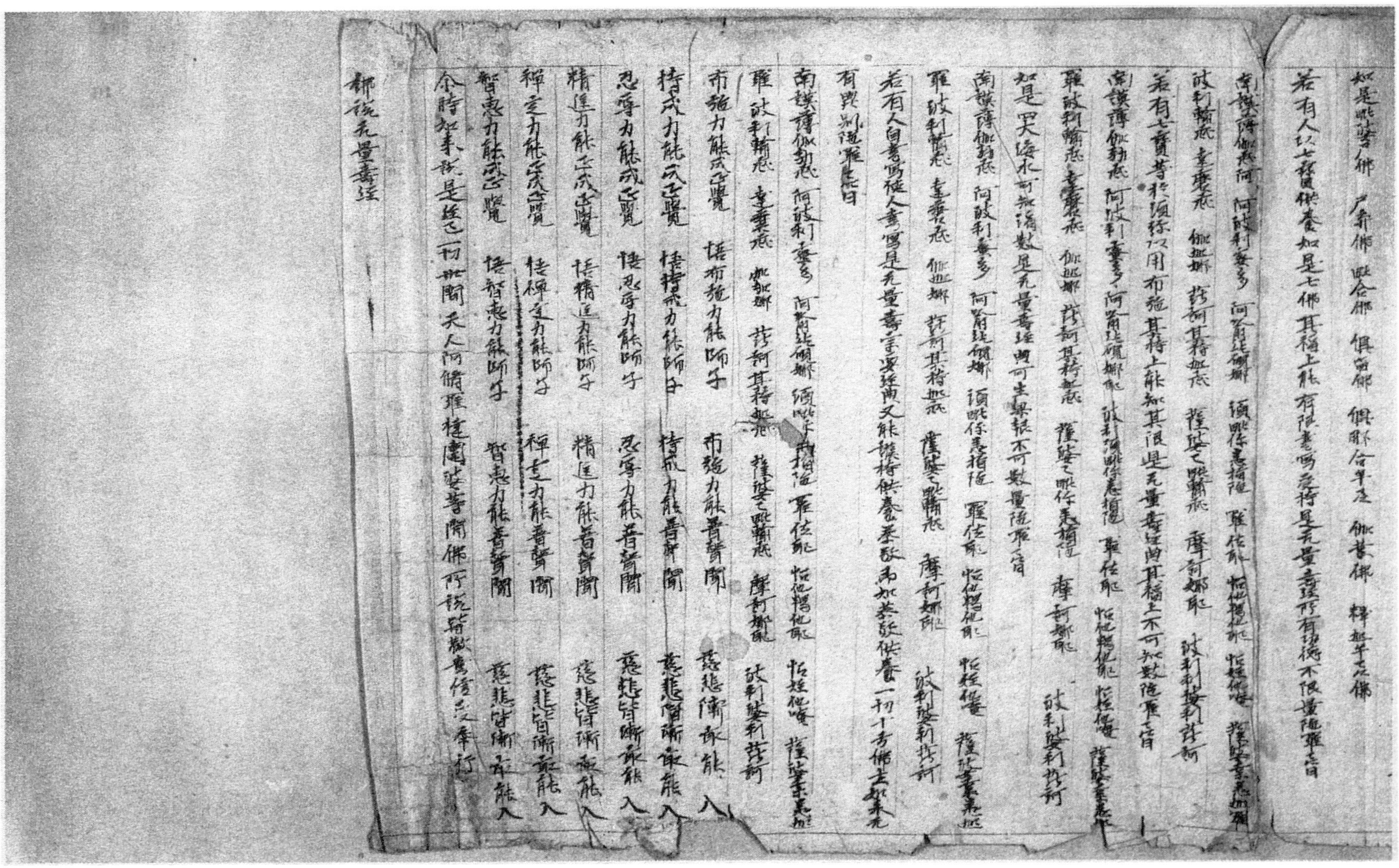

如是毗婆尸佛 尸棄佛 毗舍佛 俱留佛 俱那含牟尼 伽葉佛 釋迦牟尼佛
若有人以七寶供養如是七佛 其福上能有限 書寫受持是无量壽經所有功德不限量陁羅尼曰
南謨薄伽勃底 阿波利蜜多 阿喻紇硯娜 須毗你悉指陁 羅佐耶 怛他羯他耶 怛姪他 薩婆桑悉迦無羅
跋利輸底 達摩底 伽伽娜 莎訶其持娑底 薩婆婆毗輸底 摩訶娜耶 跋利婆利莎訶
若有七寶等於須彌以用布施 其福上能知其限 是无量壽經典其福不可知數陁羅尼曰
南謨薄伽勃底 阿波利蜜多 阿喻紇硯娜 跋利須毗你悉指陁 羅佐耶 怛他羯他耶 怛姪他 薩婆桑悉迦無
羅跋利輸底 達摩底 伽伽娜 莎訶其持娑底 薩婆婆毗你悉指陁 摩訶娜耶 跋利婆利莎訶
如是四大海水可知滴數 是无量壽經典可生果報不可數量陁羅尼曰
南謨薄伽勃底 阿波利蜜多 阿喻紇硯娜 須毗你悉指陁 羅佐耶 怛他羯他耶 怛姪他 薩婆桑悉迦無
羅跋利輸底 達摩底 伽伽娜 莎訶其持娑底 薩婆婆毗輸底 摩訶娜耶 跋利婆利莎訶
若有人自書寫使人書寫是无量壽宗要經典又能恭持供養恭敬禮拜如恭敬供養一切十方佛土如来无
有異別陁羅尼曰
南謨薄伽勃底 阿波利蜜多 阿喻紇硯娜 須毗你悉指陁 羅佐耶 怛他羯他耶 怛姪他 薩婆桑悉迦無
羅跋利輸底 達摩底 伽伽娜 莎訶其持娑底 薩婆婆毗輸底 摩訶娜耶 跋利婆利莎訶
布施力能成正覺 悟布施力能師子 布施力能普聲聞 慈悲衛乘能入
持戒力能成正覺 悟持戒力能師子 持戒力能普聲聞 慈悲皆衛乘能入
忍辱力能成正覺 悟忍辱力能師子 忍辱力能普聲聞 慈悲皆衛乘能入
精進力能正成正覺 悟精進力能師子 精進力能普聲聞 慈悲皆衛乘能入
禪定力能正成正覺 悟禪定力能師子 禪定力能普聲聞 慈悲皆衛乘能入
智慧力能成正覺 悟智慧力能師子 智慧力能普聲聞 慈悲皆衛乘能入
尒時如來說是經已一切世間天人阿脩羅揵闥婆等聞佛所說皆歡喜信受奉行
佛說无量壽經

BD02477 號　無量壽宗要經　　（5–5）

若作如是決定信者此人即應深心解了如
來之身無有別異善男子以是義故於諸境
界不正思惟悉皆除斷即知彼法無有二相正
修行故如是如是一切諸障悉皆除滅如如
一切障滅如是如是法如如如如智得最清
淨如如法界正智清淨如是如是一切自在
具足攝受皆得成就一切諸障悉皆除滅一
切諸障得清淨故是名真如正智真實之相
如是見者是名聖見是則名為真實見佛何
以故如實得見法真如故是故諸佛悉能普
見一切如來何以故聲聞獨覺已出三界求
真實境不能智見如是聖人所不知見一切
凡夫皆生疑惑顛倒分別不能得度如兔浮
海必不能過所以者何力微劣故凡夫之人
亦復如是不能通達法如如故然諸如來無
分別心於一切法得大自在具足清淨深智
慧故是自境界不共他故是故諸佛如來於
無量無邊阿僧祇劫不惜身命難行苦行
方得此身最上無比不可思議過言說境
寂靜離諸怖畏
善男子如是知見法真如者無生老死壽命

BD02478 號　金光明最勝王經卷二　（8–1）

慧故是自境界不共他故是故諸佛如來於
無量無邊阿僧祇劫不惜身命難行苦行
方得此身最上無比不可思議過言說境
寂靜離諸怖畏
善男子如是知見法真如者無生老死壽命
無限無有睡眠亦無飢渴心常在定無有散
動若於如來起諍論心是則不能見於如來
諸佛所說皆能利益有聽聞者無不解脫諸
惡禽獸惡人惡鬼不相逢值由聞法故果報
無盡然諸如來無無記事一切境界無欲知
心生死涅槃無有異想如來所說無不決定
諸佛如來四威儀中無非智攝一切諸法無
有不為慈悲所攝無有不為利益安樂諸衆
生者善男子若有善男子善女人於此金光
明經聽聞信解不墮地獄餓鬼傍生阿蘇羅
道常處人天不生下賤恒得親近諸佛如來
聽受正法常生諸佛清淨國土所以者何由
得聞此甚深法故是善男子善女人則為如
來已知已記當得不退阿耨多羅三藐三菩
提若善男子善女人於此甚深微妙之法一經
耳者當知是不謗如來不毀正法 不輕
聖衆一切衆生未種善根令得種故已種善
根令增長成熟故一切世界所有衆生皆勸
修行六波羅蜜多
爾時虛空藏菩薩梵釋四王諸天衆等即從
座起偏袒右肩合掌恭敬頂禮佛足而白佛言
世尊若所在處講說如是金光明王微妙經

BD02478 號　金光明最勝王經卷二　（8–2）

修行六波羅蜜多
尒時虚空藏菩薩梵釋四王諸天衆等即從
座起偏袒右肩合掌恭敬頂礼佛足而白佛言
世尊若所在處講說如是金光明王微妙經
典於其國土有四種利益何者為四一者國
王軍衆強盛無諸怨敵離於疾病壽命延
長吉祥安樂正法興顯二者中宮妃后王子諸
臣和悅無諍離於諂侫王所愛重三者沙門
婆羅門及諸國人修行正法無病安樂無枉
死者於諸福田悉皆修立四者於三時中四
大調適常為諸天增加守護慈悲平等無傷
害心令諸衆生歸敬三寶皆願修習菩提之
行是為四種利益之事世尊我等亦常為弘
經故隨逐如是持經之人所在住處為作利
益佛言善哉善哉善男子如是汝等應
當勤心流布此妙經王則令正法久住於世
金光明最勝王經夢見懺悔品第四
尒時妙幢菩薩親於佛前聞妙法已歡喜踊
躍一心思惟還至本處於夜夢中見大金鼓
光明晃耀猶如日輪於此光中得見十方無
量諸佛於寶樹下坐瑠璃座無量百千大衆
圍繞而為說法見一婆羅門桴擊金鼓出大
音聲聲中演說微妙伽他明懺悔法妙幢聞
已皆悉憶持繫念而住至天曉已與無量百
千大衆圍繞持諸供具出王舍城詣鷲峯
山至世尊所礼佛足已布設香花右繞三帀退
坐一面合掌恭敬瞻仰尊顏白佛言世尊我

BD02478 號　金光明最勝王經卷二　（8–3）

已皆悉憶持繫念而住至天曉已與無量百
千大衆圍繞持諸供具出王舍城詣鷲峯
山至世尊所礼佛足已布設香花右繞三帀退
坐一面合掌恭敬瞻仰尊顏白佛言世尊我
於夢中見婆羅門以手執桴擊妙金鼓出大
音聲聲中演說微妙伽他明懺悔法我皆憶
持唯願世尊降大慈悲聽我所說即於佛前
而說頌曰
我於昨夜中　夢見大金鼓　其形極姝妙　周遍有金光
猶如盛日輪　光明皆普耀　充滿十方界　咸見於諸佛
在於寶樹下　各處瑠璃座　無量百千衆　恭敬而圍繞
有一婆羅門　以杖擊金鼓　於其鼓聲内　說此妙伽他
金光明鼓出妙聲　遍至三千大千界
能滅三塗極重罪　及以人中諸苦厄
由此金鼓聲威力　永滅一切煩惱障
斷除怖畏令安隱　譬如自在牟尼尊
佛於生死大海中　積行修成一切智
能令衆生覺品具　究竟咸歸功德海
由此金鼓出妙聲　普令聞者獲梵響
證得無上菩提果　常轉清淨妙法輪
住壽不可思議劫　隨機說法利群生
能斷煩惱衆苦流　貪瞋癡等皆除滅
若有衆生處惡趣　大火猛燄周遍身
若得聞是妙鼓音　即能離苦歸依佛
皆得成就宿命智　能憶過去百千生
悉皆正念牟尼尊　得聞如來甚深教
由聞金鼓勝妙音　常得親近於諸佛
悉能捨離諸惡業　純修清淨諸善品

BD02478 號　金光明最勝王經卷二　（8–4）

皆得成就宿命智　能憶過去百千生
悉皆正念牟尼尊　得聞如來甚深教
由聞金鼓勝妙音　常得親近於諸佛
悉能捨離諸惡業　純修清淨諸善品
一切天人有情類　殷重至誠祈願者
得聞金鼓妙音聲　能令所求皆滿足
衆生墮在無間獄　猛火炎熾苦焚身
無有救護處輪迴　聞者能令苦除滅
人天餓鬼傍生中　所有現受諸苦難
得聞金鼓發妙響　皆蒙離苦得解脫
現在十方界　常住兩足尊　願以大悲心　哀愍憶念我
衆生無歸依　亦無有救護　為如是等類　能作大歸依
我先所作罪　極重諸惡業　今對十力前　至心皆懺悔
我不信諸佛　亦不敬尊親　不務修衆善　常造諸惡業
或自恃尊高　種姓及財位　盛年行放逸　常造諸惡業
心恒起邪念　口陳於惡言　不見於過罪　常造諸惡業
恒作愚夫行　無明闇覆心　隨順不善友　常造諸惡業
或因諸戲樂　或復懷憂惱　為貪瞋所纏　故我造諸惡
親近不善人　及由慳嫉意　貧窮行諂誑　故我造諸惡
雖不樂衆過　由有怖畏故　及不得自在　故我造諸惡
或為躁動心　或因瞋恚恨　及以飢渴惱　故我造諸惡
由飲食衣服　及貪愛女人　煩惱火所燒　故我造諸惡
於佛法僧衆　不生恭敬心　作如是衆罪　我今悉懺悔
於獨覺菩薩　亦無恭敬心　作如是衆罪　我今悉懺悔
無知謗正法　不孝於父母　作如是衆罪　我今悉懺悔
由愚癡憍慢　及以貪瞋力　作如是衆罪　我今悉懺悔
我於十方界　供養無數佛　當願拔衆生　令離諸苦難

BD02478 號　金光明最勝王經卷二　（8-5）

於獨覺菩薩　亦無恭敬心　作如是衆罪　我今悉懺悔
無知謗正法　不孝於父母　作如是衆罪　我今悉懺悔
由愚癡憍慢　及以貪瞋力　作如是衆罪　我今悉懺悔
我於十方界　供養無數佛　當願拔衆生　令離諸苦難
願一切有情　皆令住十地　福智圓滿已　成佛導群迷
我為諸衆生　苦行百千劫　以大智慧力　皆令出苦海
我為諸含識　演說甚深經　最勝金光明　能除諸惡業
若人百千劫　造諸極重罪　暫時能發露　衆惡盡消除
依此金光明　作如是懺悔　由斯能速盡　一切諸苦業
勝定百千種　不思議總持　根力覺道支　修習常無倦
我當至十地　具足珍寶處　圓滿佛功德　濟度生死流
我於諸佛海　甚深功德藏　妙智難思議　皆令得具足
唯願十方佛　觀察護念我　皆以大悲心　哀受我懺悔
我於多劫中　所造諸惡業　由斯生苦惱　哀愍願消除
我造諸惡業　常生憂怖心　於四威儀中　曾無歡樂想
諸佛具大悲　能除衆生怖　願受我悔　令得離憂苦
我有煩惱障　及以諸報業　願以大悲水　洗濯令清淨
我先作諸罪　及現造惡業　至心皆發露　咸願得蠲除
未來諸惡業　防護令不起　設令有違者　終不敢覆藏
身三語四種　意業復有三　繫縛諸有情　無始恒相續
由斯三種行　造作十惡業　如是衆多罪　我今皆懺悔
我造諸惡業　苦報當自受　今於諸佛前　至誠皆懺悔
於此贍部洲　及他方世界　所有諸善業　今我皆隨喜
願離十惡業　修行十善道　安住十地中　常見十方佛
我以身語意　所修福智業　願以此善根　速成無上慧
我今親對十力前　發露衆多苦難事
凡愚迷惑三有難　恒造極重惡業難

BD02478 號　金光明最勝王經卷二　（8-6）

願離十惡業　修行十善道　安住十地中　常見十方佛
我以身語意　所修福智業　願以此善根　速成無上慧
我今親對十力前　發露衆多苦難事
凡愚迷惑三有難　恒造極重惡業難
我所積集欲邪難　常起貪愛流轉難
於此世間耽著難　一切愚夫煩惱難
狂心散動顛倒難　及以親近惡友難
於生死中貪染難　瞋癡闇鈍造罪難
生八無暇惡處難　未曾積集功德難
我今皆於最勝前　懺悔無邊罪惡業
我今歸依諸善逝　我礼德海無上尊
如大金山照十方　唯願慈悲哀攝受
身色金光淨無垢　目如清淨紺瑠璃
吉祥威德名稱尊　大悲慧日除衆闇
佛日光明常普遍　善淨無垢離諸塵
牟尼月照極清涼　能除衆生煩惱熱
三十二相遍莊嚴　八十隨好皆圓滿
福德難思無與等　如日流光照世間
色如瑠璃淨無垢　猶如滿月處虛空
妙頗梨網映金軀　種種光明以嚴飾
於生死苦暴流內　老病憂愁水所漂
如是苦海難堪忍　佛日舒光令永竭
我今稽首一切智　三千世界希有尊
光明晃耀紫金身　種種妙好皆嚴飾
如大海水量難知　大地微塵不可數
如妙高山叵稱量　亦如虛空無有際
諸佛功德亦如是　一切有情不能知
於無量劫諦思惟　無有能知德海岸

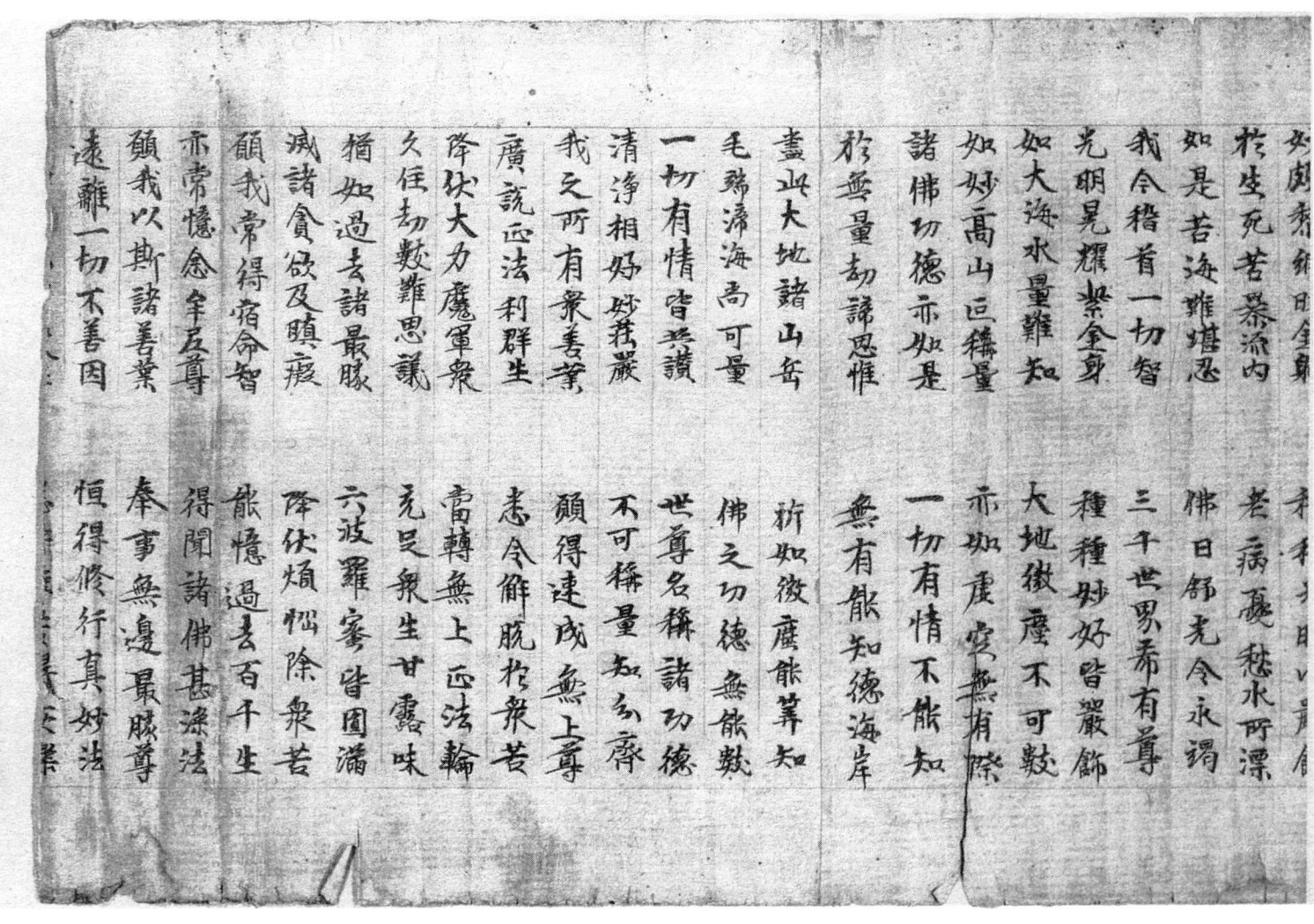

妙頗梨網映金軀　種種光明以嚴飾
於生死苦暴流內　老病憂愁水所漂
如是苦海難堪忍　佛日舒光令永竭
我今稽首一切智　三千世界希有尊
光明晃耀紫金身　種種妙好皆嚴飾
如大海水量難知　大地微塵不可數
如妙高山叵稱量　亦如虛空無有際
諸佛功德亦如是　一切有情不能知
於無量劫諦思惟　無有能知德海岸
盡此大地諸山岳　析如微塵能筭知
毛端渧海尚可量　佛之功德無能數
一切有情皆共讚　世尊名稱諸功德
清淨相好妙莊嚴　不可稱量知分齊
我之所有衆善業　願得速成無上尊
廣說正法利群生　悉令解脫於衆苦
降伏大力魔軍衆　當轉無上正法輪
久住劫數難思議　充足衆生甘露味
猶如過去諸最勝　六波羅蜜皆圓滿
滅諸貪欲及瞋癡　降伏煩惱除衆苦
願我常得宿命智　能憶過去百千生
亦常憶念牟尼尊　得聞諸佛甚深法
願我以斯諸善業　奉事無邊最勝尊
遠離一切不善因　恒得修行真妙法

諸子[illegible]　[illegible]
是時長者　而作是念　諸子如此　[illegible]
今此舍宅　无一可樂　而諸子等　耽湎
不受我教　將為火害　即便思惟　設諸方便
告諸子等　我有種種　珍玩之具　妙寶好車
羊車鹿車　大牛之車　今在門外　汝等出來
吾為汝等　造作此車　隨意所樂　可以遊戲
諸子聞說　如此諸車　即時奔競　馳走而出
到於空地　離諸苦難　長者見子　得出火宅
住於四衢　坐師子座　而自慶言　我今快樂
此諸子等　生育甚難　愚小无知　而入險宅
多諸毒虫　魑魅可畏　大火猛焰　四面俱起
而此諸子　貪著嬉戲　我已救之　令得脫難
是故諸人　我今快樂　尒時諸子　知父安坐
皆詣父所　而白父言　願賜我等　三種寶車
如前所許　諸子出來　當以三車　隨汝所欲
今正是時　唯垂給與　長者大富　庫藏衆多
金銀琉璃　車璖馬瑙　以衆寶物　造諸大車
莊校嚴飾　周匝欄楯　四面懸鈴　金繩交絡

BD02479號　妙法蓮華經卷二

(15-1)

如前所許　諸子出來　當以三車　隨汝所欲
今正是時　唯垂給與　長者大富　庫藏衆多
金銀琉璃　車璖馬瑙　以衆寶物　造諸大車
莊校嚴飾　周匝欄楯　四面懸鈴　金繩交絡
真珠羅網　張施其上　金華諸瓔　處處垂下
衆采雜飾　周匝圍遶　柔軟繒纊　以為茵蓐
上妙細疊　價直千億　鮮白淨潔　以覆其上
有大白牛　肥壯多力　形體姝好　以駕寶車
多諸儐從　而侍衛之　以是妙車　等賜諸子
諸子是時　歡喜踊躍　乘是寶車　遊於四方
嬉戲快樂　自在无㝵　告舍利弗　我亦如是
衆聖中尊　世間之父　一切衆生　皆是吾子
深著世樂　无有慧心　三界无安　猶如火宅
衆苦充滿　甚可怖畏　常有生老　病死憂患
如是等火　熾然不息　如來已離　三界火宅
寂然閑居　安處林野　今此三界　皆是我有
其中衆生　悉是吾子　而今此處　多諸患難
唯我一人　能為救護　雖復教詔　而不信受
於諸欲染　貪著深故　是以方便　為說三乘
令諸衆生　知三界苦　開示演說　出世間道
是諸子等　若心決定　具足三明　及六神通
有得緣覺　不退菩薩　汝舍利弗　我為衆生
以此譬喻　說一佛乘　汝等若能　信受是語
一切皆當　得成佛道　是乘微妙　清淨第一
於諸世間　為无有上　佛所悅可　一切衆生
所應稱讚　供養礼拜　无量億千　諸力解脫

BD02479號　妙法蓮華經卷二

(15-2)

以此譬喻　說一佛乘　汝等若能　信受是語
一切皆當　得成佛道　是乘微妙　清淨第一
於諸世間　為无有上　佛所說可　一切眾生
所應稱讚　供養礼拜　无量億千　諸力解脫
禪定智慧　及佛餘法　得如是乘　令諸子等
日夜劫數　常得遊戲　與諸菩薩　及聲聞眾
乘此寶乘　直至道場　以是因緣　十方諦求
更无餘乘　除佛方便　告舍利弗　汝諸人等
皆是吾子　我則是父　汝等累劫　眾苦所燒
我皆濟拔　令出三界　我雖先說　汝等滅度
但盡生死　而實不滅　今所應作　唯佛智慧
若有菩薩　於是眾中　能一心聽　諸佛實法
諸佛世尊　雖以方便　所化眾生　皆是菩薩
若人小智　深著愛欲　為此等故　說於苦諦
眾生心喜　得未曾有　佛說苦諦　真實无異
若有眾生　不知苦本　深著苦因　不能暫捨
為是等故　方便說道　諸苦所因　貪欲為本
若滅貪欲　无所依止　滅盡諸苦　名第三諦
為滅諦故　脩行於道　離諸苦縛　名得解脫
是人於何　而得解脫　但離虛妄　名為解脫
其實未得　一切解脫　佛說是人　未實滅度
斯人未得　无上道故　我意不欲　令至滅度
我為法王　於法自在　安隱眾生　故現於世
汝舍利弗　我此法印　為欲利益　世間故說
在所遊方　勿妄宣傳　若有聞者　隨喜頂受
當知是人　阿鞞跋致　若有信受　此經法者
是人已曾　見過去佛　恭敬供養　亦聞是法

BD02479號　妙法蓮華經卷二　（15–3）

汝舍利弗　我此法印　為欲利益　世間故說
在所遊方　勿妄宣傳　若有聞者　隨喜頂受
當知是人　阿鞞跋致　若有信受　此經法者
是人已曾　見過去佛　恭敬供養　亦聞是法
若人有能　信汝所說　則為見我　亦見於汝
及比丘僧　并諸菩薩　斯法華經　為深智說
淺識聞之　迷惑不解　一切聲聞　及辟支佛
於此經中　力所不及　汝舍利弗　尚於此經
以信得入　況餘聲聞　其餘聲聞　信佛語故
隨順此經　非己智分　又舍利弗　憍慢懈怠
計我見者　莫說此經　凡夫淺識　深著五欲
聞不能解　亦勿為說　若人不信　毀謗此經
則斷一切　世間佛種　或復嚬蹙　而懷疑惑
汝當聽說　此人罪報　若佛在世　若滅度後
其有誹謗　如斯經典　見有讀誦　書持經者
輕賤憎嫉　而懷結恨　此人罪報　汝今復聽
其人命終　入阿鼻獄　具足一劫　劫盡更生
如是展轉　至无數劫　從地獄出　當墮畜生
若狗野干　其形頺瘦　黧黮疥癩　人所觸嬈
又復為人　之所惡賤　常困飢渴　骨肉枯竭
生受楚毒　死被瓦石　斷佛種故　受斯罪報
若作馲駝　或生驢中　身常負重　加諸杖捶
但念水草　餘無所知　謗斯經故　獲罪如是
有作野干　來入聚落　身體疥癩　又无一目
為諸童子　之所打擲　受諸苦痛　或時致死

BD02479號　妙法蓮華經卷二　（15–4）

但念水草 餘無所知 謗斯經故 獲罪如是
有作野干 來入聚落 身體疥癩 又无一目
為諸童子 之所打擲 受諸苦痛 或時致死
於此死已 更受蟒身 其形長大 五百由旬
聾騃无足 宛轉腹行 為諸小虫 之所唼食
晝夜受苦 无有休息 謗斯經故 獲罪如是
若得為人 諸根闇鈍 矬陋攣躄 盲聾背傴
有所言說 人不信受 口氣常臭 鬼魅所著
貧窮下賤 為人所使 多病痟瘦 无所依怙
雖親附人 人不在意 若有所得 尋復忘失
若脩醫道 順方治病 更增他疾 或復致死
若自有病 无人救療 設服良藥 而復增劇
若他反逆 抄劫竊盜 如是等罪 橫罹其殃
如斯罪人 永不見佛 衆聖之王 說法教化
如斯罪人 常生難處 狂聾心亂 永不聞法
於无數劫 如恒河沙 生輙聾瘂 諸根不具
常處地獄 如遊園觀 在餘惡道 如己舍宅
駝驢猪狗 是其行處 謗斯經故 獲罪如是
若得為人 聾盲瘖瘂 貧窮諸衰 以自莊嚴
水腫乾痟 疥癩癰疽 如是等病 以為衣服
身常臭處 垢穢不淨 深著我見 增益瞋恚
婬欲熾盛 不擇禽獸 謗斯經故 獲罪如是
告舍利弗 謗斯經者 若說其罪 窮劫不盡
以是因緣 我故語汝 无智人中 莫說此經
若有利根 智慧明了 多聞強識 求佛道者
如是之人 乃可為說 若人曾見 億百千佛

BD02479號　妙法蓮華經卷二　（15-5）

告舍利弗 謗斯經者 若說其罪 窮劫不盡
以是因緣 我故語汝 无智人中 莫說此經
若有利根 智慧明了 多聞強識 求佛道者
如是之人 乃可為說 若人曾見 億百千佛
殖諸善本 深心堅固 如是之人 乃可為說
若人精進 常脩慈心 不惜身命 乃可為說
若人恭敬 无有異心 離諸凡愚 獨處山澤
如是之人 乃可為說 又舍利弗 若見有人
捨惡知識 親近善友 如是之人 乃可為說
若見佛子 持戒清潔 如淨明珠 求大乘經
如是之人 乃可為說 若人无瞋 質直柔軟
常愍一切 恭敬諸佛 如是之人 乃可為說
復有佛子 於大衆中 以清淨心 種種因緣
譬喻言辭 說法无导 如是之人 乃可為說
若有比丘 為一切智 四方求法 合掌頂受
但樂受持 大乘經典 乃至不受 餘經一偈
如是之人 乃可為說 如人至心 求佛舍利
如是求經 得已頂受 其人不復 志求餘經
亦未曾念 外道典籍 如是之人 乃可為說
告舍利弗 我說是相 求佛道者 窮劫不盡
如是等人 則能信解 汝當為說 妙法華經

妙法蓮華經信解品第四

尒時慧命須菩提摩訶迦旃延摩訶迦葉
摩訶目揵連從佛所聞未曾有法世尊授舍
利弗阿耨多羅三藐三菩提記發希有心歡喜
[illegible]

BD02479號　妙法蓮華經卷二　（15-6）

利弗阿耨多羅三藐三菩提記發希有心歡喜
踊躍即從座起整衣服偏袒右肩右膝著地
一心合掌曲躬恭敬瞻仰尊顏而白佛言我
等居僧之首年並朽邁自謂已得涅槃无
所堪任不復進求阿耨多羅三藐三菩提世尊
往昔說法既久我時在座身體疲懈但念空
无相无作於菩薩法遊戲神通淨佛國土成
就眾生心不喜樂所以者何世尊令我等出
於三界得涅槃證又今我等年已朽邁於佛
教化菩薩阿耨多羅三藐三菩提不生一念
好樂之心我等今於佛前聞授聲聞阿耨多
羅三藐三菩提記心甚歡喜得未曾有不謂
於今忽然得聞希有之法深自慶幸獲大
善利无量珍寶不求自得
世尊我等今者樂說譬喻以明斯義譬如有
人年既幼稚捨父逃逝久住他國或十二十
至五十歲年既長大家復窮困馳騁四方以
求衣食漸漸遊行遇向本國其父先來求子
不得中止一城其家大富財寶无量金銀瑠
璃珊瑚虎珀頗梨珠等其諸倉庫悉皆盈溢
多有僮僕臣佐吏民象馬車乘牛羊无數出
入息利乃遍他國商估賈客亦甚眾多時貧
窮子遊諸聚落經歷國邑遂到其父所止之
城父每念子與子離別五十餘年而未曾向
人說如此事但自思惟心懷悔恨自念老朽

[illegible]
城父每念子與子離別五十餘年而未曾向
人說如此事但自思惟心懷悔恨自念老朽
多有財物金銀珍寶倉庫盈溢无有子息一
旦終沒財物散失无所委付是以殷勤每憶
其子復作是念我若得子委付財物坦然快
樂无復憂慮世尊爾時窮子傭賃展轉遇到
父舍住立門側遙見其父踞師子床寶机承
足諸婆羅門剎利居士皆恭敬圍繞以真珠
瓔珞價直千万莊嚴其身吏民僮僕手執白
拂侍立左右覆以寶帳垂諸華幡香水灑地
散眾名華羅列寶物出內取與有如是等種
種嚴飾威德特尊窮子見父有大勢力即懷
恐怖悔來至此竊作是念此或是王或是王
等非我傭力得物之處不如往至貧里肆力
有地衣食易得若久住此或見逼迫強使我
作作是念已疾走而去時富長者於師子座
見子便識心大歡喜即作是念我財物庫藏
今有所付我常思念此子无由見之而忽自來
甚適我願我雖年朽猶故貪惜即遣傍人
急追將還
爾時使者疾走往捉窮子驚愕稱怨大喚我
不相犯何為見捉使者執之愈急強牽將還
于時窮子自念无罪而被囚執此必定死轉
更惶怖悶絕躃地父遙見之而語使言不須
此人勿強將來以冷水灑面令得醒悟莫復
與語所以者何父知其子志意下劣自知豪

更惶怖悶絶躃地父遥見之而語使言不須
此人勿強將來以冷水灑面令得醒悟莫復
與語所以者何父知其子志意下劣自知豪
貴為子所難審知是子而以方便不語他人
云是我子使者語之我今放汝随意所趣窮
子歡喜得未曾有從地而起往至貧里以求
衣食尒時長者將欲誘引其子而設方便密
遣二人形色憔悴无威德者汝可詣彼徐語
窮子此有作處倍與汝直窮子若許將來使
作若言欲何所作便可語之雇汝除糞我等
二人亦共汝作時二使人即求窮子既已得
之具陳上事尒時窮子先取其價尋與除糞
其父見子愍而怪之又以他日於窓牖中遥
見子身羸瘦憔悴糞土塵坌汙穢不淨即
脫瓔珞細濡上服嚴飾之具更著麁弊垢膩
之衣塵土坌身右手執持除糞之器狀有所畏語
諸作人汝等勤作勿得懈息以方便故得近
其子又復告言咄男子汝常此作勿復餘去
當加汝價諸有所須瓫器米麵塩酢之屬莫
自疑難亦有老弊使人須者相給好自安意
我如汝父勿復憂慮所以者何我年老大而
汝少壯汝常作時无有欺怠瞋恨怨言都不
見汝有此諸惡如餘作人自今已後如所生
子即時長者更與作字名之為兒
尒時窮子雖欣此遇猶故自謂客作賤人由

見汝有此諸惡如餘作人自今已後如所生
子即時長者更與作字名之為兒
尒時窮子雖欣此遇猶故自謂客作賤人由
是之故於二十年中常令除糞過是已後心相
體信入出无難然其所止猶在本處世尊尒
時長者有疾自知將死不久語窮子言我今
多有金銀珍寶倉庫盈溢其中多少所應取
與汝悉知之我心如是當體此意所以者何
今我與汝便為不異宜加用心无令漏失
尒時窮子即受教勅領知衆物金銀珍寶及
諸庫藏而无悕取一飡之意然其所止故在
本處下劣之心亦未能捨復經少時父知子
意漸已通泰成就大志自鄙先心臨欲終時
而命其子并會親族國王大臣剎利居士皆
悉已集即自宣言諸君當知此是我子我之
所生於某城中捨吾逃走跉跰辛苦五十餘
年其本字某我名某甲昔在本城懷憂推
覓忽於此間遇會得之此實我子我實其父
今吾所有一切財物皆是子有先所出內是
子所知世尊是時窮子聞父此言即大歡喜
得未曾有而作是念我本无心有所悕求今
我寶藏自然而至
世尊大富長者則是如來我等皆似佛子如
來常說我等為子世尊我等以三苦故於生
死中受諸熱惱迷惑无知樂著小法今日世

等皆似佛子如
來常說我等為子世尊我等以三苦故於生
死中受諸熱惱迷惑无智樂着小法今日世
尊令我等思惟蠲除諸法戲論之糞我等於
中勤加精進得至涅槃一日之價既得此已
心大歡喜自以為足而便自謂於佛法中勤精
進故所得弘多然世尊先知我等心着弊欲
樂於小法便見縱捨不為分別汝等當有如
來知見寶藏之分世尊以方便力說如來智
慧我等從佛得涅槃一日之價以為大得於
此大乘无有志求我等又因如來智慧為諸
菩薩開示演說而自於此无有志願所以者何
佛知我等心樂小法以方便力隨我等說而我
等不知真是佛子今我等方知世尊於佛
智慧无所悋惜所以者何我等昔來真是佛
子而但樂小法若我等有樂大之心佛則為我
說大乘法今此經中唯說一乘而昔於菩薩
前毀呰聲聞樂小法者然佛實以大乘教化
是故我等說本无心有所悕求今法王大寶
自然而至如佛子所應得者皆已得之尒時
摩訶迦葉欲重宣此事而說偈言
我等今日 聞佛音教 歡喜踊躍 得未曾有
佛說聲聞 當得作佛 无上寶聚 不求自得
譬如童子 幼稚无識 捨父逃逝 遠到他土
周流諸國 五十餘年 其父憂念 四方推求
求之既疲 頓止一城 造立舍宅 五欲自娛

佛說聲聞 當得作佛 无上寶聚 不求自得
譬如童子 幼稚无識 捨父逃逝 遠到他土
周流諸國 五十餘年 其父憂念 四方推求
求之既疲 頓止一城 造立舍宅 五欲自娛
其家巨富 多諸金銀 車𤦲馬瑙 真珠琉璃
象馬牛羊 輦輿車乘 田業僮僕 人民衆多
出入息利 乃遍他國 商估賈人 无處不有
千万億衆 圍繞恭敬 常為王者 之所愛念
群臣豪族 皆共宗重 以諸緣故 往來者衆
豪富如是 有大力勢 而年朽邁 益憂念子
夙夜惟念 死時將至 癡子捨我 五十餘年
庫藏諸物 當如之何 尒時窮子 求索衣食
從邑至邑 從國至國 或有所得 或无所得
飢餓羸瘦 體生瘡癬 漸次經歷 到父住城
傭賃展轉 遂至父舍 尒時長者 於其門內
施大寶帳 處師子座 眷屬圍繞 諸人侍衛
或有計算 金銀寶物 出內財產 注記券疏
窮子見父 豪貴尊嚴 謂是國王 若是王等
驚怖自怪 何故至此
覆自念言 我若久住 或見逼迫 強驅使作
思惟是已 馳走而去 借問貧里 欲往傭作
長者是時 在師子座 遙見其子 默然識之
即勑使者 追捉將來 窮子驚喚 迷悶躄地
是人執我 必當見殺 何用衣食 使我至此
長者知子 愚癡狹劣 不信我言 不信是父
即以方便 更遣餘人 眇目矬陋 无威德者

是人執我　必當見煞　何用衣食　使我至此
長者知子　愚癡狹劣　不信我言　不信是父
即以方便　更遣餘人　眇目矬陋　无威德者
汝可語之　云當相雇　除諸糞穢　倍與汝價
窮子聞之　歡喜隨來　為除糞穢　淨諸房舍
長者於牖　常見其子　念子愚劣　樂為鄙事
於是長者　著弊垢衣　執除糞器　往到子所
方便附近　語令勤作
既益汝價　并塗足油　飲食充足　薦席厚煖
如是苦言　汝當勤作　又以濡語　若如我子
長者有智　漸令出入　經二十年　執作家事
示其金銀　真珠頗梨　諸物出入　皆使令知
猶處門外　止宿草菴　自念貧事　我无此物
父知子心　漸已廣大　欲與財物　即聚親族
國王大臣　剎利居士　於此大衆　說是我子
捨我他行　經五十歲　自見子來　已二十年
昔於某城　而失是子　周行求索　遂來至此
凡我所有　舍宅人民　悉以付之　恣其所用
子念昔貧　志意下劣　今於父所　大獲珍寶
并及舍宅　一切財物　甚大歡喜　得未曾有
佛亦如是　知我樂小　未曾說言　汝等作佛
而說我等　得諸无漏　成就小乘　聲聞弟子
佛勑我等　說㝡无上　脩習此者　當得成佛
我承佛教　為大菩薩　以諸因緣　種種譬喻
若干言辭　說无上道
諸佛子等　從我聞法　日夜思惟　精進脩習

佛勑我等　說㝡无上　脩習此者　當得成佛
我承佛教　為大菩薩　以諸因緣　種種譬喻
若干言辭　說无上道
諸佛子等　從我聞法　日夜思惟　精進脩習
是時諸佛　即授其記　汝於來世　當得作佛
一切諸佛　秘藏之法　但為菩薩　演其實事
而不為我　說斯真要　如彼窮子　得近其父
雖知諸物　心不悕取　我等雖說　佛法寶藏
自无志願　亦復如是　我等內滅　自謂為足
唯了此事　更无餘事　我等若聞　淨佛國土
教化衆生　都无欣樂　所以者何　一切諸佛
皆悉空寂　无生无滅　无大无小　无漏无為
如是思惟　不生喜樂　我等長夜　於佛智慧
无貪无著　不復志願　而自於法　謂是究竟
我等長夜　脩習空法　得脫三界　苦惱之患
住最後身　有餘涅槃　佛所教化　得道不虛
則為已得　報佛之恩　我等雖為　諸佛子等
說菩薩法　以求佛道　而於是法　永无願樂
導師見捨　觀我心故　初不勸進　說有實利
如富長者　知子志劣　以方便力　柔伏其心
然後乃付　一切財寶
佛亦如是　現希有事　知樂小者　以方便力
調伏其心　乃教大智　我等今日　得未曾有
非先所望　而今自得　如彼窮子　得无量寶
世尊我今　得道得果　於无漏法　得清淨眼
我等長夜　持佛淨戒　始於今日　得其果報

非无所望　而今自得　如彼窮子　得无量寶
世尊我今　得道得果　於无漏法　得清淨眼
我等長夜　持佛淨戒　始於今日　得其果報
法王法中　久脩梵行　今得无漏　无上大果
我等今者　真是聲聞　以佛道聲　令一切聞
我等今者　真阿羅漢　於諸世間　天人魔梵
普於其中　應受供養　世尊大恩　以希有事
憐愍教化　利益我等　无量億劫　誰能報者
手足供給　頭頂礼敬　一切供養　皆不能報
若以頂戴　兩肩荷負　於恒沙劫　盡心恭敬
又以美膳　无量寶衣　及諸臥具　種種湯藥
牛頭旃檀　及諸珍寶　以起塔廟　寶衣布地
如斯等事　以用供養　於恒沙劫　亦不能報
諸佛希有　无量无邊　不可思議　大神通力
无漏无為　諸法之王　能為下劣　忍于斯事
取相凡夫　隨宜為說　諸佛於法　得最自在
知諸眾生　種種欲樂　及其志力　隨所堪任
以无量喻　而為說法　隨諸眾生　宿世善根
又知成熟　未成熟者　種種籌量　分別知已
於一乘道　隨宜說三

妙法蓮華經卷第二

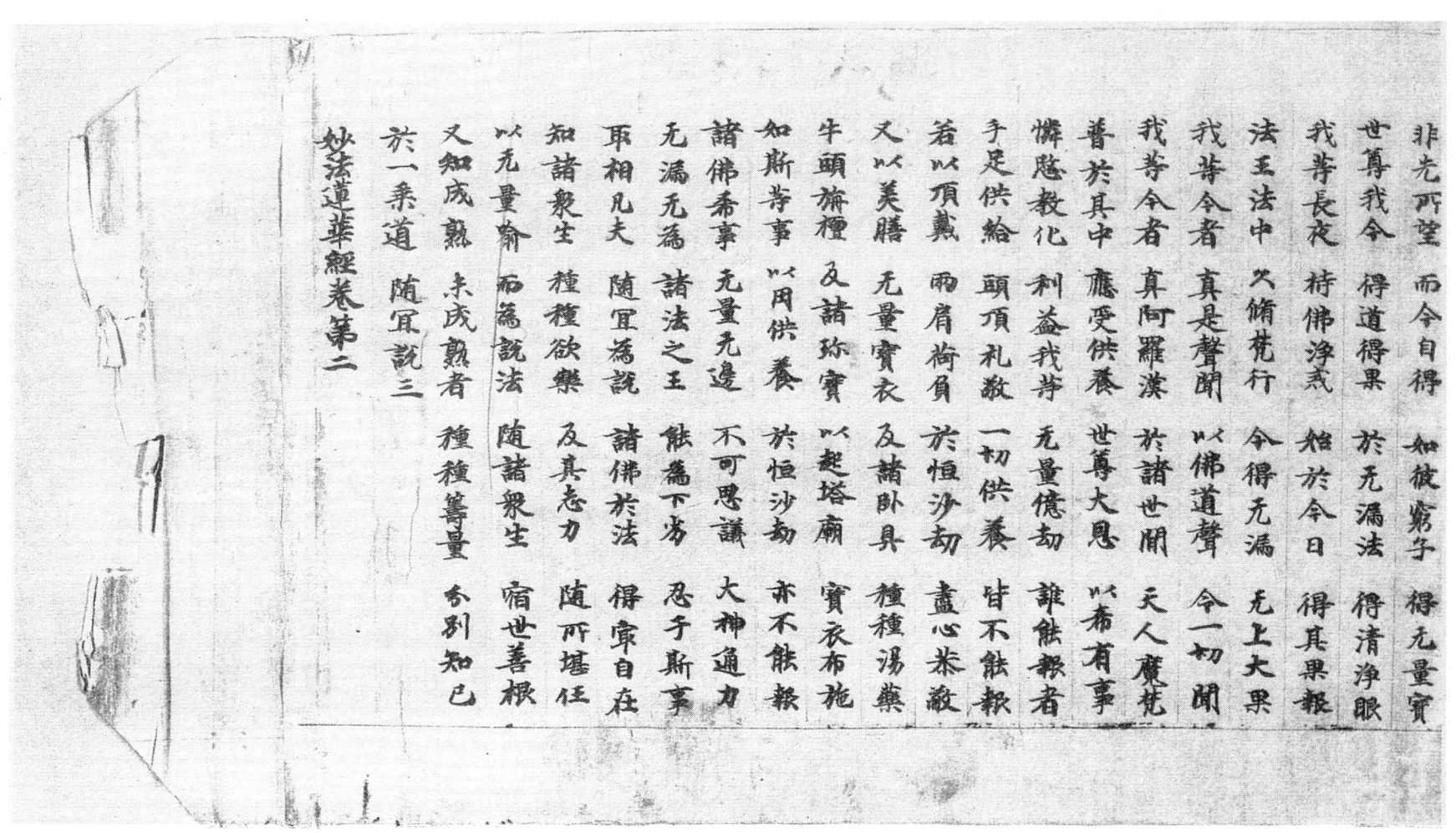

BD02479號　妙法蓮華經卷二　（15–15）

心佛告須菩提善男子
多羅三藐三菩提者當生如
一切眾生滅度一切眾生已而
實滅度者何以故若菩薩有我相人
相壽者相則非菩薩所以者何須菩提實无
法發阿耨多羅三藐三菩提者須菩提於
意云何如來於然燈佛所有法得阿耨多羅
三藐三菩提不世尊如我解佛所說義佛於
然燈佛所无有法得阿耨多羅三藐三菩
佛言如是如是須菩提實无有法如來得阿
耨多羅三藐三菩提須菩提若有法如來得
阿耨多羅三藐三菩提者然燈佛則不與我
受記汝於來世當得作佛號釋迦牟尼以實
无有法得阿耨多羅三藐三菩提是故然燈
佛與我受記作如是言汝於來世當得作佛
号釋迦牟尼何以故如來者即諸法如義若
有人言如來得阿耨多羅三藐三菩提須菩
提實无有法佛得阿耨多羅三藐三菩提須
菩提如來所得阿耨多羅三藐三菩提於是
中无實无虛是故如來說一切法皆是佛法須
菩提所言一切法者即非一切法是故名一
切法須菩提譬如人身長大須菩提言世尊

BD02480號　金剛般若波羅蜜經　（4–1）

提實无有法佛得阿耨多羅三藐三菩提須
菩提如來所得阿耨多羅三藐三菩提於是
中无實无虛是故如來說一切法皆是佛法須
菩提所言一切法者即非一切法是故名一
切法須菩提譬如人身長大須菩提言世尊
如來說人身長大則為非大身是名大身須
菩提菩薩亦如是若作是言我當滅度无量
衆生則不名菩薩何以故須菩提實无有法名
為菩薩是故佛說一切法无我无人无衆生
无壽者須菩提若菩薩作是言我當莊嚴佛
土是不名菩薩何以故如來說莊嚴佛土者
即非莊嚴是名莊嚴須菩提若菩薩通達无
我法者如來說名真是菩薩
須菩提於意云何如來有肉眼不如是世尊
如來有肉眼須菩提於意云何如來有天眼
不如是世尊如來有天眼須菩提於意云何
如來有慧眼不如是世尊如來有慧眼須菩
提於意云何如來有法眼不如是世尊如來
有法眼須菩提於意云何如來有佛眼不如
是世尊如來有佛眼須菩提於意云何恒河
中所有沙數佛說是沙不如是世尊如來說
是沙須菩提於意云何如一恒河中所有沙有
如是等恒河是諸恒河所有沙數佛世界如
是寧為多不甚多世尊佛告須菩提尒所國
土中所有衆生若干種心如來悉知何以故
如來說諸心皆為非心是名為心所以者何
須菩提過去心不可得現在心不可得未來
心不可得須菩提於意云何若有人滿三千

土中所有衆生若干種心如來悉知何以故
如來說諸心皆為非心是名為心所以者何
須菩提過去心不可得現在心不可得未來
心不可得須菩提於意云何若有人滿三千
大千世界七寶以用布施是人以是因緣得
福多不如是世尊此人以是因緣得福甚多
須菩提若福德有實如來不說得福德多以
福德无故如來說得福德多
須菩提於意云何佛可以具足色身見不不
也世尊如來不應以色身見何以故如來說
具足色身即非具足色身是名具足色身須
菩提於意云何如來可以具足諸相見不不
也世尊如來不應以具足諸相見何以故如
來說諸相具足即非具足是名諸相具足須
菩提汝勿謂如來作是念我當有所說法莫
作是念何以故若人言如來有所說法即為
謗佛不能解我所說故須菩提說法者无法
可說是名說法須菩提白佛言世尊佛得阿
耨多羅三藐三菩提為无所得耶如是如是
須菩提我於阿耨多羅三藐三菩提乃至无
有少法可得是名阿耨多羅三藐三菩提復
次須菩提是法平等无有高下是名阿耨多
羅三藐三菩提以无我无人无衆生无壽者
脩一切善法則得阿耨多羅三藐三菩提須
菩提所言善法者如來說非善法是名善法
須菩提若三千大千世界中所有諸須弥山
王如是等七寶聚有人持用布施若人以此
般若波羅蜜經乃至四句偈等受持為他人

菩提所言善法者如來說非善法是名善法
須菩提若三千大千世界中所有諸須弥山
王如是等七寶聚有人持用布施若人以此
般若波羅蜜經乃至四句偈等受持讀誦爲他人
說於前福德百分不及一百千萬億分乃至
筭數譬喻所不能及
須菩提於意云何汝等勿謂如來作是念我
當度衆生須菩提莫作是念何以故實无有
衆生如來度者若有衆生如來度者如來則有
我人衆生壽者須菩提如來說有我者則非有
我而凡夫之人以爲有我須菩提凡夫者如來
說則非凡夫須菩提於意云何可以卅二相觀
如來不須菩提言如是如是以卅二相觀如
來佛言須菩提若以卅二相觀如來者轉輪
聖王則是如來須菩提白佛言世尊如我解
佛所說義不應以卅二相觀如來尒時世尊
而說偈言
若以色見我　以音聲求我　是人行耶道　不能見如來
須菩提汝若作是念如來不以具足相故得
阿耨多羅三藐三菩提須菩提莫作是念如
來不以具足相故得阿耨多羅三藐三菩提
須菩提汝若作是念發阿耨多羅三藐三菩
提者說諸法斷滅莫作是念何以故發阿
耨多羅三藐三菩提者於法不說斷滅相須
菩提若菩薩以滿恒河沙等世界七寶布施
若復有人知一切法无我得成於忍此菩薩

BD02480號　金剛般若波羅蜜經　（4–4）

已身信意語女人言小遠住私若女人爲信來接
丘足者不時意自痛言令痛不覺女人细滑若女人洗
比丘囊水者意語知水處与不意自捉灌濩女人手不
意以手意以苦威与者无著者合淨人与者无婢人者
比丘意持灌著牀上若机上挍与語言甲取水飲
若比丘与女人共牀坐非威儀若起欲心越比丘罪如
動牀不相觸者偷蘭罪若共一器食若共一槃食
一牀臥亦如是若比丘与女人共牀臥相觸犯僧伽婆
尸沙若中間比丘生女人臥女人生比丘臥隨生時臥時
隨相觸一一僧伽婆尸沙若比丘知法多詐与女人相抱
共臥共起竟昔不動者犯一僧伽婆尸沙若比丘与
女人共浴船者非威儀若染汙心越比丘罪若欲心
動船不相觸者偷蘭罪若比丘与女人共井上作木汲
水者非威儀若起欲心越比丘罪若欲心動木者偷
蘭罪若不動者无罪若中間有男子者无罪若比丘
与女人共一繩汲水非威儀若起欲心越比丘罪若欲心
動繩偷蘭罪若比丘与女人共井汲水比丘下灌時女
人欲下當語言姊妹小住須我灌出竟然後下若井
蘭動共汲水者非威儀若起欲心者越比丘罪欲心動
井蘭得偷蘭罪若井蘭不動无罪中間有淨人者
无罪若比丘入聚落中到信心優婆塞家時優婆
塞婦語言欲得一俱供養和尚師阿闍梨共施具

BD02481號　摩訶僧祇律卷五　（1–1）

BD02482號　佛名經（十二卷本　僞造）卷九　（1–1）

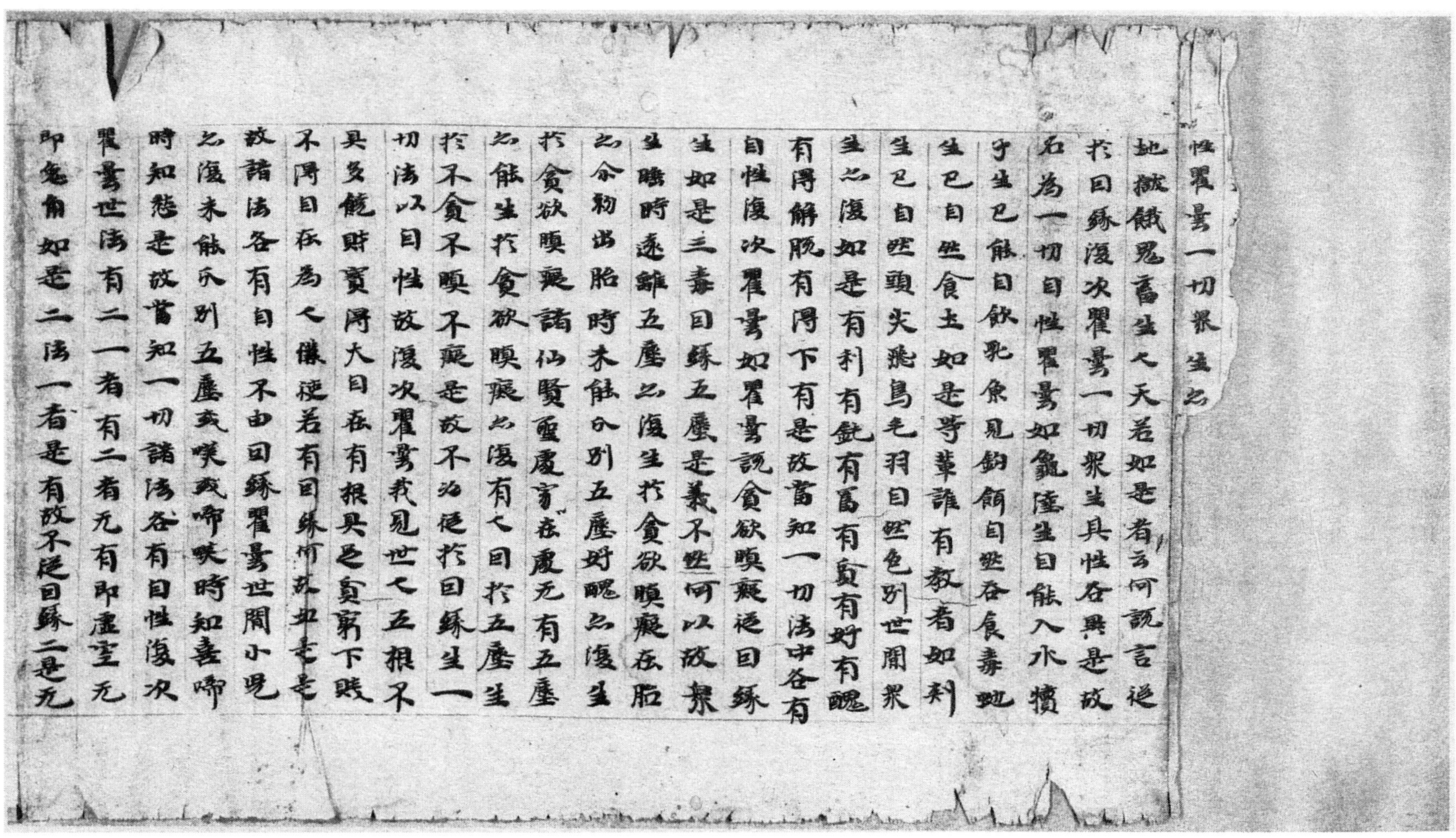

性瞿曇一切眾生之
地獄餓鬼畜生人天若如是者云何說言從
於因緣復次瞿曇一切眾生具性各異是故
名為一切自性瞿曇如龜陸生自能入水犢
子生已能自飲乳魚見鉤餌自然吞食毒蛇
生已自然食土如是等事誰有教者如刺
生已自然頭尖飛鳥毛羽自然色別世間眾
生亦復如是有利有鈍有富有貧有好有醜
有得解脫有得下有是故當知一切法中各有
自性復次瞿曇如瞿曇說貪欲瞋癡從因緣
生如是三毒因緣五塵是義不然何以故眾
生睡時遠離五塵亦復生於貪欲瞋癡在胎
亦爾初出胎時未能分別五塵好醜亦復生
於貪欲瞋癡諸仙賢聖處空閑處無有五塵
亦能生於貪欲瞋癡亦復有人因於五塵生
於不貪不瞋不癡是故不必從於因緣生一
切法以自性故復次瞿曇我見世人五根不
具多饒財寶得大自在有根具足貧窮下賤
不得自在為人僕使若有因緣何故如是是
故諸法各有自性不由因緣瞿曇世間小兒
亦復未能分別五塵或笑或啼笑時知喜啼
時知愁是故當知一切諸法各有自性復次
瞿曇世法有二一者有二者無有即虛空無
即兔角如是二法一者是有故不從因緣二是無

BD02483號　大般涅槃經（北本）卷四〇　（2–1）

亦能生於貪欲瞋癡亦復有之因於五塵生
於不貪不瞋不癡是故不必從於因緣生一
切法以自性故復次瞿曇我見世之五根不
具多饒財寶得大自在有根具足貧窮下賤
不得自在為之僕使若有因緣何故如是是
故諸法各有自性不由因緣瞿曇世間小兒
亦復未能分別五塵或咲或啼咲時知喜啼
時知悲是故當知一切諸法各有自性復次
瞿曇世法有二一者有二者无有即虛空无
即兔角如是二法一者是有故不從因緣二是无
故亦非因緣是故諸法有自性故不從因緣
佛言善男子如汝所言如五大性一切諸法亦
應如是是義不然何以故善男子如汝法中以
五大是常何因緣故一切諸法悉不是常若
世間物是无常者是五大性何因緣故不
是无常若五大常世間之物亦應是常是故
汝說五大之性有自性故不從因緣令一切
法同五大者无有是處善男子汝言用處定
故有自性者是義不然何以故皆從因緣得
名字故若從因緣得名亦從因緣得義云何名為
從因得名如在頭上名之為首在頸名瓔在
手名釧在車名輪火在草木名草木火善男
子樹初生時无箭稍性從因緣故
從因緣故工造為稍是
自性也汝言如
性能飲

BD02483 號　大般涅槃經（北本）卷四〇　　（2–2）

妙法蓮華經常不輕菩薩品第二十　七
爾時佛告得大勢菩薩摩訶薩汝今當知若
比丘比丘尼優婆塞優婆夷持法華經者若
有惡口罵詈誹謗獲大罪報如前所說其所
得功德如向所說眼耳鼻舌身意清淨得大
勢乃往古昔過无量无邊不可思議阿僧祇
劫有佛名威音王如來應供正遍知明行足
善逝世間解无上士調御丈夫天人師佛世
尊劫名離衰國名大成其威音王佛於彼世
中為天人阿脩羅說法為求聲聞者說應四
諦法度生老病死究竟涅槃為求辟支佛者
說應十二因緣法為諸菩薩因阿耨多羅三藐
三菩提說應六波羅蜜法究竟佛慧得大
勢是威音王佛壽四十万億那由他恒河沙
劫正法住世劫數如一閻浮提微塵像法住
世劫數如四天下微塵其佛饒益衆生已然
後滅度正法像法滅盡之後於此國土復有
佛出亦号威音王如來應供正遍知明行足
善逝世間解无上士調御丈夫天人師佛世
尊如是次第有二万億佛皆同一号最初威
音王如來既已滅度正法滅後於像法中增
上慢比丘有大勢力爾時有一菩薩比丘名
常不輕得大勢以何因緣名常不輕是比丘

BD02484 號　妙法蓮華經（八卷本）卷七　　（2–1）

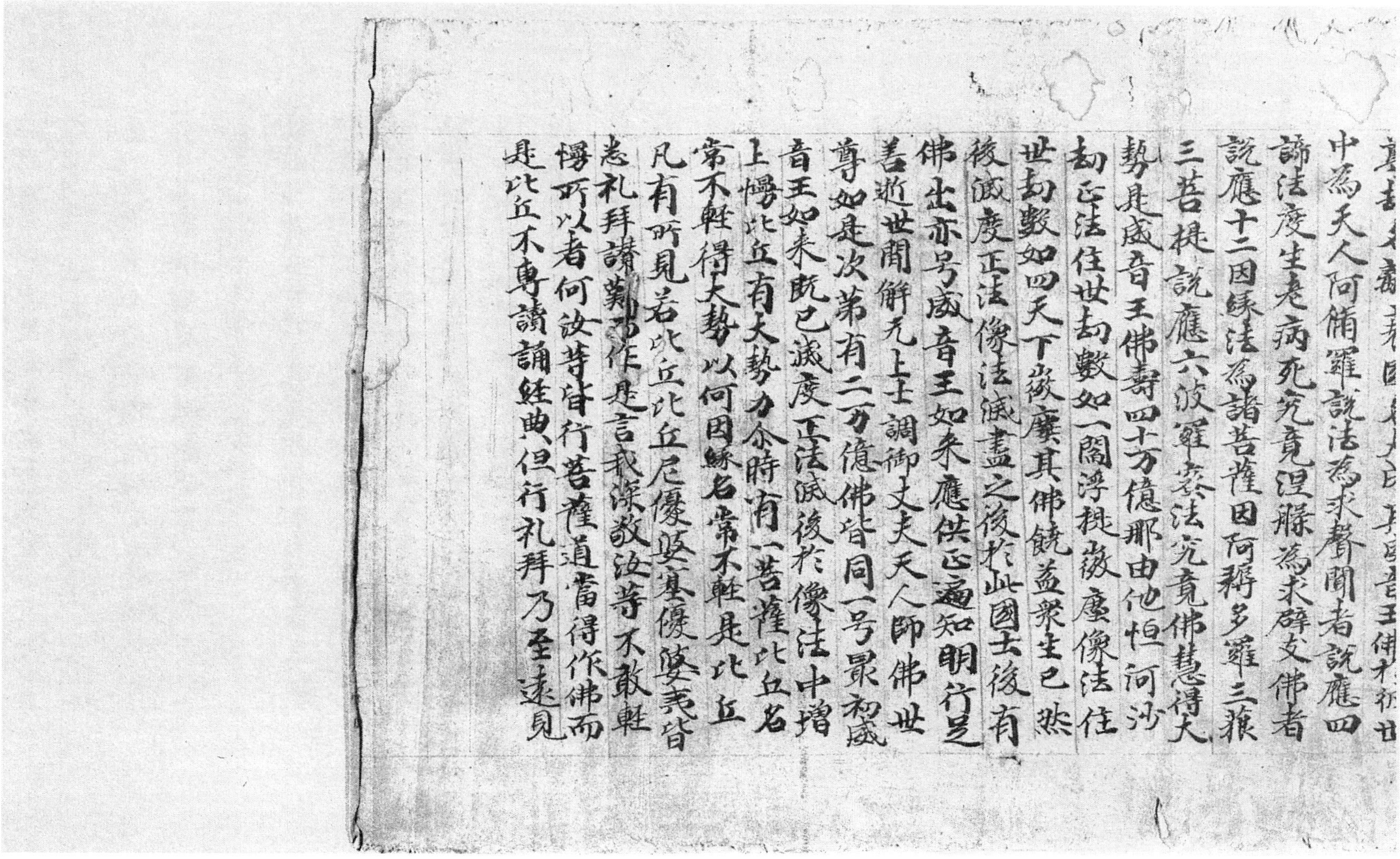
眞劫名離衰國名大成其威音王佛於彼世
中為天人阿脩羅說法為求聲聞者說應四
諦法度生老病死究竟涅槃為求辟支佛者
說應十二因緣法為諸菩薩因阿耨多羅三藐
三菩提說應六波羅蜜法究竟佛慧得大
勢是威音王佛壽四十万億那由他恒河沙
劫正法住世劫數如一閻浮提微塵像法住
世劫數如四天下微塵其佛饒益衆生已然
後滅度正法像法滅盡之後於此國土復有
佛出亦号威音王如來應供正遍知明行足
善逝世間解无上士調御丈夫天人師佛世
尊如是次第有二万億佛皆同一号最初威
音王如來既已滅度正法滅後於像法中增
上慢比丘有大勢力尒時有一菩薩比丘名
常不輕得大勢以何因緣名常不輕是比丘
凡有所見若比丘比丘尼優婆塞優婆夷皆
悉礼拜讚歎而作是言我深敬汝等不敢輕
慢所以者何汝等皆行菩薩道當得作佛而
是比丘不專讀誦經典但行礼拜乃至遠見

BD02484號　妙法蓮華經（八卷本）卷七　（2–2）

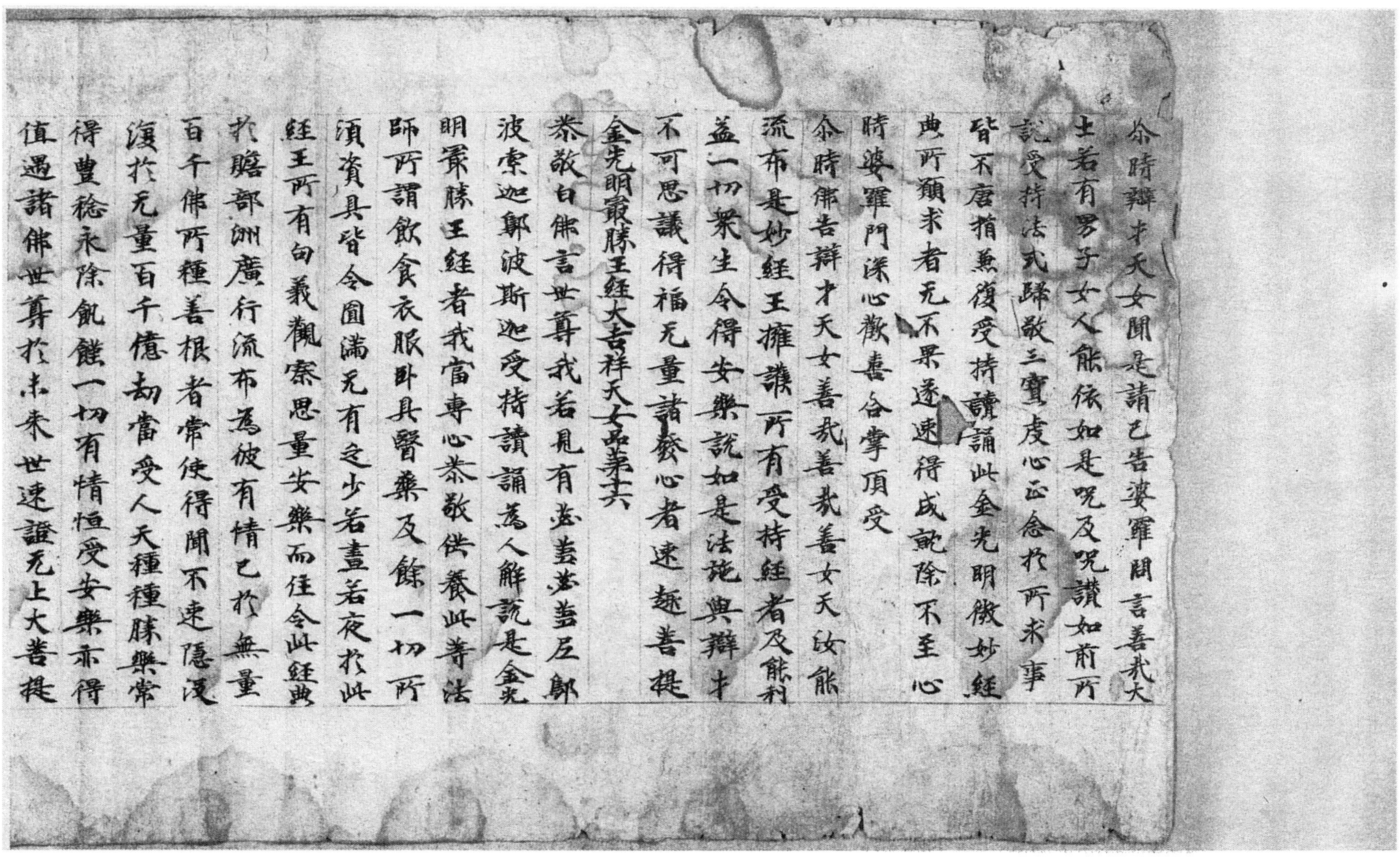
尒時辯才天女聞是請已告婆羅門言善哉大
士若有男子女人能依如是呪及呪讚如前所
說受持法式歸敬三寶虔心正念於所求事
皆不唐捐兼復受持讀誦此金光明微妙經
典所願求者无不果遂速得成就除不至心
時婆羅門深心歡喜合掌頂受
尒時佛告辯才天女善哉善哉善女天汝能
流布是妙經王擁護所有受持經者及能利
益一切衆生令得安樂說如是法施與辯才
不可思議得福无量諸發心者速趣菩提
金光明最勝王經大吉祥天女品第十六
恭敬白佛言世尊我若見有苾芻苾芻尼鄔
波索迦鄔波斯迦受持讀誦為人解說是金光
明最勝王經者我當專心恭敬供養此等法
師所謂飲食衣服卧具醫藥及餘一切所
須資具皆令圓滿无有乏少若晝若夜於此
經王所有句義觀察思量安樂而住令此經典
於贍部洲廣行流布為彼有情已於無量
百千佛所種善根者常使得聞不速隱沒
復於无量百千億劫當受人天種種勝樂常
得豐稔永除飢饉一切有情恒受安樂亦得
值遇諸佛世尊於未來世速證无上大菩提

BD02485號　金光明最勝王經卷八　（2–1）

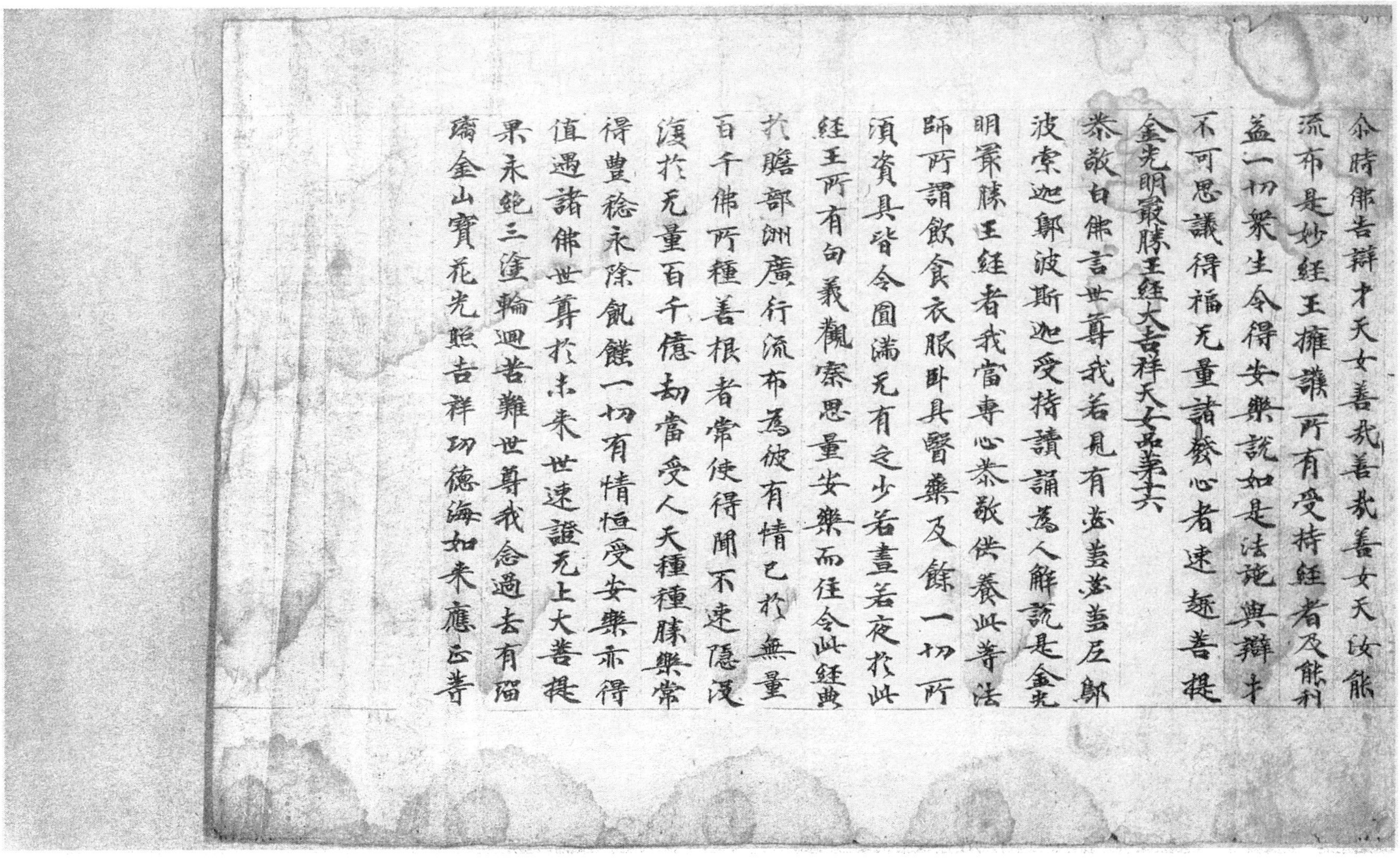

尒時佛告辯才天女善哉善哉善女天汝能
流布是妙經王擁護所有受持經者及能利
益一切衆生令得安樂説如是法施與辯才
不可思議得福无量諸發心者速趣菩提
金光明㝡勝王經大吉祥天女品第十六
恭敬白佛言世尊我若見有苾芻苾芻尼鄔
波索迦鄔波斯迦受持讀誦爲人解説是金光
明㝡勝王經者我當專心恭敬供養此等法
師所謂飲食衣服卧具醫藥及餘一切所
須資具皆令圓滿无有乏少若晝若夜於此
經王所有句義觀察思量安樂而住令此經典
於贍部洲廣行流布爲彼有情已於無量
百千佛所種善根者常使得聞不速隱沒
復於无量百千億劫當受人天種種勝樂常
得豐稔永除飢饉一切有情恒受安樂亦得
值遇諸佛世尊於未來世速證无上大菩提
果永絶三塗輪迴苦難世尊我念過去有瑠
璃金山寶花光照吉祥功德海如來應正等

BD02485號　金光明最勝王經卷八　（2–2）

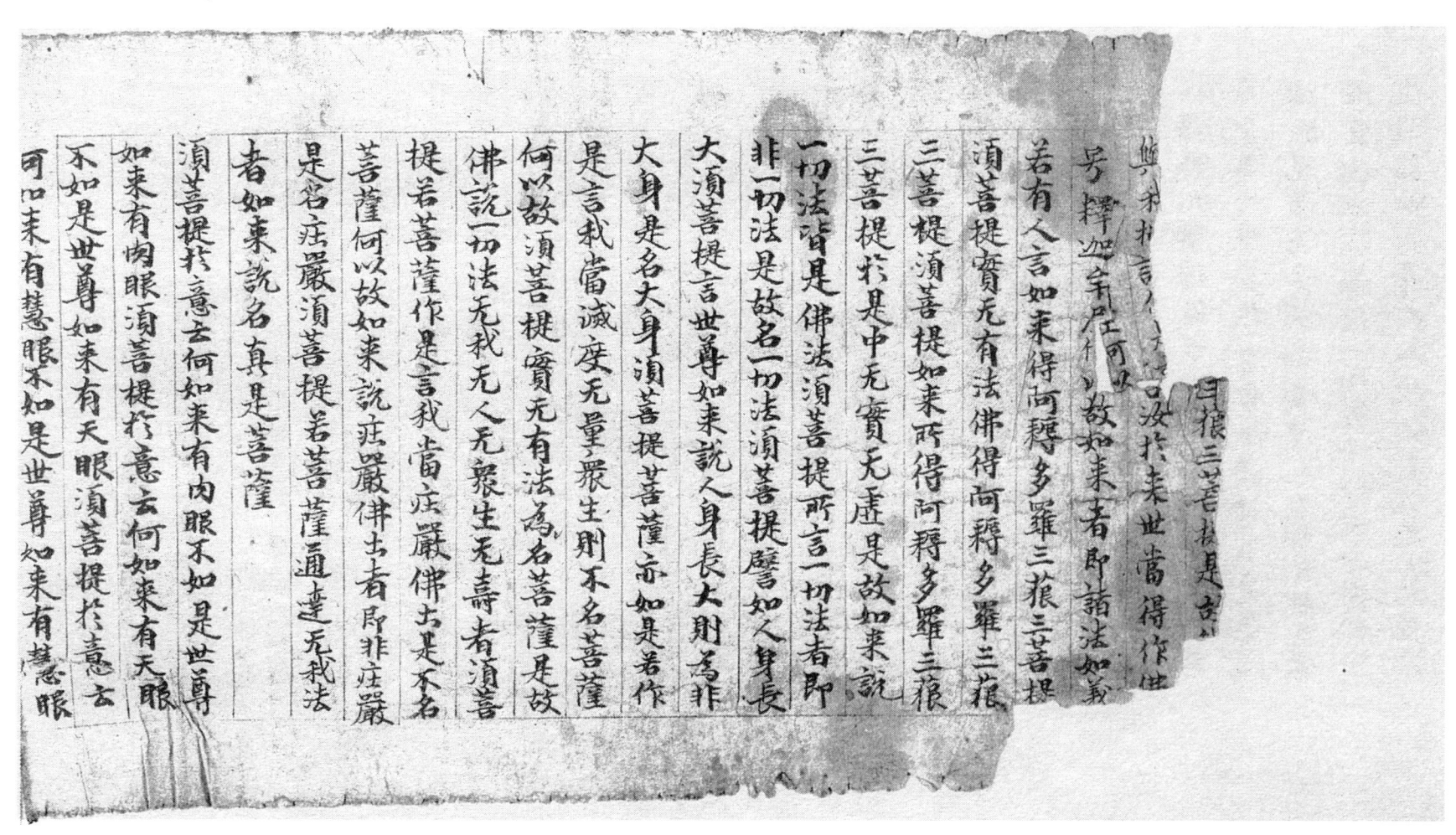

□藐三菩提是故□
與我授□言□□汝於來世當得作佛
号釋迦牟尼何以故如來者即諸法如義
若有人言如來得阿耨多羅三藐三菩提
須菩提實无有法佛得阿耨多羅三藐
三菩提須菩提如來所得阿耨多羅三藐
三菩提於是中无實无虛是故如來説
一切法皆是佛法須菩提所言一切法者即
非一切法是故名一切法須菩提譬如人身長
大須菩提言世尊如來説人身長大則爲非
大身是名大身須菩提菩薩亦如是若作
是言我當滅度无量衆生則不名菩薩
何以故須菩提實无有法名爲菩薩是故
佛説一切法无我无人无衆生无壽者須菩
提若菩薩作是言我當莊嚴佛土是不名
菩薩何以故如來説莊嚴佛土者即非莊嚴
是名莊嚴須菩提若菩薩通達无我法
者如來説名真是菩薩
須菩提於意云何如來有肉眼不如是世尊
如來有肉眼須菩提於意云何如來有天眼
不如是世尊如來有天眼須菩提於意云
何如來有慧眼不如是世尊如來有慧眼

BD02486號　金剛般若波羅蜜經　（6–1）

者如来說名真是菩薩
須菩提於意云何如来有肉眼不如是世尊
如来有肉眼須菩提於意云何如来有天眼
不如是世尊如来有天眼須菩提於意云
何如来有慧眼不如是世尊如来有慧眼
須菩提於意云何如来有法眼不如是世尊
如来有法眼須菩提於意云何如来有佛
眼不如是世尊如来有佛眼須菩提於意
云何菩恒何中所有沙佛說是沙不如是
世尊如来說是沙須菩提於意云何如一恒
河中所有沙有如是世尊等恒河是諸恒
河所有沙數佛世界如是寧為多不甚多
世尊佛告須菩提尒所國土中所有衆生
若干種心如来悉知何以故如来說諸心皆
為非心是名為心所以者何須菩提過去
心不可得現在心不可得未来心不可得須
菩提於意云何若有人滿三千大千世界七
寶以用布施是人以是因緣得福多不如
如是世尊此人以是因緣得福甚多須菩
提若福德有實如来不說得福德多以
福德无故如来說得福德多
須菩提於意云何佛可以具足色身見
不不也世尊如来不應以具足色身見何以故
如来說具足色身即非具足色身是名具足色
身須菩提於意云何如来可以具足諸相見
不不也世尊如来不應以具足者相見可以故

BD02486號　金剛般若波羅蜜經　（6–2）

如来說具足色身即非具足色身是名具足色
身須菩提於意云何如来可以具足諸相見
不不也世尊如来不應以具足諸相見何以故
如来說諸相具足即非具足是名諸相具足
須菩提汝勿謂如来作是念我當有所說
法莫作是念何以故若人言如来有所說法
即為謗佛不能解我所說故須菩提說法
者无法可說是名說法
須菩提白佛言世尊佛得阿耨多羅三藐三
菩提為无所得耶如是如是須菩提我於阿
耨多羅三藐三菩提乃至无有少法可得是
名阿耨多羅三藐三菩提復次須菩提是
法平等无有高下是名阿耨多羅三藐三菩
提以无我无人无衆生无壽者脩一切善法
則得阿耨多羅三藐三菩提須菩提所言善
法者如来說非善法是名善法
須菩提若三千大千世界中所有諸須弥山
王如是等七寶聚有人持用布施若人以此
般若波羅蜜經乃至四句偈等受持讀誦
為他人說於前福德百分不及一千万億分
乃至筭數譬喻所不能及
須菩提於意云何汝等勿謂如来作是念
我度衆生須菩提莫作是念何以故實无
有衆生如来度者若有衆生如来度者如
来則有我人衆生壽者須菩提如来說有我

BD02486號　金剛般若波羅蜜經　（6–3）

須菩提於意去何汝等勿謂如来作是念
我度衆生須菩提莫作是念何以故實无
有衆生如来度者若有衆生如来度者如
来則有我人衆生壽者須菩提如来說有我
者則非有我而凡夫之人以為有我須菩提凡夫
者如来說則非凡夫須菩提於意去何可以
三十二相觀如来不須菩提言如是如是以三
十二相觀如来佛言須菩提若以三十二相
觀如来者轉輪聖王則是如来須菩提白佛
言世尊如我解佛所說義不應以三十二相
觀如来尒時世尊而說偈言
若以色見我　以音聲求我　是人行耶道　不能見
如来　須菩提汝若作是念如来不以具足相故得
阿耨多羅三藐三菩提須菩提莫作是念如来
不以具足相故得阿耨多羅三藐三菩提須
菩提汝若作是念發阿耨多羅三藐三菩提
者說諸法斷滅相莫作是念何以故發阿耨
多羅三藐三菩提者於法不說斷滅相須菩
提若菩薩以滿恒河沙等世界七寶布施若
復有人知一切法无我得成於忍此菩薩勝
前菩薩所得功德須菩提以諸菩薩不受
福德故須菩提白佛言世尊去何菩薩不
受福德須菩提菩薩所作福德不應貪著
是故說不受福德須菩提若有人言如来若
来若去若坐若卧是人不解我所說義何

BD02486號　金剛般若波羅蜜經　（6–4）

受福德須菩提菩薩所作福德不應貪著
是故說不受福德須菩提若有人言如来若
来若去若坐若卧是人不解我所說義何
以故如来者无所從来亦无所去故名如来
須菩提若善男子善女人以三千大千世界
碎為微塵於意去何是微塵衆寧為多不
甚多世尊何以故若是微塵衆實有者佛則
不說是微塵衆所以者何佛說微塵衆則非
微塵衆是名微塵衆世尊如来所說三千大
千世界則非世界是名世界何以故若世界實
有者則是一合相如来說一合相則非一合相
是名一合相須菩提一合相者則是不可說但
凡夫之人貪著其事
須菩提若人言佛說我見人見衆生見壽
者見須菩提於意去何是人解我所說義
不世尊是人不解我如来所說義何以故
世尊說我見人見衆生見壽者見即非我
見人見衆生見壽者見是名我見人見衆
生見壽者見須菩提發阿耨多羅三藐三菩
提心者於一切法應如是知如是見如是信
解不生法相須菩提所言法相者如来說即
非法相是名法相須菩提若有人以滿无量
阿僧祇世界七寶持用布施若有善男子
善女人發菩薩心者持於此經乃至四句偈
等受持讀誦為人演說其福勝彼去何為

BD02486號　金剛般若波羅蜜經　（6–5）

般不生法相須菩提所言法相者如來說即
非法相是名法相須菩提若有人以滿无量
阿僧祇世界七寶持用布施若有善男子
善女人發菩薩心者持於此經乃至四句偈
等受持讀誦為人演說其福勝彼云何為
人演說不取於相如如不動何以故
一切有為法 如夢幻泡影 如露亦如電 應作如是觀
佛說是經已長老須菩提及諸比丘比丘尼
優婆塞優婆夷一切世間天人阿脩羅聞
佛所說皆大歡喜信受奉持
金剛般若波羅蜜經

BD02486 號　金剛般若波羅蜜經　（6–6）

何諸薄德人過
百千万億劫或有見佛或不見者以此
事故我作是言諸比丘如來難可得見斯衆
生等聞如是語必當生於難遭之想心懷戀
慕渴仰於佛便種善根是故如來雖不實滅
而言滅度又善男子諸佛如來法皆如是為
度衆生皆實不虛譬如良醫智慧聰達明練
方藥善治衆病其人多諸子息若十二十乃
至百數以有事緣遠至餘國諸子於後飲他
毒藥藥發悶亂宛轉于地是時其父還來歸
家諸子飲毒或失本心或不失者遙見其父
皆大歡喜拜跪問訊善安隱歸我等愚癡誤
服毒藥願見救療更賜壽命父見子等苦惱
如是依諸經方求好藥草色香美味皆悉具
足擣篩和合與子令服而作是言此大良藥
色香美味皆悉具足汝等可服速除苦惱无
復衆患其諸子中不失心者見此良藥
俱好即便服之病盡除愈

BD02487 號　妙法蓮華經卷五　（1–1）

舍利弗上方界世有梵音佛宿王佛香上佛
香光佛大焰肩佛雜色寶華嚴身佛娑
羅樹王佛寶華德佛見一切義佛如須弥
山佛如是等恒河沙數諸佛各於其國出廣
長舌相遍覆三千大千世界說誠實言汝等
衆生當信是稱讚不可思議功德一切諸佛
所護念經
舍利弗於汝意云何何故名一切諸佛所護念
經舍利弗若有善男子善女人聞是諸佛
所說名及經名者是諸善男子善女人皆
爲一切諸佛共所護念皆得不退轉於阿耨
多羅三藐三菩提是故舍利弗汝等皆當
信受我語及諸佛所說舍利弗若有人已
發願今發願當發願欲生阿弥陁佛國者是諸
人等皆得不退轉於阿耨多羅三藐三菩提
於彼國土若已生若今生若當生是故舍利
弗諸善男子善女人若有信者應當發
願生彼國土
舍利弗如我今者稱讚諸佛不可思議功德
彼諸佛等亦稱說我不可思議功德而作是

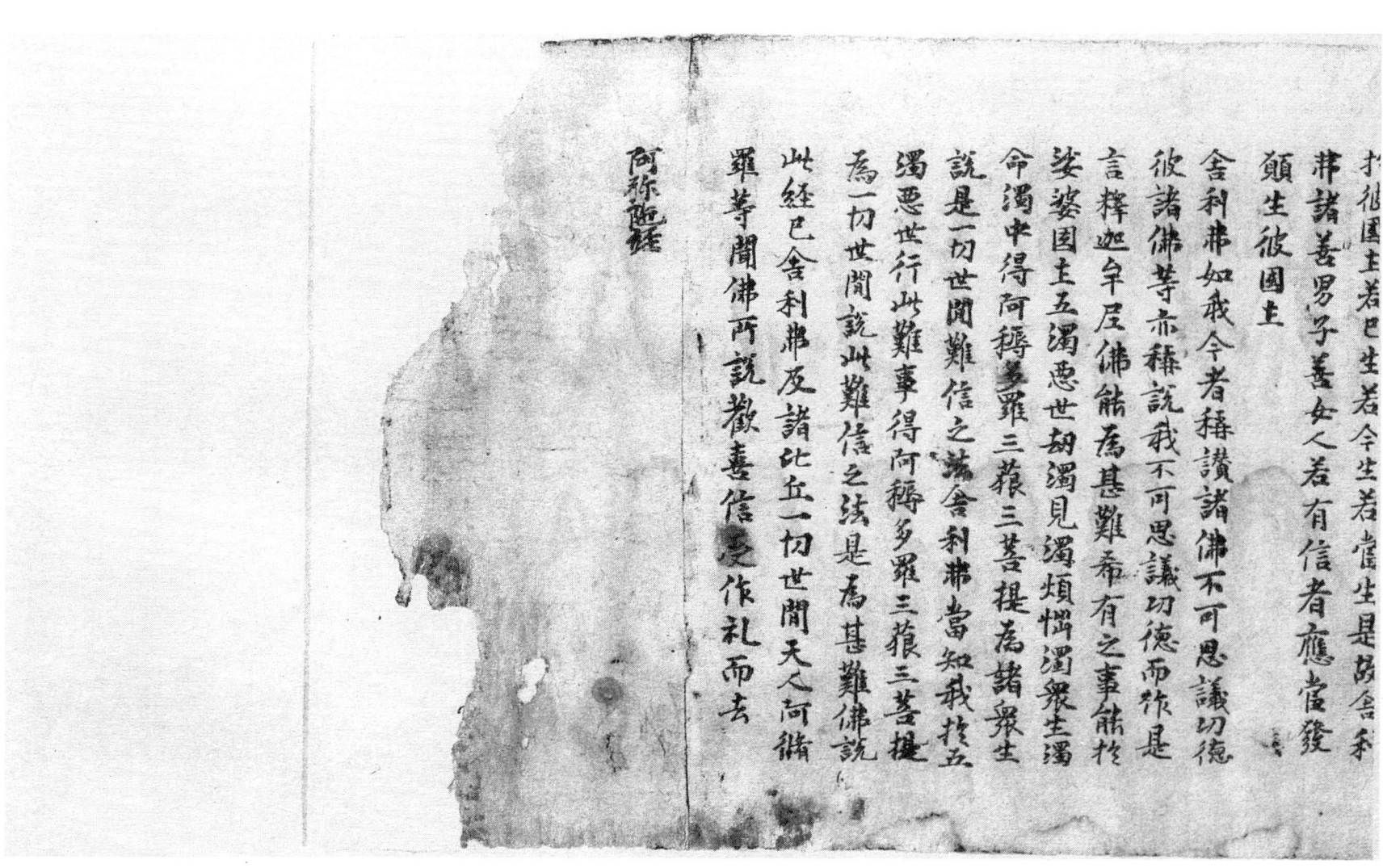

BD02488號　阿彌陀經　（2–1）

於彼國土若已生若今生若當生是故舍利
弗諸善男子善女人若有信者應當發
願生彼國土
舍利弗如我今者稱讚諸佛不可思議功德
彼諸佛等亦稱說我不可思議功德而作是
言釋迦牟尼佛能爲甚難希有之事能於
娑婆國土五濁惡世劫濁見濁煩惱濁衆生濁
命濁中得阿耨多羅三藐三菩提爲諸衆生
說是一切世間難信之法舍利弗當知我於五
濁惡世行此難事得阿耨多羅三藐三菩提
爲一切世間說此難信之法是爲甚難佛說
此經已舍利弗及諸比丘一切世間天人阿脩
羅等聞佛所說歡喜信受作礼而去
阿弥陁經

BD02488號　阿彌陀經　（2–2）

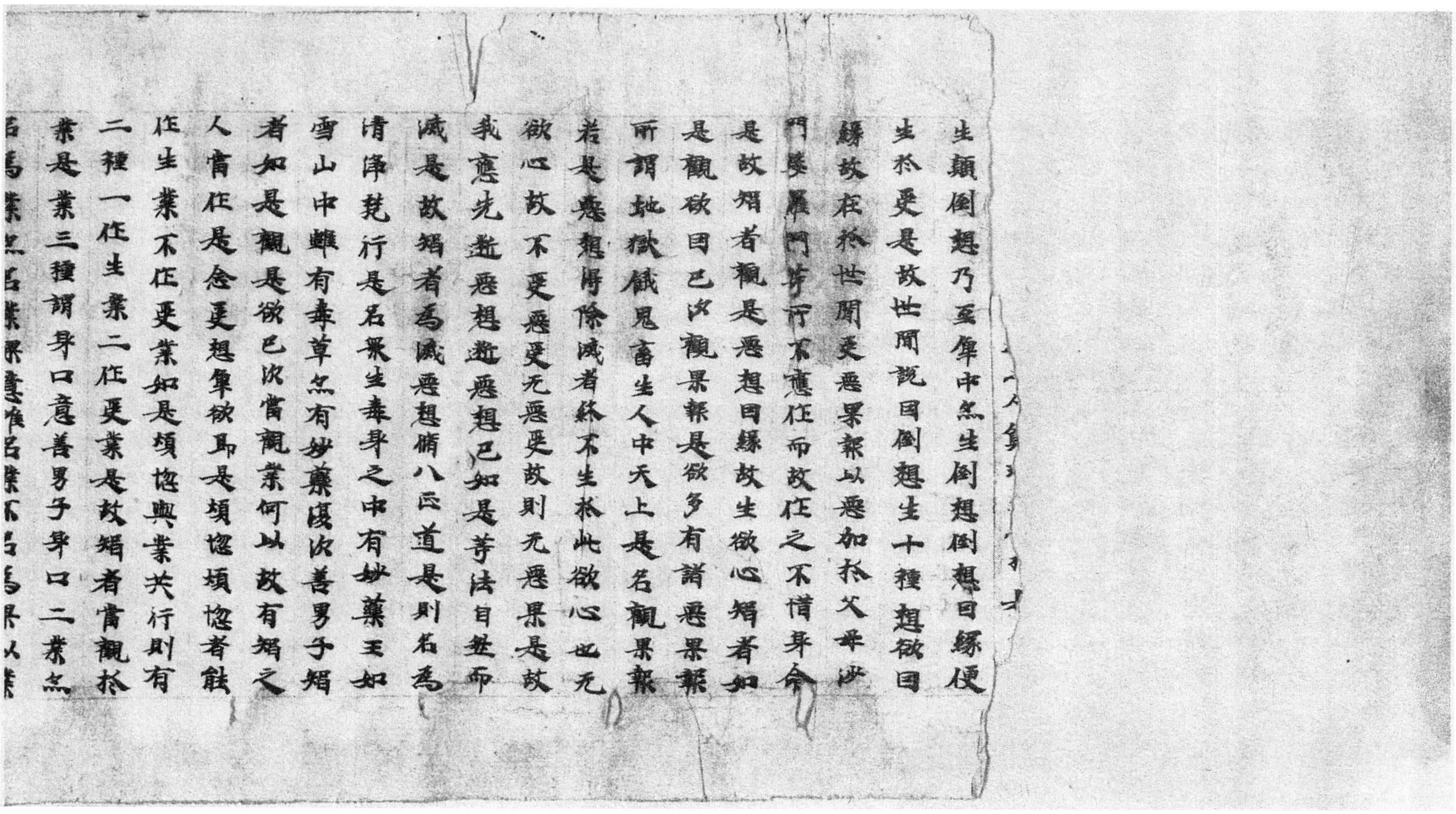
生顛倒想乃至身中不生倒想倒想因緣便
生於惡是故世間說因倒想生十種想欲因
緣故在於世間受惡果報以惡加於父母沙
門婆羅門等所不應作而故作之不惜身命
是故智者觀是惡想因緣故生欲心智者如
是觀欲因已次觀果報是欲多有諸惡果報
所謂地獄餓鬼畜生人中天上是名觀果報
若是惡想得除滅者終不生於此欲心也无
欲心故不受惡受无惡受故則无惡果是故
我應先斷惡想斷惡想已如是等法自然而
滅是故智者為滅惡想修八正道是則名為
清淨梵行是名衆生毒身之中有妙藥王如
雪山中雖有毒草亦有妙藥復次善男子智
者如是觀是欲已次當觀業何以故有智之
人當作是念受想身欲即是煩惱煩惱者能
作生業不作受業如是煩惱與業共行則有
二種一作生業二作受業是故智者當觀於
業是業三種謂身口意善男子身口二業亦
名為業亦名業果意唯名業不名為果以業

BD02489號　大般涅槃經（北本　異卷）卷三七　（7-1）

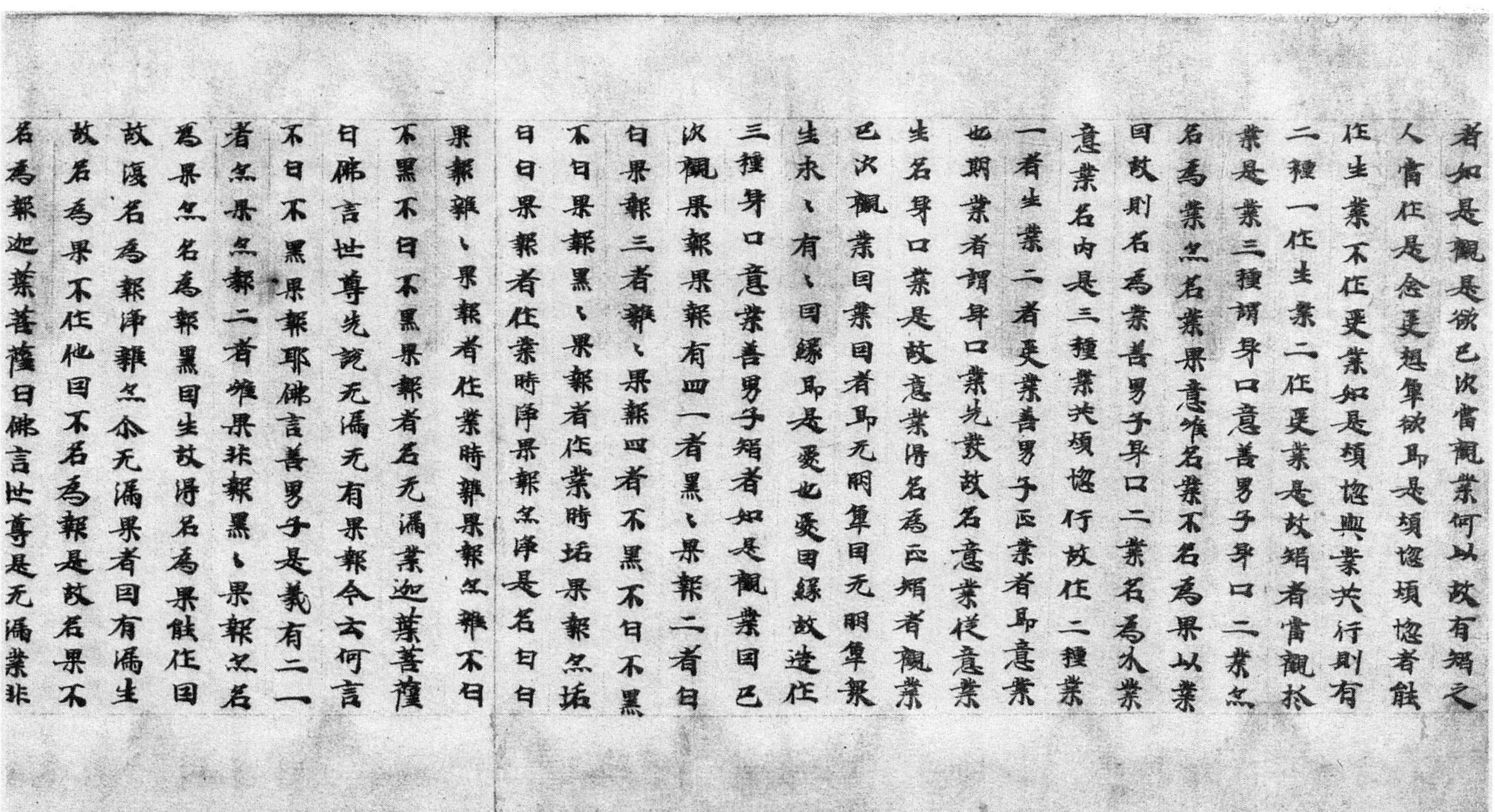
者如是觀是欲已次當觀業何以故有智之
人當作是念受想身欲即是煩惱煩惱者能
作生業不作受業如是煩惱與業共行則有
二種一作生業二作受業是故智者當觀於
業是業三種謂身口意善男子身口二業亦
名為業亦名業果意唯名業不名為果以業
因故則名為業善男子身口二業名為外業
意業名內是三種業共煩惱行故作二種業
一者生業二者受業善男子正業者即意業
也期業者謂身口業先發故名意業從意業
生名身口業是故意業得名為正智者觀業
已次觀業因業因者即无明身因无明身衆
生求々有々因緣即是愛也愛因緣故造作
三種身口意業善男子智者如是觀業因已
次觀果報果報有四一者黑々果報二者白
白果報三者雜々果報四者不黑不白不黑
不白果報黑々果報者作業時垢果報亦垢
白白果報者作業時淨果報亦淨是名白白
果報雜々果報者作業時雜果報亦雜不白
不黑不白不黑果報者名无漏業迦葉菩薩
白佛言世尊先說无漏无有果報今云何言
不白不黑果報耶佛言善男子是義有二一
者亦果亦報二者唯果非報黑々果報亦名
為果亦名為報黑因生故得名為果能作因
故復名為報淨雜亦尒无漏果者因有漏生
故名為果不作他因不名為報是故名果不
名為報迦葉菩薩白佛言世尊是无漏業非

BD02489號　大般涅槃經（北本　異卷）卷三七　（7-2）

為果亦名為報黑因生故得名為果能作因
故復名為報淨雜亦尒无漏果者因有漏生
故名為果不作他因不名為報是故名果不
名為報迦葉菩薩白佛言世尊是无漏業非
是黑法何因緣故不名為白善男子无有報
故不名為白對治黑故故名為白我今乃說
受果報者名為黑白是无漏業不受報故不
名為白名為寂靜如是業者有定受報處如
十惡法定受地獄餓鬼畜生十善之業定在人
天十不善法有上中下上因緣故受地獄身
中因緣故受畜生身下因緣故受餓鬼身人
業十善復有四種一者下二者中三者上四
者上上下因緣故生鬱單曰中因緣故生弗
婆提上因緣故生瞿耶尼上上因緣生閻浮
提有智之人作是觀已即作是念我當云何
斷是果報復作是念是業因緣无明觸生我
若斷除无明與觸如是業果則滅不生是故
智者為斷无明觸因緣故脩八正道是則名
為清淨梵行善男子是名衆生舉身之中有
妙藥王如雪山中雖有毒草亦有妙藥復次
善男子智者觀業觀煩惱已次觀是二所得
果報是二果報即是苦也既知是苦則能捨
離一切受生智者復觀煩惱因緣生於煩惱
業因緣故亦生煩惱煩惱因緣復生於業業
緣生苦苦因緣故生於煩、、惱、、因緣生有
有因緣生苦有因緣生有、、因緣生業、、因
緣生煩惱煩惱因緣生苦、、因緣生苦善男子

業因緣故亦生煩惱煩惱因緣復生於業業
緣生苦苦因緣故生於煩、、惱、、因緣生有
有因緣生苦有因緣生有、、因緣生業、、因
緣生煩惱煩惱因緣生苦、、因緣生苦善男子
智者若能作如是觀當知是人能觀業苦何以
故如上所觀即是生死十二因緣若人能觀
如是生死十二因緣當知是人不造新業能
壞故業善男子有智之人觀地獄苦觀一地
獄乃至一百三十六所一一地獄有種種苦
皆是煩惱業因緣生觀地獄已次觀餓鬼畜
生等苦作是觀已復觀人天所有諸苦如是
衆苦皆從煩惱業因緣生善男子天上雖无
大苦惱事然其身體柔濡細滑見五相時極
受大苦如地獄苦等无差別善男子智者深
觀三界諸苦皆從煩惱業因緣生善男子譬
如坏器則易破壞衆生受身亦復如是既
受身已是衆苦器譬如大樹華菓繁茂衆鳥
能壞如多乾草小火能燒衆生受身為苦所
壞亦復如是善男子智者若能觀苦八種如
聖行中當知是人能斷衆苦善男子智者深
觀是八苦已次觀苦因苦因者即愛无明是
愛无明則有二種一者求身二者求財求身
求財二俱是苦是故當知愛无明者即是苦
因善男子是愛无明則有二種一者內二者
外內能作業外能增長又復內能作業外作
業果斷內愛已業則得斷斷外愛已果則得
斷內愛能生未來世苦外愛能生現在世苦

[illegible]
外內能作業外能增長又復內能作業外作
業果遮內愛已業則得斷遮外愛已果則得
遮內愛能生未來世苦外愛能生現在世苦
智者觀愛即是苦因既觀因已次觀果報苦
果報者即是取也愛屬名取是取因緣即內
外愛則有愛苦善男子智者當觀愛因緣取
取因緣愛若我能遮愛取二事則不造業受
於眾苦是故智者為遮受苦脩八正道善男
子若有人能如是觀者是則名為清淨梵行
是名眾生毒身之中有妙藥王如雪山中雖
有毒草亦有妙藥迦葉菩薩白佛言世尊云
何名為清淨梵行佛言善男子一切法是迦
葉菩薩言世尊一切法者義不決定何以故
如來或說是善不善或時說為四念處觀或
說是十二入或說是善知識或說是十二因
緣或說是眾生或說是正見邪見或說十二
部經或說即是二諦如來今乃說一切法為
清淨梵行是何等一切法耶佛言善哉善
哉善男子如是微妙大涅槃經乃是一切善
法寶藏譬如大海是眾寶藏是涅槃經亦復
如是即是一切字義祕藏善男子如須彌山
眾藥根本是經亦尒即是菩薩戒之根本善
男子譬如虛空是一切物之所住處是經亦
尒即是一切善法住處善男子譬如猛風无
能繫縛一切菩薩行是經者亦復如是不為
一切煩惱惡法之所繫縛善男子譬如金剛

BD02489 號　大般涅槃經（北本　異卷）卷三七　（7-5）

男子譬如虛空是一切物之所住處是經亦
尒即是一切善法住處善男子譬如猛風无
能繫縛一切菩薩行是經者亦復如是不為
一切煩惱惡法之所繫縛善男子譬如金剛
无能壞者是經亦尒雖有外道惡邪之人不
能破壞善男子如恒河沙无能數者如是經
義亦復如是无能數者善男子是經典者為
諸菩薩而作法幢如帝釋幢善男子是經即
是趣涅槃城之商主也如大導師引諸商人
趣向大海善男子是經能為諸菩薩等作法
光明如世日月能破諸闇善男子是經能為
病苦眾生作大良藥如香山中微妙藥王能
治眾病善男子是經能為一闡提杖猶如羸
人因之得起善男子是經能為一切惡人而
作橋梁猶如世橋能度一切善男子是經能
為行五有者遇煩惱熱而作蔭涼如世間蓋
遮覆暴熱善男子是經即是大无畏王能壞
一切煩惱惡魔如師子王降伏眾獸善男子
是經即是大神呪師能壞一切煩惱惡鬼如
世呪師能去魍魎善男子是經即是无上霜
雹能壞一切生死果報如世雹雨壞諸菓實
善男子是經能為壞戒目者作大良藥猶如
世間安闍那藥善療眼痛善男子是經能住
一切善法如世間地能住眾物善男子是經
即是毀戒眾生之明鏡也如世明鏡見諸色
像善男子是經能為无慚愧者而作衣服如

BD02489 號　大般涅槃經（北本　異卷）卷三七　（7-6）

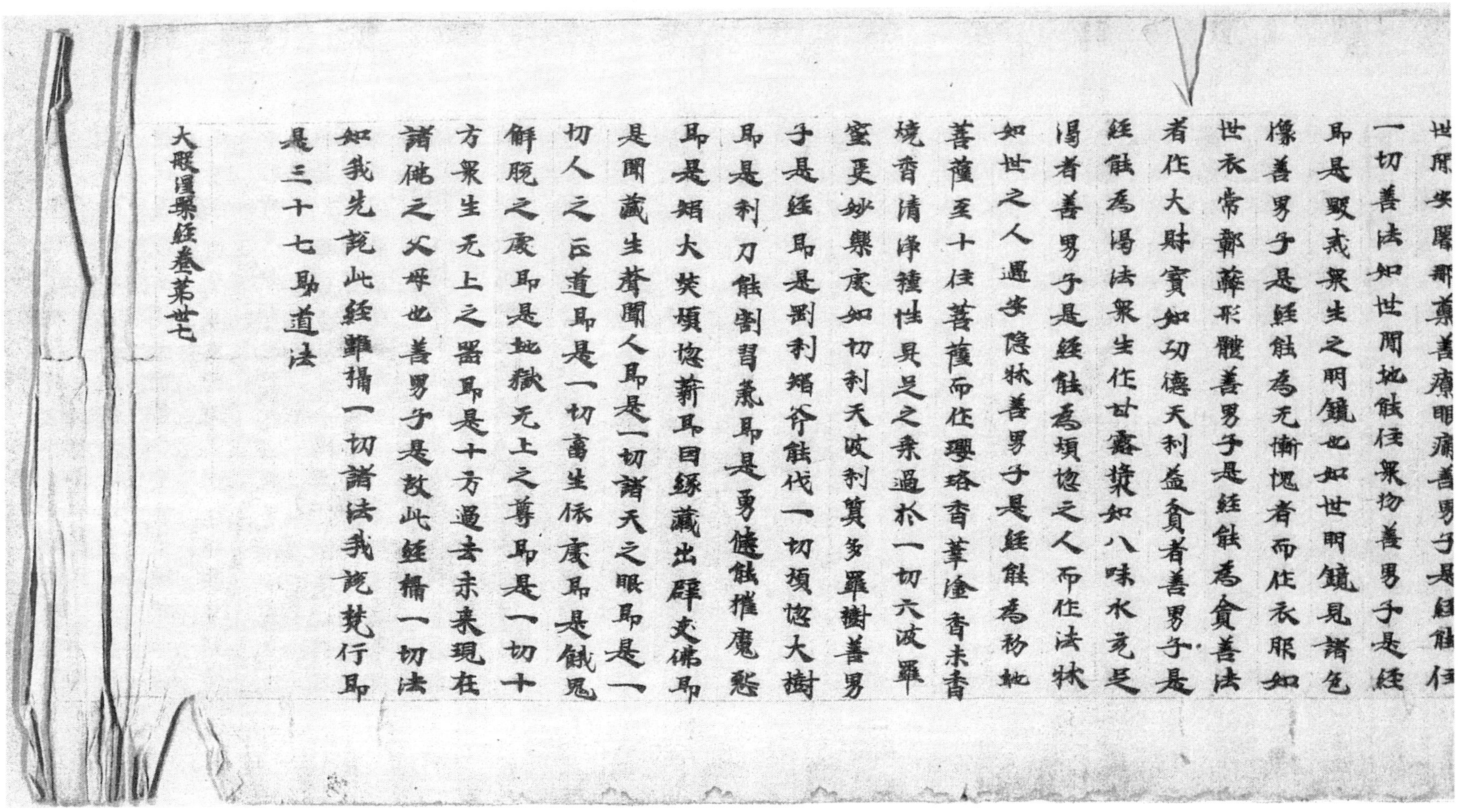

世間安闍那藥善療眼痛善男子是經能住
一切善法如世間地能住眾物善男子是經
即是毀戒眾生之明鏡也如世明鏡見諸色
像善男子是經能為無慚愧者而作衣服如
世衣常鄣蔽形體善男子是經能為貧善法
者作大財寶如功德天利益貧者善男子是
經能為渴法眾生作甘露漿如八味水充足
渴者善男子是經能為煩惱之人而作法牀
如世之人遇安隱牀善男子是經能為階陛
菩薩至十住菩薩而作瓔珞香華塗香末香
燒香清淨種性具足之乘過於一切六波羅
蜜受妙樂處如忉利天波利質多羅樹善男
子是經即是剛利鉞斧能伐一切煩惱大樹
即是利刀能割習氣即是勇健能摧魔怨
即是猛火焚煩惱薪即因緣藏出辟支佛即
是聞藏生聲聞人即是一切諸天之眼即是一
切人之正道即是一切畜生依處即是餓鬼
解脫之處即是地獄無上之尊即是一切十
方眾生無上之器即是十方過去未來現在
諸佛之父母也善男子是故此經攝一切法
如我先說此經雖攝一切諸法我說梵行即
是三十七助道法

大般涅槃經卷第卅七

BD02489號　大般涅槃經（北本　異卷）卷三七　（7–7）

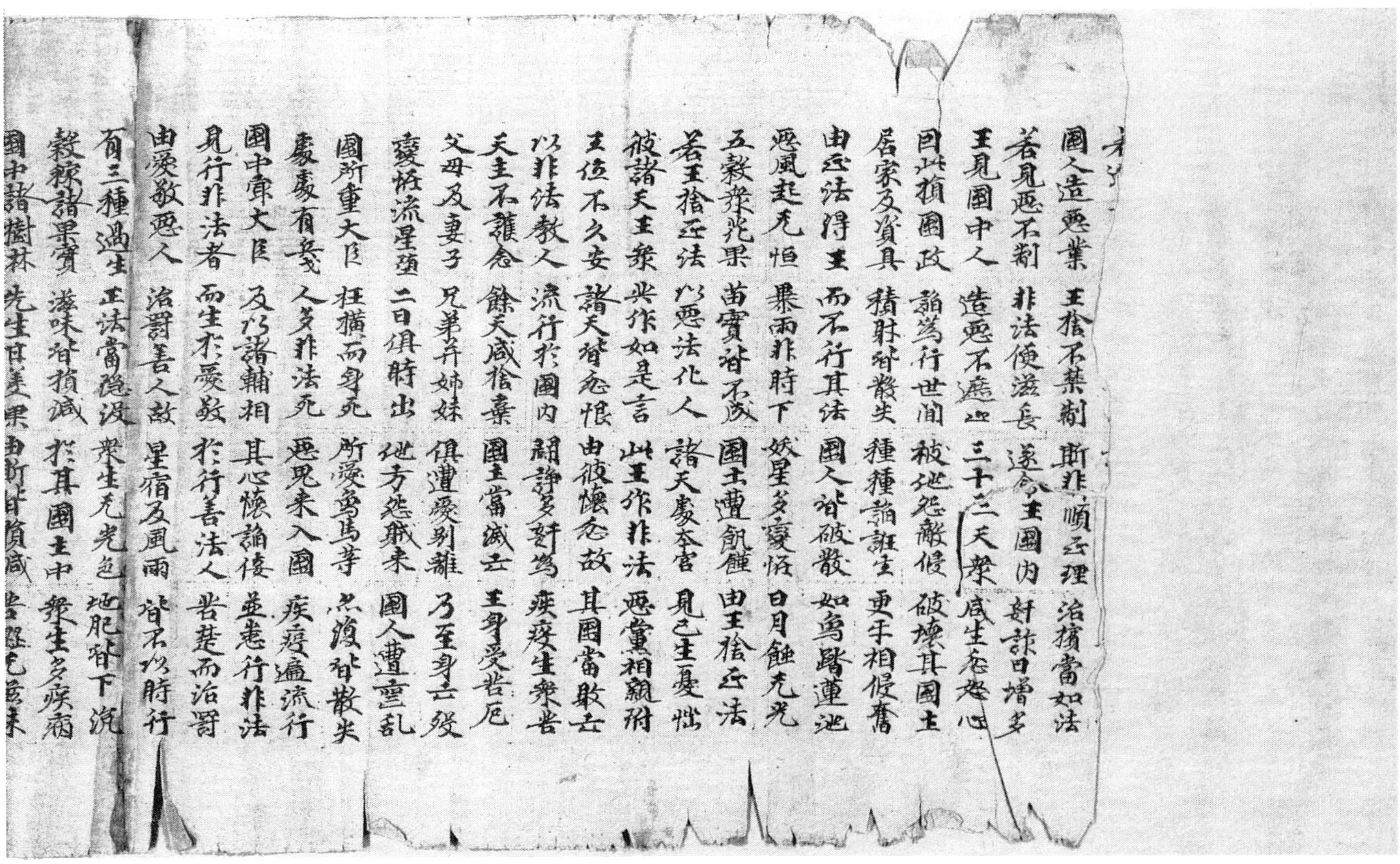

國人造惡業　王捨不禁制　斯非順正理　治擯當如法
若見惡不制　非法便滋長　遂令王國內　姦詐日增多
王見國中人　造惡不遮止　三十三天眾　咸生忿怒心
因此損國政　諂偽行世間　被他怨敵侵　破壞其國土
居家及資具　積財皆散失　種種諂誑生　更互相侵奪
由正法得王　而不行其法　國人皆破散　如象蹋蓮池
惡風起無恒　暴雨非時下　妖星多變怪　日月蝕無光
五穀眾花果　苗實皆不成　國土遭飢饉　由王捨正法
若王捨正法　以惡法化人　諸天處本宮　見已生憂惱
彼諸天王眾　共作如是言　此王作非法　惡黨相親附
王位不久安　諸天皆忿恨　由彼懷忿故　其國當敗亡
以非法教人　流行於國內　鬪諍多姦偽　疾疫生眾苦
天主不護念　餘天咸捨棄　國土當滅亡　王身受苦厄
父母及妻子　兄弟并姊妹　俱遭愛別離　乃至身亡歿
變怪流星墮　二日俱時出　他方怨賊來　國人遭喪乱
國所重大臣　枉橫而身死　所愛象馬等　亦復皆散失
處處有兵戈　人多非法死　惡鬼來入國　疾疫遍流行
國中最大臣　及以諸輔相　其心懷諂佞　並悉行非法
見行非法者　而生於愛敬　於行善法人　苦楚而治罰
由愛敬惡人　治罰善人故　星宿及風雨　皆不以時行
有三種過生　正法當隱沒　眾生無光色　地肥皆下沉
穀稼諸果實　滋味皆損減　於其國土中　眾生多疾病
國中諸樹林　先生甘美果　由斯皆損減　苦澀無滋味

BD02490號　金光明最勝王經卷八　（3–1）

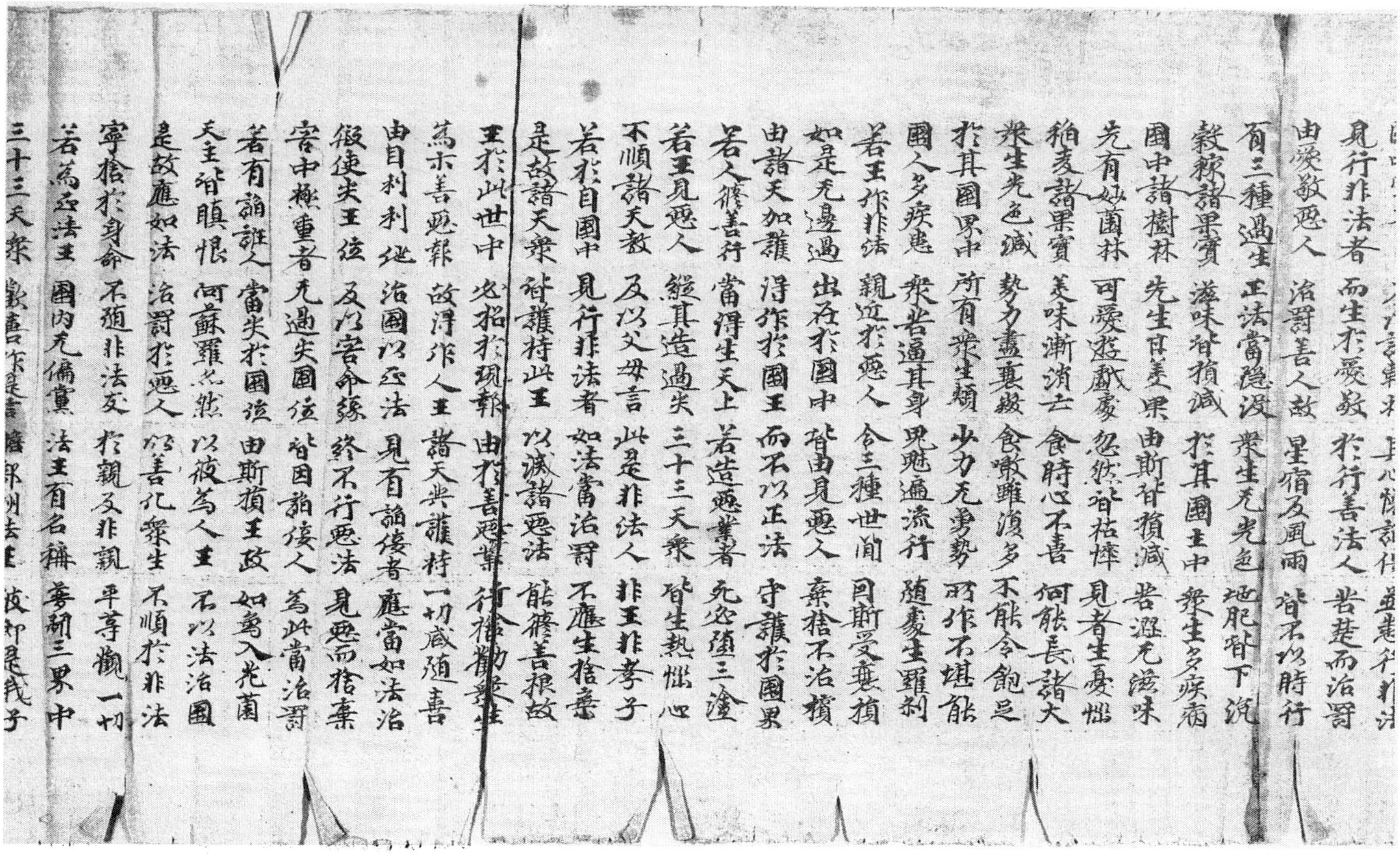

見行非法者　而生於愛敬　於行善法人　苦楚而治罰
由愛敬惡人　治罰善人故　星宿及風雨　皆不以時行
有三種過生　正法當隱沒　眾生无光色　地肥皆下沉
穀稼諸果實　滋味皆損減　於其國土中　眾生多疾病
國中諸樹林　先生甘美果　由斯皆損減　苦澀无滋味
先有妙園林　可愛遊戲處　忽然皆枯悴　見者生憂惱
稻麦諸果實　美味漸消亡　食時心不喜　何能長諸大
眾生光色減　勢力盡衰微　食噉雖復多　不能令飽足
於其國界中　所有眾生類　少力无勇勢　所作不堪能
國人多疾患　眾苦逼其身　鬼魅遍流行　隨處生羅剎
若王作非法　親近於惡人　令三種世間　因斯受衰損
如是无邊過　出在於國中　皆由見惡人　棄捨不治擯
由諸天加護　得作於國王　而不以正法　守護於國界
若人修善行　當得生天上　若造惡業者　死必墮三塗
若王見惡人　縱其造過失　三十三天眾　皆生熱惱心
不順諸天教　及以父母言　此是非法人　非王非孝子
若於自國中　見行非法者　如法當治罰　不應生捨棄
是故諸天眾　皆護持此王　以滅諸惡法　能修善根故
王於此世中　必招於現報　由於善惡業　行捨勸眾生
為示善惡報　故得作人王　諸天共護持　一切咸隨喜
由自利利他　治國以正法　見有諂佞者　應當如法治
假使失王位　及以害命緣　終不行惡法　見惡而捨棄
害中極重者　无過失國位　皆因諂佞人　為此當治罰
若有諂誑人　當失於國位　由斯損王政　如象入花園
天主皆瞋恨　阿蘇羅亦然　以彼為人王　不以法治國
是故應如法　治罰於惡人　以善化眾生　不順於非法
寧捨於身命　不隨非法友　於親及非親　平等觀一切
若為正法王　國內无偏黨　法王有名稱　普聞三界中
三十三天眾　歡喜作是言　贍部洲法王　彼即是我子

BD02490 號　金光明最勝王經卷八　（3–2）

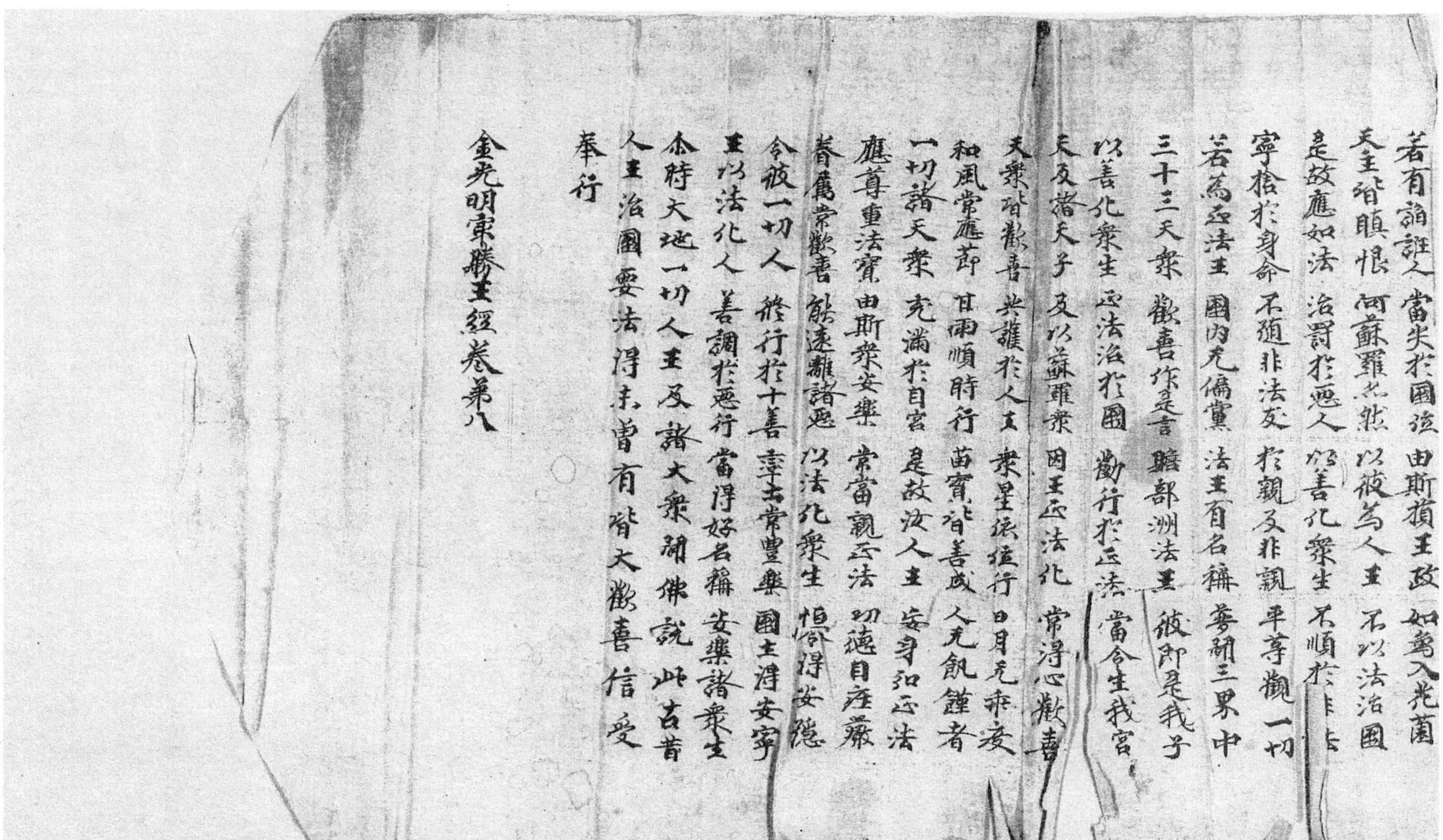

若有諂誑人　當失於國位　由斯損王政　如象入花園
天主皆瞋恨　阿蘇羅亦然　以彼為人王　不以法治國
是故應如法　治罰於惡人　以善化眾生　不順於非法
寧捨於身命　不隨非法友　於親及非親　平等觀一切
若為正法王　國內无偏黨　法王有名稱　普聞三界中
三十三天眾　歡喜作是言　贍部洲法王　彼即是我子
以善化眾生　正法治於國　勸行於正法　當令生我宮
天及諸天子　及以蘇羅眾　因王正法化　常得心歡喜
天眾皆歡喜　共護於人王　眾星依位行　日月无乖度
和風常應節　甘雨順時行　苗實皆善成　人无飢饉者
一切諸天眾　充滿於自宮　是故汝人王　安身弘正法
應尊重法寶　由斯眾安樂　常當親正法　功德自莊嚴
眷屬常歡喜　能遠離諸惡　以法化眾生　恒得安隱
令彼一切人　修行於十善　率土常豐樂　國土得安寧
王以法化人　善調於惡行　常得好名稱　安樂諸眾生
尒時天地一切人王及諸大眾聞佛說此古昔
人王治國要法得未曾有皆大歡喜信受
奉行
金光明最勝王經卷第八

BD02490 號　金光明最勝王經卷八　（3–3）

三昧已時大莊嚴重閣講堂忽然廣博无量
无邊不可破壞金剛寶地清淨莊嚴一切摩
尼寶王遍布其地散无量寶華奇妙衆寶流
離為欄以明淨寶而莊嚴之衆寶莊嚴飾陛
无閻閻浮提金為樓閣衆寶蘭楯郤敵樓
閣阿僧祇蘭楯而以莊飾諸天王寶堅固
衆寶而莊嚴之摩尼寶網羅覆其上建衆
寶幢懸諸幡蓋放大光網普照法界又以不
可說衆寶雜妙莊嚴具永回邊階道衆寶合
成介時佛神力故令祇洹林忽然廣博与不
可說佛刹微塵數世界等衆寶莊嚴不可說
寶遍布其地阿僧祇寶以為垣牆寶多羅樹
列殖道側无量香河潋流盈滿一切寶華以
為波浪皆悉右旋演說一切佛法音聲不可
思議分陁利華皆悉周匝弥布水上衆寶華
樹高顯藥茂列殖其岸不可思議樓閣摩尼
寶網羅覆其上阿僧祇妙寶莊嚴光明普照
阿僧祇摩尼寶王地莊嚴具地出衆妙香立
建无量摩尼王幢寶幢衣幢幡幢繒幢華幢
莊嚴具幢鬘幢寶帶幢衆寶蓋幢大摩尼
幢普照摩尼寶幢出佛音幢師子寶王幢出一
……寶王幢以為

BD02491 號　大方廣佛華嚴經（晉譯五十卷本）卷四四　　（1–1）

市易……
遍婬女慎莫親……
財寶弊惡之人亦莫親……
勤身心安隱多獲寶貨菩薩
生數演法要亦復如是示諸衆生……
諸道通塞是諸衆等以聞法故遠離諸惡具
足善法以是義故聽法因緣則得近於大般
涅槃善男子譬如明鏡照人面像无不明了
聽法明鏡亦復如是有人照之則見善惡明
了无翳以義故聽法因緣則得近於大般涅
槃善男子譬如商人欲至寶渚不知道路有
人示之其人隨語即至寶渚多獲諸珍不可
稱計一切衆生亦復如是欲至善處採求法
寶不知其路通塞之相菩薩示之衆生隨已
得至善處獲得无上大涅槃寶以是義故聽
法因緣則得近於大般涅槃善男子譬如醉
象狂逸暴惡多欲殺害有調象師以大鐵鉤
鉤斷其頂即時調順惡心都盡一切衆生亦
復如是貪欲瞋恚愚癡醉故欲多造惡諸菩
薩等以聞法故鉤斷之令住便不得起造諸
惡心以是義故聽法因緣則得近於大般涅
槃是故我於處處經中說我弟子專心聽受

BD02492 號　大般涅槃經（北本）卷二五　　（2–1）

聽法明鏡之復如是有人照之則見善惡明
了无翳以是義故聽法因緣則得近於大般涅
槃善男子譬如高人欲至寶渚不知道路有
人示之其人隨語即至寶渚多獲諸珎不可
稱計一切眾生亦復如是欲至善處採求法
寶不知其路迴塞之相菩薩示之眾生隨已
得至善處獲得无上大涅槃寶以是義故聽
法因緣則得近於大般涅槃善男子譬如醉
象狂逸暴惡多欲殺害有調象師以大鐵鉤
鉤攝其頂即時調順惡心都盡一切眾生亦
復如是貪欲瞋恚愚癡醉故欲多造惡諸菩
薩等以聞法故鉤攝之令住便不得起造諸
惡心以是義故聽法因緣則得近於大般涅
槃是故我於處處經中說我弟子專心聽受
十二部經則離五蓋修七覺分以是修集七
覺分故則得近於大般涅槃以聽法故須
陁洹人離諸恐怖所以者何須達長者身遇
重病心大愁怖聞舍利弗說須陁洹有四功
德十種慰喻聞是事已恐怖即除以是義故
聽法因緣則得近於大般涅槃何以故聞法
眼故世有三人一者无目二者一目三者二目
无目者常不聞法一目之人雖暫聞法其心

BD02492號　大般涅槃經（北本）卷二五　（2–2）

大乘无量壽經
如是我聞一時薄伽梵在舍衛國祇樹給孤獨園與大苾蒭僧千二百五十人大菩薩摩訶
薩眾俱同會坐爾時世尊告曼殊室利童子曼殊上方有世界名无量功德聚彼土有佛
号无量智決定王如來阿羅訶三藐三菩提現為眾生開示說法曼殊師施南閻浮提
人壽雖壽大限百年於中夭枉橫死者眾曼殊如是无量如來功德名稱法要若有
眾生得聞名号若自書使人書能為經卷受持讀誦若於舍宅所住之處以種種花鬘瓔
珞塗香末香而為供養如其命盡復得延年滿足百歲如是曼殊若有眾生得聞是
无量壽智決定王如來一百八名号者益其長壽若有眾生大命將盡憶念是如來名号
復得增壽如是曼殊若有善男子善女人欲求長壽於是无量壽如來一百八名号有
得聞者或自書若使人書受持讀誦得如是等果報福德具足陁羅尼曰
南謨薄伽勃底一　阿波唎蜜哆二　阿喻紇硯娜三　須毗你悉指陁四　囉佐耶五　怛他羯他耶六　怛姪他唵七
薩婆桑塞迦囉八　鉢唎輸底九　達摩底十　伽迦娜十一　莎訶莎特迦底十二　莎婆娑毗輸底十三
摩訶娜耶十四　波唎婆唎莎訶十五
世尊復告曼殊室利如是如來一百八名号若有自書若使人書為經卷受持讀誦壽命
盡復滿百年壽終此身後得往生无量福智世界无量壽淨土陁羅尼曰
南謨薄伽勃底一　阿波唎蜜哆二　阿喻紇硯娜三　須毗你悉指陁四　囉佐耶五　怛他羯他耶六　怛姪他唵七
薩婆桑塞迦囉八　鉢唎輸底九　達摩底十　伽迦娜十一　莎訶莎特迦底十二　莎婆娑毗輸底十三
摩訶娜耶十四　波唎婆唎莎訶十五
爾時有九十九俱胝佛等一時同聲說是无量壽宗要經陁羅尼曰
南謨薄伽勃底一　阿波唎蜜哆二　阿喻紇硯娜三　須毗你悉指陁四　囉佐耶五　怛他羯他耶六　怛姪他唵七
薩婆桑塞迦囉八　鉢唎輸底九　達摩底十　伽迦娜十一　莎訶莎特迦底十二　莎婆娑毗輸底十三
摩訶娜耶十四　波唎婆唎莎訶十五
爾時復有百四俱胝佛一時同聲說是无量壽宗要經陁羅尼曰

BD02493號　無量壽宗要經　（6–1）

尒時有九十九姟佛等一時同聲說是无量壽宗要經陀羅尼曰
南謨薄伽勃底一 阿波唎蜜哆二 阿喻紇硯娜三 須毗你悉指陀四 囉佐耶五 怛他羯他耶六 怛姪他唵七
薩婆桑悉迦囉八 鉢唎輸底九 達磨底十 伽伽娜十一 莎訶某特迦底十二 薩婆婆毗輸底十三
摩訶娜耶十四 波唎婆唎莎訶十五
尒時復有八十四姟佛一時同聲說是无量壽宗要經陀羅尼曰
南謨薄伽勃底一 阿波唎蜜哆二 阿喻紇硯娜三 須毗你悉指陀四 囉佐耶五 怛他羯他耶六 怛姪他唵七
薩婆桑悉迦囉八 波唎輸底九 達磨底十 伽伽娜十一 莎訶某特迦底十二 薩婆婆毗輸底十三
尒時復有七十七姟佛一時同聲說是无量壽宗要經陀羅尼曰
摩訶娜耶十四 波唎波唎莎訶十五
尒時復有六十五姟佛一時同聲說是无量壽宗要經陀羅尼曰
南謨薄伽勃底一 阿波唎蜜哆二 阿喻紇硯娜三 須毗你悉指陀四 囉佐耶五 怛他羯他耶六 怛姪他唵七
薩婆桑悉迦囉八 波唎輸底九 達磨底十 伽伽娜十一 莎訶某特迦底十二 薩婆婆毗輸底十三
摩訶娜耶十四 波唎婆唎莎訶十五
尒時復有五十五姟佛一時同聲說是无量壽宗要經陀羅尼曰
南謨薄伽勃底一 阿波唎蜜哆二 阿喻紇硯娜三 須毗你悉指陀四 囉佐耶五 怛他羯他耶六 怛姪他唵七
薩婆桑悉迦囉八 波唎輸底九 達磨底十 伽伽娜十一 莎訶某特迦底十二 薩婆婆毗輸底十三 摩
訶娜耶十四 波唎婆囉莎訶十五
尒時復有四十五姟佛一時同聲說是无量壽宗要經陀羅尼曰
南謨薄伽勃底一 阿波唎蜜哆二 阿喻紇硯娜三 須毗你悉指陀四 囉佐耶五 怛他羯他耶六 怛姪他唵七
薩婆桑悉迦囉八 波唎輸底九 達磨底十 伽伽娜十一 莎訶某特迦底十二 薩婆婆毗輸底十三 摩
訶娜耶十四 波唎婆唎莎訶十五
尒時復有三十六姟佛一時同聲說是无量壽宗要經陀羅尼曰
南謨薄伽勃底一 阿波唎蜜哆二 阿喻紇硯娜三 須毗你悉指陀四 囉佐耶五 怛他羯他耶六 怛姪他唵七
薩婆桑悉迦囉八 波唎輸底九 達磨底十 伽伽娜十一 莎訶某特迦底十二 薩婆婆毗輸底十三 摩
訶娜耶十四 波唎婆唎莎訶十五
尒時復有二十五姟佛一時同聲說是无量壽宗要經陀羅尼曰
南謨薄伽勃底一 阿波唎蜜哆二 阿喻紇硯娜三 須毗你悉指陀四 囉佐耶五 怛他羯他耶六 怛姪他唵七
薩婆桑悉迦囉八 波唎輸底九 達磨底十 伽伽娜十一 莎訶某特迦底十二 薩婆婆毗輸底十三
摩訶娜耶十四 波唎婆唎莎訶十五

BD02493 號　無量壽宗要經　（6–2）

尒時復有二十五姟佛一時同聲說是无量壽宗要經陀羅尼曰
南謨薄伽勃底一 阿波唎蜜哆二 阿喻紇硯娜三 須毗你悉指陀四 囉佐耶五 怛他羯他耶六 怛姪他唵七
薩婆桑悉迦囉八 波唎輸底九 達磨底十 伽伽娜十一 莎訶某特迦底十二 薩婆婆毗輸底十三
摩訶娜耶十四 波唎婆唎莎訶十五
尒時復有恒河沙姟佛一時同聲說是无量壽宗要經陀羅尼曰
南謨薄伽勃底一 阿波唎蜜哆二 阿喻紇硯娜三 須毗你悉指陀四 囉佐耶五 怛他羯他耶六 怛姪他唵七
薩婆桑悉迦囉八 波唎輸底九 達磨底十 伽伽娜十一 莎訶某特迦底十二 薩婆婆毗輸底十三
摩訶娜耶十四 波唎婆唎莎訶十五
善男子若有自書寫教人書寫是无量壽宗要經若其命盡復得長壽而滿百歲陀羅尼曰
南謨薄伽勃底一 阿波唎蜜哆二 阿喻紇硯娜三 須毗你悉指陀四 囉佐耶五 怛他羯他耶六 怛姪他唵七
薩婆桑悉迦囉八 波唎輸底九 達磨底十 伽伽娜十一 莎訶某特迦底十二 薩婆婆毗輸底十三
摩訶娜耶十四 波唎婆囉莎訶十五
若有自書寫教人書寫是无量壽宗要經讀誦受持畢竟不墮地獄在所生處得宿命智陀羅尼曰
南謨薄伽勃底一 阿波唎蜜哆二 阿喻紇硯娜三 須毗你悉指陀四 囉佐耶五 怛他羯他耶六 怛姪他唵七
薩婆桑悉迦囉八 波唎輸底九 達磨底十 伽伽娜十一 莎訶某特迦底十二 薩婆婆毗輸底十三
摩訶娜耶十四 波唎婆唎莎訶十五
若有自書寫教人書寫是无量壽宗要經受持讀誦如同書寫八万四千一切經典陀羅尼曰
南謨薄伽勃底一 阿波唎蜜哆二 阿喻紇硯娜三 須毗你悉指陀四 囉佐耶五 怛他羯他耶六 怛姪他唵七
薩婆桑悉迦囉八 波唎輸底九 達磨底十 伽伽娜十一 莎訶某特迦底十二 薩婆婆毗輸底十三 摩
訶娜耶十四 波唎婆唎莎訶十五
若有自書寫教人書寫是无量壽宗要經即是書寫八万四千部建立塔廟陀羅尼曰
南謨薄伽勃底一 阿波唎蜜哆二 阿喻紇硯娜三 須毗你悉指陀四 囉佐耶五 怛他羯他耶六 怛姪他唵七
薩婆桑悉迦囉八 波唎輸底九 達磨底十 伽伽娜十一 莎訶某特迦底十二 薩婆婆毗輸底十三
摩訶娜耶十四 波唎婆囉莎訶十五
若有自書寫教人書寫是无量壽宗要經能消五无間等一切重罪陀羅尼曰
南謨薄伽勃底一 阿波唎蜜哆二 阿喻紇硯娜三 須毗你悉指陀四 囉佐耶五 怛他羯他耶六 怛姪他唵七
薩婆桑悉迦囉八 波唎輸底九 達磨底十 伽伽娜十一 莎訶某特迦底十二 薩婆婆毗輸底十三
摩訶娜耶十四 波唎波唎莎訶十五
若有自書寫教人書寫是无量壽宗要經受持讀誦有重罪猶如須彌山能除滅陀羅尼曰
南謨薄伽勃底一 阿波唎蜜哆二 阿喻紇硯娜三 須毗你悉指陀四 囉佐耶五 怛他羯他耶六 怛姪他唵七
薩婆桑悉迦囉八 波唎輸底九 達磨底十 伽伽娜十一 莎訶某特迦底十二 薩婆婆毗輸底十三

BD02493 號　無量壽宗要經　（6–3）

摩訶娜耶十四 波唎婆唎莎訶十五
若有自書寫教人書寫是无量壽宗要經受持讀誦故有重罪猶如須弥盡能除滅陁羅尼曰
南謨薄伽勃底一 阿波唎蜜哆二 阿喻紇硯娜三 須毗你悉指陀四 囉佐耶五 怛他羯他耶六 怛姪他唵七
薩婆桑悉迦囉八 波唎輸底九 達磨底十 伽伽娜十一 莎訶某特伽底十二 薩婆婆毗輸底十三
摩訶娜耶十四 波唎婆唎莎訶十五
若有自書寫教人書寫是无量壽宗要經受持讀誦若魔魔之眷屬夜叉羅剎不得其便終
无枉死陁羅尼曰
南謨薄伽勃底一 阿波唎蜜哆二 阿喻紇硯娜三 須毗你悉指陀四 囉佐耶五 怛他羯他耶六 怛姪他唵七
薩婆桑悉迦囉八 波唎輸底九 達磨底十 伽伽娜十一 莎訶某特伽底十二 薩婆婆毗輸底十三
摩訶娜耶十四 波唎婆唎莎訶十五
若有自書寫教人書寫是无量壽宗要經受持讀誦當命終時有九十九俱胝佛現其前
來千佛授手能遊一切佛剎莫於此經生於疑惑陁羅尼曰
南謨薄伽勃底一 阿波唎蜜哆二 阿喻紇硯娜三 須毗你悉指陀四 囉佐耶五 怛他羯他耶六 怛姪他唵七
薩婆桑悉迦囉八 波唎輸底九 達磨底十 伽伽娜十一 莎訶某特伽底十二 薩婆婆毗輸底十三
摩訶娜耶十四 波唎婆唎莎訶十五
若有自書寫教人書寫是无量壽宗要經受持讀誦常得四天大王隨其衛護陁羅尼曰
南謨薄伽勃底一 阿波唎蜜哆二 阿喻紇硯娜三 須毗你悉指陀四 囉佐耶五 怛他羯他耶六 怛姪他唵七
薩婆桑悉迦囉八 波唎輸底九 達磨底十 伽伽娜十一 莎訶某特伽底十二 薩婆婆毗輸底十三
摩訶娜耶十四 波唎婆唎莎訶十五
若有自書寫教人書寫是无量壽宗要經受持讀誦當得往生西方極樂世界阿
弥陁淨土陁羅尼曰
南謨薄伽勃底一 阿波唎蜜哆二 阿喻紇硯娜三 須毗你悉指陀四 囉佐耶五 怛他羯他耶六 怛姪他
唵七 薩婆桑悉迦囉八 波唎輸底九 達磨底十 伽伽娜十一 莎訶某特伽底十二 薩婆婆毗
輸底十三 摩訶娜耶十四 波唎婆唎莎訶十五
若有方所自書寫教人書寫是无量壽經典之處則為是塔皆應恭敬作禮若是畜
生或為鳥獸得聞是經如是等類皆當不久得成一切種智陁羅尼曰
南謨薄伽勃底一 阿波唎蜜哆二 阿喻紇硯娜三 須毗你悉指陀四 囉佐耶五 怛他羯他耶六
怛姪他唵七 薩婆桑悉迦囉八 波唎輸底九 達磨底十 伽伽娜十一 莎訶某特伽底十二 薩婆婆毗
輸底十三 摩訶娜耶十四 波唎婆唎莎訶十五
若有於是无量壽經自書寫若使人書畢竟不受女人之身陁羅尼曰
南謨薄伽勃底一 阿波唎蜜哆二 阿喻紇硯娜三 須毗你悉指陀四 囉佐耶五 怛他羯他耶六 怛姪他唵七
薩婆桑悉迦囉八 波唎輸底九 達磨底十 伽伽娜十一 莎訶某特伽底十二 薩婆婆毗……

BD02493 號　無量壽宗要經　（6–4）

輸底十三 摩訶娜耶十四 波唎婆唎莎訶十五
若有於是无量壽經自書寫若使人書畢竟不受女人之身陁羅尼曰
南謨薄伽勃底一 阿波唎蜜哆二 阿喻紇硯娜三 須毗你悉指陀四 囉佐耶五 怛他羯他耶六 怛姪他
唵七 薩婆桑悉迦囉八 波唎輸底九 達磨底十 伽伽娜十一 莎訶某特伽底十二 薩婆婆毗輸
底十三 摩訶娜耶十四 波唎婆唎莎訶十五
若有能於是經少分能惠施者等於三千大千世界滿中七寶布施陁羅尼曰
南謨薄伽勃底一 阿波唎蜜哆二 阿喻紇硯娜三 須毗你悉指陀四 囉佐耶五 怛他羯他耶六 怛姪他
唵七 薩婆桑悉迦囉八 波唎輸底九 達磨底十 伽伽娜十一 莎訶某特伽底十二 薩婆婆毗
輸底十三 摩訶娜耶十四 波唎婆唎莎訶十五
若有能供養是經者則是供養一切諸經等无有別異陁羅尼曰
南謨薄伽勃底一 阿波唎蜜哆二 阿喻紇硯娜三 須毗你悉指陀四 囉佐耶五 怛他羯他耶六 怛姪他
唵七 薩婆桑悉迦囉八 波唎輸底九 達磨底十 伽伽娜十一 莎訶某特伽底十二 薩婆婆毗輸底十三
摩訶娜耶十四 波唎婆唎莎訶十五
如是毗婆尸佛 尸棄佛 毗舍浮佛 拘留孫佛 拘那含牟尼佛 迦葉佛 釋迦牟尼佛 若有人
以七寶供養如是七佛其福有限書寫受持是无量壽經典所有功德不可限量陁羅尼曰
南謨薄伽勃底一 阿波唎蜜哆二 阿喻紇硯娜三 須毗你悉指陀四 囉佐耶五 怛他羯他耶六 怛姪他唵七
薩婆桑悉迦囉八 波唎輸底九 達磨底十 伽伽娜十一 莎訶某特伽底十二 薩婆婆毗輸底十三
摩訶娜耶十四 波唎婆唎莎訶十五
若有七寶等於須弥以用布施其福可知其量是无量壽經其福不可數陁羅尼曰
南謨薄伽勃底一 阿波唎蜜哆二 阿喻紇硯娜三 須毗你悉指陀四 囉佐耶五 怛他羯他耶六 怛姪他唵七
薩婆桑悉迦囉八 波唎輸底九 達磨底十 伽伽娜十一 莎訶某特伽底十二 薩婆婆毗輸底十三
摩訶娜耶十四 波唎婆唎莎訶十五
如是四大海水可知滴數是无量壽經典所生果報不可數量陁羅尼曰
南謨薄伽勃底一 阿波唎蜜哆二 阿喻紇硯娜三 須毗你悉指陀四 囉佐耶五 怛他羯他耶六 怛姪他唵七
薩婆桑悉迦囉八 波唎輸底九 達磨底十 伽伽娜十一 莎訶某特伽底十二 薩婆婆毗輸底十三
摩訶娜耶十四 波唎婆唎莎訶十五
若有人自書寫使人書寫是无量壽經典人能讀誦持供養即如恭敬供養一切十方佛土
如來无有別異陁羅尼曰
南謨薄伽勃底一 阿波唎蜜哆二 阿喻紇硯娜三 須毗你悉指陀四 囉佐耶五 怛他羯他耶六 怛姪他唵七
薩婆桑悉迦囉八 波唎輸底九 達磨底十 伽伽娜十一 莎訶某特伽底十二 薩婆婆毗輸
底十三 摩訶娜耶十四 波唎婆唎莎訶十五

BD02493 號　無量壽宗要經　（6–5）

薩婆桑悉迦囉八 波唎輸底九 達摩底十 伽伽那十一 莎訶某持迦底十二 薩婆婆毗輸底十三
摩訶那耶十四 波唎婆羅莎訶十五
若有人自書寫使人書寫是无量壽經典人能護持供養即如來敬供養一切十方佛土
如來无有別異陀羅尼曰
南謨薄伽勃底一 阿波唎蜜哆二 阿喻紇硯那三 須毗你悉指陀四 囉佐耶五 怛他羯他耶六
怛姪他七 薩婆桑悉迦囉八 波唎輸底九 達摩底十 伽伽那十一 莎訶某持迦底十二 薩婆婆毗輸底十三
摩訶那耶十四 波唎婆羅莎訶十五
布施力能成正覺 悟布施力人師子 布施力能聲普聞 慈悲階漸衆能入
持戒力能成正覺 悟持戒力人師子 持戒力能聲普聞 慈悲階漸衆能入
忍辱力能成正覺 悟忍辱力人師子 忍辱力能聲普聞 慈悲階漸衆能入
精進力能成正覺 悟精進力人師子 精進力能聲普聞 慈悲階漸衆能入
禪定力能成正覺 悟禪定力人師子 禪定力能聲普聞 慈悲階漸衆能入
智慧力能成正覺 悟智慧力人師子 智慧力能聲普聞 慈悲階漸衆能入
尒時如來說是經已一切世間天人阿脩羅揵闥婆等聞佛所說皆大
歡喜信受奉行
佛說无量壽宗要經

BD02493 號　無量壽宗要經　　（6–6）

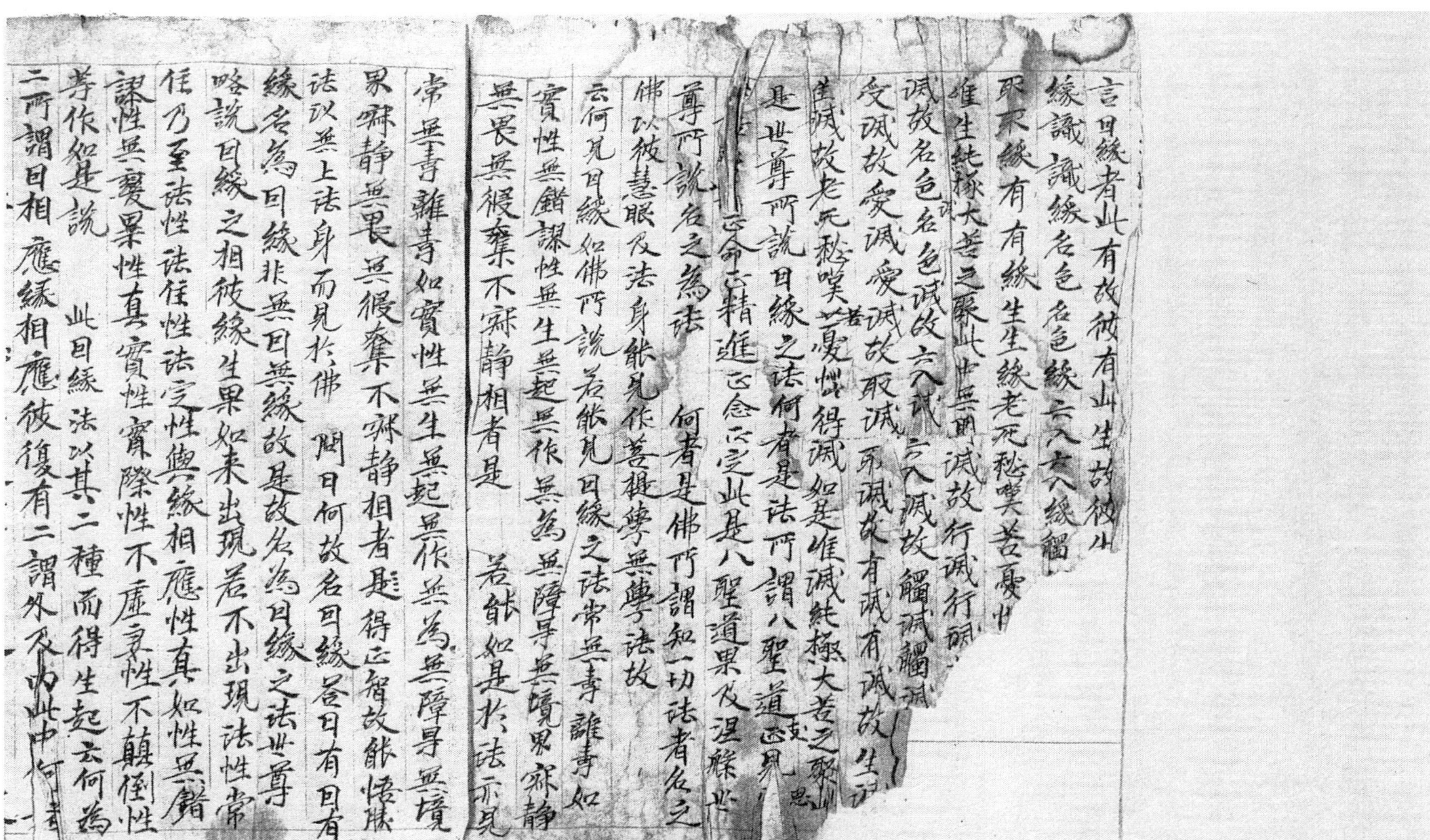
言因緣者此有故彼有此生故彼生
緣識識緣名色名色緣六入六入緣觸
取取緣有有緣生生緣老死愁嘆苦憂惱
唯生純極大苦之聚此中無明滅故行滅行滅
滅故名色名色滅故六入滅六入滅故觸滅觸滅
受滅故愛滅愛滅故取滅取滅故有滅有滅故生滅
生滅故老死愁嘆苦憂惱得滅如是唯滅純極大苦之聚此
是世尊所說因緣之法何者是法所謂八聖道支正見正思
[illegible]正命正精進正念正定此是八聖道果及涅槃世
尊所說名之為法　何者是佛所謂知一切法者名之
佛以彼慧眼及法身能見作菩提學無學法故
云何見因緣　如佛所說若能見因緣之法常無壽離壽如
實性無錯謬性無生無起無作無為無障礙無境界寂靜
無畏無侵奪不寂靜相者是　若能如是於法亦見
常無壽離壽如實性無生無起無作無為無障礙無境
界寂靜無畏無侵奪不寂靜相者是得正智故能悟勝
法以無上法身而見於佛　問曰何故名因緣　答曰有因有
緣名為因緣非無因無緣故是故名為因緣之法世尊
略說因緣之相彼緣生果如來出現若不出現法性常
住乃至法性法住性法定性與因緣相應性真如性無錯
謬性無變異性真實性實際性不虛妄性不顛倒性
等作如是說　此因緣法以其二種而得生起云何為
二所謂因相應緣相應彼復有二謂外及內此中何者

BD02494 號　大乘稻竿經　　（7–1）

略說因緣之相彼緣生果如來出現若不出現法性常
住乃至法性法住性法定性與緣相應性真如性無錯
謬性無變異性真實性實際性不虛妄性不顛倒性
等作如是說　此因緣法以其二種而得生起云何為
二所謂因相應緣相應彼復有二謂外及內此中何者
是外因緣法因相應所謂從種生芽從芽生葉從
葉生莖從莖生節從節生穗從穗生花從花生實若
無種芽即不生乃至若無有花實亦不生有種芽生
如有花實亦得生彼種亦不作是念我能生芽芽亦不作
是念我能生實實亦不作是念我從花生雖然有種故
而芽得生如是有花故實即而能成就應如是觀外
因緣法因相應義　應云何觀外因緣法緣相應
義謂六界和合故以何六界和合所謂地水火風空時
界等和合外因緣法而得生起應如是觀外因緣法緣
相應義地界者能持於種水界者潤請於種火界
者能暖於種風界者動搖於種空界者不障於種
時則能變種子若無此眾緣種則不能而生於芽
若具足一切和合種外地界無不具足如是乃至水火風
空時等無不具足一切和合種子滅時而芽得生
此中地界不作是念我能住持種子水界亦不作
是念我能潤請於種火界亦作是我能暖於種子
風界亦不作是念我能動搖於種子空界亦不作
是念我能不障於種子種亦不作是念我今從此
眾緣而生雖然有此眾緣而種滅時芽即得生如
是有花之時實即得生彼芽亦非自作亦非他作非
自他俱作非自在作亦非時變非自性生亦非無因而生
雖然地水火風空時界等和合種滅之時而芽得
生是故應如是觀外因緣法緣相應義
應以五種觀彼外因緣法何等為五不常不斷不

自他俱作非自在作亦非時變非自性生亦非無因而生
雖然地水火風空時界等和合種滅之時而芽得
生是故應如是觀外因緣法緣相應義
應以五種觀彼外因緣法何等為五不常不斷不
移從於小因而生大果與彼相似云何不常為芽
與種各別異故彼芽非種非種壞時而芽得亦
非不滅而得生起種壞之時而芽得生是故不常云
何不斷非過去種壞而生於芽亦非不滅而得生
起種子亦壞當尒之時如秤高下而芽得生是
故不斷云何不移芽與種別芽非種故是不移云
何小因而生大果從小種子而生大果是故從於小因
而生大果云何與彼相似如所植種生彼果故是故
與彼相似是以五種觀外因緣之法　如是內緣法亦以
二種而得生起云何為二所謂因相應緣相應何者是內因緣法
因相應義所謂始從无明緣行乃至生緣老死若无明不生行亦
不有乃至若无有生老死非有如是有无明故行乃得生乃至
有生故老死得有无明亦不作是念我能生行行亦不作是念
我從无明而生乃至生亦不作是念我能生老死老死亦不作是
念我從生有雖然有无明故行乃得生如是有生故老死得有是
故應如是觀內因緣法因相應義應云何觀內因緣法緣相應
事為六界和合故以何六界和合所謂地水火風空識界等和
合故應如是觀內因緣法緣相應事　何者是內因緣法地界
之相為此身中堅硬者名為地界為令此身而聚集者名為水
界能消身所食飲嚼噉者名為火界為此身中作內外出入息
者名為風界為此身中作虛通者名為空界五識身相應及
有漏意識猶如束蘆能成就此身名色芽者名為識界若
無此眾緣身則不生若內地界無不具足如是乃至水火風空
識界等無不具足一切和合身即得生　彼地界亦不作是念
我能而作身中堅硬之事水界亦不作是念我能為身而作
聚集火界亦不作是念我能而消身所食飲嚼噉之事

無此衆緣身則不生若內地界無不具足如是乃至水火風空
識界等無不具足一切和合身即得生　彼地界亦不作是念
我能而作身中堅硬之事水界亦不作是念我能爲身而作
聚集火界亦不作是念我能而消身所食飲嚼噉之事
風界亦不作念我能作內外出入息空界亦不作念我能而作
身中虛通之事　識界亦不作念我能成就此身名色之芽
身亦不作是念我從此衆緣而生雖然有此衆緣之時身即
得生彼地界亦非是我非是衆生非命者非儒童非作者
非男非女非黃門非自在非我所非餘等如是乃至水界
火界風界空界識亦非是我非是衆生非命者非生者
非儒童非作者非男非女非黃門非自在非我所亦非餘等
何者是無明於此六界起於一想一合想常想堅牢想懷
想不安樂想衆生命生者養育士夫人儒童作者我我
所想等及餘種種無知此是無明故於諸境界起貪瞋癡
於諸境界起貪瞋癡者此是無明緣行而於諸事能了
別者名之爲識與識俱生四取蘊者此是名色依名色諸根名
爲六入三法和合名之爲觸覺受者名之爲受於受貪著名之
爲愛增長愛者名之爲取從取而生能生業者名之爲有而
從彼因所生之蘊名之爲生生已蘊成熟者名之爲老老已蘊
滅壞者名之爲死臨終之時內具貪著及熱惱者名之爲愁
從愁而生諸言辭者名之時爲嘆五識身受苦者名之爲苦作
意識受諸苦者名之爲憂具如是等及隨煩惱者名之爲惱
大黑闇故故名无明造作故名諸行了別故名識相依故名名色
爲生門故名六入觸故名觸受故名受渴故名愛取故名取生
後有故名有生蘊名生蘊熟故名老蘊壞故名死愁故名愁
歎故名歎惱故身名苦惱心故名憂煩惱故名惱
復次不了真性顛倒無知名爲无明如是有無明故能成三行所
謂福行罪行不動行從於福行而生福行識者此是無明緣行
從於罪行而生罪行識者此則名爲行緣識從於不動行而生
不動行識者此則名爲識

BD02494號　大乘稻竿經　（7–4）

謂福行罪行不動行從於福行而生福行識者此是無明緣行
從於罪行而生罪行識者此則名爲行緣識從於不動行而生
不動行識者此則名爲識緣名色名色增長故從六入門中能
成事者此是名色緣六入從於六入而生六聚觸者此是六入緣觸
從於所觸而生彼受者此則名爲觸緣受了別受已而生樂
著諮者此則名爲受緣愛知已而生樂著諮故不欲遠離好
色及於安樂而生願樂者此是愛緣取生願樂已從身口意
造後有業者此是取緣有從於彼業所生蘊者此是有緣
生生已諸蘊成熟及滅壞者此則名爲生緣老死是故彼因緣
十二支法互相爲因互相緣非常非無常非有爲非無爲非無因
非無緣非有受非盡法非壞法非滅法從無始已來如暴流水而無
斷絕　雖然此因緣十二支法互相爲因互相爲緣非常非无常
非有爲非無爲非無因非無緣非有受非盡法非壞非滅法從
無始已來如暴流水而無斷絕有其四支能攝十二因緣之法
云何爲四所謂無明愛業識識者以種子性爲因業者以田
性爲因無明及愛以煩惱性爲因此中業及煩惱能生種子
之識業則能作種子識田愛則能潤種子之識無明殖種
子之識若無此衆緣種子之識而不能成　彼業亦不作
念我今能作種子識田愛亦不作念我能潤於種子之識
無明亦作念我能今能殖種子之識彼種子識亦作念我今
從此衆緣而生雖然種子之識依彼業田及愛所潤無明糞
壤所生之處　入於母胎能生名色之芽亦非自作亦非他作非自他
俱作非自在化亦非時變非自性生非假作者亦非無因而生雖
然父母和合時及餘緣和合之時無我之法無我我所猶如虛
空彼諸幻法因及衆緣無不具足故依彼生處入於母胎能
則成就執受種子之識名色之芽如眼識生時若具五緣而則
得生云何爲五所謂依眼色明空依作意故眼識得生此中
眼則能作眼識所依色則能作眼識之境明則能爲顯現之事
空則能爲不障之事作意能爲思想之事若無此衆緣眼識

BD02494號　大乘稻竿經　（7–5）

則成就執受種子之識名色之芽如眼識生時若具五緣而則
得生云何為五所謂依眼色明空依作意故眼識得生此中
眼則能作眼識所依色則能作眼識之境明則能為顯現之事
空則能為不障之事作意能為思想之事若無此衆緣眼識
不生若內入眼無不具足如是乃至色明空作意無不具足一切和合之時
眼識得生　彼眼亦不作是念我今能為眼識所依色亦不作念
我今能作眼識之境明亦不作念我今能作眼識顯現之事空亦
不作念我今能為眼識不障之事作意亦不作念我今能為眼
識所思彼眼識亦不作念我是從此衆緣而有雖然有此衆緣眼
識得生乃至諸餘根等隨類知之如是無有少法而從此世移至他
世雖然因及衆緣無不具足故業果亦現譬如明鏡之中現其面像
雖彼面像不移鏡中而因及衆緣無不具足故業果亦現譬如明鏡
之中現其面像面像亦現如是無有少許從於此滅生其餘處因及
衆緣無不具足故業果亦現譬如月輪從此四万二千由旬而行彼月
輪形像現其水中小器中者彼月輪亦不從彼移至於有水之器雖
然因及衆緣無不具足故月輪亦現如是無有少許從於此滅而
生餘處因及衆緣無不具足故業果亦現譬如其火因及衆緣若不
具足而不能燃因及衆緣具足之時乃可得燃如是無我我之法無我
我所猶如虛空依彼幻法及因衆緣無不具足故所生之處入於
母胎則能成就種子之識業及煩惱所生名色之芽是故應如是
觀內因緣法緣相應事　應以五種觀內因緣法云何為五不
常不斷不移從於小因而生大果與彼相似云何不斷常所謂彼後
滅蘊與彼生分各異為彼滅蘊非生分故彼後滅蘊亦滅生分
得現故是故不常云何不斷非彼後依滅蘊壞之時生分得有亦非不滅
彼後滅蘊亦滅當爾之時生分之蘊如秤高下而得生故是故不斷
云何不移為諸有情從非衆同分處能生衆同分處故是故不移
云何從於小因而生大果作於小業感大果熟是故從於小因而生大
果如所作因感彼果故與彼相似是故應以五種觀因緣法尊者
舍利子若復有人能以正智常觀如來所說因緣之法無壽離壽
如實性無錯謬性無生無起無作無為無障礙無境界寂靜無畏

得現故是故不常云何不斷非彼後依滅蘊壞之時生分得有亦非不滅
彼後滅蘊亦滅當爾之時生分之蘊如秤高下而得生故是故不斷
云何不移為諸有情從非衆同分處能生衆同分處故是故不移
云何從於小因而生大果作於小業感大果熟是故從於小因而生大
果如所作因感彼果故與彼相似是故應以五種觀因緣法尊者
舍利子若復有人能以正智常觀如來所說因緣之法無壽離壽
如實性無錯謬性無生無起無作無為無障礙無境界寂靜無畏
無侵奪無盡不寂靜相不虛誑無堅實如病如癰如箭過失無常
苦空無我者我於過去而有生耶而無生耶而不分別過去之際
於未來世生於何處亦不分別未來之際此是何耶此復云何而作
何物此諸有情從何而來從於此滅而生何處亦不分別現在之有
復能滅於世間沙門婆羅門不同諸見所謂我見衆生見壽者見
人見希有見吉祥見開合之見善了知故如多羅樹明了斷除
根栽已於未來世證得無生無滅之法　尊者舍利子若復有
人具足如是無生法忍善能了別此因緣法者如來應供正遍
知明行足善逝世間解無上士調御丈夫天人師佛世尊即授阿
耨多羅三藐三菩提記　爾慈彌勒菩薩摩訶薩說是語
已舍利子及一切世間天人阿脩羅犍闥婆等彌勒菩薩摩
薩訶所說之法授奉行

佛說大乘稻芉經一卷

烏若下苦中生樂相者未
有人當受千罰初一下時已生樂相若不
生者云何說言於下苦中而生樂想佛告迦
葉如是如是如汝所說以是義故無有樂相
何以故猶如彼人當受千罰受一下已即得
脫者是人尒時便生樂想是故當知於無樂
中妄生樂想迦葉言世尊彼人不以一下生
於樂想以得脫故而生樂想迦葉是故我昔
為釋魔男說五陰中樂實不虛也迦葉有三
受三苦三受者所謂樂受苦受不苦不樂受
三苦者所謂苦苦行苦壞苦善男子苦受者
名為三苦所謂苦苦行苦壞苦餘二受者所謂
行苦壞苦善男子以是因緣生死之中實
有樂受菩薩摩訶薩以苦樂性不相捨離是
故說言一切皆苦善男子生死之中實無有
樂但諸佛菩薩隨順世間說言有樂迦葉菩
薩白佛言世尊諸佛菩薩若隨俗說是虛妄

BD02495號　大般涅槃經（北本　思溪藏本）卷一三　（14–1）

故說言一切皆苦善男子生死之中實無有
樂但諸佛菩薩隨順世間說言有樂迦葉菩
薩白佛言世尊諸佛菩薩若隨俗說是虛妄
不如佛所說脩行善者則受樂報持戒安樂
身不受苦乃至眾事以辦是為最樂如是等
經所說樂受是虛妄不若是虛妄諸佛世尊
久於無量百千万億阿僧祇劫脩菩提道已
離妄語今作是說其義云何佛言善男子如
上所說諸受樂偈即是菩提道之根本亦能
長養阿耨多羅三藐三菩提以是義故先於
經中說是樂相善男子譬如世間所須資生
能為樂因故名為樂所謂女色躭湎飲酒上
饌甘味渴時得水寒時遇火衣服瓔珞象馬
車乘奴婢僮僕金銀琉璃珊瑚真珠倉庫穀
米如是等物世間所須能為樂因是名為樂
善男子如是等物亦能生苦因於女人生男
子苦憂愁悲泣乃至斷命因酒甘味乃至倉
穀亦能令人生大憂惱以是義故一切皆苦
無有樂相善男子菩薩摩訶薩於是八苦解
苦無苦善男子一切聲聞辟支佛等不知樂
因為如是人於下苦中說有樂相唯有菩薩
住於大乘大般涅槃乃能知是苦因樂因善男
子云何菩薩摩訶薩住於大乘大般涅槃觀
察集諦善男子菩薩摩訶薩觀此集諦是陰

BD02495號　大般涅槃經（北本　思溪藏本）卷一三　（14–2）

住於大乘大般涅槃乃能知是苦因樂因善男
子云何菩薩摩訶薩住於大乘大般涅槃觀
察集諦善男子菩薩摩訶薩觀此集諦是陰
因緣所謂集者還愛於有愛有二種一愛己
身一愛所須復有二種未得五欲繫心專求
既求得已堪忍專著復有三種欲愛色愛无
色愛復有三種業因緣愛煩惱因緣愛苦因
緣愛出家之人有四種愛何等為四衣服飲
食臥具湯藥復有五種貪著五陰隨諸所須
一切愛著分別校計无量无邊善男子愛有
二種一者善愛二不善愛不善愛者唯愚求
之善法愛者諸菩薩求善法愛者復有二
種不善與善求二乘者名為不善求大乘者
是名為善善男子凡夫愛者名之為集不名
為諦菩薩愛者名之實諦不名為集何以故
為度衆生所以受生不以愛故而受生也迦
葉菩薩白佛言世尊如佛世尊於餘經中為
諸衆生說業為因緣或說憍慢或說六觸或
說无明為五盛陰而作因緣今以何義說四
聖諦獨以愛性為五陰因佛讚迦葉菩薩善
哉善哉善男子如汝所說諸因緣者非為非
因但是五陰要因於愛善男子譬如大王若
出遊巡大臣眷屬悉皆隨從愛亦如是隨愛
行處是諸結等亦復隨行譬如膩衣隨有塵

因但是五陰要因於愛善男子譬如大王若
出遊巡大臣眷屬悉皆隨從愛亦如是隨愛
行處是諸結等亦復隨行譬如膩衣隨有塵
著著則隨住愛亦如是隨所愛處業結亦
住復次善男子譬如濕地則能生牙愛亦如是
能生一切業煩惱牙善男子菩薩摩訶薩住
是大乘大般涅槃深觀此愛凡有九種一如
債有餘二如羅剎女婦三如妙華莖有毒蛇
四如惡食性所不便而強食之五如婬女六
如摩樓迦子七如創中息肉八如暴風九如
彗星云何名為如債有餘善男子譬如窮人
負他錢財雖償欲畢餘未畢故猶繫在獄而
不得脫聲聞緣覺亦復如是以有愛習之餘
氣故不能得成阿耨多羅三藐三菩提善男
子是名如債有餘善男子云何如羅剎女婦
善男子譬如有人以羅剎女而為婦妾是羅
剎女隨所生子生已便噉子既盡已復噉其
夫善男子愛羅剎女亦復如是隨諸衆生生
善根子隨生隨食善子既盡復噉衆生令墮
地獄畜生餓鬼唯除菩薩是名如羅剎女婦
善男子云何如妙華莖毒蛇纏之譬如有人
性愛好華不見華莖毒蛇過患即便前捉捉
已虵螫螫已命終一切凡夫亦復如是貪五
欲華不見是愛毒虵過患而便受取即為愛

善男子云何如妙華莖毒蛇纏之譬如有人
性愛好華不見華莖毒蛇過患即便前捉捉
已蛇螫螫已命終一切凡夫亦復如是貪五
欲華不見是愛毒蛇過患而便受取即為愛
毒之所歌螫命終墮於三惡道中唯除菩薩
是名如妙華莖毒蛇纏之善男子云何所不
便食而強食之譬如有人所不便食而強食
之食已腹痛患下而死愛食亦尒五道衆生
強食貪著以是因緣墮三惡道唯除菩薩是
名所不便食而強食之善男子云何婬女譬如
愚人與婬女通而彼婬女巧作種種諂媚現
親悉集是人所有錢財錢財既盡便復駈遣
愛之婬女亦復如是愚人无智與之交通而
是愛女奪其所有一切善法善法既盡駈遣
令墮三惡道中唯除菩薩是名婬女善男子
云何摩樓迦子譬如摩樓迦子若鳥食已隨
糞墮地或因風吹來在樹下即便生長纏
繞縛束尼拘羅樹令不增長遂至枯死愛摩
樓迦子亦復如是纏縛凡夫所有善法不令
增長遂至枯滅既枯滅已命終之後墮三惡
道唯除菩薩是名摩樓迦子善男子云何創
中息肉如人久創中生息肉其人要當懃心
療治莫生捨心若生捨心創息增長蟲疽復
生以是因緣即便命終凡夫愚人五陰創疣

中息肉如人久創中生息肉其人要當懃心
療治莫生捨心若生捨心創息增長蟲疽復
生以是因緣即便命終凡夫愚人五陰創疣
亦復如是愛於其中而為息肉應當懃心療
治愛息若不治者命終即墮三惡道中唯除
菩薩是名創中息肉善男子云何暴風譬如
暴風能偃山移岳拔深根栽愛暴大風亦復
如是於父母所而生惡心能拔大智舍利弗
等无上深固菩提根栽唯除菩薩是名暴風
善男子云何彗星譬如彗星出現天下一切
人民飢饉病瘦嬰諸苦惱愛之彗星亦復如
是能斷一切善根種子令凡夫人孤窮飢饉
生煩惱病流轉生死受種種苦唯除菩薩是
名彗星善男子菩薩摩訶薩住於大乘大般
涅槃觀察愛結如是九種善男子以是義故
諸凡夫人聲聞緣覺有苦有苦諦而无真實
諸菩薩等解苦无苦是故无苦而有真諦者
凡夫人有集无諦聲聞緣覺有集有集諦諸
菩薩等解集无集是故无集而有真諦聲聞
緣覺有滅非真菩薩摩訶薩有滅有真諦聲
聞緣覺有道非真菩薩摩訶薩有道有真諦
善男子菩薩摩訶薩住於大乘大般涅槃見
滅見滅諦所謂斷除一切煩惱若煩惱斷則
名為常滅煩惱火則名寂滅煩惱滅故則得
受樂諸佛菩薩求因緣故故名為淨更不復

滅見滅諦所謂斷除一切煩惱若煩惱斷則
名爲常滅煩惱火則名寂滅煩惱滅故則得
受樂諸佛菩薩求因緣故故名爲淨更不復
受廿五有故名出世以出世故名爲我常於
色聲香味觸男女生住滅苦樂不苦不樂不
取相貌故名畢竟寂滅真諦善男子菩薩如
是住於大乘大般涅槃觀滅聖諦善男子云
何菩薩摩訶薩住於大乘大般涅槃觀道聖
諦善男子譬如闇中因燈得見麁細之物菩
薩摩訶薩亦復如是住於大乘大般涅槃因
八聖道見一切法所謂常无常有爲无爲有
衆生非衆生物非物苦樂我无我淨不淨煩
惱非煩惱業非業實不實乘非乘知无知陀
羅驃非陀羅驃求那非求那見非見色非色
道非道解非解善男子菩薩如是住於大乘
大般涅槃觀道聖諦迦葉菩薩白佛言世尊
若八聖道是道聖諦義不相應何以故如來
或說信心爲道能度諸漏或時說道不放逸
是諸佛世尊不放逸故得阿耨多羅三藐三
菩提亦是菩薩助道之法或時說言精進是
道如告阿難若有人能懃脩精進則得成於
阿耨多羅三藐三菩提或時說言觀身念處
若有繫心精懃脩習是身念處則得成於阿
耨多羅三藐三菩提或時說言正定爲道如

BD02495號　大般涅槃經（北本　思溪藏本）卷一三　（14–7）

阿耨多羅三藐三菩提或時說言觀身念處
若有繫心精懃脩習是身念處則得成於阿
耨多羅三藐三菩提或時說言正定爲道如
告大德摩訶迦葉夫正定者真實是道非不
正定而是道也若入禪定乃能思惟五陰生
滅非不入定能思惟也或說一法若人脩集
能淨衆生滅除一切憂悲苦惱速得正法所
謂念佛三昧或復說言脩无常想是名爲道
如告比丘有能多脩无常想者能得阿耨多
羅三藐三菩提或說空寂阿蘭若處獨坐思
惟能得速成阿耨多羅三藐三菩提或時說
言爲人演法是名爲道若聞法已疑因即斷
疑因斷已則得阿耨多羅三藐三菩提或時
說言持戒是道如告阿難若有精懃脩持禁
戒是人則度生死大苦或時說言親近善友
是名爲道如告阿難若有親近善知識者則
具淨戒若有衆生能親近我則得發於阿耨
多羅三藐三菩提心或時說言脩慈是道脩
學慈者斷諸煩惱得不動處或時說言智慧
是道如佛昔爲波闍波提比丘尼說姊妹如
諸聲聞以智慧力能斷諸流諸漏煩惱或時
如來說施是道如佛往昔告波斯匿王大王
當知我於往昔多行惠施以是因緣今日得
成阿耨多羅三藐三菩提世尊若八聖道是

BD02495號　大般涅槃經（北本　思溪藏本）卷一三　（14–8）

諸聲聞以智慧力能斷諸流諸漏煩惱或時
如來說掩是道如佛往昔告波斯匿王大王
當知我於往昔多行惠施以是因緣今日得
成阿耨多羅三藐三菩提世尊若八聖道是
道諦者如是等經豈非虛妄若彼諸經非虛
妄者彼中何緣不說八道為道聖諦若彼不
說如來往昔何故錯謬然我定知諸佛如來
久離錯謬尒時世尊讚迦葉菩薩善哉善哉
善男子汝今欲知菩薩大乘微妙經典所有
秘密故作是問善男子如是諸經悉入道諦
善男子如我所說若有信道如是信道是信
根本是能佐助菩提之道是故我說无有錯
謬善男子如來善知无量方便欲化衆生故
作如是種種說法善男子譬如良醫識諸衆
生種種病原隨其所患而為合藥并藥所禁
唯水一種不在禁例或服薑水或甘草水或
細辛水或黑石蜜水或阿摩勒水或尼婆羅
水或鉢晝羅水或服冷水或服熱水或蒱桃
水或安石留水善男子而是良醫善知衆生
所患種種藥雖多禁水不在例如來亦尒善
知方便於一法相隨諸衆生分別廣說種種
名相彼諸衆生隨所說受受已脩集除斷煩
惱如彼病人隨良醫教所患得除復次善男
子如有一人善解雜語在大衆中是諸大衆

BD02495號　大般涅槃經（北本　思溪藏本）卷一三　（14–9）

知方便於一法相隨諸衆生分別廣說種種
名相彼諸衆生隨所說受受已脩集除斷煩
惱如彼病人隨良醫教所患得除復次善男
子如有一人善解雜語在大衆中是諸大衆
熱渴所逼咸發聲言我欲飲水我欲飲水是
人即時以清冷水隨其種類說言是水或言
波尼或言鬱持或言娑利藍或言婆利或言
波耶或言甘露或言牛乳以如是等无量水
名為大衆說善男子如來亦尒以一聖道為
諸聲聞種種而說從信根等至八聖道復次
善男子譬如金師以一種金隨意造作種種
瓔珞所謂鉗鎖環釧釵鐺天冠臂印雖有如
是差別不同然不離金善男子如來亦尒以
一佛道隨諸衆生種種分別而為說之或說
一種所謂諸佛一道无二復說二種所謂定
慧復說三種謂見慧智復說四種所謂見道
脩道无學道佛道復說五種所謂信行道法
行道信解脫道見到道身證道復說六種所
謂須陁洹道斯陁含道阿那含道阿羅漢道
辟支佛道佛道復說七種所謂念覺分擇法
覺分精進覺分喜覺分除覺分定覺分捨覺
分復說八種所謂正見正思惟正語正業正
命正精進正念正定復說九種所謂八聖道
及信復說十種所謂十力復說十一種所謂

BD02495號　大般涅槃經（北本　思溪藏本）卷一三　（14–10）

覺分擇[illegible]
分復說八種所謂正見正思惟正語正業正
命正精進正念正定復說九種所謂八聖道
及信復說十種所謂十力復說十一種所謂
十力大慈復說十二種所謂十力大慈大悲
復說十三種所謂十力大慈大悲念佛三昧
復說十六種所謂十力大慈大悲念佛三昧
及佛所得三正念處復說廿道所謂十力四
无所畏大慈大悲念佛三昧三正念處善男
子是道一體如來昔日為衆生故種種分別
復次善男子譬如一火因可燃故得種種名
所謂木火草火糠火麩火牛馬糞火善男子
佛道亦尒一而无二為衆生故種種分別復
次善男子譬如一識分別說六若至於眼則
名眼識乃至意識亦復如是善男子道亦如
是一而无二如來為化諸衆生故種種分別
復次善男子譬如一色眼所見者則名為色
耳所聞者則名為聲鼻所嗅者則名為香舌
所嘗者則名為味身所覺者則名為觸善男
子道亦如是一而无二如來為欲化衆生故
種種分別善男子以是義故以八聖道分名
道聖諦善男子是四聖諦諸佛世尊次第說
之以是因緣无量衆生得度生死迦葉菩薩
白佛言世尊昔佛一時在恒河圻尸首林中
尒時如來取其樹葉告諸比丘我今手中所

道聖諦善男子是四聖諦諸佛世尊次第說
之以是因緣无量衆生得度生死迦葉菩薩
白佛言世尊昔佛一時在恒河圻尸首林中
尒時如來取其樹葉告諸比丘我今手中所
捉葉多一切因地草木葉多諸比丘言世尊
一切因地草木葉多不可稱計如來所捉少
不足言諸比丘我所覺了一切諸法如因大
地生草木等為諸衆生所宣說者如手中葉
世尊尒時說如是言如來所了无量諸法若
入四諦則為已說若不入者應有五諦佛讚
迦葉菩薩善哉善哉善男子汝今所問則能
利益安隱快樂无量衆生善男子如是諸法
悉以攝在四聖諦中迦葉菩薩復作是言如
是等法若在四諦如來何故唱言不說佛言
善男子雖復入中猶不名說何以故善男子
知聖諦有二種智一者中二者上中者聲聞
緣覺智上者諸佛菩薩智善男子知諸陰苦
名為中智分別諸陰有无量相悉是諸苦非
是聲聞緣覺所知是名上智善男子如是等
義我於彼經竟不說之善男子知諸入者名
之為門亦名為苦是名中智分別種種有无
量相悉是諸苦非諸聲聞緣覺所知是名上
智如是等義我於彼經亦不說之善男子知
諸界者名之為分亦名為性亦名為苦是名

之為門亦名為苦是名中智分別種種有无
量相患是諸苦非諸聲聞緣覺所知是名上
智如是等義我於彼經亦不說之善男子知
諸界者名之為分亦名為性亦名為苦是名
中智分別諸界有无量相患是諸苦非諸聲
聞緣覺所知是名上智善男子如是等義我
於彼經亦不說之善男子知色壞相是名中
智分別諸色有无量相患是諸苦非諸聲聞
緣覺所知是名上智如是等義我於彼經亦
不說之善男子知受覺相是名中智分別諸
受有无量覺相非諸聲聞緣覺所知是名上
智善男子如是等義我於彼經亦不說之善
男子知想取相名中智分別是想有无量
取相非諸聲聞緣覺所知是名上智如是等
義我於彼經亦不說之善男子知行作相是
名中智分別是行无量作相非諸聲聞緣覺
所知是名上智善男子如是等義我於彼經
亦不說之善男子智識分別相是名中智分
別是識无量知相非諸聲聞緣覺所知是名
上智善男子如是等義我於彼經亦不說之
善男子知愛因緣能生五陰是名中智一人
起愛无量无邊聲聞緣覺所不能知能知一
切衆生所起如是等愛是名上智如是等義
我於彼經亦不說之善男子知滅煩惱是名

BD02495號　大般涅槃經（北本　思溪藏本）卷一三　（14–13）

善男子知愛因緣能生五陰是名中智一人
起愛无量无邊聲聞緣覺所不能知能知一
切衆生所起如是等愛是名上智如是等義
我於彼經亦不說之善男子知滅煩惱是名
中智分別煩惱不可稱計滅亦如是不可稱
計非諸聲聞緣覺所知是名上智如是等義
我於彼經亦不說之善男子知是道相能離
煩惱是名中智分別道相无量无邊所離煩
惱亦无量无邊非諸聲聞緣覺所知是名上
智如是等義我於彼經亦不說之善男子知
世諦者是名中智分別世諦无量无邊不可
稱計非諸聲聞緣覺所知是名上智如是等
義我於彼經亦不說之善男子一切行无常
諸法无我涅槃寂滅是第一義是名中智知
第一義无量无邊不可稱計非諸聲聞緣覺
所知是名上智如是等義我於彼經亦不說
之尒時文殊師利菩薩摩訶薩白佛言世尊
所說世諦第一義諦其義云何世尊第一義
中有世諦不世諦之中有第一義不如其有
者即是一諦如其无者將非如來虛妄說耶
善男子世諦者即第一義諦世尊若尒者則
无二諦佛言善男子有善方便隨順衆生說

BD02495號　大般涅槃經（北本　思溪藏本）卷一三　（14–14）

上来所説序分竟自下第二正宗者昔佛在日摩
竭國中有大長者名拘離陁其家巨富財寶无論
於三寶有信重之心向十善起精懃之志宮中夫
人号曰清提端正雖世上無雙慳貪又數謗佛法
生育一子号曰目連塵劫而深種善因承事於恒
沙諸佛未見我佛在俗之時家謁所有七珍設齋布
施於一切忽於一日思往他方家財分作於三亭二分留
与於慈母內之一分閑充慈父之衣粮更分資財營
齋布施於四遠囑付已畢辞別而行母生慳悋之心
不肯設齋布施到後目連父母壽盡各取命終父承
善力而生天母招慳報墮地獄受值刀山劍樹穿穴
五藏而分離或遭爐炭灰河燒炙碎塵於四斛或
在餓鬼受苦瘦損軀骸百節火然形容憔悴喉咽
別細如針鼻飲嘸滴水而不容腹藏則寬於太嶽
山咸集三江而難滿當尔之時有何言語

BD02496號　盂蘭盆經講經文（擬）　　（4–1）

五藏而分離或遭爐炭灰河燒炙碎塵於四躰或
在餓鬼受苦瘦損軀骸百節火然形容憔悴喉咽
別細於針鼻飲噉滴水而不容腹藏則寬於太嶽
山咸集三江而難滿當尒之時有何言語
目連父母並亡已　輪迴六道各分離　母招惡報傷地獄
父承善力上天堂　思衣羅綺千重現　思食珍羞百味香
已躡摩尼七寶地　身倚珠樓白銀床　宜聞母受多般苦
穿剌燒蒸不可量　鐵磑〻來身粉碎　鑊文〻得血汪〻
飢飡孟火傷喉胃　渴飲鎔銅損肝腸　錢財豈肯隨己益
不救三塗地獄殃　目連葬送父母安置丘墳持服三周
追齋十忌然後捨却榮貴投仏出家精懃持誦
修行遂證阿羅漢果三明自在六用神通能遊三千
大千石壁不能障身尋即晏座禪定觀訪二親父
在忉利天宮受諸快樂却觀慈母不見去處蹤由
道眼他心草知次第　目連父母亡沒　殯送三周礼畢
遂即投仏出家　得蒙如來賑恤　頭上鬚髮自落
身䘮袈裟化出　精修證大阿羅　六用神通第一
目連出俗證阿羅　六通自在没人過　身往虛空嘗
日月傍遊世界遍娑婆　須水如地　無搖動入地如
水現騰波　忽下山宮澄禪觀　感傷相見其親娥
目連雖剗親愛捨俗出家偏向二親甚能孝道尋
思往乳哺未有報荅劬勞先知父在天宮先知父在

剃頭髮披　忽下山宫澄禪觀威儀相貌其巍峨
目連雖剗親愛捨俗出家徧向二親甚能孝道尋
思往乳哺未有報荅劬勞先知父在天宫先知父在
天堂未審母生何界遂即騰身天上到於父前借問
孃孃趣向甚處　是時目連運神通須臾騰騰
到天宫邑之下外欄琉璃地金錫令敲門首鐘
父聞從內走出户下甚極禮度恭　擡頭合掌問和尚
本從何來到此中　目連道生在下界長自閻浮
母是清提夫人父名拘離長者貧道少年名字號曰
羅卜父母並遭喪亡我自投仏出家果證羅漢功就神
通道眼他心隨無障礙尋見父生於天上封受自然未
知母在何方受諸快樂故來騰身到此而問因由須
父莫惜情懷說母所生之處
長者聞言情愴悲　始知和上是親兒　不許寒溫相借問
不覺殤啼淚雙垂　報言我子能出俗　斯知心願不思議
為僧能消万劫甚　在俗惡業隨阿鼻　汝母生存多慳誑
受之業報亦如斯　常在阿受苦痛　大難得逢出離期
尒時其父長者聞說情懷踟蹰尊前迴答所以我昔在
於世上信仏敬僧受持五戒八齋得生天上汝母在生慳
誑欺妄三尊不能捨施濟貧現墮阿鼻地獄夫妻雖
然恩愛各將行業不同天地路殊久隔手不相見雖
則日夜思憶无力救他貧尊起大慈悲速往冥司尋
問　目連聞此哽噎悲哀自撲渾摧口稱禍苦當即辭
於天界運往下方趣入冥間訪覓慈母

尒時其父長者聞說情懷踟跪尊前迴答所以我昔在
於世上信仏敬僧受持五戒八齋得生天上汝母在生慳
誑欺妄三尊不能捨施濟貧現墮阿鼻地獄夫妻雖
然恩愛各將行業不同天地路殊々隔永不相見雖
則日夜思憶无力救他能尊起大慈悲速往冥間尋
問 目連聞此哽噎悲哀自撲渾搥口稱禍苦當即辭
於天界速往下方趣入冥間訪覓慈母
目連聞此哭聲々 渾搥自撲不可裁 父子相接皆號叫
痛見諸天淚濕顋 父雖備設天廚供 聖者不飡唱苦哉
當即返身辭上界 速就冥間救母來 聖者來於幽途行
至奈河邊見八九个男子女人逍遙取性无事其人遥
見尊者礼拜於謁弄三和尚近就其前便即問其所
以 善男善女是何人共行幽途復灾迍須々頁泰礼
貧道欲說當本修位因
諸人見和尚問着共白情懷啓言和尚
同姓同名有十娘 欽鬼交錯枉追來 勘點已經三五日
无事得放却歸迴 早被妻兒送墳塚 獨臥荒郊孤土堆
四邊為是无親眷 狼鵶

（4–1）

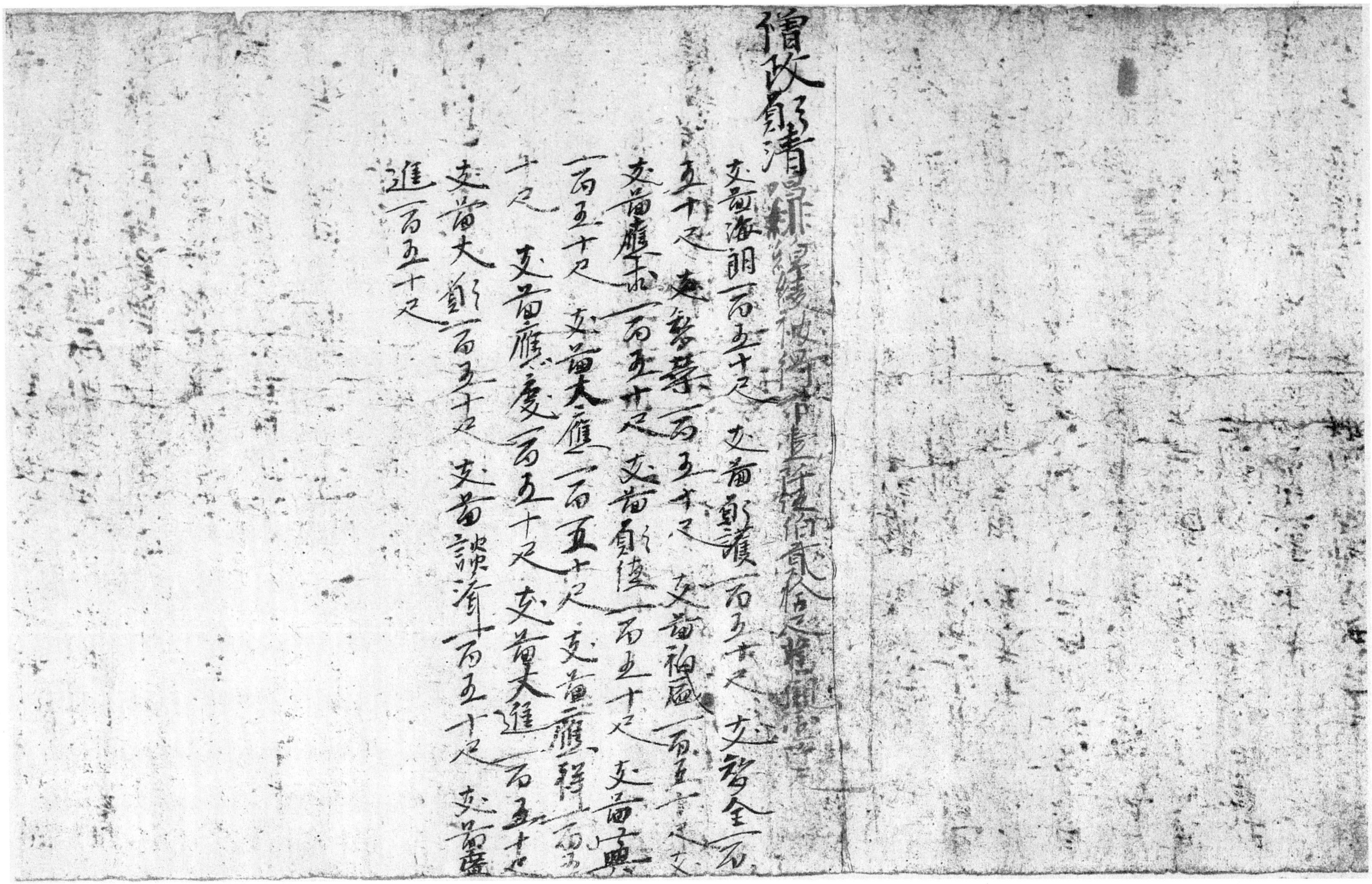

BD02496號背　儭司唱儭得布支給歷（擬）　（4–2）

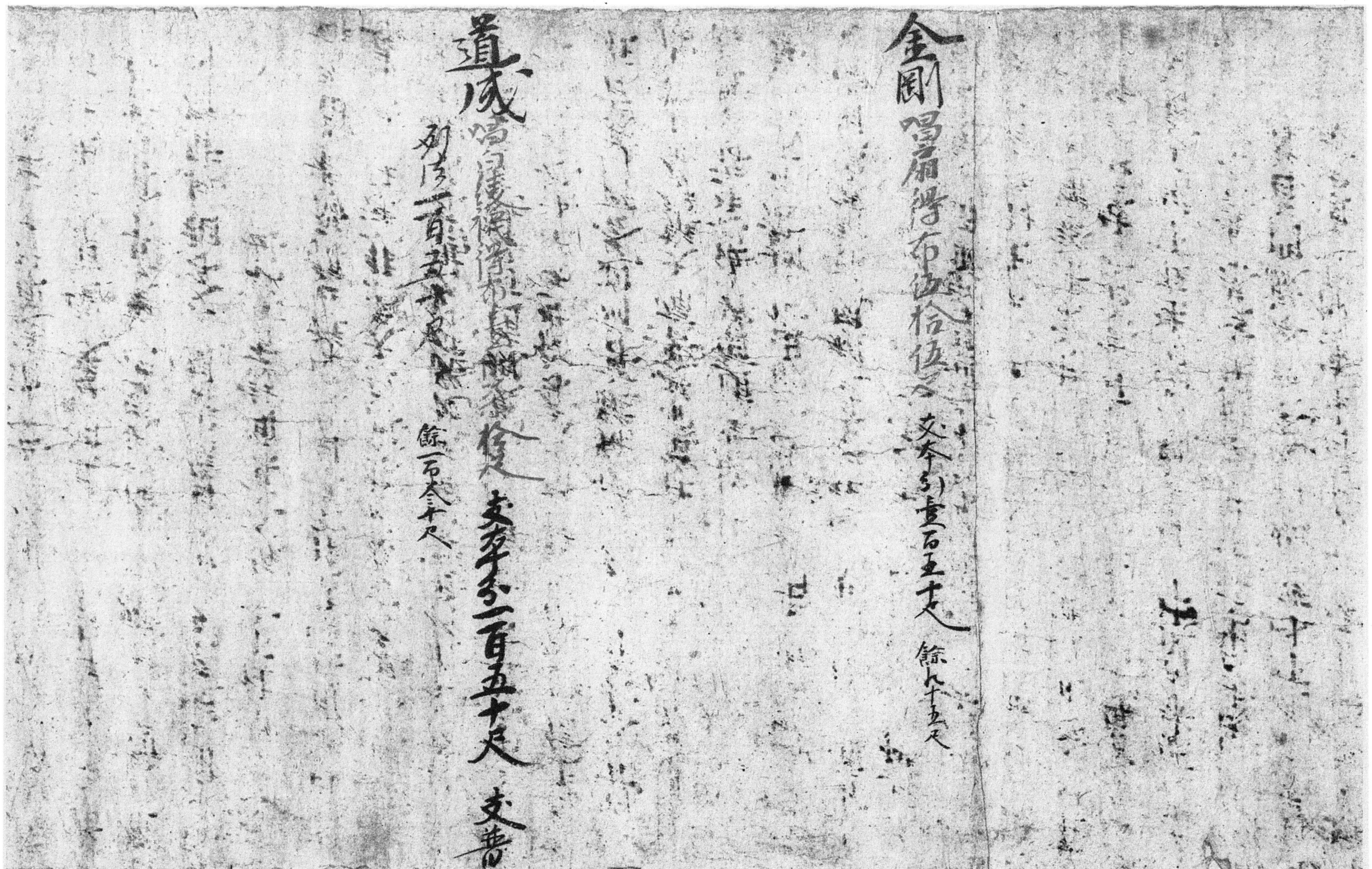

BD02496號背　儭司唱儭得布支給歷（擬）　（4–3）

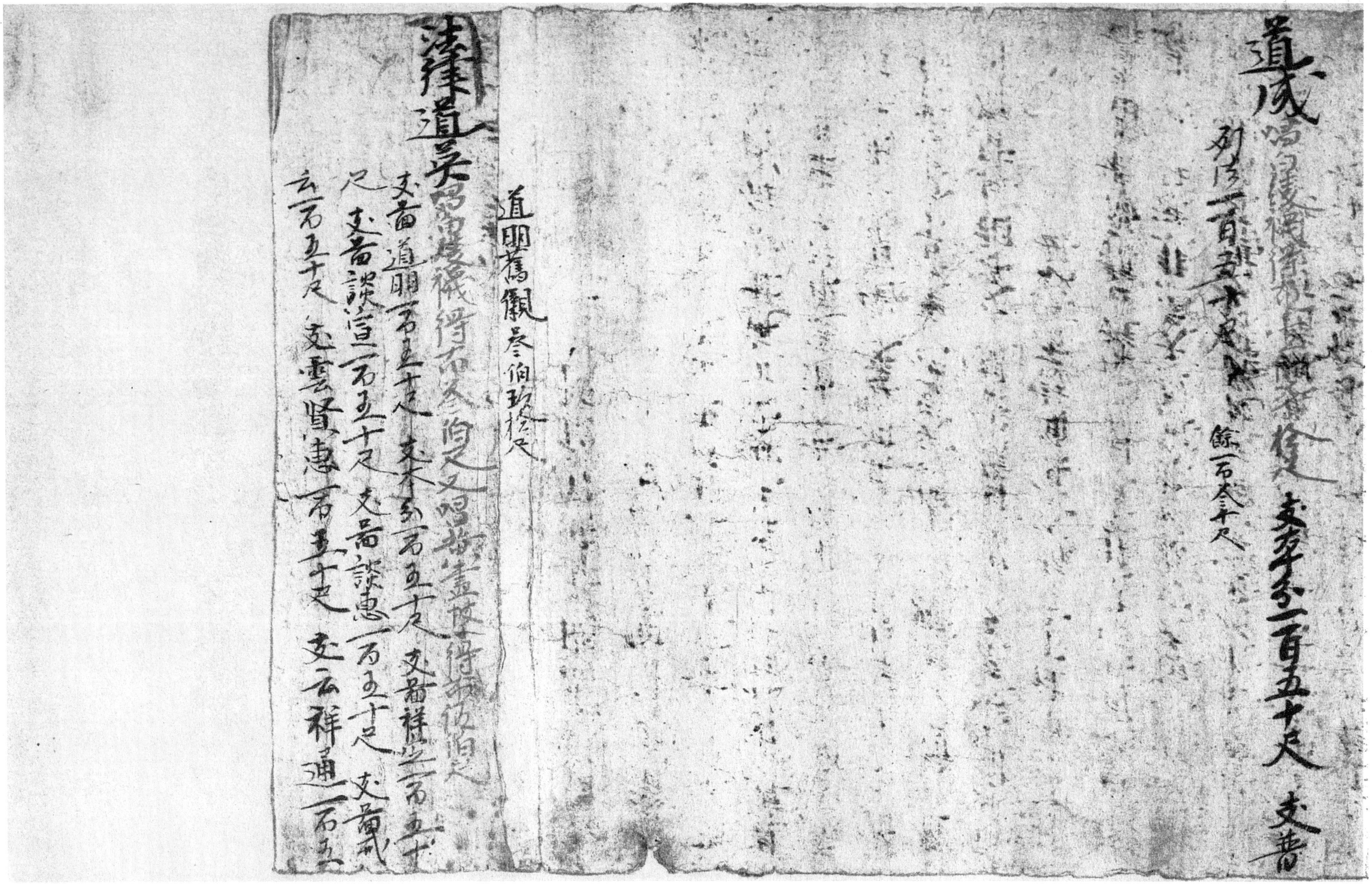

BD02496 號背　儭司唱儭得布支給歷（擬）　　（4–4）

主
以為眷
弥東方 阿閦 歡喜國二
頂東南方二佛一名師子音 名師子
方二佛一名虛空住二名常 南方二佛
一名帝相二名梵相西方二佛一名阿弥陁
二名度一切世間苦惱西北方二佛一名多
摩羅䟦栴檀香神通二名須弥相北方二佛
一名雲自在二名雲自在王東北方佛名壞
一切世間怖畏第十六我釋迦牟尼佛於娑
婆國土成阿耨多羅三藐三菩提諸比丘我
等為沙弥時各各教化无量百千万億恒河
沙等衆生從我聞法為阿耨多羅三藐三菩
提此諸衆生于今有住聲聞地者我常教化
阿耨多羅三藐三菩提是諸人等應以是法
漸入佛道所以者何如来智慧難信難解尒
時所化无量恒河沙等衆生者汝等諸比丘
及我滅度後未来世中聲聞弟子是也我滅
度後復有弟子不聞是經不知不覺菩薩所

BD02497 號　妙法蓮華經卷三　（6–1）

提此諸衆生于今有住聲聞地者我常教化
阿耨多羅三藐三菩提是諸人等應以是法
漸入佛道所以者何如来智慧難信難解尒
時所化无量恒河沙等衆生者汝等諸比丘
及我滅度後未来世中聲聞弟子是也我滅
度後復有弟子不聞是經不知不覺菩薩所
行自於所得功德生滅度想當入涅槃我於
餘國作佛更有異名是人雖生滅度之想入
於涅槃而於彼土求佛智慧得聞是經唯以
佛乘而得滅度更无餘乘除諸如来方便說
法諸比丘若如来自知涅槃時到衆又清淨
信解堅固了達空法深入禪定便集諸菩薩
及聲聞衆為說是經世間无有二乘而得滅
度唯一佛乘得滅度耳比丘當知如来方便
深入衆生之性知其志樂小法深著五欲為
是等故說於涅槃是人若聞則便信受譬如
五百由旬險難惡道曠絶无人怖畏之處若
有多衆欲過此道至珎寶處有一導師聰慧
明達善知險道通塞之相將導衆人欲過此
難所將人衆中路懈退白導師言我等疲極
而復怖畏不能復進前路猶遠今欲退還導
師多諸方便而作是念此等可愍云何捨大
珎寶而欲退還作是念已以方便力於險道
中過三百由旬化作一城告衆人言汝等勿
怖莫得退還今此大城可於中止隨意所作
若入是城快得安隱若能前至寶所亦可得

BD02497 號　妙法蓮華經卷三　（6–2）

珎寶而欲退還作是念已以方便力於險道
中過三百由旬化作一城告衆人言汝等勿
怖莫得退還今此大城可於中止隨意所作
若入是城快得安隱若能前至寶所亦可得
去是時疲極之衆心大歡喜歎未曾有我等
今者免斯惡道快得安隱於是衆人前入化
城生已度想生安隱想尒時導師知此人衆
既得止息无復疲惓即滅化城語衆人言汝
等去來寶處在近向者大城我所化作為止
息耳諸比丘如來亦復如是今為汝等作大
導師知諸生死煩惱惡道險難長遠應去應
度若衆生但聞一佛乘者則不欲見佛不欲
親近便作是念佛道長遠久受勤苦乃可得
成佛知是心怯弱下劣以方便力而於中道
為止息故說二涅槃若衆生住於二地如來
尒時即便為說汝等所作未辦汝所住地近
於佛慧當觀察籌量所得涅槃非真實也但
是如來方便之力於一佛乘分別說三如彼
導師為止息故化作大城既知息已而告之
言寶處在近此城非實我化作耳尒時世尊
欲重宣此義而說偈言
大通智勝佛　十劫坐道場　佛法不現前　不得成佛道
諸天神龍王　阿脩羅衆等　常雨於天華　以供養彼佛
諸天擊天鼓　并作衆伎樂　香風吹萎華　更雨新好者
過十小劫已　乃得成佛道　諸天及世人　心皆懷踊躍
彼佛十六子　皆與其眷屬　千万億圍繞　俱行至佛所

BD02497號　妙法蓮華經卷三　（6–3）

諸天神龍王　阿脩羅衆等　常雨於天華　以供養彼佛
諸天擊天鼓　并作衆伎樂　香風吹萎華　更雨新好者
過十小劫已　乃得成佛道　諸天及世人　心皆懷踊躍
彼佛十六子　皆與其眷屬　千万億圍繞　俱行至佛所
頭面礼佛足　而請轉法輪　聖師子法雨　充我及一切
世尊甚難值　久遠時一現　為覺悟群生　震動於一切
東方諸世界　五百万億國　梵宮殿光曜　昔所未曾有
諸梵見此相　尋來至佛所　散華以供養　并奉上宮殿
請佛轉法輪　以偈而讚歎　佛知時未至　受請嘿然坐
三方及四維　上下亦復尒　散華奉宮殿　請佛轉法輪
世尊甚難值　願以大慈悲　廣開甘露門　轉无上法輪
无量慧世尊　受彼衆人請　為宣種種法　四諦十二緣
无明至老死　皆從生緣有　如是衆過患　汝等應當知
宣暢是法時　六百万億姟　得盡諸苦際　皆成阿羅漢
第二說法時　千万恒沙衆　於諸法不受　亦得阿羅漢
從是後得道　其數无有量　万億劫筭數　不能得其邊
時十六王子　出家作沙弥　皆共請彼佛　演說大乘法
我等及營從　皆當成佛道　願得如世尊　慧眼第一淨
佛知童子心　宿世之所行　以无量因緣　種種諸譬喻
說六波羅蜜　及諸神通事　分別真實法　菩薩所行道
說是法華經　如恒河沙偈　彼佛說經已　靜室入禪定
一心一處坐　八万四千劫　是諸沙弥等　知佛禪未出
為无量億衆　說佛无上慧　各各坐法座　說是大乘經
於佛宴寂後　宣揚助法化　一一沙弥等　所度諸衆生
有六百万億　恒河沙等衆　彼佛滅度後　是諸聞法者
在在諸佛土　常與師俱生　是十六沙弥　具足行佛道

BD02497號　妙法蓮華經卷三　（6–4）

爲无量億衆　說佛无上慧　各各坐法座　說是大乘經
於佛宴寂後　宣揚助法化　一一沙弥等　所度諸衆生
有六百万億　恒河沙等衆　彼佛滅度後　是諸聞法者
在在諸佛土　常與師俱生　是十六沙弥　具足行佛道
今現在十方　各得成正覺　尒時聞法者　各在諸佛所
其有住聲聞　漸教以佛道　我在十六數　曾亦爲汝說
是故以方便　引汝趣佛慧　以是本因緣　今說法華經
令汝入佛道　慎勿懷驚懼　譬如險惡道　迥絶多毒獸
又復无水草　人所怖畏處　无數千万衆　欲過此險道
其路甚曠遠　經五百由旬　時有一導師　強識有智慧
明了心決定　在險濟衆難　衆人皆疲惓　而白導師言
我等今頓乏　於此欲退還　導師作是念　此輩甚可愍
如何欲退還　而失大珎寶　尋時思方便　當設神通力
化作大城郭　莊嚴諸舍宅　周帀有園林　渠流及浴池
重門高樓閣　男女皆充滿　即作是化已　慰衆言勿懼
汝等入此城　各可隨所樂　諸人既入城　心皆大歡喜
皆生安隱想　自謂已得度　導師知息已　集衆而告言
汝等當前進　此是化城耳　我見汝疲極　中路欲退還
故以方便力　權化作此城　汝今勤精進　當共至寶所
我亦復如是　爲一切導師　見諸求道者　中路而懈廢
不能度生死　煩惱諸險道　故以方便力　爲息說涅槃
言汝等苦滅　所作皆已辦　既知到涅槃　皆得阿羅漢
尒乃集大衆　爲說真實法　諸佛方便力　分別說三乘
唯有一佛乘　息處故說二　今爲汝說實　汝所得非滅
爲佛一切智　當發大精進　汝證一切智　十力等佛法
具三十二相　乃是真實滅　諸佛之導師　爲息說涅槃

BD02497號　妙法蓮華經卷三　（6–5）

如何欲退還　而失大珎寶　尋時思方便　當設神通力
化作大城郭　莊嚴諸舍宅　周帀有園林　渠流及浴池
重門高樓閣　男女皆充滿　即作是化已　慰衆言勿懼
汝等入此城　各可隨所樂　諸人既入城　心皆大歡喜
皆生安隱想　自謂已得度　導師知息已　集衆而告言
汝等當前進　此是化城耳　我見汝疲極　中路欲退還
故以方便力　權化作此城　汝今勤精進　當共至寶所
我亦復如是　爲一切導師　見諸求道者　中路而懈廢
不能度生死　煩惱諸險道　故以方便力　爲息說涅槃
言汝等苦滅　所作皆已辦　既知到涅槃　皆得阿羅漢
尒乃集大衆　爲說真實法　諸佛方便力　分別說三乘
唯有一佛乘　息處故說二　今爲汝說實　汝所得非滅
爲佛一切智　當發大精進　汝證一切智　十力等佛法
具三十二相　乃是真實滅　諸佛之導師　爲息說涅槃
既知是息已　引入於佛慧

妙法蓮華經卷第三

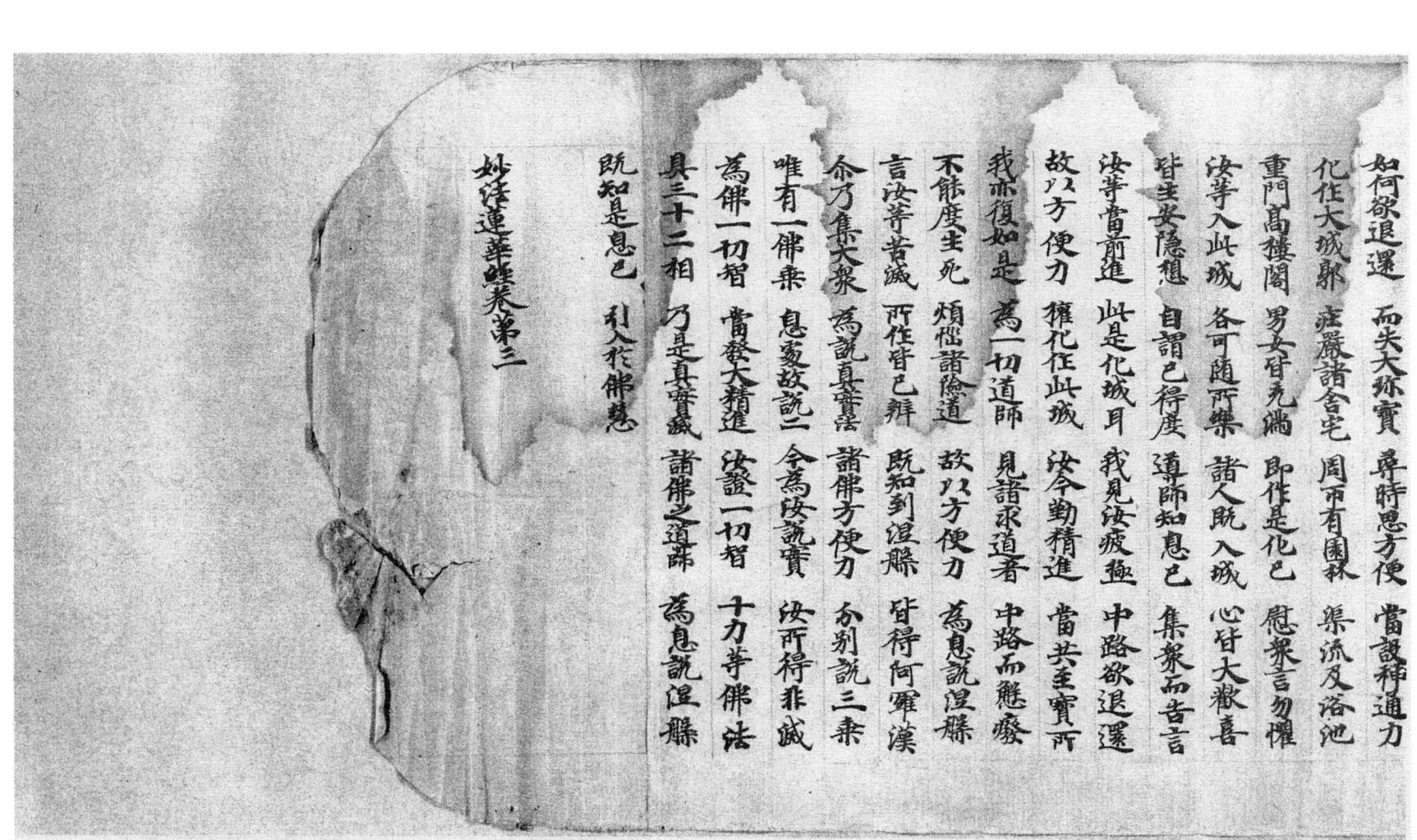

BD02497號　妙法蓮華經卷三　（6–6）

相（如上管於中 字之義云云）後善者明諸佛如來外大慈
涅槃能全四生盡歸寂滅[illegible]是後（善字之義云云）
往返流淪貪愛四生輪轉識性遍愛已說返至人身今生像法之
皆為流迷覆蓋故不了故要藉形像[illegible]發起道心道心既發須
訪大善知識決斷生死莫被形像所攝所攝者如佛在世時羅漢
比丘見行如來智惠門（而證涅槃其智[illegible]）略說十種條義不同羅漢比丘悉能知
別第一決了涅槃　第二決斷生死世累從何緣起　第三能知
住上不變盡[illegible]　第四[illegible]

BD02498號　菩薩總持法　（21–1）

諸方義失說法出生死漢秘所傳所謂而悉真如佛在世時羅漢
比丘見行如来智惠門略說十種條義不同羅漢比丘悉能了(而讚涅槃其智者)
別第一決了涅槃　第二決斷生死世界從何緣起　第三能知
雖上下邊隨里際　第四能了身中佛性緣何等事与五陰相纏
第五能知四大五陰敗壞之身以何因緣相縈佛性令墮五趣　第
能了世間曉夜之相盡現爲樂夜現爲苦年月相催没在
老病死者如此之事名大因緣　第六能了四生胎卵濕化異類之
形發本因緣從何所生　第八具諸如来總持之教歡捨世間
道業圓備涅槃果　第九羅漢善種爲度衆生代代相傳
紹隆佛性秘密菩薩之行外現聲聞三界遊行遇不遇也種
之人始能親近　第十若有衆生曾於往世已經發露親近
今生人身既得人身得遇菩薩大乘正道能入涅槃解脫之
路亦離於生死苦海當亦世尊之受羅漢教者其義
如是又於十種一一條中有无量義能了如上十種法者
是名見性菩薩人也　又正法住世五百年者亦是過
去衆生上根上智尋讀如来正法經典措理得道之人
以故邊去衆生与佛滅度時爲相近故如来智惠真
正之法易顯現故所有衆生尋讀如来真正經典即得
解不假諸餘有爲之相而發善故當此之際若有衆生希
求解脫厭捨世間尋讀經典不虧戒行捨一報身便即解
脫此是正法住世五百年時与今像法時人並悉不同　像法

解不假諸餘有為之相而發善故當此之際若有衆生希
求解脫歎捨世間尋讀經典不虧戒行捨一報身便即解
脫此是正法住世五百年時与會像法時人並悉不同　像法
住世一千年者今時是也今時衆生悉皆愚昧諸根暗鈍
因緣何以故為其識性与佛懸遠度時年月多遠為處
旬改換法故法既破改佛恩威力不照及故為輪迴昏
元覆故所以像法中生何以故衆生惹也不以形像而花
引時無發心求於善道今繫以像引得之者其心一志
不離於像將諸金銀銅鐵泥木廣與其像以心倚託
將作究竟涅槃之果長生妙道何日悟也尊聞識是
生之諸身是破壞之身識即隨業受生身便鎖正流
是故智人所推修於性愚人所重惟重於身乃不知
身依性立性在身存但貴於身輕妙性如有見性知
者自分了性因緣無明身本修行人不了身性三體因緣
行自千生迷心修學無解脫期　第一如來正法是相
教授時　第二如來滅後五百年中諸修道人不假有相
之法万行威儀並在身行　第三如來像法者是一千
年中行人以像為事智人見像而證正理愚者失理
如來於自身上起方便法將照真理無為譬喻如來當
為菩薩上智之人說證道果時我當成道得叅酧
陸勝白牛乳糜喫便證三明六通具八解脫其牛非

如來於自身上起方便法捋照真理為辟喻知如來當
為菩薩上智之人說證道果時我當成道得叁昧
淦勝白牛乳糜喫便證三明六通具八解脫其牛非
黑非黃亦非赤色純是白色其牛不在高原不居下
濕不与特牛同群亦不與鬪水草於鬪淨淨界內亦無腳跡身作紫
磨金色我當喫此牛乳即成佛道　如來是法者當對
菩薩說是方便以為辟喻　其次說於形像皆悉是方
便辟喻所以著其文字也　　釋曰
如來清淨法身不因三毒六賊所生亦不稟四大五蔭所生是
故法尔自然常樂我淨入此三界以為世使勸導人倫
令歸寂滅　如來清淨心不染貪是名心大禪定亦
名佛寶　亦名禪師　如來清淨口不居嗔嘰
是名口大智惠　亦名法寶　亦名法師　如來清淨
身不染觸慾　是名身特清淨戒　亦名僧寶
亦名律師　此三法者是戒定惠　一名心口身亦名三業
清淨　眾生和合心為染貪　是意業不定以不定
故是名心染貪毒　眾生和合口為染嗔嘰　一是口業無
惠以無惠故　是名口染嗔毒　眾生和合身為染觸慾
是身業無戒以無戒故是名身染癡毒　此名眾生身
中三毒亦名三惡亦名三界　心為貪界　口為嗔界
身為癡界　如來三界同眾生類与眾生說心口身為
……如來心不染

是身業無戒以無戒故是名身染癡毒此名衆生身
中三毒亦名三惡亦名三界　心爲貪界　口爲嗔界
身爲癡戒　如來三界同衆生願与衆生說心口身爲
衆生有三業故是以如來說三業清淨　如來心不染
貪慾觀生死財寶如毒蛇相　是故心不染貪境心爲佛寶以心定故名
爲壹斛如來口不染嗔嗔觀衆生身爲如父母子肉想　是故口不取嗔諸
口爲法寶以口惠故名爲壹斛如來身不染癡慾觀也女人如膿瘡想
是故身不取癡境身爲僧寶以身清淨名爲叁斛右
此心口身具持戒定惠是名叁斛々者數之童也乳者是如
來心口身中智惠也如來常以三大智惠調伏衆生一切
衆生若得如來戒定惠法能具持名飲得如來叁斛
薩勝乳麋薩勝者如來六根本無可識清淨是名薩勝
々者多同斛之數義如來成後留此戒定惠法与脩道
比丘是故方便道我成道時先喫叁斛薩勝乳麋證得
三明六通三明者心了觀見二種空定口能分別二種義
身能具持二種之戒如是心口身中各各具大智惠者
喻於乳糜今時比丘不関如來心口身戒定惠之義
便喫世間生死牛乳不會佛意如此世間牛者皆因雜
雌相染然始有胎因有胎故便即有乳緣此乳者婬
慾之因精血所變行人飲之豈不是餌罪業之本沉溺
之因皆由此惑也如來以此戒定惠名爲叁斛除根清淨
名爲六外六根者即是眼耳鼻舌身是也如來以六根清

懇之因精血所養行人飲之豈不是解罪業之本沉溺
之因皆由此惑也如來以此戒定惠名為叁昧除根清淨
名為六外六相者即是眼耳鼻舌身是也如來以六根清
淨法化導有緣是故名為六波羅蜜法　檀波羅
者是如來法施都名号也如來以戒定惠及六波羅
蜜三千威儀八万細行施与有緣衆生施者施也施張如
上善法上中下品比丘行用作解脫因緣是故檀為万
行之首也施波羅者是如來一切戒法之名号也如來先施禁
戒然後授法戒如城隍心如其王法如能衣冠冕辟如國主無者
城隍不串能衣不載冠冕不得稱為國主如比丘不以如來禁
戒止過息心斷愛法言不為解脫之果是故先施戒行約勒比
丘身心禁縛無明調柔性地性地既熟然始其種以地壞故
種一扠万是故如來一切戒律能禁比丘除中一切過患
羼提波羅者是如來忍辱法之名号也如來入三界巡
有六種之厄　第一王難障閡　第二父母障閡　第三妻妾男女
障閡　第四一切財寶障閡　第五朋友障閡　第六邪見障
閡　如有循道之人求解脫者皆為如前六難之厄而為
閡障但有比丘欲求出離皆須忍受如此六難仍自餘有
無量境界皆是障閡如來大忍辱施与比丘比丘常須
此忍辱比梨耶波羅者是如來精進之法如來法身
精進體今留此無号常精進法施与比丘如有比丘

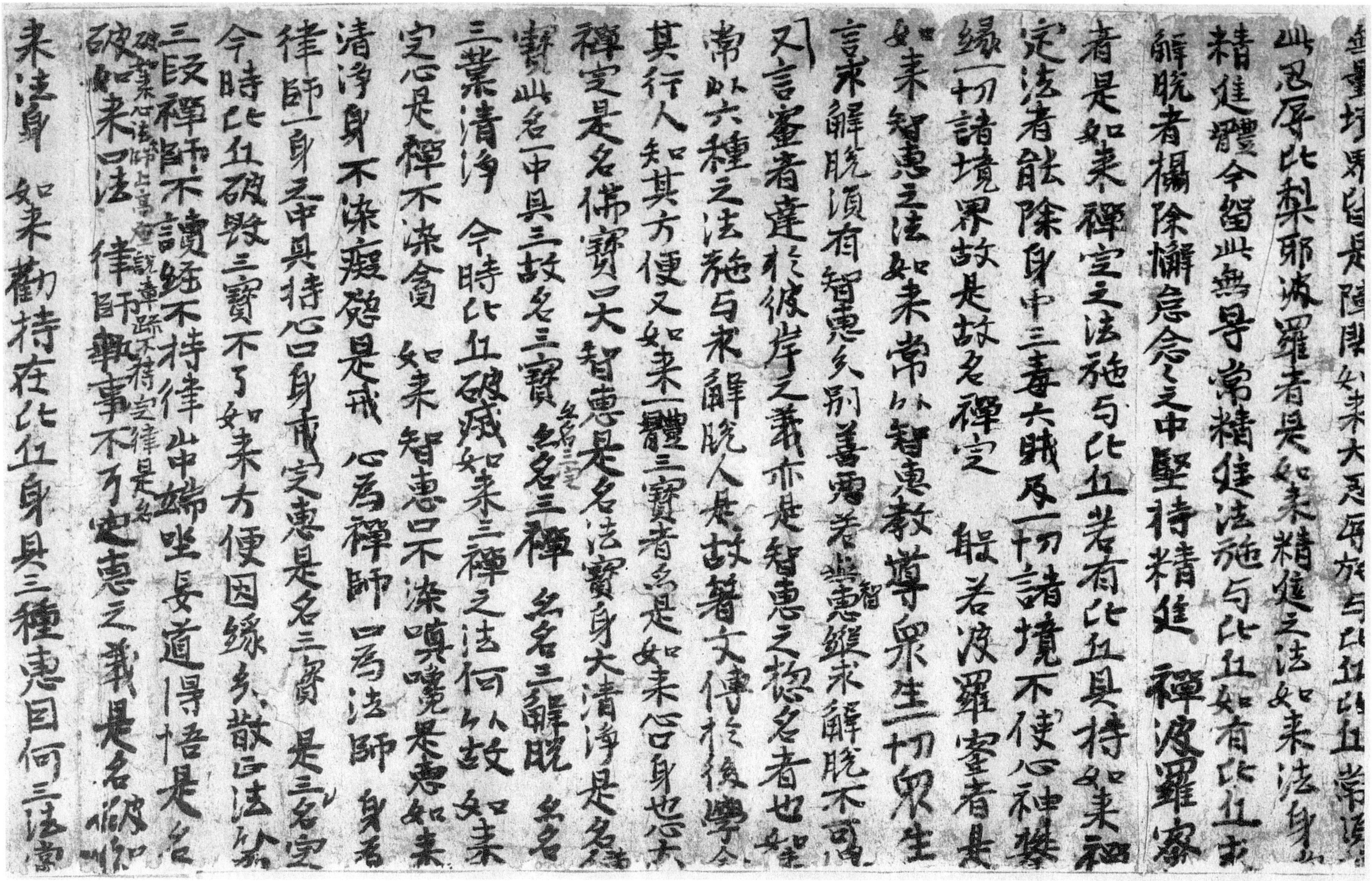

無量功界皆是隨順如来大忍辱於比丘比丘常須
此忍辱比梨耶波羅者是如来精進之法如来法身此
精進體今留此無导常精進法施与比丘如有比丘去
解脫者攝除懈怠念念之中堅持精進　禪波羅密
者是如来禪定之法施与比丘若有比丘具持如来初
定法者能除身中三毒六賊及一切諸境不使心神攀
緣一切諸境界故是故名禪定　般若波羅蜜者是
如来智惠之法如来常以智惠教導衆生一切衆生
言求解脫須有智惠分別善惡若無智惠縱求解脫不可得
又言蜜者達於彼岸之義亦是智惠之揔名者也如来
常以六種之法施与求解脫人是故著文傳於後學令
其行人知其方便又如来一體三寶者名是如来心身也心大
禪定是名佛寶口大智惠是名法寶身大清淨是名僧
寶此名一中具三故名三寶　名名三禪　名名三解脫　名名
三業清淨　今時比丘破戒如来三禪之法何以故　如来
定心是禪不染貪　如来智惠口不染嗔嚫是惠　如来
清淨身不染癡癡是戒　心爲禪師　口爲法師　身爲
律師一身之中具持心口身戒定惠是名三寶　是三名定
今時比丘破毀三寶不了如来方便因緣多散亂法然
三毁禪師不讀經不持律此中端坐長道得悟是名
破如来心法　律師事不了定惠之義是名破
来法身　如来勸持在比丘身具三種惠因何三法

BD02498 號　菩薩總持法

三目□不□言□不行□坐長道得悟是名
破如來口法　律師輒事不了定惠之義是名破如
來法身　如來勸持在比丘身具三種惠曰何三法常
頭自行准一體三寶義心是佛寶是性管於口是法
寶是體管於身身是僧寶含其衆善如此心口身互
相管束始名身中住持三寶今時禪師合是心法今
時法師合是口法今時律師合是身法乙何比丘三
禪之法互不相管豈不錯亂者禪師法師律師更
互相嫌　互為不是即是錯亂比丘受如來法者持
戒比丘心須似如來心斷貪是名心業清淨亦名心會
定者是禪師一對　口須似如來口斷嗔噎名口業惠
惠者法師也二對　身須似如來身斷癡染是名身持
清淨亦名身戒戒者律師也三對　此是比丘受如來
心口身法戒定惠是名持得如來三寶是名禪法既能
持得如來之法具足之者是名比丘身中一體三寶亦名
對亂糜亦名三禪亦名清淨一如世尊不雜六賊六根清淨常
持六法是名六外此是比丘受持頂教上智之人始可得不
如來起勸法者　若有比丘受如來法者須行道無
時歇息如來本意行其佛道之道不是繞其殿塔
行其道路之道比丘身中行其佛道者而有五種一行
眼道不尋觀世間色相發動三業唯得觀如來薛

BD02498號　菩薩總持法

時歇息如来本意行其佛道之道不是繞其殿
行其道路之道比丘身中行其佛道者而有五種一行
眼道不得觀世間色相發動三業唯得觀如来解
脫之道二行耳道不得耶聽一切亂聲起三業唯聽聞
真正法聲第三行鼻道不得嗅憍男香女香幻惑
三業唯須分別清淨法香四行口道不得飲酒食肉甘
酒肉各有二種酒二種者一是有毒酒二是無毒酒者
即是世間飲酔之酒無毒酒者即是行人敗著世事
毀禁戒者是名無毒昏乱之酒肉有二種者一是有毒
之肉二是無毒之肉有毒肉者即是衆生身分有毒
肉二無毒肉者即是暴酷妬嫉詛呪罵詈毀棄之語如
此口者能生惡業唯得受持讀誦經典歌揚讚唄是
名善口五行心道不得乱思五欲之樂解動三業沒汙
身中三內淨性唯得思惟厭世間法求解脫果若是比丘
常須行此五種之道勿使色聲香味觸損汙佛性是
名清淨比丘若有比丘不行分別不行如上五種善道是
名破塔壞寺得罪無量如来勸諸行人造諸功德利
像者普定比丘而合造之凡夫之不合造何以故功德法
性是無為云何令人造質寫像而契佛意其義甚
乘佛言一切有為法如夢幻泡影如露亦如電應作如是
觀若據此言但是有為皆是幻化云何行人專崇

乘佛言一切有為法如夢幻泡影如露亦如電應作如是
觀若據此言但是有為皆是幻化云何行人專崇
此像豈非迷倒略幾有為之法而契真如釋之於左
有為形像數因寺寺一所方三門一所門三門有六扇 三門外
左右金剛各執一杵 三門內二神王各把一刀 三門下左右各一
師子佛前燃卌九盞燈 又令放四十九生入長生池 七寶
香爐燒無價寶香出洗淨澡盥淨水瓶持鉢一口團扇
齋飯 遶羅一 講堂一所 法座一所 聖容左右有
阿難迦葉各剃除鬚髮而串三衣 佛前左右二菩
薩赤體不衣服而串瓔珞 佛前燃長明燈常令不
絕 寺中眾妙高廣樓閣 浮圖一所七級十二級四十九尺長
幡色有五種寺中澡浴池一所比丘昔行名因 剜眼燒頂
截晓 鍊指 鉤身 刺劍 斷五辛 俗人供養者 病從
諳旨瘡疵摩跛癖 及坑中鐵指 貧窮下賤 得福無
量者 釋曰 寺者清淨之義名命持戒比丘具持如來
戒行能殺身中三毒六賊及一切煩惱之境悟了大乘見
性比丘此比丘然始銷得十方供養即得堪為檀越解脫
橋梁運得如彼 佛在世時羅漢無異了了見性又
以大乘真正妙法接化群盲得度生死如此比丘能具知
來三千威儀六万細行三千威儀者降伏身中三毒三
業者清淨從是戒定惠忠有無量法比丘得三業清淨

此大乘真正妙法接化群冒具度生死如此比丘能是
來三千威儀六万細行三千威儀者降伏身中三毒三
業者清淨從是戒定惠忠有無量法比丘得三業清淨
是人了三无量者義故是三千威儀六万細行
者爲六根清淨能制六賊具六神通既有六通能
具一切智是故一切智中能攝六万細行若有比丘具和
上事身心悟解無滯號者故喻持戒清淨比丘爲治
寺世尊勸人造寺者其義如是三門義者喻比丘
身比丘能持三戒名爲三門心定於貪名爲一戒口戒於嗔
是名二戒身戒於癡是名三戒心戒是定口戒是惠身戒
是戒如此戒定惠能降貪嗔癡三毒之性三業清淨三
業既淨是名三明是名三聚淨戒是故世尊勸造寺
者先標三門爲首　三門下金剛捍杵防衛者喻比丘
身比丘爲持戒行外見觸境之不入心常以智心觀外觸
境若見觸境能避之故喻智心爲杵勇猛喻於金剛
外見諸觸來以勇智能降伏之是故如來勸諸行人造金
剛像內神王把刀者喻比丘具持戒行常禁身中三毒在
不令興起常以智惠降伏無明淨性喻於神王智惠喻於
刀也比丘內持智惠心神清淨故喻門內神王也　三門下左
右二師子者喻比丘身比丘於諸戒而得自在於諸
智惠亦得自在是故比丘亦能降內外諸惡境界心得自

刀也比丘由持智惠心神清淨故喻門內神王也　三門下左
右三師子者名喻比丘身比丘於諸戒而得自在於諸
智惠名得自在是故比丘名能降內外諸惡境界心得自
在故喻為師子々於諸百獸為王也比丘心王於智惠門
出入自在名復如是佛殿者名喻比丘身中清淨佛性
淨喻殿中佛像万種莊嚴者喻比丘功德善業智惠
妙行也佛前燃長明燈者名喻比丘身具如來智惠之法
是故燈明喻於正法光能破愚癡之暗也卌九盞者
喻比丘七竅是也所謂兩眼兩鼻耳口是為七々竅之中各有
其七識七々卌九識常無境染真實正念無有散亂故喻於
長明燈也是故行人若無七竅納受如來種種妙法不可
久別善惡因緣也　又令行人放卌九生入長生池者名喻比丘身
比丘常以七竅卌九識清淨無染以卌九識善業莊嚴積於
諸佛性藏喻長生池放生喻比丘善業功德悉能成就至
無常日能得生存善業扶護相因解脫獲涅槃果一受住
樂更無威壞故号長生七寶香爐燒無價寶香名喻比
丘身比丘七竅七識合成因其七識有大分別常出種種和
雅法音故喻七識為七寶香爐供養者喻歌唄讚嘆
諸佛嘆是故喻比丘具持法故名七寶香爐燒無價香
出入護淨以水洗者名喻比丘身比丘常護內性不令內眼
興起而發三毒是名內護淨外見五欲之境常以智人
惠能除伏之是名外護淨　澡瓶盛水者名喻比丘喻

出入護淨以水洗者喻比丘身比丘常護內性不令內賊
興起而發三毒是名內護淨外見五欲之境常以智
惠能除伏之是名外護淨　澡瓶盛水者喻比丘喻
比丘身瓶喻於身淨水喻智身中佛性常被無明
所汙若有覺性比丘觀知身中三毒六賊欲起動者即
以智惠而降伏之是故名為瓶水洗淨　鉢盂者喻
比丘身飯者喻於智行食飯餇鉢不受者喻諸境入
心不納受故喻於餇食不受心無所染也　濾羅者喻
比丘身水者喻淨性羅上濁者喻煩惱羅下清者喻心
不染諸境攀緣常能正念故喻為澄濾心神清淨妙
行　講堂者喻比丘身法座者喻覺性法師者喻
法智聽眾身中煩惱若有比丘煩惱境起當以法智而覺
察之深入正念故喻煩惱為聽眾也　聖容者喻比丘身
中佛性也眾相莊嚴者喻比丘万行功德威儀也
聖容前左右阿難迦葉者喻二種智左為識解脫智
右為了　生死智也剃髮被三衣者剃髮喻煩惱結縛三衣
喻戒定惠方裙是戒衣覆膊是定衣袈裟是惠衣如
是戒定惠能降貪嗔癡是故比丘常須剃除煩惱之
結常披戒定惠衣是名比丘剃髮披三衣　佛前菩
菩薩赤體不串三服唯佩瓔珞者喻持戒比丘具持如
來清淨戒行及万行威儀能降身中三毒六賊及諸境

結常被戒定惠衣是名比丘剃髮被三衣　佛前左右
菩薩赤體不串三服唯佩瓔珞者喻持戒比丘具持如
來清淨戒行及万行威儀能降身中三毒六賊及諸境
界不乱其心故喻諸善莊嚴以為瓔珞不著衣者喻煞煩
惱一切境悉能降伏故菩薩不著煩惱之衣也　佛前左
右力士者喻比丘勇猛精進能摧身中三毒煩惱也
又左右神王者喻比丘息心湛然不起乱想心王能調伏諸根
也　像前燃燈常令不絶者喻比丘身中覺性時喻一
切煩惱明喻智惠法持戒比丘常持如來智惠之法於念
念中無有異相境界故喻智惠能破愚癡故喻燈明
殄除暗障　寺中高廣樓閣者亦喻比丘一報善業成就
積在實中臨報之時衆善迎接安居寂滅常樂涅
槃永絶流淪言稱彼岸莊嚴衆相寶殿寶樓由是一生
在此身時能持忍辱出苦八難圓滿具足證涅槃果是
故比丘得如是福報故喻行人造諸高廣樓閣　浮圖
者喻比丘自身也七級者喻比丘七竅也遶塔浮圖行
道者喻持戒比丘常以定心降伏三毒六賊常令七竅
不納五欲以智惠心遶於七竅降諸境界故名遶塔行道
十二級者亦喻持戒僧常斷六賊六根無染以禁六賊六
識清淨六種是善六種是惡行人常向身中料揀此
十二種事是名遶十二級浮圖行道也道是道德之道

BD02498號　菩薩總持法　（21–14）

十二級者喻持戒僧常發六賊六根無染以禁六賊六
識清淨六種是善六種是惡行人常向身中料暕此
十二種事是名十二級淨齋行道也道是道德之道
不是世間脚行之道今時比丘以脚遶於塼石遶壵周
而復始不知休歇繞塔行道於路之道此為迷見
也四十九尺五色幡者喻比丘身何以故一切衆生
無始已來隨諸色境順於三毒具造惡業六趣四生
以信受故能持知來出世間法戒行具足得解脫
無形不受無苦不經遍受苦果今得人身遇佛
果從是能斷一切宿障業故是名為幡變惡為善
是為幡義卌九尺人喻比丘七竅之中有其七識一識
之中具有於七是故七竅身之為道卌九久識性皆
變為善懸於長竿供養者行人恩推出世之路
不離心肝無有一時剎那境界而有散亂常懷法
定繫在心府故喻懸幡非類竹木之竿五色者
眼耳鼻舌心是世出為五根常受世間五欲之境如此
之境各為一色色為無量境聲為無量境香為無量
境味為無量境觸為無量境寺中施浴者喻比丘
身是比丘身中三毒六賊及八万四千諸境煩惱觸動
淨性是故比丘於其身中降伏如此境界以持智
惠法故不令放逸若有如此智惠是名洗浴衆僧喻
身中佛性水喻智惠法且能降伏身中一切諸魔鬼[illegible]

身是比丘身中三毒六賊及八万四千諸塵煩惱□
淨性是故比丘於其身中降伏如此境界以持智
惠法故不令放逸若有如此智惠是名洗浴衆僧卻
身中佛性水卻智惠法但能降伏身中一切諸魔鬼擾
不亂心王是名衆僧常得清淨俗人供養病僧者復
是何義並是比丘諸威儀義也　行人究眼睛供養
者卻持戒比丘斷觀色欲諸耶境界義也　行人截
手腕供養卻持戒比丘斷爾財利之境界也　行人鍊
指供養卻比丘息異念諸緣不住境心不爾境內心異
念是也行人下劍供養者卻比丘斷六賊三毒境　行人
鉑身供養者卻比丘淨念超五欲境　行人斷五
辛者卻比丘斷五毒心境病比丘者是名聾盲瘖瘂
聾跛癱瘓墮中餓猗貧窮下賤也並是持戒比丘具持
法故劓繫身心義也　病比丘者常持禁戒不觀耶
色如盲不聽耶聲如聾鼻舌不涂味香是名瘖瘂
手不煞生命腳不行非法之道是名聾跛身中佛性
未遇法食墮中餓猗五蔭由身故卻為墮未還如
來法財是貧窮未持如來禁戒被染之性是名下
賤如來當勸檀越供養此壽之者並是具持巧行威
儀比丘身是也如此比丘為持戒故和合之身其時不
得七事供養法事有闕七供養者　第一床坐　第二

晚知未當勸檀越供養此等之者並是具持污行威
儀比丘身是也如此比丘爲持戒故和合之身其時不
得七事供養法事有闕七供養者 第一床坐 第二
中食 第三衣服 第四侍人 第五醫藥 第六迎送
第七歡喜持戒比丘所至之處悉皆須得如上七種供養
業行始圓備 右如前所列種種行門種種形相種種事
辭悉在比丘身上行諸方便於解脫之果比丘具持
如上諸方便門皆合倫是無有闕失是故名爲總持法門
是故名爲入一乘法是即名爲入不二法門 若智惠門開
即得解脫者未遇大善知識無解脫期是故行
人要須得善知識引導開示從彼說中妙詮其
理二各別因各別故始得覺悟故即能決斷生死
即能決斷解脫之因如上二並今了達一一無有闕失
始名入道也 俗人作福者何因緣而得成其解
脫因緣十方檀越當造何福与持戒比丘相因而得
解脫因其七種供養与持戒比丘作解脫因 第一
施床 第二施中食 第三施衣服 第四施侍人 第五施
醫藥 第六施迎送 第七施歡喜 持戒比丘乃是
證羅漢人所生之處皆悉須得如前七種供養者
不得者道業有闕闕者何義 第一闕床座有廢礼
拜讚嘆 第二闕齋食廢讀誦思惟 第三闕衣裳廢

不得者道業有闕闕者何義　第一闕床座有廢礼
拜讚嘆　第二闕齋食有廢讀誦思惟　第三闕衣有廢
講說　第四闕侍人有廢教示　第五闕醫治有廢歌唄
第六闕迎送有廢書寫　第七闕散善承受有廢善
解脫　想念其此七種之中闕一不可猶如有人一身之中
唯藉七竅方事成辦由此七竅若無兩目觀視無功若
無兩耳聽響無功若無兩鼻齅吸無功若無其口言
說無功是故七竅身之頭首比丘具持如來法教
亦藉七事供養爲首其此七事供養能資比丘爲
業亦如身之七竅有殊異十方檀越爲發善心所營善
業修功德云何造作而合佛意唯於持戒羅漢比丘而行
前件七事供養是名相因解脫何以故爲其比丘行諸
仏威儀是以須此七事供養若無七事助道之法比丘万
行功德不爲其知此七事供養日夜修營七種功德
報施主恩七功德者　第一礼拜讚嘆　第二講說尊經
第三樓化初學　第四梵音唄響　第五書持經律
第六讀誦清齋　第七禪法足　知此七功德能救身
中七識清淨解脫以能成就七功德故皆由檀越七種
供養然檀越俗中七種殊罪其七罪者　一爲家口
田宅驅迫　二爲内外親眷及六畜撓亂　三爲種種疾癘
衣服　四爲被差軍陣征討　五爲未捨俗染　六爲疾
死須送　七爲祠戶差科驅使　但是俗人無問入道者皆悉

田宅驅逼 二為內外親眷及六畜擾亂 三為種種疾癥
衣服 四為被差軍陣征討 五為未捨俗染 六為疾
死煩惱 七為門戶差科點役 但是俗人無問入道者皆悉
有此七種纏縛所以於俗務中抽截七事供養比丘比丘
善業成就於真道中相救此即名為相因解脫 但是
俗人為此七罪纏縛身心一切罪業悉皆因此七種之事
是故比丘為無如上七種纏縛所以名為道中清淨善人
一切俗人為有如此七種纏縛故名為被禁縛者 依如
前所營即契佛意 莫獨偏執着於邪路 其偏
執者皆是三人修行之者 何 第一禪師執於山
藪空居寂處獨執一門九部尊經未曾尋討 空
思一理善惡不分 魔佛渾齊 邪正無二 文不入眼 法不
入心 唯言自悟為功 不假執文有相言此見者便是大
迷 何以故 佛說山者喻於貪心之處 身甚為險峻
叢林喻於五蓋 蔭喻於五毒即是眼毒耳毒鼻
毒口毒心毒 如此五林毒心處中險於山川 比丘若於身
中降此貪魔不令興起 名心空是名禪師 第二法師
者住比丘口常智惠演暢正法及讀誦歌唱正念能
降口中嗔饞毒魔是名法師故如業方便之行 講堂
喻比丘身 高座喻比丘覺心 法師喻智 此是法師之
義 今時比丘偏執一理 空尋章疏 不契真如 嗔饞覆
心 實無智惠 身披覺尋衣服而坐覺寶去來又君

者比丘身息塵若比丘聽以法白若知以力法白之
義今時比丘偏執一理空尋章疏不契真如嗔嚏覆
愚實無智惠身被覆尋衣服而坐覆礙法座又居
凡木講堂口説偏居一法戒定元無習實真惠不了其源
何有滅罪之功況更引他凡庶　第三律師者行律行
執事為功唯律其身不律其性何以故者能亡三毒
及以六賊諸境界故令其心王不染三毒及以六賊是
名為律諸細觸境者能除剪喻諸細行令時比
丘真亦於身行其文字之律不行如來無相真律
空執一法禪惠者無功跡是偏執破戒律師者也是
名禪法律　善三種法門於比丘身上心口身中各行一
法始名三禪之法是名三寶之義也智人思之幸細觀察
矣此文意況為是耶如有不是請細詳究此之所見
具有宗承不是妄生誑傳之理夫之文義理有淺深
執聲聞所解理即繫於聲聞緣覺所解理即執
於緣覺菩薩所解理即通於菩薩譬如江淮與海
器量不同大海納於百川之灌也無盈縮菩薩之見義
通玄妙之門緣覺聲聞若江淮之受納小川亦求及
有盈縮之期緣覺聲聞未出生死之厄菩薩見性了之
無疑解脱門無有障尋聲聞緣覺小道之人於像
中番閑如是持戒不了是非地獄涅槃未能分別空
執無形之相空中不了真刑邪亡業多魔佛同生共滅

BD02498號　菩薩總持法

(21–20)

[illegible]
矣此文意況爲是耶如有不是請細詳究此之所見
具有宗承不是家生睦傳之理夫之文義理有淺深
聲聞所解理即繫於聲聞緣覺所解理即執
於緣覺菩薩所解理即通於菩薩譬如江淮与海
器量不同大海納於百川〻〻灌之無盈縮菩薩之見義
通无妙之門緣覺聲聞若江淮之受納小川亦及
有盈縮之期緣覺聲聞未出生死之厄菩薩見性了之
無疑顧解脫門無有障导聲聞緣覺小道之人於像
中善周知是持戒不了是非地獄涅槃未能久別空
執無形之相空中不了真刑耶已莫久魔佛同生共戒
子細尋究空有兼道不知唯信愚心爲他耶意者矣

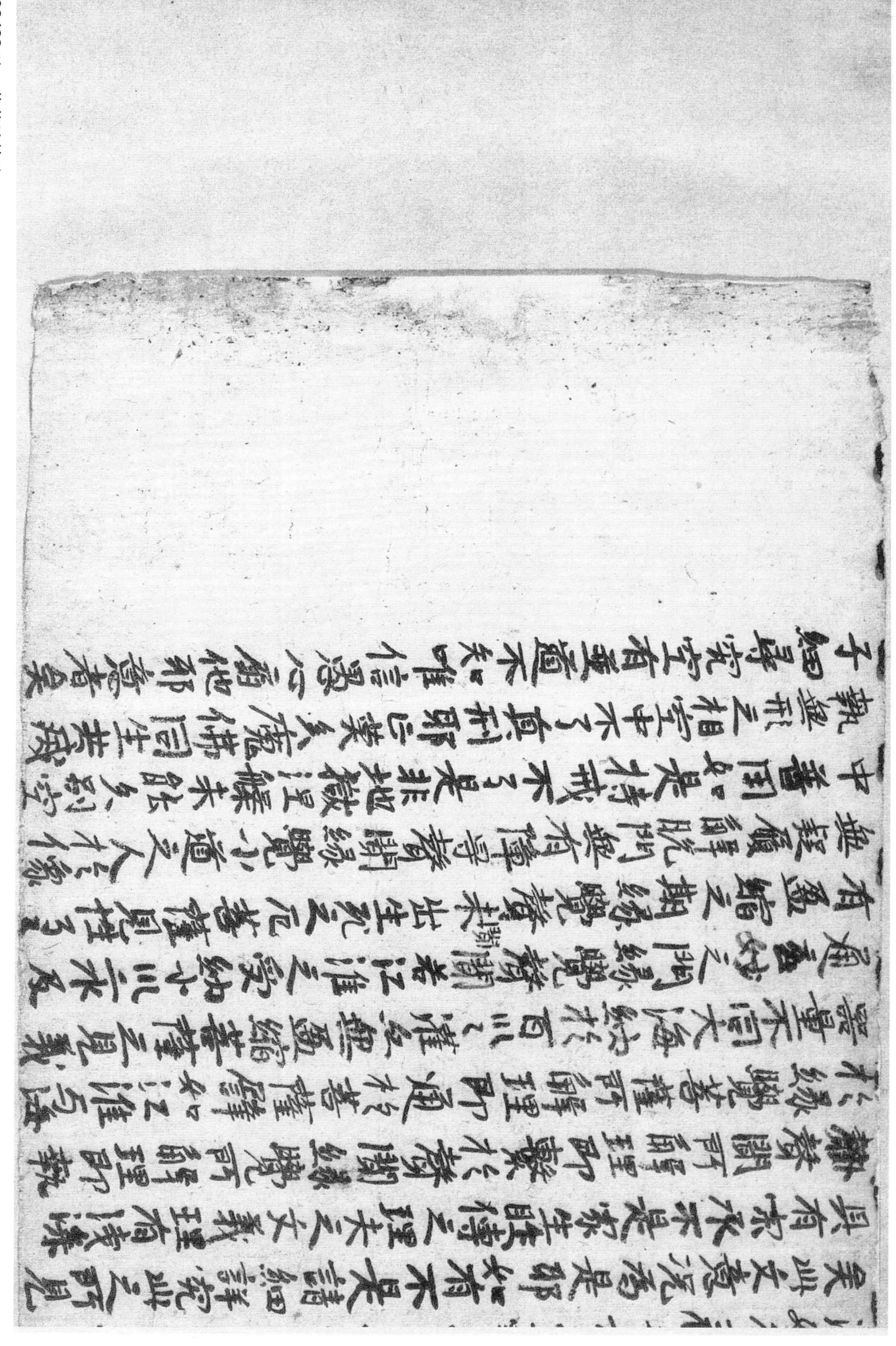

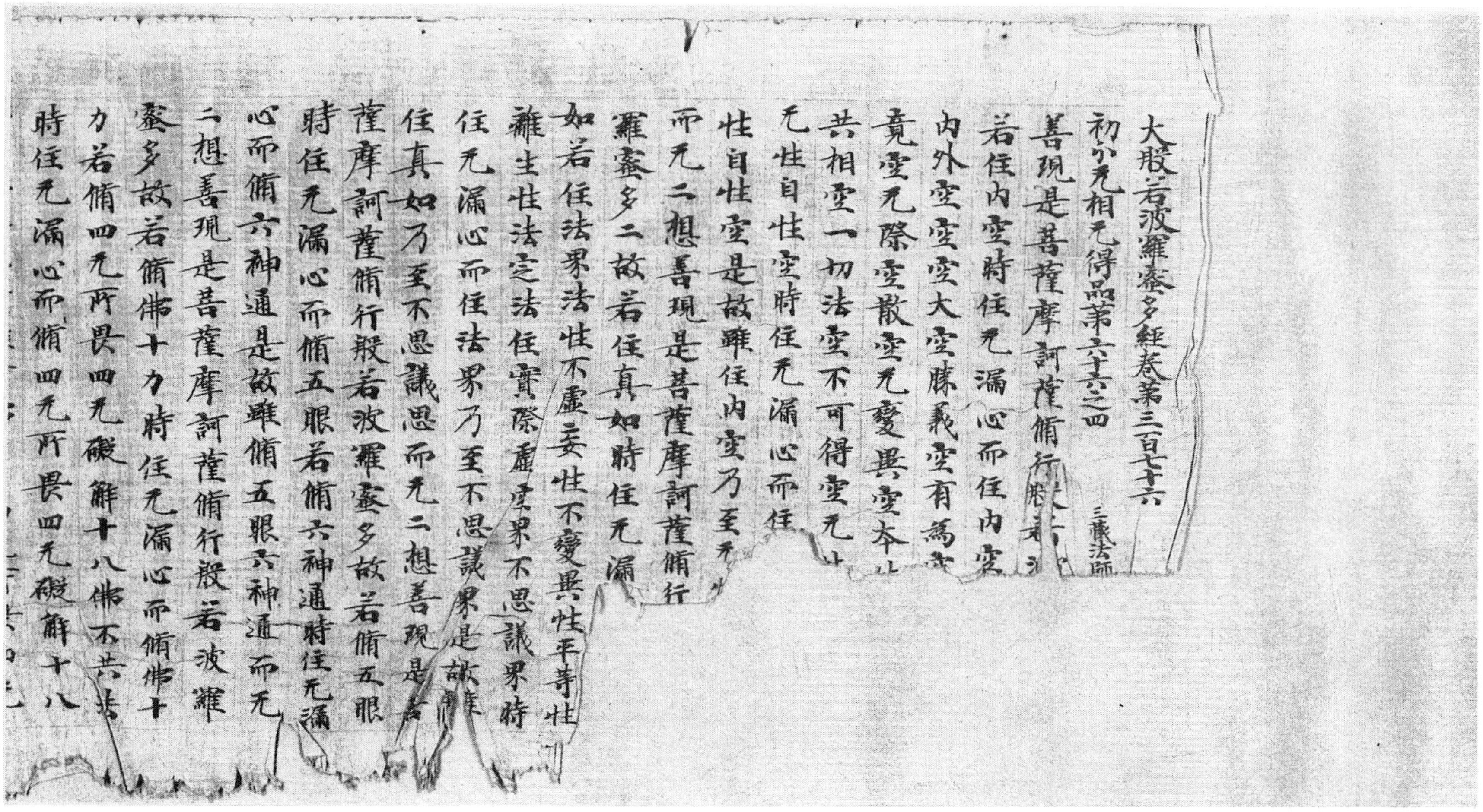

大般若波羅蜜多經卷第三百七十六　三藏法師
初分无相无得品第六十六之四
善現是菩薩摩訶薩脩行般若波
若住內空時住无漏心而住內空
內外空空空大空勝義空有為空
竟空无際空散空无變異空本性
共相空一切法空不可得空无性
无性自性空時住无漏心而住
性自性空是故雖住內空乃至无
而无二想善現是菩薩摩訶薩脩行
羅蜜多二故若住真如時住无漏
如若住法界法性不虛妄性不變異性平等性
離生性法定法住實際虛空界不思議界時
住无漏心而住法界乃至不思議界是故雖
住真如乃至不思議界而无二想善現是
薩摩訶薩脩行般若波羅蜜多故若脩五眼
時住无漏心而脩五眼若脩六神通時住无漏
心而脩六神通是故雖脩五眼六神通而无
二想善現是菩薩摩訶薩脩行般若波羅
蜜多故若脩佛十力時住无漏心而脩佛十
力若脩四无所畏四无礙解十八佛不共法
時住无漏心而脩四无所畏四无礙解十八

BD02499號　大般若波羅蜜多經卷三七六　（5–1）

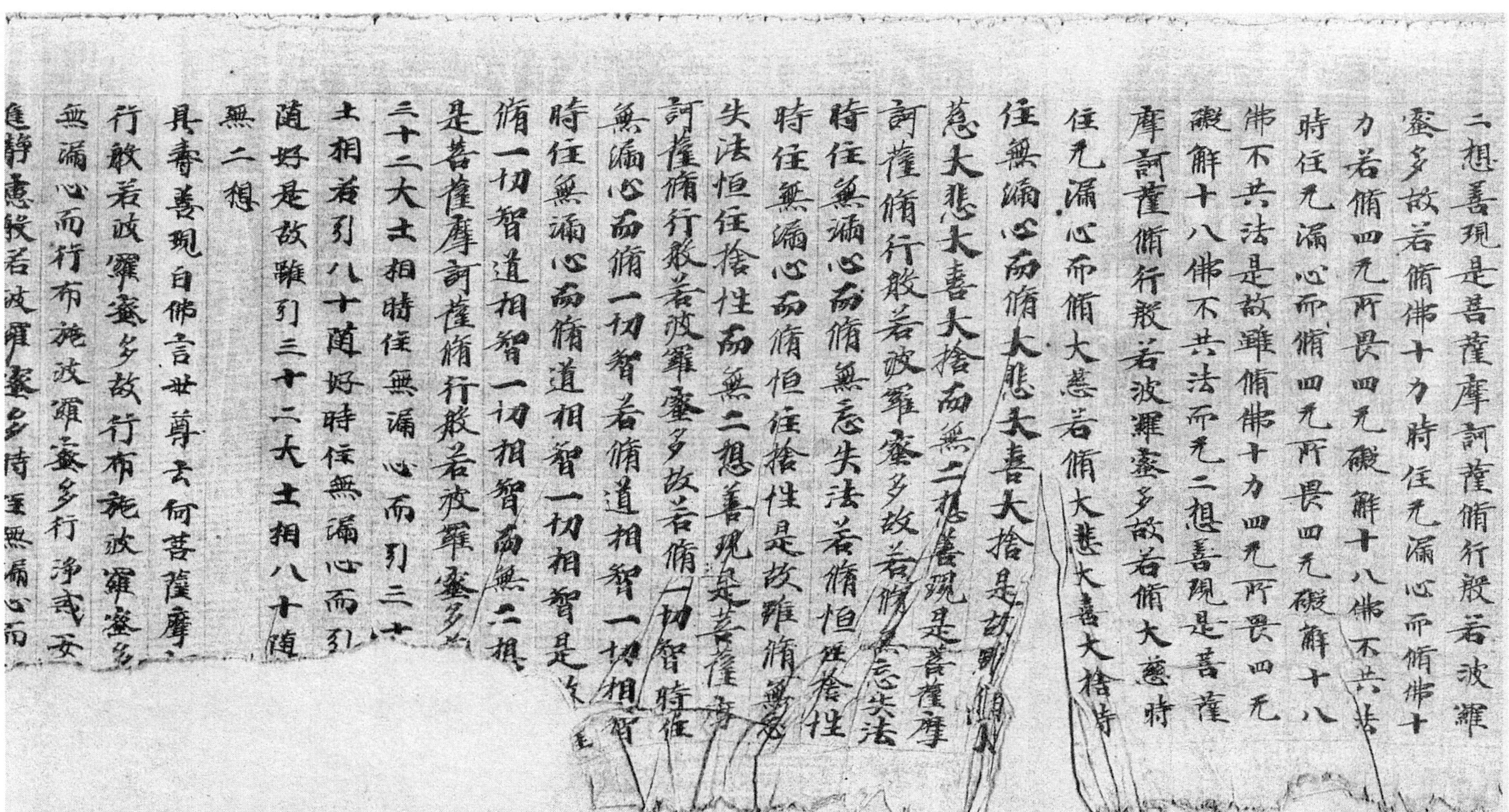

二想善現是菩薩摩訶薩脩行般若波羅
蜜多故若脩佛十力時住无漏心而脩佛十
力若脩四无所畏四无礙解十八佛不共法
時住无漏心而脩四无所畏四无礙解十八
佛不共法是故雖脩佛十力四无所畏四无
礙解十八佛不共法而无二想善現是菩薩
摩訶薩脩行般若波羅蜜多故若脩大慈時
住无漏心而脩大慈若脩大悲大喜大捨時
住無漏心而脩大悲大喜大捨是故雖脩大
慈大悲大喜大捨而無二想善現是菩薩摩
訶薩脩行般若波羅蜜多故若脩無忘失法
時住無漏心而脩無忘失法若脩恒住捨性
時住無漏心而脩恒住捨性是故雖脩無忘
失法恒住捨性而無二想善現是菩薩摩
訶薩脩行般若波羅蜜多故若脩一切智時住
無漏心而脩一切智若脩道相智一切相智
時住無漏心而脩道相智一切相智是
脩一切智道相智一切相智而無二想
是菩薩摩訶薩脩行般若波羅蜜多
三十二大士相時住無漏心而引三十
士相若引八十隨好時住無漏心而引
隨好是故雖引三十二大士相八十隨
無二想
具壽善現白佛言世尊云何菩薩摩
行般若波羅蜜多故行布施波羅蜜多
無漏心而行布施波羅蜜多行淨戒安
進靜慮般若波羅蜜多時住無漏心而

BD02499號　大般若波羅蜜多經卷三七六　（5–2）

具壽善現白佛言世尊云何菩薩摩訶
行般若波羅蜜多故行布施波羅蜜多
無漏心而行布施波羅蜜多行淨戒安
進靜慮般若波羅蜜多時住無漏心而
戒乃至般若波羅蜜多世尊云何菩薩摩
薩修行般若波羅蜜多故修四靜慮時住
漏心而修四靜慮修四無量四無色定
無漏心而修四無量四無色定世尊云何
薩摩訶薩修行般若波羅蜜多故修四念住
時住無漏心而修四念住修四正斷四神足
五根五力七等覺支八聖道支時住無漏心
而修四正斷乃至八聖道支世尊云何菩薩
摩訶薩行般若波羅蜜多故修空解脫門時
住無漏心而修空解脫門修無相無願解脫
門時住無漏心而修無相無願解脫門世尊
云何菩薩摩訶薩修行般若波羅蜜多故
住苦聖諦時住無漏心而住苦聖諦住集滅
道聖諦時住無漏心而住集滅道聖諦世尊
云何菩薩摩訶薩修行般若波羅蜜多故修
八解脫時住無漏心而修八解脫修八勝處九
次第定十遍處時住無漏心而修八勝處九
次第定十遍處世尊云何菩薩摩訶薩修
行般若波羅蜜多故修一切三摩地門時住無
漏心而修一切三摩地門修一切陀羅尼
門時住無漏心而修一切陀羅尼門世尊云
何菩薩摩訶薩修行般若波羅蜜多故住內
空時住無漏心而住內空住外空內外空空

BD02499 號　大般若波羅蜜多經卷三七六　（5–3）

漏心而修一切三摩地門修一切陀羅尼
門時住無漏心而修一切陀羅尼門世尊云
何菩薩摩訶薩修行般若波羅蜜多故住內
空時住無漏心而住內空住外空內外空空
空大空勝義空有為空無為空畢竟空無際
空散空無變異空本性空自相空共相空一
切法空不可得空無性空自性空無性自性
空時住無漏心而住外空乃至無性自性空
世尊云何菩薩摩訶薩修行般若波羅蜜多
故住真如時住無漏心而住真如住法界法
性不虛妄性不變異性平等性離生性法定
法住實際虛空界不思議界時住無漏心而住
法界乃至不思議界世尊云何菩薩摩訶
薩修行般若波羅蜜多故修五眼時住無漏心
而修五眼修六神通時住無漏心而修六神
通世尊云何菩薩摩訶薩修行般若波羅蜜
多故修佛十力時住無漏心而修佛十力
修四無所畏四無礙解十八佛不共法時住
無漏心而修四無所畏四無礙解十八佛不共
法世尊云何菩薩摩訶薩修行般若波羅蜜
多故修大慈時住無漏心而修大慈修大悲大
喜大捨時住無漏心而修大悲大喜大捨世
尊云何菩薩摩訶薩修行般若波羅蜜多
故修無忘失法時住無漏心而修無忘失法
修恒住捨性時住無漏心而修恒住捨性世
尊云何菩薩摩訶薩修行般若波羅蜜多故

BD02499 號　大般若波羅蜜多經卷三七六　（5–4）

故脩無忘失法時住無漏心而脩無忘失法
脩恒住捨性時住無漏心而脩恒住捨性世
尊云何菩薩摩訶薩脩行般若波羅蜜多故
脩一切智時住無漏心而脩一切智脩道相
智一切相智時住無漏心而脩道相智一切
相智世尊云何菩薩摩訶薩脩行般若波羅
蜜多故引三十二大士相時住無漏心而引三
十二大士相引八十隨好時住無漏心而引
八十隨好
佛告善現若菩薩摩訶薩脩行般若波羅蜜
多時以離相心脩行布施波羅蜜多所謂不見
我能行施我能捨此於此行施由此故施為
此故施如是行施住是離相無漏心中離
愛離慳而行布施波羅蜜多尒時不見所
行布施亦復不見此無漏心乃至不見一切佛
法如是菩薩摩訶薩住無漏心而行布施波
羅蜜多善現若菩薩摩訶薩脩行般若波羅
蜜多時以離相心脩行淨戒波羅蜜多所謂不
見我能持戒我能捨此於此持戒由此持戒為
此持戒如是持戒住是離相無漏心中無
染無著而行淨戒波羅蜜多尒時不見所行
淨戒亦復不見此無漏心乃至不見一切佛
法如是菩薩摩訶薩住無漏心而行淨戒波

BD02499 號　大般若波羅蜜多經卷三七六　　（5–5）

阿耨多羅三藐三菩提心礼維摩詰足已忽
然不現故我不任詣彼問疾
佛告優波離汝行詣維摩詰問疾優波離白
佛言世尊我不堪任詣彼問疾所以者何憶
念昔者有二比丘犯律行以為恥不敢問佛
來問我言唯優波離我等犯律誠以為恥不
敢問佛願解疑悔得免斯咎我即為其如法
解說時維摩詰來謂我言唯優波離无重增
此二比丘罪當直除滅勿擾其心所以者何
彼罪性不在內不在外不在中間如佛所說
心垢故眾生垢心淨故眾生淨心亦不在內
不在外不在中間如其心然罪垢亦然諸法
亦然不出於如如優波離以心想得解脫時
寧有垢不我言不也維摩詰言一切眾生心
想无垢亦復如是唯優波離妄想是垢无妄
想是淨顛倒是垢无顛倒是淨取我是垢不
取我是淨優波離一切法生滅不住如幻如
電諸法不相待乃至一念不住諸法皆妄見
如夢如炎如水中月如鏡中像以妄想生其

BD02500 號　維摩詰所說經卷上　　（3–1）

想是淨顛倒是垢无顛倒是淨取我是垢不
取我是淨優波離一切法生滅不住如幻如
電諸法不相待乃至一念不住諸法皆妄見
如夢如炎如水中月如鏡中像以妄想生其
知此者是名奉律其知此者是名善解於是
二比丘言上智哉是優波離所不能及持律
之上而不能說我答言自捨如來未有聲聞
及菩薩能制其樂說之辯其智慧明達為若
此也時二比丘疑悔即除發阿耨多羅三藐
三菩提心作是願言令一切衆生皆得是辯
故我不任詣彼問疾
佛告羅睺羅汝行詣維摩詰問疾羅睺羅白
佛言世尊我不堪任詣彼問疾所以者何憶念
昔時毗耶離諸長者子來詣我所稽首作礼
問我言唯羅睺羅汝佛之子捨轉輪王位出
家為道其出家者有何等利我即如法為
說出家功徳之利時維摩詰來謂我言唯羅
睺羅不應說出家功徳之利所以者何无利
无功徳是為出家有為法者可說有利有
功徳夫出家者為无為法无為法中无利无功
徳羅睺羅夫出家者无彼无此亦无中間離
六十二見處於涅槃智者所受聖所行處降
伏衆魔度五道淨五眼得五力立五根不惱
於彼離衆雜悪摧諸外道超越假名出淤泥
无繫著无我所无所受无擾乱内懷喜護彼
意隨禪定離衆過若能如是是真出家於是

BD02500號　維摩詰所說經卷上　（3–2）

三菩提心作是願言令一切衆生皆得是辯
故我不任詣彼問疾
佛告羅睺羅汝行詣維摩詰問疾羅睺羅白
佛言世尊我不堪任詣彼問疾所以者何憶念
昔時毗耶離諸長者子來詣我所稽首作礼
問我言唯羅睺羅汝佛之子捨轉輪王位出
家為道其出家者有何等利我即如法為
說出家功徳之利時維摩詰來謂我言唯羅
睺羅不應說出家功徳之利所以者何无利
无功徳是為出家有為法者可說有利有
功徳夫出家者為无為法无為法中无利无功
徳羅睺羅夫出家者无彼无此亦无中間離
六十二見處於涅槃智者所受聖所行處降
伏衆魔度五道淨五眼得五力立五根不惱
於彼離衆雜悪摧諸外道超越假名出淤泥
无繫著无我所无所受无擾乱内懷喜護彼
意隨禪定離衆過若能如是是真出家於是
維摩詰語諸長者子汝等於正法中宜共出
家所以者何佛世難值諸長者子言居士我
聞佛言父母不聽不得出家維摩詰言然汝

BD02500號　維摩詰所說經卷上　（3–3）

著 録 凡 例

本目録採用條目式著録法。諸條目意義如下：

1.1　著録編號。用漢語拼音首字“BD”表示，意為“北京圖書館藏敦煌遺書”，簡稱“北敦號”。文獻寫在背面者，標註為“背”。一件遺書上抄有多個文獻者，用數字1、2、3等標示小號。一號中包括幾件遺書，且遺書形態各自獨立者，用字母A、B、C等區別。

1.2　著録分類號。本條記目録暫不分類，該項空缺。

1.3　著録文獻的名稱、卷本、卷次。

1.4　著録千字文編號。

1.5　著録縮微膠卷號。

2.1　著録遺書的總體數據。包括長度、寬度、紙數、正面抄寫總行數與每行字數、背面抄寫總行數與每行字數。如該遺書首尾有殘破，則對殘破部分單獨度量，用加號加在總長度上。凡屬這種情況，長度用括弧標註。

2.2　著録每紙數據。包括每紙長度及抄寫行數或界欄數。

2.3　著録遺書的外觀。包括：(1) 裝幀形式。(2) 首尾存況。(3) 護首、軸、軸頭、天竿、縹帶，經名是書寫還是貼簽，有無經名號，扉頁、扉畫。(4) 卷面殘破情況及其位置。(5) 尾部情況。(6) 有無附加物（蟲繭、油污、線繩及其他)。(7) 有無裱補及其年代。(8) 界欄。(9) 修整。(10) 其他需要交待的問題。

2.4　著録一件遺書抄寫多個文獻的情況。

3.1　著録文獻首部文字與對照本核對的結果。

3.2　著録文獻尾部文字與對照本核對的結果。

3.3　著録録文。

3.4　著録對文獻的説明。

4.1　著録文獻首題。

4.2　著録文獻尾題。

5　著録本文獻與對照本的不同之處。

6.1　著録本遺書首部可與另一遺書綴接的編號。

6.2　著録本遺書尾部可與另一遺書綴接的編號。

7.1　著録題記、題名、勘記等。

7.2　著録印章。

7.3　著録雜寫。

7.4　著録護首及扉頁的內容。

8　著録年代。

9.1　著録字體。如有武周新字、合體字、避諱字等，予以説明。

9.2　著録卷面二次加工的情況。包括句讀、點標、科分、間隔號、行間加行、行間加字、硃筆、墨塗、倒乙、刪除、兑廢等。

10　著録敦煌遺書發現後，近現代人所加內容，裝裱、題記、印章等。

11　備註。著録揭裱互見、圖版本出處及其他需要説明的問題。

上述諸條，有則著録，無則空缺。

為避文繁，上述著録中出現的各種參考、對照文獻，暫且不列版本説明。全目結束時，將統一編制本條記目録出現的各種參考書目。

本條記目録為農曆年份標註其公曆紀年時，未進行歲頭年末之換算，請讀者使用時注意自行换算。

條 記 目 錄

BD02401—BD02500

1.1 BD02401 號
1.3 大寶積經（聖本）卷六四
1.4 成 001
1.5 006∶0091
2.1 （6.3+592.5）×27.5 厘米；14 紙；共 367 行，行 17 字。
2.2 01：06.3，03； 02：45.4，28； 03：45.8，28；
04：45.6，28； 05：45.0，28； 06：45.5，28；
07：45.6，28； 08：45.6，28； 09：45.7，28；
10：45.5，28； 11：45.7，28； 12：45.9，28；
13：45.8，28； 14：45.4，28。
2.3 卷軸裝。首殘尾脫。第 2 至 7 紙上邊欄有等距離殘損，下邊殘破。有烏絲欄。已修整。
3.1 首 3 行下殘→大正 310，11/367C12～15。
3.2 尾殘→11/372A11。
5 與《大正藏》對照，分卷不同。相當於日本正倉院《聖語藏》本（天平寫經）》卷第六十四的內容。
8 8～9 世紀。吐蕃統治時期寫本。
9.1 楷書。
11 圖版：《敦煌寶藏》，56/398A～407A。

1.1 BD02402 號
1.3 妙法蓮華經卷二
1.4 成 002
1.5 105∶4955
2.1 50.3×26.3 厘米；2 紙；共 27 行，行 17 字。
2.2 01：48.2，26； 02：02.1，01。
2.3 卷軸裝。首脫尾殘。有烏絲欄。
3.1 首殘→大正 262，9/16C28。
3.2 尾行殘→9/17A28。
6.1 首→BD02428 號。
8 8 世紀。唐寫本。
9.1 楷書。
11 圖版：《敦煌寶藏》，87/318A～B。

1.1 BD02403 號
1.3 瑜伽師地論卷四八
1.4 成 003
1.5 201∶7211
2.1 618×29.1 厘米；15 紙；共 387 行，行 26～28 字。
2.2 01：2.6+38.5，25； 02：40.9，25； 03：41.0，25；
04：41.0，25； 05：41.0，25； 06：41.1，25；
07：41.0，25； 08：41.0，25； 09：41.1，25；
10：41.1，25； 11：40.9，25； 12：41.5，25；
13：40.9，25； 14：43.5，31； 15：43.5，31。
2.3 卷軸裝。首殘尾脫。首紙有殘洞殘損，接縫處多有開裂，第 11、12 紙接縫處脫開，卷中有破裂殘損，卷面多黴斑。首紙背有古代裱補。有烏絲欄。
3.1 首行下殘→大正 1579，30/556C23～24。
3.2 尾殘→30/564A16。
8 8～9 世紀。吐蕃統治時期寫本。
9.1 楷書。
9.2 有行間校加字。有硃筆間隔號。上邊有校改字。有刮改。
11 圖版：《敦煌寶藏》，104/584A～591B。

1.1 BD02404 號
1.3 大般若波羅蜜多經卷二二二
1.4 成 004
1.5 084∶2569
2.1 109.5×24.5 厘米；3 紙；共 54 行，行 17 字。
2.2 01：21.0，護首； 02：44.0，26； 03：44.5，28。
2.3 卷軸裝。首全尾脫。有護首，殘破嚴重。通卷殘破。有烏絲欄。已修整。
3.1 首全→大正 220，6/112A19。
3.2 尾殘→6/112C18。
4.1 大般若波羅蜜多經卷第二百廿二，/初分難信解品第卅四之卌一，三藏法師玄奘奉詔譯/（首）

7.4　護首有半殘經名"□…□波羅蜜多經□…□"。
8　8～9 世紀。吐蕃統治時期寫本。
9.1　楷書。
11　圖版:《敦煌寶藏》,74/99A～100A。

1.1　BD02405 號
1.3　妙法蓮華經卷七
1.4　成 005
1.5　105:5876
2.1　(24+797)×27.5 厘米;20 紙;共 479 行,行 17 字。
2.2　01:24+14,23;　02:42.2,25;　03:42.3,25;
04:42.3,25;　05:42.8,25;　06:43.0,25;
07:43.0,25;　08:43.0,25;　09:43.0,25;
10:43.0,25;　11:43.0,25;　12:42.7,25;
13:41.2,24;　14:43.0,25;　15:42.7,25;
16:42.8,25;　17:43.0,25;　18:43.0,25;
19:43.0,25;　20:14.0,07。
2.3　卷軸裝。首殘尾全。卷首油污,殘破嚴重;卷面多水漬,紙變色;卷中下邊有破裂,尾紙上邊有殘缺。有烏絲欄。
3.1　首 15 行上下殘→大正 262,9/55C12～28。
3.2　尾行殘→9/62B1。
4.2　□□□□□□□第七(尾)。
8　7～8 世紀。唐寫本。
9.1　楷書。
11　圖版:《敦煌寶藏》,95/527B～538A。

1.1　BD02406 號
1.3　阿彌陀經
1.4　成 006
1.5　001:0165
2.1　(9+148.9)×25.1 厘米;4 紙;共 92 行,行 17 字。
2.2　01:9+37,28;　02:46.5,28;　03:46.4,28;
04:19.0,08。
2.3　卷軸裝。首殘尾全。經黄紙。卷前部有破裂,卷尾下部有 2 個殘洞,尾有蟲繭。有燕尾。有烏絲欄。
3.1　首 5 行下殘→大正 366,12/347A9～14。
3.2　尾全→12/348A29。
4.2　佛說阿彌陀經(尾)。
8　7～8 世紀。唐寫本。
9.1　楷書。
11　圖版:《敦煌寶藏》,57/35A～37A。

1.1　BD02407 號
1.3　四分律比丘戒本
1.4　成 007
1.5　156:6839
2.1　(7+702.3)×27 厘米;17 紙;共 403 行,行 23 字。
2.2　01:7+31,22;　02:42.0,24;　03:42.5,24;
04:42.0,24;　05:42.2,24;　06:42.0,24;
07:42.0,24;　08:42.0,24;　09:42.0,24;
10:42.2,24;　11:42.2,24;　12:42.2,24;
13:41.0,23;　14:41.5,23;　15:41.0,23;
16:42.5,24;　17:42.0,24。
2.3　卷軸裝。首殘尾全。第 2 紙有殘洞。背有古代裱補。有烏絲欄。
3.1　首 4 行下殘→大正 1429,22/1015C6。
3.2　尾全→22/1023A11。
4.2　四分戒本一卷(尾)。
8　9～10 世紀。歸義軍時期寫本。
9.1　楷書。
9.2　有行間校加行、校改字,有刮改。有刪除、倒乙符號。有雌黄塗改及雌黄行間加行。有硃筆校改。
11　圖版:《敦煌寶藏》,102/176B～185A。

1.1　BD02408 號
1.3　無量壽宗要經
1.4　成 008
1.5　275:7991
2.1　(12+189.5)×31 厘米;5 紙;共 134 行,行 30 餘字。
2.2　01:12+17.5,21;　02:43.0,31;　03:43.0,31;
04:43.0,31;　05:43.0,20。
2.3　卷軸裝。首殘尾全。首紙有殘缺。有烏絲欄。
3.1　首 9 行中下殘→大正 936,19/82A19～B8。
3.2　尾全→19/84C29。
4.2　佛說無量壽宗要經(尾)。
7.1　尾紙末有題記"唐文英寫"。
8　8～9 世紀。吐蕃統治時期寫本。
9.1　行楷。
11　圖版:《敦煌寶藏》,108/460A～462B。

1.1　BD02409 號
1.3　金剛般若波羅蜜經
1.4　成 009
1.5　094:4304
2.1　(45.4+1.8)×28 厘米;1 紙;共 28 行,行 17 字。
2.3　卷軸裝。首尾均脫。經黄紙。有烏絲欄。
3.1　首殘→大正 235,8/751B21。
3.2　尾殘→8/751C26。
5　與《大正藏》本對照,本卷缺少冥司偈,參見 8/751C16～C19。
8　7～8 世紀。唐寫本。
9.1　楷書。
11　圖版:《敦煌寶藏》,82/620A。

1.1　BD02410 號
1.3　大戒尼羯磨文
1.4　成 010
1.5　164:6994
2.1　(8+823.1)×29 厘米；21 紙；共 485 行，行字不等。
2.2　01：8+34，19；　02：39.2，21；　03：38.7，26；
04：39.2，26；　05：40.0，27；　06：39.5，26；
07：39.5，26；　08：39.5，24；　09：39.5，24；
10：39.5，24；　11：39.5，25；　12：39.5，23；
13：39.5，24；　14：39.5，24；　15：39.5，25；
16：40.0，24；　17：39.5，25；　18：39.5，25；
19：39.5，22；　20：39.5，21；　21：39.0，04。
2.3　卷轴装。首殘尾全。已修整。
3.4　説明：
本文獻首 2 行上殘，尾殘。未為歷代大藏經所收。
4.2　大戒尼羯磨文（尾）。
8　9～10 世紀。歸義軍時期寫本。
9.1　楷書。
9.1　有倒乙。有行間校加字。有重文號。
11　圖版：《敦煌寶藏》，103/294B～305A。

1.1　BD02411 號
1.3　妙法蓮華經卷一
1.4　成 011
1.5　105:4559
2.1　(7.1+753.2)×25.6 厘米；16 紙；共 395 行，行 17 字。
2.2　01：7.1+16.9，12；　02：49.7，26；　03：49.6，26；
04：49.5，26；　05：49.6，26；　06：49.7，26；
07：49.8，26；　08：49.8，26；　09：49.7，26；
10：49.9，26；　11：49.8，26；　12：49.9，26；
13：49.7，26；　14：49.1，26；　15：49.4，26；
16：41.1，19。
2.3　卷轴装。首殘尾全。有烏絲欄。
3.1　首 3 行上下殘→大正 262，9/3B13～16。
3.2　尾全→9/10B21。
4.2　妙法蓮華經卷第一（尾）。
8　8 世紀。唐寫本。
9.1　楷書。
11　圖版：《敦煌寶藏》，84/440A～452A。

1.1　BD02412 號
1.3　佛名經（十六卷本）卷一二
1.4　成 012
1.5　063:0735
2.1　(3+1403.6)×30.8 厘米；33 紙；共 568 行，行 19 字。
2.2　01：3+19，09；　02：44.0，18；　03：44.0，18；
04：44.0，18；　05：44.0，18；　06：44.0，18；
07：44.0，18；　08：44.0，18；　09：44.0，18；
10：44.0，18；　11：44.0，18；　12：44.0，18；
13：44.0，18；　14：44.0，18；　15：44.0，18；
16：44.0，18；　17：44.0，18；　18：44.0，18；
19：44.0，18；　20：44.0，18；　21：44.0，18；
22：44.0，18；　23：44.0，18；　24：44.0，18；
25：44.0，18；　26：44.0，18；　27：44.0，18；
28：44.0，18；　29：44.0，18；　30：43.8，18；
31：43.8，18；　32：43.0，18；　33：22.0，01。
2.3　卷轴装。首殘尾全。第 30 紙上部破裂。有烏絲欄。已修整。
3.1　首 8 行中下殘→《七寺古逸經典研究叢書》，3/第 589 頁第 44 行～第 51 行。
3.2　尾全→《七寺古逸經典研究叢書》，3/第 635 頁第 648 行。
4.2　佛說佛名經卷第十二（尾）。
8　9～10 世紀。歸義軍時期寫本。
9.1　楷書。
9.2　有行間校加字。
11　圖版：《敦煌寶藏》，61/654B～671A。

1.1　BD02413 號 1
1.3　金光明經懺悔滅罪傳
1.4　成 013
1.5　081:1363
2.1　(8+758.9)×26.3 厘米；17 紙；共 454 行，行 17 字。
2.2　01：8+24.4，20；　02：45.9，28；　03：45.8，28；
04：46.0，28；　05：46.0，28；　06：46.2，28；
07：46.0，28；　08：46.0，28；　09：46.0，28；
10：46.0，28；　11：46.0，28；　12：46.0，28；
13：46.0，28；　14：46.0，28；　15：46.0，28；
16：45.5，28；　17：45.1，14。
2.3　卷轴装。首殘尾全。接縫處有開裂，通卷上部有水漬、紙褪色。有烏絲欄。已修整。
2.4　本遺書包括 2 個文獻：（一）《金光明經懺悔滅罪傳》，76 行，今編為 BD02413 號 1。（二）《金光明經》卷一，378 行，今編為 BD02413 號 2。
3.1　首 5 行上下殘→大正 663，16/358B8～13。
3.2　尾全→16/359B1。
4.2　金光明經傳（尾）。
8　8～9 世紀。吐蕃統治時期寫本。
9.1　楷書。
11　圖版：《敦煌寶藏》，67/172B～182A。

1.1　BD02413 號 2
1.3　金光明經卷一
1.4　成 013
1.5　081:1363

2.4　本遺書由2個文獻組成，本號為第2個，378行。餘參見BD02413號1之第2項、第11項。
3.1　首全→大正663，16/335B2。
3.2　尾全→16/340C10。
4.1　金光明經序品第一（首）。
4.2　金光明經卷第一（尾）。
8　8~9世紀。吐蕃統治時期寫本。
9.1　楷書。

1.1　BD02414號
1.3　妙法蓮華經卷二
1.4　成014
1.5　105:4967
2.1　（3.4+46.2+2.8）×26.3厘米；2紙；共27行，行17字。
2.2　01：3.4+46.2，26；　02：02.8，01。
2.3　卷軸裝。首尾均殘。有烏絲欄。
3.1　首行下殘→大正262，9/17B28~29。
3.2　尾殘→9/18A3。
6.1　首→BD02428號。
8　7~8世紀。唐寫本。
9.1　楷書。
11　圖版：《敦煌寶藏》，87/346B~347A。

1.1　BD02415號
1.3　金剛般若波羅蜜經
1.4　成015
1.5　094:4134
2.1　（7.5+313.4）×25.5厘米；7紙；共169行，行17字。
2.2　01：7.5+33，22；　02：51.2，28；　03：51.0，28；
04：51.0，28；　05：51.2，28；　06：51.0，28；
07：25.0，07。
2.3　卷軸裝。首殘尾全。經黄紙。卷首有破裂，接縫處有開裂，卷面有水漬，卷尾上下有蟲繭。有燕尾。有烏絲欄。
3.1　首4行下殘→大正235，8/750B25~29。
3.2　尾全→8/752C3。
4.2　金剛般若波羅蜜經（尾）。
8　7~8世紀。唐寫本。
9.1　楷書。
11　圖版：《敦煌寶藏》，82/202A~206A。

1.1　BD02416號
1.3　禮懺文（擬）
1.4　成016
1.5　316:8355
2.1　（3.3+92.9）×25.5厘米；2紙；共56行，行17字。
2.2　01：3.3+44.6，28；　02：48.3，28。
2.3　卷軸裝。首殘尾脱。經黄打紙。有烏絲欄。
3.4　説明：
本文獻首2行下殘，尾殘。為舉行禮懺活動時實用的禮懺文。
8　7~8世紀。唐寫本。
9.1　楷書。
11　圖版：《敦煌寶藏》，110/65A~66A。

1.1　BD02417號
1.3　四分僧戒本
1.4　成017
1.5　156:6859
2.1　（18.5+365）×26.4厘米；9紙；共242行，行19字。
2.2　01：04.5，02；　02：14+33，30；　03：47.5，30；
04：47.5，30；　05：47.5，30；　06：47.5，30；
07：47.5，30；　08：47.5，30；　09：47.0，30。
2.3　卷軸裝。首殘尾脱。卷首殘破嚴重，卷面多破裂，有殘洞。有烏絲欄。
3.1　首11行中下殘→大正1430，22/1025A4~18。
3.2　尾殘→22/1028A26。
5　與《大正藏》對照，文字略有不同。
7.3　卷背有雜寫若干處，其中有“比丘僧靈俊”、“靈俊論義”、“若比丘有病”等。還有一些習字雜寫，不錄文。
8　8~9世紀。吐蕃統治時期寫本。
9.1　楷書。
9.2　有行間校加字。有刪除號。有刮改。
11　圖版：《敦煌寶藏》，102/291A~296A。

1.1　BD02418號
1.3　觀世音經
1.4　成018
1.5　111:6234
2.1　（17+146.4）×26.3厘米；4紙；共97行，行17字。
2.2　01：17+25，25；　02：41.9，25；　03：42.0，25；
04：37.5，22。
2.3　卷軸裝。首殘尾全。卷首殘損嚴重，脱落一塊殘片，可綴接。有烏絲欄。
3.1　首10行中下殘→大正262，9/56C26~57A8。
3.2　尾全→9/58B7。
4.2　觀世音經一卷（尾）。
8　9~10世紀。歸義軍時期寫本。
9.1　楷書。
11　圖版：《敦煌寶藏》，97/430B~432B。

1.1　BD02419號
1.3　金剛般若波羅蜜經
1.4　成019

1.5　094:4419
2.1　60.7×21 厘米；2 紙；共 28 行，行 13～14 字。
2.2　01：51.2，27；　　02：09.5，01。
2.3　卷軸裝。首脱尾全。經黄打紙。通卷下部黴爛。有燕尾。有烏絲欄。
3.1　首殘→大正 235，8/752B4。
3.2　尾全→8/752C3。
4.2　金剛般若波羅蜜經（尾）。
8　7～8 世紀。唐寫本。
9.1　楷書。
11　圖版：《敦煌寶藏》，83/145A～B。

1.1　BD02420 號
1.3　金剛般若波羅蜜經
1.4　成 020
1.5　094:4137
2.1　（8.5+29.5+2）×25.1 厘米；1 紙；共 24 行，行 17 字。
2.3　卷軸裝。首尾均殘。有烏絲欄。
3.1　首 5 行上下殘→大正 235，8/750B25～29。
3.2　尾行下殘→8/750C18。
8　7～8 世紀。唐寫本。
9.1　楷書。
11　圖版：《敦煌寶藏》，82/208A。

1.1　BD02421 號
1.3　四分比丘尼戒本
1.4　成 021
1.5　157:6968
2.1　189×26 厘米；4 紙；共 111 行，行 21 字。
2.2　01：45.5，27；　　02：48.5，28；　　03：47.5，28；
04：47.5，28。
2.3　卷軸裝。首尾均殘。首紙有殘裂。背有古代裱補。有烏絲欄。
3.1　首殘→大正 1431，22/1034C15。
3.2　尾殘→22/1036B18。
5　與《大正藏》本對照，首紙經文少一行，參見大正 1431，22/1035A21。
8　8～9 世紀。吐蕃統治時期寫本。
9.1　楷書。
9.2　有行間校加字。
11　圖版：《敦煌寶藏》，103/169A～171A。

1.1　BD02422 號
1.3　入楞伽經卷一〇
1.4　成 022
1.5　035:0326
2.1　38.8×25.5 厘米；1 紙；共 23 行，行 20 字（偈頌）。
2.3　卷軸裝。首殘尾脱。卷面殘破，油污變色。有烏絲欄。已修整。
3.1　首殘→大正 671，16/576C1。
3.2　尾殘→16/577A17。
8　7～8 世紀。唐寫本。
9.1　楷書。
11　從背面揭下古代裱補紙 1 塊，今編為 BD16404 號。
圖版：《敦煌寶藏》，58/72A。

1.1　BD02423 號
1.3　妙法蓮華經卷一
1.4　成 023
1.5　105:4602
2.1　（59+6.8）×29.3 厘米；2 紙；共 45 行，行 28～31 字不等。
2.2　01：42.8，30；　　02：16.2+6.8，15。
2.3　卷軸裝。首全尾殘。上、下邊有殘破。有烏絲欄。
3.1　首全→大正 262，9/1C14。
3.2　尾 3 行上殘→9/2C5～11。
4.1　妙法蓮華經序品第一（首）。
8　8～9 世紀。吐蕃統治時期寫本。
9.1　楷書。
11　圖版：《敦煌寶藏》，85/70B～71B。

1.1　BD02424 號
1.3　金剛般若波羅蜜經
1.4　成 024
1.5　094:4325
2.1　（12+83.6+9.7）×25.5 厘米；4 紙；共 57 行，行 17 字。
2.2　01：01.9，01；　02：10.1+36.7，28；　03：46.9，27；
04：09.7，01。
2.3　卷軸裝。首殘尾全。經黄紙。第 2 紙有破裂，接縫處有開裂；尾紙有殘洞。有燕尾。有烏絲欄。
3.1　首 7 行上下殘→大正 235，8/751B22～29。
3.2　尾全→8/752C3。
4.2　金剛般若經（尾）。
5　與《大正藏》本對照，本號缺少冥司偈，文見 8/751C16～C19。
8　7～8 世紀。唐寫本。
9.1　楷書。
11　圖版：《敦煌寶藏》，82/656A～657B。

1.1　BD02425 號
1.3　無量壽宗要經
1.4　成 025
1.5　275:7752
2.1　166.5×31.5 厘米；4 紙；共 108 行，行 30 餘字。

2.2 01：42.5，28；　02：43.5，29；　03：43.5，29；
04：37.0，22。
2.3 卷軸裝。首尾均全。前 2 紙上下邊有殘缺、破裂，尾紙后部下邊殘缺。有烏絲欄。
3.1 首全→大正 936，19/82A3。
3.2 尾全→19/84C29。
4.1 大乘無量壽經（首）
4.2 佛說無量壽宗要經（尾）。
7.1 卷尾有題記“令狐晏兒寫”。
8 8～9 世紀。吐蕃統治時期寫本。
9.1 楷書。
9.2 有校改。
11 圖版：《敦煌寶藏》，107/511A～513A。

1.1 BD02426 號
1.3 維摩詰所說經卷下
1.4 成 026
1.5 070:1301
2.1 46.5×26 厘米；1 紙；共 28 行，行 17 字。
2.3 卷軸裝。首尾均脫。卷尾有破裂。有烏絲欄。
3.1 首殘→大正 475，14/557A14。
3.2 尾殘→14/557B14。
8 8 世紀。唐寫本。
9.1 楷書。
11 圖版：《敦煌寶藏》，66/446。

1.1 BD02427 號
1.3 金剛般若波羅蜜經
1.4 成 027
1.5 094:4240
2.1 47.3×25.2 厘米；1 紙；共 28 行，行 17 字。
2.3 卷軸裝。首尾均脫。經黄打紙。有烏絲欄。
3.1 首殘→大正 235，8/751A20。
3.2 尾殘→8/751B21。
8 7～8 世紀。唐寫本。
9.1 楷書。
11 圖版：《敦煌寶藏》，82/482B。

1.1 BD02428 號
1.3 妙法蓮華經卷二
1.4 成 028
1.5 105:4959
2.1 (50.8+1.8)×26.3 厘米；2 紙；共 28 行，行 17 字。
2.2 01：48.7，26；　02：2.1+1.8，02。
2.3 卷軸裝。首尾均殘。有烏絲欄。
3.1 首殘→大正 262，9/17A28。
3.2 尾行上殘→9/17B28～29。
6.1 首→BD02402 號。
6.2 尾→BD02414 號。
8 7～8 世紀。唐寫本。
9.1 楷書。
11 圖版：《敦煌寶藏》，87/330A～B。

1.1 BD02429 號
1.3 大般涅槃經（北本）卷二
1.4 成 029
1.5 115:6297
2.1 (5.5+367.3+2.5)×25.2 厘米；8 紙；共 204 行，行 17 字。
2.2 01：5.5+43.5，22；　02：50.5，28；　03：50.2，28；
04：50.3，28；　05：50.0，28；　06：50.3，28；
07：50.5，28；　08：22+2.5，14。
2.3 卷軸裝。首尾均殘。尾 2 紙下部有殘損破裂。首紙背有古代裱補。有烏絲欄。有划界欄針孔。
3.1 首 3 行下殘→大正 374，12/376A9～12。
3.2 尾行中殘→12/378B17。
8 6 世紀。南北朝寫本。
9.1 隸楷。
11 圖版：《敦煌寶藏》，97/643A～647B。

1.1 BD02430 號
1.3 妙法蓮華經卷二
1.4 成 030
1.5 105:4911
2.1 300.6×26.1 厘米；6 紙；共 168 行，行 17 字。
2.2 01：50.3，28；　02：50.1，28；　03：50.2，28；
04：49.9，28；　05：50.1，28；　06：50.0，28。
2.3 卷軸裝。首尾均脫。經黄打紙。卷首下邊有破裂。有烏絲欄。
3.1 首殘→大正 262，9/13B12。
3.2 尾殘→9/15C23。
8 7～8 世紀。唐寫本。
9.1 楷書。
11 圖版：《敦煌寶藏》，87/212A～216B。

1.1 BD02431 號
1.3 金剛般若波羅蜜經
1.4 成 031
1.5 094:3699
2.1 (6.5+487.4)×26 厘米；11 紙；正面 279 行，行 17 字。背面 277 行，行 17 字。
2.2 01：6.5+35，24；　02：48.6，28；　03：48.6，28；
04：48.8，28；　05：48.7，28；　06：48.7，28；
07：48.6，28；　08：48.7，28；　09：48.7，28；

10：48.5，28；　　11：14.5，03。

2.3　卷軸裝。首殘尾全。卷首殘破，卷面有小殘洞，第10紙下邊有破裂。有燕尾。有烏絲欄。

2.4　本遺書包括2個文獻：（一）《金剛般若波羅蜜經》，279行，抄寫在正面，今編為BD02431號。（二）《金剛峻經金剛頂一切如來深妙秘密金剛界大三昧耶修行四十二種壇法經作用威儀法則，大毗盧遮那佛金剛心地法門心法戒壇法儀則》，277行，抄寫在背面，今編為BD02431號背。

3.1　首3行下殘→大正235，8/749A21～24。

3.2　尾全→8/752C2。

4.2　金剛般若經（尾）。

8　7～8世紀。唐寫本。

9.1　楷書。

11　圖版：《敦煌寶藏》，79/580A～592B。

1.1　BD02431號背

1.3　金剛峻經金剛頂一切如來深妙秘密金剛界大三昧耶修行四十二種壇法經作用威儀法則，大毗盧遮那佛金剛心地法門心法戒壇法儀則

1.4　成031

1.5　094:3699

2.4　本遺書由2個文獻組成，本號為第2個，抄寫在背面，277行。餘參見BD02431號之第2項、第11項。

3.4　説明

本文獻未為歷代大藏經所收。可參見伯3913號、斯4487號。與BD02074號、BD02301號背均為同一文獻，但行文有差異。

4.1　金剛峻經金剛頂一切如來深妙秘密金剛界/大三昧耶修行四十二種壇法經作用威儀法則，/大毗盧遮那佛金剛心地法門必（心）法戒壇法儀/則，大興善寺三藏沙門大廣智不空奉詔譯/（首）。

8　9～10世紀。歸義軍時期寫本。

9.1　楷書。

9.2　有倒乙。

1.1　BD02432號

1.3　金剛般若波羅蜜經

1.4　成032

1.5　094:3929

2.1　（2+45.2）×25.5厘米；1紙；共28行，行17字。

2.3　卷軸裝。首尾均脱。經黄打紙。卷首略殘。有烏絲欄。

3.1　首1行上殘→大正235，8/749C19。

3.2　尾殘→8/750A19。

8　7～8世紀。唐寫本。

9.1　楷書。

11　圖版：《敦煌寶藏》，81/235A。

1.1　BD02433號

1.3　金剛般若波羅蜜經

1.4　成033

1.5　094:3807

2.1　（5.5+47.2）×25.5厘米；2紙；共29行，行17字。

2.2　01：05.5，01；　　02：47.2，28。

2.3　卷軸裝。首殘尾脱。經黄紙。有烏絲欄。

3.1　首1行上殘→大正235，8/749B18。

3.2　尾殘→8/749C19。

8　7～8世紀。唐寫本。

9.1　楷書。

11　圖版：《敦煌寶藏》，80/418A～B。

1.1　BD02434號

1.3　妙法蓮華經卷二

1.4　成034

1.5　105:4892

2.1　48.8×26.2厘米；1紙；共26行，行17字。

2.3　卷軸裝。首殘尾脱。有烏絲欄。

3.1　首殘→大正262，9/12C27。

3.2　尾殘→9/13A25。

8　7～8世紀。唐寫本。

9.1　楷書。

11　圖版：《敦煌寶藏》，87/175A～B。

1.1　BD02435號

1.3　灌頂章句拔除過罪生死得度經

1.4　成035

1.5　250:7507

2.1　（9.6+117.3+5.8）×25.5厘米；3紙；共72行，行17字。

2.2　01：9.6+20.3，16；　02：51.3，28；　03：45.7+5.8，28。

2.3　卷軸裝。首尾均殘。經黄打紙。卷首殘破嚴重，卷面有殘洞，下邊有破裂，卷尾殘損。有烏絲欄。

3.1　首5行上中殘→大正1331，21/534A15～19。

3.2　尾3行下殘→21/534C25～27。

8　7～8世紀。唐寫本。

9.1　楷書。

11　圖版：《敦煌寶藏》，106/525A～526B。

1.1　BD02436號

1.3　大般若波羅蜜多經卷三九一

1.4　成036

1.5　084:3053

2.1　（23.5+757.3）×26.4厘米；17紙；共464行，行17字。

2.2　01：23.5+21.8，27；　02：46.5，28；　03：46.0，28；
04：46.5，28；　05：44.3，27；　06：46.5，28；

07：46.5，28；　08：46.5，28；　09：46.6，28；
10：46.4，28；　11：46.4，28；　12：45.6，28；
13：45.7，28；　14：45.6，28；　15：45.8，28；
16：45.3，28；　17：45.3，18。
2.3　卷軸裝。首殘尾全。首紙有殘洞，上邊下邊殘破；接縫處有開裂，卷后部下邊殘破。有燕尾。有烏絲欄。已修整。
3.1　首14行中下殘→大正220，6/1020C8～24。
3.2　尾全→6/1026A8。
4.1　大般若波羅蜜多經卷第三□…□，/初分成熟有情品第七十一之□…□/（首）
4.2　大般若波羅蜜多經卷第三百九十一（尾）。
7.1　首紙背有勘記“卌袟（本文獻所屬袟次），第一（袟内卷次）”。
8　8～9世紀。吐蕃統治時期寫本。
9.1　楷書。
9.2　有行間校加字。
11　圖版：《敦煌寶藏》，76/229B～239B。

1.1　BD02437號
1.3　金剛般若波羅蜜經（僞造）
1.4　成037
1.5　094:3580
3.4　說明：
該卷已炭化焦脆，難以展開。係被後人偷梁換柱之僞卷。
11　圖版：《敦煌寶藏》，78/641A～642A。

1.1　BD02438號
1.3　金剛般若波羅蜜經
1.4　成038
1.5　094:4171
2.1　230×26厘米；5紙；共140行，行17字。
2.2　01：46.0，28；　02：46.0，28；　03：46.0，28；
04：46.0，28；　05：46.0，28。
2.3　卷軸裝。首尾均脫。經黄紙。卷面有殘洞，上邊有蟲繭，接縫處有開裂。有烏絲欄。
3.1　首殘→大正235，8/750C18。
3.2　尾殘→8/752B26。
8　7～8世紀。唐寫本。
9.1　楷書。
11　圖版：《敦煌寶藏》，82/303A～306A。

1.1　BD02439號
1.3　無量壽宗要經
1.4　成039
1.5　275:7992
2.1　(6+163)×31厘米；4紙；共111行，行30餘字。
2.2　01：6+36，28；　02：42.0，28；　03：42.0，28；
04：43.0，27。
2.3　卷軸裝。首殘尾全。卷首殘破嚴重，下部油污，卷面脱落殘片，可以綴接。有烏絲欄。
3.1　首4行下殘→大正936，19/82B26。
3.2　尾全→19/84C29。
4.2　佛說無量壽宗要經（尾）。
7.1　卷末有題記“鄧英子寫”，卷尾上角有題名“令狐◇”。
8　8～9世紀。吐蕃統治時期寫本。
9.1　行楷。
11　圖版：《敦煌寶藏》，108/463A～465A。

1.1　BD02440號1
1.3　無量壽宗要經
1.4　成040
1.5　275:7993
2.1　(7+332)×31.5厘米；8紙；共230行，行30餘字。
2.2　01：7+36，29；　02：44.0，31；　03：42.0，29；
04：42.0，27；　05：42.0，28；　06：42.0，29；
07：42.0，29；　08：42.0，28。
2.3　卷軸裝。首尾均全。首紙上下殘缺，上下邊有破裂。從顯微鏡下可見硬物划痕。有烏絲欄。
2.4　本遺書包括2個文獻：(一)《無量壽宗要經》，116行，今編為BD02440號1。(二)《無量壽宗要經》，114行，今編為BD02440號2。
3.1　首4行上下殘→大正936，19/82A5～11。
3.2　尾全→19/84C29。
4.2　佛說無量壽宗要經（尾）。
7.1　第四紙末有題名“呂日興”。
8　8～9世紀。吐蕃統治時期寫本。
9.1　楷書。
11　圖版：《敦煌寶藏》，108/465B～469B。

1.1　BD02440號2
1.3　無量壽宗要經
1.4　成040
1.5　275:7993
2.4　本遺書由2個文獻組成，本號為第2個，114行。餘參見BD02440號1之第2項、第11項。
3.1　首全→大正936，19/82A3。
3.2　尾全→19/84C29。
4.1　大乘無量壽經（首）
4.2　佛說無量壽宗要經（尾）。
7.1　卷末有題名“呂日興”。
8　8～9世紀。吐蕃統治時期寫本。
9.1　楷書。

1.1　BD02441號

1.3　大般若波羅蜜多經卷三三七
1.4　成041
1.5　084:2908
2.1　94.3×27.6厘米；2紙；共49行，行17字。
2.2　01：47.3，28；　02：47.0，21。
2.3　卷軸裝。首脱尾全。有烏絲欄。
3.1　首殘→大正220，6/731C8。
3.2　尾全→6/732A27。
4.2　大般若波羅蜜多經卷第三百卌七（尾）。
7.1　尾題之後有題記"鄧英寫"。卷尾背有勘記"勘了"。
8　8～9世紀。吐蕃統治時期寫本。
9.1　楷書。
11　圖版：《敦煌寶藏》，75/437A～438A。

1.1　BD02442號
1.3　無量壽宗要經
1.4　成042
1.5　275:7994
2.1　（17.5+195）×31厘米；5紙；共138行，行30餘字。
2.2　01：17.5+27，28；　02：45.0，30；　03：45.0，30；
04：45.0，30；　05：33.0，20。
2.3　卷軸裝。首殘尾全。卷首殘破嚴重。有烏絲欄。
3.1　首10行上下殘→大正936，19/82A5～25。
3.2　尾全→19/84C29。
4.2　佛說無量壽宗要經（尾）。
8　8～9世紀。吐蕃統治時期寫本。
9.1　行楷。
11　圖版：《敦煌寶藏》，108/479A～472B。

1.1　BD02443號
1.3　大般若波羅蜜多經卷六四
1.4　成043
1.5　084:2180
2.1　94×24.9厘米；2紙；共56行，行17字。
2.2　01：47.0，28；　02：47.0，28。
2.3　卷軸裝。首殘尾脱。卷面有破裂。背有古代裱補。有烏絲欄。
3.1　首殘→大正220，5/359C1。
3.2　尾殘→5/360A29。
7.1　首紙背面有勘記"第六十四"。
8　8～9世紀。吐蕃統治時期寫本。
9.1　楷書。
11　圖版：《敦煌寶藏》，72/190B～192A。

1.1　BD02444號
1.3　大般若波羅蜜多經（兌廢稿）卷一九八
1.4　成044
1.5　084:2496
2.1　49×27.4厘米；1紙；共24行，行17字。
2.3　卷軸裝。首脱尾殘。尾有餘空。有烏絲欄。
3.1　首殘→大正220，5/1059B1。
3.2　尾殘→5/1059B25。
8　8～9世紀。吐蕃統治時期寫本。
9.1　楷書。
9.2　有刮改。
11　圖版：《敦煌寶藏》，73/488。

1.1　BD02445號
1.3　無量壽宗要經
1.4　成045
1.5　275:7995
2.1　（6.5+160.5）×32厘米；4紙；共112行，行30餘字。
2.2　01：6.5+39，29；　02：44.5，31；　03：44.5，31；
04：32.5，21。
2.3　卷軸裝。首殘尾全。卷上部有等距離殘洞。有烏絲欄。
3.1　首2行上殘→大正936，19/82A5～7。
3.2　尾全→19/84C29。
4.2　佛說無量壽宗要經（尾）。
8　8～9世紀。吐蕃統治時期寫本。
9.1　行楷。
9.2　有校改。
11　圖版：《敦煌寶藏》，108/473A～475A。

1.1　BD02446號
1.3　大佛頂如來密因修證了義諸菩薩萬行首楞嚴經卷二
1.4　成046
1.5　237:7393
2.1　（26+708.3）×26.2厘米；15紙；共405行，行17字。
2.2　01：26+22.5，27；　02：48.5，28；　03：49.1，27；
04：49.0，28；　05：49.1，28；　06：49.0，28；
07：49.1，28；　08：49.1，28；　09：49.1，28；
10：49.1，28；　11：49.0，28；　12：49.1，28；
13：49.1，28；　14：49.2，28；　15：48.3，15。
2.3　卷軸裝。首殘尾全。卷首殘缺嚴重。有烏絲欄。
3.1　首14行下殘→大正945，19/110A11～26。
3.2　尾全→19/114C13。
4.1　大佛頂如來密因修證了義諸菩薩萬□…□，/一名中印度□…□/㙛經於灌頂□…□/（首）。
4.2　大佛頂萬行首楞嚴經卷第二（尾）。
8　9～10世紀。歸義軍時期寫本。
9.1　楷書。
9.2　有刮改。
11　圖版：《敦煌寶藏》，106/47B～57A。

1.1　BD02447 號
1.3　金剛般若波羅蜜經
1.4　成 047
1.5　094:4289
2.1　（1.7 +181.9）×25.5 厘米；5 紙；共 114 行，行 17 字。
2.2　01：1.7 +11.3，8；　02：49.5，28；　03：49.5，28；
04：49.5，28；　05：22.1，22。
2.3　卷軸裝。首殘尾全。前 2 紙有殘洞，接縫處下端開裂。有燕尾。背有古代裱補。有烏絲欄。
3.1　首殘→大正 235，8/751B11。
3.2　尾全→8/752C3。
4.2　金剛般若波羅蜜經（尾）。
8　8 世紀。唐寫本。
9.1　楷書。
11　圖版：《敦煌寶藏》，82/589B ~591B。

1.1　BD02448 號
1.3　大般若波羅蜜多經（兑廢稿）卷三四三
1.4　成 048
1.5　084:2928
2.1　48.2 ×27.6 厘米；1 紙；共 25 行，行 17 字。
2.3　卷軸裝。首尾均脱。尾有餘空。有烏絲欄。
3.1　首殘→大正 220，6/762C11。
3.2　尾殘→6/763A9。
8　8 ~9 世紀。吐蕃統治時期寫本。
9.1　楷書。
11　圖版：《敦煌寶藏》，75/519B。

1.1　BD02449 號
1.3　佛名經（二十卷本）卷二
1.4　成 049
1.5　062:0554
2.1　846.6 ×26.5 厘米；18 紙；共 445 行，行 17 字。
2.2　01：48.8，26；　02：48.5，26；　03：48.5，26；
04：48.5，26；　05：48.5，26；　06：48.5，26；
07：48.7，26；　08：49.0，26；　09：48.7，26；
10：48.7，26；　11：48.7，26；　12：48.7，26；
13：48.7，26；　14：48.7，26；　15：48.7，26；
16：48.7，26；　17：48.5，26；　18：19.5，03。
2.3　卷軸裝。首脱尾全。尾有原軸，兩端塗棕色漆。卷首有殘洞，接縫處有開裂，卷下部有破裂。有烏絲欄。
3.1　首殘→BD02056 號第 26 行。
3.2　尾全→BD02056 號第 482 行。
4.2　佛名經卷第二（尾）。
8　8 世紀。唐寫本。
9.1　楷書。
11　圖版：《敦煌寶藏》，60/31B ~43A。

1.1　BD02450 號
1.3　金光明最勝王經卷五
1.4　成 050
1.5　083:1710
2.1　（5 +711.8）×26.3 厘米；18 紙；共 400 行，行 17 字。
2.2　01：5 +31.3，21；　02：43.4，25；　03：43.4，25；
04：43.5，25；　05：43.6，25；　06：43.5，25；
07：43.6，25；　08：43.5，25；　09：43.5，25；
10：43.5，25；　11：43.5，25；　12：43.5，25；
13：43.4，25；　14：41.6，24；　15：43.3，25；
16：36.5，21；　17：28.2，09；　18：09.0，拖尾。
2.3　卷軸裝。首殘尾全。有燕尾。背有古代裱補。有烏絲欄。
3.1　首 3 行下殘→大正 665，16/422B29 ~C3。
3.2　尾全→16/427B13。
4.2　金光明最勝王經卷第五（尾）。
5　尾附音義。
8　7 ~8 世紀。唐寫本。
9.1　楷書。
11　圖版：《敦煌寶藏》，69/344A ~353A。

1.1　BD02451 號
1.3　金光明最勝王經卷五
1.4　成 051
1.5　083:1728
2.1　（154.7 +1）×26 厘米；4 紙；共 97 行，行 17 字。
2.2　01：21.8，13；　02：45，28；　03：45.1，28；
04：42.8 +1，28。
2.3　卷軸裝。首斷尾殘。有烏絲欄。
3.1　首殘→大正 665，16/423B10。
3.2　尾殘→16/424B22。
8　8 ~9 世紀。吐蕃統治時期寫本。
9.1　楷書。
11　圖版：《敦煌寶藏》，69/489B ~491B。

1.1　BD02452 號
1.3　大般若波羅蜜多經卷四九九
1.4　成 052
1.5　084:3247
2.1　66.8 ×25.7 厘米；2 紙；共 26 行，行 17 字。
2.2　01：21.8，護首；　02：45.0，26。
2.3　卷軸裝。首全尾脱。有護首，有竹製天竿，有經名及經名號。扉頁劃烏絲欄。卷面有等距殘洞，上邊有殘損。有烏絲欄。
3.1　首全→大正 220，7/537B18。
3.2　尾殘→7/537C18。
4.1　大般若波羅蜜多經卷第四百九十九，/第三分天帝品□...□詔譯/（首）。
7.4　護首有經名、卷次及所屬袟次："大般若波羅蜜多經卷第四

百九十九，五十。”上有經名號。
8　8～9世紀。吐蕃統治時期寫本。
9.1　楷書。
11　圖版：《敦煌寶藏》，77/41A～B。

1.1　BD02453號
1.3　妙法蓮華經卷四
1.4　成053
1.5　105:5329
2.1　(2+693)×25.7厘米；15紙；共397行，行17字。
2.2　01：2+43，26；　02：46.7，27；　03：46.6，27；
04：46.6，27；　05：46.6，27；　06：46.6，27；
07：46.0，27；　08：46.1，27；　09：46.3，27；
10：46.7，27；　11：46.5，27；　12：46.3，27；
13：46.2，27；　14：46.5，27；　15：46.3，20。
2.3　卷軸裝。首殘尾全。首紙有殘洞及殘缺，卷面有等距離污漬，接縫處有開裂，卷尾有蟲繭。背有古代裱補。
3.1　首1行下殘→大正262，9/31B23～24。
3.2　尾全→9/37A2。
4.2　妙法蓮經卷第四（尾）。
8　9～10世紀。歸義軍時期寫本。
9.1　楷書。
11　圖版：《敦煌寶藏》，91/21B～31B。

1.1　BD02454號
1.3　妙法蓮華經卷三
1.4　成054
1.5　105:5021
2.1　(1.6+588.3+3.1)×26厘米；14紙；共351行，行16～18字。
2.2　01：1.6+42.7，26；　02：45.7，27；　03：45.8，27；
04：45.7，27；　05：45.3，27；　06：44.8，26；
07：44.3，26；　08：44.1，26；　09：43.7，26；
10：43.6，26；　11：43.7，26；　12：43.9，26；
13：43.6，26；　14：11.4+3.1，09。
2.3　卷軸裝。首尾均殘。上下邊有破裂。有烏絲欄。
3.1　首行上殘→大正262，9/19C18。
3.2　尾2行中下殘→9/25A5～6。
7.3　第7紙下有雜寫2字“郭”、“師”。
8　8～9世紀。吐蕃統治時期寫本。
9.1　楷書。
11　圖版：《敦煌寶藏》，88/203A～211B。

1.1　BD02455號
1.3　佛名經（十六卷本）卷一
1.4　成055
1.5　061:0523
2.1　(4+150.5+2)×25.5厘米；4紙；共90行，行15字。
2.2　01：4+5.0，05；　02：56.3，31；　03：49.0，30；
04：40+2，24。
2.3　卷軸裝。首斷尾殘。首紙上部破裂，第2紙上下斷開，上下邊有破裂。上下有界欄。
3.1　首殘→《七寺古逸經典研究叢書》，3/12頁第79行。
3.2　尾殘→《七寺古逸經典研究叢書》，3/19頁第177行。
5　本件錯簡，正確應爲（3～4）→（1～2），亦即（37行～89行）→（1行→36行），本遺書的首尾自行相綴。
8　7～8世紀。唐寫本。
9.1　楷書。
9.2　有硃筆行間加行。有硃筆校改、塗抹。上邊有硃筆“◇行”2字。
11　圖版：《敦煌寶藏》，59/545A～547A。

1.1　BD02456號1
1.3　無量壽宗要經
1.4　成056
1.5　275:7753
2.1　(182.5+1.5)×31厘米；5紙；共116行，行30餘字。
2.2　01：45.0，31；　02：44.0，32；　03：44.0，32；
04：44.0，17；　05：5.5+1.5，04。
2.3　卷軸裝。首全尾殘。上下邊有殘破，卷面有殘洞。有烏絲欄。
2.4　本遺書包括2個文獻：（一）《無量壽宗要經》，112行，今編為BD02456號1。（二）《無量壽宗要經》，4行，今編為BD02456號2。
3.1　首全→大正936，19/82A3。
3.2　尾全→19/84C29。
4.1　大乘無量壽經（首）
4.2　佛說無量壽宗要經（尾）。
7.1　第4紙末有題記“令狐晏兒寫”。
8　8～9世紀。吐蕃統治時期寫本。
9.1　楷書。
11　圖版：《敦煌寶藏》，107/513B～515B。

1.1　BD02456號2
1.3　無量壽宗要經
1.4　成056
1.5　275:7753
2.4　本遺書由2個文獻組成，本號為第2個，4行。餘參見BD02456號1之第2項、第11項。
3.1　首全→大正936，19/82A3。
3.2　尾2行中下殘→19/82A8～9。
4.1　大乘無量壽經（首）。
8　8～9世紀。吐蕃統治時期寫本。
9.1　楷書。

1.1　BD02457 號
1.3　妙法蓮華經（二卷本）卷下
1.4　成 057
1.5　105:5397
2.1　755.9×26.7 厘米；19 紙；共 542 行，行 24～27 字。
2.2　01：22.0，護首；　02：39.2，29；　03：40.8，31；
04：40.9，30；　05：40.8，30；　06：40.8，30；
07：40.8，30；　08：41.0，31；　09：41.0，31；
10：41.0，30；　11：41.0，30；　12：40.8，30；
13：40.8，30；　14：40.8，30；　15：40.8，30；
16：41.0，30；　17：40.8，30；　18：40.8，30；
19：40.8，30。
2.3　卷軸裝。首全尾脱。有護首，有芨芨草天竿，天竿下殘，有經名及經名號。第 2 紙有殘洞，接縫處多有開裂，卷中油污嚴重，紙張變色。有烏絲欄。
3.1　首全→大正 262，9/34B23。
3.2　尾殘→9/46B9。
4.1　妙法蓮華經提婆達多品第十二（首）。
5　與《大正藏》本對照，分卷不同，相當於卷四提婆達多品第十二全文至卷五分別功德品第十七後部分，本應屬於八卷本卷五。但從護首及抄經形態看，這部小字《法華經》實際分爲上下兩卷，上卷相當於八卷本的卷一到卷四，下卷相當於八卷本的卷五到卷八。故此將本遺書定為二卷本卷下。
7.4　護首有勘記經名、卷次："妙法蓮華經一部，卷下。"上有經名號。
8　8～9 世紀。吐蕃統治時期寫本。
9.1　楷書。
9.2　有硃筆塗抹、行間校加字。有刮改。有墨筆行間校加字。
11　圖版：《敦煌寶藏》，91/280B～291B。

1.1　BD02458 號
1.3　大般若波羅蜜多經卷二三五
1.4　成 058
1.5　084:2609
2.1　（22＋90）×25 厘米；3 紙；共 54 行，行 17 字。
2.2　01：22.0，護首；　02：43.0，26；　03：47.0，28。
2.3　卷軸裝。首全尾脱。有護首，護首殘缺，有竹製天竿，有經名及經名號。第 2 紙有殘洞，下邊殘破；第 3 紙與第 2 紙紙質字迹不同。有烏絲欄。已修整。
3.1　首全→大正 220，6/183A2。
3.2　尾殘→6/183B29。
4.2　大般若波羅蜜多經卷第二百卌五，/初分難信解品第卌四之五十四，三藏法師玄奘奉詔譯/（尾）。
7.4　護首有經名、卷次："大□…□羅蜜多經卷第二百卌五。"上有經名號。
8　8～9 世紀。吐蕃統治時期寫本。
9.1　楷書。
9.2　有刮改。
11　圖版：《敦煌寶藏》，74/216B～217B。

1.1　BD02459 號
1.3　大般若波羅蜜多經卷三九四
1.4　成 059
1.5　084:3056
2.1　（3＋43）×25.3 厘米；1 紙；共 26 行，行 17 字。
2.3　卷軸裝。首全尾脱。上下略殘。有烏絲欄。
3.1　首行上殘→大正 220，6/1036C9。
3.2　尾殘→6/1037A8。
4.1　大般若波羅蜜多經卷第三百九十四，/初分嚴淨佛土品第七十二之二，三藏法師玄奘奉詔譯/（首）。
8　8～9 世紀。吐蕃統治時期寫本。
9.1　楷書。
11　圖版：《敦煌寶藏》，76/251B。

1.1　BD02460 號
1.3　佛名經（十六卷本）卷一二
1.4　成 060
1.5　063:0737
2.1　（2.5＋288.6）×31.5 厘米；6 紙；共 125 行，行 19 字。
2.2　01：2.5＋44.5，20；　02：48.8，21；　03：49.0，21；
04：49.0，21；　05：48.8，21；　06：48.5，21。
2.3　卷軸裝。首殘尾脱。首紙上邊有等距離殘缺，卷面有殘洞。有烏絲欄。
3.1　首 1 行上下殘→《七寺古逸經典研究叢書》，3/596 頁第 141 行。
3.2　尾殘→《七寺古逸經典研究叢書》，3/605 頁第 255 行。
8　9～10 世紀。歸義軍時期寫本。
9.1　楷書。
11　圖版：《敦煌寶藏》，62/1A～4A。

1.1　BD02461 號
1.3　大般若波羅蜜多經（兑廢稿）卷二一五
1.4　成 061
1.5　084:2552
2.1　44.2×26.6 厘米；1 紙；共 24 行，行 17 字。
2.3　卷軸裝。首全尾脱。卷面上下邊殘破，有殘洞。尾有餘空。有烏絲欄。
3.1　首全→大正 220，6/76A2。
3.2　尾殘→6/76A29。
4.1　大般若波羅蜜多經卷第二百一十五，/初分難信解品第卌四之卅四，三藏法師玄奘奉詔譯/（首）。
7.1　卷背有勘記"廿九袟"。
8　8～9 世紀。吐蕃統治時期寫本。
9.1　楷書。

11　圖版：《敦煌寶藏》，74/55B。

1.1　BD02462 號
1.3　妙法蓮華經（八卷本）卷五
1.4　成 062
1.5　105:5427
2.1　(1.1 +709.7) ×25.5 厘米；18 紙；共 392 行，行 17 字。
2.2　01：1.1 +1.9，2；　02：42.8，24；　03：42.8，24；
04：42.8，24；　05：43.1，24；　06：42.8，24；
07：43.2，24；　08：43.1，24；　09：42.8，24；
10：42.8，24；　11：43.2，24；　12：43.2，24；
13：42.8，24；　14：43.0，24；　15：42.8，24；
16：42.8，24；　17：42.8，24；　18：21.0，06。
2.3　卷軸裝。首殘尾全。有烏絲欄。
3.1　首行殘→大正 262，9/36B5。
3.2　尾全→9/42A28。
4.2　妙法蓮華經卷第五（尾）。
5　與《大正藏》本對照，分卷不同，相當於卷四勸持品第十三中部開始至卷五從地踴出品第十五全部。為八卷本。
8　8 世紀。唐寫本。
9.1　楷書。
11　圖版：《敦煌寶藏》，91/448A ~457B。

1.1　BD02463 號
1.3　妙法蓮華經度量天地品
1.4　成 063
1.5　409:8562
2.1　(2.3 +394.9) ×25.6 厘米；11 紙；共 226 行，行 17 字。
2.2　01：2.3 +5.6，04；　02：42.0，24；　03：42.1，24；
04：42.2，24；　05：42.2，24；　06：42.0，24；
07：42.3，24；　08：42.1，24；　09：42.0，24；
10：42.2，24；　11：10.2，06。
2.3　卷軸裝。首殘尾脱。經黄紙。卷面有水漬，上下邊殘破。有烏絲欄。
3.4　説明：
本文獻首尾均殘。為中國人抄輯衆經所撰。未為我國歷代大藏經所收。日本《大正藏》根據敦煌遺書殘卷收入第八十五卷。本號經文首部與《大正藏》本尾行重合。
8　7 ~8 世紀。唐寫本。
9.1　楷書。
11　圖版：《敦煌寶藏》，11/581B ~587A。

1.1　BD02464 號
1.3　金剛般若波羅蜜經
1.4　成 064
1.5　094:3618
2.1　(2.5 +462.1) ×25 厘米；11 紙；共 296 行，行 17 字。
2.2　01：2.5 +47，33；　02：43.0，29；　03：42.1，29；
04：42.1，29；　05：41.0，29；　06：44.2，28；
07：45.0，28；　08：45.5，28；　09：44.5，28；
10：43.3，27；　11：24.4，08。
2.3　卷軸裝。首殘尾全。接縫處有開裂，卷中有破裂。前 5 紙係歸義軍時期後補。有燕尾。背有多處古代裱補。有烏絲欄。
3.1　首 2 行上殘→大正 235，8/749A8 ~9。
3.2　尾全→8/752C3。
4.2　金剛般若波羅蜜經（尾）。
8　7 ~8 世紀。唐寫本。
9.1　楷書。
11　圖版：《敦煌寶藏》，79/172A ~178A。

1.1　BD02465 號
1.3　金剛般若波羅蜜經（菩提留支本　三十二分本）
1.4　成 065
1.5　095:4428
2.1　(9.2 +214.4 +6.3) ×25.3 厘米；6 紙；共 133 行，行 17 字。
2.2　01：9.2 +22，17；　02：45.6，27；　03：46.0，27；
04：46.0，27；　05：46.0，27；　06：8.8 +6.3，08。
2.3　卷軸裝。首尾均殘。經黄紙。首尾破損嚴重。有烏絲欄。
3.1　首 3 行上殘→大正 236a，8/752C19 ~21。
3.2　尾 3 行上殘→8/754A28 ~ B2。
8　7 ~8 世紀。唐寫本。
9.1　楷書。
11　圖版：《敦煌寶藏》，83/175A ~177B。

1.1　BD02466 號
1.3　大般若波羅蜜多經卷一八
1.4　成 066
1.5　084:2054
2.1　(12.5 +674.6) ×26 厘米；15 紙；共 400 行，行 17 字。
2.2　01：12.5 +36，28；　02：48.4，28；　03：48.0，28；
04：48.0，28；　05：48.1，28；　06：47.3，28；
07：47.5，28；　08：47.5，28；　09：47.5，28；
10：47.6，28；　11：47.7，28；　12：47.8，28；
13：47.6，28；　14：47.6，28；　15：18.0，08。
2.3　卷軸裝。首脱尾全。首紙後下殘缺，卷面有殘洞及破裂，接縫處有開裂。背有古代裱補。有烏絲欄。已修整。
3.1　首 7 行中下殘→大正 220，5/97C2 ~8。
3.2　尾全→5/102A20。
4.2　大般若波羅蜜多經卷第十八（尾）。
7.1　卷背有勘記、寺院題名“二（本文獻所屬袟次），界（敦煌三界寺簡稱）”。
8　8 ~9 世紀。吐蕃統治時期寫本。
9.1　楷書。

11　圖版:《敦煌寶藏》, 71/498B ~ 507A。

1.1　BD02467 號
1.3　無量壽宗要經
1.4　成 067
1.5　275: 7996
2.1　171.5 ×31.5 厘米; 4 紙; 共 114 行, 行 30 餘字。
2.2　01: 43.0, 30;　02: 43.0, 30;　03: 43.0, 30;
　04: 42.5, 24。
2.3　卷軸裝。首脱尾全。首紙有横向破裂, 上下邊破裂殘缺。背有古代裱補。有烏絲欄。
3.1　首殘→大正 936, 19/82B27。
3.2　尾全→19/84C29。
4.2　佛說無量壽宗要經（尾）。
7.1　卷尾有題名"張貞"。
8　8 ~ 9 世紀。吐蕃統治時期寫本。
9.1　行楷。
9.2　有倒乙, 有刮改。
11　圖版:《敦煌寶藏》, 108/475B ~ 477B。

1.1　BD02468 號
1.3　無量壽宗要經
1.4　成 068
1.5　275: 7754
2.1　184 ×31.5 厘米; 4 紙; 共 119 行, 行 30 餘字。
2.2　01: 46.0, 32;　02: 46.0, 32;　03: 46.0, 32;
　04: 46.0, 23。
2.3　卷軸裝。首尾均全。首紙上下邊有殘破。背有古代裱補。有烏絲欄。
3.1　首全→大正 936, 19/82A3。
3.2　尾全→19/84C29。
4.1　大乘無量壽經（首）
4.2　佛說無量壽宗要經（尾）。
7.1　卷末有題名"張興國"。
8　8 ~ 9 世紀。吐蕃統治時期寫本。
9.1　楷書。
9.2　有刮改。有行間校加字。
11　圖版:《敦煌寶藏》, 107/516A ~ 518A。

1.1　BD02469 號
1.3　大般若波羅蜜多經卷二五〇
1.4　成 069
1.5　084: 2657
2.1　(8.5 + 86.2 + 1.8) × 25.7 厘米; 2 紙; 共 56 行, 行 17 字。
2.2　01: 8.5 + 39.7, 28;　02: 46.5 + 1.8, 28。
2.3　卷軸裝。首尾均殘。首紙上邊殘缺、有破裂。有烏絲欄。已修整。
3.1　首 5 行下殘→大正 220, 6/263A3 ~ 8。
3.2　尾行中殘→6/263C1 ~ 2。
6.1　首→BD03980 號。
8　8 ~ 9 世紀。吐蕃統治時期寫本。
9.1　楷書。
11　圖版:《敦煌寶藏》, 74/368B ~ 369B。

1.1　BD02470 號
1.3　大般涅槃經（北本）卷二二
1.4　成 070
1.5　412: 8572
2.1　(2.3 + 28.5 + 3.6) × 26.5 厘米; 1 紙; 共 20 行, 行 17 字。
2.3　卷軸裝。首尾均殘。上邊下邊殘破。有烏絲欄。
3.1　首行上殘→大正 374, 12/495B19。
3.2　尾 2 行下殘→12/495C8 ~ 9。
8　5 ~ 6 世紀。南北朝寫本。
9.1　隸書。
9.2　有倒乙。有行間校加字。
11　圖版:《敦煌寶藏》, 110/608A。

1.1　BD02471 號
1.3　維摩詰所說經卷上
1.4　成 071
1.5　070: 1039
2.1　(149 + 4) × 25.5 厘米; 4 紙; 共 88 行, 行 17 字。
2.2　01: 48.0, 28;　02: 47.5, 28;　03: 47.5, 28;
　04: 6 + 4, 04。
2.3　卷軸裝。首脱尾全。經黄紙。尾紙脱落、殘破。背有古代裱補。有烏絲欄。
3.1　首殘→大正 475, 14/543A12。
3.2　尾行殘→14/544A19。
4.2　維摩詰經卷□（尾）。
8　7 ~ 8 世紀。唐寫本。
9.1　楷書。
11　圖版:《敦煌寶藏》, 64/440B ~ 442B。

1.1　BD02472 號
1.3　佛名經（十六卷本）卷六
1.4　成 072
1.5　063: 0654
2.1　1135 × 26.4 厘米; 27 紙; 共 658 行, 行 15 字。
2.2　01: 40.5, 24;　02: 42.5, 25;　03: 42.5, 25;
　04: 42.5, 25;　05: 42.5, 25;　06: 42.5, 25;
　07: 42.5, 25;　08: 42.5, 25;　09: 42.8, 25;
　10: 42.8, 25;　11: 42.8, 25;　12: 42.8, 25;

13：42.5，25；　14：42.5，25；　15：42.8，25；
16：42.5，25；　17：42.5，25；　18：42.5，25；
19：42.8，25；　20：42.8，25；　21：42.0，25；
22：42.0，25；　23：41.8，23；　24：41.8，24；
25：41.8，24；　26：26.0，15；　27：49.5，23。
2.3 卷軸裝。首尾均全。第 1 至 3 紙上部有等距離殘洞，尾紙與前紙紙色、字迹不同。背有古代裱補。
3.1 首全→《七寺古逸經典研究叢書》，3/270 頁第 1 行。
3.2 尾殘→《七寺古逸經典研究叢書》，3/319 頁第 649 行。
4.1 佛說佛名經卷第六（首）。
4.2 佛說佛名經卷第六（尾）。
7.1 卷首背上部有勘記“□□□，第六”。卷尾背上部有勘記“第六”。
8 9～10 世紀。歸義軍時期寫本。
9.1 楷書。
11 本卷中原來夾卷 1 塊殘片，今編為 BD16405 號。
圖版：《敦煌寶藏》，61/7B～23A。

1.1 BD02473 號
1.3 妙法蓮華經卷七
1.4 成 073
1.5 105:6030
2.1 92.5×28 厘米；2 紙；共 56 行，行 17 字。
2.2 01：46.5，28；　02：46.0，28。
2.3 卷軸裝。首尾均脫。首紙有破裂。有烏絲欄。
3.1 首殘→大正 262，9/57A27。
3.2 尾殘→8/58A17。
8 8～9 世紀。吐蕃統治時期寫本。
9.1 楷書。
9.2 有刮改。
11 圖版：《敦煌寶藏》，96/353B～354B。

1.1 BD02474 號
1.3 維摩詰所說經卷下
1.4 成 074
1.5 070:1218
2.1 586×28.5 厘米；15 紙；共 358 行，行 22～23 字。
2.2 01：20.5，護首；　02：41.5，27；　03：44.0，28；
04：44.0，28；　05：43.5，28；　06：43.5，28；
07：43.5，28；　08：43.5，28；　09：42.0，27；
10：43.5，27；　11：41.5，26；　12：43.0，27；
13：43.5，28；　14：43.5，27；　15：05.0，01。
2.3 卷軸裝。首尾均全。有護首，有蘆葦天竿，有經名。扉頁劃烏絲欄。上下邊有破裂。背有古代裱補。有烏絲欄。
3.1 首全→大正 475，14/552A5。
3.2 尾全→14/557B26。
4.1 香積品第十（首）.
4.2 維摩詰經卷下（尾）。
7.4 護首有經名與寺院題名：“維摩經卷下，界（敦煌三界寺簡稱）。”
8 8～9 世紀。吐蕃統治時期寫本。
9.1 楷書。
9.2 有行間校加字。
11 圖版：《敦煌寶藏》，66/57A～64B。

1.1 BD02475 號
1.3 無量壽宗要經
1.4 成 075
1.5 275:7997
2.1 （47＋133）×31.5 厘米；5 紙；共 117 行，行 30 餘字。
2.2 01：10.5，07；　02：36.5＋5.5，28；　03：42.5，29；
04：42.5，29；　05：42.5，24。
2.3 卷軸裝。首殘尾全。卷首殘破嚴重，有等距離殘洞。有烏絲欄。
3.1 首 28 行上下殘→大正 936，19/82B11～83A5。
3.2 尾全→19/84C29。
4.2 佛說無量壽宗要經（尾）。
7.1 尾紙有題名“鄧英”。
8 8～9 世紀。吐蕃統治時期寫本。
9.1 行楷。
9.2 有刮改。
11 圖版：《敦煌寶藏》，108/478A～480A。

1.1 BD02476 號
1.3 阿彌陀經
1.4 成 076
1.5 014:0149
2.1 （1.5＋120.5）×29 厘米；4 紙；共 61 行，行 18 字。
2.2 01：1.5＋12，07；　02：43.0，23；　03：43.5，24；
04：22.0，07。
2.3 卷軸裝。首殘尾脫。尾有餘空。有烏絲欄。已修整。
3.1 首 1 行上殘→大正 366，12/346C15。
3.2 尾殘→12/347C7。
8 8 世紀。唐寫本。
9.1 楷書。
11 圖版：《敦煌寶藏》，56/653A～654B。

1.1 BD02477 號
1.3 無量壽宗要經
1.4 成 077
1.5 275:7755
2.1 （9.5＋151.5）×29 厘米；4 紙；共 110 行，行 30 餘字。
2.2 01：9.5＋35.5，30；　02：43.0，30；　03：43.0，30；
04：30.0，20。

2.3 卷軸裝。首尾均全。卷首右下殘缺，卷面有殘破。有烏絲欄。
3.1 首5行下殘→大正936，19/82A3～14。
3.2 尾全→19/84C29。
4.1 大乘無量壽經（首）。
4.2 佛說無量壽經（尾）。
8 8～9世紀。吐蕃統治時期寫本。
9.1 楷書。
11 圖版：《敦煌寶藏》，107/518B～520A。

1.1 BD02478號
1.3 金光明最勝王經卷二
1.4 成078
1.5 083:1527
2.1 289.3×27.3厘米；7紙；共176行，行17字。
2.2 01：35.5，22； 02：46.0，28； 03：46.0，28；
04：46.3，28； 05：46.5，28； 06：46.0，28；
07：23.0，14。
2.3 卷軸裝。首尾均殘，卷面多處破裂。背有古代裱補。有烏絲欄。
3.1 首殘→大正665，16/410B15。
3.2 尾殘→16/413A4。
8 8～9世紀。吐蕃統治時期寫本。
9.1 楷書。
9.2 有刮改。
11 圖版：《敦煌寶藏》，68/323B～327A。

1.1 BD02479號
1.3 妙法蓮華經卷二
1.4 成079
1.5 105:4777
2.1 （5+573.1）×25.6厘米；15紙；共329行，行17字。
2.2 01：5+2.2，04； 02：43.4，25； 03：43.4，25；
04：43.4，25； 05：43.3，25； 06：43.5，25；
07：43.5，25； 08：43.5，25； 09：43.3，25；
10：43.3，25； 11：43.3，25； 12：43.4，25；
13：43.4，25； 14：43.6，25； 15：06.6，拖尾。
2.3 卷軸裝。首殘尾全。第2紙有殘洞，尾紙末端有殘損。有燕尾。有烏絲欄。
3.1 首3行下殘→大正262，9/14B14～18。
3.2 尾全→9/19A12。
4.2 妙法蓮華經卷第二（尾）。
8 7～8世紀。唐寫本。
9.1 楷書。
9.2 有刮改。
11 圖版：《敦煌寶藏》，86/523A～530B。

1.1 BD02480號
1.3 金剛般若波羅蜜經
1.4 成080
1.5 094:4235
2.1 （15+130.2）×24.5厘米；4紙；共91行，行17字。
2.2 01：13.0，08； 02：2+42.6，28； 03：44.6，28；
04：43.0，27。
2.3 卷軸裝。首殘尾脫。經黄紙。卷首殘破嚴重，有碎片脫落，卷面多横裂。有烏絲欄。
3.1 首9行下殘→大正235，8/751A10～19。
3.2 尾殘→8/752A27。
8 7～8世紀。唐寫本。
9.1 楷書。
11 圖版：《敦煌寶藏》，82/469B～471A。

1.1 BD02481號
1.3 摩訶僧祇律卷五
1.4 成081
1.5 171:7075
2.1 （2+35）×26厘米；1紙；共22行，行22字。
2.3 卷軸裝。首殘尾脫。卷面略殘。有烏絲欄。
3.1 首1行下殘→大正1425，22/266B21。
3.2 尾殘→22/266C19。
6.1 首→BD07649號。
8 5～6世紀。南北朝寫本。
9.1 隸書。
9.2 有倒乙。
11 圖版：《敦煌寶藏》，104/90A。

1.1 BD02482號
1.3 佛名經（十二卷本　偽造）卷九
1.4 成082
1.5 062:0589
3.4 說明：
該卷已炭化焦脆，難以展開。係被後人偷梁換柱之偽卷。
11 圖版：《敦煌寶藏》，60/182A。

1.1 BD02483號
1.3 大般涅槃經（北本）卷四〇
1.4 成083
1.5 115:6528
2.1 （2+53+8）×25厘米；3紙；共40行，行17字。
2.2 01：02.0，01； 02：36.0，23； 03：17+8，16。
2.3 卷軸裝。首尾均殘。有烏絲欄。有劃界欄針孔。
3.1 首1行下殘→大正374，12/598C7～8。
3.2 尾5行下殘→12/599A17～20。
8 5～6世紀。南北朝寫本。

9.1　楷書。
9.2　有行間校加字。有倒乙。
11　圖版:《敦煌寶藏》,100/147B ~ 148A。

1.1　BD02484 號
1.3　妙法蓮華經（八卷本）卷七
1.4　成 084
1.5　105:5808
2.1　47.5 ×27.5 厘米；1 紙；共 27 行，行 17 字。
2.3　卷軸裝。首脫尾殘。卷面殘破。尾有餘空。有烏絲欄。
3.1　首全→大正 262，9/50B23。
3.2　尾殘→9/50C21。
4.1　妙法蓮華經常不輕菩薩品第二十，七（首）。
5　與《大正藏》本相比，分卷不同。為八卷本。
8　9 ~ 10 世紀。歸義軍時期寫本。
9.1　楷書。
11　圖版:《敦煌寶藏》,95/213B ~ 214A。

1.1　BD02485 號
1.3　金光明最勝王經卷八
1.4　成 085
1.5　083:1875
2.1　48.2 ×27.4 厘米；1 紙；共 24 行，行 17 字。
2.3　卷軸裝。首尾均脫。卷面有殘洞，背有鳥糞。尾有餘空。有烏絲欄。
3.1　首殘→大正 665，16/438C12。
3.2　尾缺→16/439A11。
8　8 ~ 9 世紀。吐蕃統治時期寫本。
9.1　楷書。
11　圖版:《敦煌寶藏》,70/462B ~ 463A。

1.1　BD02486 號
1.3　金剛般若波羅蜜經
1.4　成 086
1.5　094:4263
2.1　(6.5 +213.2) ×25 厘米；5 紙；共 114 行，行 17 字。
2.2　01：6.5 +32，22；　02：46.4，26；　03：46.4，26；
　　04：46.4，26；　05：42.0，14。
2.3　卷軸裝。首殘尾全。前 2 紙接縫處下部有破裂。有燕尾。有烏絲欄。
3.1　首 2 行上下殘→大正 235，8/751A22 ~ 23。
3.2　尾全→8/752C3。
4.2　金剛般若波羅蜜經（尾）。
8　9 ~ 10 世紀。歸義軍時期寫本。
9.1　楷書。
11　圖版:《敦煌寶藏》,82/538B ~ 541A。

1.1　BD02487 號
1.3　妙法蓮華經卷五
1.4　成 087
1.5　105:5620
2.1　(3 +21 +3.6) ×26 厘米；1 紙；共 18 行，行 17 字。
2.3　卷軸裝。首尾均殘。有烏絲欄。
3.1　首 2 行上殘→大正 262，9/43A1 ~ 2。
3.2　尾 2 行下殘→9/43A19 ~ 20。
8　7 ~ 8 世紀。唐寫本。
9.1　楷書。
11　圖版:《敦煌寶藏》,93/389B。

1.1　BD02488 號
1.3　阿彌陀經
1.4　成 088
1.5　014:0191
2.1　58.3 ×27.3 厘米；2 紙；共 29 行，行 17 字。
2.2　01：48.5，28；　02：09.8，01。
2.3　卷軸裝。首脫尾全。尾紙破損。已修整。
3.1　首殘→大正 366，12/347C16。
3.2　尾全→12/348A29。
4.2　阿彌陀經（尾）。
8　9 ~ 10 世紀。歸義軍時期寫本。
9.1　楷書。
11　圖版:《敦煌寶藏》,57/84B ~ 85A。

1.1　BD02489 號
1.3　大般涅槃經（北本　異卷）卷三七
1.4　成 089
1.5　115:6511
2.1　264.4 ×25.1 厘米；6 紙；共 150 行，行 17 字。
2.2　01：52.5，31；　02：52.0，31；　03：52.2，30；
　　04：52.2，30；　05：52.0，28；　06：03.5，拖尾。
2.3　卷軸裝。首殘尾全。卷面有殘洞，上、下邊有破裂。背有古代裱補。有烏絲欄。
3.1　首殘→大正 374，12/585A10。
3.2　尾脫→12/586C24。
4.2　大般涅槃經卷第卅七（尾）。
5　與《大正藏》本對照，分卷不同。經文相當於《大正藏》卷三十七迦葉菩薩品第十二之五至卷三十八迦葉菩薩品第十二之六。與歷代諸藏分卷均不同。
8　5 ~ 6 世紀。南北朝寫本。
9.1　隸楷。
9.2　有重文號。
11　圖版:《敦煌寶藏》,100/40B ~ 44A。

1.1　BD02490 號

1.3　金光明最勝王經卷八
1.4　成090
1.5　083:1897
2.1　104.7×27厘米；3紙；共60行，行17字。
2.2　01：32.0，20；　02：45.0，29；　03：27.7，11。
2.3　卷軸裝。首殘尾全。上邊有破裂，下邊殘破嚴重，第2紙斷爲兩截。有燕尾。有烏絲欄。
3.1　首殘→大正665，16/442C8。
3.2　尾全→16/444A9。
4.2　金光明最勝王經卷第八（尾）。
8　8～9世紀。吐蕃統治時期寫本。
9.1　楷書。
11　圖版：《敦煌寶藏》，70/509A～510A。

1.1　BD02491號
1.3　大方廣佛華嚴經（晉譯五十卷本）卷四四
1.4　成091
1.5　375:8472
2.1　（1.2+31.7+2）×25.8厘米；2紙；共23行，行17字。
2.2　01：01.2，01；　02：31.7+2，22。
2.3　卷軸裝。首尾均殘。有烏絲欄。有劃界欄針孔。
3.1　首行上下殘→大正278，9/677A14。
3.2　尾行上殘→9/677B7～8。
8　5～6世紀。南北朝寫本。
9.1　隸書。
9.2　有行間校加字。
11　圖版：《敦煌寶藏》，110/430B。

1.1　BD02492號
1.3　大般涅槃經（北本）卷二五
1.4　成092
1.5　115:6454
2.1　（10+31.5）×26.5厘米；2紙；共33行，行17字。
2.2　01：10+8.5，16；　02：23.0，17。
2.3　卷軸裝。首尾均殘。首紙下部殘缺，尾紙有殘洞。有烏絲欄。有劃界欄針孔。
3.1　首5行下殘→大正374，12/512A6～11。
3.2　尾殘→12/512B7。
8　5～6世紀。南北朝寫本。
9.1　隸書。
11　圖版：《敦煌寶藏》，99/291B～292A。

1.1　BD02493號
1.3　無量壽宗要經
1.4　成093
1.5　275:7756
2.1　215×31.5厘米；5紙；共140行，行30餘字。
2.2　01：43.0，29；　02：43.0，30；　03：43.0，30；
　　04：43.0，30；　05：43.0，21。
2.3　卷軸裝。首尾均全。首紙上邊有破裂，尾紙有殘洞。有烏絲欄。
3.1　首全→大正936，19/82A3。
3.2　尾全→19/84C29。
4.1　大乘無量壽經（首）。
4.2　佛說無量壽宗要經（尾）。
8　8～9世紀。吐蕃統治時期寫本。
9.1　楷書。
11　圖版：《敦煌寶藏》，107/520B～523A。

1.1　BD02494號
1.3　大乘稻竿經
1.4　成094
1.5　058:0465
2.1　（8+246.8）×28.5厘米；7紙；共164行，行25字。
2.2　01：8+11.8，14；　02：39.2，26；　03：39.3，26；
　　04：39.3，26；　05：39.5，26；　06：38.7，26；
　　07：39.0，20。
2.3　卷軸裝。首殘尾全。前3紙均已脫開。背有古代裱補。有烏絲欄。
3.1　首6行下殘→16/823C6～14。
3.2　尾全→16/826A27。
4.2　佛說大乘稻芉經一卷（尾）。
8　8～9世紀。吐蕃統治時期寫本。
9.1　楷書。
9.2　有倒乙。有行間校加字。
11　圖版：《敦煌寶藏》，59/269A～272B。

1.1　BD02495號
1.3　大般涅槃經（北本　思溪藏本）卷一三
1.4　成095
1.5　115:6349
2.1　（3.5+523.8）×27.2厘米；10紙；共283行，行17字。
2.2　01：3.5+4，04；　02：57.5，31；　03：57.5，31；
　　04：58.0，31；　05：58.0，31；　06：58.0，31；
　　07：58.0，31；　08：57.5，31；　09：57.8，31；
　　10：57.5，31。
2.3　卷軸裝。首殘尾脫。首紙有破裂，前2紙上邊下邊有殘損，卷面多水漬。有烏絲欄。
3.1　首2行上殘→大正374，12/439C5。
3.2　尾殘→12/443A12。
5　與《大正藏》本對照，分卷不同。內容相當於《大正藏》本此經的第十二卷聖行品第七之二的後部及第十三卷聖行品第七之三的大部分；按《大正藏》校記，內容相當於《思溪藏》、《普寧藏》、《嘉興藏》之《大般涅槃經》卷第十三。

8　9～10世紀。歸義軍時期寫本。
9.1　楷書。
11　圖版：《敦煌寶藏》，98/350A～356B。

1.1　BD02496號
1.3　盂蘭盆經講經文（擬）
1.4　成096
1.5　364:8444
2.1　133.5×30.5厘米；4紙；正面65行，行20字左右。背面20行，行字不等。
2.2　01：41.5，19；　02：42.0，22；　03：41.5，21；
04：08.5，03。
2.3　卷軸裝。首尾均全。第1、3紙有破裂。
2.4　本遺書包括2個文獻：(一)《盂蘭盆經講經文》（擬），65行，今編為BD02496號。(二)《儭司唱儭得布支給歷》（擬），20行，抄寫在背面，今編為BD02496號背。
3.1　首殘→《敦煌變文集》，下/第756頁第2行。
3.2　尾殘→《敦煌變文集》，下/第759頁第15行。
8　9～10世紀。歸義軍時期寫本。
9.2　有行間校加字。有刪除號。有重文號。
9.1　行楷。
11　圖版：《敦煌寶藏》，110/334B～338A。

1.1　BD02496號背
1.3　儭司唱儭得布支給歷（擬）
1.4　成096
1.5　364:8444
2.4　本遺書由2個文獻組成，本號為第2個，抄寫在背面，20行。餘參見BD02496號之第2項、第11項。
3.3　錄文：

法律德榮唱紫羅鞋兩，得布伍佰捌拾尺。支本分一百五十尺。支/
乘延定真一百五十尺。支乘政會一百五十尺。支圖福/
盈一百五十尺。餘二十尺。/
（中空）
法律保宣舊肆阡捌佰玖拾尺。/
（中空）
僧政願清唱緋綿綾被得布壹仟伍佰貳拾尺，舊儭壹仟尺。/
支圖海朗一百五十尺，支圖願護一百五十尺。支智全一百/
五十尺。支智榮一百五十尺。支圖福盛一百五十尺。<支>/
支圖應求一百五十尺。支圖願德一百五十尺。支圖法興/
一百五十尺。支圖大應一百五十尺。支圖應祥一百五/
十尺。支圖應慶一百五十尺。支圖大進一百五十尺。/
支圖大願一百五十尺。支圖談濟一百五十尺。支圖廣/
進一百五十尺。/
（中空）
金剛唱扇得布伍拾伍尺。支本分壹百五十尺。餘九十五尺。/
（中空）
道成唱白綾襪得布壹佰柒拾尺。支本分一百五十尺。支普/
願法一百五十尺。餘一百三十尺。/
（中空）
道明舊儭叁佰玖拾尺。/
法律道英唱白綾襪得布參佰尺，又唱黃盡（錦）帳子得布伍佰尺。/
支圖道明一百五十尺。支本分一百五十尺。支圖祥定一百五十/
尺。支圖談宣一百五十尺。支圖談惠一百五十尺。支圖戒/
云一百五十尺。支雲賢惠一百五十尺。支云祥通一百五/
（下缺）
（錄文完）

8　10世紀。歸義軍時期寫本。
9.1　行楷。

1.1　BD02497號
1.3　妙法蓮華經卷三
1.4　成097
1.5　105:5197
2.1　(9.2+187.1)×25.7厘米；5紙；共107行，行17字。
2.2　01：9.2+28，21；　02：49.4，28；　03：49.3，28；
04：49.4，28；　05：11.0，02。
2.3　卷軸裝。首殘尾全。經黃打紙。首紙上邊有殘損，尾紙末端有破裂殘損，卷尾有水漬。有燕尾。有烏絲欄。
3.1　首5行上下殘→大正262，9/25B25～29。
3.2　尾全→9/27B9。
4.2　妙法蓮華經卷第三（尾）。
8　7～8世紀。唐寫本。
9.1　楷書。
11　圖版：《敦煌寶藏》，89/396B～399B。

1.1　BD02498號
1.3　菩薩總持法
1.4　成098
1.5　351:8413
2.1　(5+763)×27厘米；21紙；共358行，行20餘字。
2.2　01：5+30，16；　02：35.0，16；　03：34.5，16；
04：34.5，17；　05：35.0，17；　06：35.5，17；
07：35.5，17；　08：35.5，16；　09：35.5，17；
10：35.5，17；　11：36.0，17；　12：36.0，17；
13：36.0，17；　14：36.0，17；　15：36.0，17；
16：36.0，17；　17：36.0，17；　18：36.0，17；
19：42.5，20；　20：43.0，21；　21：43.0，15。
2.3　卷軸裝。首殘尾全。背有古代裱補。已修整。
3.1　首2行中下殘→《藏外佛教文獻》，3/第34頁第2行。

3.2　尾全→《藏外佛教文獻》，3/第 53 頁第 2 行。
8　9～10 世紀。歸義軍時期寫本。
9.1　行楷。
9.2　有行間校加字。
11　圖版：《敦煌寶藏》，110/234A～243B。

1.1　BD02499 號
1.3　大般若波羅蜜多經卷三七六
1.4　成 099
1.5　084：3026
2.1　（19+166.9）×25.3 厘米；4 紙；共 110 行，行 17 字。
2.2　01：19+25，26；　02：47.3，28；　03：47.3，28；
04：47.3，28。
2.3　卷軸裝。首全尾脱。前半卷下部残缺严重。有烏絲欄。
3.1　首 11 行下殘→大正 220，6/940A2～15。
3.2　尾殘→6/941A26。
4.1　大般若波羅蜜多經卷第三百七十六，/初分無相無得品第六十六之四，三藏法師□…□/（首）。
8　8～9 世紀。吐蕃統治時期寫本。
9.1　楷書。
11　圖版：《敦煌寶藏》，76/124B～126B。

1.1　BD02500 號
1.3　維摩詰所說經卷上
1.4　成 100
1.5　070：1015
2.1　76×25 厘米；2 紙；共 44 行，行 17 字。
2.2　01：48.5，28；　02：27.5，16。
2.3　卷軸装。首脱尾斷。經黄紙。有烏絲欄。
3.1　首殘→大正 475，14/541B7。
3.2　尾殘→14/541C26。
8　7～8 世紀。唐寫本。
9.1　楷書。
11　圖版：《敦煌寶藏》，64/389B～390B。

新舊編號對照表

一、千字文號與北敦號、縮微膠卷號對照表

千字文號	北敦號	縮微膠卷號
成 001	BD02401 號	006：0091
成 002	BD02402 號	105：4955
成 003	BD02403 號	201：7211
成 004	BD02404 號	084：2569
成 005	BD02405 號	105：5876
成 006	BD02406 號	001：0165
成 007	BD02407 號	156：6839
成 008	BD02408 號	275：7991
成 009	BD02409 號	094：4304
成 010	BD02410 號	164：6994
成 011	BD02411 號	105：4559
成 012	BD02412 號	063：0735
成 013	BD02413 號 1	081：1363
成 013	BD02413 號 2	081：1363
成 014	BD02414 號	105：4967
成 015	BD02415 號	094：4134
成 016	BD02416 號	316：8355
成 017	BD02417 號	156：6859
成 018	BD02418 號	111：6234
成 019	BD02419 號	094：4419
成 020	BD02420 號	094：4137
成 021	BD02421 號	157：6968
成 022	BD02422 號	035：0326
成 023	BD02423 號	105：4602
成 024	BD02424 號	094：4325
成 025	BD02425 號	275：7752
成 026	BD02426 號	070：1301
成 027	BD02427 號	094：4240
成 028	BD02428 號	105：4959
成 029	BD02429 號	115：6297
成 030	BD02430 號	105：4911
成 031	BD02431 號	094：3699
成 031	BD02431 號背	094：3699
成 032	BD02432 號	094：3929
成 033	BD02433 號	094：3807
成 034	BD02434 號	105：4892
成 035	BD02435 號	250：7507
成 036	BD02436 號	084：3053
成 037	BD02437 號	094：3580
成 038	BD02438 號	094：4171
成 039	BD02439 號	275：7992
成 040	BD02440 號 1	275：7993
成 040	BD02440 號 2	275：7993
成 041	BD02441 號	084：2908
成 042	BD02442 號	275：7994
成 043	BD02443 號	084：2180
成 044	BD02444 號	084：2496
成 045	BD02445 號	275：7995
成 046	BD02446 號	237：7393
成 047	BD02447 號	094：4289
成 048	BD02448 號	084：2928
成 049	BD02449 號	062：0554
成 050	BD02450 號	083：1710
成 051	BD02451 號	083：1728
成 052	BD02452 號	084：3247
成 053	BD02453 號	105：5329
成 054	BD02454 號	105：5021
成 055	BD02455 號	061：0523
成 056	BD02456 號 1	275：7753
成 056	BD02456 號 2	275：7753
成 057	BD02457 號	105：5397
成 058	BD02458 號	084：2609
成 059	BD02459 號	084：3056
成 060	BD02460 號	063：0737
成 061	BD02461 號	084：2552
成 062	BD02462 號	105：5427
成 063	BD02463 號	409：8562
成 064	BD02464 號	094：3618

成 065	BD02465 號	095: 4428	成 084	BD02484 號	105: 5808
成 066	BD02466 號	084: 2054	成 085	BD02485 號	083: 1875
成 067	BD02467 號	275: 7996	成 086	BD02486 號	094: 4263
成 068	BD02468 號	275: 7754	成 087	BD02487 號	105: 5620
成 069	BD02469 號	084: 2657	成 088	BD02488 號	014: 0191
成 070	BD02470 號	412: 8572	成 089	BD02489 號	115: 6511
成 071	BD02471 號	070: 1039	成 090	BD02490 號	083: 1897
成 072	BD02472 號	063: 0654	成 091	BD02491 號	375: 8472
成 073	BD02473 號	105: 6030	成 092	BD02492 號	115: 6454
成 074	BD02474 號	070: 1218	成 093	BD02493 號	275: 7756
成 075	BD02475 號	275: 7997	成 094	BD02494 號	058: 0465
成 076	BD02476 號	014: 0149	成 095	BD02495 號	115: 6349
成 077	BD02477 號	275: 7755	成 096	BD02496 號	364: 8444
成 078	BD02478 號	083: 1527	成 096	BD02496 號背	364: 8444
成 079	BD02479 號	105: 4777	成 097	BD02497 號	105: 5197
成 080	BD02480 號	094: 4235	成 098	BD02498 號	351: 8413
成 081	BD02481 號	171: 7075	成 099	BD02499 號	084: 3026
成 082	BD02482 號	062: 0589	成 100	BD02500 號	070: 1015
成 083	BD02483 號	115: 6528			

二、縮微膠卷號與北敦號、千字文號對照表

縮微膠卷號	北敦號	千字文號	縮微膠卷號	北敦號	千字文號
001: 0165	BD02406 號	成 006	083: 1897	BD02490 號	成 090
006: 0091	BD02401 號	成 001	084: 2054	BD02466 號	成 066
014: 0149	BD02476 號	成 076	084: 2180	BD02443 號	成 043
014: 0191	BD02488 號	成 088	084: 2496	BD02444 號	成 044
035: 0326	BD02422 號	成 022	084: 2552	BD02461 號	成 061
058: 0465	BD02494 號	成 094	084: 2569	BD02404 號	成 004
061: 0523	BD02455 號	成 055	084: 2609	BD02458 號	成 058
062: 0554	BD02449 號	成 049	084: 2657	BD02469 號	成 069
062: 0589	BD02482 號	成 082	084: 2908	BD02441 號	成 041
063: 0654	BD02472 號	成 072	084: 2928	BD02448 號	成 048
063: 0735	BD02412 號	成 012	084: 3026	BD02499 號	成 099
063: 0737	BD02460 號	成 060	084: 3053	BD02436 號	成 036
070: 1015	BD02500 號	成 100	084: 3056	BD02459 號	成 059
070: 1039	BD02471 號	成 071	084: 3247	BD02452 號	成 052
070: 1218	BD02474 號	成 074	094: 3580	BD02437 號	成 037
070: 1301	BD02426 號	成 026	094: 3618	BD02464 號	成 064
081: 1363	BD02413 號 1	成 013	094: 3699	BD02431 號	成 031
081: 1363	BD02413 號 2	成 013	094: 3699	BD02431 號背	成 031
083: 1527	BD02478 號	成 078	094: 3807	BD02433 號	成 033
083: 1710	BD02450 號	成 050	094: 3929	BD02432 號	成 032
083: 1728	BD02451 號	成 051	094: 4134	BD02415 號	成 015
083: 1875	BD02485 號	成 085	094: 4137	BD02420 號	成 020

094：4171	BD02438 號	成 038
094：4235	BD02480 號	成 080
094：4240	BD02427 號	成 027
094：4263	BD02486 號	成 086
094：4289	BD02447 號	成 047
094：4304	BD02409 號	成 009
094：4325	BD02424 號	成 024
094：4419	BD02419 號	成 019
095：4428	BD02465 號	成 065
105：4559	BD02411 號	成 011
105：4602	BD02423 號	成 023
105：4777	BD02479 號	成 079
105：4892	BD02434 號	成 034
105：4911	BD02430 號	成 030
105：4955	BD02402 號	成 002
105：4959	BD02428 號	成 028
105：4967	BD02414 號	成 014
105：5021	BD02454 號	成 054
105：5197	BD02497 號	成 097
105：5329	BD02453 號	成 053
105：5397	BD02457 號	成 057
105：5427	BD02462 號	成 062
105：5620	BD02487 號	成 087
105：5808	BD02484 號	成 084
105：5876	BD02405 號	成 005
105：6030	BD02473 號	成 073
111：6234	BD02418 號	成 018
115：6297	BD02429 號	成 029
115：6349	BD02495 號	成 095
115：6454	BD02492 號	成 092
115：6511	BD02489 號	成 089
115：6528	BD02483 號	成 083
156：6839	BD02407 號	成 007
156：6859	BD02417 號	成 017
157：6968	BD02421 號	成 021
164：6994	BD02410 號	成 010
171：7075	BD02481 號	成 081
201：7211	BD02403 號	成 003
237：7393	BD02446 號	成 046
250：7507	BD02435 號	成 035
275：7752	BD02425 號	成 025
275：7753	BD02456 號 1	成 056
275：7753	BD02456 號 2	成 056
275：7754	BD02468 號	成 068
275：7755	BD02477 號	成 077
275：7756	BD02493 號	成 093
275：7991	BD02408 號	成 008
275：7992	BD02439 號	成 039
275：7993	BD02440 號 1	成 040
275：7993	BD02440 號 2	成 040
275：7994	BD02442 號	成 042
275：7995	BD02445 號	成 045
275：7996	BD02467 號	成 067
275：7997	BD02475 號	成 075
316：8355	BD02416 號	成 016
351：8413	BD02498 號	成 098
364：8444	BD02496 號	成 096
364：8444	BD02496 號背	成 096
375：8472	BD02491 號	成 091
409：8562	BD02463 號	成 063
412：8572	BD02470 號	成 070